Vorwort

Jahrelang abgeschottet durch den Eisernen Vorhang bietet das Baltikum gänzlich neue Reiseziele. Touristisch stecken die drei Republiken jedoch noch in den Kinderschuhen. Wer sich außerhalb der Touristenzentren bewegt, wird das unweigerlich merken: Er muß hier und da Abstriche machen und auf die eine oder andere Überraschung gefaßt sein. Doch macht auch gerade das den Reiz der baltischen Staaten aus.

Da die Veränderungen in Estland, Lettland, Litauen und insbesondere im Kaliningrader Gebiet rasant vonstatten gehen, bitte ich um Verständnis, wenn die eine oder andere Information bereits wieder überholt ist. Auf alle Fälle freue ich mich aber darüber, wenn Sie es mich wissen lassen.

Viel Spaß und gute Reise

Claudia Waberbach

Andreas Saalman
Gartenstr. 38
35606 Solms

Inhalt

BALTISCHE

LÄNDER

Andreas Saalman
Gartenstr. 38
35606 Solms

Text & Recherche   **Claudia Marenbach**

Lektorat	Jana Müller
Redaktion und Layout	Sabine Beyer
Fotos	Claudia Marenbach, Janavičiaus Iskevičiaus, Jaan Kaeval, Hilmar Uus
Titelfotos	Kai Ulrich Müller
Cover	Judit Ladik
Karten	Gábor Sztrecska Judit Ladik

Für die zahlreichen Informationen, nützlichen Tips und die große Hilfsbereitschaft herzlichen Dank an:

Nijolė Virtėnaitė, Touristenclub Vilnius, Helita Jegorowa, Inita Berga, Marğers Laiviņs, Katrin Tambur, Guido Leibur, Vladimir Fedorow, Genadij Smirnow, Christine Senf, Steffi Wunder, Janavičiaus Iskevičiaus, Jaan Kaeval, Hilmar Uus, Honorarkonsulat der Republik Lettland, Botschaft der Republik Litauen, Botschaft der Republik Estland und an viele andere

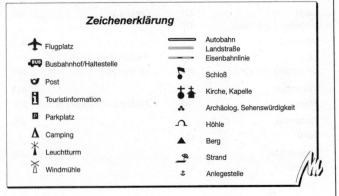

Zeichenerklärung

✈ Flugplatz

🚍 Busbahnhof/Haltestelle

📯 Post

ℹ️ Touristinformation

🅿 Parkplatz

Δ Camping

🗼 Leuchtturm

🎋 Windmühle

═══ Autobahn
═══ Landstraße
─── Eisenbahnlinie

♪ Schloß

♱♰ Kirche, Kapelle

⚘ Archäolog. Sehenswürdigkeit

∩ Höhle

▲ Berg

🏖 Strand

⚓ Anlegestelle

Herrliche Strände bietet das Baltikum

Anreise

Die Möglichkeiten, ins Baltikum zu gelangen, sind vielfältig. Die drei baltischen Hauptstädte werden mittlerweile regelmäßig von mehreren Airlines angeflogen. Darüber hinaus gibt es eine Reihe von interessanten Möglichkeiten, über den Seeweg einzureisen, sei es mit der Fähre, dem eigenen Schiff oder im Rahmen einer Kreuzfahrt. Zu guter Letzt sei schließlich auch noch der Landweg erwähnt, der mit Auto, Bus, Zug und Fahrrad zu bewältigen ist.

Seit Juni 1993 ist auch das Kaliningrader Gebiet mit dem Linienflugzeug zu erreichen und nicht mehr wie bislang nur über Chartermaschinen einiger Reiseveranstalter.

Folgende Angaben sollen einen umfassenden, detaillierten Überblick über die verschiedenen Anreisemöglichkeiten liefern, erheben aber keinen Anspruch auf Vollständigkeit.

Bei den genannten Preisen handelt es sich um die jeweils billigsten Tarife, die je nach Reisezeit und -datum variieren können. (Die angegebenen Abfahrtszeiten entsprechen dem Sommerfahrplan 1993.)

Mit dem Flugzeug

Mittlerweile bieten eine ganze Reihe von Airlines Direktflüge ins Baltikum an. Darüber hinaus gibt es auch noch Charterflüge, wie z.B. nach Palanga. Informationen darüber bei Schnieder-Reisen in Hamburg oder im Baltischen Reisebüro in München erfragen (Adresse siehe Reiseveranstalter)

Lufthansa

Tallinn, ab Frankfurt, 4x wöchentlich	ab	922 DM
Riga, ab Frankfurt, täglich	ab	959 DM
Vilnius, ab Frankfurt, wöchentlich	ab	969 DM

Passende Anschlußflüge nach Frankfurt von Hannover, Bremen, Kiel, Münster/Osnabrück, Leipzig/Halle, Dresden, Köln/Bonn, Düsseldorf, Nürnberg, Stuttgart, Friedrichshafen und München. Es erhalten zusätzlich **Ermäßigung**: 25 % Rabatt für Reisende unter 25 und Studenten bis einschl. 26 Jahren.

Estonian Air

Tallinn, ab Frankfurt, 4x wöchentlich	ab	820 DM
Tallinn, ab Amsterdam, 3x wöchentlich	ab	945 DM

Baltic International Airlines

(joint-venture zwischen einer texanischen Firma und Latvian Airlines)

Riga, ab Frankfurt, 5x wöchentlich	ab	928 DM
Riga, ab Hamburg, 2x wöchentlich	ab	877 DM

Ermäßigung: 25 % für Schüler und Studenten bis 28 Jahre.

LAL

Vilnius, ab Frankfurt, 4x wöchentlich	ab	820 DM
Vilnius, ab Berlin-Tegel, 3x wöchentlich	ab	480 DM

Hamburg Airlines

Riga, ab Hamburg		
via Berlin-Tempelhof, 3x wöchentlich	ab	877 DM
Vilnius, ab Hamburg		
via Berlin-Tempelhof, 2x wöchentlich Mo/Do	ab	911 DM

SAS

Ein Direktflug mit der SAS mit Zwischenlandung in Kopenhagen lohnt sich nicht, da er zu teuer würde. Teilt man den Flug jedoch auf, so wird er um einiges billiger. Da man nicht am selben Tag weiter fliegen muß, könnte man diese Art der Anreise mit einem Besuch in Kopenhagen verbinden.

Riga, ab Berlin,	ab	1400 DM
Riga, Berlin-Kopenhagen-Riga	ab	936 DM

Riga, Frankfurt-Kopenhagen-Riga ab 922 DM

Vilnius, Frankfurt-Kopenhagen-Vilnius ab 1199 DM

Ermäßigung: 25 % Rabatt für alle unter 25 Jahren.

Austrian Airlines

Vilnius, ab Wien, 2x wöchentlich	ab	823 DM
Für Reisende unter 25 Jahren	ab	639 DM

Swiss Air

Vilnius, ab Zürich, 2x wöchentlich	ab	980 DM

Malev (via Budapest)

Vilnius, ab Berlin- Schönefeld, Mo/Do	ab	490 DM
Vilnius, ab Wien, mindestens 1x wöchentl.	ab	834 DM
Vilnius ab Zürich, mindestens 1x wöchentl.	ab	1042 DM
Vilnius, ab Budapest 1x wöchentl.	ab	490 DM

LOT (via Warschau)

Vilnius, ab Berlin Schönefeld, Do	ab	557 DM
Vilnius, ab Warschau täglich	ab	248 DM
Vilnius, ab Frankfurt/a.M.	ab	1217 DM
Vilnius, ab Stettin	ab	382 DM
Riga, ab Warschau, Mo/Di/Do/Fr	ab	324 DM

Aeroflot

Kaliningrad, ab Berlin-Tegel, 1x wöchentlich	ab	506 DM

Adressen von Fluggesellschaften in der BRD, A und CH

Baltic International Airlines, Walter-Kolb-Str. 9-11, 60594 Frankfurt, Tel. 069-628028, Fax 069-610637; Berlin, 030-8832564, Fax 03-8825245; München, 089-29003923, Fax 089-29003975.

Lufthansa, 50679 Köln, Von-Gablenz-Str. 2-6, Tel.0221-826-0.

Hamburg Airlines, Hauptbüro im Flughafen, 22415 Hamburg, Tel. 040/50751022/50752902; Flughafen Berlin-Tempelhof, Tel. 030-6909864/65.

SAS, 60528 Frankfurt, Saonestr. 3, Tel. 069/66446-150.

Austrian Airlines, Fontanastr. 1, Postfach 50, A-1107 Wien, Tel. 01-683511; Guteleutstr. 32, 60329 Frankfurt, Tel. 069-25602-110; Talstr. 66, CH-8001 Zürich, Tel. 01-2110790.

Swissair, Swissair-Building, Balsberg/Kloten, CH-8058 Zürich, Tel. 01-8121212; Vertretung Düsseldorf, Königsallee 27-31, 40212 Düsseldorf; Kärntnering 4, A-1010 Wien, Tel. 01-658996.

LAL (Lithuanian Airlines), 60549 Frankfurt, Flughafen Frankfurt P.O. Box 92, Tel. 069-694579/694580, Fax 069/69457980. Flughafen Berlin-Tegel 030-4104275.

LOT, Wiesenhüttenplatz 26, 60329 Frankfurt, Tel. 069-231981/235704; Budapester Str. 18, 10787 Berlin, Tel. 030-2611505/06; Schweizergasse 10, CH-8001 Zürich, Tel. 01-2115390/91/92; Schwedenplatz 5, A-1010 Wien, Tel. 5331212.

Malev, Budapester Str. 10, 10787 Berlin, Tel. 2649545. Pelekanstr. 37, CH-8040 Zürich, Tel. 01-2116565;

Opernring 3-5, A-1010 Wien, Tel. 01-5873475.

Estonia Air, Vertretung im Flughafen, 60549 Frankfurt, Tel. 069-517200.

Aeroflot, Budapester Str. 50, 10787 Berlin, Tel. 2618250;

Unter den Linden 51, 10117 Berlin, Tel. 030-2292164;

16 Place Cornavin, CH-1201 Genf, Tel. 022-7311643;

Parkring 10, A-1010 Wien, Tel. 01-5121501.

Vertretungen der Fluggesellschaften im Baltikum

• *Tallinn*: **Lufthansa**, im Flughafen, Tel. 215557.

SAS, im Flughafen, Tel. 212553.

Estonian Air, im Flughafen, 446382; Vadabuse väljak 10.

• *Riga*: **Lufthansa**, im Flughafen, Tel. 207183.

SAS, im Flughafen, Tel. 207055, Fax 226963.

Hamburg Airlines, Mārstaļu ielā 12, Tel. 227638.

Baltic International Airline, Pils ielā, Tel. 229545/348676, Fax 223297.

• *Vilnius*: **LAL**, Ukmergės g. 12, Tel. 752588/753288.

Lufthansa, im Flughafen, Tel. 636049/637629.

Swiss Air, im Flughafen, Tel. s. SAS.

Austrian Air, im Flughafen, Tel. 662000.

SAS, im Flughafen, Tel. 660202.

Malev, im Flughafen und im Hotel Skrydis, Tel. 630810.

Lot, im Flughafen und im Hotel Skrydis, Tel. 630195.

Hamburg Airlines, vertreten durch die **LAL**, oder im Flughafen, Tel. 630116/637817.

Mit dem Auto

Ob aus Deutschland, Österreich oder der Schweiz - alle Landwege ins Baltikum führen durch Polen. Für Süddeutsche, Österreicher und Schweizer bietet es sich an, durch die Tschechische und die Slowakische Republik zu fahren.

Die Einreise nach Polen sowie in die beiden Nachfolgestaaten der ehemaligen Tschechoslowakei ist für deutsche, österreichische und Schweizer Staatsbürger visafrei.

Anfahrtsrouten bis Warschau

Von Berlin über die E 30 nach Frankfurt/Oder fahren bis zur deutsch/polnischen Grenze. Die E 30 führt über Posen nach Warschau.

Von Frankfurt/Main über Gießen auf die E 40 fahren und auf der bis Wrosêlaw (Breslau) bleiben. Diese Strecke geht über Eisenach, Chemnitz und Dresden. Grenzübergang nach Polen bei Görlitz/Boleslawiec. In Wrozlaw auf die E 67 wechseln, die über Lodz nach Warschau führt.

Von Nürnberg aus bietet es sich an, die E 50 bis Prag zu nehmen. Dort auf die E 97 wechseln, die geradewegs nach Warschau führt.

Von München die E 52 bis Salzburg entlangfahren und dort auf die E 60 wechseln, dann immer geradeaus bis **Wien**. Am Wiener Ring in Richtung Bratislava (Pressburg) abfahren und dann die E 75 bis zur slowakisch-polnischen Grenze bei Trstená-Jablonka nehmen. Die E 77 führt weiter über Kraków (Kraukau) und Lodz nach Warschau.

Von Zürich die E 60 über St. Gallen und Innsbruck bis nach Salzburg fahren und dann weiter s. o.

Von Warschau aus weiter

Von Warschau die Schnellstraße 18 Richtung Bialystock nehmen und dort links auf die 19 wechseln, die über Augustów nach Suwalki führt. Von Suwalki geht eine kleine Straße über Sejny und Ogrodniki zur Grenze ab.

Grenzübergang Ogrodniki-Lazdijai

Dieser Grenzübergang ist momentan die einzige Möglichkeit, um von Polen auf direktem Wege nach Litauen einzureisen. Auf den meisten Landkarten ist dieser Übergang übrigens falsch eingezeichnet. Der Grenzposten befindet sich **nicht** bei *Szypliszki*, sondern bei *Ogrodniki*, von *Suwalki* aus über die Dorfstraße via *Sejny* zu erreichen. In Szypliszki soll aber demnächst der LKW-Verkehr abgefertigt werden, womit der Übergang in Ogrodniki entlastet werden dürfte.

Von Polen aus ist die Grenze in der Regel innerhalb 1-2 Stunden zu passieren, obwohl man die wildesten Gerüchte hört. Die Autoschlange auf litauischer Seite Richtung Polen erscheint unendlich und stellt die Wartenden auf eine harte Geduldsprobe, die hier teilweise bis zu einer Woche und länger ausharren!! Touristen mit westlichem Kennzeichen werden allerdings bevorzugt behandelt. Von daher, so unangenehm es auch sein mag, sich erst gar nicht ans Ende der Schlange stellen, sondern schnurstracks an den unzähligen Karossen bis zum ersten Schlagbaum vorbeifahren. Die Abfertigung dauert dann im allgemeinen nicht länger als 2-3 Stunden.

Über Weißrußland

Schneller als über Ogrodniki/Lazdijai geht es, wenn man über Weißrußland nach Litauen einreist. Dafür ist allerdings ein Transitvisum erforderlich, das es nach Auskunft der weißrussischen Botschaft seit neuestem direkt an der Grenze geben soll (näheres siehe Einreise).

Warschau-Brest-Vilnius: Von Warschau die E 30 bis zum Grenzübergang Terespol-Brest fahren. Von Brest aus entweder bis Minsk auf der E 30 bleiben und dort auf die M-12, die Via Baltika wechseln, die geradewegs nach Vilnius führt. Oder von Brest die A-238 bis Slonim nehmen und dann auf die A-234 nach Vilnius abfahren.

Bialystock-Grodno-Vilnius: Nach Informationen der weißrussischen Botschaft in Bonn ist dieser Grenzübergang, der bis dahin nur für LKWs passierbar war, seit März 1993 auch für den allgemeinen Grenzverkehr geöffnet. Von Bialystock die Straße 18 entlangfahren, die über das Grenzdorf Kuznica nach Grodno führt. Dort auf die A-231 wechseln und auf der bis zur Grenze nach Litauen bleiben. Der Grenzübergang befindet sich südlich von Druskininkai. Um nach Vilnius zu gelangen, die A-231 bis zum Kreuz mit der A-229 entlangfahren, die nach Vilnius führt.

Die Einreise nach Litauen über das Kaliningrader Gebiet bietet sich nicht an, da für die russische Enklave keine Transitvisa vergeben werden, sondern nur reguläre Einreisevisa, die an eine Hotelbuchung oder amtlich beglaubigte Einladung gebunden sind.

Mitfahrzentralen

Eine ebenfalls sehr preisgünstige Variante aus allen Teilen Deutschlands, sowie aus der Schweiz und Österreich nach Berlin zu kommen ist über die Mitfahrzentrale. Fast jede größere Stadt verfügt über eine oder mehrere solcher Vermittlungen.

Mit Zug oder Bus

Per Bahn ab Berlin-Lichtenberg

Von Berlin-Lichtenberg fährt abends ein durchgehender Zug nach Vilnius mit Kurswagen nach Riga. Die Fahrtdauer nach Vilnius beträgt ca. 22,5 Std., nach Riga ca. 31,5 Std., inkl. 2stündigem Aufenthalt in Vilnius.
Eine einfache Fahrt in der 2. Klasse nach Vilnius kostet etwa 83 DM + 69 DM Liegewagenzuschlag (obligatorisch), nach Riga 117 DM + 72 DM Liegewagenzuschlag. Man kann in Deutschland zwar das Rückfahrticket gleich mitkaufen, nicht aber die Liegewagenkarte für die Rückfahrt. Diese ist in den jeweiligen Bahnhofshallen für internationalen Zugverkehr erhältlich oder über die Reisebüros im Baltikum, die Zugtickets verkaufen.

Da man per Bus und Bahn am günstigsten von Berlin aus ins Baltikum und nach Warschau gelangt, sei hier auf einige Möglichkeiten hingewiesen, um preiswert nach Berlin zu gelangen.

Allen, die unter 26 sind, sei das ermäßigte BIJ-Wasteels-Ticket empfohlen oder aber das Twen-Ticket, mit denen über 4000 Zielorte in Europa angesteuert werden können. Internationale Fahrkarten dieser Art sind 2 Monate gültig, nationale dagegen nur 1 Monat. Als preiswerte Alternative zur Bahn bietet sich aus einigen Städten auch die Anreise mit dem Bus an.

Hamburg - Berlin, täglich, hin und zurück	ab 50 DM
Hannover - Berlin, täglich, hin und zurück	ab 63 DM
Düsseldorf - Berlin, täglich, hin und zurück	ab 80 DM
Frankfurt - Berlin, täglich, hin und zurück	ab 110 DM
München - Berlin, täglich, hin und zurück	ab 125 DM
Köln - Warschau, Fr/ So, hin und zurück	ab 178 DM

● *Nähere Informationen*: **Bayern Express & Peter Kühn**, Mannheimer Str. 33/34, 10713 Berlin, Tel. 030-8600960.
Haru Reisen, Seeburger Str. 196, 13581 Berlin, Tel. 030-330001-0.
Deutsche Touring Gesellschaft, Am Römerhof 17, 60486 Frankfurt/Main, Tel. 069/7903-0.

Alle durchgehenden Züge fahren ein Stück durch Weißrußland, für das ein Transitvisum vonnöten ist (siehe Einreisebestimmungen).

Von Vilnius fährt jeden Morgen ein Zug über Riga nach Tallinn und umgekehrt. Die Fahrt dauert jeweils knappe 24 Stunden.

Bahnsparen

Eine überaus preiswerte Alternative zur Direktverbindung ist es, sich von Berlin ein Ticket bis Warschau zu kaufen und die weiteren Fahrkarten erst in Polen. Alle Ermäßigungen ausgeschöpft, kann man auf diese Art für knappe 40 DM (!) das Baltikum erreichen. Obwohl das Wasteels-Ticket mit 30 DM für eine einfache Fahrt von Berlin nach Warschau schon sehr preiswert ist, geht es mit dem Twen-Ticket für 20 DM noch günstiger. (Twen- und Wasteels- Tickets gibt es für alle unter 26). Der Normaltarif für die Strecke Berlin-Warschau beträgt knappe 48 DM.

Interrail: Auch wenn man über Skandinavien ein- und ausreisen sollte, so rentiert sich das Interrail-Ticket nicht. Im Baltikum hat es darüber hinaus eh keine Gültigkeit. Auch der Eurotrain Explorer-Pass, den es im letzten Jahr auch für die baltischen Staaten gab, gilt nicht mehr. Da das Bahnfahren im Baltikum sowieso dermaßen billig ist, würden sich irgendwelche Bahnpässe aus Deutschland auch gar nicht lohnen, da man stets am günstigsten wegkommt, wenn man die Tickets vor Ort kauft.

Rückfahrt von Warschau: Wer schon vorher weiß, daß die Rückreise per Bahn über Polen gehen soll und die 26 noch nicht überschritten hat, dem sei anzuraten, sich bereits in Berlin das Rückticket zu kaufen. (Internationale Twen- und Wasteel-Tickets sind 2 Monate gültig) Es gibt diese ermäßigten Fahrkarten zwar auch im *Wasteel-Büro* im Bahnhof (PKP) Warschau Centralnaja, neben dem Informationszentrum, doch nicht rund um die Uhr. Von offizieller Seite wird angeraten, internationale Tickets mindestens 24 Stunden im voraus zu kaufen, was außerhalb der Hauptsaison in der Regel jedoch nicht nötig zu sein scheint. In der Hauptreisezeit kann es sich als angenehmer erweisen, den Fahrkartenkauf im Orbis-Büro zu tätigen (s. Übernachten auf dem Transit- Warschau). Sollte das Wasteel-Büro geschlossen haben, besteht für Inhaber eines internationalen Studentenausweises noch die Möglichkeit, bis zur Grenze zum halben Preis zu fahren. Internationale Fahrkarten und die obligatorischen Platzkarten gibt es im ersten Stock der Bahnhofshalle, wo sich auch die internationale Zugauskunft befindet. Zum Fahrkartenkauf im Bahnhof sollte man etwas Zeit einplanen, da sich vor den Schaltern oft Schlangen bilden.

In Polen ist für die Benutzung internationaler Züge eine Platzkarte erforderlich, die man sich in der Regel noch am Reisetag selbst besorgen kann. Die internationalen Züge halten auch in Warschau-Zachodni.

Verbindungen von und nach Warschau

Es bestehen Direktverbindungen zwischen Warschau und München, Köln, Aachen, Hamburg, Hannover, Frankfurt/a.M. via Prag, Nürnberg und Stuttgart, sowie nach Dresden, Leipzig und Wien. Für Wiener ist vielleicht die Variante interessant, per Bus oder Bahn nach Bratislava zu fahren, um dort ein günstigeres Ticket Richtung Warschau zu kaufen. Hierbei muß man allerdings bei Český/Tešin umsteigen.

Ebenfalls fahren von Warschau aus Züge nach Vilnius, Riga und Tallinn, was immer noch billiger ist, als die Direktverbindung von Berlin aus. Doch auch diese Züge fahren ein Stück durch Weißrußland. Wer das Transit-Visum für Weißrußland sparen will, muß über den polnisch-litauischen Grenzübergang Ogrodniki-Lazdijai einreisen.

Busse zwischen Warschau und dem Baltikum

▶ **Nach Vilnius:** Am bequemsten ist sicherlich die Möglichkeit, von Warschau aus einen durchgehenden Bus nach Vilnius zu nehmen. Eine einfache Fahrt kostet um die 28 DM, die Fahrzeit beträgt ungefähr 8-9 Std. Dieser Busverkehr ist von litauischen Reiseunternehmen eingerichtet. Auch wenn die Litauer mittlerweile ihre eigene Währung haben, kann es sein, daß der Fahrpreis in harter Währung, vornehmlich in US$, zu begleichen ist.

Die Abfahrtszeiten von Warschau aus sind ein wenig vage. Direkt vom Zugbahnhof Zachodni fahren sog. Mikro-Busse nach Vilnius. Sie haben Platz für jeweils 11 Leute und fahren 4x wöchentlich, in der Regel Mo, Di, Do und Fr. Abfahrt zwischen 14 und 15 Uhr. Ebenfalls soll um 8 und um 12 Uhr jeweils ein normalgroßer Reisebus nach Vilnius fahren. Es fahren auch 2-3 Busse täglich vom Bahnhof Zentralnaja, doch stehen diese Abfahrtszeiten überhaupt nicht fest und richten sich nach der Nachfrage. Anders sieht es in Vilnius aus. Die Fahrkarten für die Busse nach Warschau sind immer schnell ausverkauft (am besten 1-2 Tage vorher besorgen). Die Abfahrtszeiten liegen fest und sind in der Haupthalle des Busbahnhofes an einem Nebenschalter angeschlagen. Es fahren auch Busse nach Berlin.

▶ **Nach Tallinn:** Es besteht auch die Möglichkeit, von Warschau aus einen 18-Std.-Trip auf sich zu nehmen und direkt bis nach Tallinn zu fahren. Dieser Bus fährt in der Regel Mi und So um 6.40 Uhr ab Warschau Busbahnhof und erreicht den Busbahnhof der estnischen Hauptstadt Mo und Do um 2.30 Uhr, Kosten knappe 50 DM.

▶ **Nach Riga:** Vom Busbahnhof fahren ebenfalls zwei Busse täglich nach Riga, doch auch hier sind die Abfahrtszeiten äußerst vage.

● *Hinweis*: Der Busbahnhof (PKS) liegt gegenüber dem Bahnhof Zachodni (Westbahnhof) im Bezirk Ochota.

Bahnverbindung Warschau - Suvalki (Grenze)

In beide Richtungen verkehren täglich 4 Züge, im Sommer unter Umständen auch mehr. Eine Fahrkarte kostet um die 10 DM. Studenten erhalten bei Vorlage eines internationalen Studentenausweises 50 % Ermäßigung. Für Tickets 1.Klasse ist ein Aufpreis von etwa 2 DM zu zahlen, was tagsüber für diesen Zug anzuraten ist, da er meistens sehr voll ist. Inlandfahrkarten gibt es in der Bahnhofshalle.

Als sehr günstig hat sich folgende Verbindung erwiesen:

Abfahrt Berlin-Hauptbhf.	21.50 h
Ankunft Warschau:	6.10 h
Abfahrt Warschau:	6.32 h, Bahnsteig 2
Ankunft Suvalki:	11.14 h

Falls in Warschau keine Zeit mehr zum Fahrkartenkauf bleiben sollte (was aber unter normalen Umständen zu schaffen ist), kann auch im Zug nachgelöst werden, am besten direkt dem Schaffner Bescheid sagen. Ermäßigungen fallen hierbei weg. In Suwalki besteht, wenn man sich sofort per Taxi (ca. 4 DM) vom Bahnhof zum Busbahnhof aufmacht, Anschluß an den Bus nach Vilnius. Ankunft in Vilnius gegen 16.30 Uhr (für das Zustandekommen der Anschlüsse keine Gewähr, am besten vorher noch mal die Abfahrtszeiten abchecken).

Von Suwalki aus weiter

Je nachdem, wann man in Suwalki eintrifft, kann die Reise nach Litauen erst am nächsten Tag mit dem Bus fortgesetzt werden (s. auch Übernachtung auf dem Transit). Der letzte Bus nach Litauen fährt in der Regel gegen 17 Uhr.

Es besteht Verbindung mit Vilnius, Lazdijai, Alytus und Druskininkai. Da es sich hierbei um eine internationale Fahrt handelt, liegt der Fahrpreis mit etwa 10 DM verhältnismäßig hoch. Für sperrige Gepäckstücke wird gelegentlich ein Aufpreis verlangt. Am Busbahnhof gibt es keine Gepäckaufbewahrung.

Von Lazdijai zurück über Suwalki

Für die Strecke Lazdijai/Suwalki sollte man im Schnitt 3 Stunden einplanen, auch wenn die Linienbusse an der Endlosschlange vorbeifahren dürfen. Auf beiden Seiten werden Stichproben nach Schmuggelware gemacht. Die Atmosphäre im Bus ist stets knisternd vor Spannung, die nach Passieren des polnischen Grenzpostens in himmelhochjauchzende Freude umschlägt, weil unzählige Wodkaflaschen und Zigarettenstangen unbemerkt über die Grenze gebracht werden konnten.

Die Rückreise von Suwalki nach Warschau ist am günstigsten früh morgens oder nachts anzutreten. Abzuraten ist vom Abendzug. Er erreicht die polnische Hauptstadt nach Mitternacht und der nächste Zug nach Berlin geht erst in den frühen Morgenstunden. Dasselbe gilt für Busse, die gegen Abend nach Warschau fahren.

Von Suwalki mit dem Zug nach Vilnius.

Seit kurzem ist die Bahnstrecke von Suwalki über Šeštokai (16 km hinter der Grenze) nach Vilnius wieder in Betrieb. Die geplante Abfahrt von Suwalki ist in der Regel morgens gegen 9 Uhr, die Ankunft im Umsteigebahnhof Šeštokai gegen 11 Uhr und die Weiterfahrt nach Vilnius etwa gegen 11.30 Uhr. Die Ankunft in Vilnius wäre dann ca. um 15 Uhr. Von Vilnius zurück soll es gegen 8 Uhr losgehen, Ankunft in Šeštokai ca. 11.15 Uhr, Weiterfahrt gegen 12.15 und Ankunft in Suw alki kurz vor 15 Uhr (Abfahrtszeiten trotzdem lieber nochmal überprüfen). Der Preis der Fahrkarte wird bei etwa 8 DM liegen.

Mit dem Sonderzug

Seit April 1993 verkehren von Berlin Hauptbahnhof einmal wöchentlich
Sonderzüge nach Riga via Vilnius, sowie nach Kaliningrad.
Beide Züge sind mit Schlaf-, Liege-, Speise-, Gepäck- und Abteilwagen
ausgestattet. Der Baltic-Express fährt zunächst bis Anfang September
'93, der Königsberg-Express bis Oktober '93. Für Kinder bis zu 12 Jahren
gibt es 30 % Ermäßigung.

Baltic-Express: Eine einfache Fahrt, ohne Visum und Versicherungszuschläge kostet im 4-Bett-Abteil 390 DM, die Fahrtdauer beträgt etwa 18
Stunden. Es besteht auch die Möglichkeit, die Zugfahrt mit einer organisierten Reise zu verbinden. Anmeldung spätestens 3 Wochen vor Reisebeginn.
(Informationen zum Königsberg-Express siehe Kaliningrader Gebiet)

Mit dem Fahrrad

Bei der Bahnfahrt durch Polen können Fahrräder mitgenommen werden.
Berichten zufolge ist es mittlerweile auch möglich, die polnisch-litauische
Grenze mit dem Fahrrad zu passieren. Es wird geraten, auch wenn es ein
mulmiges Gefühl erzeugen sollte, bei der Ausreise aus Litauen einfach an
den wartenden Autos vorbeizuradeln, sich von Schlagbaum zu Schlagbaum
vorzuarbeiten, den dort stehenden Autoritäten seine Dokumente zu zeigen
und höflich um Weiterfahrt zu bitten.

Wichtig: Für die Durchfahrt durch Polen mit dem Fahrrad ist offiziell der
Führerschein Klasse 3 nötig!

Mit dem Schiff

**Mittlerweile laufen einige Reedereien die Häfen von Tallinn, Riga und
Klaipėda an. Durch die überaus günstigen Verbindungen zwischen
Helsinki und Tallinn sind den Anreisemöglichkeiten über die Ostsee
keine Grenzen gesetzt. Es bietet sich ebenfalls an, die Anreise ins
Baltikum mit Zwischenstops in Skandinavien zu verbinden.**

Die Fahrt mit dem Schiff ohne die Mitnahme eines PKWs ist durchaus erschwinglich und vor allem um einiges angenehmer als die Anreise über
Polen. Interessante Ablegehäfen sind Kiel, Travemünde, Stockholm, Danzig, Neu-Mukran, Saßnitz und Helsinki. Seit geraumer Zeit werden auch
Ostseekreuzfahrten angeboten, mit Halt in Riga und Tallinn. Schiffsfahrkarten gibt es in allen DER-Reisebüros oder bei den Linien selbst.

Kiel - Riga/Klaipėda

Die angegebenen Termine und Tarife beziehen sich auf die Zeit vom 1.
April bis 30. September. Ab Kiel 2x wöchentlich nach Riga und Klaipėda.

Fahrtdauer nach Riga ca. 47 Stunden, nach Klaipėda ca. 32 Stunden. Es ist auch möglich, von Kiel eine Fahrkarte nach Riga zu kaufen und die Rückreise von Klaipėda aus zu starten oder umgekehrt. Die folgenden Preise sollen lediglich zur Orientierung gelten:

Kat.	einfach	hin u. zurück
IV 4-Bett	280 DM	450 DM
IV 3-Bett	360 DM	570 DM
III 4-Bett	400 DM	630 DM
III 3-Bett	520 DM	790 DM
II 2-Bett	500 DM	800 DM
II 1-Bett	1000 DM	1600 DM
I 2-Bett	600 DM	1000 DM
I 1-Bett	1100 DM	1800 DM
PKW	240 DM	360 DM
Motorrad	100 DM	150 DM
Wohnwagen (DM/m)	60 DM	90 DM
Fahrrad	25 DM	25 DM
Verpflegung	65 DM	130 DM
(Stand Sommer '93)		

• *Information und Buchungen*: Baltisches Reisebüro in München, an Schnieder Reisen in Hamburg oder direkt an die M/S Mercuri I/II, 22765 Hamburg, Harkortstr. 121, Tel. 040/38020681 wenden.

Mukran (Insel Rügen) - Klaipėda (Memel)

Jeden Tag fährt ein Schiff von Neu-Mukran nach Klaipėda und zurück. Da es sich hierbei um eine Eisenbahn- und Güterfähre handelt, kann man als Tourist nur mitfahren, wenn ein Platz frei ist. Eine langfristige Buchung ist von daher nicht möglich. Eine einfache Überfahrt mit Kabine kostet 180 DM pro Person, ein PKW 200. Hinzu kommen in Deutschland 8,25 DM und in Litauen 4 DM Versicherungsgebühren. Die Fahrtdauer beträgt 17-20 Stunden.

• *Information:* Deutsche Seereederei Rostock GmbH, Fährverkehr Mukran, Passageabteilung Frau Stenzel, 18546 Saßnitz/Neu-Mukran, Tel. 038/392-33179, Fax 35141.
In Klaipėda bei Fam. Thieme (deutschsprachig), Tel. 6-55052.

Travemünde - Helsinki

Relativ preiswert ist auch die Anreise mit der **Finnjet**, solange man kein Auto dabei hat. Sie fährt in der Hauptsaison 3x wöchentlich ab Travemünde. Die Fahrtdauer beträgt etwa 23 Stunden.
Es gibt verschiedene Tarife, vom vollen Saisonpreis über den Spar-Preis bis hin zum Super-Spar-Preis, der auch für PKWs gilt. Eine einfache Fahrt (Couchetten) kostet in der Vorsaison ab 210 DM, ermäßigt (Schüler, Studenten, Senioren) 195 DM, in der Hauptsaison 280 bzw. 250 DM.

Interrailer fahren zum Studententarif und erhalten ab einwöchiger Vorausbuchung sogar 50 % Ermäßigung auf ein Erwachsenenticket. PKWs kosten je nach Termin und Größe zwischen 150 und 215 DM. Das Mitnehmen von Fahrrädern ist frei.

• *Information und Buchung*: Finnjet-Silja Line GmbH, Zeißstr. 6, 23560 Lübeck, Tel. 0451-5899-0, Fax 0451- 5899243;
Dr. Degener Reisen GmbH, Neubaugasse 12, 1070 A-Wien, Tel. 01-930541, Fax 0222-934213;
Finnjet-Silja Line, Ch. des Grives, CH-1261 Le Vaud, Tel. 022-3664230, Fax 022-3664178.

Helsinki - Tallinn

Tallinn: Täglich zwei Verbindungen von Helsinki nach Tallinn und zurück. Eine einfache Überfahrt kostet pro Person etwa 30 DM, am Wochenende 45 DM. PKW 57 DM, Wohnwagen bis 11 m Länge ca. 250 DM, Fahrtdauer etwa 3,5 bis 4 Std.

• *Information und Buchung*: Finnreise, Klosterwall 4, 20095 Hamburg, Tel. 040-3232340, Fax 040-338355; in Tallinn in der Pärnu mnt. 16, Tel. 442440, sowie am Hafen, Tel. 601960.

Inreko *(New Baltic Line)*: Täglich zwei Verbindungen nach Helsinki bzw. Tallinn und zurück, in der Saison vier. Einfache Überfahrt ca. 18 DM, am Wochenende etwas teurer. Auf manchen Fähren Mitnahme von Autos möglich.

• *Information und Buchung*: Merevaksal (Hafengebäude in Tallinn), Tel. 428382 oder 471863 oder in Helsinki direkt vor Ort.

Kristina Cruises: Zweimal täglich Verbindung zwischen Helsinki und Tallinn, einfache Überfahrt ca. 30 DM.

• *Information*: Kristina Cruises, Korkeavuorenk. 45, 00130 Helsinki, Tel. 00358-0- 629968.

Schweden - Tallinn

Verschiedene Preisklassen, die zwischen 90 und 500 DM liegen. Einfache Überfahrt ohne Kabinenplatz etwa 80 DM (für Studenten und Rentner), Einzelluxuskabine um die 500 DM. Normalgroßer PKW kostet ca. 85 DM, Wohnwagen bzw. Wohnmobil etwa 120 DM. Fahrtdauer knapp 15 Stunden. Sehr viel billiger ist die Viking-Line, s. d.
Abfahrt mindestens zweimal wöchentlich.

• *Information*: Estline AB, Box 1215, 11182 Stockholm, Tel. 0046-8-667 0001.

Schweden - Riga

Verbindungen bestehen sowohl von Stockholm als auch vom ca. 100 km südlich gelegenen Nyköping. Einfache Fahrt in 2-Bett-Kabinen pro Person ab ca. 265 DM, PKW ca. 170 DM, Wohnwagen ca. 270 DM. Die Fahrtzeit liegt zwischen 15 und 18 Stunden. Die Fähre zwischen Stockholm und Riga pendelt einmal in der Woche hin und her und die zwischen Nyköping und Riga dreimal wöchentlich.

• *Information und Buchung*: Baltic Express Line, Schwedenkai, 24103 Kiel, Tel. 0431-848594, Fax 0431-9820060.

Danzig - Helsinki

Eine interessante Möglichkeit, und dazu noch relativ preiswert, ist, sich von Danzig aus mit der Fähre nach Helsinki einzuschiffen.

Ein einfaches Ticket kostet in der Saison 118 DM, Schüler, Studenten, Rentner und Inhaber eines Interrail-Tickets zahlen 81 DM. Für die Mitnahme eines normalgroßen PKWs werden ca. 140 DM berechnet, für einen Wohnwagen ca. 200 DM. Die Mitnahme von Fahrrädern ist frei. Abfahrt zweimal wöchentlich.

Der Hafen befindet sich in 80-542 Danzig, ul. Przemyslowa 1, Tel. 431887.

* *Information und Buchung*: **Poseidon Schiffahrt** OHG, Gr. Altefähre 20/22, 23552 Lübeck 1, Tel. 0451-150747/15070, Fax 0451-72811;

Universal Reisen GmbH, Schubertring 9, A-1015 Wien, Tel. 01- 736348-49; **ÖAMTC Betriebe GmbH Reisebüro**, Schubertring 1-3, A-1010 Wien, Tel. 01-7799-0.

Stockholm - Helsinki

Äußerst preiswert ist auch die Viking Line, die täglich am frühen Abend in Stockholm ablegt und am Morgen des nächsten Tages Helsinki erreicht, bzw. umgekehrt. Einfachfahrkarten gibt es in der Hauptsaison ab 56 DM, ermäßigt (Schüler, Studenten, Senioren) ab 38 DM. Die Mitnahme eines PKWs ist ab 44 DM möglich, Kabinenzwang besteht nicht.

* *Information und Buchung*: Viking Line, Mastokatu/Mastga-tan 1, SF-00160 Helsinki/Helsingfors, Tel. 358-0-12351, Fax 358-0-175551.

Von Deutschland nach Schweden

Um auf dem kürzesten Weg nach Schweden zu gelangen, benutzt man am besten einer der folgenden Fähren nach Trelleborg:

TS-Line, ab Saßnitz: Erwachsene ab 60 DM; Schüler, Studenten und Rentner ab 45 DM, normalgroßer PKW ab 190 DM, Fahrtdauer etwa 4 Std.

TR-Line, ab Rostock: Einfaches Ticket 44 DM, Studenten, Schüler und Rentner ab 33 DM, Kinder bis zu 14 Jahren 22 DM, Kinder unter 6 Jahren frei, normalgroßer PKW ab 60 DM, Abfahrt täglich, Fahrtdauer ca. 5,5 Std.

TT-Line, ab Travemünde: Einfaches Ticket ab 110 DM einfach, bzw. 82 DM für Studenten, Schüler und Rentner, normalgroßer PKW ab 66 DM, Fahrtdauer etwa 7 Std.

Bei allen 3 Linien gibt es günstige Sondertarife für fünfköpfige Gruppen mit PKW.

* *Information*: **TT-Line**, Mattentwiete 8, Postfach 112269, 20457 Hamburg, Tel. 040- 3601443/36010; Märkisches Ufer 54, 10179 Berlin, Tel. 030-

27582014/15; **TS-Line**, Fährbetrieb Saßnitz, Fährcenter, Trelleborger Straße, 18546 Sassnitz/Rügen, Tel. 038392-22267, Fax 038392-22266.

Von Trelleborg nach Stockholm

Von Trelleborg bis Stockholm sind es nochmal 674 km. Etwa alle zwei Stunden fährt ein Intercity von Malmö nach Stockholm, die Fahrtzeit beträgt 8 Std. Von Trelleborg nach Malmö sind es etwa 45 Min. per Bus.

Die Zugfahrkarte nach Stockholm kann man natürlich auch vom Ausgangspunkt durchgehend nach Stockholm, inkl. Fähre, kaufen (ab Berlin 173 DM einfache Fahrt, 149 ermäßigt), oder aber in Schweden selbst. Der Normaltarif von Malmö nach Stockholm liegt bei etwa 124 DM für eine einfache Fahrt. Doch es gibt auch interessantere Möglichkeiten zu sparen, was sich insbesondere für diejenigen anbietet, deren Hin- und Rückreise durch Schweden gehen soll. Für etwa 30 DM bekommt man die *Reslost Kort*, eine Art Bahncard, die ein Kalenderjahr gültig ist. Mit dieser Karte hat man auf allen Strecken 25 % Ermäßigung. Benutzt man darüber hinaus die Züge mit *Röd Avgåång*, Roter Abfahrt, so bezahlt man nur 50 % des regulären Tarifs. Eine Fahrkarte nach Stockholm kostet dann also 63 DM. Ebenfalls verkehren Überlandbusse von Malmö nach Stockholm.

• *Information und Buchung*: **Schwedisches Reisebüro**, Joachimsthaler Str. 10, 13055 Berlin, Tel. 030-8859040, Fax 030-8825980; **Reisebüro Norden**, Ost-West-Straße 70, 20457 Hamburg, Tel. 040-360015-0, Fax 040-3633211; Reisebüro Norden, Immermannstr. 54, 40210 Düsseldorf, Tel. 0211-360966/69, Fax 0211-36553.

Agenturen der Schiffahrtsgesellschaften im Baltikum

• *In Tallinn*: **Viking** - Buchung über Estravel, Pikk 37, in der Altstadt, Tel. 443 525. **Silija**: im Erdgeschoß des Teenindusmaja, Viruväljak, Tel. 430.
Tallink: Pärnu mnt. 16, Tel. 442 440.
Estonian New Line: Merevaksal , Tel. 428382
• *Tip*: Es empfiehlt sich, die Fahrkarten für die Viking- und Silija-Line in Tallinn zu kaufen, um auf diese Weise die in Finnland erhobene Reisesteuer zu umgehen.
• *In Riga*: **Mercuri** - Information unter 327254/212414; Tickets in der Torņu ielä 9.
• *In Klaipėda*: Informationen zu den Schiffen nach Kiel und Neu-Mukran am Hafen und im Hotel Klaipėda, Tickets im Hafen, Verkauf nur an den Abfahrtstagen. Internationaler Hafen, Perklos g. 4, Tel. 12224. Information zu den Fähren nach Neu-Mukran unter Tel. 55052 (Fam. Thieme).

Mit dem eigenen Boot

Mittlerweile können Klaipėda, Riga, Tallinn, Haapsalu, Pärnu, sowie Liepāja, Jurmala, und auch die estnischen Inseln Hiumaa und Saaremaa mit Privatbooten angesteuert werden. Alle genannten Orte verfügen über mehr oder weniger moderne Yachthäfen.

Vor Einlaufen Funkkontakt mit der Hafenleitung aufnehmen (siehe dazu auch Informationen in den jeweiligen Reiseteilen). Nationalitäten- und Heimathafennachweis sowie Besitzerurkunde müssen mitgeführt werden.

Hafenmeisterei, Zauerveino 18, 5813 Klaipėda, Tel. 0037061/99509, Fax 55862.

Seekarten

Großmaßstäbliche Karten über die baltischen Gewässer sind erhältlich, noch nicht aber die sehr detaillierten, in denen jede Bucht und jeder Gewässerstand (die Küstengewässer des Baltikums sind oftmals sehr niedrig) eingezeichnet sind. In allen drei Ländern sollen Hydrographenämter eingerichtet werden, worauf dann auch ausführliche Seekarten auf dem Markt erhältlich sein werden. Nähere Informationen dazu bei "Seekarte", Korffsdeich 3, 28217 Bremen, Tel. 0421-395051.

Segelboote in Jūrmala

Wichtige Transit-Informationen

- *Polen*: Tel. Unfallhilfe 999; Tel. Polizeinotruf 997; ADAC 022-499361 (Warschau).
- *Weißrußland*: Tel. Unfallhilfe 03; Tel. Polizeinotruf 02.

- *Tschechische und Slowakische Republik*: Tel. Unfallhilfe 155; Tel. Polizei-Notruf 158; ADAC 02-747400 (Prag).

Tanken auf dem Transit

An vielen Zapfsäulen Polens, der Tschechischen und der Slowakischen Republik ist mittlerweile Diesel und bleifreies Benzin zu haben. In Weißrußland und im Kaliningrader Gebiet ist es dagegen problematisch. Deshalb beim Benzinkauf auf jeden Fall auf die Oktanzahl achten. Besser in Polen noch mal volltanken. In Kanistern mitgeführter Treibstoff muß bei der Einreise verzollt werden.

Verkehrsbestimmungen auf dem Transit

Innerhalb von geschlossenen Ortschaften beträgt die Höchstgeschwindigkeit in Polen, der Tschechischen und der Slowakischen Republik und Weißrußland 60 km/h. Außerhalb von Ortschaften dürfen in Polen, der Tschechischen und der Slowakischen Republik 90 km/h gefahren werden, auf den Autobahnen 110 km/h. Motorräder müssen in Polen außerhalb von Ortschaften stets mit Abblendlicht fahren und dürfen in der Tschechischen und der Slowakischen Republik nirgends schneller als 70 km/h fahren. Dasselbe gilt für PKWs mit Anhänger.

In Weißrußland gelten dieselben Bestimmungen wie für das Kaliningrader Gebiet. Innerhalb geschlossener Ortschaften liegt die Geschwindigkeitsbegrenzung bei 60 km/h, außerhalb für Kfz bis zu 3,5 t Gesamtgewicht bei 90 km/h, ansonsten 70 km/h. Wer weniger als 2 Jahre den Führerschein besitzt, darf nirgends schneller als 70 km/h fahren.

In Polen liegt die Promillegrenze bei 0,2, in der Tschechischen und der Slowakischen Republik und Weißrußland herrscht für Auto- und Motorradfahrer absolutes Alkoholverbot.

Die grüne Versicherungskarte ist in Polen obligatorisch und wird bei Nichtvorhandensein mit Strafgebühren geahndet. In der Tschechischen und der Slowakischen Republik ist sie gültig, es besteht jedoch keine Pflicht, sie mitzunehmen. In Weißrußland besitzt die grüne Versicherungskarte keine Gültigkeit.

Wichtig: In Polen ist die Mitnahme eines Feuerlöschers im PKW Pflicht!

Nützliche Tips für die Durchreise

Es sind doch einige Kilometer, die überwunden werden müssen, um auf dem Landweg ins Baltikum zu gelangen. Wem die Strecke zu lang wird, dem sei unterwegs eine Zwischenübernachtung anzuraten.

Für Bus- und Bahnreisende kann eine Übernachtung in Suwalki, je nachdem, wann Sie dort eintreffen, unausweichlich sein. Es ist jedoch zu beachten, daß in Polen eine Verständigung auf englisch, deutsch oder russisch nur bedingt möglich ist. Hier die wichtigsten Informationen für Warschau und Suwalki, aber auch für Helsinki und Stockholm.

Warschau

● *Vorwahl*: 022 (für 6-stellige Nummern) bzw. 02 (für 7-stellige Nummern).

● *Information*: im Zentralbahnhof; im Orbis-Büro, ul. Królewska/Ecke Marszalkowska, dort übrigens auch Verkauf von Zugfahrkarten; Informacja Turystyczna, Plac Zamkowy, Mo-Fr von 10-18 Uhr, Sa von 10-14, So von 11-15 Uhr geöffnet, Tel. 210000; in den großen Hotels. Stadtpläne gibt es im Hauptbahnhof und im Buchhandel.

Übernachten

Im Zentralbahnhof befindet sich eine Hotelzimmervermittlung, die jedoch eher die Hotels der gehobeneren Klasse vermittelt.

Grand, ul. Krucza 28, ehemaliges Devisenhotel der Orbis-Kette, zentral gelegen, ab etwa 150 DM pro Nacht, Tel. 294051.

Polonioa, al. Jerozolimskie 45, Hotel der Mittelklasse, nicht weit vom Zentralbahnhof gelegen, mit ca. 60 DM pro ÜB rechnen, Tel. 287241.

Jugendherberge, ul. Smolna 30, zentrale Lage, daher oft ausgebucht, Tel. 278952; ul. Karolkowa 53 a, liegt etwas außerhalb, zu erreichen mit Tram 24 vom Zentralbahnhof aus, aussteigen am Kaufhaus Wola.

Studentenhotels, günstige Alternative zu den Jugendherbergen, sie sind allerdings nur während der Sommersemesterferien geöffnet, Informationsbüro in der ul. Kopernika 23, Tel. 262356, geöffnet täglich von 9-15.30 Uhr.

Camping Tyrista, ul. Grochowska, einfacher Campingplatz außerhalb des Zentrums auf dem Weg nach Terespol/Brest (Grenze zu Weißrußland).

Vermittlung von Privatunterkünften: Romeo, al. Jerozolimskie, gegenüber vom Zentralbahnhof, DZ zwischen 50 und 60

DM, Tel. 292993, geöffnet Mo-Sa von 9-19 Uhr; Polonaise, ul. Swietojerska 4/10, ÜF um die 30 DM, Tel. 6355477.

Essen

• *Essen*: **Basyliszek**, Rynek Starego Miasto. Ansprechende Ausstattung aus der Zeit der Jahrhundertwende, traditionelle polnische Küche, teuer, geöffnet bis 1 Uhr, Vorbestellung anzuraten, Tel. 311841.

Pod Krokodylem, Rynek Starego Miasto. Gemütliche Gaststätte der Mittelklasse mit polnischer Küche, in der Altstadt gelegen, geöffnet bis 2 Uhr.

Pod Retmanem, ul. Bednarska 9. Nettes Fischrestaurant, das jedoch nur bis 22 Uhr geöffnet hat, So geschlossen.

Myrzynek, ul. Nowomiwjskas 13. Auf der Speisekarte stehen Pizzen und Spaghetti.
Max, ul Poznanska 38. Kleines Lokal, direkt am Zentralbahnhof gelegen; leckeres arabisches Essen, preiswert.

• *Diverses*: **Geldwechsel** - in den Bahnhöfen, den Hotels und in den zahlreichen Wechselstuben, die über die Stadt verstreut liegen, möglich.
Autoreparatur: Werkstatt des PZMot (Automobilclub Polen), ul. Kaszubska 2b, 24-Stunden-Service, Tel. 416621.

Suwalki

Der Bahnhof liegt etwas außerhalb. Am kleinen Park vor dem Bahnhof fahren die Busse zum Zentrum ab. In der Regel hat man sofort Anschluß. An beiden Hotels fahren die Linien 1 und 12 vorbei. Die jeweiligen Aussteigehaltestellen sind nach dem jeweiligen Hotel benannt. Um zum Busbahnhof zu gelangen, von dem aus die Busse nach Litauen fahren, beim Haus 57 in der ul. Koęciuszki aussteigen und an der nächsten Ecke rechts in die ul. Pilsudskiego einbiegen.

• *Vorwahl*: 87
• *Information*: Direkt beim Hotel Hancza, Wojska Polskiego 1; Bahninformationen gibt es im staatlichen Reisebüro Orbis, ul. Noniewicza 18, dort auch Verkauf von Fahrkarten.
• *Übernachten*: **Nauczyciela**, ul. Koęciuszki 120. Zimmer mit TV und Bad, DZ etwa 35 DM, Tel. 62900.
Hańcza, ul. Wojska Polskiego. Häßliches Hochhaus, jedoch sehr schön am See und dem Flüßchen Hancza gelegen. Gegenüber vom Hotel befindet sich ein Schwimmbad. Hotel verfügt über verschie-

dene Kategorien, von einfach bis lux. Die billigsten Zimmer liegen ziemlich abseits, sind sehr einfach und ohne Bad. ÜB ab ca. 8 DM,Tel. 3281-82.
• *Essen*: Beiden Hotels sind ganz gute Restaurants angeschlossen.
Im **Dom Nauczyciela** ist die Spezialität des Hauses ein mächtiges Dessert, bestehend aus einer sehr süßen, aber leckeren Wakkelpeter-Eis-Sahne-Kombination.
• *Verschiedenes*: **Geldwechsel** - Banken befinden sich in der ul. Koęciuszki 49 und ul. Sejnenka 13. Ferner gibt es eine Reihe kleiner Wechselstuben.

Helsinki

• *Vorwahl*: 90
• *Information*: Pohjoisesplanadi 19, 00100 Helsinki, Tel. 1693757/174088. Während der Saison Mo-Fr von 8.30-18 Uhr und Sa von 8.30-13 Uhr geöffnet; Eteläesplanadi 4, 00130 Helsinki, Tel. 40301300, geöffnet Mo-Fr von 8.30-16 Uhr. Verständigung problemlos auf englisch möglich.
• *Übernachten*: Auch wenn durch die Abwertung der FIM Finnland in der letzten Zeit billiger geworden ist, so sind die Übernachtungen immer noch sehr teuer. Am günstigsten sind wohl die 2 **Camping-plätze** der Stadt (im Touristenbüro nach-

fragen), sowie das Eurohostel.
Eurohostel, Linnakatu 9. ÜB um die 30 DM, Tel.664452, Fax 655044.
Hotelvermittlung: Asema-aukio 3, 001000 Helsinki, Tel. 17133, geöffnet, Mo-Fr 9-17h.
• *Hafen*: Die Schiffe von und nach Tallinn machen im Südhafen am Olympia-Terminal fest und die Tragflächenboote am Magazin Terminal 4. Auch die Fähren nach Schweden legen in der Regel vom Südhafen ab. Die Terminals der Viking-Line und der Silija-Line (Finnjet) befinden sich im Katajanokka-Hafen. Beide Häfen liegen nicht weit auseinander.

Stockholm

- *Vorwahl*: 08
- *Information*: Sverigehuset, Kungsträdgården, 10393 Stockholm, Tel. 7892400, Fax 7892450. Verständigung auf englisch sehr gut möglich.
- *Übernachten*: **Hotelbuchung** - befindet sich im Hauptbahnhof, Tel. 240880.

Jugendherbergen: Zinken, Zinkes vags 20, 11741 Stockholm, Tel. 6685786; Skepsholmen, Västra Brokänken, 11149 Stockholm, Tel. 6795017
- *Hafen*: Frihamn, Sandhamsgatan 47, 11528 Stockholm

Was haben Sie entdeckt?
Haben Sie einen wunderschönen Strand entdeckt, einen einsamen Wanderweg, einen Campingplatz, der Ihnen besonders gut gefiel?

Wenn Sie **Ergänzungen**, **Verbesserungen** oder **neue Tips** haben, schreiben Sie uns:
Michael Müller-Verlag
Redaktion Baltische Länder
Gerberei 19
91054 Erlangen

Unterwegs im Baltikum

Unterwegs im Baltikum

Mit dem Auto

Um in die entlegensten Ecken des Baltikums zu kommen, ist ein eigenes Fahrzeug von großem Nutzen. Das ist aber auch an gewisse Risiken gebunden. Das Auto sollte vor der Reise auf jeden Fall noch einmal gründlich durchgecheckt werden, da besonders das Beschaffen von Ersatzteilen oft problematisch ist.

Der fast in jeder Stadt vertretene Autoservice, der auf den Hauptstraßen mit dem internationalen Zeichen für Pannenhilfe ausgeschildert ist, kann nicht immer weiterhelfen. Gelegentlich sieht man am Straßenrand Schwarzhändler, die Auto-Ersatzteile, auch für westliche Vehikel, verkaufen. Wenn man Glück hat, sind diese auch über Umwege auf den Stadt- und Dorfmärkten zu finden, doch das kostet Geduld und Zeit.

Schon allein das Besorgen eines Reifens kann locker einen gesamten Vormittag in Anspruch nehmen. Das sieht dann meistens so aus, daß ein Gang über den Markt vonnöten ist, wo eine aufwendige Fragerei beginnt. Auf diese Weise wird man mal mit dem weitläufigen Netz der Beziehungen, das sich im Laufe des Sowjetsozialismus geknüpft hat, vertraut:

"... ja, ich kenne da jemanden, der mir erzählt hat, daß sein Bruder letztens einige Reifen aus Finnland mitgebracht hat, doch der ist momentan leider nicht zu Hause, aber die Arbeitskollegin seiner Frau wohnt bei uns ganz in der Nähe und kennt sicherlich die Telefonnummer ...", usw.

Ein gut sortierter Werkzeugkasten mit Wagenheber und Abschleppseil sowie Reservekanister sollten also auf keinen Fall fehlen.

An einigen Stellen gibt es auch Ersatzteile, siehe unter "Benzin" S. 30!

Seit kurzem gibt es auch sowohl in Vilnius als auch in Riga und Tallinn eine ADAC-Vertretung.

Straßen

Die großen Städte des Baltikums sind über gebührenfreie Schnellstraßen, die sich in recht gutem Zustand befinden, miteinander verbunden. Die längste dieser Straßen ist die *Via Baltica*, die von Minsk über Vilnius und Riga nach Tallinn führt.

Zu den Kleinstädten führen in der Regel schmale asphaltierte Straßen. Bis jetzt sind sie dem Verkehr noch gewachsen, da im Baltikum lange noch nicht so viele Autos herumfahren, wie in Westeuropa. Auch das Fahren und Parken in den baltischen Städten ist noch nicht so chaotisch und anstrengend wie in denen des Westens.

Die Infrastruktur zwischen den kleinen Dörfern ist teilweise sehr schlecht. Oftmals werden die Straßen plötzlich zu unasphaltierten Schotterpisten. Wer ein empfindliches Fahrzeug besitzt, sollte daher die auf der Landkarte schmal eingezeichneten Wege meiden.

Verkehrsrisiken

Was die Sicherheit auf den Schnellstraßen anbelangt, herrschen im Baltikum andere Vorschriften als in der BRD, der Schweiz oder in Österreich. Fahrradfahrer benutzen diese Straßen genauso wie "1 PS-ler" oder Fußgänger, obwohl das offiziell nicht gestattet ist. Insbesondere bei der Fahrt durch Ortschaften ist erhöhte Aufmerksamkeit geboten.

Mit Vorsicht zu genießen sind auch die zahlreichen **unbeschrankten Bahnübergänge**, die mit einem weißen Blinklicht ausgestattet sind. Im Falle eines sich nähernden Zuges **sollte** sich die Farbe des Blinklichtes ändern und gleichzeitig ein schriller Warnton erklingen. Es passiert jedoch häufig, daß auf Grund irgendwelcher Defekte Warnsignale völlig ausbleiben oder aber auf einen sich nähernden Zug hinweisen, auf den man dann vergeblich wartet. Auf jeden Fall immer langsam an einen solchen Übergang heranfahren und vorsichtshalber lieber selber gucken. Was das Tempo anbelangt, so ist es ratsam, sich an die Geschwindigkeitsbeschränkungen zu halten, da häufig Verkehrskontrollen durchgeführt werden. Außerdem sind die Wege außerhalb der Schnellstraßen oftmals sehr schmal und dermaßen an die Landschaft "angepaßt", daß sie zu einer regelrechten Berg- und Talfahrt werden können. Kleinen Straßenflitzern kann es dabei leicht passieren, daß sie bei hoher Geschwindigkeit anfangen zu springen.

Beim Überholen aufpassen: Hügel und Kuppen machen die Wege oft unübersichtlich. Ansonsten sind die asphaltierten Verbindungsstraßen, von gelegentlichen Schlaglöchern abgesehen, ganz o.k. Es gibt mittlerweile in allen drei Republiken Karten, bei denen zwischen Asphalt- und Schotterstraße unterschieden wird. (siehe auch Kartenmaterial)

In acht nehmen sollte man sich vor schwer beladenen Last- und Erntewagen, da diese häufig Teile ihrer Ladung verlieren. Die baltischen Straßen sind des Nachts übrigens unbeleuchtet.

Benzin

Zwar gibt es in den meisten Städten Tankstellen, die auf den Hauptstraßen ausgeschildert sind, aber ob diese immer Treibstoff haben, ist fraglich. Es ist daher ratsam,

Dieses Schild weist auf einen Rastplatz hin

stets einen Kanister Benzin mitzuführen. Im *Kaliningrader Gebiet* gibt es für Ausländer offiziell nur Benzin an solchen Tankstellen, auf deren Hinweisschild Geldstücke abgebildet sind. An den anderen Tankstellen, gekennzeichnet mit den kyrillischen Buchstaben Гас, gibt es den Kraftstoff offiziell nur gegen die Vorlage bestimmter Marken, die nur der einheimischen Bevölkerung zustehen. Zusätzlich ist zu beachten, daß die benötigte Treibstoffmenge vor dem Zapfen erst an dem kleinen Tankhäuschen bestellt und bezahlt werden muß.

Für westliche Besucher ist das Benzin im Baltikum preiswert, wobei es in Litauen z. Zt. am billigsten und in Estland am teuersten ist. Mit Warteschlangen vor den Tankstellen muß gerechnet werden. Beim Tanken auf die Oktanzahl achten, die meist bei 76, 91 und 92 liegt und in der Regel angeschlagen ist. Bleifreies Benzin ist an den gewöhnlichen Tankstellen schwierig zu bekommen und auch nach Diesel muß man manchmal ein wenig suchen.

An der *Via Baltica* und in den größeren Städten des Baltikums ist die Benzinversorgung mittlerweile kein Problem mehr. Die finnische Firma *Neste* ist gerade dabei, ein Netz von Tankstellen westlichen Standards zu errichten. Dort gibt es alle herkömmlichen Arten von Benzin, einschließlich bleifreiem, sowie Autozubehör, z. T. auch Ersatzteile, Öl und Wegzehrung. Diese Tankstellen verfügen über gute Werkstätten, oft auch über einen gut sortierten Kiosk, und sind meist rund um die Uhr geöffnet.

Neste - Tankstellen

● *Litauen*:
Vilnius: Erfurto g. 41, 24 Stunden-Service.
Bei Vilnius soll 1993 eine weitere Tankstelle
mit Autowartung und 24-Stunden-Service
eröffnet worden sein.
Marijampolė: von 7-22 Uhr geöffnet.
Panevėžys: an der Via Baltica, von 7-22
Uhr geöffnet.
Weitere Filialen sind geöffnet in **Kryškalnis**,
gelegen an der Kreuzung der A-216 Riga-
Kaliningrad und A-227, in **Klaipėda** und in
Mažeikiai.

● *Lettland*:
Ķekava: an der Via Baltica, etwa 10 km
südlich von Riga, 24-Stunden-Service.
Riga: Brīvības ielā 386. Mit Autowartung
und 24-Stunden-Service, Tel. 2-551806.

Pernavas ielā 78, 24-Stunden-Service, Tel.
296684.
Saulkrasti, an der Via Baltica, ca. 30 km
nördlich von Riga, 24-Stunden-Service.

● *Estland*:
Pärnu, Riia mnt. 110, 24-Stunden-Service,
Tel. 21906
Tallinn, Pärnu mnt. 141. Mit Autowartung
und 24-Stunden-Service, Tel. 2-580453.
Im Tallinner Stadtteil **Pirita**, Regati pst. 1,
geöffnet von 8- 22 Uhr.
Außerdem befindet sich eine Filiale in
Narva in Planung.

● *Rußland*:
St. Petersburg: Malyj pr. 68 a; Moskowsky
pr. 100; ul. Pulkowskaja 34; alle mit 24-
Stunden-Service.

Mietwagen

Mittlerweile bieten einige private Firmen und die großen Hotels der drei
Hauptstädte Mietwagen-Service (westliche Modelle) an. Die Leihgebühr
liegt in der Regel um einiges höher als im Westen. Näheres siehe unter
Vilnius, Riga und Tallinn.

Mit öffentlichen Verkehrsmitteln

Mit dem Bus

Das Hauptverkehrsmittel im Baltikum ist immer noch der Bus. Dementsprechend dicht ist auch das Busnetz ausgebaut. Mehrmals am Tag werden die Hauptstädte und größeren Orte aus allen Winkeln der Republiken
angesteuert. Auch zu jedem noch so kleinen Dorf besteht in der Regel
mindestens einmal täglich eine Verbindung. Durch das sich für die einheimische Bevölkerung immer mehr verteuernde Benzin kann es allerdings, wenn auch selten, zu Einschränkungen im Fahrbetrieb kommen.
Für 100 km werden zwischen 2-4 DM veranschlagt.

Mit der Bahn

Das baltische Eisenbahnnetz ist lange nicht so dicht wie das der Busse,
auch wenn zwischen den großen baltischen Städten Schienenverkehr besteht. Die Bahnwaggons sind recht einfach ausgestattet. Sie kosten weniger als die Busse, brauchen aber auch Ewigkeiten, um ans Ziel zu kommen. Für die etwa 300 km von Klaipėda nach Riga z. B. braucht der Zug
an die 6 Stunden. Dabei tuckert die Bahn einige Zeit an der litauisch/lett-
tischen Grenze vorbei, fährt mal ein Stück durch Lettland und wieder ein
Stück durch Litauen. Bei jeder Grenzüberschreitung wird kontrolliert.

Fahrten mit dem Zug ins Kaliningrader Gebiet und nach Weißrußland sind nur mit gültigem Visum möglich.

Im Kaliningrader Gebiet richtet sich die Abfahrt der Züge übrigens nach der Moskauer Zeit, d. h. Ortszeit + 1 Std.

Gegen einen geringen Aufpreis kann man zu seinem Zugticket eine Platzkarte hinzukaufen, was auf jeden Fall zu empfehlen ist, will man nicht die ganze Fahrt in dichtem Gedränge auf einer Holzbank verbringen. In den Platzkartenwaggons steht auch stets ein Samowar mit heißem Wasser.

• *Zur Orientierung*: eine 300 km- Bahnfahrt kostet in Litauen und Lettland um die 2-3 DM, in Estland etwas mehr. Der Schlafwagen- oder Platzkartenzuschlag liegt bei 1-2 DM.

Mit dem Schiff

Obwohl es im Baltikum so viel Wasser gibt, ist diese Art der Fortbewegung momentan eher selten. Schiffsverbindungen gibt es in Litauen zwischen Kaunas und Neringa über den Nemunas, in Lettland von Riga nach Jurmala und in Estland von Tartu aus über den Emajôgi zum Võrts-See und Peipsi-See. Der Verkehr der genannten Verbindungen ist aus finanziellen Gründen z. Zt. stark eingeschränkt. Regelmäßig fahren jedoch die Schiffe zu den estnischen Inseln. Näheres dazu siehe im Reiseteil.

Mit dem Flugzeug

Regen Flugverkehr innerhalb der einzelnen baltischen Staaten gibt es noch nicht. Das Angebot richtet sich nach Flugbenzin und Nachfrage. Von Tallinn aus werden regelmäßig die Inseln *Saaremaa* und *Hiiumaa* angeflogen, gelegentlich auch Tartu. In Lettland besteht manchmal eine Verbindung zwischen Riga und *Liepāja* und in Litauen zwischen *Vilnius* und *Palanga*. Die Fahrpläne ändern sich z. Zt. noch ständig. Am besten in einem der Reisebüros im Baltikum oder bei den entsprechenden Informationsstellen in Deutschland nachfragen. Regelmäßiger Flugverkehr besteht allerdings zwischen den drei baltischen Hauptstädten über *Estonian-, Latvian-* und *Lithuanian-Airlines*.

In Estland gibt es darüber hinaus noch einen sog. Air-Taxi-Service, der nationale und internationale Flüge anbietet.

• *Information*: bei Avis Air Company, Endla 8, EE0106 Tallinn, Tel. 2-219022, Fax 452607.

Fahrkarten

Bus: Fahrscheine gibt es entweder im Bus beim Fahrer oder dem Konduktor, einer extra für den Kartenverkauf eingestellten Person, oder aber am Schalter im Busbahnhof. Da im Busverkehr so gut wie noch gar nicht mit Computern gearbeitet wird, können Fahrkarten meist nur dann im Vorverkauf erstanden werden, wenn der gewünschte Bus an jenem Bahnhof auch eingesetzt wird, da an die Fahrkarte stets eine Platzkarte gekoppelt ist und ohne Computer einfach der Überblick über die bereits verkauften bzw. nichtverkauften Karten fehlt. Wenn möglich das Ticket schon vor Fahrtantritt kaufen, da die Busse oftmals sehr voll sind. Für Gepäckstücke wird manchmal ein Aufpreis verlangt.

Die Fahrpläne sind jeweils in den Schalterhallen oder an den einzelnen Bussteigen ausgehängt, werden aber wegen der Benzinknappheit insbesondere in Lettland und Litauen nicht immer planmäßig eingehalten, von daher besser vorher immer nochmal nachfragen. Bustickets für längere Strecken (ab 50 km) können bis zu einer Woche vorher gekauft werden.

Zugfahrkarten: Bahntickets gibt es in den Bahnhöfen und seit neuestem auch in einigen Travel-Büros. Ab 50 km und weiter sind Zugfahrscheine bis zu 7 Tage im voraus erhältlich.

Flug- und Schiffstickets: Viele der neu entstandenen Reisebüros verkaufen Flug- und Schiffsfahrkarten. Letztere gibt es natürlich auch an den jeweiligen Häfen.

Innerstädtische Fahrscheine: Jede Stadt hat ihre eigenen Bestimmungen und Tarife. Fahrkarten für Busse, Trams und Trolleybusse gibt es am Kiosk. Beim Betreten eines öffentlichen Verkehrsmittels muß immer ein Fahrschein entwertet werden. Die Entwertungslocher befinden sich meistens im Wagen. Tickets zur Benutzung der Elektrischka gibt es im jeweiligen Bahnhof und müssen vor Antritt der Fahrt entwertet werden.

Mit dem Taxi

Insbesondere, wenn man mit mehreren unterwegs ist und eine ganz bestimmte Strecke vor Augen hat, auf der man öfters Halt machen will, lohnt sich eine Fahrt mit dem Taxi. Im Vergleich zu westlichen Taxis sind die des Baltikums sehr preisgünstig (außer in den Großstädten Kaunas, Vilnius, Klaipėda). Viele besitzen einen Taxameter, doch kann man als Außenstehender herzlich wenig damit anfangen. Die Preise, die pro Kilometer angezeigt werden, gehören längst der Vergangenheit an. Nach unübersichtlichen Rechenverfahren wird die Anzeige des Taxameters auf den heutigen Wert umgemünzt, wobei zusätzlich zu beachten ist, daß sich die Benzinpreise und somit auch die des Taxis ständig ändern. Daher ist es ganz wichtig, den Preis jeweils vor Beginn der Fahrt auszuhandeln. Meistens verlangen die Fahrer pro km den momentanen Literpreis.

Mit dem Fahrrad

Eine sehr schöne Möglichkeit, das Baltikum zu bereisen, ist die mit dem Fahrrad. Die Landschaft ist überwiegend flach oder leicht hügelig, und die Hotels der jeweiligen Kreisstädte liegen nie allzu weit auseinander. Allerdings sollte man darauf achten, nicht die allerschmalsten Wege der Karte zu nehmen, da diese oftmals nur noch aus Schotter bestehen. Die Hauptverbindungen im Baltikum sind Schnellstraßen. Autobahnen gibt es keine. Viele dieser Schnellstraßen sind vergleichbar mit den Landstraßen des Westens. Sie sind nicht sehr breit, asphaltiert und noch relativ wenig befahren. Auch wenn man im baltischen Straßenbild auf Radfahrer noch eher selten trifft, sind sie doch recht häufig am rechten Rand der Schnellstraßen zu sehen (was offiziell allerdings verboten ist).

Mit Vollgas über Estlands Sandpisten

Wer des Radelns einmal müde sein sollte, kann immer noch ein Stück mit der Bahn fahren, in der der Drahtesel problemlos mitfahren kann. Allerdings ist dann eine Extra-Fahrkarte für das Gefährt erforderlich. Manchmal besteht auch die Möglichkeit, das Rad mit in den Bus zu nehmen. Ein Trinkgeld für den Fahrer kann da sicherlich sehr nützlich sein. Flickzeug, Ersatzschlauch und -mantel sollten auf keinen Fall im Reisegepäck fehlen, da es Fahrradläden im Baltikum überhaupt noch nicht gibt.

Trampen

Ständig sieht man, vornehmlich auf den Dörfern, Leute am Straßenrand stehen, egal ob jung oder alt, in der Absicht ein Auto anzuhalten. In der Regel ist das auch kein Problem. Sehr häufig ist zu beobachten, daß Tramper, wenn sie zu mehreren an der Fahrbahn stehen, den vorbeikommenden Autos mit den Fingern die Anzahl derjenigen anzeigen, die mitgenommen werden möchten. Alleinreisende Frauen sollten vom Trampen lieber Abstand nehmen. Es wird als Selbstverständlichkeit angesehen, daß Tramper sich gegenüber dem Fahrer mit einem kleinen Geldbetrag erkenntlich zeigen.

Wandern und Kanufahren

Die unzähligen Wasserläufe und Seen, die dichten Wälder und die unberührten Küstengebiete des Baltikums laden zu ausgedehnten Wanderungen und Bootstouren ein. Ausreichend Proviant mitnehmen, Zelt einpakken und ab in die Wildnis. Mückenschutz nicht vergessen (Tips für Fuß- und Flußwanderungen in den jeweiligen Reiseteilen).

Unterwegs mit dem eigenen Boot

Die größeren baltischen Küstenstädte können mittlerweile mit dem eigenen Boot angelaufen werden. Angelegt werden kann in Klaipėda, Liepāja, Jūrmala, Riga, Pärnu, Haapsalu und in Tallinn, sowie auf Saaremaa und Hiiumaa. Insbesondere Estland verfügt über recht gut ausgestattete Yachthäfen, teilweise mit Cafés oder Restaurants.

In Jurmala und Haapsalu können Boote für längere Zeit gechartert werden, nach Wunsch mit oder ohne Crew. Das Angebot ist jedoch begrenzt. Wichtig ist, daß auch bei der Anreise mit dem eigenen Schiff ein Visumstempel im Reisepaß vorhanden ist und vor dem Einlaufen mit dem jeweiligen Hafen Funkkontakt aufgenommen wird

Übernachten

Obwohl die baltischen Staaten sehr stark auf den Wirtschaftszweig Tourismus setzen, ist das Hotelnetz noch nicht sehr dicht, befindet sich aber gerade im Aufbau.

Vielerorts scheint sich mittlerweile die Auffassung verbreitet zu haben, daß Westtouristen wandelnde Banken seien, so daß man z. B. auf die Frage nach einem preiswerten Hotel auf eine Herberge für 80 DM die Nacht und aufwärts verwiesen wird. In so einem Fall hartnäckig weiterfragen, es geht meistens günstiger.

Exklusiv-Hotels

Tallinn, Riga, Vilnius und die anderen großen Städte verfügen mittlerweile über einige wenige Hotels westlichen Standards. Doch sind diese Hotels auch dementsprechend teuer und kosten leicht 100 DM und mehr. Für die neuentstandenen Edelherbergen, wie beispielsweise das *Hotel de Rome* in Riga, *Hotel Viktoria* in Pärnu oder *Hotel Mabre* in Vilnius, sind diese Preise durchaus gerechtfertigt. Solche Hotels sind jedoch noch Mangelware, und wer dort nächtigen will, sollte vor Reisebeginn ein Zimmer reservieren. Zu hoch angesetzt erscheinen die Übernachtungspreise der (ehemaligen) Devisenhotels, die nichts anderes sind als stillose Hochhäuser mit einfacher Ausstattung.

In den teuren Hotels ist meist das Frühstück im Preis inbegriffen. In jedem Fall verfügen sie über ein oder mehrere Restaurants, Cafés und Bars, in denen gelegentlich auch Varietédarbietungen stattfinden. In manchen ist auch eine Touristeninformation und eine Reinigung vorhanden.

Einfachere Hotels

In der Regel gibt es in jeder Kreisstadt, wenn nicht zufällig gerade wegen Renovierung geschlossen, ein Hotel. Die Qualität dieser Hotels ist unterschiedlich. Die Zimmer sind meist weniger ansprechend möbliert, aber

Litauischer Wohnwagen

relativ sauber. Viele Hotels haben verschiedene Zimmerkategorien, von "einfach" bis "lux". Die billigsten Zimmer sind meist nur mit Waschbecken ausgestattet, manchmal sind auch WC und Dusche vorhanden. Die Kategorie lux zeichnet sich dadurch aus, daß ein bis zwei Zimmer angeboten werden, die über Bad, TV und Kühlschrank verfügen (was nicht heißen muß, daß diese auch funktionieren). Viele dieser Hotels unterscheiden sich außer im Preis nicht sehr von ehemaligen Devisenhotels.

Ausländer zahlen im übrigen meist dreimal mehr als Einheimische und Bürger der ehemaligen Sowjetunion, wobei finanziell nochmal zwischen den Touristen aus den ehemaligen Satellitenstaaten der UdSSR und Touristen aus dem Westen unterschieden wird. "Westler" zahlen für eine ÜB in einem solchen Hotel zwischen 2 und 15 DM.

Ferienheime

Typisch für die Republiken der ehemaligen Sowjetunion sind die zahlreichen Ferienheime. Zu Zeiten der UdSSR war es üblich, daß die verschiedensten Betriebe und Berufsverbände Erholungshäuser für ihre Mitarbeiter und Mitglieder unterhielten. Der jeweilige Standard eines solchen Ferienheims, auch *Turistbasa* genannt, hängt mit dem Träger zusammen, was ganz besonders an dem ehemaligen Ferienhaus der sowjetischen Politprominenz in Jurmala deutlich wird. In der Regel sind die Touristenbasen eher einfach ausgestattet (manche sind auch ein wenig schmuddelig), da sie nur zum Übernachten gedacht waren, nicht aber zum Aufhalten. Dazu dienten die Wälder und Strände.

In den touristischen Hochburgen sind die Ferienheime oftmals riesige Betonklötze, eingestellt auf die Unterbringung von Massen. Sie bieten in der

Regel Vollpension an oder verfügen zumindest über eine Art Kantine. Die kleineren und gemütlicheren Erholungsheime sind meist mit einer Küche zur Selbstversorgung ausgestattet. Die Mehrzahl der Ferienheime ist sehr preisgünstig. Vielerorts kostet eine Übernachtung etwa 3 DM.

Camping

Unter Camping versteht man in Estland, Lettland und Litauen Plätze mit kleinen Holzhütten, in denen man für eine niedrige Gebühr (ca. 0,50 - 5 DM, je nach Standard), übernachten kann. Es gibt welche, denen Cafés, Bars, Bibliotheken und Saunen angeschlossen sind, aber auch solche mit lediglich 2 oder 3 Wasserpumpen und 1-2 Toiletten, die für den gesamten Platz reichen müssen, und mit einer offenen Feuerstelle im Freien ausgestattet sind. Die meisten Campingplätze liegen sehr schön, entweder direkt am Strand, mitten im Wald oder unmittelbar am Seeufer, und haben in der Regel nur während der Sommermonate geöffnet.

Wildcampen

Eine weitere Form der Übernachtung ist das Wildcampen, das außerhalb der Städte, Nationalparks und Naturschutzgebiete überall gestattet ist. Es gibt genügend idyllische Stellen, die förmlich zum Campen einladen. Damit diese Ecken auch idyllisch bleiben, sollte man beim Feuermachen sehr vorsichtig sein, da akute Waldbrandgefahr besteht. Häufig kann man am Straßenrand blaue Schilder mit einer Tanne sehen. Diese Schilder zeigen Parkplätze an, die sich zur Übernachtung im Auto eignen (siehe S. 30).

Privatquartiere

Eine gute Gelegenheit, einen Einblick in das Leben einer baltischen oder russischen Familie zu bekommen. Immer mehr Einwohner des Baltikums bieten ihre eigenen vier Wände zur Unterbringung von Touristen an. Zur Verfügung stehen EZ oder DZ. Küche und Bad werden mit den Vermietern gemeinsam genutzt. In der Regel ist ein Frühstück im Preis inbegriffen. Während das Frühstück in den Hotels oft recht kläglich ausfällt, wird man bei einer Familie meist königlich bewirtet. Es sei darauf hingewiesen, daß zum Frühstück auch mit Bratkartoffeln, Suppe und Fisch zu rechnen ist. Die Übernachtungskosten liegen zwischen 20 und 35 DM.

Jugendherbergen

In Estland ist ein Netz von Jugendherbergen im Aufbau. Von der Ausstattung und vom Preis unterscheiden sie sich allerdings nicht sehr von den Ferienheimen. Noch ist kein internationaler Jugendherbergsausweis notwendig, doch soll dieser in absehbarer Zeit Pflicht werden. Nähere Informationen gibt es in Tallinn in der Liivalaia tänav 2, Tel./Fax 445853.

Auch in Litauen hat der Aufbau von preiswerten Jugendunterkünften begonnen. Bekannt sind bis jetzt nur die sog. Jugendherbergen im Vilniuser Vingis-Park, der nichts anderes ist als ein Sommer-Camp, und eine

Herberge in Juzintai, im Bezirk Rokiškis. In letzterer kann man für das Nachtlager auch mit seiner Arbeitskraft zahlen, indem man dort einem Bildhauer zur Hand geht. Für eine ÜB werden im Durchschnitt etwa 9 DM veranschlagt. Nähere Informationen in Vilnius unter Tel. 445140/756650.

Essen und Trinken

Speis und Trank in den baltischen Staaten sind sehr preiswert, wenn man nicht gerade in den Nobelrestaurants der neuen Luxushotels essen geht.

Der Preis für ein reichliches Mittagessen in einem durchschnittlichen Restaurant liegt in der Regel nicht höher als 5 DM, meist sogar niedriger. Mit den Getränkepreisen verhält es sich ähnlich, solange man bei einheimischen Produkten oder denen der ehemaligen Sowjetunion bleibt. Kommt aber erstmal ausländisches Bier oder Schnaps ins Spiel, dann wird es teuer, teilweise zahlt man dann sogar mehr als zu Hause.

Essen

Spezialitäten: Typisch für Litauen sind *cepelinai*, gekochte, mit Fleisch gefüllte Kartoffelklöße. Beliebt zum Kaffee, Nachtisch oder zu Festlichkeiten ist ein Stück *šakotis*, ein aus 99 Eiern bestehender Baumkuchen. Auch *kugelis*, eine Art Kartoffelpudding, wird gerne gegessen.

Die Letten lieben *saldskāba maize* (dunkles Roggenbrot) mit *biezpiens* (ein fester Frischkäse) und *medus* (Honig). Ein beliebtes Getränk ist Kefir. In den Küchen der Einheimischen wird viel mit Getreide, wie *griķi* (Buchweizen), *grūbas* (Gerste) und *auzas* (Hafer) gekocht, das in den Küchen der Restaurants allerdings nicht verwendet wird.

In Estland gehören *mulgi*, Sauerkraut mit Grütze zu den Lieblingsspeisen. In Estland sollte man auf keinen Fall versäumen, Fisch zu essen, am besten geräuchert.

Den Genuß von *Piroggen*, mit Speck, Schinken und Zwiebeln gefüllte Hefebällchen, wissen Esten wie Letten gleichsam zu schätzen.

In Lettland und Litauen gibt es oft die aus Rußland stammende *chalodni borschtsch*, eine kalte Suppe aus roten Rüben mit Eieinlage und einem Klecks saurer Sahne, die im Sommer sehr erfrischend ist. Sehr gerne werden auch die russischen *bliny* angeboten, eine Art Pfannkuchen, serviert mit saurer Sahne oder aber gefüllt mit Quark oder Fleisch.

Frühstück: Wer ein westliches Frühstück erwartet, wird enttäuscht werden. Die Einheimischen verzehren in der Früh meist nicht mehr als eine kleine Scheibe Brot, dazu einen Becher Tee oder Kaffee. Ihre erste richtige Mahlzeit nehmen sie in der Kantine am Arbeitsplatz ein.

Dementsprechend schwierig ist es in vielen Orten, Cafés zu finden, in denen man ausgiebig frühstücken kann. Am besten eignen sich dazu die Konditoreien, wo es neben den verschiedenen Kuchen und Torten auch diverse Brötchen gibt, oftmals mit Fleisch gefüllt, und wo Kaffee und Tee ausgeschenkt wird. Zum Frühstücken bieten sich auch die Milchbars an, die Salate, gezuckerte Quarkspeisen und Milchshakes servieren.

Das Frühstück in den Hotels, sofern es überhaupt welches gibt, fällt unterschiedlich aus, besteht aber im Durchschnitt aus einigen wenigen Scheiben Brot, etwas Wurst und Käse und einem Omelett oder Rührei. Getrunken wird dazu Kaffee oder Tee.

Wer privat wohnt, dem wird am frühen Morgen reichlich aufgetischt, wie beispielsweise Fisch, Pilze und Käsebrote, begleitet von der ständigen Aufforderung, auch wenn man bereits völlig satt ist, doch noch eine Kleinigkeit nachzunehmen.

Vegetarisches Essen: Vegetarier werden es im Baltikum schwer haben, da hier sehr viel Fleisch gegessen wird. Wer kein Fleisch ißt, wird wenig Verständnis finden; oft muß er erst diskutieren, um z. B. nur Kartoffeln, Brot und Salat zu bekommen. Am einfachsten geht es mit einer kleinen Notlüge, indem man erzählt, daß man eine Fleischallergie habe und der Arzt den Verzehr von Fleisch verboten habe. Alternativ zu Kartoffeln und Salat gibt es auch noch die bliny, eine Art kleine Pfannkuchen. Zu empfehlen und sehr erfrischend ist die *Rote-Rüben-Suppe*, die im Sommer in Lettland und Litauen weit verbreitet ist.

In den drei Hauptstädten ist es mittlerweile nicht mehr schwer, etwas Vegetarisches zu bekommen.

Süße Sachen: Wer keinen Zucker ißt, hat es ähnlich schwer wie die Vegetarier, denn wenn es an einer Sache im Baltikum nicht mangelt, dann an Süßigkeiten. Auch in den kleineren Städten gibt es ein vielfältiges Angebot an guten, aber oftmals sehr süßen Torten, Kuchenteilchen und Keksen. Darüber hinaus wird im Baltikum, ganz gleich ob im Sommer oder Winter, sehr viel Eis gelutscht. Das einheimische Speiseeis wird an den Straßen aus Pappkartons verkauft. In vielen Konditoreien werden auch supersüße Eis-Saft-Shakes angeboten, denen gerne noch zusätzlich ein dicker Eßlöffel Zucker hinzugefügt wird.

Reichlich ist auch das Angebot an Bonbons und Konfekt, worunter kleine Schokoriegel verstanden werden. Immer mehr sieht man mittlerweile auch die bekannten Süßigkeiten aus dem Westen.

Restaurants

In den großen Städten ist es mit Sicherheit kein Problem, auch die verwöhntesten Gourmets zufriedenzustellen. In den drei Hauptstädten können exklusive Restaurants mit nationaler und internationaler Küche und mit englisch- oder deutschsprachigen Speisekarten aufwarten. Auch in den anderen größeren Städten des Baltikums entstehen stets neue private Lokale, in denen das Essen und der Service meist besser ist als in den staatlichen Restaurants.

In den Restaurants der kleineren Städte müssen in der Regel noch Abstriche gemacht werden. Die Gericht sind sehr einfach, aber preiswert. In den überwiegend noch staatlichen Gaststätten gibt es als Vorspeise meist eine Kohlsupppe oder kalte Rote-Rüben-Suppe und ein Tagesgericht.

Natürlich hat jedes der drei baltischen Länder seine eigenen Spezialitäten, doch in der Regel kommen ähnliche Dinge auf den Tisch. Gerne gegessen werden die heimischen Pilzarten, Kohl, Beeren, Rüben, Sauerkraut und sehr viel Fleisch, aber auch Fisch. Alle Speisen sind reichlich mit süßer oder saurer Sahne verfeinert.

Ein Menü besteht aus Vorspeise, Suppe, ein bis zwei Hauptgängen und einem Nachtisch.

Vorspeise: Im Sommer bekommt man als ersten Gang frische Tomaten- oder Gurkensalate serviert, die aber wirklich nur als Vorspeise angesehen werden und dementsprechend auch nur aus einer Tomate oder einem winzigen Stück Gurke bestehen. Im Winter sind verschiedene Krautsalate üblich.

Suppe: In der Regel hat man die Auswahl zwischen Borschtsch, einer Suppe aus Kohl und Fleisch, Soljanka, einer Art Gulaschsuppe, und der Rote-Rüben-Suppe.

Hauptgang: Er besteht aus Fleisch bzw. Fisch, Beilagen in Form von Kartoffeln, Pommes frites oder Reis und etwas Gemüse.

Dessert: Als Nachspeise werden Kuchen, Eis, Pudding oder Kompott serviert.

Bars

Hier werden in der Regel belegte Brote, Salate oder kleine Fleischbällchen angeboten. Manchmal stehen auch ein bis zwei Gerichte zur Auswahl. Das Alkoholsortiment hängt vom Eigentümer ab. Befindet sich die Bar in Privatbesitz, werden überwiegend westliche Marken ausgeschüttet, und unter Umständen wird noch harte Währung dafür verlangt. In den noch verbliebenen staatlichen Bars besteht das Alkoholangebot aus einheimischen Produkten und denen der ehemaligen Sowjetrepubliken, wie beispielsweise litauisches Bier, russischer Wodka oder usbekischer Kognak.

Cafés/Bistros

Neben den herkömmlichen Cafés, in denen man Kaffee und Kuchen bekommen kann, gibt es Selbstbedienungscafés, die auch Snacks anbieten. In manchen Cafés kann man wie in einem Restaurant speisen, der einzige Unterschied zu den Restaurants besteht darin, daß dort allabendlich Tanzkapellen auftreten. Es gibt aber auch solche Cafés, die nur Getränke und diverse Kuchen auf der Speisekarte stehen haben, und welche mit Selbstbedienung und kleinen Snacks im Angebot.

Gutes Essen erhält man auch in den Bistros der schweizerischen "Bistro-Kette".

Selbstbedienungskantine

Dieser Zweig der Gastronomie ist fast noch in jedem Dorf zu finden. Es sind Großküchen mit einfach eingerichteten Speisesälen, die um die Mittagszeit von den Berufstätigen aufgesucht werden. Diese Kantinen sind staatlich und sehr billig. Um die Preise niedrig zu halten, werden nicht immer Produkte erster Wahl verwendet. Man hat die Wahl zwischen Suppe, Kartoffeln, zwei Fleischgerichten, kleinen Salaten, Milch oder Kefir, Brot und Kuchenteilchen. Gut sind in der Regel die kalten Rübensuppen.

Imbißstuben

Last but not least klappen auch immer mehr Karavans und Wohnwagen ihre Fensterläden nach oben und werden zur Imbißbude. Sie bieten meist Hamburger und Pizzen an, die sich in jüngster Zeit größter Beliebtheit erfreuen. Aufgrund fehlender Zutaten sind diese oft phantasievoll improvisiert. Verkauft wird vielerorts auch eine Art Baguette mit geschmolzenem Käse. Oft bekommt man an diesen Ständen auch abgelaufene, aber noch genießbare Westwaren, wie Bier, Spitzkuchen oder Spekulatius.

Selbstversorgung

Lebensmittelläden: Wer Geld hat, kann mittlerweile alles kaufen, zumindest in den Hauptstädten. Doch für den Großteil der Bevölkerung ist das Besorgen von Lebensmitteln immer noch sehr anstrengend, wobei sich die Lage in Estland stark verbessert hat und auch Litauen und Lettland schon besser dastehen als das Kaliningrader Gebiet.

Geht man als westlicher Besucher in die staatlichen Lebensmittelgeschäfte, findet man meistens ein kärgliches Angebot vor. Die angestaubten Stellagen sind so gut wie leer. Erhältlich sind die Grundnahrungsmittel wie Brot, Butter, Wurst, Fleisch und Käse, oftmals in Kunstdärmen verpackt, so daß er von außen oft wie Wurst aussieht, sowie Milch, Quark und Haferflocken. Dazu kommen gewisse Konserven, wie Gurken, Tomaten, Äpfel und Fisch, wobei letzteres wirklich nicht zu empfehlen ist. Vor vielen Geschäften ist noch immer die Warteschlange, eines der vielen Rudimente des alten Systems, zu sehen. Betrachtet man die Preise, so wirken sie lächerlich niedrig, und sind doch für den Großteil der Bevölkerung kaum zu bezahlen.

Richtige Supermärkte mit Selbstbedienung findet man im Baltikum noch kaum. Ein Lebensmittelladen sieht meist so aus, daß zwei bis drei Frauen hinter einer Verkaufstheke stehen und die gewünschte Ware hervorholen und abwiegen, wie in den guten alten Tante-Emma-Läden. Die zu zahlenden Preise werden in Windeseile auf einem Abakus, einer Art Rechenmaschine, ermittelt. Dieser besteht aus einem Holzrahmen mit 10 Drahtreihen, auf denen jeweils 10 Perlen, teils dunkel, teils hell, aufgefädelt sind.

Es gibt mittlerweile aber auch private Läden, in denen man westliche Nahrungsmittel bekommt, wie Fertigmüsli, Marmelade, löslichen Zitronentee, aber auch Obst und Gemüse.

Markt: Hier kommen Naturkostliebhaber voll auf ihre Kosten. Auf den bunten Märkten der größeren Städte gibt es im Sommer nichts, was es nicht gibt. Die Marktstände biegen sich unter den Bergen von Himbeeren, Heidelbeeren, Erdbeeren, Kirschen und frischem Gemüse. Hinzu kommen die köstlichen Pfirsiche und Aprikosen aus Georgien und zuckersüße Melonen und Granatäpfel. Zu den meisten Märkten gehören auch große Markthallen, in denen Fleisch- und Wurstwaren, Milchprodukte und Brot und Kuchen verkauft werden.

In den Kleinstädten richtet sich das Angebot auf den Märkten nach der Jahreszeit. So gibt es auch hier im Sommer frischgepflücktes Beerenobst, Tomaten, Möhren usw., doch im Winter herrscht hier gähnende Leere. Viel mehr als Weißkohl, Äpfel, saure Gurken, Rote Beete und Sauerkraut gibt es dann nicht zu kaufen.

Trinken

Alkoholfreie Getränke: Gerne getrunken werden Säfte und Limonaden, die jedoch meist so süß sind, daß sie eher Durst erzeugen als löschen. An zahlreichen Verkaufsständen und Imbißbuden gibt es mittlerweile Softdrinks aus dem Westen, sogar in "Light-Ausführung". Das Mineralwasser ist sehr natriumhaltig und schmeckt dementsprechend salzig, wird aber besser, je weiter nördlich man kommt. Morgens und zwischendurch trinkt die Mehrheit der Bevölkerung Tee oder Kaffee bzw. eine Art Ersatzkaffee. Wer den Tee oder Kaffee ungesüßt trinkt, sollte das bei der Bestellung ausdrücklich sagen. Beliebt ist ebenfalls Milch, Kefir und Kwass. Kwass ist eine Art Brottrunk, sehr hefehaltig und angeblich ohne Zucker. Eisgekühlt ist er im Sommer angenehm erfrischend.

Alkoholische Getränke: An oberster Stelle steht das Bier, das auch schon am frühen Morgen konsumiert wird. Bevorzugt wird ausländisches Bier (gut ist das finnische "Koff"), sofern es das Budget zuläßt. Sehr oft hat das Bier das Verfallsdatum längst überschritten, doch noch gilt die Devise, daß alles, was aus dem Westen kommt, grundsätzlich besser ist. Dabei ist das baltische Bier durchaus nicht schlecht. In einigen Bars ist es so, daß, wenn man einheimisches Bier trinken möchte, das auch ausdrücklich sagen muß, weil man sonst automatisch teures Westbier bekommt. Vielerorts verbreitet ist übrigens auch die Vorstellung, daß Frauen kein Bier trinken. Als "Frauengetränk" gilt *Schampanskoje*, russischer Krimsekt oder süßer Kognak, meist aus Usbekistan.

Die Dorfbewohner des Baltikums decken ihren Bedarf an Bier einmal in der Woche, nämlich dann, wenn der Bierwagen kommt. Zu erkennen ist er an einer dicht gedrängten Männerschar mit großen Gurkengläsern in der Hand, die randvoll gefüllt werden sollen.

Harte Sachen: Beliebt ist der gute alte Wodka, der von Esten, Letten, Litauern und Russen gerne konsumiert wird. Auch wenn der Wodka noch als "Männersache" angesehen wird, trinken ihn auch immer mehr Frauen.

Seit dem Übergang zur Marktwirtschaft werden zunehmend Bars und Kneipen eröffnet, die westliche Spirituosen verkaufen. Das Wort "Schnaps" scheint international bekannt zu sein.

Wodka ohne Worte

Eine weitverbreitete Art der Wodkabestellung ist folgende Geste: Man legt den Daumen der linken Hand auf den Fingernagel des Mittelfingers und schnippt diesen an den Hals, begleitet von einem breiten Grinsen.

Zurückzuführen ist diese Geste angeblich auf einen trinkfreudigen Diener von Zar Peter I. Da Peter ihm gut gesonnen war, soll er seinem Bediensteten einen von ihm unterschriebenen Zettel zugesteckt haben, der ihn überall zu freiem Alkoholkonsum berechtigte. Nach kurzer Zeit war dieser Schrieb jedoch verlorengegangen. Daraufhin soll der Zar seinem Diener die "Blankovollmacht" zum freien Trinken auf den Hals tätowiert haben, so daß dieser seitdem nur auf diese Stelle verweisen mußte und nach Herzenslust bechern konnte.

Wissenswertes von A-Z

ADAC - Vertretungen

Tallinn: Rävela pst. 9, 7. Etage, Tel. 261353
Riga: Basteja bulv. 14, Tel. 229764
Vilnius: z. Zt. noch im Hotel Draugystė, Čiurliono g. 84, Tel. 661627.
ADAC-Notruf in München: Tel. 089-222222, rund um die Uhr besetzt.

Ärztliche Versorgung

Die Behandlung in den Polikliniken ist teilweise noch kostenlos. Viele Ärzte praktizieren mittlerweile nicht mehr im Krankenhaus, sondern haben ihre eigene Praxis. Dort kostet die Behandlung natürlich Geld. Um im nachhinein keine böse Überraschung zu erleben, sollte man auf jeden Fall vorher nach dem Preis fragen.

Anzuraten ist auch der Abschluß einer Reisekrankenversicherung, die sowohl im Falle ärztlicher Behandlung als auch für Heimtransporte und im Unglücksfall die Kosten für Überführungen übernimmt. Reisekrankenversicherungen können in jedem Reisebüro abgeschlossen werden.

Medikamente

Es gibt zwar in den drei Hauptstädten gut bestückte Apotheken westlichen Standards, und in Riga gar eine homöopathische, doch anderswo sind viele Medikamente schwierig oder gar nicht zu bekommen. Daher zu Hause reichlich mit den benötigten Mitteln eindecken.

Notruf

Die Unfallhilfe ist in allen ehemaligen Sowjetrepubliken kostenlos unter der Rufnummer **03** zu erreichen.

Baltische Exilorganisationen und Kulturvereine

Baltische Gesellschaft in Deutschland, Titurelstr. 9, 81925 München, Tel. 089-980542.

Estnische Volksgemeinschaft, Brüsseler Str. 161, 51149 Köln.

Lettisches Zentrum, Salzmannstr. 152, 48159 Münster, Tel. 0251-217017.

Litauische Volksgemeinschaft, 68623 Lampertheim-Hüttenfeld, Tel. 06256-213.

Litauischer Pressedienst ELTA, Francoville Str. 16, 68519 Viernheim, Tel. 06204-5263.

Deutsches Institut, Tolli 6, EE 0001 Tallinn, Tel. 691869

Litauisch-Deutsche Gesellschaft, Universiteto 3, 2734 Vilnius, Tel. 611687

Litauisch-Schweizerische Gesellschaft, Universiteto g. 3, 2734 Vilnius, Tel. 611076.

Lettisch-Deutscher Kulturverein, Vecpilsētas 3, korp. 2, LV6050 Riga, Tel. 266894. Unter der gleichen Adresse findet man auch die Lettische Gesellschaft für Völkerfreundschaft.

Bernstein

... vor langer langer Zeit, als der Meeresgott und seine Tochter Jūratė noch unter den Wellen der Ostsee lebten, ging tagtäglich ein wunderschöner junger Fischer namens Kastytis seiner Arbeit nach. Wie das Schicksal es so wollte, verliebte sich Jūratė unsterblich in den Jüngling und lockte ihn in ihr prächtiges Unterwasserschloß, wo die beiden alsbald Hochzeit hielten. In ihrem Glück haben die Liebenden es jedoch versäumt, Perkūnas, den mächtigen Göttervater, um Erlaubnis zu fragen. Dieser fühlte sich übergangen und war so erzürnt, daß er einen mächtigen Donner schickte, der das kostbare Bernsteinzimmer der Prinzessin zerstörte, so daß es in tausende und abertausende von Splittern und Scherben zersprang. Seit dem Zeitpunkt ist das Meer damit beschäftigt, sich von den Resten des Bernsteinzimmers reinzuwaschen, so daß auch heute noch seine Wellen immer wieder Stücke des baltischen Goldes an die Strände spülen.

So erklärte sich die Bevölkerung früher, woher diese Steine stammen könnten, die immer wieder an Strände gespült wurden.

Entstanden ist der Bernstein bereits vor 50-65 Mio. Jahren im erdgeschichtlichen Alter des *Tertiärs*. Ein echtes Gestein ist er nicht, sondern ein erstarrtes, fossiles Harz der Nadelbäume, die zur damaligen Zeit im Ostseeraum wuchsen. Sehr oft beinhalten die Harze Insekten- oder Pflanzeneinschlüsse. Besonders reichhaltig an Bernstein ist die sog. *Blaue Erde* im ehemaligen Ostpreußen. Chemisch gesehen ist der Bernstein ein brennbarer Polyester, der leicht entzündbar ist. Bereits im Neolithikum begannen die Menschen, den Bernstein zu Schmuck zu verarbeiten. Bis hin ins alte Griechenland, Byzanz und Ägypten war das baltische Gold begehrt. Als im 13. Jh. die Kreuzritter den baltischen Raum eroberten, sicherten sie sich sogleich das Monopol auf den Bernstein. Anfänglich wurde er mit Netzen gefischt, später schickte man Taucher ins Wasser, heute wird er teilweise im Tagebau (im Kaliningrader Gebiet) gefördert.

Botschaften und Vertretungen

Visa können über Reisebüros, Reiseveranstalter (siehe dort) oder direkt bei den Botschaften und Konsulaten beantragt werden. Die Vertretungen sind in der Regel von Mo-Fr vormittags geöffnet.

Botschaften der baltischen Staaten

Botschaft der Republik Litauen: Argelander Str.108a, 53115 Bonn, Tel. 0228-914910, Fax 0228-9149115.

Litauisches Honorarkonsulat: Gutleutstr. 163-167, 60327 Frankfurt, Tel. 069/232333, Fax 239163.

Botschaftskanzlei der Republik Lettland: Adenauerallee 110, 53113 Bonn, Tel. 0228-264437, Fax 0228-265840.

Lettische Honorarkonsulate
In Deutschland: Königin-Luise-Str. 77, 14195 Berlin, Tel. 030-8315877, Fax 8328846
In Österreich: Marc-Aurel-Str. 4, A-1010 Wien, Tel. 01-5332400, Fax 01-5350468.
In der Schweiz: Gessnerallee 36, CH-8001 Zürich, Tel. 01-2117977, Fax 01-2210929.

Botschaft der Republik Estland: Fritz-Schäffer-Str. 22, 53113 Bonn, Tel. 0228-914790, Fax 9147911.

Estnische Honorarkonsulate
In Österreich: W. Hausthaler Str. 17, A-5020 Salzburg, Tel. 662-848 4961.
In der Schweiz: Chemin des Aulx 8, CH-1228, Plan-les-Ouates, Genf, Tel. 022-7061111/1252, Fax 0041 22 794 9478.

Botschaften der russischen Föderation

In Deutschland: Waldstr. 42, 53177 Bonn, Tel. 0228-312089/312086, Fax 0228-384561; **Außenstelle,** Unter den Linden 63-65, 10117 Berlin, Tel. 030-2291110; **Visastelle,** Reichensteiner Weg 34, 14195 Berlin, Tel. 030-8327004. Weitere Konsulate der Russischen Föderation befinden sich in Hamburg, München und Leipzig.
In Österreich: Reisnerstr. 45-47, A-1030 Wien, Tel. 222-72122
In der Schweiz: Brunnadernrain 37, CH-3006 Bern, Tel. 31-44056.

Botschaften Weißrußlands

In Deutschland: Waldstr. 42, 53177 Bonn, Tel. 0228-318840.
In Österreich: Erzherzog-Karl-Straße 182, A-1220 Wien, Tel. 01-225393, Fax 2205687;
In der Schweiz: Avenue de la Paix 15, CH-1210 Genf, Tel. 022-7331870, Fax 022-7344044.

Vertretungen der Bundesrepublik/Österreich/Schweiz im Baltikum

Deutschland ist inzwischen in allen drei baltischen Hauptstädten mit Botschaften vertreten, aber nicht die Schweiz und Österreich. In Notfällen sollten sich schweizerische und österreichische Staatsbürger entweder an die Deutsche Botschaft oder aber an ihre Vertretungen in Stockholm oder Helsinki wenden.

Die Botschaft hilft bei Verlust von Reisedokumenten und -finanzen und anderen Schwierigkeiten. Die Fahrkarte und Geld für Wegzehrung wird in solchem Falle von der Botschaft ausgelegt, ist aber innerhalb einer Woche zurückzuzahlen. Blitzüberweisungen von zu Hause sind z. Zt. noch sehr schwierig zu bewerkstelligen und dauern, wenn sie zustande kommen, sehr lange. Beim Aufsuchen der Botschaft nicht von der langen Schlange der dort wartenden reisefreudigen Menschen abschrecken lassen: Sie warten auf Visaerteilung.

Da vieles in den baltischen Staaten noch provisorischen Charakter besitzt, sind auch die Adressen der Botschaften noch vorläufig. Einen evtl. Standortwechsel der deutschen Vertretung kann in den lettischen Fremdenverkehrsbüros in München oder Hamburg in Erfahrung gebracht werden; siehe unter Reiseveranstalter.

In Litauen

Botschaft der BRD in Vilnius: Sierakausko g. 24, 2600 Vilnius, Botschafter Reinhart Kraus, Tel. 650272/650182/632427.
Für die **Schweiz** ist die Schweizer Botschaft in Riga zuständig; eine Vertretung für **Österreich** ist momentan noch nicht eingerichtet.

In Lettland

Botschaft der BRD in Riga: Basteja bulv. 14, Botschafter Hagen Graf Lamsdorff v. d. Wenge, Tel. 0371-225532, Fax 0371-8820223.
Botschaft der Schweiz in Riga: Elizabetes 2, Botschafter Gaudenz Ruf, Tel. 323188.
Botschaft Österreichs in Stockholm: Noch werden die diplomatischen Beziehungen zwischen Österreich und Lettland von Schweden aus geregelt. Kommendorsgatan 35, 11458 Stockholm, Tel. 233490, Fax 6626928.
Von Lettland aus ist die 10-46 für Schweden und die 8 für Stockholm zu wählen.

In Estland

Botschaft der BRD in Tallinn: Rävala 9, Botschafter, Henning v. Wistinghausen, Tel. 691353.

Botschaft der Schweiz in Helsinki: z. Zt. gibt es noch keine Vertretung der Schweiz in Estland, daher bei evtl. Schwierigkeiten an Helsinki wenden. Uudenmaakatu 16a, 00120 Helsinki, Tel.649422, Fax 649 040.

Botschaft Österreichs in Helsinki: auch Österreich hat noch keine Botschaft in Tallinn eingerichtet, in Problemfällen an Helsinki wenden. Etelaesplanadi 18, 00130 Helsinki, Tel. 171322/171527, Fax 665084.

Von Estland aus ist für Finnland die 10-358, für Helsinki die 0 zu wählen.

Immer mehr Trödelläden eröffnen in Tallinn

Einkaufen

In allen drei Ländern gibt es mittlerweile ansprechend dekorierte Souvenirläden oder kunstgewerbliche Galerien, in denen man Keramik, Leder- und Korbwaren, gestrickte Handschuhe und Mützen oder folkloristische Decken erstehen kann. Beliebte Souvenirs sind auch kunstvoll angefertigte Schmuckstücke aus Silber und Bernstein. In vielen der Galerien werden farbenfrohe abstrakte Bilder und Landschaftsgemälde zeitgenössischer Künstler zum Verkauf angeboten.

So manches Schnäppchen kann man insbesondere in den drei Hauptstädten und in Kaliningrad beim Kauf von Schallplatten und Büchern, die z. T. in deutscher und englischer Sprache erhältlich sind, machen. Beim Kauf von Antiquitäten ist darauf zu achten, daß der Händler auf einem vom Kultusministerium vorgedruckten Zertifikat den Kauf der jeweiligen Ware bestätigt. Ohne diese Bescheinigung kann es bei der Ausreise zu Schwierigkeiten kommen und zur Beschlagnahmung des guten alten Stückes führen.

Gerne wird von westlichen Besuchern der brennende russische Wodka, den man nicht nur günstig in jedem Getränkehandel und in jeder Bar erstehen kann, sondern auch "hausgemacht" an jeder Straßenecke, gekauft. Meist lugt halbversteckt ein Flaschenhals des selbstgebrannten Gebräus aus löchrigen Plastiktüten oder Manteltaschen hervor.

Einreiseformalitäten

Einreise/Ausreise

Staatsangehörige der Bundesrepublik Deutschland, Österreichs und der Schweiz benötigen zur Einreise ins Baltikum einen Reisepaß, der bei Antritt der Reise noch mindestens ein halbes Jahr gültig sein muß, sowie ein Visum.

Das Visum ist auf jeden Fall **vor** Antritt der Reise, entweder bei der litauischen, der lettischen oder estnischen Botschaft zu besorgen. Wer einen Visumstempel für einen der drei Staaten im Paß hat, besitzt somit automatisch auch die Einreiseerlaubnis für die beiden anderen Länder.

Einen Visumantrag kann man über das Reisebüro bekommen oder direkt bei der jeweiligen Vertretung anfordern. Auf dem Postweg ist dem ausgefüllten Visumantrag der Reisepaß, ein Scheck zur Begleichung der Visagebühren bzw. ein Einzahlungsbeleg und ein frankierter Einschreibenrückumschlag beizufügen.

Auf dem Postweg muß mit einer Bearbeitungszeit von 1-2 Wochen gerechnet werden. Wenn man persönlich zu einer der baltischen Botschaften geht, erhält man das Visum umgehend bzw. ein über den anderen Tag in den Generalkonsulaten. Auch dann nicht den Scheck zur Begleichung der Gebühren bzw. den Einzahlungsbeleg vergessen, da das Visum, außer bei der litauischen Botschaft, nicht bar bezahlt werden kann. Z. Zt. berechnet jedes der drei Länder noch unterschiedliche Visagebühren, doch sollen sie in Zukunft angeglichen werden.

Reisende, die einen Abstecher in die GUS planen, sei ein Mehrfachvisum empfohlen, da mit der Ausreise aus dem Baltikum ein Einfachvisum verfällt, was nicht mehr bei der Rückreise an der Grenze gekauft werden kann, sondern nur in einer der baltischen Botschaften in Moskau.

Estland

Unterlagen: Dem Stand 1994 entsprechend wird für die Ausstellung eines Visums zur Einreise in die Republik Estland der Reisepaß, ein Paßbild und ein ausgefüllter Visaantrag benötigt. Weder am Seehafen noch am Flughafen werden mehr Visa erteilt.

Der Visumantrag ist erhältlich über Reisebüros oder bei den Botschaften, kann aber auch per Post angefordert werden.

Kosten: Ein einfaches Einreisevisum kostet 32 DM und ist maximal 30 Tage gültig, ein Gruppenvisum (ab 10 Personen) 16 DM pro Person und ein Mhrfachvisum 80 DM.

Von den Visakosten befreit sind Diplomaten, Mitarbeiter von Hilfsaktionen und Kinder und Jugendliche bis zu 18 Jahren.

Bankverbindung: Dresdner Bank Bonn, BLZ 370 800 40, Kto-Nr. 244 435 500.

Lettland

Das Visum für die Republik Lettland gib es bei der lettischen Botschaft, den Honorarkonsulaten oder über die Reisebüros.

Unterlagen: Für die Erteilung eines Visums sind ein in doppelter Ausfertigung ausgefüllter Visumantrag, zwei Paßbilder und der Reisepaß nötig.

Kosten: Für ein einfaches Visum mit einer Gültigkeit von 30 Tagen werden 15 DM veranschlagt, für ein 3 Monate gültiges Visum 45 DM, wobei allerdings eine Adresse in Lettland vorgelegt werden muß. Um ein Jahresvisum zu erhalten, muß eine amtlich beglaubigte Einladung aus Lettland vorhanden sein, die Kosten betragen 75 DM.

Bankverbindung: Deutsche Bank Bonn, BLZ 380 700 59, Konto-Nr. 0 591 88 301.

Litauen

Das litauische Visum ist bei den Vertretungen der Republik Litauen oder über das Reisebüro zu beantragen. Die Visa-Anträge werden in der Botschaft von Mo-Do von 10-13 Uhr angenommen. Sie können auch per Einschreiben zugeschickt werden. In diesem Fall sind die Kopie der Überweisung und ein frankierter Briefumschlag für die Rückantwort per Einschreiben nötig. Schecks werden nicht akzeptiert.

Unterlagen: Für die Ausstellung eines Visums werden der Reisepaß (Kopien sind ungültig), ein Paßfoto und ein korrekt ausgefüllter Visumantrag verlangt.

Kosten: Einfachvisum 40 DM, Mehrfachvisum 110 DM, Transitvisum 40 DM, Gruppenvisum 20 DM pro Pers.

Bankverbindung: Deutsche Bank in Bonn, BLZ 38070059, Konto-Nr.0729558.

Transitvisum für Weißrußland

Wer mit dem Zug oder Auto über Weißrußland nach Litauen einreist, braucht ein weißrussisches Transitvisum.

Seit Beginn des Jahres 1993 sind die Vertretungen der GUS nicht mehr für die Erteilung eines weißrussischen Transitvisums zuständig, da auch Weißrußland damit begonnen hat, eigene Botschaften und Konsulate im Ausland einzurichten. Laut jüngsten Informationen der Botschaft Weißrußlands in Bonn ist das weißrussische Transitvisum seit neuestem direkt an den Grenzübergängen Grodno und Brest erhältlich.

Unterlagen: Das weißrussische Transitvisum wird nur gegen die Vorlage des Visums für eine der baltischen Republiken erteilt. Vorsichtshalber sollte man ein Paßbild dabeihaben.

Einreise über Rußland

Bei einem evtl. Abstecher nach Rußland ist zu bedenken, daß ein einfaches Visum mit dem Ausreisestempel verfällt. Nach Informationen der baltischen Botschaften ist es seit Beginn 1993 nicht mehr möglich, das Visum an den jeweiligen Ostgrenzen des Baltikums zu kaufen, was vorher, wenn auch teurer, ohne weiteres ging. Es gibt zwar Vertretungen der baltischen Staaten in Moskau (s. u.), doch wer schon vorher weiß, daß er einen Ausflug nach Rußland machen möchte, dem sei von vornehrein ein baltisches Mehrfachvisum empfohlen.

Einfuhr von Landeswährung

Die Ein- und Ausfuhr von EEK (estnischen Kronen) von und nach Estland sowie von russischen Rubeln ins Kaliningrader Gebiet ist nicht gestattet. Sämtliche Bestimmungen bezüglich Währung wechseln im Moment aber ständig. Zudem sind sie sehr schwammig formuliert. Bei Redaktionsschluß konnte man jedoch folgendes festhalten: EEK sind so gut wie noch garnicht zu haben, der Lit (Litauen) ebenfalls nicht. In Lettland existiert immer noch die Übergangswährung Lettischer Rubel, der aber parallel zur neuen Währung (Lat) läuft. Diese neue Währung ist bislang aber erst teilweise eingeführt. Bitte erkundigen Sie sich vor Ihrer Reise bei den Banken bzw. den Botschaften nach dem aktuellen Stand.

Evtl. benötigte PLZ (polnische Zlotys) für den Transit durch Polen dürfen ebenfalls weder ein- noch ausgeführt werden. Was die Durchreise durch die beiden Nachfolgestaaten der Tschechoslowakei anbelangt, so dürfen zwar bis zu 100 tschechoslowakische Kronen ein- bzw. ausgeführt werden, doch wird es in absehbarer Zeit eine Währungsreform geben, aus der eine tschechische und eine slowakische Währung hervorgehen wird (z. Zt. wird die alte Währung der Tschechoslowakei durch einen Stempel in eine tschechische und eine slowakische Währung unterschieden. Nähere Auskünfte erteilen die Botschaften der Tschechischen und Slowakischen Republik, Ferdinandstr. 27, 53127 Bonn, geöffnet Mo-Fr von 8.30-11.30 Uhr.)

Elektrizität

220 Volt Wechselstrom. Häufig paßt der in Deutschland gebräuchliche Zweipol-Stecker in die Steckdosen des Baltikums. Mancherorts kann er sich jedoch als zu dick erweisen, so daß ein Adapter für Osteuropa im Reisegepäck dabei sein sollte.

Etagen

Im Baltikum und Kaliningrader Gebiet wird bei dem Zählen der Stockwerke stets das Erdgeschoß mitgezählt. Wenn also ein Hotelzimmer in der 4. Etage liegt, so ist damit die dritte gemeint.

Feiertage

Litauen:

1. Januar	Neujahr
16. Februar	Wiederherstellung des litauischen Staates (1918)
April	Ostern
1.Sonntag im Mai	Muttertag
6. Juli	Krönungstag des Mindaugas, Tag des Staates
1. November	Allerheiligen
25./26. Dezember	Weihnachten

Lettland:

1. Januar	Neujahr
April	Ostern
1. Mai	Tag der Arbeit
2. Sonntag im Mai	Muttertag
23. Juni	Ligo, längster Tag, Sommersonnenwende
24. Juni	Johannistag
18. November	Ausrufung der lettischen Republik (1918)
25.-26. Dezember	Weihnachten
31.Dezember	Silvester

Estland:

1. Januar	Neujahr
24. Februar	Tag der estnischen Unabhängigkeit (1918)
April	Ostern
2. Sonntag im Mai	Muttertag
23. Juni	Siegestag
24. Juni	Johannistag/Sommersonnenwende
16. November	Tag der estnischen Wiedergeburt
25./26. Dezember	Weihnachten

Fernsehen und Radio

Mit Beginn Gorbatschows Perestroika wurden auch die Medien zunehmend liberaler und können seit der Unabhängigkeit als frei bezeichnet werden. Etwas anders sieht es im Kaliningrader Gebiet aus. Fernsehen, Presse und Radio sind zwar nicht mehr das Machtinstrument der KPdSU, doch werden brisante Meldungen häufig noch mit einer gewissen Vorsicht behandelt. Im Funk und Fernsehen der baltischen Staaten werden die Programme in der jeweiligen Landessprache, sowie auf russisch gesendet. Ab und zu flackern auch englische und deutsche Privatsender über den Bildschirm. Im Radio laufen in der Regel die neuesten Hits der Popmusik oder folkloristische Stücke, auf den russischen Sendern dagegen tiefergreifende Schlager, die von Herzschmerz erzählen. Zu empfehlen ist der litauische Privatsender *Radiocentras*, er wird von jungen Leuten gemacht und spielt ganz gute Musik, zu empfangen auf FM, 101.0 MHz.

Folgende **Nachrichtensendungen** sind zu empfangen:
Litauen: Täglich um 22 Uhr auf Programm 1 von Radio Vilnius, englischsprachig, Mittelwelle, 666 kHz.
Estland: Mo-Fr 18.10-18.20 Uhr, sowie Di und Fr von 10-10.30 Uhr sendet Eestiradio deutschsprachige Nachrichten, 290m Mittelwelle, 1.035 kHz.
Lettland: Täglich um 17 Uhr sind im lettischen Fernsehen Nachrichten aus den USA zu sehen.
Deutschsprachige Programme sind in allen drei Staaten über Satellit zu empfangen, jedoch nicht regelmäßig.

Finanzen

Kreditkarten: Weit verbreitet sind Kreditkarten noch nicht, doch in den besseren Hotels der größeren Städte werden sie mittlerweile akzeptiert. Auch Mietwagen können bargeldlos bezahlt werden. Am weitesten kommt man mit der Plastikkarte in Estland, da dort seit 1992 offiziell die EEK gilt, während sich das Banksystem in Lettland und in Litauen noch im Aufbau befindet. Im Kaliningrader Gebiet muß ebenfalls fast überall bar gezahlt werden.

Travellerschecks: In den großen Banken der Hauptstädte ist das Einlösen von Reiseschecks möglich, wobei aber sehr hohe Gebühren veranschlagt werden. In Estland kann man sie teilweise auch schon außerhalb Tallinns einlösen, doch sollte man daraus nicht schließen, daß das überall in Estland möglich ist.

Geldwechsel: Ist mittlerweile auch in den meisten Kreisstädten möglich. Gewechselt wird in den unzähligen Wechselstuben oder in den Banken. In manchen kleineren Banken, insbesondere in den Kleinstädten, kann es passieren, daß Schweizer Franken und österreichische Schillinge nicht genommen werden, sondern nur DM oder US-Dollars.
● **Tip:** Es erweist sich als günstiger, mit US-Dollars zu reisen, da man für diese, aus welchen Gründen auch immer, an vielen Stellen verhältnismäßig mehr erhält als für die DM.

Währungen

▶ **Litauen:** Der *Litas* zu je 100 *Centai* wurde am 25. Juni 93 eingeführt. Bis dahin galt eine Übergangswährung, die *Talonas*. In der Bevölkerung wurden die Talonen auch "Tiere" genannt, weil auf den Banknoten Tiere abgebildet waren. Der 500-Talonen-Schein war gar mit einem Bären versehen, so daß er auch schlichtweg als "Bär" bezeichnet wurde. Viel lieber als Litas oder Talonen werden DM und US$ genommen, die z. Zt. als Zweitwährung weit verbreitet sind. In den neuen, mit Westartikeln ausgestatteten Geschäften wird oft noch harte Währung genommen, dasselbe gilt für einige Bars, Restaurants und Hotels. Auch die einfachen Hotels gehen mehr und mehr dazu über, von Westtouristen DM oder Dollars zu verlangen, auch in den Intershopläden gibt es nur Ware gegen Devisen.

▶ **Lettland:** In Lettland gilt seit Sommer 1992 der lettische Rubel. Doch das Vertrauen in den lettischen Rubel ist noch geringer als in den russischen. Schon die Banknoten an sich wirken nicht gerade vertrauenseinflößend. Hinzu kommt, daß viele der Scheine beschädigt sind, so daß man die Vorderseite problemlos von der Rückseite ablösen könnte. Viele Restaurants, West-Geschäfte und Hotels nehmen von daher auch nur harte Währung an. Da die 500 Lettische-Rubel-Note in der letzten Zeit permanent gefälscht wurde, ist sie im März 93 aus dem Verkehr gezogen und, eigentlich früher als geplant, durch den 5-Lat-Schein ersetzt worden. Es wird damit gerechnet, daß Ende 93 die neue Währung vollständig eingeführt sein wird. Mittlerweile sind auch 1- und 2-Lat-Münzen sowie 50 Sentimas-Münzen im Umlauf.

Für 1 DM erhält man z. Zt. etwa 100 lettische Rubel bzw. 3 Lat. 100 Lettische Rubel entsprechen je nach Tagen 400-600 russischen Rubeln.

▶ **Estland:** Im Sommer 1992 ist die estnische Krone eingeführt worden, die in Estland nun als einziges Zahlungsmittel gilt. Die estnische Währung wird vom Staat künstlich stabil gehalten, wobei man sich strikt nach der DM richtet.

1 EEK (estnische Krone) = 100 senti. 8 EEK entsprechen ungefähr dem Wert von 1 DM.

▶ **Kaliningrader Gebiet:** In dem zur russischen Föderation gehörenden Kaliningrader Gebiet ist nach wie vor der russische Rubel Zahlungsmittel. Ein Rubel entspricht 100 Kopeken. Es ist schwer zu sagen, wieviel Rubel man für 1 DM erhält, da der Rubel ständig fällt. Anfang 1993 erreichte er erneut ein Rekord-Tief. Allein im letzten Jahr hat der Rubel gegenüber der DM sechsfach (!) an Wert verloren. Momentan herrscht zudem noch große Verwirrung durch die Einführung eines neuen Rubels. Da selbst die zuständigen Ministerien im Moment nicht genau Bescheid wissen, sollte man kurz vor der Abreise bei der zuständigen Botschaft und den Banken nochmals nachfragen.

Im Kaliningrader Gebiet kommt es wegen der hohen Inflationsrate oft sogar dazu, daß auf Grund von Papiermangel einfach kein Geld zur Auszahlung der Gehälter vorhanden ist.

Fotografieren

Außer Militär- und Grenzanlagen darf mittlerweile alles fotografiert werden, wobei bei Letztgenanntem oftmals ein Auge zugedrückt wird, handelt es sich schließlich "nur um Anlagen der Roten Armee". Fingerspitzengefühl ist beim Fotografieren der Bevölkerung gefragt. Beim Fotografieren von Menschen sollte man stets, bevor man den Auslöser drückt, um Erlaubnis fragen, und die jeweilige Entscheidung, mutet das Motiv auch noch so idyllisch an, akzeptieren. Insbesondere die alten Menschen aus den ländlichen Gegenden sind Kameras gegenüber sehr mißtrauisch und scheinen hinter allem den KGB zu vermuten. Auf dem Land, wo mit einfachsten Mitteln die Felder bestellt werden, sehen es die Einheimischen gar nicht gerne, wenn man sie dabei ablichtet.

Das Besorgen von Diafilmen ist in den großen Städten des Baltikums mittlerweile kein Problem mehr. Erhältlich sind sie in den neuentstandenen Fotoläden, in denen man sie auch entwickeln lassen kann, sowie in den ehemaligen Devisenläden und den guten Hotels. Das Filmmaterial ist allerdings teurer als im Westen, so daß es sich empfiehlt, sich bereits zu Hause reichlich einzudecken.

Gastfreundschaft

Die meisten Bewohner der baltischen Staaten und des Kaliningrader Gebietes sind überaus gastfreundliche Menschen. Etwas über die spezielle Mentalität eines Volkes zu sagen, ist bekanntlich sehr schwierig. Es fällt aber auf, daß besonders die Balten und Russen eine überaus herzliche Gastfreundschaft zeigen. Die Tische sind stets mit dem Besten, was ihnen zur Verfügung steht, beladen, obwohl sie selbst jedes Geldstück zehnmal umdrehen müssen, bevor sie es ausgeben. Litauer, Letten und Esten verhalten sich ähnlich, wobei die Esten von etwas zurückhaltenderer Mentalität zu sein scheinen als Letten und Litauer.

Schon allein die Tatsache, daß man aus dem Westen kommt, löst bei großen Teilen der Bevölkerung Begeisterung, Interesse und Wohlwollen aus, so daß Touristen häufig ein Nachtlager in den eigenen vier Wänden angeboten wird. Eine Bezahlung wird vehement zurückgewiesen. Geschenke von Seiten des Gastes werden zunächst oft abgelehnt, im Endeffekt aber doch gerne genommen. Beliebt sind Süßigkeiten und technische Kleingegenstände, vor allem westliche Konsumgüter, von denen die Bevölkerung in deutschsprachigen Privatsendern hört.

Manchmal kann die Gastfreundschaft für den Besucher fast unangenehm werden, wenn die Gastgeber beispielsweise darauf bestehen, das Ticket für die Weiterfahrt zu bezahlen oder aber dem Gast für ihre Verhältnisse viel zu teure Geschenke machen. Sie tun es mit der Begründung, daß die Gäste einen positiven Eindruck von Land und Leuten mit nach Hause nehmen sollen. Womit man den Menschen, die man getroffen hat, selbst einen großen Gefallen tun kann, ist eine Brieffreundschaft oder auch eine Einladung in den Westen. Um die positive Haltung der Bevölkerung des Baltikums gegenüber Touristen nicht zu verspielen, sollte man es vermeiden, in ihrer Gegenwart mit dem Geld herumzuschmeißen, da das für die teilweise sehr sparsam lebenden Menschen demütigend ist.

Gepäck

Mit Geld und Mühe ist im Baltikum mittlerweile zwar alles irgendwie zu bekommen, doch um viel Geld und Mühe zu sparen, sollten gewisse Dinge, je nach Bedürfnissen, nicht im Reisegepäck fehlen:

- Adapter für Osteuropa;
- Autowerkzeugkasten;
- Hundefutter;
- Fahrradwerk- und -flickzeug;

- Filme (gibt es zwar auch im Baltikum, sind aber dort um einiges teurer);

- Insektenschutzmittel ist insbesondere in Estland und an den Seenplatten absolut zu empfehlen, will man eine exzessive Blutparty von Schnaken, Mücken und Co. auf seiner Haut vermeiden;

- Kondome (gibt es zwar auch in den Apotheken des Baltikums, doch kommen sie meistens aus den Nachfolgerepubliken der Sowjetunion und gelten als nicht besonders sicher);

- Kugelschreiber sollten von Schreibfreudigen ausreichend mitgenommen werden;

- Taschenlampe, da im Winter des öfteren mal der Strom ausfallen könnte

- Tauchsieder kann besonders für Leute, die im Winter reisen, von großem Nutzen sein, schon allein deshalb, weil es in den billigen Hotels je nach Lage nur einmal pro Woche warmes Wasser gibt;

- Reiseapotheke;

- Tampons und Damenbinden, in Apotheken und auf manchen öffentlichen Toiletten zwar zu haben, doch sind sie nicht von besonders guter Qualität;

- Toilettenpapier, will man nicht mit den auf einem Nagel aufgespießten Zeitungspapierfetzen vorlieb nehmen, falls diese überhaupt dort hängen;

- Windeln und Babynahrung.

Haustiere

Um Tiere mit ins Baltikum zu nehmen, muß an den Grenzen zum Baltikum ein amtstierärztliches Gesundheitszeugnis vorgelegt werden, das auch für Polen erforderlich ist. Bei der Durchreise durch Schweden ist zu beachten, daß Tiere dort einer viermonatigen Quarantäne unterworfen sind.

Information

Es gibt in der BRD, Schweiz und Österreich bis jetzt noch nicht zu viele Anlaufstellen, die detaillierte Informationen zu den baltischen Staaten liefern können. Doch das Interesse der westlichen Reiseveranstalter wächst.

Informationsstellen in Deutschland

Baltisches Fremdenverkehrsbüro, Bayerstraße 37/1, 80335 München, Tel. 089-596783, Fax 089-525913
Intourist-Informationsbüro, Friedrichstraße 153a, 10117 Berlin, Tel. 030-2291704, Fax 030-2291948; Bleicherweg 15a, CH-8002 Zürich, Tel. 01-2811114, Fax 01-2811124.

Baltisches Informationszentrum, Info Balt c/o C. Grashorn, Helgolander Str. 10, 28217 Bremen. Information über Natur- und Umweltschutz und Beantwortung von Fragen zur Kultur der baltischen Staaten, keine Touristeninformation. Ansprechpartner: Albert Caspari, Große Hardewiek 24, 27472 Cuxhaven.

Informationsstellen im Baltikum

Was die Informationen im Baltikum selbst anbelangt, so befindet sich z. Zt. noch vieles im Aufbau. In fast jeder Kreisstadt ist zwar ein Touristenbüro zu finden, wenn es nicht gerade wegen Renovierung geschlossen hat (siehe auch unter Reisebüros), doch generell sind die Informationen noch sehr dünn.

Estland

Estnisches Fremdenverkehrsamt, Suur Karja 23, EE0001 Tallinn, Tel. 441239, Fax 440963

Informationszentrum, Kinga 6, EE0001 Tallinn. Karten, Prospekte und Broschüren über ganz Estland, Zimmervermittlung in allen Preisklassen, englisch- und deutschsprachige Stadtführungen, Tel. 666959, Fax 441221.

Turist Klubi, Raekoja plats 18, EE0001 Tallinn. Dieser Club arbeitet noch nicht professionell, doch ist er eine gute Anlaufstelle, um Material über Touren durch die estnische Wildnis zu bekommen. Über sie sind auch Fahrräder erhältlich; nach Jaan Tätte oder Guido Leiburg fragen, beide sprechen englisch, Tel. 449146.

Lettland

Fremdenverkehrsamt, Brīvības bulv. 36, LV6170 Riga, Tel. 229945.

Tourist Club od Latvia, Skārņu ielā 22, LV1615 Riga. Fundierte Informationen über Lettland sowie Kartenmaterial erhältlich. Ebenfalls können Ausflüge zu den Sehenswürdigkeiten des Landes und auf individuelle Wünsche zugeschnittene Reisen, wie z. B. Rudern auf der Gauja, Reiten in Sigulda oder Fahrrad fahren in Latgalen, organisiert werden. Boote und nach Bedarf auch Zelte werden zur Verfügung gestellt. Die Touren sind günstig, in der Gruppe, die nie mehr als 10 Leute umfaßt, aber noch billiger. Nach M. Laiviņs fragen,

er spricht deutsch und kennt die schönsten Ecken Lettlands, Tel. 221731/ 223113, Fax 227680.

Tourist-Club der Universität, Raiņa bulv. 19, LV6098 Riga. Organisation von Wanderungen, Kanu- und Fahrradtouren, Vermittlung von Unterkünften, auch auf dem Land, Informationen über die Stadt, Tel. 2233114, Fax 225039.

Litauen

Ein offizielles Fremdenverkehrsamt gibt es in Litauen derweilen noch nicht. Provisorisch hat diese Aufgabe das Ministerium für internationale Wirtschaftsbeziehungen übernommen, Gedimino 30/31, 2695 Vilnius, und der Regierungsberater für Sport u. Touristik, Gedimio pr., 2039 Vilnius, Tel. 620110.

Staatliches Reisebüro, Kalvarijų g. 2, 2000 Vilnius, Touren zu den verschiedenen litauischen Städten und Sehenswürdigkeiten, Vermittlung von deutschsprachigen Führungen durch Riga, Tel. 352320, Fax 734334.

Konsularische Abteilung des Staatlichen Departements für Tourismus, Gedimino pr. 30/1, 2695 Vilnius, Tel. 622610, Fax 625432.

Norwegisches Informationsbüro, die Informationsstelle schlechthin, auch wenn in erster Linie über Norwegen informiert werden soll. Vermittlung von Privatunterkünften, Satellitentelefon.

Pläne und Karten

In Vilnius, Riga und Tallinn sind Stadtpläne und weiteres Kartenmaterial in den Buchläden, den Kiosken, in den feineren Hotels oder in den Informationsbüros erhältlich. Vor Ort sind Land- und Straßenkarten erheblich günstiger als zu Hause. In den kleineren Städten kann es allerdings durchaus vorkommen, daß sämtliche Stadtpläne vergriffen sind. Gerechterweise muß hinzugefügt werden, daß z. Zt. neue Karten in Vorbereitung sind, da sich viele Straßennamen geändert haben. Neue Pläne sind demnächst in Cēsis, Jurmala, Kuldiga und Liepāja zu erwarten. Wenn neugedruckte Prospekte herausgebracht werden, erscheinen diese in der Regel mehrsprachig.

Hauptstadtführer

In Vilnius und Riga kommt vierteljährlich, und in Tallinn monatlich ein kleines englischsprachiges Heft heraus, das die wichtigsten Fakten des jeweiligen Landes sowie einige praktische Informationen enthält und auf aktuelle Veranstaltungen hinweist.

Polnische Informationsstellen

Informationen zur aktuellen Situation an den Grenzen zwischen Polen und Litauen, dem Kaliningrader Gebiet sowie Weißrußland können an folgenden Stellen erfragt werden:
In **Deutschland**: Orbis, Warschauer Str. 5, 10243 Berlin, Tel. 030-5894530;
Polorbis, Glockengießerwall 3, 20095 Hamburg, Tel. 040-337686/88;
Hohenzollernring 99-101, 50672 Köln 1, Tel. 0221-520025/521041.
In **Österreich**: "Orbis" Schwedenplatz 5, A-1010 Wien, Tel. 222-630810

Kinder

Sowohl Airlines als auch Schiffahrtsgesellschaften bieten ermäßigte Tarife für Kinder an. Solange sie noch keinen eigenen Sitzplatz benötigen, muß für sie auch keine Fahrkarte gelöst werden. Auch für größere Kinder, meist bis zu 12 Jahren, gibt es Ermäßigungen, teilweise bis zu 50 Prozent, doch für detailliertere Informationen erkundige man sich am besten bei den jeweiligen Gesellschaften. Im Baltikum gewähren auch einige Hotels Preisnachlaß für Kinder. Es gibt im Baltikum auch sog. Kindercafés und - restaurants, die mit kleinen Tischen und Stühlen, Spielsachen und bunten Wänden alle sehr kindgerecht ausgestattet sind. Während der sowjetischen Zeit durfte man in diesen Lokalen nur in Gegenwart von Kindern speisen, während in anderen Restaurants Kinder nicht erwünscht waren. Heutzutage wird diese Trennung lockerer gehandhabt.

Kleidung

Obwohl die Sommer schön warm sind, können auch einige kalte Tage die Reisefreuden trüben, deshalb sollten auch einige wärmere Stücke im Gepäck sein, sowie ein guter Regenschutz. Wer sich im klirrenden Frost des Winters auf den Weg ins Baltikum macht, was durchaus auch seine Reize hat, für den sind gefütterte Schuhe, ein dicker Mantel, Handschuhe, Schal und eine warme Mütze ein Muß, da die Temperaturen leicht unter -10° C sinken können. Auch im Frühling und Herbst sollte man wärmere Sachen dabei haben, kann aber auf die allerdicksten Kleidungsstücke verzichten.

In **Kirchen**, insbesondere in den katholischen und orthodoxen, sollte man darauf achten, daß Schulter und Knie ausreichend bedeckt sind.
In Restaurants, Cafés und Bars gibt es prinzipiell keine vorgeschriebene Garderobe. Kurze Hosen, insbesondere bei Frauen, werden in Gaststätten nicht gerne gesehen, und dies kann dann gelegentlich zu Problemen führen. Für viele Menschen ist ein Dinner außerhalb der eigenen vier Wände ein großes Ereignis, wozu die besten Kleider getragen werden. Nichts falsch machen kann man mit Jogginganzug und Turnschuhen, die momentan im Baltikum und im Kaliningrader Gebiet topmodern sind.

Märchen und Legenden

In allen drei Staaten haben seit eh und je Mythen und Legenden eine wichtige Rolle gespielt. Oftmals hingen sie eng mit der heidnischen Götterwelt zusammen, hatten aber auch stets einen starken Bezug zur Natur. Fast jeder See, jeder Fluß und jeder Berg hat seine eigene Geschichte. Doch die baltischen Märchen und Legenden sind anders als beispielsweise die von den Gebrüdern Grimm. Bei ihnen fällt dem Adel stets eine viel wichtigere Rolle zu als in den baltischen Märchen. Der Grund dafür ist wohl darin zu finden, daß es auf Grund der jahrhundertelang andauernden Fremdherrschaft niemals estnische und lettische Könige oder Prinzessinnen gegeben hat. Diese Art von Herrschaftsstrukturen waren nur in Litauen zu finden. Viele in den baltischen Märchen vorkommenden Könige sind z. B. Herrscher über das Meer, den Wald oder den Nebelberg. Sehr oft stehen auch Bauern, Tiere oder die pure Natur im Mittelpunkt einer Erzählung. Typisch für die baltischen Märchen sind auch Wesen aus der Geister- und Fabelwelt, wie Zauberer und weise Greise mit silbernen Bärten, nicht zu vergessen aber auch die Sonne, der Mond und die Sterne. Die Thematik ist auch hier stets der Sieg des Guten über das Böse. Die negativen Kräfte werden meist vom Hexen, Ungeheuern, Drachen oder dem Teufel verkörpert, wobei zu bemerken ist, daß der baltische Teufel selten als absolut böse dargestellt wird. In vielen Märchen ist er einfach nur der Pechvogel, der Unvollkommene, was ihn menschlich macht und deshalb bei den Menschen beliebt.

Öffnungszeiten

Banken: Die Öffnungszeiten der Banken sind von Land zu Land verschieden. In Litauen sind sie von Mo-Fr, in der Regel nur vormittags geöffnet, während sie in Lettland und Estland auch am Nachmittag, meist bis 17 Uhr, aufhaben. Die zahlreichen Wechselstuben sind meistens von morgens bis abends geöffnet und das an 7 Tagen der Woche.

Bars und Cafés: Die staatlichen Bars öffnen meist so gegen Mittag und schließen gegen 22 oder 23 Uhr. Offiziell liegt die Sperrstunde bei 23 Uhr, doch einige Privatbars und Kooperativen (halb staatlich/ halb privat), die meist erst abends aufmachen, haben auch schon bis in die frühen Morgenstunden hinein geöffnet. Die Cafés beginnen in der Regel zwischen 10 und 11 Uhr morgens und schließen spätestens gegen 21 Uhr.

Geschäfte: Ein festes Ladenschlußgesetz gibt es im Baltikum nicht. Die meisten Läden machen jedoch gegen 9 Uhr auf und haben je nachdem bis 18, 19, oft auch bis 20 Uhr geöffnet. Entweder sind sie über Mittag geschlossen oder für 1-2 Stunden am frühen Nachmittag.
Lebensmittel kann man in der Regel auch sonntags kaufen. In vielen anderen Geschäften wird nicht der Sonntag als Ruhetag genutzt, sondern der Montag (hauptsächlich Buchhandel). Eine einheitliche Regelung gibt es nicht.

Hotels: Die Eingangstüren der einfachen Hotels sind meist ab 22 Uhr verschlossen, die Rezeption allerdings rund um die Uhr besetzt.

Museen: In der Regel öffnen sie zwischen 11 bis 12 Uhr morgens und haben bis 17, 18 oder auch 19 Uhr geöffnet. Die meisten Museen haben montags ihren Ruhetag, manchmal zusätzlich dazu auch noch den Dienstag.

Poliklinik: In vielen Kleinstädten wird an den Wochenenden sowie nach 18 Uhr nicht mehr behandelt. In schwerwiegenden Fällen die Nummer 03 anrufen, die rund um die Uhr erreichbar ist.

Post: Auch hier sind die Öffnungszeiten variabel. Die Postämter öffnen zwischen 8 und 9 Uhr morgens und schließen je nach Stadt zwischen 16 und 19 Uhr. An manchen Orten ist die Post auch am Wochenende geöffnet, an manchen nur Samstagvormittag. Dasselbe gilt für Feiertage.

Restaurants: Meistens öffnen sie gegen Mittag und arbeiten bis 22 oder 23 Uhr, die Küchen werden allerdings schon jeweils eine halbe Stunde bis Stunde vorher dichtgemacht. Einige der privaten Restaurants haben auch bis 24 Uhr geöffnet.

Gegen Nachmittag haben viele der Lokale für 1-2 Stunden Pause. Bei einigen staatlichen Restaurants fällt diese Pause ausgerechnet in die Mittagszeit, wo ein Bombengeschäft zu machen wäre. Wenn es sich dabei um das einzige Restaurant am Ort handelt, ist das natürlich ärgerlich. In den größeren Städten wird sich jedoch ein anderes finden lassen.

Anders verhält es sich mit den privaten Gaststätten, die auf jeden Fall über Mittag geöffnet sind. Sie haben meist 1-2 Ruhetage in der Woche, was die meisten der staatlichen Restaurants nicht haben. Sie haben dafür 1-2 mal im Monat einen *sanitarnyj djen*, einen Reinigungstag, an dem das Restaurant aus eben diesen Gründen geschlossen bleibt.

Telegrafenämter: Auch hier sind die Öffnungszeiten unterschiedlich, in einigen Städten sind die Telegrafenämter rund um die Uhr geöffnet, in anderen schließen sie zwischen 20 und 22 Uhr.

Orden

Livländischer Orden: Gegründet 1201 von Bischof Albert von Riga. Zweck dieser Gründung war, die heidnische Bevölkerung auf dem Gebiet Lettlands und Estlands zu missionieren und zu unterwerfen. Zwar ging der Livländische Orden, auch Schwertbrüder-Orden genannt, 1236 nach einer verlorenen Schlacht gegen die Letten, Semgaler und einem vereinten Litauerheer, im Deutschen Orden auf, doch konnte er sich in diesem über längere Zeit eine Sonderstellung erhalten.

Deutscher Orden: Der Deutsche Orden war zunächst in Preußen und Litauen tätig. Die Ritter des Deutschen Ordens folgten einem Aufruf des Papstes, nach den verlorenen Kreuzzügen in Palästina schließlich im Nordosten Europas neues Terrain für die Kirche zu gewinnen. Der Deutsche Orden eroberte zunächst die Gebiete Preußens und Ostpreußens und machte sich von dort zu seinen sog. Litauenreisen auf, um auch Litauen zu erobern und in den Schoß des Christentums zu führen. Die Litauer setzten sich vehement zur Wehr, was sie schließlich in die Arme der Polen trieb. Nachdem die Schwertbrüder im Deutschen Orden aufgegangen waren, fielen Livland, Estland und Kurland an den Deutschen Orden.

Papiere

Erforderlich ist ein internationaler Führerschein und der Fahrzeugschein. Ganz wichtig für die Durchreise durch Polen ist die grüne Versicherungskarte, was teilweise an der Grenze kontrolliert wird und bei nicht Vorhandensein mit Strafgebühren geahndet wird. Für die Dauer der Reise ist dringendst der Abschluß einer Vollkaskoversicherung, wie der ADAC oder DTC sie anbieten, anzuraten. Sie zahlen bei Diebstahl und Unfällen (auf Grund der schlechten finanziellen Lage wird man bei einem unverschuldeten Unfall kaum mit Schadensersatz vom Verursacher rechnen können). Zu empfehlen ist zusätzlich ein Auslandsschutzbrief mit Europadeckung, der die Kosten für evtl. Rücktransport, Mietwagen, anfallende

Übernachtungen, Unfall- und Pannenhilfe, sowie für evtl. Abschleppen übernimmt. Am Fahrzeug sollte außerdem das Nationalitäten-Kennzeichen kleben.

Post

Wie lange Briefe vom Baltikum ins westliche Ausland im allgemeinen nun wirklich brauchen, ist schwer zu sagen. In der Regel liegen sie per Luftpost nach 5-7 Tagen in den Briefkästen. Es kann aber auch vorkommen, daß sie länger brauchen. Briefe aus dem Westen ins Baltikum laufen eigentümlicherweise länger als umgekehrt und sind etwa 2 Wochen unterwegs. Das Porto ist ausgesprochen niedrig. Etwas zu den Portokosten in Lettland und Litauen zu sagen, ist schwierig, da sich die Preise ständig ändern. Sie sind aber niedriger als von Estland aus. Das Verschicken einer Postkarte kostet von Estland umgerechnet 25 Pfennige. Von Deutschland aus muß ein Brief in einen baltischen Staat und ins Kaliningrader Gebiet, insofern er nicht mehr als 20 g wiegt, mit 1 DM frankiert werden.

Postlagernd: Man kann sich auch Briefe und Karten postlagernd ins Baltikum schicken lassen. Zu adressieren sind diese Sendungen an das jeweilige Hauptpostamt mit dem Vermerk *post-restante*. Die Briefe werden ca. drei Monate aufbewahrt und gehen dann zurück zum Absender.

Preise

Im allgemeinen liegen die Preise deutlich unter westlichem Niveau. Auf die ohnehin schon niedrigen Preise gibt es mancherorts Studentenermäßigung, doch wird man als Westler dabei oftmals verächtlich schauenden Blicken standhalten müssen. Auf Grund der starken Inflation der lettischen und litauischen Übergangswährung sind alle im Buch angegebenen Preise von vornherein höher angesetzt, als sie bei den Recherchen wirklich waren, und nur als Orientierungshilfe anzusehen.

Galerien: Der Eintritt ist meistens frei, da die Exponate schließlich verkauft werden sollen. Falls Eintritt verlangt wird, liegt er nicht über 1 DM.

Kirchen: Der Eintritt ist frei, doch Spenden werden gern genommen, vor allen Dingen jetzt, wo viele Kirchen ihre weltlichen Funktionen ablegen und zu ihren geistlichen zurückkehren.

Kneipen: In manchen Lokalen in Tallinn müssen Eintrittspreise gezahlt werden, die zwischen 1-5 DM liegen.

Museen und Schlösser: Variiert, im allgemeinen liegt der Eintritt höchstens bei 1-2 DM, meistens niedriger.

Theater und Konzerte: Karten für staatliche Häuser kosten z. Zt. im Höchstfall 1 DM. Die Eintrittspreise für private Veranstaltungen und Großkonzerte liegen in der Regel höher.

Presse

Mittlerweile gibt es eine Reihe von Zeitungen, die über die baltischen Staaten informieren. Allerdings sind alle englischsprachig. Sie sind erhältlich an den Kiosken sowie in den besseren Hotels der größeren Städte.

The Baltic Independent: Größte englischsprachige Zeitung im Baltikum, erscheint einmal wöchentlich.

The Baltic Observer: Neuigkeiten aus der Wirtschaft der baltischen Staaten und der Geschäftswelt, erscheint wöchentlich.

Tallinn City Papers: 36 Seiten starke Zeitung, die ausführlich über Estland in allen

Bereichen berichtet, erscheint vierteljährlich und nur in Estland.

Tallinn This Week: Stadtzeitung, beinhaltet auch die neuesten, für Touristen interessanten Informationen, kommt einmal monatlich raus, erscheint nur in Estland.

Riga guide: Stadtzeitung Riga, karge Informationen, erscheint halbjährlich.

The Baltic News: Wochenzeitung mit Schwerpunkt Wirtschaft, enthält aber auch allgemeine Informationen über die baltischen Staaten.

Vilnius In Your Pocket: Stadtzeitung, qualitativ ähnlich wie Tallinn this week, erscheint vierteljährlich.

Rauchen

Während der Sowjet-Ära war in den meisten Restaurants, Cafés und Bars striktes Rauchverbot. In Kaunas ist sogar die gesamte Einkaufsstraße (Laisvės g.) zur rauchfreien Zone erklärt worden. Zum Leidwesen der einen und zur Freude der anderen werden diese Bestimmungen zur Zeit gelockert, obwohl es immer noch viele Gaststätten gibt, in denen nur im Foyer geraucht werden darf.

Reinigung

Wer einen längeren Aufenthalt im Baltikum plant, sollte eine große Tube Waschmittel im Gepäck haben, da die Zahl der Waschsalons noch sehr gering ist. In den Hauptstädten gibt es vereinzelte Waschsalons zum Selberwaschen und Reinigungen mit 24-48 Stunden Service. Einen Reinigungs-Service bieten z. T. auch die (ehemaligen) Devisenhotels der großen Städte an, natürlich nur für ihre Gäste.

Reisebüros

Innerhalb der letzten zwei Jahre haben, insbesondere in den Hauptstädten, zahlreiche Reisebüros eröffnet, deshalb hier nur eine kleine Auswahl:

Litauen

Okto-Pilgrim, Svečenkos g. 19, 2009 Vilnius, Niederlassung der Kölner Firma Okto-Reisen, Touren durch das gesamte Baltikum, in das Kaliningrader Gebiet und nach St. Petersburg, Tel. 630706/630783, Fax 224952.

Touristen-Club Litauen, Didžioji g. 11, 2001 Vilnius. Information und Organisation von "Naturreisen", sowie Bereitstellung von Fahrrädern, Booten etc., Tel. 657118.

Runa Ltd., Kaišiadorių raj., Frau Morkunienė veranstaltet Touren durch das Litauische Freilichtmuseum (Ethnogr. Museum) und organisiert Reisen in ganz Litauen, S. Neries g. 4-6, 234372 Rumšiškes, Tel. 0037056/47217, Fax 47569.

Gedimino Tours, S. Stanevičiaus g. 45-68, 2029 Vilnius. Spezialisiert auf Sporttourismus, ebenfalls Ausflüge in die Umgebung von Vilnius, Tel. 224885/224765, Fax 224884.

Lettland

Vesta, Kalēju g. 50. Kleines Reisebüro im Café "Pie Kaleja". Angeboten werden Touren durch das gesamte Baltikum, Wassertourismus, Vermittlung von Privatunterkünften, auch auf alten Bauernhöfen, sowie gute Stadtführungen durch Riga; nach Helita Jegrowa fragen, sie spricht deutsch, Tel 223300.

Balti, Baznīca ielā. LV1050 Riga, Touren durch Lettland, Verkauf von Schiffs-, Flug- und Bahnfahrkarten, Tel. 212253/213841, Fax 212243.

Benigne, Peldu ielā 15, LV1047 Riga. Baltikumreisen, Tel. 224789, Fax 210756.

Estland

Hermann Reisen, Mündi 2, 0001 Tallinn. Organisation von Reisen durch das Baltikum, Vermittlung von Hotels und Verkauf von Flug-, Bahn- und Schiffstickets, Tel. 440500, Fax 440290.

Estonian Holidays, im Hotel Võru, Touren durch das gesamte Baltikum sowie Verkauf von Bahn-, Schiffs- und Flugtickets, Tel.

650770, Fax 440416.

Estonian Marine Tourism, Regati Blvd.1, EE0103 Tallinn, Organisation von Yacht- und Segelreisen, Tel. 666628.

Raeturist, Raekoja plats 18, EE0001 Tallinn. Reisen durch das gesamte Baltikum, Tel. 444333, Fax 313308.

Reiseveranstalter

Schnieder Reisen GmbH, Harkortstr. 121, 22765 Hamburg. Organisierte Reisen ins Baltikum sowie Charterflüge nach Kaliningrad, Tel. 040-3802060, Fax 040-38020688

KL-Reisen GmbH, Raimundstr. 157, 60620 Frankfurt a.M., Pauschal- und Studienreisen ins Baltikum und in die GUS, Charterflüge nach Kaliningrad, Tel. 069-563047, Fax 069-561045.

Baltisches Reisebüro, Bayerstraße 37/1, 80335 München. Pauschal- und Individualreisen, Tel. 089-596783, Fax 089-525913, Telex 5212922.

Baltic Tours, Beim Strohhause 34, 20097 Hamburg. Reisen ins Baltikum und Kaliningrader Gebiet, Schiffsfahrten nach Kaliningrad, Tel. 040-241580, Fax 040-246463.

Rautenberg Reisen, Blinke 8, Postfach 1909, 26789 Leer. Reisen ins Kaliningrader Gebiet sowie nach Westlitauen (ehemaliges Memelland), Tel. 0491-929703.

ORS Ost-Reise-Service GmbH, Artur-Ladebeck-Str. 139, 33647 Bielefeld. Hauptsächlich interessant für Reisen ins Kaliningrader Gebiet und nach Westlitauen, aber auch Reisen ins Gesamtbaltikum im Angebot, Tel. 0521-142167/142168, Fax 0521-152555.

Okto-Reisen GmbH, Robert-Perthel-Str. 3, 50739 Köln. Reisen ins Baltikum und in die Staaten der GUS, Tel. 0221-172033, Fax 0221-176947.

Intourist-Reisen GmbH, Kurfürstendamm 63, 10707 Berlin, Tel. 030-88007-0, Fax 030-88007-126;

Filiale: Unter den Linden, 10117 Berlin, Tel. 030-2200361, Fax 030-6093926. Pauschal und Individualreisen ins Baltikum und in die GUS-Staaten. Buchung von preiswerten Hotels für das Kaliningrader Gebiet, die visaberechtigt sind.

Intourist-Reisen GmbH, Schwedenplatz 3-4, A-1010 Wien, Tel. 222-5339547, Fax 222-5350755.

Mochel-Reisen, Georg-Vogel-.Str. 2, 77933 Lahr. Bahnreisen ins Kaliningrader Gebiet und ins Baltikum mit dem Königsberg- bzw. dem Baltic-Express, Tel. 07821-43037.

Lernidee Reisen GmbH, Dudenstr. 78, 10965 Berlin. Reisen ins Baltikum und in die GUS-Staaten, Tel. 030-7865056, Fax 030-7865596.

Camping Schinderhannes, 56291 Hausbay. Campingreisen in die baltischen Staaten, sowie ins Kaliningrader Gebiet, Tel. 07646-8470, Fax 07646/1674.

Inmaris Perestroika Sailing, Martin-Luther-Str. 3, 20459 Hamburg. Schiffahrten von Lübeck nach Kaliningrad, Tel. 040-372797.

Baltic Express Line, Schwedenkai, 24103 Kiel. Im Angebot sind Ostsee-Kurzkreuzfahrten von Stockholm nach Riga und zurück. Tel. 0130-848595.

Schenker Rhenus Reisen, Hohe Brücke 1, 20495 Hamburg, Tel. 040-361350, Fax 040-361354-34, vermittelt Ferien- und Gästehäuser in Estland.

Reiten

Pferde sieht man im Baltikum viele, meistens jedoch Kaltblüter, die für die Feldarbeit gebraucht werden. In der Nähe von Vilnius, bei Anykščiai, in Sigulda sowie am Burtnieki-See besteht die Möglichkeit, ausgedehnte Geländeritte zu unternehmen (siehe im jeweiligen Reiseteil).

Sängerfest

Die Balten singen gerne, und jeder der drei Staaten bringt das alle fünf Jahre in Form eines gigantischen Liederfestivals zum Ausdruck. Tausende von Stimmen erklingen an diesen Tagen über die Sängerfestwiesen. In Lettland fand das letzte große Ereignis vom 2.-4. Juli 1993 statt. Das nächste Sängerfest in Litauen ist für 1994, wenn der Papst das Land besucht, geplant. Das große Sängerfest von Estland wird vom 27. Juni bis 3. Juli 1994 ausgetragen.

Baden und Strände

Lange Zeit war der größte Teil der baltischen Küste für Zivilisten gesperrt, weil sowjetische Truppen dort ihre Wachtürme aufgestellt hatten, um die Grenze zu sichern. So sind in den Seebädern so gut wie keine Promenaden entstanden, auf denen sich Cafés, Souvenirshops und Sonnenbrillenläden aneinanderreihen. Die Strände sind meist kilometerlang und menschenleer, der Sand oft fein wie Puderzucker. An kaum einem Strand fehlen die Dünen, denen sich Pinien- oder Kiefernwälder anschließen. Ausgesprochen schöne Strände befinden sich an der Kurischen Nehrung, im estnischen Nationalpark und auf den estnischen Inseln, sowie in Palanga, Liepāja, am Golf von Riga und in Pärnu, die sich hervorragend zum Baden, Strandwandern und Sonnenbaden eignen, wobei man es bei den drei letztgenannten Stellen beim Wandern und Sonnenbaden belassen sollte. Auf Grund der untergeordneten Rolle, die der Umweltschutz im Sowjetsystem gespielt hat, ist die Ostsee teilweise stark verschmutzt. Eindringlich gewarnt sei vor einem Bad an der estnischen Nordküste auf der Höhe der Städte Narva, Sillamäe, Kothla-Järve, Kunda und Maardu. Ebenfalls abzuraten ist von dem an sich schönen Strand des lettischen Ventspils. Auch dort ist die Natur durch eine Petroleumraffinerie stark angegriffen.

Wunderbar zum Baden eignet sich der **Peipussee**. Er ist so groß, daß man von einem Ufer nicht das andere erblicken kann und das Gefühl hat, aufs offene Meer zu schauen. Auch die Gewässer der letgallischen Seenplatte eignen sich gut zum Schwimmen. Was das Baden in den Seen des litauischen Aukštaitija-Nationalparks anbelangt, ist zu bedenken, daß in nicht allzu weiter Ferne ein AKW Typ Tschernobyl (s. auch unter Umwelt) am Netz hängt. Es heißt zwar, daß der Atommeiler so weit vom Park entfernt sei, um Auswirkungen auf dessen Territorium zu haben, doch es gibt auch diejenigen, die von einer Erwärmung der Seen auf Grund des AKWs sprechen. Auf alle Fälle zu meiden ist der strahlende Drukšiai-See an der litauisch-weißrussischen Grenze in der Nähe des AKWs.

Sicherheit

Die Horrorgeschichten, die von den Republiken der ehemaligen Sowjetunion erzählt werden, daß man von Banden überfallen würde, die einen dazu zwängen, seine Markenjeans herauszurücken usw., treffen sicher

Einer der vielen einsamen Strände des Baltikums

nicht auf die baltischen Staaten zu. Dennoch kann sich das Beachten bestimmter Verhaltensregeln als nützlich erweisen:

Auf jeden Fall sollte man vermeiden, allzu offensichtlich seine überlegene Kaufkraft nach außen zu tragen. Abgesehen davon, daß das gegenüber der Mehrheit der Bevölkerung, die jedes Geldstück einzeln umdrehen muß, recht taktlos ist, kann das auch Neid erzeugen, von dem schlecht zu sagen ist, welche Ausmaße er annehmen kann (insbesondere, wenn Alkohol mit im Spiel ist). Tunlichst lassen sollte man auch, Betrunkenen gegenüber irgendwelche Sprüche zu drücken - es könnte gefährlich werden.

Frauen: In den Bars und Kneipen sind überwiegend nur die Herren der Schöpfung anzutreffen. Die wenigen Frauen, die man dort sieht, sind meist alle in männlicher Begleitung. Aus diesem Grund sollten Frauen nicht unbedingt nachts alleine durch die Kneipen ziehen, und auch nicht unbedingt im Dunkeln durch die Straßen laufen (im Sommer ist es eh bis in die Nacht hinein hell), da auch stets viele Betrunkene unterwegs sind.

Autos: Was die Sicherheit von Autos anbelangt, gibt es die wildesten Gerüchte. Die Gegend, in der man sein Vehikel abstellt, sollte man sich auf jeden Fall genauer ansehen. Einheimische kann man oft dabei beobachten, daß sie abends Scheibenwischer und Außenspiegel abmontieren. Die Hotelparkplätze gelten eigentlich als sicher, sind aber nicht immer bewacht. Vermeiden sollte man wie überall auf jeden Fall, irgendwelche "attraktiven" Gegenstände im Fahrzeug liegen zu lassen. Wenn vorhanden, kann es sicher nicht schaden, das Auto auf einem bewachten Parkplatz abzustellen.

Telefonieren

Telefonauskunft: 09

Ortsgespräche

Sind problemlos möglich und spottbillig. Öffentliche Telefone gibt es viele, doch ob sie alle funktionieren, ist eine andere Frage. In Lettland und Litauen sind die öffentlichen Apparate noch auf Kopeken eingestellt, so daß ein Ortsgespräch dort weniger als einen Pfennig kostet. In Estland sind die Automaten zum größten Teil auf Jetons umgestellt, die es in den großen Telefonzentralen der Post oder aber am Kiosk gibt. Von privaten Anschlüssen sind Ortsgespräche in allen drei Republiken sowie im Kaliningrader Gebiet sogar frei.

Ferngespräche im Inland

Diese können von privaten Anschlüssen und von bestimmten öffentlichen Telefonen, die in der Post oder in den besseren Hotels zu finden sind, geführt werden. Um ohne Vermittlung des Fernmeldeamtes eine Verbindung herzustellen, wähle man zunächst die 8 und warte auf einen durchgehenden Ton, worauf man zügig die jeweilige Vorwahl und dann die Rufnummer wählt. Auch Ferngespräche sind nicht besonders teuer und kosten etwa 20 Pfennig pro Minute. Man kann die Gespräche auch über das Fernamt vermitteln lassen. Soll eine Verbindung ganz schnell zustande kommen, kostet das die dreifache Gebühr. Die Verbindungen sind oft sehr schlecht. Da sich im Baltikum ein neues Telefonnetz im Aufbau befindet, kann es sein, daß manche Städte neue Vorwahlen erhalten und sich einige Rufnummern ändern werden.

Vermittlung eines Ferngespräches

Um sich ein Gespräch auf dem Fernmeldeamt vermitteln zu lassen, muß man zunächst am Schalter die Nummer des Teilnehmers nennen, in Minuten die gewünschte Sprechzeit angeben, im voraus bezahlen und warten, bis die Stadt, in die man anrufen will, sowie die Nummer der Telefonzelle, in die das Gespräch geleitet wird, aufgerufen wird. Kommt die Verbindung nicht zustande, wird das auch ausgerufen und das Geld zurückgezahlt. Die Aufrufe erfolgen meist in der Landessprache und auf russisch.

Auslandsgespräche

Für Telefonate in andere baltische Staaten und in die ehemaligen Unionsrepubliken gilt ähnliches wie für die Inland-Ferngespräche, nur daß hierbei nach der 8 erst die Republikvorwahl gewählt werden muß, dann die Städtevorwahl, wobei die erste Ziffer weggelassen wird und schließlich die Nummer des Teilnehmers. Vorwahl Kaliningrader Gebiet: 011
Vorwahl Estland: 372
Vorwahl Lettland: 371
Vorwahl Litauen: 370

Gespräche ins westliche Ausland

Seit Februar 1993 sind die baltischen Staaten an das internationale Telefonnetz angeschlossen, so daß mancherorts die Verbindungen ins westliche Ausland relativ schnell zustande kommen. Von den drei Hauptstädten aus sind teilweise auch schon Verbindungen per Direktwahl von privaten Anschlüssen möglich. 1 Minute kostete bislang nicht mehr als 30 Pfennig, es ist aber davon auszugehen, daß die Telefonpreise auf Grund der neuen Anschlüsse steigen.
Die preisgünstigste Zeit zum Telefonieren ist an Werktagen zwischen 18 und 7 Uhr, an Wochenenden und Feiertagen.
Satellitentelefone: Eine blitzschnelle, dafür aber teure Möglichkeit, den Westen zu erreichen, sind die Satelliten-Telefone, die es aber nur in den drei Hauptstädten und in Klaipėda gibt. Die Verbindung entsteht sofort per Direktwahl. Eine Minute kostet, je nachdem von wo aus man telefoniert, zwischen 5 und 8 DM.
Um das westliche Ausland anzurufen, erst die 8 wählen, dann die 10, die Landesvorwahl, die Städtevorwahl ohne die Null und die Nummer des Teilnehmers.
Vorwahl Deutschland: 49
Vorwahl Österreich: 43
Vorwahl Schweiz: 41

Verbindungen aus dem Westen

Seitdem die baltischen Staaten an das internationale Telefonnetz angeschlossen sind, ist eine Verbindung per Direktwahl, zumindest in die großen Städte, problemlos möglich.

Auch das Übersenden von Telefaxen und Telexen ist damit erheblich erleichtert worden.

Eine Verbindung ins Kaliningrader Gebiet geht z. Zt. nur über das Fernamt. Bei der Direktwahl aus dem westlichen Ausland ins Baltikum fällt die erste Ziffer der Städtevorwahl, meistens eine 2, weg.

Vorwahl nach Litauen :
00-370 + Städtevorwahl
Vorwahl nach Lettland:
00-371 + Städtevorwahl
Vorwahl nach Estland :
00-372 + Städtevorwahl
Vorwahl Kaliningrader Gebiet:
007011 + Städtevorwahl

Telefonzelle in Kaunas

Telegramme

Für eine dringende Mitteilung nach Hause oder für die Übermittlung eines kleinen Lebenszeichens sind Telegramme gut geeignet. Aufgeben kann man sie direkt bei den Telegraphenämtern oder auch telefonisch von Privatanschlüssen und den großen Hotels (Tel. 06) aus. Ein Telegramm kostet in der Regel nicht mehr als 1-2 DM und erreicht seinen Bestimmungsort im Höchstfall 24 Stunden später. Noch schneller laufen Express-Telegramme, die allerdings das Doppelte kosten.

Trinkgeld

Bislang waren Trinkgelder nicht üblich, und in der Provinz stößt man damit sogar noch auf Unverständnis und bekommt oft seinen gezahlten "Tip" als Wechselgeld zurück.

Das Zahlen von Trinkgeldern ist auch jetzt noch nicht obligatorisch, wird aber in den Hauptstädten und in Kaliningrad mittlerweile oft erwartet. Als Anerkennung für Extra-Leistungen und Aufmerksamkeiten ist ein Trinkgeld etwa in Höhe von 10 Prozent der Gesamtsumme reichlich.

Trinkwasser

In manchen Gegenden ist das Wasser so stark gechlort, daß sogar der Kaffee danach schmeckt. Die Bevölkerung trinkt es nur abgekocht, da beim Kochen das Chlor entweicht.

Warmes Wasser gibt es in Lettland und Litauen z. Zt. nur einmal in der Woche, in Estland immerhin einmal am Tag. Davon ausgenommen sind die Nobelhotels.

Toiletten

Die Hygiene auf den öffentlichen Toiletten läßt oftmals sehr zu wünschen übrig. Etwas besser sind die WCs, für die man eine Kleinigkeit bezahlen muß. Dort gibt es sogar ein einlagiges Blättchen Toilettenpapier. Auf Bahnhöfen sollte man, wenn irgend möglich, von der Benutzung der Aborte in Form völlig verdreckter Stehklos Abstand nehmen. Auch die Toiletten in den Restaurants und Hotels sind nicht gerade vom Feinsten, die Edelherbergen und -lokale mal ausgenommen.

Die Waschbecken hängen meist halblose an der Wand, Kacheln fehlen und die Duschwannen strotzen auch nicht gerade vor Sauberkeit. Meistens fehlen die Fenster, so daß die Luft muffig und moderig ist. Die Klobrillen bestehen oftmals aus einem pappeähnlichen Material, ein idealer Nistplatz für Keime und Bakterien. Ein Desinfizierspray könnte sich als günstig erweisen.

Umgangsformen

Obwohl die Bevölkerung des Baltikums einen überaus gastfreundlichen Eindruck erweckt, sind im Dienstleistungsbereich doch noch oft Spuren des abgelegten Systems zu finden:

So sollte man darauf vorbeitet sein, daß beispielsweise in den Postämtern oder beim Fahrkartenverkauf einem unter Umständen das Schalterfenster vor der Nase zugeschlagen wird, auch wenn man schon geraume Zeit davor ausgeharrt hatte, mit dem Hinweis, daß ab jetzt geschlossen sei. Vorkommen kann es auch, daß beim Fahrkartenverkauf oder bei den Telegrammannahmestellen, obwohl offensichtlich viel Kundschaft da ist, nur ein Schalter geöffnet ist. Vor diesem bilden sich dann endlose Schlangen, während das übrige Personal danebensteht und zuguckt, dabei Kaffee trinkt und sich angeregt unterhält, anstatt einen zweiten Schalter zu öffnen. Unnormal wäre es auch nicht, wenn sich die eine am Schalter sitzende Person bald an der Unterhaltung beteiligen wird, egal, wieviel Leute vor dem Fensterchen stehen und warten. Von der Bevölkerung scheint sich da keiner drüber aufzuregen.

Auch sollte man auf den teilweise sehr rüden Ton der Fahrkartenverkäufer und an den Businformationsstellen vorbereitet sein. Ähnliches kann in den staatlichen Restaurants passieren, wo es bei zu vielen Extra-Wünschen passieren kann, daß man gar nichts bekommt. Sollte man selbst diese Art von Erfahrung machen, so bedenke man, daß diese *Obermuffel* nur einen Bruchteil der Gesamtbevölkerung des Baltikums ausmachen.

Buntes Markttreiben in Vilnius

Sprache

Im Zuge der politischen Umgestaltung ist in jeder der drei Baltenrepubliken die eigene Sprache wieder zur Staatssprache erhoben worden. Alle drei Sprachen sind relativ schwierig zu erlernen. Von daher werden schon die kleinsten Bemühungen, in der jeweiligen Landessprache zu reden, mit großem Wohlwollen beantwortet.

In letzter Zeit haben insbesondere die jungen Litauer, Letten und Esten mit Eifer begonnen, Englisch oder Deutsch zu lernen, so daß eine Verständigung in diesen Sprachen mittlerweile bedingt möglich ist.

In den großen Städten des Baltikums werden bereits deutsch- und englischsprachige Exkursionen angeboten. Kommt es in den kleineren Orten einmal zu Verständigungsproblemen, wird meistens so lange herumtelefoniert, bis jemand mit Deutsch- oder Englischkenntnissen ausfindig gemacht worden ist.

Da während der sowjetischen Zeit Russisch die allgemeine Amtssprache war und auch viele Russen im Baltikum wohnen, ist auch eine Verständigung auf russisch möglich. Es erfordert allerdings ein wenig Fingerspitzengefühl, da das Russische von den Baltenvölkern als Besatzersprache angesehen wird und sie aus diesem Grund etwas empfindlich auf diese Sprache reagieren. Es sollte daher vermieden werden, sofort auf russisch loszulegen. Besser ist es, das Gegenüber vorher zu fragen, ob es vielleicht möglich sei, eine Unterhaltung auf russisch zu führen. Eine andere Variante wäre, zu Beginn eines Gesprächs in der jeweiligen Landessprache zu erklären, daß man diese nicht beherrsche und daraufhin eine Verständigung auf englisch oder deutsch vorschlage.

Ist der Gesprächspartner weder des Deutschen noch des Englischen mächtig, wird er in der Regel das Russische anbieten.

Finnischsprachige werden in Estland kaum Verständigungsprobleme haben, und auf den estnischen Inseln kommt man vielerorts auch mit Schwedisch durch. In der Gegend um Vilnius ist auch Polnisch weitverbreitet.

Zeitungen

Deutschsprachige Zeitungen sind in den Hauptstädten mittlerweile erhältlich, jedoch nicht immer regelmäßig und pünktlich. Meistens gibt es sie in den größeren Hotels. An den Kiosken von Tallinn hat mittlerweile auch die deutsche Boulevardpresse Einzug gehalten. Immer größerer Beliebtheit erfreuen sich z. Zt. Pornomagazine.

Zeit

Im Baltikum gilt die osteuropäische Zeit, d. h. MEZ + 1 Stunde. Der Start von internationalen Flügen und die Abfahrt von international verkehrenden Schiffen, Bussen und Zügen richtet sich nach der jeweiligen Ortszeit. Vorsicht ist im Kaliningrader Gebiet geboten, da sich dort der Flug- und Schienenverkehr nach der Moskauer Zeit (MEZ + 2 Std.) richtet. Von März bis September werden die Uhren auf Sommerzeit umgestellt.

Zoll

In den baltischen Staaten gelten die allgemeinen Zollbestimmungen, die auch in Westeuropa gelten, d. h. 200 Zigaretten, 1 l Spirituosen, 1 l Wein oder Likör dürfen unverzollt ein- und ausgeführt werden. Auch die herkömmlichen Souvenirs und Artikel zum persönlichen Gebrauch sind zollfrei. Antiquitäten und Kunstgegenstände dagegen bedürfen einer Sondergenehmigung des Kultusministeriums. Stichproben werden verschärft an der litauisch-polnischen Grenze von seiten der Polen gemacht, da hier die Hauptschmuggelroute entlangführt. Fremdwährung darf unbegrenzt ein- und ausgeführt werden.

Literatur

Weiterführende Literatur und Karten

Eine große Auswahl an Literatur über das Baltikum und über das ehemalige Ostpreußen (Gesamtverzeichnis anfordern) sind über folgende Adressen zu beziehen:

Mare Balticum, Rubensstr. 7, 50676 Köln, Tel./Fax 0221-3214996.

Edition-Baltika, Postfach 3402, 64720 Michelstadt, Tel. 06061-4079, Fax 06061-73259.

Das Buch, Rote Straße 3, 21335 Lüneburg, Tel. 04131-48201.

• Geschichte/Landeskunde

Angermann, Norbert: *Die baltischen Länder. Ein historischer Überblick.* Norddeutsches Kulturwerk, 1990, 3 DM geheftet.

Angermann, Norbert: *Deutschland - Livland - Rußland. Beziehung der drei Staaten untereinander zwischen dem 15. und 17. Jh.* Norddeutsches Kulturwerk, 1988, 30 DM.

Boockmann, Hartmut: *Der Deutsche Orden.* Beiträge zur Geschichte des Deutschen Ordens. Beck 1989, 38 DM.

Butenschön, Marianna: *Estland, Lettland und Litauen. Das Baltikum auf dem langen Weg in die Freiheit,* Piper 1992, 19,80 DM.

Graw, Ansgar: *Der Freiheitskampf im Baltikum,* Straube 1991, 25 DM.

Hellmann, Manfred: *Grundzüge der Geschichte Litauens und des litauischen Volkes,* Wiss. Buchgesellschaft, 32 DM.

Urdze, Andrejs (Hrsg.): *Das Ende des Sowjetkolonialismus. Der baltische Weg.* Über die jüngste Geschichte der baltischen Staaten, Rowohlt 1991, 9,80 DM.

Schmidt, Alexander: *Geschichte des Baltikums. Von den alten Göttern bis zur Gegenwart.* Darstellung der wichtigsten historischen und kulturellen Hintergründe der Baltenrepubliken, Piper 1992.

Meissner, Boris: *Die baltischen Nationen. Estland, Lettland, Litauen,* Markus Verlag Köln. Darstellung der baltischen Nationen in Geschichte und Gegenwart, Standardwerk, 48 DM.

Rauch, Georg: *Geschichte der baltischen Staaten,* Standardwerk zur Entstehung und zum Untergang der baltischen Republiken, dtv 1990, 14,80 DM.

Ludwig, Klemens: *Das Baltikum: Estland, Lettland, Litauen.* Knappe, anschauliche Darstellung der Geschichte, Kultur und jüngsten politischen Entwicklungen der baltischen Staaten, Beck, 17,80 DM.

Prunskiené, Kazimiera: *Leben für Litauen. Auf dem Weg in die Unabhängigkeit.* Darstellung der jüngsten litauischen Geschichte aus der Sicht der ehemaligen litauischen Ministerpräsidentin. Ullstein 1992, 34 DM.

• Märchen und Sagen

Maly, Milos (Hrsg.): *Baltische Märchen.* Umfangreiche Sammlung von Märchen aus dem gesamten baltischen Raum. Dausien, 18,80 DM.

R. Viidalep (Hrsg.): *Estnische Volksmärchen,* Diederichs, 32 DM.

O. Ambainis (Hrsg.): *Lettische Volksmärchen,* Diederichs, 32 DM.

Kerbelyte, Bronislava (Hrsg.): *Litauische Volksmärchen,* Diederichs, 32 DM.

C.Hinze und U. Diederichs (Hrsg.): *Ostpreußische Sagen,* Diederichs

Nimtz-Wendlandt, Wanda (Hrsg.): *Erzählgut der kurischen Nehrung,* Elwert 1961, 16 DM.

H.F. Blunck (Hrsg.): *Ostseesagen,* Husum 1989, 19,80 DM.

• Kunst/Architektur/Bildbände

Unerwartete Begegnungen. Lettische Avantgarde 1919-1953, Wienand 1990.

Apokalypse und Glauben. Moderne litauische Kunst, Basiliken Presse 1990, 26 DM.

Mythos und Abstraktion. Zeitgenössische Kunst in Estland. Galerie art-contant/ Künstlerhaus/Badischer Kunstverein Karlsruhe/Galerie Rittloff 1992, 58 DM.

Jugendstil in der Rigaer Baukunst, Krastis, Janis, Neuthor 1992, 44,80 DM.

Tallinner historische Bauten und Kunstwerke, Mäeväli, Sulev, Periodika (Estland) 1990, 12 DM.

Unbekanntes Baltikum. Bilder aus Estland, Lettland und Litauen, Droemer Knaur 1992, 49,80 DM.

Traumziele an der Ostsee. Hrsg. Nebe, Horst. Süddt. Verlag 1989, 39,50 DM.

Das Baltikum in 144 Bildern. Hrsg. Thomson, Erik. Rautenberg 1990, 28 DM.

Die Kurische Nehrung. Europas Sandwüste. Von Antanas Sutkus (Fotos) und Helmut Peitsch (Text). Rautenberg 1988, 88 DM.

• Sprachführer

Veenker, Wolfgang: *Estnisches Minimalwörterverzeichnis.* Mare Balticum 1992, 12 DM.

Kilgas, Katrin: *Bitte schön!* Deutsch-estnisches Gesprächsbuch. Jogeva (Estland) 1991, 6 DM.

Granta, K./Pampe, E.: *Vacu-latveisu vardnica.Deutsch-lettisches Wörterbuch.* Avots (Lettland) 1990, 56 DM.

• Zeitschriften

Baltica, deutschsprachige Vierteljahreszeitschrift für baltische Kultur, mit Schwerpunkt auf Literatur/Zeitgeschehen; zu beziehen über die Versandbuchhandlungen, s. o. oder direkt bei Baltica, Postfach 530432 E, Hamburg, Einzelheft 12 DM.

Die baltischen Staaten Estland, Lettland, Litauen. Information der Bundeszentrale für politische Bildung, Berliner Freiheit 7, 53111 Bonn. Geschichtlicher Überblick und knappe Darstellung der momentanen Situation, kostenlos.

MERIAN. Estland, Lettland Litauen, Heft 9/92, Hoffmann und Campe, 14,80 DM, Porträt über die heutige Situation im Baltikum.

● **Landkarten**

Baltische Staaten, große Reisekarte 1:850.000 mit Ortsregister, Innenstadtplänen der Hauptstädte sowie Bezeichnung der ehemals deutschen Städte in der jeweiligen Landessprache und auf deutsch, teilweise ungenau, Ravenstein, 14,80 DM.

Osteuropa-Karte, große Straßenkarte der baltischen Staaten 1:200.000, mit Teilen Rußlands, Weißrußlands, sowie der Ukraine, Polens und der Slowakei. Städtebezeichnungen in der jeweiligen Landessprache, z. T. noch mit alten Namen. Hauptstraßen mit den jeweiligen Nummern versehen; der Grenzübergang Ogrodniki und Lazdiaj ist eingezeichnet, freytag und berndt, 12,80 DM, empfehlenswert.

Estnische Straßen und Touristenkarte (Eesti teede-ja turismi kaart), sehr genau und ausführlich, aber etwas unhandlich, 1:350.000, 14 DM. In estnischen Buchlä -

den günstiger zu bekommen als hier.

Litauische Straßenkarte, Neue, sehr detaillierte, dreiteilige Straßenkarte aus Litauen, mit Kennzeichnung der Schotterpisten und asphaltierten Wege, 1:400.00, 14,00 DM, im Land selber preiswerter.

Das nördliche Ostpreußen. Kaliningrader Gebiet, Verlag Rautenberg. Neue Karte mit deutschen und russischen Bezeichnungen, 1:230.000, 14,80 DM.

Estland, Lettland, Litauen, Drei einzelne, ziemlich detaillierte Straßenkarten, allerdings ohne Numerierung der Hauptwege, aber mit Kennzeichnung der Sandpisten und asphaltierten Straßen. Estland und Lettland 1:750.000, Litauen 1:600.000, Legende u. a. auch deutschsprachig, Verlag Jāna Sēta, Riga.

Baltijas Valstis, Straßenkarte der baltischen Staaten 1:700:000, mit Innenstadtplänen der drei Hauptstädte und schematische Standortkarte der Neste-Tankstellen, ohne Numerierung der Haupt- und Schnellstraßen, Legende u. a. auch deutschsprachig, Verlag Jāna Sēta, Riga.

Touristenkarte Kaliningrader Gebiet, Darstellung der wichtigsten Wege mit Straßennumerierung und Sehenswürdigkeiten, nicht sehr detailliert, 1:400.000. Erhältlich im Kaliningrader Gebiet, Verlag Argument 1992.

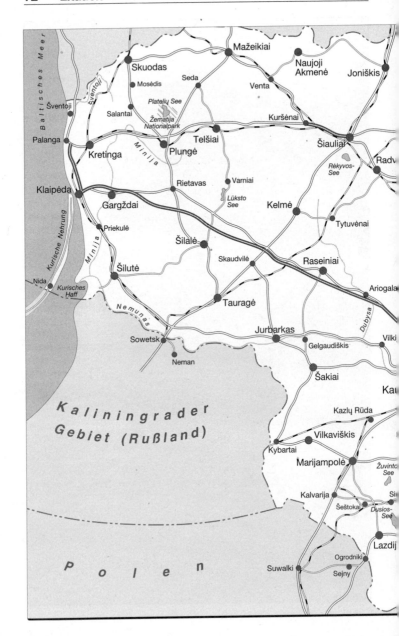

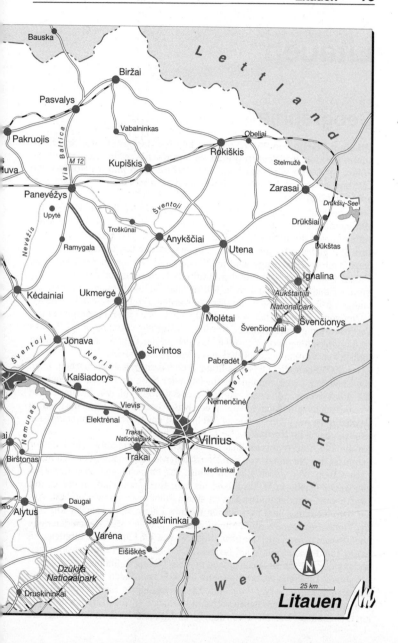

Litauen

Litauen

Geographie

**Mit einer Fläche von 26.173 qkm ist Litauen das größte der drei balti-
schen Länder. Im Westen grenzt es ans Kaliningrader Gebiet und an
Polen. Im Osten wird das Land von Weißrußland und im Norden von
Lettland begrenzt. Litauen gehört damit zum westlichen Teil der osteuropäischen Ebene.**

Seine geographische Struktur verdankt Litauen der letzten Eiszeit, die
Moränenhügel und zahlreiche Seen hinterlassen hat. Unweit von Vilnius
befinden sich die litauisch-weißrussischen Höhen. Die höchste Erhebung
dort und gleichzeitig die höchste Litauens ist der 294 m hohe *Juozapinė-
berg*. Weitere Höhenzüge sind im Westen und Nordosten des Landes zu
finden. Charakteristisch für das litauische Landschaftsbild sind auch die
weiten Ebenen, vornehmlich in Mittel- und Südwestlitauen, die von unzähligen Flüssen und Seen durchzogen werden. Die litauischen Tiefebenen
waren vom Ursprung her sehr sumpfig, sind aber vielerorts aufgrund der
Torfgewinnung trockengelegt worden. Das größte Sumpfgebiet Litauens
ist das *Marschland von Čepkeliai*, das sich an der Grenze zu Weißrußland
südlich von Varėna befindet und unter Naturschutz steht.

Etwa 3000 Seen, die 1,5 % des litauischen Territoriums ausmachen, kann
das Land sein eigen nennen. Die meisten der Seen sind in der Hochebene
des *Aukštaitija Nationalparks* zu finden und werden von den Litauern auch
romantisch als die "Blauen Augen" der Natur bezeichnet. Litauens größtes
Gewässer ist der *Drūkšiai-See* (4.500 ha) und der tiefste der *Tauragnas-See*
(60,5 m), beide im Nordosten des Landes zu finden.

An die 700 Flüsse durchziehen die südliche Baltenrepublik. Ihr längster
Strom ist der *Nemunas*, von den Deutschen *Memel* genannt, der sich malerisch seinen Weg durch Litauen bahnt. 937 km schlängelt sich der Fluß
von seiner Quelle in Weißrußland bis zum Kurischen Haff, in das er mit
zwei Armen mündet und es fast zu einem Süßwassersee werden läßt. Außer dem Nemunas sind noch sieben weitere Flüsse länger als 200 km: Neris, Venta, Šesupe, Šventoji, Minija, Merkys und Nevežis. Neben den Seen
und Flüssen prägen auch die gewaltigen Wälder die Landschaft Litauens. 28
% des Landes sind mit Wald bedeckt. Die tiefsten sind um Druskininkai,
entlang der Grenze zu Weißrußland und bei Vilnius zu finden.

Ein Juwel Litauens ist zweifelsohne die sich von Süden nach Norden erstreckende *Kurische Nehrung*, eine 0,4- 3,8 km breite Landzunge, die das
Kurische Haff von der Ostsee abtrennt. Dennoch verfügt Litauen über 100
km Ostseeküste. Das Meer vor den Toren Litauens ist flach und ruhig, die

Aussicht vom Ledkalnis (Aukštaitija-Nationalpark)

Gezeiten fehlen beinahe völlig. Bekannt und berühmt war die Küste Litauens wegen ihres Bernsteinreichtums schon in der Antike.

Litauen wird im allgemeinen als osteuropäischer Staat bezeichnet. Tatsächlich befindet sich aber in der Nähe von Vilnius der geographische Mittelpunkt Europas.

Der Boden Litauens verbirgt keine großen Reichtümer unter seiner Oberfläche. Die einzigen Bodenschätze, die abgebaut werden können, sind Ton, Dolomit, Sand, Kalk, Torf und Gips, an der Küste Bernstein.

In den litauischen Kurorten sprudeln Mineralquellen. Einige Kurorte sind für ihr reiches Vorkommen an Heilschlamm berühmt.

Klima

Das litauische Klima ist gemäßigt. Die Unbeständigkeit des Wetters ist zurückzuführen auf den Übergang von westeuropäischem zu asiatischem Klima. Insbesondere im Sommer kommt es oft zu Schauern, die jedoch meistens nicht lange anhalten. Die warme Jahreszeit in Litauen ist nicht übermäßig heiß. Die Durchschnittstemperatur liegt im Sommer bei etwa 18-20°C, was nicht heißt, daß im wärmsten Monat Juli die Temperaturen auch die 30°C-Marke erreichen können. Die Winter sind oft sonnig, aber recht kalt. Die Temperaturen sinken im Durchschnitt auf -5°C, können bei strengem Frost durchaus auch schon mal auf -20°C fallen. Der jährliche Niederschlag liegt bei etwa 650-700 mm.

Flora und Fauna

Die litauische **Pflanzenwelt** ist reich und vielfältig. In Urzeiten war das litauische Territorium von undurchdringlichen Wäldern bedeckt, die stets guten Schutz vor Feinden boten. Heute ist lediglich noch ein Viertel des litauischen Territoriums bewaldet. Dennoch war es genug, um den Partisanen im Kampf gegen die Sowjets Deckung zu gewähren. Die größten Waldflächen sind im Süden des Landes in der Umgebung von Druskininkai, Varėna und Eišiškės zu finden. Der berühmteste Wald ist der historische *Rudninkai-Forst*, in dem im Mittelalter der litauische und polnische Hochadel zu jagen pflegte. Die litauischen Wälder, alle sehr beeren- und pilzreich, bestehen überwiegend aus Nadelbäumen, aber auch Linden, Birken, Erlen, Pinien, Ahorn und Eschen kommen vor, nicht zu vergessen die Eichen, die "heiligen" Bäume. Eine der ältesten Eichen Europas steht in Stelmužė und trägt mittlerweile an die 1500 Jahresringe.

Die litauische **Tierwelt** ist nicht ganz so mannigfaltig. In den Wäldern leben Rehe, Hirsche, Damwild, Hermeline, Rothirsche, Iltisse, Füchse und Hasen, um nur einige der Waldbewohner zu nennen. Seit einiger Zeit streifen auch wieder Elche durch die litauischen Wälder, die durch übertriebene Jagd fast ausgestorben waren. Dasselbe gilt für Marder, Fischotter und Wildschweine. In die litauische Tierwelt haben sich auch ausgesetzte Nerze aus Kanada und Eichhörnchen aus Sibirien eingelebt. Vereinzelt kann man sogar auf Wölfe treffen. Viele der litauischen Landstraßen führen als Sand- oder Schotterpiste mitten durch die Wälder. Gerade in der Abenddämmerung ist dann damit zu rechnen, daß Waldtiere die "Fahrbahn" kreuzen.

An Vögeln sind in Litauen an die 290 Arten registriert, doch nur knapp zwei Drittel brüten auch hier. In den Wäldern sind die Laute der Nachtigall und des Kuckucks zu hören, die der Waldschnepfen und Holzhäher. An den Seen und Sümpfen leben Kraniche, Schwäne und Störche. Letztere sind auf unzähligen Hauserdächern und Strommasten zu sehen. Ein wahres Vogelparadies ist das *Žuvintas-Reservat* in der Provinz Suvalkija.

Umwelt

Obwohl Litauen noch Natur pur zu bieten hat, sind im Laufe der letzten Jahrzehnte der Natur große Schäden zugefügt worden, da dem Umweltschutz in der Sowjetunion nur eine untergeordnete Rolle zukam. Wie Lettland und Estland sieht sich Litauen dem Problem der Wasserverschmutzung gegenübergestellt: Die Abwässer aus Industrie, Städten und Gemeinden gelangen oft noch immer ungeklärt in die Flüsse. Der malerische Nemunas beispielsweise, der zwischen seinem üppig bewachsenem Ufer einem Urwaldstrom gleicht, sieht nur deshalb so aus, weil er völlig verdreckt ist. Das Hauptrisiko für die Umwelt stellt der morbide Brüter von Ignalina im Nordosten des Landes dar. Vier Reaktoren, Typ Tschernobyl, sind am Netz. Allein 1992 wußten die Nachrichten mindestens zweimal von einem "kleinen Störfall" zu berichten. Der Boden um das AKW ist total verseucht. Vom Baden im nahegelegenen Drukšių-See, dem größten Litauens, kann nur abgeraten werden. Pläne zum Anschluß weiterer Reaktoren lösten 1988 eine Großdemonstration aus und führten zur Bildung von Umweltschutzorganisationen.

AKW in Ignalina

Doch Litauen hat auch unbelastete Winkel zu bieten, wie die zum Nationalpark erklärte Kurische Nehrung, die Seenplatte um Trakai und die in der Nähe von Lazdijai, außerdem den Aukštaitija-Nationalpark im Osten und die Umgebung von Palanga im Westen. Als unbelastet gelten auch die Naturreservate Litauens, wie z. B. das Vogelparadies Žuvintas oder das Marschlandgebiet Čepkeliai, die jedoch nur bedingt für Besucher zugänglich sind. Bekannt für seine besonders saubere Luft ist der Dzūkija-Nationalpark mit seinen dichten Wäldern bei Druskininkai.

Geschichte

Die ersten Siedler im Baltischen Raum

Bis etwa 10.000 Jahre vor unserer Zeitrechnung war das Baltikum von einer festen Eisdecke und Gletschern bedeckt. Als diese allmählich zu schmelzen begannen, wanderten Rentierjäger aus dem Westen und Süden in den baltischen Raum ein, aus der zwei unterschiedliche Kulturen hervorgingen: die *Swidry-* und die *Magdalénien-Kultur*. Nicht selten kam es vor, daß die Lagerstätten und Siedlungen dieser beiden Kulturen dicht beieinander lagen und sie voneinander lernten. Sie waren überwiegend Sammler, gingen aber auch zur Jagd und trieben Fischfang. Mit dem milderen Klima der Mittelsteinzeit wurden die Menschen zunehmend seßhaft. Ab etwa 4000 v. Chr. hielten die Finno-Ugrier Einzug ins Baltikum.

Die Ankunft der Indoeuropäer

Etwa 4400 bis 3000 v. Chr. zogen indoeuropäische Hirtennomaden aus
Gebieten nördlich des Schwarzen Meeres Richtung Westen. Sie gehörten
der *Kurgan-Kultur* an und kamen in drei Schüben nach Mitteleuropa. Aus
der zweiten Einwanderungswelle ging im mitteleuropäischen Raum die
Kugelamphoren-Kultur hervor, die sowohl baltische als auch germanische
Völker umfaßte.

Die Kugelamphoren-Kultur zeichnete sich durch ähnliche Merkmale wie
die Kurgan-Kultur aus: Ihre Träger züchteten Vieh und wohnten in kleinen Behausungen. Während dieser Zeit entstanden die ersten Hügel-
wehrburgen. Die Menschen begannen sich zunehmend für den Bernstein
zu interessieren, den sie zu Schmuck und Sonnensymbolen verarbeiteten.
Mit Beginn des 3. Jt. v. Chr. entwickelte sich die Kugelamphoren-Kultur
weiter zur *Schnurkeramik-Kultur*, die ihren Namen von schnurartigen Verzierungen erhielt, mit denen die Tongefäße jener Epoche dekoriert waren.
Typisch für ihre Träger war auch der Gebrauch von Streitäxten.

Im Westen des heutigen Litauen bildete sich die *Haffküsten-Kultur* heraus,
die eng mit der vorausgegangenen *Narva-Kultur* in Verbindung steht. Ihre
Merkmale ähneln denen der späten Kugelamphoren- und frühen
Schnurkeramik-Kultur.

Mit dem Heimischwerden der indoeuropäischen Stämme Mitte des 3. Jt. v.
Chr. setzte sich schließlich die Lebensweise der Indoeuropäer durch.
Durch die Vermischung der beiden Kulturen entwickelte sich in dem Gebiet zwischen Slaven und Germanen eine indoeuropäische und ethnisch eigenständige Volksgruppe - die *Balten*.

Im 1. Jt. v. Chr. berichtete *Tacitus* von den Bewohnern des baltischen
Raumes als Menschen, die Ackerbau trieben, Bernstein sammelten und
äußerlich den Germanen glichen.

Mit Beginn der Bronzezeit (1500-1100) setzte allmählich auch der Bernsteinhandel ein, der ungefähr 100 n. Chr. auf seinem Höhepunkt stand und
auch als das *Goldene Zeitalter* bekannt ist. Bis nach Rom, Griechenland,
Sizilien und Kleinasien hinein reichten die Handelsbeziehungen.

Die Entstehung des litauischen Staates und die Eroberungszüge der Kreuzritter

In den *Quedlinburger Annalen* von 1009 wurde der Name Litauen erstmalig schriftlich erwähnt. Zu dieser Zeit etwa begannen sich die litauischen
Stämme zu verschiedenen Fürstentümern zusammenzuschließen, die allerdings stets in kriegerischer Fehde zueinander standen. Im 13. Jh. versuchten die deutschen Kreuzritter, die Litauer zu bekehren und zu unterwerfen. Von Preußen aus unternahmen die Kreuzritter des Deutschen Ordens ihre sog. "Litauenreisen", und von Riga aus versuchten die Schwertbrüder "ihre Mission", um die heidnischen Litauer in den Schoß der Kirche
zu führen. Den einfallenden Rittern hatten die Litauer nur hölzerne Burgen entgegenzusetzen, und oftmals zogen sie es vor, lieber in ihren Burgen
zu verbrennen, als den christlichen Feuertäufern in die Hände zu fallen.

Da die einzelnen litauischen Stämme und Fürstentümer sich nicht gerade wohl gesonnen waren, hatten die Ritter zunächst ein relativ leichtes Spiel, das litauische Gebiet einzunehmen. Als jedoch 1236 Fürst *Mindaugas* begann, die einzelnen litauischen Fürstentümer zu einigen, änderte sich die Situation. Noch im selben Jahr stellte er ein großes Heer zusammen und bereitete mit Hilfe der Letten dem Orden bei *Saule*, unweit von Šiauliai, eine empfindliche Niederlage. Obwohl es für die Glaubensbrüder nun schwieriger war, ihre Eroberungsfeldzüge auf litauischem Territorium fortzuführen, gelang es ihnen in der ersten Hälfte des 13. Jh. dennoch, Westlitauen zu erobern.

Um sich effektiver gegen die Überfälle der Ordensheere zu schützen, versuchten die Litauer, sich an andere Mächte anzulehnen. So verbündeten sie sich beispielsweise mit *Alexander Newski* und halfen ihm, im Winter 1242 die deutschen Kreuzritter auf dem Eis des Peipsi-Sees (Peipsijärv) zu schlagen. Ebenfalls waren es litauische Einheiten, die dem Bischof von Riga und seinen Bürgern in ihren ständigen Machtkämpfen gegen den Deutschen Orden zur Seite standen.

1251 bekannte sich Mindaugas schließlich zum christlichen Glauben, um den Rittern ein für allemal den Anlaß zu nehmen, aus "Missionsgründen" in Litauen einzufallen. 1253 erkannte der Papst Mindaugas als den König von Litauen an. Obwohl Litauen mit Mindaugas Taufe nun offiziell ein katholisches Land war, blieb der Großteil der Bevölkung vorerst heidnisch. Besonders die westlitauischen Žemaiten wollten von einer Christianisierung nicht viel wissen, womit sie dem Orden den gewünschten Vorwand lieferten, erneut litauisches Gebiet zu besetzen. Als die Eroberungsfeldzüge der Kreuzritter trotz der Taufe Mindaugas nicht ausblieben, legte dieser 1261 den christlichen Glauben wieder ab.

Im Jahre 1263 war die Formierung des litauischen Staates abgeschlossen, der seine Gründung sicher nicht zuletzt auch der Tatsache zu verdanken hatte, daß seine Nachbarn stark mit sich selbst beschäftigt waren: Die Russen hatten gegen die Mongolen zu kämpfen, und die Polen waren geschwächt durch die Kriege mit dem Deutschen Orden.

An der Spitze des jungen litauischen Staates stand Mindaugas, übrigens der einzige König, den Litauen je hatte.

Das Großfürstentum Litauen

Großfürst *Gediminas*, der Litauen von 1316-1341 regierte und der Legende nach als der Gründer der Stadt Vilnius gilt, hatte das litauische Territorium um einige Gebiete erweitert. Ihm taten es seine Söhne *Kęstutis* und *Algirdas* nach, die sich nach dem Ableben ihres Vaters von 1345-1377 die Macht in Litauen teilten. Nach dem Tod des Algirdas folgte ein Streit um die Macht im Staat. 1381 sah es so aus, als habe Kęstutis diesen Kampf für sich entscheiden können, doch ein Jahr später ließ Algirdas Sohn *Jogaila* ihn ermorden, um selber an die Spitze des litauischen Staates zu treten. Gleichzeitig versuchte jedoch auch *Vytautas*, der Sohn des Kęstutis, das Erbe seines Vaters anzutreten und an die Macht zu gelangen. Als entscheidend für die weitere Zukunft Litauens sollte sich der 1385 abgeschlossene Vertrag mit Polen erweisen. Durch dieses Abkommen wurde Jogaila der Gemahl der polnischen Königin *Jadviga* und somit König von Polen. Gleichzeitig mußte er sich allerdings dazu verpflichten, seine Landsleute taufen zu lassen und Litauen an Polen anzugliedern. Doch Jogaila machte die Rechnung ohne sein Volk und ohne seinen Vetter Vytautas. Die Litauer blieben trotz der Taufe Heiden, und insbesondere die halsstarrigen Žemaiten wehrten sich gegen anlaufende Polonisierungen. Die Angliederung Litauens an Polen wußte Vytautas erfolgreich zu verhindern, was ihm seine Landsleute bis auf den heutigen Tag mit Verehrung danken. Die Vettern Vytautas und Jogaila einigten sich schließlich darauf, daß Litauen und Polen lediglich eine Personalunion eingingen, mit Zusicherung der litauischen Souveränität und Unabhängigkeit. So wurde Vytautas Großfürst von Litauen und machte sein Land zu einem der mächtigsten und größten Staaten Europas, der teilweise bis hinunter zur Schwarzmeerküste reichte. Doch auch während Vytautas' Regentschaft fielen die Kreuzritter mehrmals in Litauen ein. Ruhiger wurde die Lage erst im Jahre 1410 nach der Schlacht von Tannenberg, wo ein polnisch-litauisches Heer dem Orden eine gravierende Niederlage bescherte. 1422 wurde im *Friedensvertrag von Melnosee* endgültig die Grenze zwischen dem Ordensland und Litauen festgelegt, wobei der westliche Teil Litauens in der Hand der Ritter verblieb. Später entwickelte sich aus den Gebieten des Ordens das Herzogtum Preußen.

In den von Vytautas geschaffenen Grenzen konnte sich Litauen nicht lange behaupten. Nach Vytautas, der kinderlos verstarb, wurde Jogailas Sohn Kasimir litauischer Großfürst, der von 1440-1492 die Macht im Staat hatte. Er übersah die Erstarkung Moskaus und die damit aufsteigende Gefahr im Osten. Kasimir, der ebenfalls König von Polen wurde, hatte nicht die Macht in der polnisch-litauischen Union wie sein Vater sie einst hatte. Er war darauf angewiesen, den Adel in seine Politik miteinzubeziehen und mußte ihm sogar das Zugeständnis machen, die Leibeigenschaft einzuführen. Während der Regentschaft seines Sohnes *Alexander*, der von 1492-1506 an der Spitze der Union stand, griff das inzwischen mächtige Moskau schließlich an. Unvorbereitet auf diesen Überfall erlitt Litauen eine große Niederlage und hohe Gebietsverluste.

Als 1523 die Gedanken der Reformation verbreitet wurden, hatten sie auch in Litauen auf die Entwicklung der Kultur und Sprache zunächst eine große Wirkung. In der Überzeugung, daß jeder das Recht habe, die Heilige Schrift in seiner Muttersprache zu lesen, veranlaßte der preußische Fürst Albrecht die Übersetzung der Bibel ins Litauische. Gleichzeitig wurde an der Königsberger Universität ein litauisches Seminar ins Leben gerufen, womit das Litauische als Kultursprache anerkannt wurde.

Die Gründung der polnisch-litauischen Adelsrepublik

Politisch war das 16. Jh. für Litauen auf Grund des immer mächtiger werdenden Moskaus sehr unruhig. Um weiteren Gefahren aus dem Weg zu gehen, ging Litauen unter Großfürst *Sigismund August*, der von 1548-1572 litauisches Staatsoberhaupt war, 1569 im *Vertrag von Lublin* eine Real-union, die *Rzeczpospolita*, mit Polen ein. Die polnisch-litauische Realunion war allerdings ein völlig künstliches Gebilde. Mit der Rzeczpospolita gab es in Polen und Litauen zwar eine einheitliche Währung und einen ge-meinsamen Reichstag, den *Sejm*, doch gleiche Interessen gab es wenige, von einer inneren Einheit ganz zu schweigen. Im Zuge der Entstehung der Realunion wurden dem litauischen Adel die gleichen Rechte eingeräumt wie dem polnischen. Die Blaublütigen standen sich jedoch alles andere als freundlich gegenüber. Auch die Bevölkerung war mit der Realunion nicht einverstanden. Wie schon so oft in der litauischen Geschichte waren es die Žemaiten, die am vehementesten ihren Unmut über den Lubliner Vertrag zum Ausdruck brachten. Die Aufstände der Westlitauer wurden zwar nie-dergeschlagen, schwelten im Untergrund aber weiter.

Durch das Abkommen von Lublin verlor der litauische Großfürst einen Großteil seiner Macht, da er nun dem Sejm, der sich aus Adligen beider Nationalitäten zusammensetzte, verantwortlich war.

1579 führten die Jesuiten relativ problemlos eine Gegenreformation durch, da die Reformatoren zu sehr die Rechte des Adels zu beschneiden gedach-ten. Ebenfalls im Jahre 1579 eröffneten sie in Vilnius eine Universität. Mit dem Erfolg der Jesuiten erfuhr Litauen eine langsam einsetzende Poloni-sierung. Dennoch erhielten sich beide Staaten trotz Realunion etwa 200 Jahre lang eine gewisse Souveränität. Erst als die litauischen Adligen sich immer mehr als litauischstämmige Polen betrachteten, verschwand lang-sam aber sicher der Einfluß Litauens aus der Rzeczpospolita.

Während der litauisch-polnischen Union wurde der Doppelstaat häufig von Kriegen heimgesucht. Der Adel bekämpfte sich immer noch gegensei-tig, und an das Schicksal der einfachen Bevölkerung dachte niemand. Als 1700 der Nordische Krieg ausbrach, der zu großen Teilen auf litauischem Territorium ausgetragen wurde, erfuhr die Bevölkerung bitteres Leid, das durch die anschließende Pest zusätzlich verstärkt wurde.

Die erste Teilung Polens 1772 zwischen Preußen, Rußland und Österreich bedeutete gleichzeitig auch den Zerfall der mittlerweile äußerst morbiden Adelsrepublik. Im Zuge der dritten Teilung Polens von 1795 wurde West-litauen von Preußen besetzt, während der übrige Teil Litauens an Ruß-land fiel. Neues Leid brachte *Napoleon* auf seinem Rußlandfeldzug im Jahre 1812 über Litauen, als seine Truppen das Land schonungslos ver-heerten und ausplünderten. Die restliche Zeit unter russischer Herrschaft verlief weitgehend friedlich, ist aber von Aufständen seitens der litaui-schen Bevölkerung gekennzeichnet.

Litauen als russische Provinz

Dem nun zu Rußland gehörenden Teil Litauens eröffneten sich zahlreiche neue Handelsmöglichkeiten, so daß diejenigen, die im Besitz von Land und Gütern waren, innerhalb kurzer Zeit viel Geld machen konnten. Doch für die einfachen Landarbeiter sah es wirtschaftlich schlecht aus. Nach Auf-hebung der Leibeigenschaft waren diese völlig verarmt. So ist es auch nicht verwunderlich, daß sie sich den Aufständen, die Litauen zu jener Zeit durchzogen, anschlossen. Eingeleitet wurden sie von litauischen Adligen, die die polnisch-litauische Adelsrepublik wiederherstellen wollten. Nach der Revolte von 1830/31 wurde die Universität von Vilnius geschlossen. Auf den Aufstand von 1863 antwortete der Zar mit massiver Russifizierung. 1864 wurde gar die lateinische Schrift verboten. Litauisch sollte von nun an in kyrillischen Buchstaben geschrieben werden. Unterlaufen wurde das Gebot, indem litauischsprachige Bücher in Preußen gedruckt und über Westlitauen in den russisch besetzten Teil des Landes durch die sog. "Bücherträger" geschmuggelt wurden.

Dadurch, daß nach Aufhebung der Leibeigenschaft nun auch der einfachen Bevölkerung die Schulen offen standen, entstand in Litauen eine neue intellektuelle Schicht, die schließlich auch die nationale Wiedergeburt des litauischen Volkes einleitete. So sind auch die Erhebungen der Litauer in der zweiten Hälfte des 19. Jh. von nationalem Charakter.

Wie in anderen Staaten setzte auch in Litauen im 19. Jh. die Industrialisierung ein. 1862 wurde die Eisenbahnlinie St. Petersburg-Vilnius-Warschau in Betrieb genommen, was die industrielle Entwicklung begünstigte. Es entstanden Betriebe und Fabriken, in denen überwiegend landwirtschaftliche Produkte verarbeitet wurden, sowie Metall und Leder.

Binnen kurzer Zeit hatte sich auch in Litauen eine proletarische Arbeiterschaft gebildet, die offen war für sozialrevolutionäre Ideen. 1896 gründete sich die Litauische Sozialdemokratische Partei. Es ist von daher nicht verwunderlich, daß die Gedanken der russischen Revolution von 1905/07 in Litauen auf überaus fruchtbaren Boden fielen. Während die Revolution in Rußland tobte, wurde in Litauen vielerorts gestreikt. Doch ging es den Streikenden dabei nicht nur um soziale und materielle Besserung, sondern um mehr Freiheit bis hin zur Loslösung vom Zarenimperium. Durch die Wiederzulassung des litauischen Schrifttums im Jahre 1904 erfuhr die nationale Wiedergeburt der Litauer einen neuen Aufschwung, da die nationalen Bewegungen nun besser ihre Gedanken verbreiten konnten.

Die Streiks in den Jahren von 1905 bis 1907 wurden zwar mit aller Härte niedergeschlagen, doch vermochten sie nicht, die aufständischen Litauer wieder ruhigzustellen. Im Gegenteil, die Repressalien gegen sie entfachten nur noch größeren Widerstand.

Der Erste Weltkrieg und die litauische Unabhängigkeit

Als 1915 deutsche Truppen in Litauen einmarschierten, wurde die nationale Befreiungsbewegung zunächst wieder eingedämmt. Litauische Zeitungen und Organisationen mußten erneut in den Untergrund gehen. Etwa drei Jahre lang war Litauen ein Schauplatz des Ersten Weltkrieges. Den bürgerlichen Kreisen Litauens blieb nicht verborgen, daß sich in Rußland sozialrevolutionäre Veränderungen anbahnten, was natürlich nicht ihren Interessen entsprach. So suchten sie Schutz bei den deutschen Besatzern. 1917 wurde ihnen gestattet, einen Nationalen Rat, die *Taryba*, zu gründen. Vorsitzender des Rates war *Antanas Smetona*. Dieser schloß mit dem Deutschen Reich ein Abkommen, in dem Deutsche und Litauer erklärten, sich auf ewig miteinander zu verbünden. Am 16. Februar 1918 ging der Rat so weit, daß er ein unabhängiges Litauen ausrief. Das Deutsche Reich erklärte sofort, daß es einen solchen Staat nicht anerkennen werde. Aus Angst vor den bolschewistischen Bewegungen in Rußland und im eigenen Land boten die amtierenden Politiker einem deutschen Prinzen den litauischen Thron an. Doch *Prinz Urach von Württemberg*, der Mindaugas II. hätte werden sollen und schon eifrig Litauisch lernte, kam nicht mehr in den Genuß, den litauischen Thron zu besteigen: Im Deutschen Reich brach im November 1918 die Revolution aus. Gleichzeitig griff die Russische Oktoberrevolution auf Litauen über, während litauische Bolschewisten die Arbeiter zum revolutionären Kampf aufforderten. Ihr Ziel war es, eine Sowjetmacht im Sinne einer großen russischen Föderation zu errichten.

Ende 1918 bildete sich eine provisorische Arbeiter- und Bauernregierung unter V. Kapsukas. Kurz darauf entbrannte ein heftiger Bürgerkrieg zwischen den nationalen litauischen Kreisen auf der einen und den Kommunisten, gestützt durch die Rote Armee, auf der anderen Seite. Beteiligt waren auch polnische Truppen, die Ansprüche auf das Vilniuser Gebiet geltend machten. Um den sowjetischen Vorstoß aufzuhalten, unterstützten die USA die bürgerliche Regierung Litauens mit Waffen. Auch Deutschland wurde zu militärischer Hilfe gegen die Bolschewisten aufgerufen. Bis 1920 hatte Litauen um seine Unabhängigkeit zu kämpfen.

Litauen während seiner Unabhängigkeitsperiode

Am 12. Juli 1920 erkannte Lenin die Souveränität Litauens an und verpflichtete sich, "auf ewige Zeiten" auf jegliche Gebietsansprüche bezüglich litauischen Territoriums zu verzichten und ebenfalls "auf ewige Zeiten" die Unabhängigkeit Litauens zu respektieren. Westlitauen, das einstige Memelland, wurde unter französische Verwaltung gestellt.

Im Oktober 1920 marschierten polnische Truppen in das Vilniuser Gebiet ein, womit Kaunas vorübergehend zur Hauptstadt Litauens wurde.

1923 wurde das Memelland von litauischen Freischärlern besetzt. In dem im Mai 1924 durch den Völkerbund ratifizierten *Memelstatut* wurde diesem Gebiet ein Autonomiestatus unter litauischer Oberhoheit zugesagt.

Bis Ende 1926 war Litauen eine parlamentarische Demokratie. Im Dezember 1926 kam es zu einem Militärputsch. Staatspräsident wurde A. Smetona. Eine neue Verfassung räumte dem Amt des Staatspräsidenten viel Macht ein.

Der Hitler-Stalin-Pakt und der Zweite Weltkrieg

Am 23. August 1939 wurde das Ende des jungen litauischen Staates eingeläutet. Dem Nichtangriffspakt zwischen der Sowjetunion und Nazi-Deutschland wurde ein *geheimes Zusatzprotokoll* hinzugefügt. In jenem Protokoll teilten sich die Diktatoren Hitler und Stalin Osteuropa, im Falle "territorial-politischer Umgestaltung", untereinander auf. Das Baltikum wurde dabei der sowjetischen Interessensphäre zugeschlagen, wofür den

Deutschen freie Hand in Polen zugesichert wurde. Um Litauen ging es eigentlich erst in dem im September abgeschlossenen *Zweiten Geheimen Zusatzprotokoll*, in dem als einzig Erfreuliches für Litauen die Rückgabe des Vilniuser Gebietes vorgesehen war. Im gleichen Jahr noch mußte Litauen das Memelland per Ultimatum an Hitler abtreten, der es "heim ins Reich" führte. Am 10. Oktober 1939 wurde Litauen zu einem Beistandspakt mit der UdSSR gezwungen, der nichts anderes beinhaltete, als der Roten Armee auf "legitime" Art den Einmarsch in Litauen zu gewährleisten, wobei Litauen den Sowjettruppen Stützpunkte auf ihrem Territorium einräumen mußte. Zwar verpflichtete sich die UdSSR in diesem Abkommen dazu, die Souveränität Litauens anzuerkennen und sich nicht in seine inneren Angelegenheiten zu mischen, doch sollte sich das schon sehr bald als leere Versprechung herausstellen. 1940 warf Stalin sämtliche Verträge und Zugeständnisse über Bord und waltete, wie ihm beliebte. Im Handumdrehen setzte er eine sowjetfreundliche Regierung ein, die er durch Scheinwahlen legitimieren ließ. Am 23. Juli 1940 "bat" Litauen schließlich darum, der UdSSR beitreten "zu dürfen".

1941 kam es zu den ersten Massendeportationen und Erschießungen. Im Sommer des gleichen Jahres, als die Deutsche Wehrmacht die baltischen Republiken besetzte, erfuhr die Sowjetherrschaft eine kurze, aber nicht minder schreckliche Unterbrechung. Zunächst wurden die Deutschen von den Litauern sogar als Befreier begrüßt. Doch die anfängliche Freude sollte sich bald als nicht angebracht erweisen, da dem Deutschen Reich in keinster Weise an der Existenz eines souveränen Litauens gelegen war. Zunächst ging es darum, "ethnische Säuberungen" vorzunehmen. Vilnius, auch das Jerusalem des Ostens genannt, verlor durch die Massenexekutionen den größten Teil seiner jüdischen Bevölkerung. Insgesamt wurden an die 200.000 Juden in Litauen ermordet. Bis 1945 dauerte die deutsche Besetzung, bis Sowjettruppen Litauen von der braunen Barberei befreiten und sofort die Schreckensherrschaft Stalins wiederherstellten.

Litauen als sowjetische Unionsrepublik

Eine neue Welle von Massendeportationen durchzog das Land, um es von mutmaßlichen Klassenfeinden zu säubern. Unter den Opfern waren sowohl Unternehmer und Intellektuelle, als auch Handwerker und Landwirte, sowie Theologen und sonstige Kirchenanhänger. Urteile wurden oftmals ohne Gerichtsverhandlung ausgesprochen. Etwa 300.000 Menschen fanden auf diese Weise den Tod.

Bis ungefähr 1952 leistete ein Teil der Bevölkerung bewaffneten Widerstand gegen das Sowjetregime, in dem nochmals einige Tausend Menschen ums Leben kamen. Etwa 100.000 Menschen sind ins Ausland geflüchtet. Insgesamt verlor Litauen in den Jahren von 1940-1956 etwa 700.000 seiner Einwohner. Auch die Wirtschaft des Landes war nach dem Weltkrieg völlig am Boden. Litauen war trotz Industrialisierung ein Agrarland geblieben. Von daher machte der nun Litauischen SSR die Zwangskollektivierung der Landwirtschaft besonders zu schaffen. Was die Industrie betraf, so wurde auch in Litauen gezielt eine einseitige, auf den Markt der

Gesamtsowjetunion ausgerichtete Produktion gefördert. Eine übermäßige Ansiedlung von Russen im Sinne Moskaus vermochte der damalige Führer der litauischen KP, A. Sniečkus, dessen Gefühle für Litauen dennoch stärker waren als die zur UdSSR, zu verhindern. Auf Grund dessen ist die Nationalitätenfrage in Litauen, wo die Litauer mit 80 % Bevölkerungsanteil zweifelsohne die Mehrheit stellen, kein so gravierendes Problem wie in Lettland und Estland.

Obwohl es durchweg politische Gruppen gegeben hat, die das sowjetische System ablehnten und dagegen arbeiteten, war während der Periode der großen Stagnation von 1964 bis 1985 auch in Litauen eine bleierne Lethargie zu spüren. Erst mit der neuen Politik Gorbatschows begann die litauische Bevölkerung wieder, gegen das nicht gewollte Regime aufzustehen und erneut um ihre Freiheit zu kämpfen.

Friedliche Revolution

Viel zur neuen nationalen Wiedergeburt der Litauer hat die Umweltproblematik beigetragen. Immerhin ist in Litauen ein Reaktor Typ Tschernobyl am Netz. Am 16. Dezember 1986 gründete sich in Litauen der Umweltklub *Santarve*, aus der sich eine Umweltbewegung herausbildete. Im August 1987, am Jahrestag der Unterzeichnung des Hitler-Stalin-Paktes, kam es in Vilnius, im Gegensatz zu Tallinn und Riga, nur zu einer kleineren Demonstration. Weit mehr Menschen marschierten am 16. Februar 1988, dem 70. Jahrestag der litauischen Unabhängigkeit, durch die Straßen von Vilnius. Einen Monat später wurden weitere Umweltorganisationen ins Leben gerufen, um gegen den Ausbau des AKWs in Ignalina zu protestieren. Der Ausbau ist tatsächlich verhindert worden, was den Menschen das Gefühl gab, etwas gegen das Sowjetregime ausrichten zu können. Am 3. Juni 1988 bildete sich die *Sajūdis*, eine Vereinigung zur Umgestaltung Litauens. Bereits drei Wochen später initiierte die Sajūdis-Bewegung eine Massenkundgebung mit 70.000 Teilnehmern. Im Juli des gleichen Jahres trat die aktive Freiheitsliga Litauens, die LLL, die seit 1978 im Untergrund arbeitete, mit ihren Forderungen an die Öffentlichkeit. Am 23. August protestierten in Litauen, wie in den beiden anderen Baltenrepubliken, Massen von Menschen gegen die Gültigkeit des Hitler-Stalin-Paktes. Fünf Tage später fand in Vilnius eine zweite Demonstration anläßlich des Zweiten Geheimen Zusatzprotokolls, indem es um das Schicksal Litauens ging, statt. Diesmal kam es zu Auseinandersetzungen mit der Miliz.

Am 22.-23. Oktober schlossen sich auch in Litauen alle Reformparteien zur *Lietuvos Persivarkymo Sajūdis*, der litauischen Volksfront, zusammen. Schon einen Monat später tauchten alte Staatssymbole und die gelb-grün-rote Landesflagge wieder auf. Als Gegenbewegung zur Volksfront gründete sich noch im gleichen Jahr die *Interfront*, die sich aus reformfeindlichen Kräften zusammensetzte.

1989 konnte der 16. Februar erstmalig seit Bestehen der Litauischen SSR als Nationalfeiertag begangen werden. An diesem Tag ließ die Sajūdis offiziell verlauten, daß Litauen die Absicht habe, seine Unabhängigkeit wiederherzustellen, es aber auf friedliche Art und Weise zu erreichen gedenke. Als am 26. März 1989 der Volksdeputiertenkongreß der UdSSR neu gewählt wurde, erhielten die Kandidaten der Volksfront die absolute Mehrheit. Im April gründete sich die litauische Unabhängigkeitspartei. Im Mai vereinbarten die baltischen Volksfronten ein Abkommen zur Zusammenarbeit und erinnerten an das Recht der Baltischen Republiken auf Selbstbestimmung. Am 18. Mai beschloß der Oberste Sowjet Litauens eine Verfassungsänderung, die den litauischen Gesetzen Vorrang vor den sowjetischen gewährleisten sollte. Gleichzeitig wurde Litauisch wieder Amtssprache. Am 14. Juni demonstrierten in Litauen zahlreiche Menschen, um den zahlreichen Opfern der von Stalin nach Sibirien Deportierten zu gedenken. Am 5. Juli wurde das Sajūdis-Mitglied K. Prunskienė zur stellvertretenden Ministerratsvorsitzenden der Litauischen Unionsrepublik gewählt.

Am 23. August bildeten die Menschen aus allen drei baltischen Republiken eine Menschenkette, die von Tallinn bis nach Vilnius reichte. Über 1,5 Mio. Menschen nahmen daran teil, um erneut auf die Ungültigkeit des Hitler-Stalin-Paktes hinzuweisen.

Am 24. November wurde in Litauen ein Gesetz verabschiedet, in dem man den im Land lebenden ethnischen Minderheiten die Garantie auf freie Entfaltung ihrer Kultur, Tradition und Sprache zusicherte. Anfang Dezember wurde dann die Monopolstellung der kommunistischen Partei gestrichen und ein Mehrparteiensystem zugelassen. Der Volksdeputiertenkongreß der UdSSR annullierte schließlich das Abkommen zwischen Hitler und Stalin, doch der Austritt aus der Sowjetunion wurde den baltischen Staaten nicht gestattet. Im Februar 1990 erfuhr die Wirtschaft Litauens einen entscheidenden Wandel, da ab diesem Zeitpunkt die Produktionsmittel wieder in den Händen einzelner liegen durften. Noch im gleichen Monat wurden die Wahlen zum Obersten Sowjet Litauens abgehalten, aus der die Volksfront ganz klar als Sieger hervorging. Anfang März verabschiedete der neue Oberste Sowjet dann auch gleich den Beschluß zur Wiederherstellung der Unabhängigkeit. Ebenfalls ersetzte er die Verfassung der UdSSR durch ein provisorisches Grundgesetz. Vorsitzender des Obersten Rates wurde V. Landsbergis, Ministerpräsidentin K. Prunskienė. Zwei Tage später wurde ein Gesetz zur Befreiung der litauischen Männer vom Wehrdienst in der Roten Armee verabschiedet. Am 15. März erklärte Moskau alle neuen Gesetze Litauens für null und nichtig. Die eigentliche Reaktion kam etwa einen Monat später in Form einer Wirtschaftsblockade. Ungeachtet dessen verabschiedete Sajūdis ein Programm zur Wiederherstellung der Unabhängigkeit Litauens. Das Angebot zur Ausarbeitung eines neuen Unionsvertrages lehnten alle drei Baltenrepubliken ab. Im Oktober stellte Litauen schließlich auch eigene Grenzposten auf. Am 10. Oktober 1991 weigerte sich der litauische Rat, die Verfassung der UdSSR wiederanzuerkennen und kam somit dieser ultimativ gestellten Forderung Moskaus nicht nach.

Am 11. Januar 1991 besetzten sowjetische Sondereinheiten das Presse-haus in Vilnius. Zwei Tage später stürmten Sowjettruppen das Rundfunk-gebäude und den Fernsehturm. 13 Menschen kamen dabei ums Leben, Hunderte wurden verletzt. Um das Parlamentsgebäude zu schützen, stellte die Bevölkerung Barrika-den auf. Jelzin rief seine in Litauen lebenden Landsleute der Roten Armee auf, nicht an Gewaltaktio-nen gegenüber demokratisch ge-wählten Organen teilzunehmen. Am 16. Januar beschloß der Ober-ste Rat Litauens, das Volk über die Unabhängigkeit des Landes ent-scheiden zu lassen. Das Ergebnis war eindeutig: Etwa 90 % hatten sich für die Souveränität Litauens ausgesprochen. Als erstes erkann-te Island den litauischen Volksent-scheid an. Gorbatschow wollte die Baltenrepubliken dennoch nicht aus der Sowjetunion entlassen. Ein neuer Unionsvertrag wurde erar-beitet, in dem den einzelnen Sow-jetrepubliken mehr Eigenständig-keit zugestanden werden sollte als vorher. Doch die demokratisch ge-wählten Vertreter Litauens ver-weigerten die Teilnahme.

Demonstration in Vilnius im November 1992

Im August 1991 nutzte auch Litau-en den Putsch in Moskau, um sich endgültig von der UdSSR zu lösen und seine Unabhängigkeit wiederherzustellen. Am 8. September erkannte schließlich auch Gorbatschow offiziell die Existenz eines freien Litauen an und entließ den Staat aus der Union. Bis zu den Wahlen im November 1992 stand *V. Landsbergis*, Vertreter der Reformbewegung Sajūdis, an der Spitze Litauens. Seit seiner Wahlniederlage ist *A. Brazauskas*, Mitglied der Demokratischen Arbeiterpartei, die sich während der Unabhängigkeits-bewegung von der KPdSU abspaltete, neuer litauischer Präsident.

Staatsaufbau

Seit August 1991 ist Litauen (Lietuva) eine international anerkannte Republik. Am 6.11.1992 trat eine neue Verfassung in Kraft, die das provisorische Grundgesetz vom 11.3.1990 ablöste. Das Parlament (der *Seimas*) ist das oberste Staatsorgan und besteht aus 141 Abgeordneten. Staatsoberhaupt ist der Präsident. Er wird direkt vom Volk gewählt und amtiert fünf Jahre. Er bestimmt den außenpolitischen Kurs, darf das Parlament auflösen und Neuwahlen ausschreiben.

Um die Gunst der Wähler rivalisieren derzeit elf Parteien. Die stärkste Partei ist die Litauische Demokratische Arbeiterpartei (LDAP, litauisch LDDP).

Litauen besteht aus 44 Landkreisen, 92 Städten und 22 stadtähnlichen Siedlungen.

Wirtschaft

Die Wirtschaft steht momentan auf ziemlich wackeligen Beinen, und Zukunftsprognosen abzugeben ist fast unmöglich. Auch in Litauen macht sich bemerkbar, daß die Ökonomie lange Zeit nicht auf die Bedürfnisse des Landes ausgerichtet war, sondern ein Rad im Getriebe der Wirtschaft der gesamten Sowjetunion darstellte.

Diese gezielt von Moskau betriebene Wirtschaftspolitik sollte die einzelnen Unionsrepubliken voneinander abhängig machen. Durch den Zerfall der UdSSR und der nicht gerade übermäßig herzlichen Beziehung zwischen dem Baltikum und Rußland ist es für die litauische Industrie momentan recht schwierig, ihre Produkte abzusetzen. Auf Grund oft mangelhafter Qualität und veralteter Techniken dürfte sich kaum der Westen als neuer Absatzmarkt eröffnen.

Trotz einiger Industrieanlagen, wie beispielsweise die Erdölraffinerie in Mažeikiai, deren Zukunft äußerst unsicher ist, da sie auf russisches Öl angewiesen ist, das Chemiefaserwerk in Kedainiai oder einiger Fabriken der Lebensmittel-, Textil-, Möbel-, Fahrräderproduktion, überwiegt in Litauen der landwirtschaftliche Sektor. Auch dieser Bereich erfährt momentan gravierende Veränderungen. Kolchosen (Kollektivbetriebe) und Sowchosen (staatliche Betriebe) werden aufgelöst und der Besitz von Ländereien wieder zugelassen. Doch die Privatisierung des Bodens ist noch lange nicht abgeschlossen und bringt schwerwiegende Probleme mit sich. Unter der Landsbergis-Regierung hatte die Landrückgabe Vorrang vor der Entschädigung. Viele ehemalige Landbesitzer leben jedoch mittlerweile in den Städten. Sie bearbeiten und bebauen nicht ihre zurückerhaltenen Felder, so daß trotz Lebensmittelknappheit viele Äcker brachliegen. Der Boden Litauens ist zwar nicht übermäßig fruchtbar, doch das Land wäre in der Lage, sich selbst zu versorgen.

Zusätzlich erschwerend für die Gesundung der Landwirtschaft ist der mangelnde Gebrauch von Technik. Es ist keine Seltenheit, Bäuerinnen zu sehen, die auf kleinen Schemeln sitzend per Hand die Kühe melken, oder unzählige Landarbeiter, die per Sense das Gras schneiden, es mit der Heugabel wenden und schließlich auch ohne Hilfe von Maschinen einfahren.

Litauen ist z. Zt. stark vom Import abhängig, doch auch die Güter aus den ehemaligen Unionsrepubliken sind meist nur noch zu Weltmarktpreisen zu haben, wie z. B. das Öl aus Rußland.

Die anfängliche Euphorie über die Wiederherstellung der Unabhängigkeit scheint verraucht. Insbesondere die Winter fordern dem Großteil der Bevölkerung eisernes Rechnen ab. Die während der Sowjetzeit entstandene

"Beziehungswirtschaft", frei nach dem Motto "Eine Hand wäscht die andere", erweist sich gerade jetzt als brauchbarer denn je. Wie in den anderen Baltenrepubliken sind es auch in Litauen überwiegend die Jungen, denen es am leichtesten fällt, sich auf das neue Wirtschaftssystem einzustellen. Immer mehr Geschäfte und Läden, Kneipen und Cafés sowie Galerien und Videotheken schießen aus dem Boden. Mit ein bißchen Glück und Eigeninitiative kann man in Litauen momentan schnell Geld machen. Regen Handel treiben Privatkaufleute z. Zt. mit Weißrußland und Rußland, wo es wirtschaftlich noch schlechter aussieht und die Produktionsmittel billiger sind. Nicht zu vergessen sind auch die zahlreichen "fliegenden Händler", die in Polen billigste West-Konsumgüter einkaufen, um sie in Litauen zu überhöhten Preisen unter die Leute bringen oder mit Zigaretten handeln. Von vielen werden sie als "arbeitsunfähige Spekulanten" bezeichnet. Eine breite Schicht der Bevölkerung, vornehmlich die Älteren, die jahrelang unter dem bolschewistischen Wirtschaftssystem gearbeitet haben, wissen meist nicht, wie sie mit dem Kapitalismus umgehen sollen. Die ganz Alten konnten noch nicht einmal verstehen, warum sie gut daran täten, ihre Ersparnisse in Devisen umzuwandeln. Am härtesten trifft die wirtschaftliche Misere die Rentner und Arbeitslosen, wobei die Zahl der letztgenannten seit der Einleitung des Privatisierungsprozesses laufend steigt. Am Straßenrand kauernde Bettler gehören mittlerweile zum Alltag.

Ein wichtiger Bestandteil der litauischen Wirtschaft ist, wenn auch absolut umstritten, das Atomkraftwerk bei Ignalina. Obwohl Umweltgruppen forderten, das instabile AKW vom Netz zu nehmen, erweist es sich jetzt für die Energieversorgung des nun auf sich allein gestellten Litauens als lebensnotwendig, so daß vom Abschalten z. Zt. keine Rede mehr ist.

Die Landreform führte in weiten Teilen der Bevölkerung zu großer Verärgerung. Den Beweis für die steigende Unzufriedenheit lieferten die Wahlen im November 1992: Landsbergis äußerte in einem Interview dazu, daß das Volk so gestimmt habe, weil es von materiellen Wünschen geleitet wurde. Daß ihr neues Staatsoberhaupt aber aus einer kommunistischen Partei stamme, scheine die Wähler, so Landsbergis, plötzlich nicht mehr interessiert zu haben. Das einzige, was zähle, sei das Verlangen nach Wohlstand. Ob man die Sicherung der wichtigsten Grundnahrungsmittel als Wohlstand bezeichnen kann, sei einmal dahingestellt. Fest steht jedenfalls, daß der Lebensstandard vieler Litauer mit dem Übergang zur Marktwirtschaft rapide gesunken ist. Litauen setzt auf wirtschaftliche Unterstützung und Investitionen der Industrienationen sowie auf den Tourismus. Seit Sommer 93 sind erste positive Tendenzen in der wirtschaftlichen Entwicklung zu erkennen.

Bevölkerung

Litauen kann in vier ethnische Regionen, nämlich in Dzūkija, Aukštaitija, Žemaitija und Suvalkija unterteilt werden. Ihre Bewohner unterscheiden sich in ihrem Dialekt und ihren Volksbräuchen.

In Litauen leben etwa 3,8 Mio. Menschen, wovon 3 Mio. Litauer sind und somit im eigenen Land auch die Mehrheit bilden. Erst 1969 näherte sich

Litauen, das während des Zweiten Weltkriegs und der Stalinzeit fast ein Viertel seiner gesamten Einwohnerzahl verlor, wieder den Bevölkerungszahlen der Vorkriegszeit. Das Verhältnis zwischen Männern und Frauen ist unausgeglichen, 53 % der Bevölkerung ist weiblich, 47 % männlich.

Die zweitgrößte in Litauen lebende Volksgruppe stellen die Russen mit etwa 10 % dar. Wie auch immer haben litauische Kommunisten es geschafft, einen zu starken Zustrom von Russen während der Sowjet-Ära zu verhindern, so daß sich Litauen nicht vor die Probleme der Überfremdung gestellt sieht wie Estland und Lettland. Als etwas schwierig erweist sich für Litauen dagegen der Umgang mit seinen polnischen Mitbürgern, die 7 % der Gesamtbevölkerung ausmachen und vornehmlich die Gegend um Vilnius bewohnen. Nachdem Litauen 1920 endlich die Anerkennung seiner Unabhängigkeit durch Rußland erreicht hatte, war das Land nicht gewillt, eine neue Union mit Polen einzugehen, worauf dieses das Vilniuser Gebiet bis 1939 besetzte. Nach der Unabhängigkeitserklärung waren Stimmen laut geworden, die Ansprüche auf diese Region geltend machen, mit der Begründung, daß wichtige nationale Wurzeln der Polen in Vilnius und Umgebung zu finden seien. Inzwischen haben beide Völker eine gemeinsame Erklärung unterzeichnet und einen Grundlagenvertrag weitgehend ausgehandelt.

Eine weitere nationale Gruppe bilden die Weißrussen mit 1,7 %. Die zahlreichen Juden, die einmal in Litauen lebten und Vilnius den Beinamen "Jerusalem des Ostens" gaben, haben den Holocaust des Zweiten Weltkriegs nicht überlebt. Heutzutage leben lediglich noch 12.000 Juden in Litauen. Der größte Teil der deutschen Bevölkerung, die vornehmlich in Westlitauen, dem ehemaligen nördlichen Ostpreußen, wohnhaft war, wurde von Hitler umgesiedelt. Deshalb sind dort heute nur noch 2000 Deutsche bzw. Deutschstämmige ansässig.

Einen winzigen Bevölkerungsanteil tragen die Sinti und Roma, die sich im 15. Jh. in Litauen niederließen, sowie die Tataren und Karäer. Diese beiden Volksgruppen gelangten durch *Vytautas den Großen* ins Land. Die etwa 5000 Tataren leben in der Nähe von Vilnius und die noch verbliebenen 290 Karäer in Trakai. Auf Grund ihres Mutes und ihrer Tapferkeit machte Vytautas die turksprachigen Karäer, obwohl er sie als Kriegsgefangene mitbrachte, zu seiner persönlichen Leibgarde. Bis zum heutigen Tag war es ihnen möglich, ihre eigene Kultur zu erhalten. Aus welchen Gründen auch immer ließen die Nazis die Karäer, die wahrscheinlich jüdischer Abstammung sind, unbehelligt. Ein Artikel des Provisorischen Grundgesetzes garantiert jeder in Litauen lebenden ethnischen Gruppe das Recht auf die Pflege ihrer Kultur und Sprache sowie die Unterhaltung eigener Schulen. Bedingung ist jedoch auch das Erlernen der litauischen Sprache.

Religion und Kirche

Die alten Litauer opferten den Wundern der Natur, dem Wetter und ihren Ahnen. Den Bäumen war eine bestimmte Symbolik zugeschrieben und die Eichen waren gar heilig. In der litauischen Götterwelt herrschte und waltete nicht nur ein Gott, sondern mehrere. Der mächtigste unter ihnen war

Perkūnas, der Gott des Donners. *Velinas* war als Schutzherr der Gnome, Hexen und Zwerge bekannt. Für eine fette Jagdbeute wurde dem Gott *Žvorūnė* geopfert und im Wald regierte die Gottheit *Medeina*. Viele Hügel wurden als Opferberge auserkoren. Am Fuße eines solchen Berges flakkerte stets ein heiliges Feuer, welches jeweils von einer Jungfrau, die meist ihr ganzes Leben den Göttern verschrieben hatte, bewacht wurde. Die wohl bekannteste Hüterin der heiligen Flammen war die schöne *Birutė von Palanga*, deren Schönheit Gediminas Sohn *Kęstutis* dermaßen den Kopf verdrehte, daß er sie ungeachtet des huldvollen Feuers und gänzlich gegen ihren Willen raubte und nach Trakai brachte. Währenddessen waren am Fuße des Opferberges unglücklicherweise die Flammen erloschen: sicher kein gutes Omen für die Liebe der beiden, glaubt man der Legende. Ende des 12. Jh. versuchten die Kreuzritter, die heidnischen Litauer mit Feuer und Schwert zu missionieren, dem diese sich vehement zu widersetzen versuchten. Einige Adlige bekannten sich damals zeitweise zum griechisch-orthodoxen Glauben. Als sich Mindaugas 1251 aus wohl eher taktischen Gründen taufen ließ, um den Orden ein für alle mal aus seinem Land herauszuhalten, war Litauen offiziell ein vom Papst anerkanntes, katholisches Land. Doch die Bevölkerung hing weiterhin ihren heidnischen Riten und Bräuchen nach. Für die Kreuzritter war das Anlaß genug, Litauen hin und wieder zu überfallen, worauf Mindaugas 10 Jahre später den christlichen Glauben wieder ablegte. Dennoch entstanden zu dieser Zeit die ersten Kirchen und Klöster in Litauen. Mit der litauisch-polnischen Personalunion und der Erhebung des litauischen Großfürsten Jogaila zum König von Polen wurde Litauen erneut zu einem katholischen Land, doch hielt das die Bevölkerung auch diesmal nicht davon ab, weiterhin Perkūnas als ihren Göttervater zu verehren. Mit der Reformation in der ersten Hälfte des 16. Jh. hielten auch in Litauen die Gedanken Luthers und Calvins Einzug und fanden zunächst großen Anklang. Allerdings setzte im späten 17. Jh. unter den Jesuiten eine erfolgreich geführte Gegenreformation ein, so daß das Land bis zum heutigen Tag überwiegend katholisch ist.
Als Litauen im 18. Jh. zu einem Teil des russischen Zarenimperiums wurde, versuchten die neuen Machthaber, der Bevölkerung die russisch-orthodoxe Richtung des Christentums aufzuzwingen. 1799 wurde das Russisch-Orthodoxe zur offiziellen Glaubensrichtung Litauens erklärt und katholische Klöster und Kirchen geschlossen. Erst 1915, während der litauischen Unabhängigkeitsbestrebungen, erlangte die katholische Kirche ihren alten Status zurück. 1926 unterstellte sie sich dem Papst. Während der sowjetischen Zeit wurden erneut zahlreiche Gotteshäuser und Klöster geschlossen oder zumindest zweckentfremdet. Eine Besserung der Beziehung zwischen Staat und Kirche war erst in den 80er Jahren dieses Jahrhunderts mit dem Aufkommen der Sajūdis-Bewegung zu verzeichnen. Die meisten Kirchen sind mittlerweile wieder in der Hand der Gläubigen. Dem römisch-katholischen Glauben gehören auch die im Land lebenden Polen und Weißrussen an. Ferner gibt es protestantische Richtungen, vornehmlich in Westlitauen, dem Norden des ehemaligen Ostpreußens. Auch die wenigen noch dort lebenden Deutschen sind evangelisch-lutherisch.

Der russische Bevölkerungsanteil gehört größtenteils der russisch-orthodoxen Richtung an.

Den Holocaust des Zweiten Weltkriegs haben die wenigsten der litauischen Juden überlebt, weshalb heute nur noch wenige Menschen jüdischen Glaubens in Litauen leben. Aus dem Judentum geht die Religion der Karäer hervor. Der karäische Glaube geht auf eine im 8. Jh. entstandene jüdische Sekte zurück. Sie glauben an das alte Testament, verwerfen aber den Talmud. Durch Vytautas den Großen gelangten auch Tataren nach Litauen. Diese ebenfalls sehr kleine Volksgruppe ist moslemisch.

Bildung

Im späten 14.-15. Jh. wurden im Großfürstentum Litauen die ersten Schulen eröffnet. Die Träger waren die Kirchen. Fortschritte für die Bildung brachte die Reformation des 16. Jh. mit sich. Um die Gegenreformation erfolgreich durchzuführen, gründeten die Jesuiten 1570 eine höhere Schule in Vilnius, die neun Jahre später zur Universität erhoben wurde. 1832 wurde sie von den Russen, den neuen Machthabern im Land, geschlossen. Erst im Jahre 1919 öffnete die Vilniuser Alma Mater durch die mittlerweile polnischen Herrscher erneut ihre Pforten. 1922 wurde die Uni Kaunas ins Leben gerufen und eine Reihe jüdischer Schulen eingerichtet. Eine weitere Universität ist in Klaipėda zu finden. Während der Unabhängigkeit Litauens wurde auch den nationalen Minderheiten das Betreiben eigener Schulen zugestanden. Mit der Eingliederung Litauens in die Sowjetunion wurden jüdische und deutsche Schulen geschlossen und das Schulsystem dem der UdSSR angeglichen. Im Jahre 1990 wurde der Bildungsapparat Litauens "generalüberholt" und umgestaltet.

Es besteht eine allgemeine neunjährige Schulpflicht. Wer studieren will, muß drei Jahre länger die Schulbank drücken. Den verschiedenen Nationalitäten steht es wieder frei, eigene Schulen zu unterhalten, doch sind sie dazu verpflichtet, zumindest Kenntnisse der litauischen Sprache zu vermitteln. Es gibt 27 litauisch-russische Schulen, 5 litauisch-polnische, 17 polnisch-russische, eine weißrussische und eine jüdische Schule..

Sprache

Die litauische Sprache gehört zum baltischen Zweig der indoeuropäischen Sprachfamilie, dem auch das Lettische angehört. In der Struktur und Grammatik des Litauischen hat sich viel Ursprüngliches bewahrt, was das Erlernen der Sprache zu einem schwierigen Unterfangen macht. Eine enge Verwandschaft weist das Litauische interessanterweise mit dem Sanskrit auf. Geschrieben wird mit lateinischen Buchstaben unter Verwendung einer Reihe von Sonderzeichen.

Musik

Die Volksmusik war seit jeher ein wichtiger Bestandteil der litauischen Kultur und begleitete das Leben der Litauer von der Wiege bis zum Grab. Gesungen wurde zu Hochzeiten, Beerdigungen und anderen Anlässen,

besungen wurden Götter und Helden. Ebenfalls wurden sämtliche Naturereignisse vertont. Die folkloristische Musik wurde jedoch lange nicht als
Kunst angesehen und von daher auch nicht professionell betrieben. Als
professionell galten im 14. Jh. die Kirchenmusik und anschließend die
Werke großer Meister aus den jeweiligen Epochen wie Barock, Renaissance, Romantik und Klassik, die von litauischen Musikern, die zumeist im
Ausland studiert hatten und von den genannten Stilrichtungen stark beeinflußt waren, nachgespielt wurden. Von einer eigenständigen, typisch
litauischen Musik kann erst ab der Zeit der nationalen Wiedergeburt
Litauens gesprochen werden, die in der zweiten Hälfte des 19. Jh. seinen
Lauf nahm. Zu dieser Zeit entstanden litauische Stücke, die sich nationalen Themen widmeten und sich mit der litauischen Mythologie und volks-
tümlichen Kultur befaßten. Man begann, die litauische Folklore als eigenständige Richtung und schließlich als eigenständige litauische Musik anzusehen. Das Besinnen auf die eigene Volksmusik spiegelte gleichzeitig das
Besinnen des litauischen Volkes auf die eigene Geschichte und das Verlangen nach Unabhängigkeit wieder. Dabei sei erwähnt, daß sich die Lieder innerhalb Litauens je nach Gegend erheblich voneinander unterscheiden. So sind die Lieder der südlitauischen Dzūkija beispielsweise viel
komplizierter und reichhaltiger als die freien und oftmals improvisierten
Stücke der Žemaitija.

Erwähnenswert aus der Zeit des nationalen Wiedererwachens sind die
Komponisten Č. Sasnauskas und J. Naujalis. Als besondere Kulturgröße
wird auch M. Petrauskas angesehen. Aus seiner Feder stammte die erste
litauische Oper "Birutė", die 1906 in Vilnius Premiere hatte. Nicht zu vergessen ist auch der Komponist M. K. Čiurlionis, der sich ebenfalls als Maler
einen Namen machte.

Mit der gewonnenen Unabhängigkeit und den ausgefochtenen Befrei-
ungskriegen (bis 1920) begann ein neuer Abschnitt für die litauische Musik. Es entstanden eine Reihe von Musikhäusern, und man widmete sich
nicht mehr ausschließlich nationalen Themen, so daß die Musik vielschich-
tiger und reichhaltiger wurde. 1924 fand in Litauen zum ersten Mal ein
Sängerfestival statt. Mit dem Zweiten Weltkrieg und der Eingliederung
Litauens in die Sowjetunion wurde die freie musikalische Entwicklung
erheblich beeinträchtigt.

Doch in der jüngsten litauischen Geschichte, im Kampf um die Wiederherstellung der Unabhängigkeit, erwachte auch die Musik erneut. Mittlerweile finden wieder alljährlich eine Reihe von Sängerfesten statt. Das bekannteste ist wohl das internationale Sing- und Liederfestival im Vilniuser
Vingis-Park, das dort alle fünf Jahre ausgetragen wird. Neben der litauischen Folklore, die gerade eine Renaissance erlebt, erfreuen sich auch
Blues und Jazz großer Popularität. In Vilnius finden außerdem seit einigen
Monaten des öfteren Großkonzerte mit internationalen Rockgrößen statt.

Kunst

Vor der Christianisierung Litauens stand die Volkskunst an erster Stelle. Besonders herauszuheben sind dabei die farbenfrohen, litauischen Trachten, in denen kunstvolle Muster hineingewebt wurden. Beliebt waren außerdem Schnitzereien und Bernsteinschmuck.

Mit der Missionierung Litauens erhielt auch die sakrale Kunst ihren Einzug in Form von Freskenmalereien und Heiligenskulpturen. Am Wegesrand wurden gelegentlich holzgeschnitzte Kruzifixe aufgestellt. Da die Litauer im tiefsten Herzen aber lange ihren heidnischen Göttern nachhingen, verzichteten sie in der Regel auf tiefreligiöse Inhalte, und die von Litauern geschaffenen Abbildungen der christlichen Heiligen sahen der litauischen Landbevölkerung verblüffend ähnlich.

Im 16. und 17. Jh. stand das Handwerk in Litauen in seiner vollsten Blüte, in der Keramik- und Schmiedearbeiten entstanden. Relativ spät begann die Entwicklung der professionellen Malerei und Bildhauerei. Im 18. Jh. wurden an der Vilniuser Universität Lehrstühle für Architektur und Bildende Künste eingerichtet, die in enger Bindung zu der Kunstakademie in St. Petersburg standen. In Bildern aus der Zeit des Nationalen Wiedererwachens sind eine Reihe nationaler Elemente zu finden. Wichtig zur Weiterentwicklung waren auch die regelmäßigen litauischen Kunstausstellungen, die 1907 begannen.

Im 19 Jh. waren in der Malerei die ersten Tendenzen einer nationalen Wiedergeburt Litauens zu erkennen. Romantische Darstellungen der litauischen Landschaft sind in den Bildern von *K. Jelskis* und und *J. Damelis* zu finden. Als faszinierendster Künstler dieser Zeit wird *M. K. Čiurlionis* angesehen. Seine Arbeit basierte auf der litauischen Volkskunst, die er häufig in Übereinstimmung mit seiner Musik und unter den Einflüssen von Symbolismus-Ideen und Neo-Romantik komponierte. Seine Gemälde sind von solcher Tiefe und inhaltlich so vielfältig, daß sie die Betrachter unweigerlich zum Nachdenken bringen.

Nach der Unabhängigkeit bildeten sich avandgardistische Künstlerzirkel und zahlreiche unabhängige Künstlergruppen, die sich überwiegend am Postimpressionismus, am Expressionismus und vereinzelt auch am Kubismus orientierten. Im Zweiten Weltkrieg sind viele der bildenden Künstler Litauens in die USA emigriert, insofern sie nicht nach Sibirien abtransportiert wurden. Die im Land verbliebenen Künstler unterstanden wie all die anderen künstlerischen und kulturellen Ressorts strenger ideologischer Kontrolle. Etwas einfacher wurde es für Maler und Bildhauer in der Ära Chruschtschows, der wenigstens die Volkskunst wieder zuließ. Um die bildliche Verherrlichung der sozialistischen Errungenschaften und die Zensur zu vermeiden, lag während der sowjetischen Zeit der Schwerpunkt mehr auf der Porträt- und Landschaftsmalerei.

Die heutige Malerei in Litauen wirkt sehr lebendig und lehnt sich thematisch stark an die Folklore an. Die Farbgebung ist meist farbenfroh, teilweise expressiv. Besonders in Vilnius haben in den letzten Jahren zahlreiche Galerien, die moderne Bilder und Skulpturen ausstellen, eröffnet.

Literatur

Das erste Buch, das in litauischer Sprache herauskam, war der *Catechismusa Prasty Szadei*, eine Übersetzung des Katechismus von Luther durch M. *Mažvydas*, das 1547 in Königsberg herauskam. Bis ins 17. Jh. hinein waren die litauischsprachigen Bücher rein geistlich. Erst dann wurden sie weltlicher, was auch mit der allmählichen Säkularisierung des Ordens zusammenhing.

Als Begründer der litauischen Literatur gilt der Dichter *Kristijonas Donelaitis* (1714-1780). Sein bekanntestes Werk sind "Die Jahreszeiten" ("Metai"), ein in Hexametern verfaßtes Gedicht, in dem er die schwere Situation der Landbevölkerung beschreibt. Dieses umfangreiche Gedicht ist bereits in mehrere Sprachen übersetzt worden. Anfang des 19. Jh. wurde die litauische Literatur durch weitere realistische Werke bereichert, in denen es um das litauische Volk und um das Schicksal der Landarbeiter ging. Zu erwähnen sind *D. Poška* und *A. Strazdas*, wobei letzterer gleichzeitig auch ein Volkssänger war. Zu dieser Zeit wurden viele Volksgutsammlungen, historische Schriften sowie Bücher der schönen Literatur veröffentlicht. In der zweiten Hälfte des 19. Jh. erschien das bekannte Poem von *A. Baranauskas* (1835-1902), "Der Hain von Anykščiai" (Anykščių šilelis), das auf romantisierende Weise die Schönheit der litauischen Natur beschreibt.

Etwa seit dem späten 19. Jh. stand die litauische Literatur ganz unter dem Zeichen der nationalen Wiedergeburt. Ein erwähnenswerter Schriftsteller dieser Epoche ist *Maironis* (1862-1932), der in seinem Werk "Die Stimmen des Frühlings" ("Pavasario balsai") von der Unterdrückung durch das Zarensystems schreibt, begleitet von einem glühenden Patriotismus und nostalgischer Romantik. Insbesondere dieses Werk Maironis' gilt als Grundstein für die moderne litauische Literatur.

Neben den Dichtungen der Romantik kristallisierte sich auch ein realistischer Stil heraus, in denen der Alltag und die Situation der einfachen Bevölkerung das Thema war. Als eine der bedeutendsten Vertreterinnen des kritischen Realismus, wobei nicht zu vergessen ist, daß es ihren Vertretern auch um die nationale Wiedergeburt Litauens ging, wird die Schriftstellerin *Žemaitė* (1845-1921), selbst aus ärmlichen Verhältnissen stammend, angesehen.

Schwer belastet wurde die literarische Weiterentwicklung von dem im Rahmen der Russifizierung verhängten Verbot der litauischen Sprache. So wurden die "Neuerscheinungen" in Preußen gedruckt und über Westlitauen in den östlichen Teil des Landes eingeschmuggelt.

Mit Aufkommen der Industrialisierung und der sozialen Umschichtung der Bevölkerung wird auch die Situation der Arbeiter immer mehr zum Thema der Schriftsteller. Einer davon war *J. Biliūnas* (1879-1907), der in enger Verbindung zu den litauischen Sozialdemokraten stand.

Während der Unabhängigkeitsperiode verlief die Entwicklung der litauischen Literatur ähnlich wie in den beiden anderen baltischen Staaten. Man war frei für neue Themen und offen für Einflüsse wie Symbolismus,

Expressionismus und Futurismus. Mit der Besetzung Litauens durch sowjetische Truppen im Jahre 1939 erfuhr die litauische Literatur einen tiefen Einschnitt. Viele namhafte Schriftsteller flüchteten ins Ausland oder landeten in Sibirien.

Seit der wiederhergestellten Unabhängigkeit ist anzunehmen, daß sich die Literatur wieder frei entwickeln und nach und nach die Vergangenheit aufarbeiten wird.

Theater

Schon in den folkloristischen Riten der alten Litauer waren Elemente des Schauspiels enthalten, die sich seit eh und je großer Beliebtheit erfreuten. Im 18. Jh. öffnete in Litauen ein Schultheater seine Pforten. Die dort zur Aufführung gebrachten Stücke stammten allerdings nicht von litauischen Dramatikern. Gespielt wurde, was gerade modern war. Auch Gruppen aus England und Italien traten auf. Die darstellende Kunst wurde vom Adel sehr geschätzt, weswegen er sie unterstützte und förderte. Ein festes polnisches Theater gab es in Vilnius schon seit 1785.

Einen Rückschlag für die Entwicklung des Schauspiels in Litauen war das Verbot der litauischen Sprache. Daraufhin luden Intellektuelle zu "litauischen Abenden" ein, an denen in Privatwohnungen und -häusern heimliche Aufführungen stattfanden. In diesen Treffen ist ein wichtiger Motor der nationalen Wiedergeburt Litauens und der Anfang der Eigenständigkeit des litauischen Theaters zu sehen.

Die erste litauische Komödie, *"Amerika im Heizbad"* von *A. Keturakis*, wurde 1899 in Palanga aufgeführt, das damals noch zu Kurland gehörte. Mit Wiederzulassung der litauischen Sprache erfuhr das litauische Theater einen Aufschwung, und während der Unabhängigkeitsperiode bildeten sich zahlreiche Theatergruppen. Gerade im Begriff, sich frei zu entfalten, standen die litauischen Dramatiker und Schauspieler auch schon unter der ideologischen Kontrolle der Bolschewisten und hatten nunmehr die Vorzüge des neuen Systems auf die Bühne zu bringen. Erst in der Tauwetterperiode unter Chruschtschow wurde das litauische Theater etwas freier. Eine verehrte Persönlichkeit in der Theaterwelt war *J. Miltinis*, der lange Zeit das Schauspielhaus in Panevėžys leitete.

Nach der Wiederherstellung der Unabhängigkeit ist auch das Theater wieder frei und vielschichtig. Klassische und moderne Dramen sowie litauische und ausländische Stücke stehen auf dem Programm. Interessant sind die experimentellen Aufführungen von vornehmlich jungen Schauspieltruppen. Seit geraumer Zeit kann man in Vilnius und Kaunas während der warmen Jahreszeit gelegentlich auch Straßentheater bewundern.

Aukštaitija

Litauen ist in vier ethnographische Gebiete unterteilt: Aukštaitja, Žemaitija, Dzūkija und Suvalkija. Das Größte der Gebiete ist die Aukštaitija. Sie umfaßt Zentral- und Ostlitauen und grenzt im Norden an Lettland und im Süden an die Dzūkija. Von der westlich gelegenen Žemaitija ist sie in etwa durch den Fluß Dubysa getrennt, und von der im Südwesten gelegenen Suvalkija durch den Nemunas (Memel).

Die Bewohner der vier Gebiete unterscheiden sich in Liedern, Mentalität, Traditionen und Sprache. Die Literatursprache hat sich im übrigen überwiegend aus dem Dialekt der Aukštaitija entwickelt. Einen umfassenden Einblick in die Dorfkultur der Aukštaitija erhält man im gleichnamigen Nationalpark im Osten Litauens. Außer diesem umfaßt die Aukštaitija auch die meisten Großstädte des Landes.

Die Aukštaitija im Überblick

Vilnius, Hauptstadt von Litauen, große, guterhaltene Altstadt, unzählige Kirchen und Klöster, viele Museen.

Aukštaitija-Nationalpark, ältester Park dieser Art in Litauen; wunderschöne Seenplatte, grüne Hügellandschaft; dichte Wälder und traditionelle Dörfer.

Stelmuzė, im Nordosten unweit der Grenze zu Lettland gelegen, altes Dorf mit einer uralten Eiche.

Rumšiškės, sehr schönes ethnographisches Freilichtmuseum unweit von Kaunas.

Rokiškis, verträumte Kleinstadt im Nordosten des Landes mit gut erhaltenem Schloß.

Biržai, nördlich von Panavėžys gelegene Kleinstadt mit altem Schloß, Park und schönem See.

Hain von Anykščiai, herrliche Waldlandschaft bei der Literatenstadt Anykščiai. Auf einer Lichtung liegt der legendäre Puntukas-Findling.

Berg der Kreuze, ein gigantisches Meer von Kreuzen und Madonnen unweit von Šiauliai; Pilgerstätte.

Medininkai, Ruinen einer der mächtigsten Burgen des Baltikums.

Kernavė, alte mittelalterliche, legendenumwobene Schüttburgen.

Mittelpunkt Europas, ca. 30 km von Vilnius beim Dorf Purnuškės gelegen.

Kaunas, zweitgrößte Stadt Litauens, gut erhaltene Altstadt, viele Museen, in der Nähe eine malerische Klosteranlage.

Raudondvaris, Schloßruine am hohen Ufer des Nemunas.

Altstadtgasse in Vilnius

Vilnius (Wilna) *(ca. 600.000 Einwohner)*

Da, wo die Vilnia in die Neris fließt und sieben Hügel eine malerische Talsenke formen, liegt Vilnius, die Hauptstadt Litauens. Sie ist nicht nur das politische, sondern auch das wirtschaftliche und kulturelle Zentrum des Landes. Letzteres hängt sicher nicht zuletzt mit der über 400 Jahre alten Universität zusammen, die sich prachtvoll aus dem Häusermeer der gut erhaltenen Vilniuser Altstadt erhebt.

Durch die anhaltende Landflucht befindet sich die Landeshauptstadt in einem ungebrochenen Wachstum, so daß heute fast jeder siebte des Landes hier lebt. Die Auswirkungen davon sind besonders in den Wohn- und Randgebieten deutlich zu spüren: Moderne Architektur in Form von Plattenbauten decken den steigenden Wohnbedarf.

Die Bevölkerung von Vilnius besteht zu etwa 60 % aus Litauern, die übrigen 40 % stellen Polen, Russen und Weißrussen. Doch die Stadt war schon immer ein Zentrum der verschiedensten Nationalitäten und Minderheiten. Besonders hoch war vor dem Holocaust des Zweiten Weltkriegs der Anteil der jüdischen Bevölkerung, so daß sie auch als das "Jerusalem Osteuropas" bezeichnet wurde.

Der Kern des heutigen Vilnius setzt sich zusammen aus einer schön restaurierten Altstadt und dem neuen Zentrum. Beide Stadtteile gehen harmonisch ineinander über. Gemütliche Restaurants und interessante Kneipen gibt es in Vilnius mittlerweile genügend, und die vielen kleinen Läden und Galerien laden zum Bummeln ein. Darüber hinaus gibt es eine

Fülle von Museen, die über die Landes- und Stadtgeschichte sowie über Architektur, Kunst u. v. m. informieren, nicht zu vergessen die etwa 50 Kirchen, die alle ihre eigene Geschichte zu erzählen haben. Wer die litauische Hauptstadt richtig kennenlernen will, sollte mindestens drei Tage dafür einplanen.

Geschichte

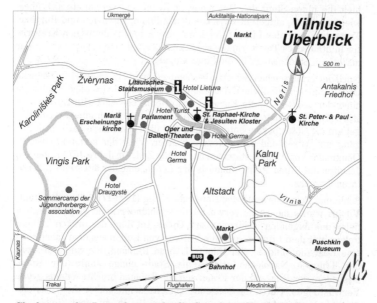

Glaubt man der Legende, so geht die Gründung der Stadt Vilnius auf ein "traumatisches" Erlebnis des *Großfürsten Gediminas* im Jahre 1323 zurück:

> . . . eines Abends, als Gediminas und seine Gefolgsleute müde von der Jagd aus den Wäldern zurückkehrten, beschlossen sie, ihr Schlaflager am Ufer der Vilnia aufzuschlagen. In der Nacht träumte Gediminas von einem mächtigen Wolf, der auf einem Hügel über der Vilnia stand und jaulte. Er heulte so stark wie zwölf ausgewachsene Wölfe zusammen. Am nächsten Tag besuchte Gediminas einen Traumdeuter, der ihm erzählte, daß der Wolf als Symbol für Macht und Ruhm stünde. So beschloß der Fürst, an diesem Ort eine Stadt zu gründen und eine starke Festung zu bauen. Namensgeber für die Stadt war natürlich der verheißungsvolle Wolf, zu litauisch *vilkas*.

Inwiefern sich das nun alles wirklich so zugetragen hat, ist fraglich, doch ist Vilnius tatsächlich 1323 erstmals schriftlich erwähnt worden, und zwar in den Briefen des Gediminas, in denen er versuchte, Händler und Kaufleute aus ganz Europa nach Vilnius zu locken. Besiedelt war der Vilniuser Raum jedoch schon zu Urzeiten.

Der ständig anhaltende Kampf mit den Ordensbrüdern hatte Litauen immer enger an die Seite seiner polnischen Nachbarn getrieben. Im Jahre 1386 bekannte sich der heidnische *Jogaila* zum Christentum und vereinigte als *König Wladislaw* Polen und Litauen zu einer Personalunion. 1387 erhielt die junge Stadt das Magdeburger Recht und verwaltete sich überwiegend selbst, aufgeteilt zwischen den Adligen, Bischöfen und Bürgern. Trotz der Taufe der Litauer fielen immer wieder die deutschen Kreuzritter in litauisches Territorium ein. In Vilnius scheiterten sie jedoch an der mächtigen Stadtmauer, die die Stadt umgab.

Nach der erfolgreichen Schlacht bei Tannenberg 1410, in der der Deutsche Orden eine empfindliche Niederlage erlitt, entwickelte sich Vilnius zu einer der größten Städte Europas und erlebte besonders im 16.Jh. einen starken Aufschwung. Die Voraussetzungen dafür waren günstig: Die Hügel um die Stadt herum boten Schutz und über die Flüsse hatte man Zugang zur Ostsee und zum Schwarzen Meer. Viele der architektonischen Denkmäler von Vilnius stammen aus dieser Zeit. Im Jahre 1579 riefen die Jesuiten die "Alma Mater Vilnensis" ins Leben, eine der ältesten Universitäten Europas.

Schlimme Folgen brachte der Nordische Krieg (1700-1710) über die Stadt. Vilnius wurde mehrmals verwüstet und geplündert, und viele Menschen fielen den folgenden Epidemien zum Opfer. Im Zuge der dritten Teilung Polens, mit dem Litauen seit dem Vertrag von Lublin aus dem Jahre 1569 eine Realunion bildete, fiel Vilnius 1795 an Rußland. Bis zum Durchzug der Truppen Napoleons erlebte die Stadt einige Jahre der Ruhe. Besonders der Rückzug der Franzosen aus Rußland brachte Vilnius große Verwüstungen. Durch die steigende Unzufriedenheit über die materielle Situation in Litauen kam es in Vilnius im 19. Jh. zu einer Reihe von Aufständen gegen das Zarenregime. Die Aufstände wurden jedoch alle blutig niedergeschlagen und mit Repressalien beantwortet, wie z. B. 1864 mit dem Verbot der litauischen Schriftsprache.

Mitte des 19. Jh. begann sich allmählich eine Bewegung zur nationalen Wiedergeburt der Litauer zu formieren, die schließlich bald die Unabhängigkeit Litauens forderte. Nach Beendigung des Ersten Weltkriegs war es dann soweit: gestützt vom *Litauischen Rat* (einer Vereinigung von Intellektuellen und Bürgerlichen, die für die Unabhängigkeit Litauens eintraten) rief *Antanas Smetona* im Februar 1918 die unabhängige Republik Litauen aus. Vilnius genoß wieder den Status, Hauptstadt eines souveränen Staates zu sein, was allerdings nicht von Dauer sein sollte: 1921 wurde das Gebiet um Vilnius von Polen besetzt, womit die litauische Hauptstadt nach Kaunas verlegt wurde. Erst 1939, im Rahmen des russisch-deutschen Nichtangriffspaktes und dem berüchtigten Geheimen Zusatzprotokoll, wurde Vilnius wieder litauisch. Doch im gleichen Zug verlor das Land damit auch seine Unabhängigkeit.

Als 1941 die deutsche Wehrmacht in Vilnius einmarschierte, wurde ein Drittel ihrer Bevölkerung, zumeist Juden, ausgelöscht. Das Jerusalem des Ostens, wie Vilnius oft genannt wurde, gehörte damit der Vergangenheit an. 1944 befreite die Rote Armee Litauen zwar von den deutschen Faschisten, doch dem Terror war damit noch kein Ende gesetzt. Es folgte eine Reihe von Massendeportationen und zuletzt schließlich die Einverleibung Litauens in die Sowjetunion, womit Vilnius zur Hauptstadt der Litauischen SSR wurde. Auch hier folgten nach anfänglichen Partisanenkämpfen viele Jahre der Stagnation und des Stillstandes.

Erst 1985, mit der Wahl Gorbatschows zum Generalsekretär der KPdSU und seiner Politik für mehr Offenheit und Umgestaltung, kam plötzlich wieder Leben auf die politische Bühne. 1988 bildete sich die Reformbewegung *Sajūdis*, die mehr und mehr den Weg zu einem unabhängigen Litauen einschlug, zum Unwillen Moskaus. Zur Eskalation kam es im Januar 1991, als Einheiten der Roten Armee, die noch einmal versuchten, das Ruder herumzureißen, um ihre dahinschwindende Macht zu retten, den Fernsehturm von Vilnius besetzten, wobei 14 Zivilisten ums Leben kamen. Doch der Stein, der einmal ins Rollen geraten war, konnte auch dadurch nicht mehr aufgehalten werden. Im Gegenteil hatte es das Verlangen nach Unabhängigkeit nur bestärkt. Als im August 1991 in Moskau geputscht wurde, nutzte Litauen die Gelegenheit und erklärte sich für unabhängig, womit Vilnius wieder zur Hauptstadt eines souveränen Staates wurde.

- *Postleitzahl*: 2000
- *Vorwahl*: 22
- *Information*: **Touristinformation**: Im Hotel Lietuva, allerdings nicht sehr hilfreich, da sie nur teure Exkursionen verkaufen wollen, Tel. 736016.
Staatliches Exkursionsbüro Vilnius: Ukmergės g. 20, Vermittlung von Stadtführungen, Tel. 752040.
Norwegisches Informationszentrum: Didžioji 13, Tel. 2241440. In erster Linie soll Norwegen als Reiseland vorgestellt werden, doch ist hier ausreichend Material über Litauen zu bekommen. In dem Büro arbeiten drei Leute, die alle englisch sprechen und sehr hilfsbereit sind. Es gibt auch ein Satelliten-Telefon, mit dem man problemlos ins Ausland anrufen kann. Die Minute kostet allerdings 3 DM.
Abteilung für die Nationalparks Litauens: Gedimino pr. 56. Informationen über die vier litauischen Nationalparks erhältlich, Tel. 618481, Fax 612171.

Verbindungen

- *Bus*: Jede Bezirkshauptstadt und fast jedes Dorf ist von Vilnius aus zu erreichen. Der Busbahnhof befindet sich in der Sodų g. 22. Mehrere Busse täglich auch nach Warschau, sowie einer nach Kopenhagen, via Warschau und Berlin. Tickets für das Ausland im voraus kaufen, sie sind in der rechten Schalterhalle des Busbahnhofes erhältlich, siehe auch Anreise.
- *Bahn*: Züge nach Kaunas, Klaipėda, Kaliningrad, Riga, Tallinn, in die ehemalige Sowjetunion und einige europäische Hauptstädte, 2x tägl. Verbindung mit Berlin. Bahnhof befindet sich in der Geležinkelio g. 16.
- *Flugzeug*: Der Flughafen liegt etwa 5 km südlich von Vilnius, näheres siehe Anreise.

Fluginformationen unter Tel. 630201.
- *Öffentliche Verkehrsmittel*: Gut ausgebaut, es fahren Busse, Trolleybusse und jede Menge Taxis. Hier einige Anhaltspunkte:
Flughafen - Bahnhof , **Bus 1**; Flughafen - Zentrum, **Bus 2**; durch den Gedimino pr. fahren **Trolley 3, 9** und **11**; Haupthaltestelle in der Innenstadt ist der Kathedralsplatz.
Taxi: Unbedingt Preise vorher aushandeln, oft werden ganz wahllos horrende Summen verlangt. Mehr als 5 DM innerhalb der Stadt sind in jedem Falle überzogen.
Taxistände: Vienuolio g. 1, in der Nähe vom Hotel Neringa; Ukmerges g. 12, nicht weit vom Hotel Lietuva und Hotel Turistas;

M. K. Čiurlionio g. 84, beim Draugystė Hotel. Geležinkelio 10; am Bahnhof; am Kathedralsplatz; am Lukiškių-Platz.

Taxiruf: Gegen einen Aufpreis von etwa 0,40 DM kann man sich ein Taxi bestellen. Im allgemeinen kommen sie innerhalb von 30 bis 45 Min.

Übernachten

Das Übernachtungsangebot in Vilnius hält sich noch sehr in Grenzen. Wer auf Nummer sicher gehen möchte und sich nicht bei der Hotelsuche die Füße wund laufen will, läßt vorher reservieren.

● *Bessere Hotels*: **Astorija**, Didžioji g. 35/2. Schönes Hotel unter norwegischer Leitung, liegt in der Altstadt. EZ ab 45 DM, DZ ab 60 DM und Suite 150 DM, Tel. 224020.

Draugystė, Čiurlionio g. 84. Liegt in der Nähe vom Vingis Park. Vorübergehend sind dort einige Botschaften untergebracht. DZ 70 DM, Luxussuite knapp 200 DM, Tel. 662711, Fax. 263101.

Lietuva, Ukmergės g. 20. Nicht zu übersehen, da einziges Hochhaus in der Innenstadt, ehemaliges Intouristhotel. EZ 105 DM, DZ 130 DM und Luxussuite 180 DM, Tel. 356090.

Mabre, Maironio g. 13. In altem Kloster untergebracht, die kleinste und feinste Unterkunft von ganz Vilnius, 4 Luxussuiten, ÜF ca. 120 DM pro Person, Tel. 222087/ 222195.

Neringa, Gedimino pr.23. Kleines, zumeist ausgebuchtes Hotel, im neuen Zentrum gelegen. Angeschlossenes Café mit Nierentischen. EZ ca. 80 DM, DZ ca. 100 DM, Suite ca. 140 DM, Tel.610516.

Šarūnas, Raitininkų g. 4. Nur 26 Zimmer, erst seit Juni 1992 geöffnet. EZ ca. 80 DM, DZ ca. 105 DM. Der litauische Basketballstar Šarūnas Marčiulonis unterhält dort eine Bar, DZ 110 DM Tel. 353888.

Žalgiris, Šeimyniškių g. 21 a. Luxuriös ausgestattete Apartments. EZ ab 65 DM, DZ ab 120 DM, Tel. 353428.

● *Hotels der Mittelklasse*: **Germa**, gleich zweimal vertreten, am Gedimino pr. 12 und in der Vilniaus g. 2/30. EZ 50 DM, Lux 100 DM, Restaurant angeschlossen, Tel. 615450 bzw. 615460.

Skrydis, Rodūnės kelias 2. Großes, direkt am Flughafen gelegenes Hotel, Preis-Leistungsverhältnis nicht so ganz ausgeglichen, die meisten Zimmer sind ohne Bad, EZ ca. 40 DM, DZ ab 35 DM pro Pers., Tel. 669467.

Turistas, Ukmėrges g. 14. Liegt auf der anderen Seite der Neris, unweit vom Hotel Lietuva. EZ z. Zt. etwa 70 DM, DZ 85 DM, Suite ca. 100 DM, Tel. 733106.

Trinapolis, Verkių g. 66. In schöner Lage, nördlich des Zentrums gelegen. Zimmer sind mittelmäßig bis einfach, EZ etwa 30 DM, DZ etwa 35 DM, Tel. 778735, vom Bahnhof Trolley 5 bis Endstation nehmen.

Vilnius, Gedimino pr.20/1. Zentrale Lage, Zimmer akzeptabel, wird ebenfalls teilweise renoviert, EZ ca. 60 DM, DZ ca. 50 DM pro Pers., Suite ca. 100 DM, Tel. 623665.

● *Privatquartiere und Camping*: Eine Alternative zu den oft ausgebuchten Hotels ist es, bei Vilniuser Familien zu wohnen.

Ekspresas, Kooperatinis, Vermittlung von Quartieren in den Vorstädten von Vilnius, etwa 4 DM pro Nacht, ohne Frühstück, Tel. 261717.

Lintinterp, Bernhardinu 7/2, EZ ca. 22 DM, DZ ca, 38 DM, Tel. 612040, Fax 222982.

"Nakvynė" Hotel Travel Service, Kauno g. Quartiere in Vilnius und Trakai, Tel. 637732/634823.

Baltic Accomodation and Travel Service, Geležinio Vilko 27, ÜB etwa 18 DM, Tel. 765518.

Youth Hostels, Info-Center Kauno ·1a 510, Tel. 260606, Fax 260631.

"Jugendherberge" Green Shelter, Sommercamp im Vingis-Park, ca. 10 DM die Nacht, Tel. 445140/756650.

Žvaigždė, Pylimo 63, nur Gemeinschaftsräume für 4-6 Personen, Tel. 619626.

Rutų Camping, Mūrininkų, 25 km östlich von Vilnius an der Straße nach Minsk. ÜB in Sommerhütten, eigenem Zelt oder Wohnwagen möglich, Küche für Selbstversorger, Sauna, ÜB etwa 7 DM, 544281/ 544287.

Norwegisches Informationszentrum: Vermittlung von Privatquartieren, auch in der Altstadt, ÜB ca. 20 DM, Adresse S. 105.

● *Billigunterkünfte*: **Gintaras**, Sodų g. 14, liegt direkt am Bahnhof. Sehr einfach und schmuddelig, multikulturelles Publikum, ÜB ca. 8 DM, Tel. 624157.

Narutis, Pilies g. 24. Billige, recht einfache Herberge direkt in der Altstadt gelegen,

etwa 8 DM pro Nacht, Tel.622882
Sodžiųs, Rinktinės g. 42. Nicht weit weg

vom Markt. Zimmer ohne jegliche Extras,
ÜB pro Person 2 DM, Tel. 750200.

Essen

Auch ein echter Feinschmecker wird in Vilnius auf seine Kosten kommen. Ob es kleine pikante Salate sein sollen oder aber ein Edeldiner vom besten - Vilnius kann mithalten. Und im feinsten Restaurant Litauens, in das Präsident Brazauskas seine ausländischen Gäste zu Tisch bittet, kann man durchaus mit westlichen Preisen rechnen.

• *Restaurants*: **Akimirka**, Gedimino pr. 29/31. Altes Restaurant sowjetischen Stils, Essen durchschnittlich, Service schnell. Geöffnet Di-So von 11.30-23 Uhr, Mo bis 15 Uhr, Tel. 616440.

Bočių, Šv. Ignoto g. 4. Altes Klostergebäude, unter der Decke romantische Freskenmalereien, Wildspezialitäten. Geöffnet von 12-23 Uhr, Tel. 623772.

Dainava, Vienuolio g. 4. Riesiges Restaurant alten Stils, oft mehr Kellner als Gäste. Abends Live-Musik mit Tanz, Mo von 12-15, sonst bis 23 Uhr geöffnet, Tel. 617481.

Draugystė, Čiurlionio g. 84. Obwohl zum Diplomatenhotel gehörend, ist das Restaurant an sich nichts Besonderes, geöffnet von 8-16 Uhr und von 17-23 Uhr, Mo nur bis 17 Uhr, Tel. 661651.

Gintaras, Sodų g. 14. Sehr langsame, etwas mufflige Bedienung, multikulturelles Publikum aus der gesamten ehemaligen Sowjetunion, Di von 12-17, sonst bis 23 Uhr geöffnet, Tel. 635607.

Golden Dragon, Aguonų g. 10. Exzellentes chinesisches Restaurant mit einer großen Auswahl an exotischen Gerichten. Geöffnet von 12-15 ud 17.30-22 Uhr, So von 12-20 Uhr, Mi geschlossen, Tel. 262701.

Ida Basar, Subačiaus g. 3. Neues, exklusives Restaurant mit reicher Speisekarte. Geöffnet von 12-1 Uhr, Tel. 628484.

Literatų Svetainė, Gedimino pr.1. Gemütlich, geöffnet von 12-23 Uhr.

Lokys, Stiklių g. 8. Mitten im Restaurant, einem mittelalterlichen Kellergewölbe, sitzt ein ausgestopfter Bär. Wildspezialitäten, geöffnet von 12-23 Uhr, Tel. 629046.

Medininkai, Aušros Vartų 4. Uriges, mittelalterliches Kellerrestaurant. Auf Wunsch riesige Salate, geöffnet von 12-22 Uhr, Tel.614019.

Neringa, Gedimino pr.23. Gestylt im Stil der 60er mit nostalgischen Nierentischen, auch geeignet fürs zweite Frühstück, geöffnet von 8-12 und 12.30-22 Uhr, Di nur bis 16 Uhr, Tel. 614058.

Panorama, befindet sich im 22. Stock des Lietuva Hotels, Abends Live-Musik, von 20-2 Uhr geöffnet, Mi geschlossen, Tel. 356138.

Paukščių Takas, befindet sich im Fernsehturm. Eintritt nur zu jeder vollen Stunde. Es lohnt sich eher, wegen der weiten Aussicht dorthin zu gehen, Restaurant dreht sich geöffnet von 10-20 Uhr mit Pause von 12-13 Uhr, Mo geschlossen, Tel. 458877.

Seklyčia, ebenfalls zum Hotel Lietuva gehörend. Litauische Nationalspeisen im Angebot, abends Live-Musik. Geöffnet von 12-24 Uhr, Di geschlossen, Tel. 356069.

Senasis Rūsys, Šv. Ignoto 16. Kellerrestaurant mit guter Küche, geöffnet von 12-23 Uhr, Mo bis 17 Uhr, Tel. 611137.

Stikliai, Gaono g. 7. Gilt als das beste und teuerste Restaurant Litauens, in dem die litauischen Politiker in der Regel ihre ausländischen Staatsgäste zu Tisch bitten, geöffnet von 12-24 Uhr, Tel. 627971.

Vidudienis Picerija, Gedimino pr. 5. Pizza á la Improvisatia, dennoch sind die Pizzen eßbar, geöffnet von 10-21 und Mo von 12-21 Uhr, Tel. 628092.

Vilnius, zum gleichnamigen Hotel gehörend. Das Essen ist mittelmäßig und die Bedienung etwas langsam, wird demnächst renoviert, abends Live-Musik, geöffnet von 12-23 Uhr, Tel. 616197.

Viola, Kalvarijų g. 3. Armenisches Privatrestaurant mit exotischen Spezialitäten aus den Ländern des Kaukasus, Live-Musik, geöffnet von 15-24 Uhr, Tel. 731083.

• *Cafés und Bars*: Oft gibt es in den Bars und Cafés auch kleine Salate oder belegte Brote.

Alumnatas, Universiteto g. 4. Nettes Studentencafé, geöffnet von 12-23 Uhr, Tel. 612043.

Ansamblis Svetainė, Universiteto g. 6. Gemütliche Studentenkneipe, geöffnet Mo-Do von 9-19 und Fr von 9-18 Uhr.

Arka, Aušros Vartų 7. Beliebter Treff junger Künstler. Innen modern und gemütlich, die Wände hängen voll "Kunst". Vor dem Café befindet sich ein schöner Innenhof, in dem man im Sommer herrlich sitzen kann, empfehlenswert, Mi-Mo von 11-16 und 17-23 Uhr geöffnet, Di von 12-23 Uhr.

Arkadidija, Šv. Jono g. 3. Ruhiges, nettes Café mit überwiegend studentischem Publikum, Di-So von 10-16 und 17-22 Uhr, Mo von 10-16 Uhr geöffnet.

Do-Re-Mi, Aukų g. 3. Hauptsächlich junges Publikum, die sich ihre Zeit dort mit MTV vertreiben, von 10-22 Uhr geöffnet, Tel. 615938.

Edvida, Saulėtekio g. 39 a, Befindet sich im Wohnheim für Auslandsstudenten, geöffnet von 13-23 Uhr.

EKU, im Vingis-Park. Nach einem Spaziergang im Park ganz gut für einen Snack geeignet, geöffnet Di-So von 11-23 und Mo von 13-23 Uhr, Tel 631487.

Geležinis Vilkas I, Arsenalo g. 2. Übersetzt "Eiserner Wolf", nette kleine Bar, vor der man im Sommer sehr gut sitzen kann, geöffnet Mi-So von 13-21 Uhr.

Geležnis Vilkas II, Vokiečių g. 2. Nettes Café mit ausgezeichneten, kleinen Gerichten im Angebot, nicht ganz billig, geöffnet von 11-23 Uhr.

Juoda-Raudona, Gedimino pr. 14. Sehr kleine, aber nette Bar mit Spiegeldesign, geöffnet Di-So von 11-24 und Mo von 17-24 Uhr.

Kavinė, Upės g. 5. Kleines Café mit der litauischen Spezialität "cepelinai" im Angebot, geöffnet von 12-24 Uhr.

Kontora, Saulėtekio g. 37. Kleine, von Jurastudenten organisierte Cafébar, geöffnet von 13-23 Uhr und am Wochenende von 17-23 Uhr.

Kretinga, Žemaitijos g. 8/11. Schönes, ruhiges Café, von 12-21 Uhr geöffnet, Tel. 611136.

Langas, Ašmenos g. 8. Nettes Galeriecafé, in dem gelegentlich auch Jazz-Konzerte stattfinden, geöffnet von 12-15 und von 16-22 Uhr.

Menininkai, Universiteto g. 8. Modern gestyltes Café, beliebter Studententreff, geöffnet von 11-23 Uhr.

Mini Baras, Pilies g. 17. Macht ihrem Namen alle Ehre, hat genau Platz für 10 Leute, geöffnet von 12-22 Uhr.

Pas Laumė, Didžioji g. 21. Kellerbar, überwiegend junge Leute, Tel. 614035.

Nykštukas, Pamėnkalnio g. 24. Buntes, auf Kinder eingestelltes Café, Süßspeisen, von 12-20 Uhr geöffnet, Tel. 610735.

Pasašas, Arklių g. 12. Verspricht Kaffee

genuß unter Palmen mit litauischer Volksmusik, geöffnet Di-Fr von 14-22 und am Wochenende von 12-24 Uhr, Mo geschlossen, Tel. 221383.

Pinguin, Pilies g. 16. Eisdiele der Pinguin-Kette, auch bei klirrender Kälte gut besucht, geöffnet von 9-20 Uhr.

Pienobaras, Gedimino pr. 24. Wer auf Milchfrühstück steht, ist hier genau richtig. Es wird allerdings kein Kaffee ausgeschenkt, ab 8 Uhr geöffnet, Tel. 225852.

Ravioli, Kalvarijų g. 13. Suppen und Ravioli, beliebt bei Einheimischen, da preiswert, Selbstbedienung, geöffnet Mo-Fr von 11-15.30 und 16-20 Uhr, samstags von 11-17 Uhr.

Pilėnai, Vilniaus g. 22. Kellerbar, hauptsächlich von Teenagern besucht, geöffnet von 10.30-23, am Wochenende ab 12 Uhr.

Rūdininkai, Rūdininų g. 14. Urige Kellerbar mit gutem Bier, geöffnet von 11-21 Uhr.

Stikliai, Stiklių g. 7. Ähnlich wie im gleichnamigen Restaurant ist hier alles nur vom Feinsten, geöffnet von 12-22 Uhr.

Saulėtekis, Saulėtekio g. 32. Teures Studentencafé, das rund um die Uhr geöffnet hat.

Senas Grafas, Sv. Kazimiero g. 3. Empfehlenswerte Adresse zum Spaghettiessen, im Sommer Sitzmöglichkeiten im Innenhof, geöffnet Do-Di von 11-23, Mi von 11-17 Uhr.

Seno Kiemo Uzeiga, Pylimo g. 44. Nette Bar mit leckeren Snacks, geöffnet von 13-21 Uhr.

Viktorija, Pamėnkalnio g. 7. Gemütliche Bar mit gutem Essen, geöffnet Mo-Fr von 12-16 und 17-22 Uhr, Sa von 14-22 Uhr.

Vilija, Gedimino pr. 10. Name der Valgykla und des benachbarten Cafés. Viele Studenten, die hier zwischen den Vorlesungen essen. Ab 8 Uhr geöffnet.

● *Diskos/Nacht- und Tanzbars*: **Geležinkeliečių Kulturos Rūmai**, Kauno g. 5. Befindet sich im Kulturhaus der Bahnarbeiter und -angestellten. Disco für Jugendliche Di, Do und So; Tanz für die älteren Semester Fr und Sa, jeweils von 20-23.30 Uhr.

Ritmas, Ugniagesių g. 5, sog. Discobar. Die "Haupt-Discotage" sind Fr und Sa. Geöffnet Di-So von 12-18 und 19-23 Uhr, Mo von 12-15 Uhr, Tel. 632268.

Žirmūnai Nacht Club, Žirmūnų g. 67, Edel-Nachtbar, in der man einen horrenden Eintritt zahlen muß, neureiches Publikum, von 23-7 Uhr geöffnet, Tel. 779939.

Verschiedenes

• _Geldwechsel:_ *Balticbank*, Gedimino pr. 15, wechselt am günstigsten. Das Einlösen von **Traveller-Schecks** ist möglich bei folgenden Banken: *Aura Bank*, Gedimino pr. 6; *Litimpex Bankas*, Verkių g. 37; *Vilniaus Bankas*, Gedimino pr. 12, hier außerdem Cash für Visa-Cards.

• _Post:_ **Hauptpostamt**, Gedimino pr. 7, Tel. 616614. **Postamt**, Vilniaus g. 33, Tel. 619960. **Haupttelegrafenamt**, Vilniaus g. 33/2, Tel. 619950, rund um die Uhr geöffnet.

• _Satellitentelefon:_ im **Hotel Lietuva** und im **Norwegischen Informationsbüro**, eine Minute kostet etwa 5 DM.

• _Mietwagen:_ Autos können mit oder ohne Fahrer gemietet werden. Die Preise für westliche Modelle sind sehr hoch, evtl. versuchen, einen Lada zu bekommen. **Eva**, Jačionų 14. Mo-Do von 8.15 und Fr. von 8.15 - 16 Uhr geöffnet, Tel. 649428/ 649419. **Baltic Auto**, Žvejų g. 28. Mo-Fr von 9-17 Uhr geöffnet, Tel. 731385, Fax 732160. **Litinterp**, Vokiečių g. 10-15. Autos mit Fahrer erhältlich und Minibusse zu vermieten, ca. 70 DM am Tag. Tel. 756172, Fax 623415. **Balticar**, Tel. 460998, Fax 758924, 24-Stunden-Service. Mietwagen sind auch über das Hotel Lietuva erhältlich.

Einkaufen

Gute, ansprechende Läden sind selten. Viel attraktiver sind die zahlreichen Galerien.

• _Läden:_ **Antiquitäten**: *Antikvariatinių Daiktų Komisas*, Dominikonų g. 14. Bernstein, Ikonen und Briefmarken; *Antikvarine komiso*, Mėsinių g. 5 und 9. Münzen, Schmuck, Ikonen, Bernstein, Postkarten usw.; *Juste*, Justiniškių g. 63 a. Neben antiken Sachen auch Verkauf moderner Bilder. **Souvenirs**: *Amber*, Aušros Vartų 9. Großes Bernstein-Sortiment; *Dovana*, Stiklių g. 14/1. Außer Bernstein auch Verkauf von folkloristischen Kleidungsstücken und Puppen; *Solda*, Dominikonų 9. Silber, Antiquitäten. **Bücher**: *Penki kontientai* (5 Kontinente), Vilnius g. 39. Verkauf von litauischer und fremdsprachiger Literatur; *Vaga*, Gedimino pr. 50, Bücher, z. T. auch deutschsprachig, Kartenmaterial und Stadtpläne erhältlich; *Vilnius*, Gedimino pr. 13. Neben litauisch- und russischsprachigen Büchern auch Verkauf von Kartenmaterial und Stadtplänen. **Antiquariate**: *Knygas Antikvariatas*, Pylimo g. 13. Alte litauische und russische Bücher. **Musik**: *Melodija*, Tilto g. 13/15. Verkauf von Schallplatten und Musikkassetten; *Muzikos Prekės*, Gedimino pr. 33/17. Neben Schallplatten und Kassetten, teilweise auch CDs erhältlich und Musiknoten.

• _Galerien:_ Kleine Galerien schießen wie Pilze aus dem Boden. Ob es sich um avantgardistische Kunst oder folkloristisches Kunstgewerbe handelt, die Ausstellungen sind alle attraktiv gestaltet und die meisten Stücke erwerblich. Ein Blick kann häufig durchaus lohnenswert sein **Arka**, Aušros Vartų 7. Wechselnde Ausstellungen der populärsten, litauischen Maler und Bildhauer der Gegenwart, Di-Fr 11-19 Uhr und Sa von 12-18 Uhr geöffnet. **Dailė Centrinis Salonas**, Vokiečių g. 2. Befindet sich im Zentrum für zeitgenössische Kunst. Zu sehen sind Keramik und Lederwaren, sowie Bilder und Skulpturen litauischer Künstler, geöffnet Di-Fr 10-14 und 15-19 Uhr, Sa von 10-16 Uhr. **Dizaino Salonas 89**, Mėsinių g. 4. Ausstellung von Bernstein, Töpferwaren, Leder und folkloristischen Kleidungsstücken, Mo-Fr von 11-14 und 15-19 Uhr geöffnet. **Fotogalerie**, Didžioji g. 19. Wechselnde Ausstellungen aus allen Bereichen der Fotografie, geöffnet Mi-So von 11-19 Uhr. **Galerija 91**, Pilies g. 44. Zu sehen sind die Werke der Kunststudenten, geöffnet Di-Sa von 12-14 und 15-18 Uhr. **Kurparas**, Šv Jono g. 3. Ausstellung litauischer Volkskunst, nur gegen Devisen erwerblich, geöffnet von 11-19 Uhr. **Langas**, Ašmenos g. 8. Avantgardistische Wechselausstellungen von Gemälden und Plastiken aus In- und Ausland, geöffnet Mo-Fr von 11-19 Uhr, Sa von 12-18 Uhr. **Medalių**, Šv. Jono g. 11. Ausstellung von Medaillen und kleinen Skulpturen, geöffnet Mo-Do von 10-18 Uhr, Fr von 10-17 Uhr. **Paroda-pardavismas Sauluva**, Pilies g. 22. Keramik, Glas, Silberschmuck, Trockenblumen und Leder, von 10-19 Uhr geöffnet.

Šiaurės Atėnai, Pylmio g. 8. Zu sehen und zu kaufen sind Goldschmiedearbeiten, Di-Fr von 11-14 und 15-19 Uhr geöffnet, Sa und Mo von 11-15 Uhr.

Vartai, Vilniaus g. 39. Wechselnde Ausstellungen moderner litauischer Künstler, Di-Fr von 12-15 und 16-19 geöffnet, Sa von 12-18 Uhr.

Verba, Savičiaus g. 10. Gute Adresse, um preiswert Bernstein zu kaufen, geöffnet Mo-Fr von 10-14 und 15-18 Uhr.

Galerija, Bokšto g. 4/2. Ausstellung der Werke russischer Künstler der Gegenwart, geöffnet von 11-18 Uhr.

• *Märkte*: Es gibt drei feste Märkte in Vilnius. Im Sommer sind die Stände voll, fast überladen. Im Winter sehen sie eher traurig aus. Weißkohl, Rotkohl und Rüben.

Gariūnai, es gibt nichts, was es nicht gibt. Alle Völker der ehemaligen UdSSR scheinen hier ihre Waren feilzubieten, von exotischen Früchten über Bärenfellmützen bis hin zu Kognak und Waschpulver ist alles zu haben. Der Markt liegt etwas außerhalb von Vilnius an der Straße nach Kaunas, vom Busbahnhof fährt ein Mikro-Bus mit der Aufschrift *Gariūnai* dorthin. Geöffnet Di-So vormittags.

Halė, Pylimo g. 58/1. Markthalle in der Nähe vom Bahnhof mit Gemüse, Obst, Milchprodukten, Fleisch und Blumen, geöffnet Di-So vormittags.

Kalvarijų, Kalvarijų g. 71. Gartenbesitzer, Kleinbauern und kaukasische Händler verkaufen hier, was sie privat erwirtschaftet haben. Das Angebot reicht von Obst und Gemüse bis hin zu Fleisch und Fisch, geöffnet Di-So.

Markt am Bahnhofsvorplatz: Immer mehr wird der Platz vor Bahnhof und Busbahnhof zu einem einzigen Warenumschlagsplatz. Insbesondere dann, wenn Züge aus der Ukraine und Rußland angekommen, verwandeln sich die Plätze zu einer einzigen Marktfläche, auf der ein heilloses, buntes Durcheinander herrscht. Oftmals werden hier eine Vielzahl von Früchten und Kuchen angeboten, sowie getrocknete Pilze, Dörrobst, Sonnenblumenkerne u. v. m. Sehr häufig sind auch die gewohnten Bilder von Menschen zu sehen, die nur ein einziges Teil zum Verkauf haben und es, indem sie es schweigend vor sich hochhalten, anbieten.

Feste/Veranstaltungen

Seit dem Frühjahr gibt es das englisch/litauische Heftchen *"Vilnius In Your Pocket"*, dem man das jeweilige kulturelle Programm entnehmen kann. Es erscheint fünfmal im Jahr und ist für knapp 1 DM im Buchladen erhältlich. Die Karten für die meisten klassischen Konzerte gibt es im Büro der Nationalphilharmonie, Aušros vartų 5, Tel. 627165. Karten kann man auch über das Hotel Lietuva bekommen.

• *Klassik*: **Opera ir baleto tetras** (Opern- und Ballett-Theater), Vienuolio 1. Nicht nur Opern-, sondern auch Ballettaufführungen und Konzerte klassischer Musik finden hier statt. Das moderne Opernhaus stammt aus den 70ern.

Nacionalinė filharmonija (Philharmonie), Aušros Vartų 69, Tel. 627165. **Baroko salė** (Barockhalle), Daukanto 1, Tel. 619926.

Muzikos akademija (Musikakademie), Gedimino pr. 42, Tel. 612691.

Menininkų rūmai (Palast der Künstler), Daukanto g. 3/8, Tel. 616968.

Šv. Jono-Kirche , Šv. Jono g. Jeden zweiten Sonntag im Monat singt um 15 Uhr der akademische Chor.

• *Jazz und Blues*: **Jazz Club**, Vilniaus 39 g., im Haus der Lehrer. Konzerte finden meist freitags gegen 19.30 Uhr statt. Karten Mi-Fr von 17-19 Uhr in Zimmer 216 erhältlich, Tel. 222758.

Tauras Café, Pamėnkalnio g. 38. Jeden Mittwoch ab 19.30 Uhr Blues-Konzerte, Tel. 226466/621782.

Viktorija, Pamėnkalnio 7. Jeden Samstag spielen ab 19 Uhr Blues-Bands.

Seit geraumer Zeit finden in Vilnius auch **Rockkonzerte** mit internationalen Größen statt. Termine bei den Kassenstellen oder Jazzkneipen erfragen oder dem Heft "Vilnius In Your Pocket" entnehmen.

• *Theater*: Karten im Vorverkauf an den jeweiligen Veranstaltungsorten und über das Hotel Lietuva erhältlich.

Akademisches Drama Theater (Akademinis dramos teatras), Gedimino pr. 4. Aufführungen renommierter und experimenteller Stücke, Tel. 629771/626471.

Jugendtheater (Jaunimo teatras), Arklių 5. Auf dem Programm stehen Stücke litauischer und ausländischer Dramatiker, sowie Märchenspiele, Tel. 616012/616126.

Litauisches Nationaltheater (Lietuvių tautinis teatras), Basanavičiaus g. 13. Folkloristisches Theater, Tel. 652030.

Puppentheater (Lėlės teatras), Arklių g. 5. Aufführungen von Märchenspielen am Wochenende um 12 und 15 Uhr, Tel. 628678.

Russisches Theater (Rusų dramos teatras), Basanavičiaus g. 5. Russischsprachiges Theater, in dem hauptsächlich Stücke russischer Dramatiker auf die Bühne gebracht werden, Tel. 620552.

Theater der Universität (Kiemo teatras), Universiteto g. 3, Tel. 614096.

Kleines Theater (Vilniaus mašasis teatras), Gedimino pr. 4. Sie sollen verschiedene englischsprachige Inszenierungen im Repertoire haben, Tel. 613195.

Kindertheater (Keistuolių teatras) , Laisvės pr. 60. Private Bühne mit Stücken für Kinder, Aufführungen jeweils um 12, 15 und 19 Uhr, Tel. 424585.

Altstadt-Theater (Vilniaus senamiesčio teatras), Šv. Jono g. 3 . Gespielt werden Stücke litauischer Dramatiker, jeweils Do um 19 Uhr, Tel. 222653.

Museen

Adam Mickiewicz Gedenk-Museum, Bernadinų g. 11. Kleines Museum im Wohnhaus des polnisch-litauischen Dichters. Träger des Museums ist die Universität, geöffnet Fr von 14-18 und Sa von 10-14 Uhr.

Architekturmuseum, Volano g. 1, keine überwältigenden Exponate, befindet sich in der St.-Michaels-Kirche, Mi-Mo von 11-19 Uhr geöffnet.

Artillerie Bastion, Bokšto g. 20/18. Die aus dem 17. Jh. stammende Bastion ist seit 1987 fertig restauriert, zu sehen sind Waffen, geöffnet Mi-Mo von 11-19 Uhr.

Ausstellungszentrum für Zeitgenössische Kunst, Vokiečų g. 2, geöffnet 11-19 Uhr.

Historisches und Ethnographisches Museum, Vrublevskio g. 1. Ausstellung über den Verlauf der litauischen Geschichte vom Steinzeitalter bis 1940, Mi-Mo von 11-19 Uhr.

Kommunikationsmuseum, Pilies g. 23. Querschnitt durch die Geschichte der litauischen Kommunikation. Mi- Fr nachmittags geöffnet, Sa nur vormittags.

Kunstgewerbe-Museum, Arsenalo g. 2. Zu sehen sind Möbel, Keramik, Porzellan vom 14. - 19. Jh. Unter den Exponaten befinden sich auch Stücke aus Deutschland, geöffnet Mi-So von 11-19 Uhr.

Litauisches Kunstmuseum, Didžioji g. 31. Ausstellung von Werken litauischer Künstler des 19. Jh., geöffnet Di-So von 12-18 Uhr.

Litauisches Staatsmuseum der Juden, Pamėnkalnio g. 12 und Pylimo g. 4. Dokumentation des Holocaust, dem 94 Prozent der in Litauen lebenden Juden zum Opfer fielen, geöffnet Mo-Fr von 10-17 Uhr.

Litauisches Staatsmuseum für Kultur und Geschichte, Studentų g. 8. Dokumentation über die Massendeportationen litauischer Bürger durch Stalin, den Kampf um die Unabhängigkeit und Stellungnahme zu den Ereignissen am Fernsehturm im Januar 1991, Mi-Mo von 10-18 Uhr geöffnet.

Museum des jüdischen Genozids, Agrastų g. 17, im Südwesten von Vilnius, im Paneriai-Wald des gleichnamigen Stadtteils, wo 100.000 Menschen von den Nazis exekutiert wurden, Mi-Mo von 11-18 Uhr.

Museum für Kommunikation, Pilies g. 23. Gezeigt werden Gegenstände zur Geschichte der litauischen Kommunikation, geöffnet Mi-Fr von 15-19 Uhr und Sa von 11-14 Uhr.

Puschkinmuseum, Subačiaus g. 124. In dem Gebäude, das das Museum beherbergt, lebte einst der Sohn des Dichters. Ein Zimmer des über 100 Jahre alten Hauses gibt Einblick in Puschkins Leidenschaften und seine Bibliothek mit seltenen Exemplaren, Mi-So von 10-18 Uhr.

Radvila-Palast, Vilniaus g. 22. Das Museum befindet sich im ehemaligen Domizil der Familie Radvila. Die Ausstellung beinhaltet u. a. 165 Familienporträts der Fürstenfamilie, geöffnet Mi-So von 12-20 Uhr.

Vilniuser Burgmuseum, Pilies kalnas (Schloßberg) Kleine Ausstellung zur Burggeschichte, Mi-Mo von 11-18 Uhr geöffnet. Einmal zum Burgberg hinaufgekraxelt, sollte man es sich nicht nehmen lassen, auch die 74 Stufen des Gediminas-Turmes zu erklimmen, um dann den schönen Ausblick auf Vilnius zu genießen.

Wissenschaftsmuseum, Šv. Jono g. 12. Museum zur Geschichte der Wissenschaft in Vilnius, befindet sich in der Universitätskirche Šv. Jono.

Zentrum für moderne Kunst, Vokiečių g. 2. Wechselnde Ausstellungen zeitgenössischer Kunst, im Innenhof sind Skulpturen zu bewundern, geöffnet Di-So von 10-19 Uhr.

Mittwochs ist der Eintritt zu den meisten Museen frei!

Sehenswertes

Ein Spaziergang durch das historische Vilnius

Als Ausgangspunkt für eine Runde durch die Altstadt eignet sich der Kathedralsplatz (Katedros aikštė), gelegen am Rande der Altstadt im Herzen von Vilnius. Am Ende des Platzes führt ein kleiner Fußweg zum Burghügel mit dem Gediminas-Turm hinauf.

Der Burgberg

Hier oben über den Dächern von Vilnius befindet sich die Obere Burg, das Burgmuseum und der Gediminas-Turm. Lange vor der Errichtung der Burg muß der Gediminas-Berg eine heidnische Kult- und Pilgerstätte gewesen sein. Vor noch gar nicht langer Zeit haben Archäologen bekannt gegeben, daß sich hoch oben auf dem Hügel sogar ein heidnisches **Planetarium** befunden haben soll. Die ältesten Funde, die hier gemacht wurden, lassen sich auf den Beginn des 1. Jt. v. Chr. datieren.

Im 14. Jh. entstand die heutige Burg, die allerdings schon vor der Stadtgründung des Gediminas existiert haben soll. Sie bestand ursprünglich aus drei Türmen, dem Hauptgebäude und einem Tor. Als Material verwendete man Steine und Ziegel. Von den drei Türmen ist heute nur noch der achteckige, rekonstruierte **Gediminas-Turm** zu sehen.

1419 fiel die Festung einer Feuersbrunst zum Opfer, wurde aber von Vytautas dem Großen wieder aufgebaut. Als die Festung Mitte des 15. Jh. ihre strategische Bedeutung einbüßte, verfiel sie allmählich. Mittlerweile rekonstruiert, gilt sie heute als Symbol des litauischen Staates und seiner Unabhängigkeit, was mit der hier ständig wehenden Nationalflagge symbolisiert wird.

Untere Burg: Neben der Oberen Burg gab es im alten Vilnius auch noch die Untere Burg. Sie befand sich am Fuße des Gediminas-Berges. Beide Burgen waren von dicken Schutzmauern umgeben, die während der Kriege des 17. Jh., wie auch die Festungen selber, stark beschädigt wurden. So ist von der Unteren Burg, der eigentlichen Residenz der litauischen Großfürsten, heute so gut wie gar nichts mehr zu sehen. Auf dem Territorium der Unteren Burg erhebt sich heute majestätisch die Kathedrale von Vilnius.

Zeitweise gab es in Vilnius sogar noch eine dritte Burg, die sog. *Schiefe Burg*. Das hölzerne Bauwerk wurde jedoch bereits 1390 von den Kreuzrittern zerstört.

Hält man sich beim Abstieg des Burghügels in Richtung Neris, so gelangt man zum Alten Arsenal und zum Museum für angewandte Kunst. Geht man von diesem Museum aus weiter um den Burghügel herum, so passiert man das Neue Arsenal und das Museum für Ethnographie und Geschichte und kommt durch den Park wieder zum Kathedralsplatz.

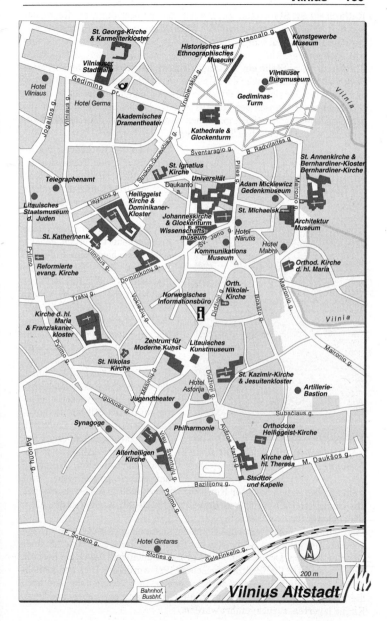

Vilnius Altstadt

▶ **Kathedrale St. Stanislaus:** Im Bereich der unteren Burg, am Rande der Altstadt, erhebt sich hoheitsvoll die Kathedrale von Vilnius. Darüber, was vor dem Bau der Kathedrale hier gestanden haben soll, gehen die Meinungen auseinander. Die einen wissen zu berichten, daß bereits in grauer Vorzeit an jener Stelle ein Tempel zu Ehren des mächtigen Donnergottes Perkūnas gestanden haben soll. Andere wiederum schreiben, daß Mindaugas, nachdem er sich aus taktischen Überlegungen heraus hatte taufen lassen, hier auf Wunsch des Papstes eine Kirche hat errichten lassen, die dann, nachdem er sich nach geraumer Zeit wieder vom Christentum lossagte, zu einem heidnischen Tempel wurde.

Kathedralsplatz mit der St. Stanislaus-Kathedrale

Der Bau der Kathedrale fiel jedenfalls mit der Taufe des Jogailas 1387 zusammen, womit Litauen erneut offiziell zu einem römisch-katholischen Land wurde. Da die Kathedrale auf Grund von Kriegen und Bränden mehrmals erneuert werden mußte, spiegelt sie heute eine Fülle von Baustilen der verschiedenen Epochen wieder. Ihr heutiges klassizistisches Äußeres erhielt sie bei der Restaurierung von 1777 nach den Plänen des Architekten *Stuoka-Gucevičiaus*. Das Hauptportal, das von sechs gewaltigen dorischen Säulen getragen wird, sowie die Säulen, die die Seiten des monumentösen Baus zieren, weisen eindeutig auf diesen Stil hin. Im Inneren jedoch sind auch Reste von Renaissance und Barock zu finden. Daß der Sakralbau von seinem allerfrühesten Ursprung her einmal gotisch war, wird wohl nur den Augen geübter Kunsthistoriker auffallen. Als Schmuckstück des Doms kann die im frühen Barock errichtete St. Kasimir-Kapelle bezeichnet werden.

1956 wurde in dem Dom eine Gemäldegalerie eingerichtet und Konzerte veranstaltet, sehr zum Leidwesen der Gläubigen. Doch es hätte schlimmer kommen können, hätte Stalin in der großen Hallenkirche doch am liebsten eine Lagerstätte für Traktoren gesehen. 1988 wurde der Dom der katholischen Gemeinde von Vilnius zurückgegeben. Im gleichen Jahr sind auch die Reliquien des heiligen Kasimir, die zeitweise in der Peter- und Paul-Kirche lagerten, zurückgeführt worden.

▶ **Glockenturm:** Neben der Kathedrale erhebt sich der 52 m hohe Glockenturm. Auch hier sind Merkmale verschiedener Epochen zu finden. Das untere Stück ist der Rest eines alten Schutzturmes der Stadtbefestigung. Mittlerweile erfüllt er wieder seine eigentliche Funktion, und auf einigen Radiosendern wird das Glockenläuten täglich um 12 Uhr übertragen.

Altstadt

Malerisch am Fuße des Burghügels gelegen, ist sie eine der größten in Osteuropa. Die vielen Kirchen, die alten Häuser mit der eindrucksvollen Universität und die Gassen machen die Altstadt zu einem riesigen Freilichtmuseum. Vilnius war einst ein Zentrum von Mönchen und Geistlichen, weshalb die Stadt heute mehr als 50 Kirchen aufweist. Viele Bezeichnungen der schmalen, verwinkelten Gassen erzählen davon, daß es in der Stadt einmal von Mönchen der verschiedensten Orden nur so gewimmelt haben muß. Auch die zahlreichen, noch erhalten gebliebenen Klöster legen von dieser Zeit Zeugnis ab. Es ist ganz gleich, wohin man schaut, eine Kirche oder wenigstens eine Turmspitze wird immer den Blick kreuzen.

Ein Rundgang durch die Altstadt

Als Ausgangspunkt eignet sich auch hier am besten der Kathedralsplatz. Hält man sich an seinem hinteren Ende rechts, so gelangt man in die B. Radvilaitės g. Nach einem kurzen Stück geht die Maironis g. ab. Hier erhebt sich nach einigen wenigen Metern linker Hand die Annenkirche.

▶ **St. Annenkirche (Šv. Onos):** Die Kirche, entstanden im 15. Jh., ist ein Beispiel litauischer Backsteingotik und gilt als ein Baudenkmal "europäischen Ranges". Ihr jetziges Äußeres erhielt sie nach dem Brand von 1564.

. . . als Napoleon auf seinem großen Rußlandfeldzug durch Vilnius kam, soll er dermaßen entzückt gewesen sein von der Schönheit dieser Kirche, daß er den Wunsch äußerte, sie auf seiner Handfläche tragend nach Frankreich zu bringen.

Wer vor der St. Annenkirche steht, wird kaum Schwierigkeiten haben, den Wunsch Napoleons nachzuvollziehen, denn das kleine Gotteshaus ist in der Tat ein ästhetisches Meisterwerk. Die Fassaden, besonders die westliche, sind so gekonnt verziert und der

St. Annenkirche

Übergang zwischen den verschiedenen Türmen, Spitzbogenbändern, Skulpturen u. a. Konstruktionen so fließend herausgearbeitet, daß sämtliche Formen und Figuren alles in allem eine absolute Harmonie, ein höchst beeindruckendes Gesamtbild, darstellen. Über 30 verschiedene Ziegelarten wurden beim Bau der Kirche verwendet. Das ursprüngliche Interieur der Kirche wurde 1812 bei einem Großbrand zerstört, so daß ihre heutige Ausstattung eher schlicht ist. In direkter Nähe zur Annenkirche erhebt sich die Bernhardiner-Kirche.

▶ **Bernhardiner-Kirche**: Auch dieses Gotteshaus ist ein Meisterwerk der gotischen Baukunst und zählt darüber hinaus zu den größten Bauwerken diesen Stils in Litauen. Erstmalig wurde die Kirche um das Jahr 1500 geweiht, fiel aber kurz darauf in sich zusammen. 1519 erstrahlte sie schließlich in neuer Pracht und erfüllte zeitweise auch Verteidigungszwecke. Am sehenswertesten ist wohl der in der südöstlichen Ecke stehende gotische Glockenturm. Er ist verziert mit zahlreichen kleinen Nischen, Reliefs und Figuren. Bemerkenswert ist die gekonnte Komposition, die aus der absoluten Ausgewogenheit von Vertikalen und Horizontalen besteht. Doch auch die Deckengestaltung ist interessant. Sie setzt sich aus Kreuzrippen- und aus sternförmigen Kristallgewölben zusammen.

Nördlich an die Bernhardiner-Kirche zum Ufer der Vilnia hin reihte sich einst das dazugehörige **Kloster** an, das ebenfalls im gotischen Stil erbaut wurde. Von dem Kloster ist nur der nördliche Teil erhalten geblieben, darunter einige hübsche Innenhöfe. Da das Bernhardiner-Kloster auch mit der Annenkirche verbunden ist, werden Annenkirche, Bernhardiner-Kirche und Bernhardiner-Kloster auch als *gotisches Ensemble* bezeichnet.

Geht man die Maironio g. weiter, so erblickt man auf der linken Seite die **orthodoxe Kirche der heiligen Maria**. Biegt man kurz nach der Annenkirche in die Volano g. ein, so gelangt man zur St.-Michaels-Kirche.

▶ **St. Michael (Šv. Mykolo)**: Das im Stil der Renaissance errichtete Gotteshaus entstand in den Jahren 1594-1625. Auftraggeber war der damalige Kanzler des Großfürstentum Litauens, *Leonas Sapieha*. Sapieha stellte allerdings die Bedingung, daß die Kirche fortan seiner Familie als ewige Ruhestätte dienen möge. Das sich südlich der Kirche anschließende Bernhardinerkloster entstand ebenfalls durch Sapieha. Bei dem Großbrand von 1655 ist das Interieur der Kirche zerstört worden. Sapiehas Bedingung wurde übrigens Genüge getan: in den Katakomben der Michaelskirche ruht auch heute noch die Familie Sapieha. Sie sind alle zu Mumien geworden und auf Wunsch zu besichtigen. Die Michaelskirche beherbergt außerdem das Museum für Architektur.

Um zu den nächsten sehenswerten Bauwerken zu kommen, nimmt man am besten die Bernadinų g., die unweit der Michaelskirche beginnt und mit einem kleinen Tor an der Ecke mit der Pilies g. endet. In der Bernadinų g. achte man auf das Haus No. 11, in dem sich das Gedenkmuseum für den großen litauisch-polnischen Dichter *Adam Mickiewicz* befindet.

▶ **Pilies g.:** Die Pilies g. (Burgstraße) ist die Hauptstraße der nördlichen Altstadt. An ihrem Namen wird ihre ursprüngliche Funktion deutlich, nämlich die Verbindung zwischen Burg und Rathausplatz, dem einstigen Zentrum der Altstadt, herzustellen. Sie ist gesäumt von einer Reihe schöner alter Wohnhäuser, vornehmlich aus dem 16., 17. und 18. Jh. sowie von einigen kleinen Cafés und Geschäften. Am Straßenrand stehen oft fliegende Händler, die Ikonen, Bernstein und litauisches Kunsthandwerk anbieten. Lohnenswert ist auch, hier und da einen Blick in die Hinterhöfe zu werfen. Viele von ihnen sind liebevoll restauriert und die Häuserfassaden mit bunten Blumen geschmückt.

Die nächste architektonische Attraktion, die auf dem Weg liegt, ist die Vilniuser Universität, einer der ältesten Ost-Europas. Der schönste Eingang auf das Universitätsgelände ist wohl der in der Šv. Jono g., einer Seitenstraße der Pilies g.

Universität und Šv. Jono Kirche.

Wer zum ersten Mal die Universität von Vilnius besucht, kann sich in dem Labyrinth der vielen idyllischen Innenhöfe leicht verirren. 1570 wurde sie als höhere Bildungseinrichtung von den Jesuiten ins Leben gerufen und neun Jahre später zur Universität umgewandelt. Während des Aufbaus der "Alma Mater Vilnensis" wurde das ganze umliegende Viertel aufgekauft. Die ältesten Gebäude stammen aus dem 16. Jh., doch wurde über Jahre hinweg gebaut, so daß die Universität sämtliche Baustile der Altstadt wiederspiegelt, wobei die Renaissance dominierend ist. Ursprünglich gab es, ganz nach italienischer Bauweise, auch offene Loggias mit Bogengängen, doch sind diese mittlerweile auf Grund des Klimas zu Fluren geworden. Zur Universität gehört auch die Johanniskirche. Der *Große Hof*, aus dem sich der Sakralbau und der dazugehörige Glockenturm in voller Pracht erheben, ist gerahmt von malerischen Arkadengängen und gilt wohl als der schönste der gesamten Universitätsanlage. Auf direktem Weg ist der Hof von der Šv. Jono g. aus zugänglich.

St. Johannis-Kirche, die Universitätskirche

▶ **Johannis-Kirche (Šv. Jono):** Ursprünglich war die 1387 auf Erlaß des *Großfürsten Jogailas* erbaute Johannis-Kirche einmal ein gotisches Bauwerk. Als es 1571 in den Besitz der Jesuiten überging, wurde sie jedoch stark verändert, wobei es viele Stilelemente der Renaissance erhielt. Während eines Großbrandes im 18. Jh. sind große Teile der Kirche zerstört worden, worauf sie vom Baumeister *J. K. Glaubicas*, diesmal im Stil des Barocks, restauriert wurde. Beeindruckend ist allein schon ihre prachtvolle Barockfassade. Von Gotik ist hier höchstens noch anhand der Fenster etwas zu erkennen.

Auch der Innenraum ist überaus reichhaltig ausgestattet, dekoriert mit zahlreichen Büsten, Skulpturen und Malereien. Unter den Gemälden befinden sich eine Reihe von Porträts bekannter Persönlichkeiten, deren Namen mit der Universität in Verbindung stehen, darunter auch Adam Mickiewicz. Darüber hinaus verfügt die Kirche über sieben Seitenkapellen. Am beeindruckendsten ist allerdings ihr Hauptaltar: Er setzt sich aus elf kleinen, im Halbkreis angeordneten Altären zusammen. Die Kirche beherbergt außerdem das Museum für Wissenschaft. Messen werden erst seit 1991 wieder gefeiert.

▶ **Glockenturm:** Neben der Kirche erhebt sich der Glockenturm, der mit 68 m Höhe alle anderen Türme in Vilnius an Größe überragt. Gebaut wurde er von 1600-1610, sein barockes Äußeres erhielt er jedoch erst im 18. Jh.

▶ **Observatorium:** Das Tor gegenüber der Johanniskirche führt zu einem weiteren hübschen Hof, in dem sich das ehemalige Observatorium befindet. Die Fassade, entstanden Ende des 18. Jh., ist klassizistisch und mit den zwölf Tierkreiszeichen versehen.

Zurück im Großen Hof befindet sich links von der Johanniskirche das Tor zum nächsten Hof, von dem aus man Zugang zum nächsten hat und von da aus zum übernächsten . . . - und nach einer Weile hat man schnell die Orientierung verloren. Es lohnt sich übrigens auch, nicht nur durch die Höfe der Hochschule zu schlendern, sondern auch einmal einen Blick auf ihre schmalen Flure und Gänge im Inneren zu werfen. An einigen der Decken sind teilweise noch Freskenmalereien, wie beispielsweise auch in der Buchhandlung, die sich in einer Hofecke unweit des Haupteinganges befindet, zu sehen. Hier sieht man auch häufig Studenten, die im Schatten der Bäume sitzen und arbeiten.

▶ **Universitätsbibliothek:** Auf direktem Wege ist die gewaltige Bibliothek vom *Daukanto-Platz* aus erreichbar. 4.500.000 Bücher umfaßt die Sammlung, die schon im 16. Jh. als eine der besten und umfangreichsten Bibliotheken Osteuropas bekannt war. Der Haupteingang der Alma Mater Vilnensis befindet sich ganz in der Nähe, in der Universiteto g.

▶ **Daukanto aikštė:** Dreieckiger Platz an der Universiteto g. schräg gegenüber der Universität. Dominierend ist der zweistöckige *Bischofspalast* aus dem 18. Jh. Auch er erhielt von *Stuoka Gucevičiaus* ein klassizistisches Äußeres. Heute ist der Bau als *Palast der Künstler* bekannt. Gelegentlich werden hier Ausstellungen und Konzerte veranstaltet. Der Daukanto-Platz bietet sich dazu an, eine kleine Pause einzulegen. Am westlichen Ende des Platzes erhebt sich die zwischen dem 17. und 18. Jh. errichtete *Bonifrater-Kirche*. Sie wird auch die *Kleine Barockhalle* genannt und dient als Konzertsaal für klassische Musik.

Wer über die wichtigsten Kirchen von Vilnius hinaus noch weitere Sakralbauten betrachten möchte, geht vom Daukanto-Platz ein Stück die L. Stuokos-Gucevičiaus g. entlang, die nach wenigen Metern zur Liejyklos g. wird, und biegt dann in die Šv. Ignoto g. ein. Zur Linken erhebt sich die **Kirche des heiligen Ignatius** mit dem **Jesuiten-Noviziat**, die rechte Seite ist gesäumt von der Ostfassade des **Bernhardinerklosters**, hinter dem sich die **Katharinenkirche** befindet. Sie entstand um die Jahrhundertwende des 17. auf das 18. Jh. und trägt Züge des Spätbarocks. Der Eingang zur Katharinenkirche befindet sich in der Vilniaus g. Von der Katharinenkirche ist es nicht weit zur **Reformierten Evangelischen Kirche**. Sie befindet sich in der Pylimo g., unweit der Ecke Klaipėdos g., die von der Vilniaus g. schräg gegenüber der Katharinenkirche abgeht.

▶ **Reformierte Evangelische Kirche** (Evangelikų Reformatų bažnyčia): Die zwischen 1830-1835 von den Protestanten erbaute Kirche ist ein Beispiel des späten Klassizismus. 1953 wurde die Kirche geschlossen und als Ausstellungs- und Kinosaal genutzt. Seit 1990 erfüllt sie wieder ihren eigentlichen Zweck. In der Kirche stößt man noch auf die in Reihen angeordneten Kinosessel, die hier die traditionellen Holzbänke ersetzen.

Zurück auf der Šv. Ignoto g. erhebt sich am Ende der Straße an der Ecke zur Dominikanų g. die **Heiliggeist-Kirche** und das **Dominikanerkloster**.

▶ **Heiliggeist-Kirche**: Diese Kirche zählt zu den ältesten von Vilnius. Erstmalig erwähnt wurde das Gotteshaus 1387. Im Laufe der Geschichte wurde die Kirche mehrfach umgebaut. In ihrer gegenwärtigen Erscheinung ist der Stil des Rokokos maßgebend. Zeitweise war der Kirche ein Dominikanerkloster angeschlossen, das heute für wissenschaftliche Zwecke genutzt wird. Der gesamte Innenraum ist überaus reichhaltig ausgestattet. Beachtung verdient die kunstvoll angelegte Komposition aus sechzehn Altären und einer Kanzel, entstanden zwischen 1753-1760. Das Dach der Kirche wird von dicken, korinthischen Säulen getragen. Zahlreiche Skulpturen, Plastiken und Statuen, die in den verschiedensten Gesten und Posen angeordnet sind, vermitteln den Eindruck fließender Bewegungen. Die Kirche gehört der polnischen Gemeinde von Vilnius.

Gegenüber der Kirche befindet sich das *Restaurant Senasis Rūsys*, das nach der Besichtigung so vieler Baudenkmäler und Kirchen vielleicht gerade wie gerufen kommt, um bei einem guten Essen wieder zu neuen Kräften zu kommen. Nicht weit vom Senasis Rūsys geht die malerische *Stiklų g.* ab, eine sehr gelungen restaurierte Gasse, in der wohl früher einmal die Glaser gewohnt haben, denn übersetzt heißt sie Glaserstraße. Hier befindet sich auch das *Restaurant Stikliai*, das zu den besten der Stadt zählt. Die Stiklų g. mündet auf die Didžioji g., der Verlängerung der Pilies g. Geht man rechts in die Didžioji g. hinein, steht man nach wenigen Metern vor einem gewaltigen klassizistischen Gebäude, dem einstigen Rathaus.

▶ **Rathaus**: Im Mittelalter war hier einst das Herz von Vilnius zu finden. Vor dem Rathaus wurde der Markt abgehalten, hier wurde über die Belange der Stadt entschieden (bis zu den Flammen von 1748/49) und hier wurden auch die Urteile an den Gefangenen und Geächteten vollstreckt.

Zwischen 1785 und 1799 wurde das Rathaus von *Stuoka Gucevicius*, ein Liebhaber der klassizistischen Architektur, der ebenfalls der Kathedrale ihr heutiges Äußeres verlieh, in eben diesem Stil umgebaut. 1845 wurde in dem alten Rathaus ein Theater eingerichtet, und seit 1940 beherbergt es das Kunstmuseum. Unmittelbar hinter dem monumentalen, klassizistischen Bau liegt das moderne Gebäude des **Ausstellungspalastes**, in dem stets wechselnde Expositionen moderner Werke aus der Bildenden Kunst zu sehen sind.

Die Dižioji g. führt links am Kunstmuseum vorbei, bis sie schließlich zur Aušros Vartų g. wird. Zu Beginn dieser Straße, schräg gegenüber vom Kunstmuseum, erhebt sich die Kirche des heiligen Kazimir.

▶ **St. Kazimir-Kirche (Šv. Kazimiero):** 1604 von den Jesuiten gebaut, ist sie die älteste Barock-Kirche von Vilnius. Der Heilige Kazimir (1458-1484), dem die Kirche geweiht ist, war ein Enkel des Jogailas. Ursprünglich sollte er König von Ungarn werden, doch hielt man ihn dort für untauglich und entschied sich anstelle seiner für seinen Bruder. Da sowohl der litauische als auch der polnische Thron bereits vergeben waren, ging Kazimir leer aus. So hing er schließlich das weltliche Leben an den Nagel und wandte sich dem geistlichen zu: In aller Öffentlichkeit warb er für die Kirche, predigte, fastete und betete. In Rom wußte man sein Tun zu würdigen, so daß der Papst den 1484 sehr jung verstorbenen Kazimir selig sprach, bis er 1602 in den Stand der Heiligen aufgenommen wurde.

Zwei Jahre nach der Heiligsprechung Kazimirs begannen die Jesuiten, zu Ehren des litauischen Nationalheiligen eine Kirche zu errichten. Der Grundriß des Baus entspricht dem eines römischen Kreuzes und besteht aus drei Schiffen. Obwohl die Kirche von gotischen Pfeilern gehalten wird, sind doch überwiegend Elemente des Barocks in ihr zu finden. Über der Kirchendecke eröffnet sich eine wuchtige Kuppel.

Die Geschichte der Kirche ist bewegt: Entweder wurde sie durch Feuersbrünste beschädigt oder aber durch die verschiedensten Machthaber, die in Vilnius herrschten, verwüstet bzw. zweckentfremdet. Napoleon beispielsweise, der so begeistert von der Annenkirche gewesen sein soll, muß hier mit seinen Soldaten dermaßen gewütet haben, daß die Kirche nach seinem Abzug erstmals restauriert werden mußte. 1864 ging sie nach dem litauischen Aufstand gegen den Zaren in den Besitz Rußlands über, das aus der Kirche des hl. Kasimir ein russisch-orthodoxes Gotteshaus machte. Viel wurde dem Bau hinzugefügt, viel verändert, teilweise wurden ihre Türme gar mit Zwiebeln versehen. Als die Kirche 1924 wieder katholisch wurde, hat man sogleich versucht, sie wieder in ihren alten Zustand zurückzuversetzen. Als die deutsche Wehrmacht in Vilnius einmarschierte, machten die Deutschen die Kazimirkirche zu einem protestantischen Gotteshaus. Der Höhepunkt aber war ihre Verwandlung in ein Museum für Atheismus im Jahre 1965. Seit 1992 ist die Kirche wieder im Besitz der Katholiken.

Weiter die Aušros Vartų g. hinaufgehend, gelangt man zum **Stadttor**. Zu ihrem Ende hin wird die Straße schmaler und krummer, und an ihren Ekken und Winkeln befinden sich gemütliche Cafés, Läden und Galerien, die

zum Kaffee trinken und zum Bummeln einladen. Auf dem Weg dorthin
liegt, etwas zurückversetzt, die **russisch-orthodoxe Heiliggeistkirche.**

▶ **Heiliggeistkirche (Šv. Dvasios Cerkvė):** Wichtigste Kirche der russisch-
orthodoxen Gemeinde von Vilnius. Die Kirche entstand Mitte des 18. Jh.
und ist reichlich mit Reliefs und Ikonenbildern verziert. Der Baustil der
Kirche ist dem Rokoko zuzuordnen, ein für russisch-orthodoxe Sakralbauten untypischer Stil. Doch die Architektur von Vilnius war stark vom Ka-
tholizismus und seinen Bauten beeinflußt. So hat der Baumeister *Glaubicas*, selbst Katholik, bei der Gestaltung des Innenraums viele verspielte
Muschel- und Wellenformen einfließen lassen, die den Eindruck einer
harmonischen Gesamtskulptur hevorrufen. In der Krypta der Kirche befinden sich die sterblichen Überreste der Heiligen *Antonius, Ivan* und
Euchstachius, die 1347 wegen ihres Glaubens hingerichtet wurden.

▶ **Stadttor und Kapelle (Aušros vartai):** 1503 wurde auf Beschluß des
Großfürsten Alexander mit dem Bau einer Stadtmauer begonnen. Das einzige ihrer ursprünglich neun Stadt-
tore, das alle Stürme der Zeit überstanden hat, ist das Aušros Vartai,
das *Tor der Morgenröte*. Es liegt an
der Straße, die nach Medininkai
führt. Zu besichtigen sind die Kapelle und die Galerie, die das Innere des Tores birgt. Auch das dort
befindliche, von einem vergoldeten
Silberrahmen umgebene *Bildnis der
heiligen Mutter Gottes* ist von der
Straße aus zu sehen. Seitdem der
sogenannten *Weißen Madonna* im
17. Jh. von den Karmeliter-Mön-
chen Wunderkräfte zugeschrieben
wurden, pilgern Tag für Tag viele
Gläubige zum Aušros Vartai, um
der Heiligen Jungfrau zu huldigen.
Unter dem Tor bieten alte Frauen
und Männer Rosenkränze und Iko-
nenbildchen feil. Über einen Kreuz-
gang ist die Kapelle mit der Kirche
der *hl. Theresa* verbunden.

Aušros vartai, Tor der Morgenröte

▶ **Kirche der hl. Theresa:** Gebaut wurde sie zwischen 1635 und 1650. Das
Innere der Kirche ist großzügig mit Gemälden, Reliefs und Skulpturen
ausgestattet. Stilmäßig weist das Gotteshaus sowohl Elemente der Renaissance als auch des Barocks auf, wobei letzterer z. T. schon stark zum
Rokoko tendiert. Beachtenswert sind auch die Deckenfresken, die Szenen
aus dem Leben der heiligen Theresa darstellen.

Und noch mehr Kirchen . . .

Wer jetzt immer noch nicht genug an alten Bauten gesehen hat und noch laufen kann, tritt durch das Tor der Morgenröte, geht rechts die Bazilijonų g. hinunter und biegt dort rechts in die Visų Šventųjų g. ein. Auf der linken Straßenseite erhebt sich das ehemalige **Karmeliterkloster** und kurz dahinter die **Allerheiligen-Kirche**. Biegt man von der Allerheiligenkirche links in die Šv. Stepono g. ein und dann rechts in die Pylimo g., gelangt man zur Synagoge.

▶ **Synagoge**, Pylimo g. 39: Von den ehemals 96 Vilniuser Synagogen ist diese nunmehr die einzige, die von dem einstigen *Jerusalem des Ostens* geblieben ist. Gebaut wurde sie im Jahre 1894. Im Viertel westlich der Synagoge, in etwa die Gegend zwischen der Trakų g. und der Vokiečių g., befand sich während der deutschen Okkupation das Vilniuser Ghetto.

Die Pylimo g. erstreckt sich am Westrand der Altstadt und verbindet den Bahnhof mit dem Gedimino pr., der Hauptgeschäftsstraße des modernen Vilnius (kurz vor dem Gedimino pr. wird sie jedoch zur Jogailos g.). Von der Synagoge auf dem Weg in die Neustadt liegt die **Kirche der Jungfrau Maria** mit dem **Franziskanerkloster**. Um diese Bauten zu erreichen, von der Pylimo g. in die Lydos g. einbiegen, die dritte rechtsabgehende Straße nach der Synagoge.

▶ **Kirche der hl. Maria und Franziskanerkloster:** Im Jahre 1387 begannen die Franziskaner mit dem Bau der Kirche. Drei Jahre später wurde das Gotteshaus von Rittern des Deutschen Ordens zerstört, kurze Zeit später aber wieder aufgebaut. Vom Ursprung her ist die Kirche gotisch, doch durch Umbauten sind auch Züge des Barocks erkennbar, was auch auf das Kloster zutrifft. 1773 wurde die Kirche zur Basilika umgebaut. Ihr schöner Innenhof ist eine Oase der Ruhe.

Um zurück ins Zentrum der Altstadt zu gelangen, empfiehlt es sich, die Lydos g. geradeaus durchzugehen, bis sie auf die Šv. Mikalojaus g. trifft. An dieser Ecke steht die älteste Kirche Litauens, die St. Nikolas-Kirche.

▶ **St. Nikolas (Šv. Mikalojaus):** Erbaut wurde die gotische Kirche von deutschen Kaufleuten im Jahre 1320 (also noch vor der Christianisierung Litauens), die den Sakralbau größtenteils auch als Lagerhalle nutzten. Von allen noch existierenden Kirchen Litauens ist diese die älteste.

Die Šv. Mikalojaus g. endet auf der Vilniaus g. Geht man diese rechts runter, gelangt man zurück auf die Didžioji g. und zum alten Rathaus. In die andere Richtung führt sie zur Dominikonų g. und schließlich weiter zum Gedimino pr.

▶ **St. Peter- und Paul- Kirche (Šv. Petro ir Pavilo):** Dieses absolut sehenswerte Gotteshaus in der Antakalnio g. 1 liegt etwas außerhalb des Zentrums und ist von dort aus über die Arsenalo g., die zuerst zur T. Kosciuškos g. und schließlich zur Antakalnio g. wird, zu erreichen.

Vor der Christianisierung Litauens soll an dieser Stelle einmal ein alter heidnischer Tempel zu Ehren der Liebesgöttin *Milde* gestanden haben. Im Jahre 1668 beschloß der litauische Fürst und Hauptmann *M. K. Pacas*, an jener Stelle eine Kirche zu errichten. Sein Grabstein mit der Inschrift "Hic iacet pecator" (Hier liegt der Sünder), eingearbeitet in das Eingangsportal der Kirche, erinnert an ihn. Für den Bau der Außenwände war der Krakauer *J. Zaoras* verantwortlich, während mit der Innengestaltung die Italiener *P. Perti* und *D. M. Galli* beauftragt worden waren.

Obwohl das vielerorts als Meisterwerk des Barocks bezeichnete Bauwerk von außen eher schlicht wirkt, ist doch sein Inneres von überwältigender Schönheit. Stuckarbeiten in Form von Reliefs, Rosetten und Skulpturen mit flatternden, welligen Gewändern, in Gestalt von Putten und Fabelwesen, zieren den Innenraum. Wenn man längere Zeit den Blick über die unendlich geschwungenen Formen und Figuren gleiten läßt, die in fließendem Übergang zueinander stehen, kann man leicht in einen Bann gezogen werden, der einen in die Welt der Engel-, Märchen- und Fabelwesen versinken läßt. Dadurch, daß die Kirche ganz in Weiß gehalten ist, wirkt die Fülle der Verzierungen (an die 2000 Skulpturen) nicht erdrückend, sondern in gewisser Weise transparent und vermittelt den Eindruck, als sei der gesamte Innenraum aus feinstem Porzellan.

Neustadt

Die Hauptader ist der Gedimino pr. der sich, vom Kathedralsplatz ausgehend, immer geradeaus, am Parlament vorbei, bis zum Ufer des Neris-Flusses erstreckt.

An ihm liegen zahlreiche Cafés, eine Pizzeria, das Postamt, mehrere Banken, Kinos, einige Hotels, Kaufhäuser, Läden und vieles mehr. Ganz besonders deutlich sind auch hier die Anfänge der Marktwirtschaft zu sehen: Viele Kioske und kleine Verkaufsbuden reihen sich aneinander, die bunt gemischt alles verkaufen, was irgendwie zu bekommen war. So kann man nicht selten Seife, Waschpulver, Bananen, Kaffee, Busfahrkarten und mächtige Kuchenstücke an ein und derselben Bude erstehen. Dazwischen sitzen oftmals alte Frauen, die ihr Glück mit Blumen oder Sonnenblumenkernen versuchen. Mittlerweile gehören aber auch am Straßenrand sitzende Bettler zum Stadtbild.

Während der Sowjetzeit war der Gediminos pr., wie sicher unschwer zu erraten, der Lenin pr. Die obligatorische Leninstatue erhob sich vom ehemaligen Lenin-Platz, dem heutigen Lukiskių a. Der **Lukiskių-Platz** liegt an der rechten Seite des Gediminos pr., etwa zwei Blocks vor dem Parlament. Am Nordende des Platzes erhebt sich die **Jakob- und Phillipp-Kirche**, sowie ein **Dominikanerkloster**, beides Bauten aus dem 17. Jh. Spaziert man den Gediminos pr. weiter geradeaus, so landet man schließlich im Regierungsviertel. Direkt am Ufer der Neris liegt das moderne Parlamentsgebäude. Noch lange nach dem Abzug der sowjetischen Sondereinheiten, die im Januar 1991 ein letztes Mal versuchten, ihre dahinschwindende Macht zurückzuerobern, wurde das Parlamentsgebäude durch aufgestellte Barrikaden geschützt. Direkt hinter dem Regierungsviertel geht eine Brücke über den Fluß, an derem Ende sich die russisch-orthodoxe **Mariä-Erscheinungs-Kirche** erhebt. Sie gehört schon zu dem

hübschen Wohnort *Žverynas*, der sich aus bunten, romantischen Holzhäusern und vielen hohen Bäumen zusammensetzt.
Über Žverynas kann man in den Stadtteil *Šnipiškės* gelangen, indem man einfach die Vytauto g. in nördliche Richtung hochläuft und dann rechts in die Upės g. einbiegt. Linker Hand trifft man dann bald auf die Hotels Lietuva und Turistas. Nicht weit davon geht eine kleine Fußgängerzone ab, wo sich u. a. auch ein große s Kaufhaus befindet. Dem Ende der Fußgängerzone schließen sich zu guter Letzt noch zwei sakrale Bauten an, die *St.-Raphaels-Kirche* mit dem *Jesuitenkloster*. Nicht weit von hier befindet sich auch das staatliche **Exkursionsbüro**. Überquert man die Neris-Brücke, so gelangt man schließlich, entweder über die Vilniaus g. oder über die Vienuolio g., die am modernen **Opernhaus** vorbeiführt, wieder zurück auf den Gediminos pr.

Parks und Grünanlagen

▶ **Berg der drei Kreuze** (Trijų kryžių kalnas): Verheißungsvoll baut sich der Kreuzberg hinter dem Stadtzentrum auf. Der Legende nach sollen sieben Mönche an dieser Stelle ermordet worden sein. Vier von ihnen habe man an Kreuze genagelt in die Vilnia geworfen, die anderen Drei an jenem Berg gekreuzigt. Ihnen zum Gedenken hatte man dann im 17. Jh. auf dem Berg drei große, weiße Kreuze aufgestellt. Am Fuß des Hügels beginnt der **Kalnų-Park**. In dem welligen, üppig bewachsenen Garten finden im Sommer des öfteren Folklore- und Rock-Konzerte statt. Einen Steinwurf vom Kalnų-Park entfernt, am anderen Ufer der Vilnia unweit der Annenkirche, befindet sich der **Sereikiškiu-Park**, der älteste Park von Vilnius. Ursprünglich gehörte er zu den Besitztümern der Bernhardinermönche. Heute ist er wegen seiner Spiel- und Sportplätze vor allem bei Kindern und Jugendlichen sehr beliebt.

▶ **Vingis-Park:** Im westlichen Stadtzentrum, sehr schön in einer Biegung der Neris gelegen, befindet sich Vilnius´ populärärster Park. Aus der Innenstadt ist er über die Čiurlionio g. erreichbar.
Schon im 16. Jh. war er sehr beliebt. Angeblich soll sich Zar Alexander gerade beim Tanz im Vingis-Park amüsiert haben, als ihm ein Kurier die Nachricht vom Vorstoß der napoleonischen Truppen überbrachte. Den Mittelpunkt des Parks bildet die Estrada, eine riesige Bühne. Neben zahlreichen anderen kulturellen Veranstaltungen dient der Park auch dem alle fünf Jahre stattfindenden Sängerfest als Kulisse. Der Botanische Garten der Universität ist ebenfalls hier zu finden. Zu einer Stärkung bietet sich das *Café Lakštingala* an.

▶ **Valakampai:** Duftender Pinienwald, gelegen im Norden von Vilnius, am rechten Ufer der Neris. Seine Strände laden zwar nicht unbedingt zum Baden ein, aber zum Badminton- und Volleyballspielen oder einfach nur zum Spazierengehen. Zu erreichen ist er mit Trolley 14 (bis Endstation) oder aber, falls in Betrieb, mit dem Ausflugsboot, Abfahrt von der Arsenalo g./Ecke Vrublevskio g.

Friedhöfe

▶ **Antakalnis-Friedhof**, Karių kapų 1: Nordöstlich vom Zentrum gelegen. Viele Soldaten des Ersten Weltkrieges liegen hier begraben, darunter Litauer, Polen, Russen und Deutsche. Unweit des Denkmals für den sowjetischen Soldaten, das immer noch das Zentrum des Gottesackers bildet, liegen die dreizehn Opfer, die im Januar 1991 durch Truppen der Sowjetarmee ums Leben kamen.

▶ **Rasų-Friedhof**, Rasų 32: Befindet sich südlich der Altstadt. Idyllisch fügen sich Gräber und Mausoleen in die leicht hügelige Landschaft des seit 1801 bestehenden Rasų-Friedhofes. Viele litauische Kulturträger aus der Zeit des Nationalen Erwachens liegen hier begraben. Die Prominentesten unter ihnen sind wohl der Maler und Komponist M. Čiurlionis und der Publizist J. Basanavičiaus.

Umgebung von Vilnius

Trakai (ca. 8000 Einwohner)

Nur 25 km von Vilnius entfernt, gebietsmäßig eigentlich schon zur Dzūkija gehörend, liegt Trakai, die mittelalterliche Hauptstadt Litauens. Umgeben von einer malerischen Seenplatte und dicht bewaldeten Hügeln, ist Trakai mit seiner Burganlage ein Muß für alle Litauenreisende. 1992 ist Trakai und die den Ort umgebende Seenplatte zum Nationalpark erklärt worden.

Der größte See des Nationalparks ist der Galvė-See, aus dem sich majestätisch die restaurierte Inselburg erhebt. Am Ufer des Sees sind die Ruinen der sog. Halbinselburg zu sehen. Die Mauern und seine Geschichte bezeugen, daß das Großfürstentum Litauen einst zu den mächtigsten Staaten Europas gehörte.

Das Städtchen Trakai besteht überwiegend aus kleinen Holzhäusern. Bemerkenswert sind die Domizile der dort lebenden Karäer. Alle ihre Häuser weisen zur Straße hin drei kleine Fenster auf.

Auch zur Erholung ist der Ort ideal, was vor allen Dingen die Hauptstädter zu schätzen wissen. Das Wasser ist klar und sauber, Tret- und Ruderboote können ausgeliehen werden und die Wege am Ufer entlang laden zum Wandern ein. Die Kulisse Trakais ist ein beliebtes Sujet vieler Maler, die meistens im Schatten eines knorrigen, alten Baumes sitzen und sich von der Romantik des Ortes inspirieren lassen.

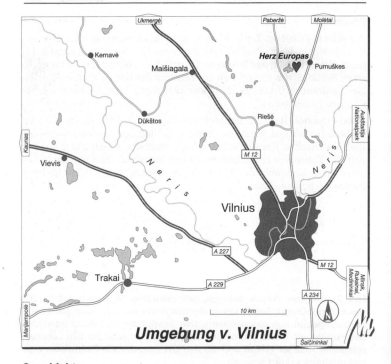

Umgebung v. Vilnius

Geschichte

Der Legende nach ließ *Gedimino* die Stadt Trakai im Jahre 1321 erbauen. Den Entschluß dazu soll er während der Jagd in den umliegenden Wäldern gefaßt haben, als ihn die Landschaft derart begeisterte, daß er in ihrer Mitte eine Stadt sehen wollte. Später schenkte Gedimino die Stadt seinem Sohn *Kęstutis*, der sich zwischen 1362-1382 eine Burg auf der Halbinsel erbaute. Nach der Ermordung Kęstutis im Jahre 1382 durch seinen Neffen *Jogaila* residierte zeitweise der Großfürst *Skirgaila* in Trakai, bis *Vytautas der Große*, Sohn des Kęstutis, im Bündnis mit dem Deutschen Orden Skirgaila 1390 aus der Burg vertreiben konnte und das Erbe seines Vaters antrat. In einem Racheakt setzte Skirgaila ganz Trakai in Flammen. Erst 1392 war Vytautas Macht gefestigt.

Ende des 14. Jh. ließ der Großfürst auf einer Insel im sagenumwobenen Galvė-See eine neue Burg erbauen. Die neue Festung war größer und stärker. 1409 ergänzte Vytautas die Anlage nach seiner nunmehr dritten Taufe um eine Kirche.

Unter Vytautas, der nicht umsonst den Beinamen "der Große" trägt, konnte Litauen immense Gebietszuwächse verzeichnen. Von einem seiner Feldzüge hatte Vytautas eine beachtliche Anzahl an Karäern mitgebracht, eine turksprachige Volksgruppe mosaischen Glaubens. Sie dienten dem

Inselburg Trakai, eines der baltischen Wahrzeichen

Fürsten als Leibgarde, waren wohl angesehen und erhielten sogar Handelsprivilegien. Selbst Religionsfreiheit und eigene Gotteshäuser wurden ihnen gewährt, was in dem von Religionskriegen erschütterten Mittelalter sicherlich beachtlich war. Bis auf den heutigen Tag leben Angehörige dieses Volkes in Trakai. Mit dem Tod Vytautas 1430 verlor die Festung an Bedeutung. Einen kurzzeitigen Aufschwung erfuhr Trakai nochmal unter dem Fürsten *Kazimir* aus dem Haus Jogaila Mitte des 15. Jh. 1655 wurde die Burg von zaristischen Truppen geschleift, bis sie schließlich nach·und nach verfiel.

- *Postleitzahl*: 1050
- *Vorwahl*: 238
- *Anfahrt/Verbindungen*: **PKW** - Von Vilnius auf die A-229 bis zum Abzweig Trakai.
Bus: Von Vilnius fährt mindestens ein Bus stündlich, während der Saison auch öfter. Busbahnhof im Zentrum.
Bahn: Von Vilnius mit der Elektrischka aus zu erreichen.
Boote: Leihstelle am Glevo-See, unweit der Brücke, die zur Inselburg führt. Im Sommer finden hier oft Regatten statt.
- *Übernachten*: **Viešbutis**, Karaimų g. 41, einfach und winzig, da die meisten Trakai-Besucher in Vilnius wohnen, ÜB ca. 2 DM, Tel. 51345.
Camping: Nicht weit von Trakai liegt unmittelbar am Galvė-See der Campingplatz *Slenis*. Zu erreichen ist er, wenn man die Straße die durch Trakai führt, bis zum Ost-

ufer des Sees weiterfährt; ist ausgeschildert. Nähere Informationen auch bei Camping Schinderhannes, z. Hd. Peter Rettau, 56291 Hausbay, Tel. 06746-8470.
- *Essen*: Neben den Restaurants gibt es am Seeufer mittlerweile kleine Sommercafés und Imbißbuden.
Kibinė, Karaimų g. 65. Gemütliches, von Karäern betriebenes Restaurant, in dem man ihre Nationalspeise *Kibinai*, eine mit Fleisch gefüllte Pastete, probieren kann, Tel. 52165.
Turist, kleines Café gegenüber vom Restaurant Kibininė.
Nandrė, Karaimų g. 5, nicht weit weg von der Brücke zur Inselburg. Das Essen ist ganz gut, der Blick auf den *Totoriškių- See* noch viel besser, Tel. 52008.
Pieno Barras, Vytauto 6. Milchbar, für zwischendurch geeignet.

Sehenswertes

Inselburg Trakai

Natürlich ist die **Inselburg** der litauischen Fürsten die Sehenswürdigkeit Nummer Eins in Trakai, wenn nicht sogar die von ganz Litauen. Ursprünglich soll die Inselburg auf drei kleinen Inseln des Galvė-Sees erbaut worden sein, die im Laufe der Zeit zu einer zusammengewachsen sind. Die Festung ist ein Beispiel litauischer Backstein-Gotik und besteht aus Vor- und Hauptburg, die durch eine Zugbrücke miteinander verbunden sind. Sehr nostalgisch wirkt der Innenhof der Anlage.

Heute beherbergen die Festungsmauern ein historisches Museum, das nicht nur Auskunft über die Geschichte Trakais gibt, sondern auch über die Geschichte Litauens. Das höchste Bauwerk der Festung ist der *Bergfried.* Aus den Fenstern der alten Fürstenresidenz hat man einen atemberaubenden Blick auf die glasklaren Seen und kleinen Inseln der Umgebung. Wissenschaftlichen Untersuchungen zufolge soll sich der Wasserspiegel im Laufe der Zeit um 1,6 m gesenkt haben. Glaubt man einer Legende, ist das auf den unstillbaren Durst der Pferde Vytautas´ zurückzuführen.

Von der Halbinselburg sind leider nur noch klägliche Mauerreste und die Ruine eines Turms zu sehen.

Öffnungszeiten: Die Burg ist Di-So von 10-18 Uhr geöffnet.

▶ **Ethnographisches Museum**, Karaimų g. 22: Kleines Museum, in dem Kleidungsstücke, Werkzeuge u. a. Gebrauchsgegenstände aus der Geschichte und dem täglichen Leben der Karäer gezeigt werden, geöffnet Di-So von 10-17 Uhr. Die Vorfahren der in Trakai lebenden Karäer brachte Vytautas im Mittelalter als Kriegsgefangene von einem Feldzug an die Krim mit. Heute leben noch knapp 400 Personen in Trakai.

In Gebrauch ist auch die **Kinesa**, das Gotteshaus dieser Volksgruppe. Es befindet sich unweit vom Museum, kann aber im Moment nur von außen besichtigt werden.

Warum der große Vytautas niemals König von Litauen wurde

Falsche Bescheidenheit war sicher nicht die Ursache, daß Vytautas niemals zum gekrönten Herrscher Litauens wurde, sondern vielmehr eine Aneinanderreihung unglücklicher Zufälle oder infamer Intrigen: Vytautas war schon sehr betagt, als er mit seinem Cousin Jogaila, dem König von Polen, übereingekommen war, daß er, Vytautas der Große, zum König von Litauen gekrönt werden sollte. Alles schien so gut wie perfekt. Die Krone war längst in Österreich bestellt und die Gäste zu den Feierlichkeiten geladen. Leider tauchte der Kurier mit der Krone niemals auf. Polnische Bojaren, denen eine wachsende litauische Souveränität nicht gelegen kam, sollen den Konvoi überfallen und die Krone eingeschmolzen haben. Doch Vytautas gab sich noch nicht geschlagen und bestellte eine neue Krone. Leider stürzte der mittlerweile 80jährige vor Ankunft des ersehnten Stückes vom Pferd und verletzte sich so stark, daß er nicht wieder zu neuen Kräften kam und schließlich verschied. Es wird allerdings auch gemunkelt, daß ihm seine Feinde Gift unter sein Essen gemischt hätten.

▶ **Vievis:** Kleiner Ort, etwa 30 km von Vilnius entfernt an der A-227 nach Kaunas gelegen. Das Dorf ist eigentlich nicht weiter interessant, erwähnenswert ist aber die Tatsache, daß man hier über die zermalmten Überreste unzähliger Stalinbüsten und -denkmäler fährt. Daß es in Vievis so viele Stalins gab, lag daran, daß man einst eine ganze Eisenbahnladung von Stalindenkmälern und -skulpturen für eine Reihe von litauischen Städten bestellt hatte. Geliefert wurden sie nach Vievis, wo sie nie abgeholt wurden. Nach geraumer Zeit stellte sich schließlich die Frage der Entsorgung. Als dann eines Tages die A-226 gebaut wurde, die auch an Vievis vorbeiführt, hat man kurzerhand sämtliche Stalins gemahlen und "zu Straße verarbeitet".

▶ **Elektrėnai:** Etwa 10 km westlich von Vievis liegt eine der jüngsten Städte Litauens, die in den 60ern dieses Jahrhunderts für die Mitarbeiter eines großangelegten Elektrizitätwerkes aus dem Boden gestampft wurde. Hohe Mengen von Schwefeldioxyd werden ungefiltert in die Luft gepustet, die man besser nicht einatmen sollte.

▶ **Kernavė:** Archäologisch interessanter Ort, ca. 40 km nordwestlich von Vilnius gelegen. Erstmalig erwähnt wird Kernavė 1279 in der Livländischen Reimchronik als Stammesland des Fürsten *Traidenis*, der hier von 1270-1282 herrschte. Der Ort gilt somit als die erste Hauptstadt Litauens. Archäologische Forschungen haben ergeben, daß das Gebiet um Kernavė schon in den ersten Jahrhunderten n. Chr. besiedelt war, später dann aber verlassen wurde.

Im 12.-13. Jh. entstand hier eine mächtige Burganlage, die zu den wichtigsten dieser Art im mittelalterlichen Litauen gehörte. Heute erzählen nur noch die zahlreichen Schüttburgen (künstliche, aus Verteidigungszwecken aufgeschüttete Hügel) davon. Einer Legende glaubend, sollen Kernavė, Trakai und Vilnius durch unterirdische Gänge miteinander verbunden gewesen sein, wobei der Zugang zu den Gängen in Kernavė mit einem eisernen, in Trakai mit einem silbernen und in Vilnius mit einem goldenen Tor zu verschließen war. Vom größten dieser Berge, dem *Thron des Mindaugas*, hat man einen schönen Ausblick auf die Neris und zwei weitere Schüttburgen: auf den etwas abgeflachten *Opferberg* und auf den spitzeren Berg des Oberpriesters, auf lit. *Lizdeikas*. Nach der Christianisierung Litauens sind viele heidnische Opfer- und Kultstellen zerstört worden. Alten Erzählungen nach soll sich der Lizdeika von Vilnius hierher zurückgezogen haben und bis zu seinem Lebensende, zusammen mit den heiligen Jungfrauen, auf lit. *Vaidilutės*, den heidnischen Göttern gehuldigt und das ewige Feuer gehütet haben. Als die Schönste der Jungfrauen galt *Pajauta*, nach der das zwischen den Hügeln liegende Tal benannt wurde. In diesem Tal haben Archäologen vor noch gar nicht allzu langer Zeit Funde aus dem Mesolithikum gemacht.

Nahe der Schüttburgen ist ein kleines Museum eingerichtet, in dem die Funde aus der Steinzeit besichtigt werden können.

● *Anfahrt/Verbindungen*: **PKW** - Ein kurzes Stück die M-12 Richtung Ukmergė bis Maišiagala nehmen, dort links ab und immer geradeaus bis zum Ort Dūkštos fahren. Dort dann rechts in die Landstraße, die nach Kernavė führt, einbiegen.
Bus: Verbindungen von Vilnius aus, jedoch nicht allzu oft.

▶ **Dūkštos**: Kleines Dorf, am Ufer des schnellen Dūkšta-Baches gelegen. Im Ort selber befindet sich eine hübsche neugotische Kapelle, die der Heiligen Anna geweiht ist. In der Nähe des Dorfes befindet sich ein sehenswertes Naturdenkmal. Fährt man an der Kreuzung in Dūkstos 3 km die Straße Richtung Sudervė entlang und biegt dann links ab, kann man ihrer Majestät, *Königin der Eichen*, ihre Aufwartung machen. Der *König der Eichen* hat leider vor geraumer Zeit einen Sturm nicht überlebt.

▶ **Rieše**: Hübsches, kleines Dorf, etwa 15 km nördlich von Vilnius gelegen. Rieše ist wegen seines Gestütes interessant. Wer einmal einige Runden auf dem Pferderücken drehen will, kann das hier tun. Zum Gestüt gehört auch ein großes, aber einfach ausgestattetes Holzhaus mit zwei Saunen und Kamin. Da es momentan nur über wenige Betten verfügt, ist bei Übernachtung Voranmeldung anzuraten, zum Reiten nicht unbedingt. Im Sommer geht es mit den Pferden raus ins Gelände. Nach dem Ritt sorgt der kleine Dorfteich für Abkühlung. Im Winter kann man, wenn man nicht immer in der Halle reiten will und die Witterungsverhältnisse es zulassen, eine Pferdeschlittenfahrt unternehmen. Preise nach Vereinbarung.

● *Anfahrt/Verbindungen*: **PKW** - etwa 7 km die M-12 Richtung Ukmergė nehmen und kurz nach dem Ort Bukiškis rechts abfahren. Rechts vom Dorf Bendoriai geht eine Straße nach Rieše ab.
Bus: die Verbindungen mit Vilnius sind ziemlich selten, höchstens 3 x täglich.

● *Essen*: Es gibt eine nicht gerade empfehlenswerte Vagykla im Dorf. Im Gästehaus gibt es aber eine Küche und im Dorf einen Lebensmittelladen.
Adresse: Miško g. 28 (Vilnius raj.), Tel. 652901/504267.

▶ **Das Herz Europas:** Dort, wo der 25°19' Längengrad und der 54°54' Breitengrad aufeinandertreffen, liegt der geographische Mittelpunkt Europas. Er befindet sich wahrhaftig in Litauen, bei dem winzigen Dorf *Purnuškes*, das etwa 30 km nördlich von Vilnius an der Straße nach Molėtai liegt. Das klingt zunächst sicherlich ein wenig unglaubwürdig, da Litauen im allgemeinen zu Osteuropa gezählt wird. Doch wenn man überlegt, daß Europa nicht in Polen und auch nicht in Moskau aufhört, sondern ganz bis an den Ural reicht, kann man den Berechnungen der Geographen wohl doch Glauben schenken. Z. Zt. ist diese Stelle noch gar nicht so leicht zu finden, da sie inmitten eines großen Feldes liegt und noch in keinster Weise als der Mittelpunkt Europas erkennbar ist. Doch wird sich das in absehbarer Zeit sicherlich ändern, nämlich dann, wenn Europas Herz in eine Touristenattraktion ersten Ranges verwandelt wird.

▶ **Medininkai:** Kleines Dorf, 32 km südöstlich von Vilnius, an der Grenze zu Weißrußland gelegen. Hier befand sich eine der größten Burganlagen des gesamten Baltikums. Im Mittelalter, zu der Zeit, als der Deutsche Orden seine "Litauenreisen" zu unternehmen pflegte, kam dieser steinernen Festung eine wichtige Bedeutung zu, da sie nicht wie die herkömmlichen Holzburgen einfach niedergebrannt werden konnte. In den Chroniken des Deutschen Ordens wird die Burg erstmalig 1402 erwähnt. Ursprünglich muß die fast rechteckig gewesene Festung einmal eine Fläche von zwei Hektar umfaßt haben. Zu der mächtigen Anlage gehörten auch vier bis zu 30 m hohe Türme, wovon allerdings nur noch einer erhalten ist. Litauischer als auch polnischer Hochadel sollen in dieser Burg residiert haben. Als die militärischen Auseinandersetzungen mit den Schwertbrüdern ein Ende hatten, verlor die Burg an Bedeutung. Im Krieg mit Rußland 1655 wurde sie z. T. zerstört und nicht wieder aufgebaut. Im Zweiten Weltkrieg haben die Deutschen auf dem Burggelände ein Lager aufgeschlagen und auch einige Mauern abgerissen, um eine bessere Zufahrt zum Innenhof zu haben. Ein Teil der Burg wird mittlerweile restauriert, doch fehlt es auch hier an finanziellen Mitteln. Traurige Berühmtheit erlangte Medininkai durch das Massaker an sieben Zöllnern im Juli 1991.

Nicht weit von Medininkai, knapp 2 km südwestlich, befindet sich Litauens höchster Gipfel, der **Juozapinė**, mit einer stolzen Höhe von 293,7 m. Neben dem Berg steht ein Denkmal für Mindaugas, dem Gründer des litauischen Staates und erster und einziger König des Landes.

• *Anfahrt/Verbindungen:* **PKW** - Die M-12 Richtung Minsk fast bis zur Grenze zu Weißrußland entlangfahren. Etwa 2 km davor geht rechts eine kleine Straße nach Medininkai ab.   **Bus:** Die Verbindung zwischen Vilnius und Medininkai ist ziemlich schlecht. Eine Alternative wäre, bis zum Abzweig nach Medininkai den Bus nach Minsk zu nehmen und von da aus zu Fuß zu gehen.

▶ **Šalčininkai:** Bezirkszentrum im tiefsten Südosten Litauens, ca. 46 km von Vilnius entfernt, unweit der Grenze zu Weißrußland. Der Ort wurde erstmalig im Zusammenhang mit dem Deutschen Orden im Jahre 1311 erwähnt, als hier drei Burgen niedergebrannt wurden. Šalčininkai ist heute das kulturelle Zentrum der in Litauen lebenden Polen.

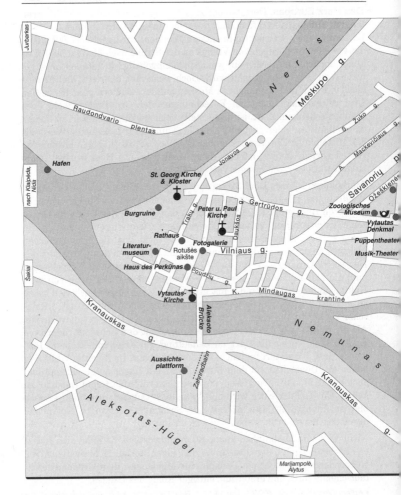

Kaunas `(ca. 425.000 Einwohner)`

Kaunas, am Zusammenfluß von Nemunas und Neris gelegen, ist die zweitgrößte Stadt Litauens und das wichtigste Industriezentrum des Landes. Mit fast 90 % Litauern ist Kaunas die "litauischste" Stadt.

Kaunas ist jedoch nicht nur für die Industrie bedeutend, sondern auch für Kultur und Bildung. Mit fünf Hochschulen, mehreren Schauspielhäusern,

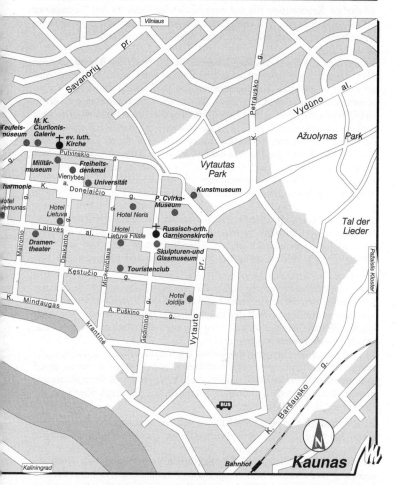

Kaunas

darunter auch Musik- und Puppentheater, und einer Reihe von Museen kann Kaunas aufwarten. Bekannt und berühmt ist der philharmonische Chor der Stadt, doch um seinen Klängen lauschen zu können, braucht man schon ein wenig Glück, da er ständig auf Tournee ist. Ganz besonders stolz sind die Kaunser übrigens auf ihr Basketball-Team, das zu Zeiten der Sowjetunion öfters die Meisterschaften gewonnen hat.

Geschichte

Nach archäologischen Untersuchungen soll hier bereits im 4.-5. Jh. v. Chr. eine Siedlung bestanden haben, doch zum ersten Mal urkundlich erwähnt wird Kaunas erst 1361 im Zusammenhang mit den "Litauenreisen" der deutschen Kreuzritter. Bis zur entscheidenden Schlacht bei Tannenberg im Jahre 1410 mußte sich auch Kaunas gegen die ständigen Belagerungen und Stürmungen der mit Feuereifer missionierenden Ordensbrüder zur Wehr setzen.

1408 erhielt die Stadt das Magdeburger Recht. Nach der Beendigung der Angriffe durch die Kreuzritter erfuhr Kaunas einen wirtschaftlichen Aufschwung. Es wurden Handelsbeziehungen zu Rußland und Polen aufgenommen, und um den Anschluß an die westeuropäischen Städte zu erreichen, versuchte man ausländische Handwerker und Händler, u.a. auch deutsche, anzulocken. Von 1441 - 1532 war auch die Hanse mit einem Handelskontor in Kaunas vertreten. Dank seiner günstigen Lage hat sich Kaunas im 15. und 16. Jh. sehr schnell zu einer blühenden Handelsstadt entwickelt. Es bildeten sich Gilden und Manufakturen, sogar die Geldstanzerei des litauischen Großfürstentums arbeitete ab 1665 in Kaunas.

Mit den Kriegen gegen Schweden und Rußland im 17. und 18. Jh. wurde jedoch der wirtschaftliche Niedergang der Stadt eingeläutet. Häuser standen in Flammen, Plünderungen standen auf der Tagesordnung und die Einwohnerzahl sank rapide. Auch Napoleon hat Kaunas mit dem zweimaligen Durchmarsch seiner "Grande Armee" auf dem Hin- und Rückweg nach Moskau nicht vor Verwüstungen und Plünderungen verschont.

Eine allmähliche Besserung erfuhr Kaunas erst Ende des 19. Jh. Mittlerweile unter russischer Herrschaft stehend, wurde Kaunas zum russischen *Kowno* und zur Hauptstadt des gleichnamigen Gouvernements. Die Stadt erholte sich, die Einwohnerzahl stieg und auch die Wirtschaft wurde langsam aber sicher wieder angekurbelt.

Als 1920 polnische Truppen das Gebiet um Vilnius besetzten, wurde die litauische Hauptstadt vorübergehend nach Kaunas verlegt. Während dieser Zeit entstanden in der Stadt eine Vielzahl von prächtigen Verwaltungsgebäuden sowie Museen und Schauspielhäuser, was natürlich alles sehr zur Bedeutung der Stadt beitrug.

Im Zweiten Weltkrieg wurde Kaunas von der deutschen Wehrmacht besetzt. Am nördlichen Stadtrand richteten sie in einem alten Fort aus der Zarenzeit unter der Bezeichnung "Betrieb Nr. 1005-B" ein KZ ein, in dem an die 80.000 Menschen, hauptsächlich Juden, ermordet wurden. Nach Beendigung des Zweiten Weltkrieges wurde Kaunas zwar wieder Verwaltungszentrum, aber nicht Hauptstadt. Seine Bedeutung hat Kaunas dennoch nicht eingebüßt.

- *Postleitzahl*: 3000
- *Vorwahl*: 27
- *Information*: Exkursionsbüro, Rotušės a. 11. Gute, preiswerte Stadtführungen auf deutsch und englisch, Mo-Fr von 9-18 Uhr geöffnet, Sa 9-15 Uhr, Tel. 220532; Touristen-Club, Kęstučio g. 32. Informationen über Ausflüge und Ausleihe von Fahrrädern und Ruderbooten, Tel. 220758.

Verbindungen

- *PKW*: Liegt an der A-227 Vilnius - Klaipėda und der A-226 Marijampolė - Daugavpils. Um aus Kaunas rauszufahren, zusehen, daß man auf die Vytauto g. gelangt, dort sind die großen Städte ausgeschildert.
- *Bus*: Anschluß an jede größere Stadt

Litauens. Ausgezeichnete Verbindung mit Vilnius, frühmorgens täglich ein Bus via Suvalki nach Danzig, Zweimal täglich Verbindung mit Riga, einmal mit Tallinn. Busbahnhof befindet sich in der Vytauto g. 24.

• _Bahn_: Züge nach Alytus, Panevėžys und Šiauliai sowie nach Riga, Kaliningrad, Moskau und St. Petersburg. Bahnhof befindet sich am Ende der Vytauto g., aus der Innenstadt kommend, noch ein Stückchen hinter dem Busbahnhof.

• _Schiff_: Es gibt Tragflächenboote, die über den Nemunas zwischen Kaunas und Neringa, via Klaipėda, verkehren. Die Fahrt dauert an die 5 Std. Unterwegs wird angelegt in Jurbarkas, evtl. Sowetsk (Kaliningrader Gebiet), Rusnė und Nida. Aus finanziellen Gründen fahren die Schiffe z. Zt. sehr unregelmäßig, wenn überhaupt. Ablegestelle, Raudondvario plentas 107. Nähere Informationen unter Tel. 223128 oder im Exkursionabüro.

Die Schiffsverbindung über das _Kaunaser Meer_ (Stausee) nach Rumšiškes und Birštonas ist z. Zt. eingestellt, doch es kann sein, daß der Fahrbetrieb in Kürze wieder aufgenommen wird. Information unter Tel. s. o. oder im Touristenbüro.

• _Flugzeug_: Es ist im Gespräch, Flugverbindungen zu den anderen baltischen Großstädten herzustellen, Informationen dazu unter Tel. 541400. Der Flughafen befindet sich etwas außerhalb in der Vorstadt Karmėlava, an der A-226 Richtung Jonova.

• _Verbindung innerhalb der Stadt_: Parallel zur Laisvês al. (Fußgängerzone) verlaufen die Donelaičio g. und Kestučio g., durch die die Busse und Trolleybussen jeweils eine Runde drehen. Zum Bahnhof und Busterminal fahren Bus 37 und die Trolleys 1, 5 und 7. Um in die Altstadt zu gelangen, in der Jonava g., der Haupthaltestelle in der Innenstadt, aussteigen. Vom Bahnhof aus fahren Bus 37 und Trolley 1 dorthin. Vom bewachten Parkplatz in der Taikos pr. mit Trolley 3 in die Altstadt fahren und vom Parkplatz in der Šiaurês pr. Bus 17 bis zur Laisvês al. nehmen.

• _Taxi_: Taxistände am Zug- und Busbahnhof, in der Jonava g. und in der A. Mackevičiaus g., man kann sie aber auch überall anhalten.

Taxiruf: 234444 oder 777777.

Übernachten

Um es vorwegzunehmen: Das _Übernachtungsangebot_ in Kaunas ist knapp (am besten im voraus reservieren) und z. T. sehr teuer, wobei das "Preis-Leistungsverhältnis" manchmal nicht so ganz stimmt. Auch die drei besten Hotels der Stadt sind im kühlen Sowjet-Stil eingerichtet.

• _Übernachten_: **Lietuva,** Daukanto g. 21, Seitenstraße der Laisves al. Die Atmosphäre im Treppenhaus ist ganz gemütlich, die in den Zimmern dagegen nicht so sehr, jedoch sauber und mit Bad. Verschiedene Kategorien von EZ über Dreierzimmer bis hin zur Luxus-Suite. EZ um die 60 DM, DZ ca. 80 DM, "lux" um die 102 DM. Preise inkl. Frühstück, Tel. 205992, Verständigung auf englisch möglich.

Lietuva, Laisvês al. 35, kleine Schwester des gleichnamigen, oben genannten Hotels, allerdings um einiges billiger. Nur DZ zu haben, größtenteils mit Bad. DZ ca. 15 DM, Tel. 221791

Neris, Donelaičio g. 27, Seitenstraße der Laisvês al. Typisches Ex-Intouristhotel, mit großer, unpersönlicher Eingangshalle und zwar sauberen, aber glanzlosen Zimmern, die Preise wirken etwas überzogen, EZ etwa 65 DM, DZ ca.100 DM, ohne Frühstück, Tel. 204224. Dem Hotel ist ein Restaurant angeschlossen.

Baltija, Vytauto pr.71. Verfügen über EZ, DZ und Dreierzimmer und über Räume der Kategorie "lux" und "semilux". Zimmer sind sauber und preiswert, Luxussuite für 2 Personen ohne Fühstück ca. 20 DM, Tel. 223639.

Nemunas, Laisvês al. 88. Einfach und günstig, Westtouristen werden wahrscheinlich gerade deshalb nicht immer aufgenommen, ÜB ca. 3 DM, Tel. 223102.

Sportas, Aušros g. 42a, liegt nicht unmittelbar im Stadtzentrum, aber problemlos mit den Bussen 10 (Bus 10 fährt Sa nicht) und 21 zu erreichen. Aussteigen bei der Station Ligoninė, durch den Zaun klettern und zum Hotel-Hochhaus gehen oder noch ein kurzes Stück in Fahrtrichtung geradeaus und dann links in die Aušros g. einbiegen. Das Hotel verfügt sowohl über Räume gehobenen Standards als auch über absolut einfache Zimmer. Häufig Aufenthalt von Jugendgruppen und Sportlern. In der Herberge gibt es ein kleines Café, das morgens allerdings erst relativ spät öffnet und abends schon gegen 20.00 Uhr seine Pforten schließt. ÜB in einfachem Zimmer etwa 4 DM, in der Kategorie "lux" etwa 30 DM, Tel. 796932.

Essen

Mit der *Gastronomie* sieht es besser aus. Besonders um den Rathausplatz sind gute Restaurants zu finden, die mit ihrem teilweise mittelalterlichen Ambiente eine nostalgisch-verklärte Atmosphäre ausstrahlen. In den mittlerweile auch in Kaunas aus dem Boden schießenden Privatrestaurants kann man in der Regel um einiges besser speisen als in den Staatlichen. Obwohl Kaunas Litauens zweitgrößte Stadt ist, ist das kulinarische Angebot im Verhältnis dennoch recht dünn. Da die Stadt jedoch noch nicht vor Touristen überquillt und Einheimische es sich auf Grund der allgemein schlechten finanziellen Lage Litauens bedauerlicherweise einfach nicht leisten können, essen zu gehen, ist die Zahl der Gaststätten noch ausreichend.

• *Restaurants*: **Architektų**, Donelaičio g. 62. Liegt etwas von der Straße zurückversetzt, in einem großen Gebäude gegenüber der Uni. Restaurant und Café in einem. Studentisches Publikum, Tel. 205253.

Bialystokas, Vytauto pr.56. Verdunkeltes Restaurant mit lauter Musik, am Wochenende mit Live-Bands. Das Essen ist durchschnittlich, die Bedienung ziemlich ignorant und unfreundlich, Tel. 205898.

Gildija, Rotušės a. 2. Zum Gildija gehört ein gemütliches und vorzügliches Kellerrestaurant und ein gutes Café im 1. Stock, mit riesigen, schweren Stühlen, die etwas thronähnliches an sich haben. Der Service ist schnell und freundlich, Speisekarte auch in deutscher Sprache erhältlich, Tel. 220148.

Restoranas, Rotušės a. 10. Gewölbeartiger Raum mit zünftig rustikaler Einrichtung. Spezialität des Hauses sind gigantische Riesenspieße, die erahnen lassen, wie man einst im Mittelalter zu speisen pflegte, Tel. 208374.

Metropolis, Laisvės al. 68. Hoheitsvolle Innenausstattung unter Verwendung von Unmengen an rotem, gerüschtem Stoff. Gelegentlich finden im Metropolis auch Varietéaufführungen statt. Das Restaurant gibt sich vornehm und erwartet das auch von seinen Gästen. Leuten mit allzu lässiger Kleidung könnte unter Umständen der Zutritt verwehrt werden, Tel.204427.

Tulpe, Laisvės al. 47. Ähnelt von der Aufmachung her ein wenig dem Metropolis, ist aber etwas schlichter. Erinnert ein bißchen an ein Varieté. Das Essen ist gut. Außer montags jeden Abend Live-Piano-Musik, Tel. 221736.

Zaliasis Kalnas, Savanorių pr.111. Das Es-sen ist durchschnittlich, von 19-24 Uhr finden Varietédarbietungen statt, Tel. 223375.

Meta, Zamenofo g., ohne Hausnummer, in schmaler Seitenstraße, die links von der Vilniaus g., Richtung Rotšės a., abgeht. Kleines, nettes Privatrestaurant/-café, mit nur 20 Plätzen. Litauische Küche und leckere Torten. Außer Sa immer von 12-22 Uhr geöffnet.

Upo Dede, Zamenofo g., gegenüber vom Meta, direkt am Musikmuseum. Nationale Kost, Kellner tragen ab und zu litauische Tracht. Netter Innenhof, wo man im Sommer schön sitzen kann. Leider nur von Di-Fr geöffnet.

Pizzeria, Donelaičio g. 60. Die Pizzen schmecken ein klein wenig anders als gewohnt, sind aber durchaus genießbar.

• *Kneipen, Bars, Cafés*: **Ugne**, Rotušės a. 24. Zwei Bars in einem Gebäude, von 11-21 Uhr geöffnet, Tel. 208 634.

Kleine Pattisserie und Eisdiele, Vilniaus g. 22. Winziges, nettes Café, im Sommer stehen ein paar Tische auf der Straße.

Astra, Laisvės al. 76. Café ist etwas farblos. Ab 9.00 Uhr kann man hier frühstücken.

Schokoladine, Vilniaus g. 48. Nettes, klitzekleines Café mit Schokoladen- und Cremetörtchen.

Café in der Fotogalerija, Vilniaus g. 4, gemütliches Café mit überwiegend studentischem Publikum.

"Kleine Markthalle", etwa auf mittlerer Höhe der Vilniaus g. Wirkt wie großer Krämerladen. Man kann dort die wichtigsten Lebensmittel einkaufen, aber auch Kaffee trinken und frühstücken. Ideal für aktive Frühaufsteher, da ab 8 Uhr geöffnet.

Musikcafé, Rotušės a. 14 a, liegt etwas versteckt. Bei Haus Nr. 14 den schmalen Weg reingehen und linker Hand das

Treppchen runter. Gemütliche, verqualmte und interessante Kellerkneipe, wo gelegentlich Jazz- und Rockbands spielen. Macht leider schon um 21 Uhr zu und hat sonntags ganz geschlossen.

Berneliu Uzeiga, Valančiaus g. 9. Volkstümlich eingerichtetes Café, Mo Ruhetag. **Studentencafé**, Putvinskio g., gegenüber vom Čiurlionis-Museum. Kunstvoll dekoriertes Café mit netter Atmosphäre.

Einkaufen

Die Geschäftsstraßen von Kaunas sind die Fußgängerzonen Vilniaus g. und Laisvês al. Mittlerweile gibt es einige Läden, in denen man Souvenirs und Gegenstände des Kunstgewerbes erstehen kann, wie z. B Keramik-, Silber-, und Lederwaren. Mit ein bißchen Glück bekommt man auch Fotofilme.

• *Läden*: **Souvenirs** - *Dižanos Salonas*, Valančiaus g. 25. Lederschmuck, selbstgefertigte Kleidung, Keramik und Stoffe, z. T. auch interessante Designerware. Sehr schön dekoriert, so daß es Spaß macht, dort ein wenig herumzustöbern, geöffnet Di-So von 12-19 Uhr;
AL-Galerie, Vilniaus g. 22. Hübsch aufgemachte Ausstellung von Leder-, Keramik,- Holz und Schmuckartikeln, die zum Verkauf angeboten werden, geöffnet täglich von 12-19 Uhr.
Weitere **Souvenirläden** befinden sich in der Vilniaus g. 15, 22 und 25, die aber bei weitem nicht so ansprechend sind, wie der Dižanos-Salon und die Al-Galerie. In diesen drei Geschäften gibt es neben Keramik- und Lederartikeln, auch Korb- und Holzwaren.
Filme, Laisvês al. 44-46. Fotofilme waren bis jetzt allerdings nicht immer vorrätig.
Bücher, relativ großer Buchladen am Ende der Laisvês al., kurz vor der russischen Kathedrale. Geduldig suchende Bücherwürmer können gelegentlich auch auf deutsch- und englischsprachige Literatur stoßen.
Antiquariat, Rotušês a. 23, Verkauf von alten Büchern, z. T. auch in deutscher Sprache.
Westkonsumgüter: eine ganze Reihe solcher Läden sind entlang der Vilniaus g. und der Laisvês g. zu finden.
• *Märkte*: **Aleksoto**, Veiverių 47. In der Vorstadt *Aleksoto* wird jeden So ein großer,

bunter Vieh- und Automarkt abgehalten, zu erreichen mit Bus 6 ab Bahnhof.
Vilijampolês-Markt, Griniaus g 5. Gemüse, Obst, Blumen, saure Gurken und Hausgemachtes, täglich außer Mo.
Markt am Bahnhof, lautstarker Handel mit Blumen, Obst, Gemüse, Softdrinks, Sonnenblumenkernen und "West-Süßigkeiten" verwandeln den Bahnhofsvorplatz in einen großen Markt.
• *Diverses*: **Geldwechsel** - Banken, Marionio g. 25; Gruodžio g. 9 und Laisvês al. 86. Darüber hinaus befinden sich über die Laisvês al. verstreut eine Reihe kleiner Wechselstuben.
Post, Laisvês al.102. Telegrammannahme rund um die Uhr geöffnet.
Apotheke, Laisvês al. 100.
Poliklinik, Laisvês al. 17.
Raudonasis Kryžius (Rotes Kreuz), Mickevičiaus g. 4.
Autowerkstatt: NECA, Donelaičio g. 26, Tel. 201928, Kfz-Reparaturzentrum, spezialisiert auf Westautos; Taikos pr.151, befindet sich in der Vorstadt Dainava, Richtung Vilnius, Tel. 712379; **Abschleppdienst**, Tel. 718922.
Mietwagen: zu mieten bei der Firma NECA.
Tankstelle: Donelaičio g., Verkauf von bleifreiem Benzin; Taikos pr. 120; Kęstučio g. 63; Utenos g. 4; Veiverių g. 47.
Bewachte Parkplätze: Taikos pr. 84, gehört zum Stadtteil Dainava; Šiaurês pr., gegenüber vom Haus 65.
Flughafenbüro: Poželos g. 7/9, Tel. 228176.

Burgruine von Kaunas

Altstadt

Kaunas ist eine alte Stadt, die im Mittelalter eine große Blütezeit erlebte und ihren mittelalterlichen Charme hat sie bis heute nicht eingebüßt. Die Altstadt ist durchzogen von schmalen Straßen und verwinkelten Gassen, die gesäumt werden von alten, gut restaurierten Häusern.

Der *Rotušės aikšte*, der Rathausplatz, an dem sich im Mittelalter sämtliches Leben und Treiben abspielte, kurbelt die Vorstellungskraft eines jeden an. Der älteste Teil der Altstadt ist jedoch die Ruine der alten Burg, die einst auf einer Halbinsel, gebildet vom Zusammenfluß der Flüsse Nemunas und Neris, erbaut wurde. Empfehlenswert ist es, einen Stadtrundgang an der Burg zu beginnen und von dort aus zum Rathausplatz zu schlendern.

▶ **Burg von Kaunas:** 1361 wird sie erstmalig erwähnt, doch sind Archäologen der Ansicht, daß es hier bereits im 11. Jh. eine Burg gegeben habe. Im 14. Jh. wurde die Burg zum Schauplatz anhaltender Kämpfe zwischen Litauern und den deutschen Kreuzrittern. Schon damals waren die Festungsmauern bis zu 2 m dick und 13 m hoch. 1362 gelang es dem Deutschen Orden dennoch die Burg zu erobern, wobei diese allerdings zerstört wurde. Nicht viel später, 1368, war sie schon wieder aufgebaut. Diesmal errichtete man an jeder Ecke der rechteckigen Anlage einen Eckturm und die Mauern wurden auf 3,5 m Durchmesser verstärkt.

Da die Kämpfe zwischen Litauern und dem Deutschen Orden über längere Zeit hinweg immer wieder ausbrachen, wechselte die Burg auch häufig ihre Besitzer. Erst zu Beginn des 15. Jh. konnten die Litauer sich endlich gegen die deutschen "Missionare" durchsetzen, doch ab da verlor dann auch die Burg an Bedeutung. Zeitweise war ein Gefängnis hinter den Burgmauern untergebracht. Mitte des letzten Jahrhunderts war die Burg schließlich gänzlich verlassen, worauf sie dann nach und nach verfiel. Seit einigen Jahren wird sie restauriert.

▶ **St. Georg-Kirche:** Befindet sich ganz in der Nähe der Burgruine. Die Kirche, ein Beispiel für die Backsteingotik Litauens, entstand Ende des 15. Jh. Durch Feuersbrünste wurde das Gotteshaus mehrmals zerstört, jedoch immer wieder aufgebaut. Während der Unabhängigkeit Litauens von 1918-1940 gehörte zur St. Georgskirche ein Priesterseminar, das aber nach Eingliederung Litauens in die Sowjetunion geschlossen wurde. In der Kirche wurde zuerst ein Archiv eingerichtet und später eine Lagerhalle.

Altstadt um den Rathausplatz

Hier hat sich das Leben im Mittelalter abgespielt. Der Hauptteil des Rathauses ist im 16. Jh. erbaut worden. Im 17. Jh. fügte man den Turm hinzu. Dieser besteht aus fünf Etagen und wird nach oben hin immer schlanker und verzierter. Der weiße Bau wirkt wie ein *stolzer Schwan*, der sich majestätisch vom Rathausplatz emporhebt. Dadurch, daß im Laufe der Zeit immer wieder Veränderungen an dem Rathaus vorgenommen wurden, weist er heute mehrere Baustile auf: Es überwiegen zwar die Elemente des Frühklassizismus, doch im Keller sind noch Spuren der Gotik zu finden. Am Turm lassen sich Merkmale von Barock, Rokoko und Renaissance erkennen.

Im Mittelalter hatte das Rathaus alles, was die Stadt brauchte, "unter einem Dach zu bieten": Die Kellerräume beherbergten das Gefängnis, im Erdgeschoß befand sich die Markthalle, und im ersten Stockwerk saß die Stadtverwaltung. Auch heute noch arbeitet hier die Verwaltung von Kaunas. Darüber hinaus funktioniert der Bau seit 1973 als *Hochzeitspalast*.

Rathausplatz mit dem "Schwan" von Kaunas

Jeden Freitag und Samstag schreiten mehrere junge Paare durch den prächtigen Eingang, um den Bund der Ehe zu schließen. Paare, die genug voneinander haben und sich scheiden lassen wollen, dürfen den "Palast" übrigens nur durch den nichtssagenden, farblosen Hintereingang betreten.

An allen Seiten des Rathausplatzes erheben sich hübsch restaurierte mittelalterliche Gebäude überwiegend gotischen Stils. Ein Baugesetz der damaligen Zeit verlangte, daß keines dieser Häuser höher als zwei Stockwerke sein durfte und zwar aus dem Grund, damit das Rathaus in seiner Pracht und Größe durch nichts in den Schatten gestellt werden könne. Außerdem strebten die damaligen Stadtplaner ein architektonisch harmonisches Gesamtbild an. Das wäre ihnen auch gelungen, hätte die Stadtverwaltung nicht im 17. Jh. bei den Jesuiten eine Ausnahme gemacht. Da die Jesuiten für ihre gute Bildung bekannt waren, wollte man sie auch gern als Lehrer in Kaunas haben. So wurde ihnen gestattet, auf dem Rotušės a. ein **Jesuitenkloster** zu errichten, das schließlich, um die frommen Lehrmeister nicht zu vergraulen, vier Stockwerke hoch gebaut werden durfte. Während der Sowjet-Ära befand sich in dem Gebäude ein Gymnasium und z.Zt. wird es restauriert. Das vierstöckige Gebäude stört ein wenig das gleichmäßige Gesamtbild des Platzes. In den übrigen mittelalterlichen Bauten rund um den Rathausplatz befinden sich heute Geschäfte und Restaurants. Besonders ins Auge fällt das Haus No. 2, das einstige Haus der **Händler-Gilde**, das das Restaurant Gildija beherbergt. Neben dem Gildenhaus befindet sich eine nach Medizin duftende, **alte Apotheke**. An der Ecke Rotušės a./Vilniaus g. steht ein **altes Postamt**, in dem man seine Briefe und Karten mit Sonderstempeln versehen lassen kann.

▶ **St. Peter und St. Paul-Kathedrale:** Nicht weit vom Rathausplatz, direkt

am Anfang der Vilniaus g., steht das größte litauische Bauwerk gotischen Stils. Die Kirche ist 1408 an der Stelle der ursprünglichen Peter-und-Paul-Kirche errichtet worden. Im Laufe der Zeit wurde das Gotteshaus mehrmals umgebaut, so daß, obwohl überwiegend gotisch, auch andere Baustile zu finden sind. Der überaus beeindruckende Hauptaltar ist ein Werk des Barock. Monumentale Skulpturen über dem Altar, die Jesus in der Mitte von Petrus und Paulus darstellen, erinnern an eine gewaltige Bühne. Das letzte Stück, das dem Interieur der Kirche hinzugefügt wurde, ist die kunstvolle, holzgeschnitzte neugotische Kapelle, entstanden Ende des 19. Jh. Ebenfalls schmücken elf Bilder des italienischen Malers *Elviro Andrioli* das Innere der Basilika.

Marienskulptur vor der Peter- und Paul-Kirche

Von der Vilniaus g. aus kann man an der Südseite der Kirche das Grabmal des Dichters *Maironis* (1862-1932) betrachten.

▶ **Dreieinigkeitskirche:** Am Rotušės a. 22 erhebt sich die Dreieinigkeitskirche, ein Bau des 17. Jh., errichtet im Stil der Renaissance. Vor langer Zeit war der Kirche ein Bernhardinerkloster angeschlossen. Heute befindet sich hinter den ehemaligen Klostermauern die einzige Priesterschule Litauens. Das ursprüngliche Interieur aus dem 17. Jh. hat die Stürme der Zeit nicht überstanden, so daß die jetzige Innenausstattung als modern bezeichnet wird. Dennoch besitzt die Kirche wertvolle Bilder und Skulpturen sowie kostbare Möbel. Bis jetzt war die Dreieinigkeitskirche nur zweimal jährlich in Form eines "Tags der offenen Tür" für die Allgemeinheit zugänglich. Eine Änderung der Öffnungszeiten ist jedoch zu erwarten.

▶ **Haus des Perkūnas:** Geht man vom Rotušės a. einige Meter in Richtung Nemunas-Fluß, stößt man auf ein weiteres wertvolles Baudenkmal, das niemand anderem als dem großen *Perkūnas*, Haupt- und Donnergott der alten Litauer, gewidmet ist. Ein Teil des Hauses wurde zu Beginn, der restliche Teil zum Ende des 15. Jh. gebaut. Der Ostgiebel ist überaus reich und kunstvoll verziert. Teilweise weist die Architektur Züge der flämischen Gotik auf. Als die Litauer noch Heiden waren, soll an dieser Stelle ein Tempel für den mächtigen Perkūnas gestanden haben. Belegt wird das mit dem Fund des litauischen Historikers *Narbutas*, der 1818 in einer Mauer des Baus eine Bronzestatue gefunden hatte, die nach den Vermutungen Narbutas den Donnergott Perkūnas darstellte. Es gibt aber auch Wissenschaftler, die der Auffassung sind, daß das Perkūnashaus im Ursprung nichts mit der großen Gottheit zu tun habe, sondern schlichtweg von deutschen Kaufleuten erbaut worden war und die Namensgebung erst im nachhinein stattgefunden habe. Z. Zt. läuft in dem Haus eine ständige Ausstellung über die Altstadt von Kaunas. Demnächst soll dort eine Zweigstelle des Čiurlionis-Museums eingerichtet werden.

▶ **Vytautas-Kirche:** Direkt am Ufer des Nemunas steht die schlichte Vytautas-Kirche, ein weiteres Beispiel für litauische Gotik. Der Sakralbau entstand Anfang des 14. Jh. in der Absicht, reisende Kaufleute und Händler, die über den Nemunas kamen, in die Stadt zu locken. Eine Legende erzählt, daß der große Vytautas sie hat bauen lassen, als er eine fast verlorene Schlacht gegen die Tataren letztendlich doch noch gewann. Er habe, so sagt man, wie von Sinnen den Himmel um Hilfe im Kampf gebeten, wobei er seinen potentiellen himmlischen Helfern schließlich versprochen habe, im Falle eines Sieges sich mit dem Bau einer Kirche erkenntlich zu zeigen. Nun, er hat die Schlacht gewonnen und Wort gehalten. Die Kirche ist dreischiffig, ihr Interieur schlicht.

▶ **Aleksotohügel:** Unweit der Vytautas-Kirche führt die *Aleksoto-Brücke* über den Nemunas in den gleichnamigen Stadtteil. Auf der anderen Flußseite kann man mit einer Zahnradbahn den Hügel hinauffahren. Hält man sich, oben angekommen, einige Meter rechts, gelangt man zu einer Aussichtsplattform, von der man einen wunderschönen Blick auf Kaunas hat.

Blick auf Kaunas vom Aleksoto-Hügel aus

Die alte Brücke über den Nemunas wurde einst als die *längste Brücke der Welt* bezeichnet. Als das polnisch-litauische Reich zwischen Rußland, Österreich und Preußen aufgeteilt wurde, fiel der Teil nördlich des Flusses an Rußland und der südlich gelegene an Preußen. Da in Rußland und in Preußen aber verschiedene Kalender galten, brauchte man sage und schreibe dreizehn Tage, um diese Brücke zu überqueren.

Neustadt

▶ **Laisvès al.:** Die Laisvès al. beginnt an der Ecke mit der Vilniaus g. und endet an der gewaltigen, monumentalen, russischen Kathedrale. Übersetzt bedeutet Laisvès al. *Freiheitsallee.* Umrahmt wird die Allee von unzähligen Geschäften, einigen Restaurants und Cafés, nicht zu vergessen die zahlreichen, kleinen Straßenstände, an denen es alles mögliche gibt. Generell ist das Angebot in den Läden z. Zt. noch ziemlich beschränkt, doch sollte sich die finanzielle Lage Litauens verbessern, wird man hier sicherlich irgendwann einmal einen Prachtboulevard vorfinden. Doch auch ohne ein übersteigertes, materielles Angebot macht es Spaß, unter den hier wachsenden Linden spazieren zu gehen oder in einem der Straßencafés zu verweilen und das Treiben auf der Laisvès al. zu verfolgen. Auf der 1,5 km langen Allee herrscht übrigens Rauchverbot, worauf am Anfang und am Ende der Straße zwei große Schilder hinweisen. An der Laisvès al. befinden sich auch mehrere Theater und Museen.

▶ **Vienybès a.** (Einheits-Platz): Biegt man von der Laisvès al. beim *Kaufhaus Merkurijus* links in eine kleine Nebenstraße ein, gelangt man zum Vienybès-Platz. Die während der Sowjet-Ära hier stehenden Helden der UdSSR hat man mittlerweile alle vom Sockel gestürzt und durch litauische ersetzt. Hier erhebt sich auch die **litauische Freiheitsstatue**, die am 16. Februar 1989, dem Jahrestag der Unabhängigkeit, wieder enthüllt worden ist. Am Platz der Einheit befindet sich auch der zum Kriegsmuseum gehörende **Glockenturm**. Die Glocken waren so installiert, daß sie die sowjetische als auch die litauische Hymne spielen konnten. 36 Glocken hat der Turm, wovon 35 aus Belgien stammen und eine aus den USA. Natürlich war es die eine Glocke aus den USA, die für die Kaunaser die Freiheit symbolisierte. So wurden die Hymnen während des Verbleibs in der Sowjetunion stets mit 35 Glocken gespielt, da die 36. erst in einem freien Litauen erschallen sollte.

Museen

Keramikmuseum, Rotušês a. 15. Kleines Museum im Keller des Rathauses, geöffnet Di-So von 12-18 Uhr.

Fotogalerie, Rotušês 1, geöffnet Di-So von 12-18 Uhr.

J. Gruodis-Museum, Sakalo g.18. Gedenkmuseum für den Komponisten Gruodis. Geöffnet Mi-So von 11-17 Uhr.

P. Cvirka-Museum, Donelaičio g. 13. Kleines Museum für den Schriftsteller P.Cvirka, geöffnet Mi- Mo von 11-18 Uhr.

S. Neries-Museum, Vilnêles g. 7. Kleine Ausstellung über das Leben und Werk der Dichterin Salomêja Neries. In diesem Haus findet auch das alljährliche internationale Literatentreffen von Kaunas statt, geöffnet Mi-Mo von 11-19 Uhr.

M. K. Čiurlionis-Galerie, Putvinskio g. 55. Große Ausstellung der Gemälde des litauischen Nationalmalers und -komponisten M.K. Čiurlionis. Außerdem befinden sich im Museum Exponate zur litauischen Landeskunde, geöffnet Di-So von 12-18 Uhr.

Čiurlionis - Komponist und Maler gleichzeitig, hat versucht, zu seinen eigenen Kompositionen Bilder zu malen. Die Gemälde haben oft eine romantische und mystische Ausstrahlung. In vielen seiner Bilder ist eine Schlange als Symbol der Weisheit oder Fruchtbarkeit zu finden. Der Künstler arbeitete viel mit verschiedenen Helligkeitsgraden, die seinen Bildern oft etwas Unwirkliches, ja beinahe Unheimliches verleihen. Čiurlionis war Nationalist und wünschte sich ein unabhängiges Litauen. Dieses Anliegen ist in vielen seiner Bilder wiederzufinden. Ebenfalls fällt in Čiurlionis Werk eine intensive Beziehung zum Jenseits auf. Oft bemerkt man die Aussagekraft und Tiefe in den Bildern erst auf den zweiten Blick. Es ist empfehlenswert, eine Führung zu bestellen, auf deutsch und englisch möglich, Tel. 205205.

Gemäldegalerie, Donelaičio g. 16. Das Museum beherbergt u.a. auch bekannte Größen, wie beispielsweise Chagall und Raffael, geöffnet täglich von 12-18 Uhr.

Skulpturen- und Glasmuseum, am Ende der Laisvês al., in der wuchtigen russisch-orthodoxen Garnisonskirche. Ausstellung von Skulpturen, Glasmalereien und "gläserner" Kunst, Di-So 12-18 Uhr geöffnet.

Literaturmuseum, Rotušês a.13, befindet sich in altem Gebäude aus dem 17.Jh. Das Museum ist zum Andenken an den großen litauischen Dichter Maironis eingerichtet worden, der auch zeitweise in diesem Haus gelebt hat, geöffnet Mi-Sa von 11-19, So von 11-17 Uhr.

Die **Skulptur** vor dem Haus stellt den Dichter Maironis dar. Geschaffen hat sie der Bildhauer *Jakubonis* im Jahre 1977.

Militärmuseum, Donelaičio g. 64. Die Exponate des Museums beziehen sich nicht nur auf den großen Vytautas, sondern geben auch einen Querschnitt der Geschichte Litauens wieder. Zu sehen ist auch das Flugzeugwrack der verunglückten Atlantikflieger Steponas Dariaus und

Stasys Girėnas, geöffnet Mi-Mo von 10-18 Uhr.
Teufelsmuseum, Putvinskio g. 64. Um-

fangreiche Sammlung von Teufelsfiguren aus aller Welt, geöffnet Di-So von 12-18 Uhr.

Das Teufelsmuseum

Der naturalistische und impressionistische Maler *Antanas Žmuidzinavičius* (1876-1966) war sehr gut mit einem Priester namens *Vaišgantas* verbunden. Trotzdem besuchte er nie die Predigten seines Freundes. Von Vaišgantas zur Rede gestellt, gab Žmuidzinavičius zu, an den Teufel zu glauben. Sein Namenstag liege auf einem 13., seine Frau habe er an einem 13. kennengelernt ... und es gehe ihm trotzdem gut, argumentierte er. Bei der nächsten Gelegenheit schenkte sein Priesterfreund ihm eine Teufelsfigur, der die abgeschnittenen Beine eines Engels (!) in der Hand hielt. Daraufhin begann Žmuidzinavičius Skulpturen und Abbildungen des pferdefüßigen Höllenherrns zu sammeln. Das Museum besitzt heute über 5000 Exponate, aus allen Ecken der Erde stammend. Interessant ist, daß die "internationalen Teufel" z. T. als etwas Positives dargestellt werden. Der kleinste Teufel ist nicht größer als ein Fingerhut. Neue originelle Ausstellungsstücke sind stets willkommen.

Zoologisches Museum, Laisvės al. 106. Ausgestopfte Exemplare aus der Tierwelt Litauens, geöffnet Di-So von 12-18 Uhr.

9. Fort, Žemaičių pl.73. Im Ersten Weltkrieg diente das Fort als Verteidigungsfestung der Zarenarmee gegen die Deutschen. Im Zweiten Weltkrieg benutzten die deutschen Nazis die Festung dann selbst und zwar als KZ unter dem Decknamen "Fabrik 1005 B". An die 100.000 Menschen kamen hier durch Massenerschießungen ums Leben. Überwiegend waren es Juden aus dem Kaunaser Ghetto. Später wurden auch Juden aus anderen europäischen Ländern hierher deportiert. Drei übergroße Skulpturen der Bildhauer *G.Baravykas* und *V.Vielius*, die "Leid", "Kampf" und "Sieg" symbolisieren, rufen die Greueltaten, die hier verübt wurden, ins Gedächtnis zurück und mahnen zum Frieden.

Zu erreichen mit den Bussen 23 und 35, aussteigen an der Haltestelle "Fort". Mit dem Auto, in Richtung Klaipėda die Neris überqueren und rechts in die zweite größere Straße, die Žemaičių Chaussee, einbiegen.

Theater und Konzerthallen

Karten im Vorverkauf gibt es an den jeweiligen Veranstaltungsorten.

Schauspielhaus, Laisvės al. 71. Dieses Dramentheater gilt als eines der besten Litauens. Manchmal können ausländische Gäste sogar per Kopfhörer-Übersetzung den Inhalt der Aufführung auf deutsch oder englisch erfahren.

Philharmonie, Sapiegos g. 5. Wenn man vor dem nichtssagenden Gebäude steht, mag man nicht meinen, daß hinter diesen Mauern Musik von so hoher Qualität gespielt wird. Auf moderne Art wird klassisch musiziert. Sollte der berühmte Kaunaser Chor wider Erwarten einmal ein Konzert in Kaunas geben, unbedingt hingehen, falls noch Karten erhältlich sein sollten.

Musiktheater, Laisvės al. 91. Die Musik ist nicht erstklassig, aber auch nicht schlecht. Für Leute, die Nostalgie lieben und für 2 Std. in die Musikwelt der Vorkriegszeit eintauchen möchten, genau das Richtige.

Puppentheater, Laisvės al. 87a. Ganz gut für Kinder geeignet. Das Puppenspiel ist sehr hübsch anzusehen, so daß Sprachbarrieren nicht allzu hinderlich sind.

Theaterschule für Pantomime, Ožeškienės g. 12, Aufführungstermine unregelmäßig, am besten in der Touristeninformation nachfragen oder unter Tel. 225668.

Festivals

Volksfest: Mitten im Wonnemonat Mai findet in Kaunas' Straßen alljährlich ein großes Volksfest statt. Straßentheater, Possenspiele von den Balkonen, laute Musik und Volkstänze verwandeln die Vilniaus g. in ein buntes Spektakel, das bis in die frühen Morgenstunden hinein andauert.

Literaten-Festival: Am letzten Wochenende im Mai wird in Litauen alljährlich das Fest der Dichter und Schriftsteller veranstaltet. Es beginnt immer freitags in Kaunas. Samstags strömen die Poeten und Literaten in alle Teile des Landes aus und verlesen dort ihre Texte, mit dem Anspruch, daß auch die Landbevölkerung in dieses wichtige kulturelle Ereignis miteinbezogen wird. Beendet wird das internationale Treffen dann in Vilnius.

Sommersonnenwende: Natürlich wird auch in Kaunas im Juni der längste Tag des Jahres mit einer großen Straßenparty gebührend gefeiert.

Sängerfeste: Verschiedene Liederwettbewerbe werden auch in Kaunas ausgetragen, Termine im Exkursionsbüro erfragen.

Parks und Erholung

Mitten in der Stadt, am Ende der Laisvės al. und unweit der russisch-orthodoxen Kirche befindet sich einer der Haupteingänge in den schönen und ruhigen **Vytautas-Park**, dem sich der rauschende Eichenwald des **Ažuolynas-Parks** anschließt. Am Rande des Parks befindet sich das *Tal der Lieder*, in dem die traditionellen Sänger- und Tanzfestivals von Kaunas abgehalten werden. Durchquert man den Ažuolynas-Parks bis zu seinem Ende, stößt man auf die *Divisios g.*, an der der einzige **Zoo** Litauens zu finden ist, auch zu erreichen mit Bus 10, 20 und 21.

Panemunės Park: Hier kann man sich direkt am Ufer des Nemunas von der Großstadt erholen. Vom Baden sollte lieber Abstand genommen werden, auch wenn einige der Einheimischen da keine Bedenken zu haben scheinen. Aus dem Zentrum Trolley 1 bis zur Endstation nehmen.

Stausee von Kaunas: Litauens zweitgrößte Stadt kann nicht nur mit Kultur und Industrie aufwarten, sondern auch mit einem eigenen Meer. So wird der Stausee von Kaunas jedenfalls von der Bevölkerung bezeichnet. Der Weg dorthin ist derselbe wie zum Kloster Pažaislis, s. d.

Kaunas´ nähere Umgebung

▶ **Pažaislis-Kloster:** Am südwestlichen Ufer des Kaunaser Meeres, inmitten alter Bäume und fernab jeglicher Hektik, erhebt sich malerisch eine alte, barocke Klosteranlage. Finanziert wurde der Bau von dem einstigen Kanzler und Hauptmamm Litauens *K. Z. Pacas*, der auch das Geld für die Peter-und-Paul-Kirche in Vilnius spendete. Träger des Klosters war der als besonders streng geltende *Kamaldulenser-Orden*. Charakteristisch für die Klöster dieses Ordens (auch heute noch) sind ihre Eremitenhäuschen, in die sich die Mönche zum Beten einmauern ließen. In Pažaislis gab es zehn dieser Häuschen, wovon zwei noch zu sehen sind.

Mit dem Bau der Kirche wurde 1667 unter der Leitung der italienischen *Brüder Putini* begonnen. Für die Innenausstattung wurden Meister aus ganz Europa herangeholt, bis die Kirche im Jahre 1712 schließlich geweiht werden konnte.

Als Reaktion auf den Aufstand der Litauer gegen das Zarenregime 1831 wurde das römisch-katholische Kloster 1832 in ein russisch-orthodoxes umgewandelt. Während dieser Periode wurde das Äußere der Kirche stark verändert, die Fassade wurde umgebaut, das Interieur ausgewechselt und teilweise auch die Deckenfresken übermalt. Das orthodoxe Kloster bestand bis 1915. Ein Besuch dieser idyllischen und romantischen Anlage ist lohnenswert.

● *Anfahrt/Verbindungen*: **PKW** - Die Vytauto g. in südliche Richtung bis zum Ende durchfahren und dann links in die Barašausko g. einbiegen. Nach einigen Metern kommt ein Kreisverkehr, dort rechts abfahren und weiter geradeaus bis zum nächsten Kreisverkehr, wieder rechts halten und schließlich geradeaus bis zum Kloster fahren (liegt nicht an der Hauptstraße).

Bus: aus dem Zentrum mit Trolley 5 zu erreichen, bis Endstation mitfahren.

▶ **Zapyškis**: Interessant in der etwa 18 km westlich von Kaunas am Ufer des Nemunas gelegenen Kleinstadt ist ihre *Kapelle*. Gebaut wurde das einschiffige Gotteshaus von dem *Sohn des Fürsten Sapiegas* im Jahre 1566 und ist eines der ältesten Beispiele für litauische Backsteingotik. Im Laufe der Jahrhunderte ist die Kirche nicht wesentlich verändert worden.

▶ **Rumšiškės**: Etwa 20 km südöstlich von Kaunas, auf dem Weg nach Vilnius, liegt im Bezirk Kaišiadorys das Dorf Rumšiškės, direkt am Ufer des Kaunaser Stausees.

Das Dorf ist neu und doch so alt: Als 1959 der gewaltige Stausee angelegt wurde, der auch als das Meer von Kaunas bezeichnet wird, mußte das eigentliche Rumšiškės, das immerhin schon seit 1385 in den alten Ordenschroniken bekannt war, dran glauben und liegt nun auf dem Grund des Sees. Gerettet hat man eine alte, dem Erzengel Michael geweihte Holzkapelle, die sich jetzt direkt am Seeufer befindet.

Doch besuchenswert ist Rumšiškės wegen seines einmaligen *Freilichtmuseums*. Im 1974 gegründeten Museum, läßt sich das dörfliche Leben der litauischen Bauern und Handwerker des letzten Jahrhunderts mit all seiner Idylle und all seiner Mühsal gut nachempfinden. Weite Felder, Pferdekutschen sowie ältere, in Volkstracht gekleidete Frauen vervollkommnen schließlich die romantisch verklärte Illusion längst vergangener Zeiten. So wie Litauen ist auch das Museum in vier ethnographische Gebiete unterteilt. Am Wochenende finden im Museum oftmals Konzerte litauischer Volksmusik, begleitet von folkloristischen Tänzen, statt. Möglichkeit zur Stärkung bietet die zum Museum gehörende, frisch restaurierte Schänke. Wer lieber picknicken möchte, findet besonders am Ufer des Kaunaser Meeres oder aber neben einem der tiefgrünen Teiche, mit dem "Gesang" der Unken und Frösche im Hintergrund, herrliche Ecken. Für einen Besuch sollte man viel Zeit mitbringen.

Öffnungszeiten: Das Museum hat von Mi-So von 10-19 Uhr geöffnet (nur während der Sommermonate).

● *Anfahrt/Verbindungen*: **PKW** - Einfach die A-227 Richtung Vilnius nehmen bis zur Abfahrt nach Rumšiškės. Am Dorf geradeaus vorbeifahren, bis man nach etwa 2 km zum Museum gelangt.

Bus: Die Verbindung direkt zum Museum ist dürftig. Die Busse nach Rumšiškės fahren in Kaunas von der Jonavos g. ab, jedoch nicht öfter als zweimal täglich. Nach Kaunas zurück fährt lediglich am Nachmittag und am Abend ein Bus. Sollte der Bus nicht den kleinen Umweg zum Museum fahren, in Rumšiškės in der Marių g. bei einer großen Wiese aussteigen. Über diese Wiese laufen und geradeaus an neugebauten Einfamilienhäusern vorbei bis zum Museum.

Eine Alternative bieten die Busse von Kaunas nach Vilnius. Sie fahren ziemlich oft, und man kann am Abzweig nach Rumšiškės problemlos aussteigen. Am besten vorher Bescheid sagen. Der Bus hält an der Autobahn, vor einer Kuhweide. Diese überqueren, bis sie an einer kleinen Straße endet, dort rechts halten bis zu einer kleinen Kreuzung. In diese links einbiegen und bis zum Museum immer geradeaus gehen. Der Marsch beträgt etwa 2 km.

Zurück nach Kaunas kann man versuchen, in einen der Busse, die aus Vilnius kommen, zu steigen. Die Haltestelle liegt auf der anderen Seite der Schnellstraße. Doch keine Sorge, man muß jetzt nicht über unzählige Brücken gehen, um dort hinzugelangen, sondern kann einfach über die Fahrbahn schlendern. Doch Vorsicht, die Geschwindigkeit der Ladas, Wolgas und Co. wird schnell unterschätzt. Wichtig ist es, den Bussen ein Zeichen zu geben, damit sie auch anhalten. Sind die Busse voll, fahren sie durch. Während man wartet, kann man auch versuchen, per Anhalter wegzukommen.

Südliche Umgebung von Kaunas

Birštonas *(ca. 5000 Einwohner)*

Dank seiner geschützten Lage in der Flußbiegung des Nemunas ist das Klima in Birštonas das ganze Jahr über sehr mild. Zusätzlich halten dichte Tannen- und Birkenwälder Wind und Wetter ab. Das Wasser ist sehr mineralhaltig, so daß das kleine Städtchen ideale Vorraussetzungen zum Kurort hat.

Zum ersten Mal wurde Birštonas 1382 im Zusammenhang mit dem Deutschen Orden erwähnt, aber schon vor Ankunft der Kreuzritter gab es hier eine Holzburg. Angeblich bezeichneten die Kreuzritter diese Burg als "Gutshof beim salzigen Wasser" und tauften sie auf den Namen *Bierstein*, woraus sich das litauische Birštonas ableitete. Ende des 18. Jh. begannen Wissenschaftler, das salzige Wasser zu erforschen, und sprachen ihm Heilwirkung zu. So wurde Birštonas im Jahre 1846 schließlich zum Kurort erhoben. Im Laufe der Zeit wurden die Kureinrichtungen erweitert. Sie bestehen heute größtenteils aus wenig ästhetischen Kastenbauten, doch die kleine Altstadt ist recht hübsch. Der Park lädt zu Spaziergängen und die Teiche zum Baden ein. Bis 1990 haben hier jährlich an die 50.000 Menschen aus der gesamten ehemaligen Sowjetunion Urlaub gemacht. Doch wegen der wirtschaftlichen Depression bleiben die ehemaligen Sowjetbürger aus. Heute ist es aber für ausländische Touristen möglich, die Bädertherapien und medizinischen Anwendungen des Kurortes in Anspruch zu nehmen.

- *Vorwahl*: 210
- *Postleitzahl*: 4490
- *Information*: Lelių g. 8, Tel. 56333.
- *Anfahrt/Verbindungen*: **PKW** - Birštonas liegt an der A-229, der Straße Vilnius-Mariampolė-Kaliningrad, etwa 31 km südlich von Kaunas.

Bus: Relativ gute Verbindung nach Vilnius, Kaunas, Alytus und Prienai, einmal am Tag nach Klaipėda und Ta[u]ragė. Bessere Anschlußmöglichkeiten vom benachbarten Prienai, Haltestelle in der Vaizganto g. 20.

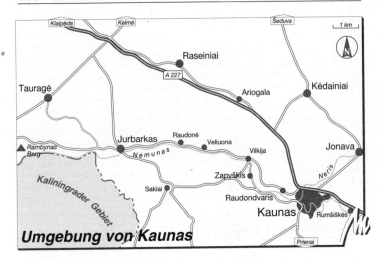

Umgebung von Kaunas

• *Übernachten*: **Nemunas**, Algirdo g. 3, romantisches Holzhaus, von innen noch äußerst einfach, Verkauf und Renovierung sind geplant. Z. Zt. kostet eine ÜB etwa 2 DM, was sich nach der Privatisierung mit Sicherheit ändern wird, Tel. 56331.
Tourist, Turistų g. 1. Touristenherberge, entspricht in etwa dem Standard einer Jugendherberge aus den 60ern, also sehr bescheiden. EZ 2 DM, Tel. 56331. In der Nähe befinden sich Tennisplätze.
Neues Hotel am Rande der Dariaus ir Gireno g. befindet sich z. Zt. im Bau. Weitere Übernachtungsmöglichkeiten bieten die zahlreichen Sanatorien, die über das Touristenbüro vermittelt werden.
• *Essen*: **Henda**, Nemuno g. 3. Restaurant und Café in einem. Bester Ort, um in Birštonas zu speisen, Tel. 56617.

Druskupis, Algirdo g. 17, staatliches Restaurant, Essen mittelmäßig, Tel. 56781.
Nida, Algirdo g. 1. Bierbar, die auch kleine Snacks serviert, Tel. 56996.
• *Diverses*: **Geldwechsel** - Jaunimo g. 3.
Post: Nemuno g. 11.
Poliklinik: Jaunimo g. 8.
Leihstelle: In der Touristenherberge gibt es Fahrräder, Boote, Zelte, Badminton- und Tennisschläger zu leihen. Die umliegende Natur mit dem Steilufer des Nemunas laden ein, mit Zelt und Boot ein paar Tage auf Abenteuerjagd zu gehen.
Souvenirs: Nemuno g. 5. Verkauft werden hübsche litauische Handarbeiten, sehr preiswert.
Museum: Vytauto g. 9. Kleine, historische Ausstellung über Birštonas, Mi-So von 11-18 Uhr geöffnet.

Prienai *(ca. 12.000 Einwohner)*

Die kleine Bezirkshauptstadt unweit von Birštonas gelegen, schmiegt sich an beide Ufer des Nemunas, und gehört ethnographisch gesehen eigentlich zur Suvalkija. Im 17. Jh. gab es hier eine Burg, von der allerdings nichts übrig geblieben ist. Im 18. Jh. lockte das Städtchen viele Händler und Handwerker an, und die Einwohnerzahl stieg um ein Vielfaches. 1901 wurde in Prienai eine Wassermühle gebaut, die bis 1976 in Betrieb war. Heute sind in der Mühle ein Restaurant und ein Hotel untergebracht.

Alte Wassermühle in Prienai

- *Postleitzahl*: 5340
- *Vorwahl*: 249
- *Anfahrt/Verbindungen*: **PKW** - Von Birštonas einfach die A-229 7 km weiter in Richtung Marijampolė fahren.
Bus: Gute Verbindung mit Birštonas, Kaunas und Vilnius. Ein Bus täglich nach Kaliningrad. Busbahnhof, Vytauto g. 11.
- *Übernachten*: **Revuona**, Kranto g. 8a. Hübsches Hotel in einer alten Wassermühle. Es gibt Einer-, Zweier-und Dreierzimmer und zwei Suiten. Die Räume sind groß und gemütlich, teilweise ohne Bad. Von fast allen Zimmern hat man Flußblick. Es lohnt sich, einmal ganz früh aufzustehen, um den Nebel, der in aller Herrgottsfrühe aus dem Nemunas aufsteigt, zu betrachten. Hotel verfügt über Sauna. EZ 3 DM, Tel. 53642.
- *Essen*: **Revuona**, Kranto g. 8. Schönes Restaurant mit gutem Essen. Im Sommer kann man auch auf dem Balkon dinieren mit romantischem Blick auf das Wasserrad und die mit Sträuchern überwucherte Mühle.
Berzas, Vytauto g. 28. Restaurant der mittleren Kategorie, einfach eingerichtet.
- *Diverses*: **Geldwechsel** - Brundoz g. 19.
Post: Brundoz g. 1/Ecke Basanavičiaus g.
Poliklinik: Pusino g. 2, befindet sich auf der anderen Flußseite. Nach der Brücke Richtung Birštonas die erste Straße links.

Nördliche Umgebung von Kaunas

▶ **Vilkija:** Kleine Stadt am hohen Ufer des Nemunás, 27 km nordwestlich von Kaunas an der Straße nach Jurbarkas gelegen. Erstmalig erwähnt wurde der Ort 1430 in einem Brief des Großfürsten Vytautas an den Deutschen Orden. Im Jahre 1450 verweisen Danziger Händler auf eine Zollstation bei Vikija, der ersten Litauens. Während des Aufstandes gegen den Zaren 1863 wurde hier *A. Mackevičiaus* zum führenden Kopf der litauischen Unabhängigkeitsbewegung. Die Kirche des Ortes entstand zwischen 1900 und 1908 im neugotischen Stil.

Jonava *(ca. 39.000 Einwohner)*

Verwaltungszentrum, 25 km nordöstlich von Kaunas, beidseitig der Neris gelegen. Wichtige Industrie- und Handelsstadt, in der hauptsächlich Düngemittel produziert werden. Touristisch ist die Stadt, zumal durch die ansässigen Fabriken umweltmäßig stark belastet, nicht sehr attraktiv und höchstens als Übernachtungsstation für Durchreisende von Interesse.

- *Postleitzahl*: 5000
- *Vorwahl*: 219
- *Anfahrt/Verbindungen*: **PKW** - Liegt an der A-226, 25 km nördlich von Kaunas und 41 km südwestlich von Ukmergė. 31 km nordwestlich von Jonava liegt Kėdainiai.
Bus: Hauptsächlich Verbindung mit Kaunas, Ukmergė, Vilnius und Kėdainiai, Busbahnhof in der Turgus g. 3.
Bahn: Züge in Richtung Šiauliai und Vilnius. Bahnhof in der Stoties g., zu erreichen mit Bus 1, 2 und 5.

- *Übernachten*: **Neris**, Kauno g. 6. Zimmer verfügen über TV-Attrappen, Dusche und Toiletten befinden sich auf dem Gang, ÜB ca. 3 DM, Tel. 61345.
- *Essen*: **Banga**, Kosmonautų 1. Restaurant und Bar, großer Saal, Essen akzeptabel, Tel. 53576.
Viltis, Kauno 17. Privatrestaurant mit guter Küche, So geschlossen.
- *Diverses*: **Geldwechsel** - Zeimų g. 5.
Post: Zeimų g. 11.
Poliklinik: Zeimų g. 19.
Markt: Am Busbahnhof.

Die Burgen am Ufer des Nemunas

Im Laufe der Geschichte ist am hohen Ufer des Nemunas eine beträchtliche Anzahl an Burgen entstanden. Um sie alle zu sehen, empfiehlt es sich, von Kaunas die A-228, die parallel zum Nemunas verläuft, nach Panemunė entlangzufahren bzw. umgekehrt.

▶ **Raudondvaris:** Zwischen sattgrünen Bäumen schimmern hoch über dem Nemunas die Mauern des *Roten Schlosses*, was Raudondvaris auf deutsch bedeutet, hervor. Erbaut wurde es 1615 als Lustschloß für *J. Dziawaltowski*, Fahnenträger von Kaunas. Ursprünglich ist der Bau im Stil der Renaissance und Gotik entstanden, wurde aber mit Wechsel der Besitzer stets verändert. 1652 gehörte das Schloß zeitweise dem *Fürsten Radvila*, bis es zu Beginn des 19. Jh. schließlich in den Besitz der Familie *Tiszkiewicz* überging. Während des Zweiten Weltkrieges wurde das Schloß stark beschädigt, ist aber Ende der 60er bis Mitte der 70er Jahre restauriert worden. Heute beherbergt es ein landwirtschaftliches Institut.

- *Anfahrt/Verbindungen*: **PKW**: Etwa 8 km westlich von Kaunas gelegen. Zu erreichen über die A-228, die von Kaunas nach Klaipėda führt und parallel zum Nemunas verläuft.

▶ **Veliuona:** Etwa 50 km stromabwärts steht die Burg *Veliuona*. Ursprünglich wurde sie auf einem Schüttberg zum Schutz vor dem Deutschen Orden erbaut. Bekannt ist sie seit dem 13. Jh. Als der Orden nach mehreren Versuchen nicht in der Lage war, die Festung einzunehmen, errichtete er nicht weit von hier die *Bayerburg*. Angeblich soll *Großfürst Gediminas* im Kampf gegen den Deutschen Orden hier gefallen sein, was historisch allerdings nicht bewiesen ist, so daß Veliuona auch als das "Grab Gediminas" bezeichnet wird. Dennoch wurde dem Herrscher hier 1922 ein Denkmal gesetzt. 1412 hat *Großfürst Vytautas* in Veliuona eine neue Burg errichten lassen. Im Ort selbst ist die von 1636-1644 im Renaissancestil erbaute **Kirche Mariä Himmelfahrt** sehenswert. Sie beherbergt einige kostbare Gemälde und einen wertvollen Barockaltar.

▶ **Raudonė:** Auch dieses Schloß ragt hoch über dem Nemunas in den Himmel empor. Es entstand Ende des 16. Jh. als Statussymbol für den Holzhändler *K. Kirschenstein.* Das Anwesen ist ursprünglich im Stil der Renaissance errichtet worden, weist aber auch Elemente der Gotik auf. Als das Schloß im 18. Jh. an die *Familie Olendski* fiel, wurde es, dem Zeitgeist entsprechend, im klassizistischen Stil umgebaut. Ende des 19. Jh., zu dieser Zeit im Besitz der *Familie Zubow,* wurden der Burg auch noch Stilelemente der Neugotik hinzugefügt. Im Zweiten Weltkrieg sind weite Teile des Schlosses zerstört worden, die mittlerweile aber wiederaufgebaut worden sind. Idyllisch ist auch der alte Park, der die Burg umgibt.

• *Anfahrt/Verbindungen*: **PKW** - Etwa 33 km östlich von Jurbarkas an der A-228 gelegen.

Jurbarkas   *(ca. 10.000 Einwohner)*

Jurbarkas liegt an der Mündung der Flüsse Imsrė und Mituva in den Nemunas und ist ein reines Verwaltungszentrum. Obwohl der Ort eine wechselhafte Geschichte hinter sich hat, ist er touristisch heute eher unbedeutend.

Interessant ist er für Durchreisende und als Ausgangspunkt zu Ausflügen in die Umgebung. Wenn die Schiffe zwischen Kaunas und Klaipėda fahren, so machen sie auch in Jurbarka Halt.

Nicht weit von Jurbarka stand eine alte Schüttburg, einst Schauplatz erbitterter Schlachten zwischen den heidnischen Litauern und den deutschen Kreuzrittern. Im Jahre 1259 konnte der Orden die Kämpfe vorerst für sich entscheiden und errichtete, um seine Macht zu festigen, die *Georgenburg.* Nach der verlorenen *Schlacht bei Tannenberg* 1410 mußten die Ritter die Burg aufgeben und sich aus Jurbarka zurückziehen. Kaum waren die frommen Brüder verschwunden, erfuhr das Städtchen einen Aufschwung, was durch die günstige Verkehrslage am Nemunas zusätzlich vorangetrieben wurde. Mit dem Bau der Eisenbahn verlor der Handel über die Flüsse jedoch an Bedeutung.

• *Vorwahl*: 248

• *Postleitzahl*: 4430

• *Information*: Kauno g. 25, geöffnet Mo-Fr von 10-16 Uhr, Tel.54471.

• *Anfahrt/Verbindungen*: **PKW** - Liegt an der A-228 zwischen Raudonė (ca. 50 km) und Panemunė (ca. 65 km).

Bus: Verbindung mit Kaunas, Sovetsk, Klaipėda, Šiauliai, Vilnius und in die umliegenden Dörfer. Busbahnhof am Zentralplatz, aus westlicher Richtung kommend am Anfang der Stadt.

Schiff: Die Tragflächenboote, die zwischen Klaipėda und Kaunas verkehren, legen auch in Jurbarka an. Z. Zt. ist der Schiffsverkehr jedoch sehr unregelmäßig. Anlegestelle, Kauno g. 32, hinter der Brücke, Informationen unter 51431.

• *Übernachten*: **Viešbutis**, Dariaus ir Girėno g. 98. Einfaches Hotel, mittlerweile in Privatbesitz, ca. 500 m vom Busbahnhof entfernt, ÜB ca. 4 DM, Tel. 51345.

• *Essen*: **Restauranas**, Dariaus ir Girėno g. 98, zum Hotel gehörend, Essen durchschnittlich, Tel. 56172.

Priplauka, Kauno g. 11, von Jurbarkern als Geheimtip für gutes Schaschlick empfohlen, Tel. 53807.

• *Diverses*: **Poliklinik**: Vydūno g. 56.

Rambynas-Berg

In einer Biegung des Nemunas, etwa 10 km östlich von Panemunė, erhebt sich der legendenumwobene Rambynas-Berg. Bis zu den Litauerreisen der deutschen Kreuzritter war der Berg eine heilige Stätte für die alten Litauer, wo sie ihren Göttern opferten und ihre heidnischen Riten und Kulte pflegten. Trotz der weit vorangeschrittenen Christianisierung der Litauer pilgerten selbst zu Beginn des 19. Jh. immer noch Menschen auf den Rambynas, um ihren zahlreichen Göttern zu huldigen. Angeblich soll sich im Jahre 1811 ein Müller im Namen der Kirche dazu verpflichtet gefühlt haben, die Litauer von ihrem Heidentum zu "befreien": Er zerschlug kurzer Hand ihren Opferstein und soll ihn zu Mühlrädern verarbeitet haben. Das muß die Obersten in der litauischen Götterwelt sehr verärgert haben, denn nicht viel später ist der fromme Müller, so will es jedenfalls die Legende, von seinen neuen Mühlsteinen zermalmt worden. Das war für die am Christentum zweifelnde Bevölkerung sicherlich der Beweis, daß doch Perkūnas und sein Gefolge die wahren Götter sind.

Am Fuße des Berges und in seiner näheren Umgebung sind schon vor geraumer Zeit wertvolle Funde in Form von Waffen und Schmuck gemacht worden, die alle im preußischen Museum in Kaliningrad zu bewundern sind. Ausführliche Grabungen haben auf diesem Gelände übrigens noch nicht stattgefunden. Wer die Möglichkeit hat, den Rambynas während der Sommersonnenwende zu erklimmen, wird auf dem mystischen Berg sicherlich ein unvergeßliches Fest erleben.

• *Anfahrt/Verbindungen*: **PKW** - 6 km vor dem Abzweig nach Panemuné geht von der A-228 bei dem Ort Lumpėnai linker Hand ein Weg zum Rambynas-Berg ab.

Panemunė-Schloß: Am hohen Ufer des Nemunas ragte einst stolz das Schloß der ungarischen Kaufmannsfamilie *Eperjes* empor. Es entstand zwischen 1604-1610 im Stil der Renaissance, weist aber auch noch Elemente der Gotik auf. 1759 fiel das Anwesen an die žemaitische Bojarenfamilie *Gelgaudas*, die das Schloß im klassizistischen Stil grundlegend umbauen ließen. Nachdem sich die Gelgaudas aktiv am Aufstand gegen den russischen Zaren beteiligten und dabei eine Niederlage erlitten, verloren sie ihr Schloß, das daraufhin Staatseigentum wurde. Im Laufe der Jahre hat die Anlage sehr gelitten und ist nach und nach verfallen. In den 60er Jahren hat man mit den Restaurierungsarbeiten begonnen.

• *Anfahrt/Verbindungen*: **PKW**: Zu erreichen über die A-228; von Tauragė die A-216 in südliche Richtung geradeaus bis nach Panemunė entlangfahren, ca. 35 km.

Kėdainiai *(ca. 35.000 Einwohner)*

Etwa 60 km nördlich von Kaunas liegt Kėdainiai, eine nette Kleinstadt am Ufer des Nevėžis-Flusses.

Die gut erhaltene Altstadt mit ihren schmalen Straßen, in denen sich schmucke Kaufmannshäuser erheben, zeugt davon, daß es der Stadt im Mittelalter sehr gut ging. Ein Abstecher nach Kėdainiai ist lohnenswert.

Erstmals urkundlich erwähnt wird der Ort 1372. Im Jahre·1590 erhielt er das Stadtrecht. Als Kėdainiai 1614 in den Besitz der Fürstenfamilie *Radvila* (Radziwills) gelangte, entwickelte sich die Stadt zu einem Zentrum der Reformation, das vielen verfolgten Protestanten Asyl gewährte. Zu dieser Zeit erfuhr Kėdainiai einen starken, wirtschaftlichen Aufschwung und unterhielt zeitweise sogar sechs Marktplätze. Nach den Schwedenkriegen und der sich anschließenden Pest war es mit der Blütezeit vorbei. Erholt hat sich Kėdainiai erst wieder mit dem Bau der Eisenbahn.

- *Vorwahl:*257
- *Postleitzahl:* 5030
- *Anfahrt/Verbindungen:* **PKW**: Von Kaunas aus etwa 33 km die A-227 Richtug Klaipėda nehmen und kurz hinter dem Dorf Panevėžiukas auf die A-230 abfahren, die nach Kėdainiai führt. Die A-230 geht weiter nach Panevėžys. Über eine schmale Straße ist Kėdainiai mit Šeduva (unweit von Šiauliai) verbunden.
Bus: Verbindung mit Kaunas, Vilnius, Panevėžys, Ukmergė und den umliegenden Orten. Busbahnhof in der J. Basanavičiaus g., ca. 1 km außerhalb des Zentrums.
Bahn: Züge nach Vilnius via Jonova und nach Šiauliai via Šeduva. Bahnhof in der Dariaus ir Girėno g. 5, liegt außerhalb vom Zentrum. Um zum Hotel zu gelangen, Bus 1 bis zur Haltestelle "stadionas" nehmen, dort entweder für eine Station in Bus 4 oder 11 umsteigen oder aber ca. 400 m in Fahrtrichtung geradeaus weitergehen, bis auf der linken Seite ein Hinweisschild zum Hotel erscheint.

- *Übernachten:* **Vilainiai**, Meioratorių g. 2a. Etwas unpersönlicher Bau aus den 70ern, Zimmer jedoch sauber, verschiedene Kategorien, ÜB ab ca. 4 DM, Tel. 59470.
- *Essen:* **Nevėžis**, Basanavičiaus g. 53. Ausstattung der Gaststätte und das Essen eher mittelmäßig, Tel. 52692
Zomerda, Senoji g. 7/Ecke Didžioji g. Befindet sich in der Altstadt, direkt neben dem Exkursionsbüro, gute Küche.
Aistija, Senoji g., gegenüber vom Zomerda. Gemütliches Restaurant mit leckeren Gerichten.
- *Diverses:* **Geldwechsel** - Didžioji g. 28.
Post: J. Basanavičiaus g. 59.
Poliklinik: Budrio g. 5.
Markt: Janušavos g. 2 .
- *Museen/Ausstellungen:* **Galerija**, Didžioji g. 1. Wechselnde Ausstellungen moderner Kunst, von Di-Fr von 12-18 Uhr geöffnet.
Muziejus, Vokiečių g. 7. Wechselausstellungen von modernen Gemälden und Kunstgewerbe, Di-So von 12-18 Uhr geöffnet.
Regionalmuseum: J. Basanavičiaus g. 45. Dokumentation über die Geschichte Kedainiais und Umgebung, geöffnet Mi-So von 11-18 Uhr.

Sehenswertes

Enge, verwinkelte Gassen und alte Häuser, von denen momentan viele restauriert werden, erzählen vom mittelalterlichen Leben in Kėdainiai. Sehr schön ist der von alten Häusern gesäumte **Große Marktplatz**. Das alte **Rathaus** erhielt sein jetziges Aussehen in der Mitte des 17. Jh. Wie viele Rathäuser der damaligen Zeit umfaßte es das ganze öffentliche Leben einer mittelalterlichen Stadt: Verwaltung, Marktstände, Geschäfte und schließlich das Gefängnis waren hier untergebracht. Über die Altstadt verstreut erheben sich die ehemaligen Häuser einiger schottischer Händler, die wegen religiöser Verfolgung ihre Heimat verlassen hatten und in Kėdainiai Zuflucht fanden. Beachtenswert sind auch die hier stehenden typisch **litauischen Stadthäuser** aus der Mitte des 17. Jh.

Die festungsartige **Kalvinistenkirche** entstand in der Zeit von 1631-1653 im Stil der Renaissance. An ihren vier Ecktürmen lassen sich jedoch auch Merkmale des Barocks feststellen. Während der Sowjet-Ära soll sie zur Basketball-Halle umfunktioniert worden sein, befindet sich mittlerweile aber wieder in der Hand der Gläubigen. Spaziert man weiter in Richtung Fluß, trifft man auf die **Georgskirche**, die sich am Ufer des Nevėžis erhebt. Erbaut wurde sie im 15.-16. Jh., erhielt ihr heutiges Äußeres aber erst Ende des 18. bis Anfang des 19. Jh.

Die **lutherische Kirche** unweit des Busbahnhofs stammt aus dem 17. Jh. und erscheint im Stil einer schlichten Renaissance. In dem Gotteshaus ist eine landeskundliche Ausstellung eingerichtet.

Wer etwas für Litauen ganz Besonderes sehen möchte, der sollte sich die in der Nähe vom Bahnhof stehende **Moschee** nicht entgehen lassen. Sie entstand zwischen 1880 und 1887 auf die Veranlassung eines russischen Generals hin, den es nach dem Krieg gegen die Türken nach Kediniai verschlagen hatte.

Šiauliai (Schaulen)   (ca. 160.000 Einwohner)

Die vielen Straßen und Schienen, die durch die im äußersten Westen der Aukštaitija liegenden Stadt führen, machen Šiauliai zu einem zentralen Verkehrsknotenpunkt und wichtigen Industriezentrum. Wer jetzt allerdings vermutet, daß auch die viertgrößte Stadt Litauens über eine guterhaltene Altstadt verfügt, wird enttäuscht sein. Lediglich eine Renaissancekirche bezeugt optisch die lange Geschichte der Stadt.

Wer sich aber für Museen interessiert, wird sich hier nicht langweilen. Auch ein Spaziergang durch die Fußgängerzone, die Vilniaus g., bietet sich an. Hier befinden sich die meisten Geschäfte und Cafés der Stadt, die teilweise mit amüsanten Zeichen auf sich aufmerksam machen: So weist beispielsweise ein übergroßer, glubschäugiger Fisch auf einen Fischladen hin und ein riesiger Klumpschuh auf ein Schuhgeschäft. Am Abend taucht die Vilniaus g. in ein buntes Farbbad, nämlich dann, wenn ihre Straßenlaternen, ganz untypisch für die baltischen Staaten, abwechselnd grün, blau und rot aufblinken. Interessant ist Šiauliai als Ausgangspunkt für einen Ausflug zum *Berg der Kreuze*.

Geschichte: Bekannt ist die Stadt seit 1236. Der Name Šiauliais ist verbunden mit der in der Nähe ausgetragenen *Schlacht bei Saule*, wo ein vereintes Heer von über 3000 Žemaiten, Kuren und Letten den livländischen Kreuzrittern eine derart erbitterte Niederlage bereitete, daß diese sich daraufhin dem Deutschen Orden eingliederten. Im 16. Jh erhielt Šiauliai das Magdeburger Stadtrecht und entwickelte sich im Laufe der Zeit zum Zentrum der umliegenden Dörfer. Im 17. Jh. hatte Šiauliai unter der Herrschaft der Schweden und der anschließenden erbarmungslos wütenden Pest sehr zu leiden. Eine weitere starke Belastung war der Durchzug der napoleonischen Truppen auf ihrem Hin- und Rückweg nach Moskau, die die Stadt hemmungslos ausplünderten und verwüsteten. Zu allem Elend schloß sich 1872 noch eine große Feuersbrunst an, der viele Holzbauten der Stadt zum Opfer fielen.

Positiv für die wirtschaftliche Entwicklung von Šiauliai erwies sich 1839 der Bau der Eisenbahnlinie zwischen Königsberg (Kaliningrad) und St. Petersburg sowie die Inbetriebnahme der Bahnstrecke nach Liepāja, die beide durch Šiauliai führen.

Auch die beiden Weltkriege haben Šiauliai in keinster Weise geschont. Der historische Stadtkern ist verschwunden. Das jetzige Erscheinungsbild Šiauliais ist architektonisch leider nicht mehr sehr ansprechend. Das Stadtbild wirkt geometrisch, untermauert durch schnurgerade Straßen, die wiederum von rechteckigen Wohnanlagen und massiven Einkaufszentren umrahmt werden.

- *Postleitzahl*: 5400
- *Vorwahl*: 214
- *Information*: **Touristen- und Exkursionsbüro**, Varpo g. 22a, Tel. 34509/33995; **Touristen-Club**, Vilniaus g. 154. Informationen über Ausflüge in die nähere Umgebung und Ausleihen von Booten und Fahrrädern, Tel. 38810.

Stadtpläne: soweit nicht vergriffen, im Hotel Šiauliai zu haben.

- *Anfahrt/Verbindungen*: **PKW** - Liegt an der A-216 Tauragė-Riga und an der A-225, die von Panevėžys nach Palanga führt.

Bus: Verbindungen in alle größeren Städte Litauens, sowie in die umliegenden Dörfer und zum Berg der Kreuze, Busbahnhof in der Dubijos g. 44.

Bahn: Tilžės g. 109.

Flughafen: Befindet sich in Meškučiai,

etwa 20 km nördlich von Šiauliai, Richtung Riga. Noch wird der Flughafen militärisch genutzt, soll aber angeblich zu einem internationalen Flughafen ausgebaut werden, Tel. 32661.

Taxistände: Am Bus- und Zugbahnhof und an der Ecke der Vilniaus g. / Žemaites g.

Taxiruf: 42001.

- *Übernachten*: **Šiauliai**, Draugystės pr. 25. 12-stöckiges Gebäude, unmittelbar an der Fußgängerzone gelegen. Alle Zimmer mit Bad, Telefon, TV und Radio ausgestattet, dennoch einfach, ÜB inkl. Frühstück um die 10 DM, Tel. 37333.

Salduve, Donelaičio g. 70, liegt etwas außerhalb des Stadtzentrums, vom Zentrum mit Bus 6 erreichbar. Einfach ausgestattet, ÜB etwa 5 DM, Kantine angeschlossen, Tel. 56179.

Essen

Das kulinarische Angebot hält sich noch ziemlich in Grenzen und wird sich wohl in absehbarer Zeit nicht so schnell ändern, da Šiauliai keine Touristenstadt ist.

- *Restaurants*: **Baltija**, Vilniaus g. 166. Wirkt nicht besonders einladend, mittelmäßige Küche, Tel. 30995.

Geluva, Varpo g. 11. Essen durchschnittlich, Tel. 35416.

Milda, Tilžės 52, Tel 53450. Unweit vom Restaurant Tomas gelegen, einfache Gerichte.

Šiauliai, gehört zum Hotel. Dunkle, in Grüntönen gehaltene Speisehalle, Essen akzeptabel. Im Eingang des Restaurants stehen zwei große Billardtische, Mo geschlossen, Tel. 36673.

Jaunystė, Draugystės pr. 14. Wird von den Šiauliaiern zu Recht als eines der besten Restaurants der Stadt bezeichnet, Tel. 34634/34746.

Inga, Trakų g. 23. Gemütliches kleines Privatlokal mit gutem Essen und Westkonsumgütern. Auf Wunsch werden hier auch ohne langes Verhandeln vegetarische Gerichte zusammengestellt.

Tomas, Tilžės g. 59. Gemütliches Privatrestaurant mit gutem Essen, zu erreichen mit Bus 12, 7, 3 und 18. Abfahrt in der Tilžės g. gegenüber dem Theater.

- *Cafés/Bars*: **Migle**, Vilniaus g. 114-116. Nettes Café mit zwei Sälen. In dem einen sitzt man auf Plastikhockern, der andere ist mit seinen rotgepolsterten Holzmöbeln um einiges stilvoller. Angeboten werden verschiedene Kuchen, Tel. 38594.

Minute, Vilniaus g. Einfaches kleines, aber hübsches Café.

Café Šiauliai, befindet sich im 6. Stock des gleichnamigen Hotels. Ausstattung äußerst einfach, zu haben sind in der Regel Salate, belegte Brote, Süßigkeiten, Getränke und Omelettes.

Pinguin, Vilniaus g. 181. Modern eingerichtete Eisdiele der Pinguin-Kette. Auch im Winter bei klirrender Kälte gut besucht.

Laden in der Fußgängerzone

Konditorija, Vilniaus g. 166. Befindet sich im gleichen Gebäude wie das Hotel Baltija. Zwischen verschiedenen Verkaufsständen sind ein paar Tische und Stühle aufgestellt, interessante Atmosphäre. Es werden Kuchen, Eis-Saft-Shakes, Brötchen und Getränke angeboten.

Tačija, Vilniaus g./Ecke Rūdès g. Klitzekleines, von jungen Leuten betriebenes Café mit 14 unterschiedlich hohen Hockern. Im Winter einer der wenigen Plätze, an denen man richtig warm wird, da stets ein offenes Feuer im Kamin flackert. Guter, starker Kaffee.

Arbatine Saulute, Tilžès 149. Einfaches kleines Café mit Salaten und Kuchen.

Verschiedenes

● *Einkaufen*: **Buchläden** - Vilniaus g. 213, größte Buchhandlung der Stadt, manchmal Verkauf von Kartenmaterial; Vilniaus 118; Tilžès g. 148, Antiquariat.

Fotogeschäft: Vilniaus g./Ecke Tilžès. Verkauf von Foto- und Diafilmen.

Souvenirs: *Dailé*, Vilniaus g. 136. Zu kaufen gibt es die für Litauen typischen Artikel wie Bernstein, Keramik, Korbsachen und buntgewebte Stoffe.

Andenkenshop im Hotel Šiauliai, hauptsächlich Bernsteinschmuck und Lederschatullen.

Indai, Vilniaus g. 193, Verkauf von Souvenirs und Kosmetik.

Juwelier: Vilniaus g. 199. Bernstein-, Gold- und Silberschmuck.

Markt: Turgaus g. Seitengasse der Vilniaus g., etwa 200 m hinter der Ecke mit der Žemaitès g.

● *Diverses*: **Geldwechsel** - Bank, Tilžès g. 148; auf der Vilniaus g. befinden sich zusätzlich eine ganze Reihe von Wechselstuben. Vor dem Marktgelände stehen des öfteren auch "personelle Privatbanken", die an den durchsichtigen, um den Hals getragenen Plastikkärtchen, in denen jeweils 1 US$-Note, ein Zehnmarkschein und eine schwedische Banknote stecken, erkennbar sind. Vorsicht, Falschgeld im Umlauf!

Post: Aušros al. 42.

Poliklinik: Kurdirkos g. 18.

Apotheke: Komjaunimo 10; Aušros al. 66.

Tanken: Tilžès 223; Vilniaus g.12; Kosmunautų g.; Kursenų g.; Bielskio g. 47.

Autowerkstatt: Vilniaus g. 8, Tel. 36465.

Bewachte Parkplätze: Daukanto g.; Gardin g. 2.

● *Museen*: **Aušra Museum**, Aušros al. 47. Seit 1923 kann man sich hier über die Geschichte und Ethnographie Litauens informieren. Das Museum zählt zu den bedeutendsten dieser Art in Litauen, geöffnet Mi-So von 11-18 Uhr.

Aušra Museum, Vytauto g. 89. Zweig des o, g. Museums. Kunsthalle mit wechselnden Werken aus der modernen bildenden Kunst, geöffnet Mi-So von 11-18 Uhr.

Fahrradmuseum, Vilniaus g. 139. Da seit Jahren in Šiauliai Fahrräder hergestellt werden, brauchte die Stadt natürlich auch ein solches Museum. Zu sehen sind alte Exemplare und neue Drahtesel, made in Lithuania, ausgerichtet auf den Bedarf der Gesamtsowjetunion an Fahrrädern, geöffnet Mi-So von 11-19 Uhr.

Foto-Museum, Vilniaus g. 140. Neben dauerhaften Exponaten auch wechselnde Ausstellungen aus aller Welt. Außen ist das Museum unauffällig, auf das Minolta-Schild achten, geöffnet Do-Mo von 12-19 Uhr.

Radio- und Fernsehmuseum, Vilniaus g. 174. Ein ausgedienter Fernseher und ein ebensolches Radio weisen auf das Museum hin. Zu sehen sind u. a. der erste in Šiauliai hergestellte Fernseher und das erste Radioset. Geöffnet Mi-So von 11-18 Uhr.

K. Jovaras-Museum, Vytauto g. 116. Museum für den litauischen Dichter K. Jovaras, Di-Fr von 10-17 Uhr geöffnet.

Katzenmuseum, Žuvininkų g. 18. Zu sehen sind schnurrende Vierbeiner in allen Variationen und aus allen möglichen Materialien. Besonders amüsant für Kinder, geöffnet Mi-So von 11-17 Uhr.

Ausstellungshalle, Vilniaus g. 254. Wechselnde Expositionen aus den Bereichen Geschichte, Kunst und Kunstgewerbe.

● *Unterhaltung*: **Dramentheater**, Tilžes g. 155, Tel 32940. **Mazasis Theater**, Vilniaus g. 247, Tel. 36700.

● *Festivals*: **Straßenfest** - Am 23. September findet alljährlich auf der Vilniaus g. ein bunter Handwerksmarkt statt. Darüber hinaus verwandelt sich die Straße in eine einzige Bühne, auf der gesungen, getanzt und musiziert wird. Begleitet wird das Fest von einer Anzahl Sonderveranstaltungen, zu erfragen im Hotel oder Touristenbüro.

Sängerfest: Jedes Jahr im Juni findet ein Sängerfest statt. Austragungsort ist der Salduvė-Park, genauen Termin im Touristenbüro erfragen.

Sehenswertes

Peter-und-Paul-Kirche: Das Gotteshaus befindet sich in der Pergalès al. Dieses Bauwerk ist das einzige, das an das historische Šiauliai erinnert. Das im Stil der Renaissance errichtete Gotteshaus entstand zwischen 1595 und 1625. Der an die 70 m hohe Turm ist einer der höchsten von ganz Litauen. Um die kunsthistorische Bedeutung der Peter-und-Paul-Kirche hervorzuheben, wird sie des öfteren mit der gleichnamigen Kirche in Vilnius verglichen, die als ein Meisterwerk des Barock gilt.

Berg der Aufständischen (Sukilèlių kalnas): In der Žemaitės g., von der Vilniaus g. aus der Richtung des Hotels Šiauliai kommend, links abgehend, befindet sich ein Denkmal für die im Jahre 1863 im Aufstand gegen das Zarenregime gefallenen und hingerichteten litauischen Partisanen.

Peter-und-Paul-Kirche

Sonnenuhr-Platz: Geht man vom Hotel Šiauliai rechts die Šalkausko g. hinunter, so gelangt man zum Platz mit der Sonnenuhr, ein Geschenk der Stadt an ihre Bevölkerung anläßlich ihres 750. Geburtstages.

Denkmal für die Schlacht bei Saule: Am Rande des Salduvė-Parks in der Šeduvos g., die parallel zur Vilniaus g. Richtung Radviliski verläuft. Das Denkmal erinnert an die legendäre Schlacht, in der ein 3000 Mann starkes Heer von Litauern, Letten und Kuren dem Missionseifer der livländischen Kreuzritter im Jahre 1336 Einhalt geboten und sie besiegt hat.

Umgebung

▶ **Bubiai:** Gelegen am Forst von Bubiai und umgeben von malerischen Seen und Bächen, ist der Ort eine ideale Oase der Erholung. Das wissen auch die Šiauliaier, für die Bubiai ein beliebtes Wochenendziel ist. Zu erreichen ist der 15 km südlich von Šiauliai gelegene Ort über die A-216 Richtung Kelme.

▶ **Berg der Kreuze:** Etwa 12 km nördlich von Šiauliai Richtung Riga ist eine der Hauptsehenswürdigkeiten Litauens zu finden: ein gigantischer Hügel, bedeckt von einem Meer aus Kreuzen, Rosenkränzen und Kruzifixen aus den verschiedensten Materialien.

Hie und da ragt eine Madonna oder eine Jesus-Skulptur aus dem Kreuzund Kerzenmeer heraus, das sich mittlerweile bereits bis über den Fuß des Berges erstreckt und stets größer wird. Kein Mensch wird sie jemals zählen können.

Berg der Kreuze

Der Kreuzberg ist die Pilgerstätte der litauischen Gläubigen schlechthin, doch ist er auch als Ausdruck eines passiven politischen Widerstandes zu sehen. So wurden die ersten Kreuze nach der blutigen Niederwerfung des Aufstandes gegen den Zaren zum Gedenken an die litauischen Opfer aufgestellt. An Kreuzen hat der Berg auch während der sowjetischen Zeit gewonnen, was Moskau einmal mit der Niederwalzung des gesamten Kreuzberges beantwortete. Doch am nächsten Tag ragten bereits wieder die ersten Kreuze gen Himmel. Auch im Januar 1991 erhielt der Kreuzberg einige neue Exemplare, zum Gedenken an die dreizehn Menschen, die am Fernsehturm von Vilnius im Kampf gegen die Sowjettruppen ums Leben kamen. Doch die Kreuze werden auch auf freudige Ereignisse hin aufgestellt, wie z. B. als Glückssymbol bei Eheschließungen oder zur Geburt eines Kindes. Auch die Wiedererlangung der Unabhängigkeit brachte eine Flut von Kreuzen mit sich.

● *Anfahrt/Verbindungen*: **PKW** - Ca. 12 km hinter Šiauliai kommt an der Straße Richtung Riga rechts ein Hinweisschild zum Kreuzberg, von da aus sind es noch ca. 500 m **Bus**: Von Šiauliai aus Richtung Riga fahren, an der Haltestelle *Domantai* aussteigen.

▶ **Joniškis**: Kleines Bezirkszentrum, 39 km nördlich von Šiauliai an der A-216, fast an der Grenze zu Lettland, gelegen. Interessant ist in dem Ort die Kirche, die Ende des 17. Jh. entstand. Erbaut wurde sie , als der entsetzte Bischof von Kurland hier 100 Jahre nach der offiziellen Taufe Litauens immer noch auf Heiden stieß, und daraufhin beschloß, den armen Ungläubigen sofort ein Gotteshaus zu bauen.

Beeindruckend ist das Altarbild der Kirche, das mit seinen intensiven Blautönen eine solche Tiefe vermittelt, daß man leicht den Eindruck bekommt, in dem Bild befinde sich das Tor zum Himmel.

Auf der Straße von Šiauliai nach Joniškis geht etwa auf halber Strecke links ein Weg zu einem Mahnmal für die Opfer des Faschismus ab.

Kuršėnai *(ca. 22.000 Einwohner)*

Die kleine Stadt liegt an der Venta, nordwestlich von Šiauliai, und gehört geographisch schon zur Provinz Žemaitija.

Bekannt war der 1581 zum ersten Mal erwähnte Ort wegen seiner Keramik. Den Zentralplatz, Mittelpunkt des Städtchens, ziert das Denkmal für *L. Ivinskis*, einen bekannten Aufklärer Litauens. Etwas oberhalb auf einer kleinen Anhöhe befindet sich die neugotische, 1933 fertiggestellte Kirche *St. Jona Krikštytojo*. Viele kleine und kleinste Altäre und unzählige goldene Ikonenbilder schmücken ihr in Gelb gehaltenes Inneres. Zu Pfingsten ist der Altar mit Leinwand zugehängt, was den Eindruck eines großen Bühnenbildes erweckt.

● *Postleitzahl*: 5420
● *Vorwahl*: 214 (Šiauliai)
● *Anfahrt/Verbindungen*: **PKW** - Von Šiauliai ca. 30 km die A-225 Richtung Palanga fahren.
Bus: Verbindung mit Šiauliai, Palanga und Klaipėda.
● *Übernachtung*: **Kuršėnai**, Basanavičiaus

8. Zimmer sind sehr einfach. Zimmer ohne Bad, ÜB ca. 1 DM pro Nacht.
● *Essen*: **Paventis**, Vilniaus g., am Zentralplatz gelegen. Festlich gedeckte Tische mit freundlichem Service und gutem Essen. Abends werden von einer Live-Band Schlager aus längst vergangenen Zeiten gespielt, Tel. 71596.

Panevėžys *(ca. 150.000 Einwohner)*

Obwohl Panevėžys die fünftgrößte Stadt Litauens ist, ist sie doch recht überschaubar und gemütlich. Eine Altstadt sucht man hier zwar vergebens, doch die Fußgängerzone, die kleinen Cafés und der Laisvės a. (Freiheitsplatz) verleihen Panevėžys eine überaus freundliche Ausstrahlung.

Im Jahre 1503 wurde der Name Panevėžys in einem Brief des *Großfürsten Alexanders* an den *Bischof von Ramgyla* zum ersten Mal erwähnt. Mit diesem Schreiben machte der Großfürst den Geistlichen zum Eigentümer der Ländereien, die um das zwischen den Flüssen *Nevėžis* und *Levo* gelegene *Gut Panevėžys* lagen. Bedingung jedoch war der Bau einer Kirche. Von jenem hölzernen Gotteshaus ist nichts übrig geblieben, da es den Flammen zum Opfer gefallen ist, so daß heute nur noch ein Holzkreuz an die Kirche erinnert. Nicht weit vom Gut Panevėžys entstand Ende des 18. Jh. die Siedlung *Mikolajevas* und auf der anderen Flußseite die Ortschaft *Naujasis- (Neu-) Panevėžys*. Im Laufe des 19. Jh. sind die drei Orte zur Stadt Panevėžys verschmolzen. Auf Grund seiner geographischen Lage zwischen Vilnius und Riga, zusätzlich begünstigt durch den Bau der Eisenbahn, entwickelte sich Panevėžys immer mehr zu einem Industriezentrum. Insbesondere in den 60er Jahren dieses Jahrhunderts wurde die Architektur Panevėžys wegen des steigenden Bedarfes an Wohnungen für seine Arbeiter durch triste Plattenbauten ergänzt. Der älteste Betrieb der Stadt ist die heute als Kombinat arbeitende Spiritusfabrik, deren Existenz förmlich in der Luft liegt. Seit 1927 ist Panevėžys Bischofssitz.

- *Postleitzahl*: 5310
- *Vorwahl*: 254
- *Information*: Respublikos g. 38. Befindet sich im gleichen Gebäude wie das Hotel Upytė, jedoch einen Eingang vorher nehmen, Mo-Fr von 10-16 Uhr geöffnet, Tel. 64185.
- *Anfahrt/Verbindungen*: **PKW** - Aus Vilnius kommend die M-12 Richtung Riga nehmen; aus Klaipėda die A-225, die weiterführt nach Rokiškis; und aus Kėdiniai die A-230; über eine Landstraße, ebenfalls mit Anykščiai verbunden.
Bus: Verbindung in alle litauischen Großstädte und in die umliegenden Dörfer. Busbahnhof liegt im Zentrum, Savanorių a. 5.
Bahn: Zugverbindung mit Kaliningrad via Klaipėda und mit Šiauliai sowie mit Moskau via Rokiškis und Daugavpils. Der Bahnhof befindet sich in der Stoties g. Ins Zentrum Bus 7 nehmen bis zur Haltestelle Ukmergė (nach der Brücke an den Fahnenmasten).
- *Übernachten*: **Nevėžis**, Laisvės a. 26. Bestes und teuerstes Hotel der Stadt. Direkt am Laisvės a., am großen Freiheitsplatz gelegen. Zimmer sauber, aber nicht spektakulär, ÜB etwa 18 DM, Tel. 35117.
Rambynas, Respublikos g. 34. Kleines, mittelmäßiges Hotel mit angeschlossenem Friseursalon. EZ ca. 3,50 DM, DZ ca. 6 DM, Tel. 61007.
Upytė, Respublikos g. 38. Zimmer sind sehr einfach ausgestattet, DZ ca. 4 DM, EZ ca. 2 DM, Tel. 66747.

Essen

Burai, Respublikos g. 62. Nettes, kleines Privatcafé, das auch warme Gerichte serviert, Tel. 64805.
Nevėšis, gehört zum gleichnamigen Hotel. Nicht sehr empfehlenswert, ungemütlich, Tel. 35115.
Theatercafé, Laisvės a. Modernes, dunkles Privatcafé im Gebäude des Theaters. Nicht den Haupteingang nehmen, sondern den rechten Seiteneingang, und dann sofort wieder rechts gehen. Von außen nicht als Café erkennbar. Leckere Salate und belegte Brote im Angebot, guter Kaffee.
Žiogelis, Ukmergės g. 3. Kinderfreundliches Restaurant mit kleinen Tischen für kleine Gäste. Die Wände werden von Märchenbildern geziert, Tel. 63557.
Žara, Dariaus ir Girėno g. 4. Geschickte Raumaufteilung durch höher und tiefer gelegte Tische. Gutes Essen, Tel. 26210.
Grillbarras, Elektro g. 1. Einfache Imbißstube mit wechselnden Tagesgerichten.
Žarija, Vilniaus g. 25. Privates Café mit schönen roten Holzmöbeln.
Aguonėlė, Laisvės a. Innen ist das Café einfach, doch kann man dort im Sommer draußen sitzen und bei einem supersüßen Eis-Saft-Shake dem Treiben auf dem Freiheitsplatz zusehen.
Pinguin, Kranto g. 4. Eisdiele der Schweizer Pinguin-Kette.

Pavasaris, Respublikos g. 36. Stehcafé, in dem es außer bunten Törtchen und Cremekuchen auch Eisshakes gibt.

Senvagė, Elektro g. 3. Klitzekleine, rosarote Bar mit freundlicher Atmosphäre.

Verschiedenes

● *Einkaufen*: **Souvenirs** - *Pine*, Respublikos g. 28. Souvenirgeschäft mit begrenztem Angebot an Leder-, Keramik- und Schmuckwaren.
Buchladen, Respublikos g. 21. Angebot variierend, manchmal "fast" neue deutsche Zeitschriften zu hohen Preisen, zudem Verkauf von Kartenmaterial über Litauen, wenn vorrätig.
Markt, Ukmergė g. 26. Samstags herrscht hier bunte Geschäftigkeit. Über erstklassiges Gemüse bis hin zu billigster Importware gibt es nichts, was es nicht gibt, wenigstens im Sommer. Neben dem Markt, immer dem Duft nach, befindet sich eine Bäckerei, die ofenfrische Baguettes verkauft.

● *Diverses*:
Geldwechsel - Respublikos g. 56.
Post: Respublikos g. 60.
Telegrafenamt: Respublikos g. 58.
Taxi: Hauptstand am Busbahnhof, Taxiruf, 66656.
Autowerkstatt: Velzio kelias 48, Tel. 33113.
Tankstellen: in der Klaipėdos g.; Ramygalos g.; Velzio kelias.
Bewachte Parkplätze: Bielinio g.; Parko g.; Ateitis g.
Stausee: Mitten im Zentrum befindet sich ein künstlicher See, aus dem eine mächtige Fontäne in den Himmel schießt. Um den See herum wird gerade ein **Skulpturenpark** angelegt.

● *Museen*: **Museum für regionale Studien**, Vasasrio 16- osios 23: Zu sehen ist eine Ausstellung präparierter Insekten sowie Funde und Gegenständen aus der Ge-schichte Panevėžys und Umgebung, Di-So von 12-20 Uhr geöffnet.
Gemäldegalerie, Respublikos g. 3. Wechselnde Expositionen von Werken zeitgenössischer Kunst, Mi-So von 12-20 Uhr geöffnet.
Kazimieras Manis-Museum, winzig kleines, hübsches Privatmuseum im Wohnhaus des Künstlers. Zu sehen sind geschnitzte Skulpturen und Reliefs nach Themen aus der litauischen Mythologie, Fabelwelt und Volksliedern. Öffnungszeiten richten sich nach der Anwesenheit des Hausbewohner.

● *Unterhaltung*: **Dramentheater**, Laisvės a. Auch wenn für viele das litauische Theater wegen Sprachbarrieren eher uninteressant ist, so ist das von Panevėžys dennoch erwähnenswert. Durch den Regisseur *Juozas Miltinis*, der auch internationale Anerkennung fand, ist das Theater von Panevėžys sehr bekannt geworden. Juozas Miltinis nahm in London und Paris Schauspielunterricht und wagte sich als Regisseur an kritische Inszenierungen, was bis vor kurzem sicherlich kein ungefährliches Unterfangen war. Auch wenn der Regisseur das Theater mittlerweile nicht mehr leitet, so genießt es doch noch immer ein hohes Ansehen, Tel. 62837.
Festivals: Alljährlich im Sommer findet in Panevėžys ein großes Kinderfest statt. Die Kinder tauchen an diesem Tag die gesamte Republikos g. in ein fröhliches Farbbad, was noch Wochen später zu sehen ist. Der Termin für die große Kinderparty ändert sich von Jahr zu Jahr.

Umgebung

▶ **Upytė**: Südöstlich von Panevėžys liegt das Dorf Upytė mit seinem sehenswerten **Flachsmuseum**. Die Ausstellung ist in einer alten Mühle untergebracht. Kürzlich wurde das Museum restauriert, soll aber mittlerweile wieder geöffnet haben. Näheres dazu im Touristenbüro in Panevėžys erfragen.

● *Anfahrt/Verbindungen*: **PKW** - Liegt etwa 12 km südlich von Panevėžys, zu erreichen über die Landstraße nach Krekenava/Kėdainiai.

Bus: Verbindungen selten. Bus nach Ėriškiai nehmen und den Fahrer bitten, in Upytė an der Mühle zu halten: *"Ar galite sustoti prie malūno"*.

▶ **Smiligiai:** Kleiner Ort etwa 25 km westlich von Panevėžys an der Straße nach Šiauliai gelegen. Anhand eines kleinen ethnographischen Museums kann man sich hier ein Bild davon machen, wie die ländliche Bevölkerung im Gebiet Panevėžys vor 100 Jahren gelebt und gearbeitet hat. Sehenswert ist auch die im Dorf befindliche Kirche. Die erste Kirche erhielt der Ort 1646 durch die hier ansässigen Grafen *von Fleming*, doch hat diese den Lauf der Jahre nicht überstanden. Das gegenwärtige Gotteshaus wurde 1858 eingeweiht. Von Interesse ist auch der hölzerne Glockenturm.

▶ **Raguvėlė:** Sehenswert in dem Ort ist der Gutshof und das Schloß der Familie *Komar*. Es entstand um die Wende vom 18. auf das 19. Jh. und besteht aus insgesamt 19 Gebäuden. Über dem Eingangsportal des im klassizistischen Stil errichteten Schlosses prangt stolz das Familienwappen. Zu der Anlage gehören ebenfalls ein Glockenturm und eine Grabkapelle.

• *Anfahrt/Vebindungen*: PKW - liegt etwa 25 km südöstlich von Panevėžys an der Straße, die nach Anykščiai führt.

Bus: Linie Panevėžys - Anykščiai nehmen.

Rokiškis *(ca. 25.000 Einwohner)*

Nette kleine Schloßstadt im Nordosten Litauens und gleichzeitig Bezirkszentrum. Der Mittelpunkt Rokiškis wird von einem großen, dicht bepflanzten Platz gebildet, dem Nepriklausomybės a., an dem rechts und links zwei kerzengerade Straßen vorbeiführen.

An einem Ende erhebt sich die neugotische Matthäus-Kirche, während das andere Ende durch eine schnurgerade Allee mit dem Schloß verbunden ist.

Zum ersten Mal wurde Rokiškis 1499 von *Alexander*, König von Polen und Großfürst von Litauen, in einem Brief erwähnt. Ungefähr 200 Jahre war das Schloß und das dazugehörige Gut im Besitz der Fürsten *Krozsinski*, die es durch eine Schenkung im 16. Jh. erhielten, bis beides schließlich durch eine Heirat im 18. Jh. an die Familie *Tyzenhaus* fiel, die das Anwesen im klassizistischen Stil umbauen ließ.

• *Postleitzahl*: 4820

• *Vorwahl*: 278

• *Information*: Nepriklausomybės a. 22, Tel. 51354.

• *Anfahrt/Verbindungen*: PKW - Von Panevėžys etwa 88 km die A-225 Richtung Daugavpils entlangfahren; über eine Landstraße auch mit dem etwa 45 km nordwestlich gelegenen Biržai verbunden.

Bus: Am regelmäßigsten Verbindung mit Panevėžys, Biržai und Anykščiai. Busbahnhof in der Rokiškio g. 3, liegt etwas außerhalb, ins Zentrum Bus 1 oder 2 nehmen. Haltestelle in der Stadtmitte heißt *Centras*, unmittelbar an dem großen Hauptplatz gelegen. Der Bus braucht ca. 25 Min. bis zum Busbahnhof und fährt an

Sonn- und Feiertagen nur einmal stündlich.

Bahn: Zwei Züge täglich nach Daugavpils und Šiauliai sowie ein Zug nach Kaliningrad via Klaipėda und einer nach Moskau. Bahnhof, Stoties 4. Ebenfalls Bus 1 oder 2 nehmen, liegt noch ca. drei Haltestellen weiter draußen als der Busbahnhof.

• *Übernachten*: **Rokiškis**, Nepriklausomybės a. 25. Nettes Haus mit gemütlichen Zimmern. Die ÜB ist zwar immer noch preiswert, aber teurer als in anderen Kleinstädten. EZ ca. 10 DM, DZ ca. 18 DM, Tel. 52345.

• *Essen*: **Nemunėlis**, Nepriklausomybės a. 23. Relativ großes Restaurant mit relativ kleinen Portionen, Tel. 52368.

Žara, kleines Café, zum Hotel gehörend,

recht gute Küche, Tel. 51622.

● *Diverses*: **Geldwechsel** - Kauno g. 7.

Post: Respublikos g. 92.

Markt: Kleiner Marktfleck gegenüber der Haltestelle Centras, besser Einkaufen kann man an den Ständen am Busbahnhof.

Sehenswertes

Schloß: Erstmalig erwähnt wurde das Schloß von Rokiškis im Jahre 1499. Auf Initiative der damaligen Besitzer *Tyzenhaus* wurde es 1801 grundlegend verändert, so daß der Bau ein klassizistisches Äußeres erhielt. Vom Zentrum, dem Nepriklausomybės-Platz, führt eine ca. 1 km lange gerade Allee zu dem noch gut erhaltenen Anwesen. Der Weg dorthin ist überaus romantisch: Teiche voller Entengrütze liegen idyllisch am Wegesrand, an deren Ufern alte, aus groben Steinen erbaute Häuser stehen. Hier wohnten einst wohl die Bediensteten der jeweiligen Fürstenfamilie. Der Schloßgarten ist mit seinen hohen Bäumen und üppigen Sträuchern herrlich verwildert. Im Schloß ist das Museum des Rokiškiser Bezirks untergebracht.

Öffnungszeiten: Mi-So von 10-18 Uhr.

Matthäus-Kirche: Neugotischer Backsteinbau aus dem Jahre 1868. Durch ihre in blaugrau gehaltenen Wände sieht die Kirche aus, als wäre sie gekachelt. Die Ausstattung des Gotteshauses ist sehr kostbar. Erwähnenswert ist der mit Skulpturen reich verzierte, holzgeschnitzte Hochaltar. Die Wände sind mit einer eindrucksvollen Bilderserie zum Leidensweg Christi geschmückt, wobei jedes einzelne Gemälde in einem kunstvoll geschnitzten Holzrahmen steckt. Die prachtvollen Fenster stammen von Wiener Meistern. In der Kirchenkrypta befinden sich die sterblichen Überreste der Familie von Tyzenhaus.

Biržai *(ca. 20.000 Einwohner)*

Hübsche, kleine Stadt am Zusammenfluß der Flüsse Apaščia und Agluona gelegen. Das Schmuckstück von Biržai ist sein restauriertes Schloß mit dem darin befindlichen Museum zur Stadt- und Landesgeschichte.

Teilweise ist das Schloß noch von richtigen Wassergräben umgeben. Unmittelbar neben dem stolzen Anwesen liegt der *Širvenos-See*, in dem man baden kann. Ein Besuch in Biržai lohnt sich.

Die Ländereien um Biržai gehörten lange Zeit zu den Besitztümern der Fürstenfamilie *Radvila* (Radziwill). Die Radvilas verdankten ihr Ansehen mehr oder weniger ihrer schönen Tochter *Barbara Radvilaitė*, die *Sigismund August*, König von Polen und Großfürst von Litauen, derart bezauberte, daß er sie trotz vehementer Widerstände am polnischen Hof ehelichte und so auch die Radvilas zu großen Reichtümern gelangten. 1575-1589 ließ *Perkūnas Radvila* das Biržaier Schloß errichten, das allerdings nicht mit einer glorreichen Kriegsgeschichte auftrumpfen sollte. Schon 1625 wurde die Festung vom schwedischen König *Gustav Adolf* erobert.

Als die Radvilas ihre Burg zurückerhielten, lag sie in Trümmern. 1704 fiel das Biržaier Schloß, gerade frisch restauriert, erneut schwedischen Angriffen zum Opfer. Die Burg begann zu verfallen und wurde immer bedeutungsloser, was sich auch auf die Stadt auswirkte. Im Jahre 1800 wurde Biržai gar das Stadtrecht entzogen. Erst in diesem Jahrhundert hat man begonnen, die Burg wieder zu restaurieren.

Auf der anderen Seite des Širvėnos-Sees, fast gegenüber des Schlosses der Familie Radvila, erhebt sich ein weiterer Prachtbau. Das klassizistische Gebäude gehört zum Besitz der Fürsten von *Tiškevičiaus*, die, als sie um 1800 nach Biržai kamen, kein Interesse an der zerstörten Radvila-Burg hatten.

- *Postleitzahl*: 5280
- *Vorwahl*: 220,
- *Information*: Mickevičiaus Kapsuko g. 28, befindet sich in der Nähe des Hotels, Tel. 51169. Auf Anfrage werden deutschsprachige Stadtführungen organisiert. Auf dem Weg vom Busbahnhof ins Zentrum ist linker Hand ein Stadtplan aufgestellt.
- *Anfahrt/Verbindungen*: **PKW** - Von Panevėžys etwa 38 km die M-12 Richtung Riga fahren. Kurz nach dem Ort Pasvalys geht eine Landstraße ab, über die man Biržai nach ca. 28 km erreicht.

Bus: Anschlüsse nach Panevėžys, Šiauliai, Rokiškis, mindestens einmal täglich auch nach Vilnius und Kaunas. Busbahnhof befindet sich am Basanavičiaus a. 1.

Bahn: Biržai liegt zwar an der Bahnlinie, doch halten hier keine Personenzüge.

- *Übernachten*: **Žvaigšde**, Kęstučio g. 5. Freundliches, aber einfaches Hotel, Zimmer ohne Bad. Übernachtung ca. 1 DM, Tel. 51345. Vom Busbahnhof einfach die Vytauto g. geradeaus ins Stadtzentrum runtergehen und rechts in die Kęstucio g. einbiegen.
- *Essen*: Biržai kann mit zwei Restaurants und einem Café aufwarten, die sich alle drei nicht übermäßig voneinander unterscheiden und sich auch nicht durch eine aufregende Küche auszeichnen, es sei denn, sie sind mittlerweile generalüberholt worden.

Restoranas, Vytauto g. 23, Tel. 51444.
Restoranas, Vytauto g. 29.
Apaščia, Vytauto g. 65 g., Tel. 52907.

- *Diverses*: **Geldwechsel** - Kęstučio g. 10.

Post: Vytauto g. 25.
Telegrafenamt: Mickevičiaus Kapsuko g., schräg gegenüber vom Hotel.

Sehenswertes

Burg: Die auch heute noch von Wassergräben umgebene Burg ist nicht nur wegen ihrer Architektur sehenswert, sondern beherbergt auch ein interessantes Museum. Ausgestellt sind u. a. archäologische Funde aus der Biržaier Region, antike Möbel, Keramik und Kreuze der alten Litauer mit Mond-, Sonnen- und Schlangenornamenten.

Öffnungszeiten: Mi-So von 11-19 Uhr.

Širvėnos-See: Ein Spaziergang durch die Burganlagen ist ebenfalls lohnenswert. Überquert man rechts den Wassergraben, so kommt man zu einer kleinen Strandwiese am Ufer des Širvėnos-Sees. Nicht weit von hier fließt die Agluona in den Širvėnos-See.

Zurück in die Stadt kann man auch über einen idyllischen, halbzugewachsenen Weg entlang der Agluona gelangen, an deren Ufer kleine uralte Kähne verträumt im Flußwasser schaukeln.

Anykščiai (ca. 15.000 Einwohner)

Die Stadt, etwa 60 km südöstlich von Panevėžys, ist am malerischen Zusammenfluß von Anykšta und Šventoji (die Heilige) gelegen. Laut einer Legende soll die Stadt dem herzzerreißenden Schmerzensschrei eines Riesen ihren Namen verdanken, der sich beim Holzfällen derart auf den Daumen gehauen hatte, daß er voller Schmerz immer wieder "Ah, nykšti, ah nykšti" (oh Daumen, oh Daumen) schrie.

Anykščiai ist eher unbedeutend, doch die landschaftliche Schönheit, die die Stadt umgibt, und die Tatsache, daß einige namhafte litauische Schriftsteller aus Anykščiai hervorgegangen sind, zieht alljährlich viele Touristen an. Nähert man sich der Stadt von Kavarskas her, so kommt man vorbei an dem Wohnhaus, in dem der Schriftsteller *Anatanas Vienuolis-Žukauskas* (1882-1957) einige Zeit lebte.

Am bekanntesten ist der Ort wohl durch den "Hain von Anykščiai" von *Anatanas Baranauskas* (1835-1902) geworden, der 1858 und 1859 hier seine Ferien verbrachte und mit seinem Poem eine wahre Liebeserklärung an die litauische Natur verfaßte. Baranauskas Werk gilt als ein Meilenstein in der litauischen Literatur.

Die Stadtrechte besitzt Anykščiai seit Beginn des 16. Jh.

- *Postleitzahl*: 4930
- *Vorwahl*: 251
- *Information*: Daukanto g. 7, Tel. 51738/ 51271.
- *Anfahrt/Verbindungen*: **PKW** - Die Stadt liegt an keiner Schnellstraße. Von Vilnius und Panevėžys die M-12 bis zum Ukmergė Kreuz nehmen und dort auf die A-226, die von Kaunas kommt, wechseln. Nach ca. 13 km geht links, kurz nach dem Dorf Šventupė, eine Straße über Kavarskas nach Anykščiai ab.
Bus: Gute Verbindung mit Panevėžys, Utena und Ukmergė. Ebenfalls Busse nach Vilnius, Kaunas und Šiauliai. Busbahnhof in der Vienuolio g. 1.
- *Übernachten*: **Puntukas**, Baranausko a. 15. Saubere Zimmer von einfacher bis gehobener Kategorie, ÜB ab ca. 4 DM, Tel. 51345.
- *Essen*: **Puntukas**, Baranausko a. 14. Große Speisehalle mit Parkettfußboden und roten Stühlen. Der Aufgang zum Restaurant wirkt nicht gerade einladend, Essen durchschnittlich.
Kava, befindet sich direkt neben dem Restaurant. Einfaches, aber ganz nettes Café mit angeschlossener Konditorei.
Baras, kleine, dem Hotel angeschlossene Bar mit roten Plastikstühlchen und Pop-Musik im Hintergrund. Getränke, belegte Brote, Bonbons und Kuchenteilchen erhältlich.
Baras: befindet sich im Kulturhaus, schräg gegenüber vom Baranausko a. Gemütliche Kaffeebar mit Musik.
- *Diverses*:
Geldwechsel - Baranausko a. 1/2.
Post: Biliuno g. 5.
Poliklinik: Vilniaus g. 5.
Apotheke: Biliuno g. 7.
Bewachter Parkplatz: Biliuno g. fast bis zum Ende durchfahren, beim Haus Nr. 34 rechts in die Žiburio g. einbiegen und dann die erste Straße links nehmen.
Tankstelle: Vienuolio g.
Buchladen: Biliuno g. 9.

Sehenswertes

Museum für A. Baranauskas und A. Vienuolio-Žukauskas:

(Vienuolio g. 6) Zu sehen ist eine Ausstellung über das Leben und Schaffen der beiden Schriftsteller, die übrigens miteinander verwandt waren. Das Museum ist in dem ehemaligen Wohnhaus von A. Vienuolio-Žukauskas untergebracht. In den Räumen der oberen Etage des Hauses, die der Literat einst bewohnte, ist die Zeit stehengeblieben: Alles ist in dem Zustand belassen worden, in dem es sich zu der Todesstunde des Schriftstellers befand.

Vor dem Wohnhaus von Vienuolio-Žukauskas steht die rustikale **Kletė** (Holzhütte) von A. Baranauskas, in der der Dichter seinen legendären "Hain von Anykščiai" verfaßte.

Denkmal für den Dichter Baranauskas

Öffnungszeiten: Im Sommer ist das Museum Mi-So von 9-18 Uhr und im Winter bis 17 Uhr geöffnet. Führungen auf litauisch und russisch möglich.

Jüdischer Friedhof: Biegt man vom Baranausko a. am Universalmarkt rechts in die Šaltupio g. ein und geht diese bis zum Ende durch, gelangt man auf die Kęstučio g. In diese rechts einbiegen und etwa 500 m hinunterlaufen, bis sich linker Hand ein Hügel erhebt, auf dem sich unzählige große und kleine jüdische Grabsteine befinden. Von dort oben hat man außerdem eine schöne Sicht auf die Dächer von Anykščiai.

Hain von Anykščiai: Am Ende der Stadt, dem südlichen Verlauf der Šventoji folgend, schließt sich ein 150.000 ha großes Landschaftsschutzgebiet an, das mit seinem dichten Wald zu ausgiebigen Wanderungen einlädt. Mitten auf einer Waldlichtung liegt der legendäre *Stein des Puntukas*. Erzählungen zufolge gehörte der Stein eigentlich zur Kirche von Anykščiai, bis der Teufel persönlich ihn einst von dort geholt haben soll . . .

Puntukas-Findling am Hain von Anykščiai

... vor langer, langer Zeit müssen die Anykščiaier dem Teufel eine Spur zu fromm geworden sein, was ihn sehr verdroß. Um den Gläubigen eins auszuwischen, beschloß er, ihrer Kirche einen dicken Stein zu rauben und diesen mit in die Hölle zu nehmen. Kaum hatte der Teufel mit seinem Stein die Stadt verlassen, kreuzte eine Hexe seinen Weg. Sogleich fielen beide in eine lebhafte Unterhaltung. Ganz im Bann des Hexencharmes, trottete der dunkle Geselle nach einer Weile lächelnd von dannen. An den Stein dachte er überhaupt nicht mehr, und so liegt er bis heute noch an der Stelle, wo der Teufel ihn damals vergessen hatte.

An einer Seite des Steines sind die Porträts der beiden litauischen Atlantikflieger *Dariaus* und *Girėnas* herausgemeißelt. Die beiden Piloten wollten 1933 mit dem Eindecker *Lithuania* von Amerika über den Atlantik nach Litauen fliegen. Kurz vor dem Ziel stürzte die Maschine jedoch unweit von Soldin (ehem. Ostpreußen) ab, wobei die beiden Flieger ums Leben kamen. Kurz darauf wurden Stimmen laut, daß die Lithuania von den Deutschen aus Mißgunst über den bevorstehenden Erfolg abgeschossen worden sei. Das Wrack der Maschine (zu besichtigen in Kaunas) weist jedoch keine Einschußlöcher auf.

Dariaus und Girėnas werden in Litauen fast heldenhaft verehrt, hat doch so gut wie jede Stadt eine ihrer Straßen nach den verunglückten Atlantikfliegern benannt.

• *Anfahrt/Verbindung*: **Zu Fuß** zum Puntukas: Die Vilniaus g., die vom Baranausko a. abgeht und an der hübschen neugotischen Kirche der Stadt vorbeiführt, etwa 5 km immer geradeaus gehen. Nach etwa 2 km liegt auf der rechten Seite ein Friedhof, etwa 1 km weiter kommt ein Ferienhaus, und am Ende des Weges steht links ein Schild, das auf den Riesenfindling hinweist. **PKW**: Anfahrt bis zum Friedhof s. o. Dort links halten und dem Schild "Puntiko Akmo"

Richtung Želva folgen. Auf der rechten Seite kommt nach etwa 1-2 km ein Ferienlager, dort reinfahren und weiter geradeaus, bis zum Parkplatz. Dort ist der Stein erneut ausgeschildert.

Festivals: Einmal im Sommer zieht ganz Anykščiai nach Niūronys, wo im Haus des Poeten *Biliunas* bei einem guten Tropfen die ganze Nacht gesungen, gegessen und getanzt wird. Seit neuestem gibt es dazu auch wieder den selbstgekelterten Fruchtwein von Anykščiai, der eine Zeitlang unter Gorbatschows Anti-Alkohol-Kampagne verboten war. Der Termin für das Sommerfest wechselt jährlich, im Touristenbüro nachfragen.

Umgebung

▶ **Niūronys**: Etwa 8 km nördlich von Anykščiai befindet sich der Geburtsort des Schriftstellers *Jonas Biliunas* (1879-1907), einem angesehenen Vertreter der litauischen Klassik. Ihm zu Ehren ist in dem Dorf ein kleines Gedenkmuseum eingerichtet.
Öffnungszeiten: im Sommer Mi-Sa von 9-18 Uhr und im Winter von 9-17 Uhr geöffnet.

Pferdemuseum (Arklio muziejūs): Ausstellung von alten Sätteln, Pferdegeschirr, Ackergeräten und Kutschen. Jeden Sommer findet in Niūronys ein großes Reitturnier statt. Außerhalb des Turniers besteht die Möglichkeit zu reiten.
Öffnungszeiten: Das Museum ist Mi-So von 9-18 Uhr geöffnet.

• *Anfahrt/Verbindungen*: **PKW** - Von Anykščiai geht direkt am Anfang der Straße nach Rokiškis links ein Weg nach Niūronys ab.

Bus: Die Verbindung in das Dorf ist recht schlecht. In der Regel fährt lediglich morgens, mittags und abends ein Bus dorthin.

Ukmergė *(ca. 40.000 Einwohner)*

Verwaltungszentrum an der Kreuzung der M-12 und der A-226 zwischen Vilnius und Panevėžys gelegen. Obwohl Ukmergė einer der ältesten Orte Litauens ist, ist er außer für die Durchreise nicht von weiterer Bedeutung.

> . . . vor langer, langer Zeit lebte tief in den Wäldern um Ukmergė eine gute Zauberin, die von den Menschen *Vilkmergė* (dt. Wolfsbraut) genannt wurde. In den Wäldern, in denen Vilkmergė zu Hause war, pflegte *Tautvilas*, Sohn des Fürsten *Daugsprungas*, zu jagen. Eines Tages wurde der Jüngling bei der Jagd von Wölfen angefallen, und das ausgerechnet zu dem Zeitpunkt, als er keine Pfeile mehr hatte. Wie es das Schicksal so wollte, rettete Wolfsbraut ihm in der Gestalt eines wunderschönen Mädchens das Leben. Wider aller Erwartungen haben die beiden jedoch nicht geheiratet. Als Zeichen des Dankes ließ der alte Fürst eine Burg errichten, die den Namen der Zauberin erhielt, und den auch die um die Burg entstandene Stadt übernahm.

So lautet die Legende zur Entstehung der Stadt. Obwohl heute nichts mehr an die Existenz der Burg erinnert, wurde sie tatsächlich in Urkunden Anfang des 13. Jh. erwähnt. Erst nach dem Ersten Weltkrieg erhielt die Stadt jedoch den Namen Ukmergė. Interessant ist die im klassizistischen Stil gebaute *Peter-und-Paul-Kirche* im Zentrum der Stadt. Die Kirche entstand Ende des letzten Jahrhunderts. In den beiden Hauptstraßen des Ortes, der Kauno g. und der Kęstucio g., spielt sich das Leben von Ukmergė ab.

- *Postleitzahl*: 4120
- *Vorwahl*: 211
- *Information*: Kauno g. 29, geöffnet Mo- Fr, Tel. 56137.
- *Anfahrt/Verbindungen*: **PKW** - Von Vilnius die M-12 Richtung Riga nehmen, von Kaunas die A-226 Richtung Daugavpils. **Bus**: Am einfachsten von Vilnius, Panevėžys und Kaunas aus zu erreichen: Wo sich die Wege aus den drei Städten treffen, liegt Ukmergė.
- *Übernachten*: **Viešbutis**, Kauno g. 5. Zimmer durchschnittlich, EZ 3 DM, Lux kostet 6 DM, Tel. 51345.
- *Essen*: **Restoranas**, Kauno g. 9. Dunkler Raum mit roten Vorhängen, Küche eher mittelmäßig.
- *Diverses*: **Geldwechsel** - Kęstučio g. 9. **Poliklinik**: Vytauto g. 105.

▶ **Širvintos**: Kleine Stadt an der Šventoji, 30 km südlich von Ukmergė. Im 14. Jh. wurde der Ort erstmalig erwähnt, blieb aber im Laufe der Geschichte lange unbedeutend. 1920 fand in der Nähe von Širvintos eine bedeutende Schlacht zwischen polnischen und litauischen Einheiten statt, als die Polen versuchten, nach dem sie Vilniuser Gebiet besetzt hatten, weiter nach Kaunas vorzudringen. Die Polen wurden jedoch aufgehalten, und es kam zum Abschluß eines Friedensvertrages, wobei eine neutrale Zone zwischen dem nun polnischen Vilniuser Gebiet und dem übrigen Litauen eingerichtet wurde. Zu dieser Zone gehörte auch Širvintos. An diese Ereignisse erinnert heute ein Denkmal.

Der Osten von Litauen

Utena *(ca. 10.000 Einwohner)*

Kleinstadt und Verwaltungszentrum in Ostlitauen. Ein Teil des Utenaer Bezirks gehört schon zum Aukštaitija-Nationalpark. In dem alten Städtchen hat sich im Laufe der Zeit viel Industrie angesiedelt.

Bekannt ist der Ort seit 1261. Im Mittelalter ging es Utena bis zu den Schwedenkriegen recht gut. 1879 fiel fast die gesamte Stadt einer großen Feuersbrunst zum Opfer. Interessant ist die alte Poststation von 1836, an der Elemente der litauischen Volksarchitektur bewundert werden können, und die Christi-Himmelfahrt-Kirche, die einige kostbare Kunstgegenstände in sich birgt. Sie entstand Ende des 19. Jh.

- *Anfahrt/Verbindungen*: **PKW** - Liegt an der A-226 zwischen Kaunas und Daugavpils und an der Landstraße von Vilnius nach Rokiškis. **Bus**: Verbindung mit Vilnius, Kaunas, Anykščiai, Zarasai und Daugavpils, Busbahnhof in der Basanavičiaus g.

Zarasai   *(ca. 9000 Einwohner)*

Wunderschön liegt das Städtchen Zarasai inmitten dreier Seen. Die Seeufer sind von üppigem Grün umwuchert, und aus einem der Seen erheben sich sogar vier Inseln. Nur einen Steinwurf ist der Ort von der lettischen Grenze entfernt.

Bekannt ist Zarasai erst seit dem 16. Jh., als der Bischof von Vilnius Besitzer des Gebietes um Zarasai wurde. Doch man vermutet, daß der Ort selbst um einiges älter ist.

Erst zu Beginn des 19. Jh. begann sich Zarasai vom Marktflecken zur Kleinstadt zu entwickeln und ist heute Bezirkszentrum.

• *Postleitzahl*: 8500

• *Vorwahl*: 270

• *Information*: Bukanto g. 22. Die Mitarbeiter des Büros sind zwar sichtlich bemüht, doch die Informationen sind noch sehr rar, Tel. 51276.

• *Anfahrt/Verbindungen*: **PKW** - Liegt etwa 60 km nordöstlich von Utena, an der A-226. Kaunas-Daugavpils über die Landstraße auch mit dem ca. 50 km südlich gelegenen Ignalina verbunden und mit dem 63 km nordwestlich gelegenen Rokiškis.
Bus: Verbindung nach Vilnius, Kaunas, Ignalina, Utena und Daugavpils. Bushaltestelle, Savanorių g. 7.

• *Übernachten*: **Viešbutis**, Bukanto 7. Verschiedene Kategorien, Zimmer freundlich eingerichtet, z. T. mit Seeblick. Ein langer, im Sommer brütend heißer Korridor führt zu den Zimmern, ÜB um die 4 DM, Tel. 51345.

• *Essen*: **Restoranas**, Bukanto g. gegenüber vom Museum, direkt neben dem Hotel. Das Essen ist akzeptabel, das Restaurant leider etwas schmuddelig.
Bar, dem Hotel angeschlossen. Kleine, nette Kellerbar.

• *Diverses*: **Geldwechsel** - Dariaus ir Girêno g. 28 a.
Post: Sêlų a. 16/1.
Poliklinik: Malūno g.
Museum: Bugos g. 1/Ecke Bukanto g. Kleine, ansprechende Ausstellung über die Zaraier Region.
Tankstelle: Kauno g.
Festivals: Im Juli findet auf einer der Inseln im Zarai-See ein buntes Volksfest statt. Da die Termine variieren, nochmal im Informationsbüro nachfragen.

Umgebung

▶ **Stelmužė**: Nicht weit von Zarasai befindet sich das romantische Dorf Stelmužė. Schon allein der Weg dorthin ist sehr schön: Es geht durch eine leicht hügelige Landschaft, bewachsen mit saftigen Wiesen und dichten Wäldern, vorbei an kleinen flaschengrünen Seen. Interessant ist Stelmužė aber, weil an seinem Dorfrand eine uralte Eiche steht. An die 1500 Baumringe soll sie tragen. Mittlerweile wird sie altersschwach und ist auch nicht mehr ganz gesund, so daß mehrere stabile "Krücken" den gewaltigen Baum stützen müssen.

Etwas oberhalb der Rieseneiche steht eine schmucke, kleine Holzkirche. Interessant ist ihre Kanzel und der Altar, der mit geschnitzten Pflanzenornamenten verziert ist. Die Kirche ist umgeben von hohen Bäumen.

• *Anfahrt/Verbindungen*: **PKW** - Etwa 5 km die Landstraße Richtung Rokiškis entlangfahren, bis rechter Hand ein Abzweig nach Stelmužė kommt. Im Dorf Richtung Wald fahren und auf Schilder achten.
Bus: Es gibt eine Verbindung mit Zarasai, doch fahren die Busse nicht mehr als 3x täglich.

▶ **Molétai:** Verwaltungszentrum des gleichnamigen Bezirks mit ca. 7000 Einwohnern. Kleiner, verschlafener Ort, umgeben von einer überaus schönen Seenlandschaft und dichten Wäldern. Nicht weit von ihr beginnt der *Aukštaitija-Nationalpark* und die große Seenplatte Ostlitauens.

1387 verschenkte *Jogaila*, Großfürst von Litauen und König von Polen, die Gegend um Molétai an die Bischöfe von Vilnius. In deren Besitz verblieb die Region bis zum vorletzten Jahrhundert. Vergrößert hat sich Molétai erst mit der Ansiedlung von Kaufleuten und Handwerkern.

• *Postleitzahl*: 4150
• *Vorwahl*: 230
• *Information*: Putnos g. 4 Tel. 51557.
• *Anfahrt/Verbindungen*: **PKW** - Etwa 70 km nördlich von Vilnius gelegen. Die Landstraße nach Utena führt durch Molétai, gabelt sich dort und führt weiter nach Anykščiai bzw. Utena. Über die Landstraße in westliche Richtung auch mit Ukmergé verbunden.
Bus: Relativ gute Anschlußmöglichkeiten täglich nach Vilnius, Utena, Ukmergé, Anykščiai, Panevėžys und Kaunas.

• *Übernachten*: **Siesartis**, Putnos g. 6, geht gegenüber der Post von der Vilniaus g. ab. Zimmer ohne WC. EZ ca. 2 DM, Lux 3 DM, Tel. 51345.
• *Essen*: **Molétai**, Vilniaus g. 41. Leider etwas schmuddelig, Tel. 51369.
Café/Bar, Vilniaus g. 29. Zum Café oberen Eingang nehmen, innen unspektakulär, verfügt aber über eine schöne Terrasse. Der untere Eingang führt zur Bar.
• *Diverses*: Poliklinik: Vilniaus g. 76.
Post: Vilniaus g. 43.

▶ **Dubingiai:** Kleiner, sehr schön am See gelegener Ort, etwa 25 km südlich von Molétai. Seit dem 16. Jh. gehörten die Ländereien um Dubingiai zu den Besitztümern der Familie Radvila (Radziwill). Hier ist im übrigen auch die schöne *Barbara Radvilaité* geboren und aufgewachsen (siehe auch Biržai, S. 159).

Ignalina *(ca. 10.000 Einwohner)*

Die Stadt an sich ist etwas farblos, doch ist sie das Tor zum Aukštaitija-Nationalpark. Über die Grenzen Litauens hinaus bekannt ist Ignalina wohl aber eher deswegen, weil in seinem Bezirk (in Sniečkus) ein schneller Brüter, Typ Tschernobyl, am Netz ist.

Während der Sowjet-Zeit sorgte er für viel Furore. Um seinen Bau zu verhindern, wurde die Gegend um Ignalina 1974 schnell zum Nationalpark erklärt, doch vergebens. Seit der Unabhängigkeit ist es um das AKW still geworden, da der Atommeiler für das nun ganz auf sich selbst gestellte Litauen zum wichtigsten Energieerzeuger geworden ist. Ignalina liegt allerdings noch 45 km von dem Atomkraftwerk entfernt.

Die Kleinstadt selbst kann auf keine sehr bewegte Geschichte zurückblicken. Sie hat sich aus einem Bauerngehöft entwickelt, das mit Errichtung der Eisenbahnlinie St. Petersburg - Warschau zur Ortschaft Ignalina gewachsen ist. 1810 wird der Ort erstmalig erwähnt. Erst 1950 erhielt Ignalina das Stadtrecht. Dem Namen Ignalina, unweit des *Ilgis-Sees* gelegen, liegt folgende Legende zugrunde:

... es war einmal ein König, der hatte neun Söhne und eine Tochter namens *Alina*. Alle lebten sie glücklich und zufrieden, bis plötzlich die Kreuzritter ins Land einfielen. Im Kampf gegen die Ordensbrüder wurden der König, die Königin und alle neun Söhne getötet, nur Alina geschah nichts. Eines Tages ging die Leidgeprüfte spazieren und fand einen verwundeten jungen Mann im Wald. Sofort nahm sie den Jüngling, der auf den Namen Ignas hörte, mit in ihr Schloß und pflegte ihn gesund. Wie das Schicksal es so wollte, verliebten sich die beiden jungen Leute ineinander, doch ihre Liebe stand unter keinem guten Stern. Die Verwandtschaft Alinas stellte sich vehement gegen die Hochzeit mit einem Fremden. Doch Alina und Ignas setzten sich über alles hinweg und heirateten trotzdem. *Perkūnas*, der Donnergott, muß darüber außer sich vor Zorn gewesen sein, so daß er einen solchen Donnerschlag sandte, mit dem er das gesamte Schloß im Erdboden versenkte. Nur eine Mulde erinnerte noch an den Palast. Diese, so erzählt man, füllte sich mit Wasser und wurde zum *Ilgis-See*. Das kleine Flüßchen aber, das aus dem See herausfließt, sei nichts anderes als die unstillbare Tränenflut der unglücklichen Alina. Aus der Verschmelzung der Namen der beiden Liebenden entstand der Name Ignalina.

- *Postleitzahl*: 4740
- *Vorwahl*: 229
- *Information*: Ligoninės g. 1, Tel. 53805/ 533964. Nach Viktorija Lunetskienė fragen, sie spricht fließend deutsch, hat ausführliches Informationsmaterial über den Park und bietet auch Führungen dorthin an.
- *Anfahrt/Verbindungen*: **PKW** - Von Vilnius die Landstraße in nordöstliche Richtung nehmen und über Švenčionys nach Ignalina fahren; von Kaunas die A-226 Richtung Daugavpils bis Utena entlangfahren und dort auf die Landstraße nach Ignalina abbiegen.
Bus: Verbindung mit Vilnius, Kaunas, Molėtai, Utena und den umliegenden Dörfern. Busbahnhof Geležinkelio g. 8.
Bahn: Züge in Richtung Vilnius und Daugavpils. Bahnhof befindet sich in der Geležinkelio g. 19. Dort gibt es auch Taxis.

- *Übernachten*: **Gavaitis**, Atgimino g. 37, direkt am Seeufer gelegen. Sehr einfach ausgestattet, ÜB um die 3 DM, Tel. 52345.
Weitere Übernachtungsmöglichkeiten sind im Kapitel Aukštaitija-Nationalpark beschrieben.

- *Essen*: **Dringis**, Laisvės g. 68, direkt am Hauptplatz, Essen eher mittelmäßig, Tel. 54300.
Žuvedra, Mokyklos g. 11. Kleines Café mit Snacks und kleinen Salaten im Angebot.
- *Diverses*: **Geldwechsel** - Ateities g. 9; Vasario 16-osis 10
Post: Laisvės g. 64
Apotheke: Laisvės g. 60

Landschaft im Nationalpark

Aukštaitija-Nationalpark

Der älteste Nationalpark Litauens befindet sich im Osten des Landes. Die Landschaft dieser Gegend setzt sich aus weiten Ebenen und dicht bewaldeten, sattgrünen Hügeln zusammen, in die unzählige glasklare Seen eingebettet sind und den Nationalpark zu einer wahren Augenweide machen.

Auch an Historischem hat der Park einiges zu bieten, wie beispielsweise eine Reihe traditioneller Dörfer, alte, klapprige Mühlen, ein Imkereimuseum u. v. m., was alles zusammen einen lebendigen Eindruck vom Landleben der Aukštaitija vermittelt.

Allgemeines

Der Park setzt sich aus Teilen der Bezirke Ignalina, Utena und Svenčionys zusammen und erstreckt sich über eine Fläche von 30.000 ha.

Ins Leben gerufen wurde der Park im Jahre 1974. Einer der Hauptgründe dafür war die Hoffnung, auf diese Weise den Bau des im östlichen Ignaliner Bezirk befindlichen Atomkraftwerkes zu verhindern, was allerdings vergebens war. Immerhin erreichten die Umweltschützer, daß nur zwei der ursprünglich sechs geplanten Reaktoren ans Netz gingen. Genauere Untersuchungen, wie stark das Gebiet des Nationalparks radioaktiv belastet ist, liegen nicht vor. Österreichische Experten haben den Meiler vor kurzem zwar gewartet und sollen auch versichert haben, daß kein Grund zur Sorge bestehe, doch ob es sich dabei um eine objektive Aussage handelt, sei dahingestellt.

Der Park läßt sich in Erholungszonen und in wissenschaftliche For-
schungszonen unterteilen, wobei das Betreten des zuletzt genannten Be-
reichs einer Sondergenehmigung (von der Parkverwaltung) bedarf.

Klima und Relief

Da das Gebiet des Nationalparks die Gegend Litauens umfaßt, die am weitesten von der Ostsee entfernt liegt, sind die klimatischen Verhältnisse
hier auch ein wenig anders als in den übrigen Regionen des Landes:

Im Winter ist es hier stets um ein paar Grad kälter als im restlichen Litauen, der Schnee liegt höher und länger. Dafür ist das Wetter aber be-
ständiger, sonnenreicher, und die Sommer sind wärmer.

Die Landschaft des Nationalparks ist vielfältig. Die durchschnittliche Höhe liegt bei 150-155 m ü. d. M., wobei der höchste Hügel 200 m erreicht und
unweit des *Tauragnas-Sees* zu finden ist. Die Erhebungen rühren von den
Gletschern der letzten Eiszeit.

Seen

Eine Besonderheit des Parks ist die Vielzahl und die Form seiner Seen:
Um die 80 Seen, die größer als 0,5 ha sind und 15 Prozent der Parkfläche
einnehmen, kann der Park sein eigen nennen. Hinzu kommen noch eine
Reihe kleiner Teiche und Bäche. Die Gewässer des Parks sind alle sehr
fischreich. Zum Angeln braucht man jedoch eine Genehmigung (erhältlich
bei der Parkverwaltung).

Die Seen sind häufig sehr langgestreckt und schmal und vor allen Dingen
sehr tief. Mit 60,5 m Tiefe ist der *Tauragnas-See* nicht nur der tiefste See
des Nationalparks, sondern auch des gesamten Landes.

Wald

Mit einer Gesamtfläche von 20.000 ha sind über 60 % des Parks von dichten Wäldern bedeckt. Überwiegend setzen sich die Wälder aus Nadelbäumen, hauptsächlich Kiefern, zusammen. Doch auch Birken, Erlen und Eichen sind hier zu finden. An einigen Stellen weist der Nationalpark sogar
noch Restbestände an Urwäldern auf. Der Waldboden ist reich an Beeren
und Pilzen. Die Schutzzonen des Parks sind Lebensraum vieler seltener
Pflanzen- und bedrohter Tierarten (nähere Informationen bei der Parkverwaltung oder im Informationsbüro von Ignalina).

Geschichte

Die ältesten Funde, die auf dem Boden des Nationalparks gemacht wurden, stammen aus dem Neolithikum (9. - 3. Jt. v. Chr.). Über den Park verteilt trifft man häufig auf Erdhügel, auf denen früher litauische Holzburgen gestanden haben.

Interessant sind die vielen traditionellen Dörfer des Parks, anhand derer
man sich ein gutes Bild über die Volksarchitektur der Aukštaitija machen
kann. Die im Nationalpark befindlichen Dörfer lassen sich unterscheiden
in Straßen- und Streudörfer. Charakteristisch für die Straßendörfer

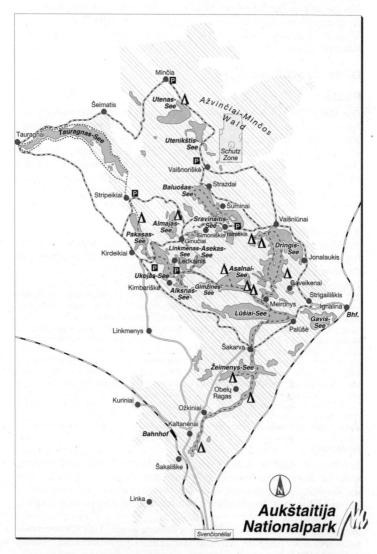

Aukštaitija
Nationalpark

(beispielsweise Vaišniūnai oder Antalksnė) sind ihre rechteckig angelegten, in der Regel umzäunten Höfe. Dem Bau der Bauernhöfe in den Streudörfern lag dagegen kein einheitlicher Plan zugrunde, und die Grenzen zwischen den einzelnen Gehöften sind fließend (z. B. in Šuminai oder Strazdai sehr schön zu sehen).

Die damaligen Dorfbewohner lebten von der Jagd und vom Fischfang, züchteten Bienen und ernährten sich von all dem, was der Wald ihnen gab. Wichtige Einnahmequellen waren für die Dorfbewohner **Pechsieden, Köhlerei** und **Korbflechten.**

Dörfer des Nationalparks

Palūšė

Der Haupttouristenort des Nationalparks liegt etwa 5 km westlich von Ignalina am Ufer des Lūšiai-Sees. Hier befinden sich mehrere Campingplätze, eine größere Touristenherberge sowie ein Bootsverleih. Von Interesse ist auch die schöne **Holzkirche** mit ihrem Glockenturm unweit der Herberge. Sie stammt aus dem 18. Jh. und soll ohne Verwendung auch nur eines einzigen Nagels gebaut worden sein. Palūšė eignet sich gut als Ausgangspunkt für ausgedehnte Waldspaziergänge, wie z. B. nach *Meironys* oder zu einer längeren Bootstour quer über die Seenplatte des Nationalparks.

Am südlichen Rand von Palūšė gibt es einen schönen Strand, den Männer um Mitternacht tunlichst meiden sollten: Ortsansässige wissen zu berichten, daß um diese Zeit die Wassernixen aus dem See heraufsteigen und jeden Mann, den sie erblicken, zu Tode kitzeln . . .

● *Übernachten*: **Turistbasu**, Regis g. 47-430. Die Anlage besteht aus einer Reihe zweistöckiger kleiner Holzhäuschen, die sehr einfach ausgestattet sind. Toilettenhäuser und Waschräume verhältnismäßig sauber, ÜB um die 2 DM, jedoch nur von Juni bis Mitte September geöffnet, Tel. 52891 (Bezirk Ignalina).

● *Essen*: Es gibt nur wenig Einkaufsmöglichkeiten im Park, deshalb der Vorschlag, lieber reichlich Lebensmittel mitzubringen. Da im Park z. Zt. vieles privatisiert wird (insb. die Touristenherbergen), ist es durchaus denkbar, daß dadurch auch das eine oder andere Café neu eröffnet wird.

Palūšė, zur Touristenherberge gehört eine Valgykla, wohl noch die beste Möglichkeit, um im Park zu essen.

Kaltanėnai, hier gibt es eine Art Imbißstube mit kleinen Mahlzeiten, vornehmlich belegte Brote und Salate.

Linkmenys, liegt am westlichen Rand des Parks und kann ein kleines Café aufweisen, das aber nur während der Saison geöffnet hat.

Kupbeiki, ebenfalls am westlichen Parkrand gelegen, Sommercafé.

Tauragnai, im Ort gibt es eine Valgykla.

Meironys

Direkt am Seeufer des Lūšiai-Sees, an dem Meironys gelegen ist, erheben sich eine Reihe volkstümlicher Holzskulpturen. In diesem Dorf sitzt auch die Verwaltung des Nationalparks. Die Mitarbeiter sind sehr aufgeschlossen und hilfsbereit, Verständigung nur auf litauisch oder russisch möglich, Tel. 53135/55916.

Wer vor Beginn der Reise mit der Verwaltung Kontakt aufnehmen möchte, schreibe an folgende Adresse: Nacionalinio parko direkcija, Palūšės paštas, LT4759.

● *Anfahrt/Verbindungen*: **PKW** - von Palūšė die Straße Richtung Ignalina nehmen und dann links nach Meironys abfahren, ausgeschildert.

Zu Fuß: Um auf den Wanderweg zu kommen, zunächst ein kurzes Stück Richtung Ignalina gehen und bei der ersten Möglichkeit nach links abbiegen. Immer geradeaus führt der Weg vorbei am Ufer des Lūšiai-Sees nach Meironys.

Imkereimuseum von Stripeikiai

Einmal um den Nationalpark

Man kann den Park auch durchfahren, wobei natürlich viele schöne Winkel verborgen bleiben. Ein Rundweg führt einmal um das gesamte Parkterritorium herum.

Angefangen in Palūšė geht es in südliche Richtung zum Dorf Šarkava, gelegen am Ufer des gleichnamigen Sees.

▶ **Šakarva:** Das alte Dorf steht komplett unter Denkmalschutz. Oberhalb von Šakarva befindet sich ein Strand und ein Lagerplatz.

In Šakarva macht die Straße einen Knick und führt nun in nördliche Richtung immer geradeaus bis nach Tauragnai. Auf dem Weg dorthin besteht die Möglichkeit, nach ca. 10 km kurz vor dem Dorf **Kirdeikiai** rechts zum malerischen Zwischenlauf des *Pakasas*- und *Ukojas-Sees* abzubiegen. Wieder auf der Hauptstraße, kommt etwa 4 km nach Kirdeikiai rechts ein weiterer Abzweig, über den man das Imkerdorf Stripeikiai erreicht.

▶ **Stripeikiai:** Romantisches, altes Dorf, wunderschön in eine sattgrüne Hügellandschaft gebettet. In diesem Dorf gewährt der Imker- und Bienengott *Babila*, anwesend in Form einer kunstvoll geschnitzten Holzskulptur vor dem Imkereimuseum, einen Einblick in seine Welt - die Welt des Honigs und der Bienen. Hinter dem Museum, untergebracht in mehreren alten Holzhäusern, versucht sich ein kleiner Bach seinen Weg durch die wilde Natur zu bahnen. Die Museumsangestellten sind in Volkstracht gekleidet und bemühen sich erfolgreich, den Besuchern die Geschichte der Imkerei nahe zu bringen. Sehenswert ist auch die schöne, alte Mühle.

Um den Rundweg fortzusetzen, muß man wieder zurück auf die Hauptstraße. Der nächste Ort ist Tauragnai.

▶ **Tauragnai:** Kleines Städtchen am Ufer des Tauragnas-Sees, dem tiefsten Litauens. Erstmalig erwähnt wurde Tauragnai 1387, als *Jogaila*, Großfürst von Litauen und König von Polen, dem Bischof von Vilnius diesen Ort vermachte. Von den hiesigen Hügeln hat man eine wunderbare Aussicht auf die umliegenden Wälder, Wiesen und Seen.

Über den Rundweg geht es weiter entlang der Nordgrenze des Parks, Richtung Osten. Nach ca. 10 km trifft man auf das Dorf Šeimatis.

▶ **Šeimatis:** Der Ort liegt schon nicht mehr im Nationalpark. Hier trifft man unweit des Dorfes auf zwei große Findlinge, den *Moiukas* und den *Mokas*, wobei letzterer 3 m Höhe und 3 m Länge mißt. Glaubt man der Legende, war der Mokas einmal ein sehr weiser Mensch. Von nah und fern kamen die Leute, um seinen Rat zu hören. Mit der Zeit aber stellten sie immer einfachere Fragen, die sie ohne weiteres selbst hätten beantworten können, hätten sie nur ihren Kopf gebraucht. Traurig und böse darüber, daß die Menschen gar nicht mehr selber nachdachten, verwandelte sich der Weise schließlich in einen Stein.

Weiter geradeaus gelangt man zu der Ortschaft *Daunoriai*, die ebenfalls außerhalb des Nationalparks ist. Hier macht die Straße erneut einen Knick nach Norden und führt zum Dorf Minčia.

▶ **Minčia:** Das kleine Dorf ist umgeben von dichtem Wald, in dem einige Schüttberge aus dem 9. - 12. Jh. zu finden sind. Am kleinen Minčia-Bach steht eine alte Wassermühle, die heute Touristen als Quartier dient.

Der Rundweg verläuft nun weiter in südliche Richtung, mitten durch den Park. Am rechten Wegesrand kommt man am *Utenas*- und am *Utenikštis-See* vorbei. Etwas weiter südlich erscheint auf der linken Seite der *Baltailo-See*. Östlich des Wegs erstreckt sich der Ažvinčiai-Forst. Nach etwa 9 km von Minčia aus erreicht man Vaišnoriške, nach ca. 17 km Vaišniūnai.

▶ **Vaišnoriškė:** Das kleine Dorf liegt im Südwesten des Baluošas-Sees. Auf dem Dorfplatz steht eine große Linde, die Symbol für das Produkt ist, für das die Dorfbewohner seit altersher bekannt und berühmt waren: für den *Lindenblütenhonig*. Unweit von Vaisnoriškė beginnt der alte *Ažvinčai-Wald*, der sich aus besonders hohen Fichtenbäumen zusammensetzt und tiefe Moore in seinem Inneren verbirgt. Tatsächlich soll es in dem Forst noch einige Urwaldbestände geben. Dieses Gebiet steht unter besonderem Schutz und darf nur mit einer Sondergenehmigumg der Parkverwaltung betreten werden.

Hier in Vaišnoriškė trennen sich nun die Wege. Fährt man links, so landet man in Vaišniūnai.

▶ **Vaišniūnai:** Das kleine Dorf liegt im Nordosten des *Dringis-Sees*. Wegen der vielen Buchten und Winkel eignet sich die Gegend um Vaišniūnai besonders gut zum Entspannen. Ein Lagerplatz befindet sich am westlichen Nordufer.

Fährt man am östlichen Ufer des Dringis-Sees entlang, gelangt man über Strigailiškis schließlich wieder nach Palūšė.

Folgt man in Vaišnoriške dem rechts abgehenden Weg, so erreicht man nach etwa 3 km Strazdai und nach weiteren 4 km das Dorf Šuminai.

▶ **Strazdai:** Der Ort befindet sich am malerischen Baluošas-See, in dem sieben kleine Inseln liegen, wovon auf der größten der Inseln wiederum ein kleiner See zu finden ist. In Strazdai ist die alte Rauchkate von Interesse, die vor etwa 100 Jahren noch als häufig anzutreffende Wohnstätte der einfachen Landbevölkerung diente.

Das ethnologische Dorf Šuminai

▶ **Šuminai:** Das 200 Jahre alte traditionelle Dorf liegt am Ostufer des Baluošas-Sees. Hübsch sind die Fichtenholzhäuser mit ihren ornamentverzierten Fenstern. Das gesamte Dorf gilt als ethnographisches Denkmal.

Von Šuminai führt die Hauptstraße weiter südlich zum nordwestlichen Ufer des *Dringis-Sees*. Hier befindet sich ein Lagerplatz und ein schöner Strand. Links geht es über Vaišniūnai nach Palūšė, rechts nach *Trainiškis*.

▶ **Trainiškis:** Romantisches, unter Denkmalschutz gestelltes Dorf am Südufer des *Baluošas-See*s. Absolut beeindruckend ist eine uralte, am Ufer stehende Eiche, die über 1000 Jahre alt sein soll und einen Stammumfang von 6 m aufweisen kann.

Auf der Straße weiter geradeaus, vorbei an malerischen Seeufern, gelangt man schließlich nach Ginučiai.

▶ **Ginučiai:** In dem Dorf gibt es einen Schüttberg, von dem sich einst die Burg *Linkmena* erhoben haben soll, die Ende des 14. Jh. von den Kreuzrittern in Brand gesteckt wurde. Treppenstufen führen zu dem Hügel hinauf, von dem man eine wunderschöne Aussicht auf die umliegenden Ländereien hat. Ferner gibt es in dem Dorf eine alte Wassermühle, in der sich eine Touristenherberge befindet. Da es hier angeblich spukt - der Teufel höchstpersönlich soll hier sein Unwesen treiben - , sollte man es sich vorher genau überlegen, ob man hier übernachtet oder nicht.

Etwa 2 km südlich von Ginučiai liegt der **Ledkalnis**, ein sattgrüner Hügel. Der Blick von hier oben ist atemberaubend und umfaßt mehrere glitzernde Seen: den *Alksnaitis-, Alksnas-, Linkmenas, Pakasas-* und *Ukojas-See*.

Wassermühle von Ginučiai

Wandern im Nationalpark

Das dichte Netz von Seen des Parks, seine endlosen Wälder und die zahlreichen traditionellen Dörfer laden förmlich ein zu erlebnisreichen Kanu- und Wandertouren.

Wer mehrere Tage Zeit hat, kann zu einem Rundtrip über die gesamte Seenplatte aufbrechen. Gelegentlich muß man das Boot allerdings auch einige Meter bis zum nächsten See schleppen. Die hier angegebenen Routenbeschreibungen erfolgen nach Informationen des Touristen-Clubs in Vilnius. Zelte nicht vergessen, da unterwegs auf Lagerplätzen übernachtet wird. Boote gibt es in Palūšė oder über den Touristen-Club in Vilnius.

Palūšė - Asalnai-See - Pakasas-See (ca. 13 km)

Ausgangspunkt ist der Ferienort Palūšė, gelegen am *Lušiai-See*, wo sich auch der Bootsverleih befindet. Zunächst geht es zum *Asalnai-See*. Paddelt man an der Nordseite des Lušiai-See entlang, gelangt man automatisch in den rechts abgehenden Arm zum Asalnai-See. Wer dann schon müde ist, kann den in der Mitte des Nordufers befindlichen **Lagerplatz** aufsu-

chen. Ansonsten geht es weiter zum *Pakasas-See*.

Um den Asalnai-See über seinen nordwestlichen Abfluß zu verlassen, muß man bis zu seiner westlichsten Ecke, wo ein schmaler Wasserstreifen zum nächsten Seenlabyrinth führt. Den *Gimžines-See* links liegen lassen und geradeaus bis zur nächsten Wasserscheide rudern. Biegt man dort links ab, trifft man bald auf eine Insel. Ist man an dieser rechts vorbeigerudert, befindet man sich nach der nächsten Seeöffnung schon auf dem 3 km langen

Ukojas-See. Im Nordwesten des Sees findet man den Übergang zum *Pakasas-See*. An seinem nordöstlichen Ufer befindet sich ein **Lagerplatz**.

Pakasas-See - Stripeikiai - Tauragnas-See - Pakasas-See (4-18 km)

Von der Lagerstelle am Pakasas-See ist es nicht weit bis zum Dorf *Stripeikiai*, wo das Imkereimuseum absolut sehenswert ist. Vom Rastplatz gibt es einen Fußweg in das Dorf. Von dort bis zum nächsten See, dem *Tauragnas-See*, sind es etwa 2,5 km.

Wer über den Tauragnas-See nach *Tauragnai* rudern will, muß das Boot bis zum Seeufer tragen. Vom Lagerplatz am Pakasas-See bis nach Tauragnai sind es ca. 14 km, dort gibt es allerdings keinen Lagerplatz.

Pakasas-See - Ledkalnis-Hügel - Almajas-See (ca. 11 km)

Über den *Pakasas-See* geht es zurück bis zum Ende des Ukojas-Sees. Die Route führt wieder an der kleinen Insel vorbei. Kurz nach Passieren der Insel kann man links in den *Linkmenas-See* hineinrudern. An seinem Westufer lohnt es sich anzulegen, um den bezaubernden *Ledkalnis-Hügel* zu besteigen und die gigantische Aussicht auf fünf zwischen Fichtenstämmen glitzernde Seen zu genießen. Am Nordufer befindet sich ein **Lagerplatz**.

Vom Linkmenas-See ist es nicht mehr weit bis zum *Almajas-See*, man muß nur wieder zur Seeöffnung des Linkmenas-Sees zurückpaddeln und sich dann ganz strikt links halten, so daß man automatisch zum *Asekas-See* gelangt. Im Nordwesten fließt das kleine Flüßchen *Almaja* aus dem See ab, über das man schließlich den *Almajas-See* erreicht. Am östlichen Seeufer liegen drei Campingplätze.

Almajas-See - Ginučiai - Baluošas-See - Dringis-See (ca. 14 km mit dem Boot und 2 km zu Fuß)

Die erste Station vom Almajas-See aus ist das Dorf *Ginučiai*, wo sich eine schöne, alte Wassermühle befindet. Über ein kleines Flüßchen kann man bis zur Mühle von Ginučiai rudern. Dort heißt es dann "Boot schleppen", doch bis zum nächsten Gewässer, dem *Sravinaitis-See*, ist es nur ein kurzes Stück. Der Übergang zum *Baluoškyštis-See* ist über die nordöstliche Spitze des Sravinaitis-See zu erreichen. Von dort ca. 1 km zur Seemitte rudern und dann die nördliche Richtung einschlagen. Um auf den *Baluošas-See* zu gelangen, muß man, nachdem man den Baluoškyštis-See von West nach Ost durchquert hat, erneut sein Boot

aus dem Wasser ziehen, um es nach knapp 200 m in den nächsten See gleiten zu lassen. Am Nordufer des Baluošas-Sees befindet sich das Dorf *Strazdai*, und auf mittlerer Höhe des Ostufers liegt das ebenfalls unter Denkmalschutz gestellte Dorf *Šuminai*. Im südlichen Teil des Baluošas-Sees trifft man auf insgesamt sieben Inseln. Die größte davon hat sogar ihren eigenen See. Um vom Südostende der Baluošas-Sees zu den **Lagerplätzen** am nordwestlichen Ufer des Dringis-Sees zu gelangen, muß man sich erneut auf einen Landspaziergang (ca. 1 km) gefaßt machen. Am Nordostufer befindet sich das Dorf **Vaišniūnai**.

Dringis-See - Lušiai-See - Šakarva (ca. 11 km)

Die 720 ha große Fläche vom Nordufer zum Südende des Dringis-Sees zu durchqueren, dauert seine Zeit. Unterwegs trifft man übrigens auf fünf sehr malerisch aussehende Inseln. An seinem Südende schließt sich der leicht spiralförmig liegende *Dringikštis-See* an, der teilweise sehr schmal ist.Linker Hand trifft man

dann auf das Dorf *Majori*, zu erkennen an einer Reihe von Holzskulpturen, die an dieser Stelle das Ufer schmücken. Über eine schmale Wasserscheide gelangt man zum *Asalnai-See*. Hält man sich hier links, besteht die Möglichkeit, über den Lušiai-See nach **Palušė** zu rudern, um dort die Kanutour zu beenden oder in südliche

Richtung weiter zu paddeln. Rudert man weiter, so durchquert man den See auf geradem Weg in südliche Richtung bis hin zur Seeöffnung des schmalen *Žeimenys-Sees*. Am südlichen Ostufer des Žeimenys-Sees erstreckt sich ein schöner Strand. Dort befindet sich ein Lagerplatz für Autotouristen.

Šarkava - Žeimenys-See - Kaltanėnai (ca. 12 km)

Der *Žeimenys-See* ist mit seiner stolzen Länge von 12 km der längste See des Nationalparks. Der erste Lagerplatz befindet sich am Südufer des ersten, nach Westen abgehenden Seitenarmes. Rudert man weiter gen Süden, besteht sowohl auf westlicher als auch auf östlicher Seeseite (beide ungefähr auf gleicher Höhe) die Möglichkeit zu campen. Der letzte Lagerplatz am Žeimenys-See befindet sich am östlichen Ufer, fast an der Südspitze.

Wer aber zum Dorf *Kaltanėnai* mit seinem alten Marktplatz möchte, biege etwa 1 km hinter dem am Westufer des Žeimenys-Sees gelegenen Dorf *Ožkiniai* rechts in den Fluß Žeimena ein, der nach Kaltanėnai führt.

Kaltanėnai: Dieses kleine Dorf ist wegen seines denkmalgeschützten Marktplatzes interessant, auf dem im 16. Jh. regelmäßig ein Viehmarkt abgehalten wurde. Auch ein über 100 Jahre altes Lagerhaus ist hier zu finden. Beeindruckend ist auch die alte, im Dorf stehende Eiche.

Theoretisch bestünde von hier aus jetzt die Möglichkeit, die Žeimena weiter südwärts zu paddeln, bis sie nach einigen Kilometern in die Neris mündet, die einen schließlich bis nach Vilnius tragen würde. Empfehlenswerter ist es aber, falls man sein Boot nicht in Palūšė ausgeliehen hat und die Wassertour hier beenden möchte, sich in Kaltanėnai in den Zug zu setzen und zurück nach Vilnius zu fahren.

● *Anfahrt/Verbindungen*: **PKW** - von Ignalina via Palūšė, Šarkava und Ožkiniai aus erreichbar.
Bahn: Züge nach Vilnius.

Žemaitija

Unter dem ethnographischen Gebiet Žemaitija versteht man den nordwestlichen Teil Litauens von der Grenze zu Lettland fast bis hinunter zum Nemunas. Die Žemaitija wird auch als Niederlitauen bezeichnet. Im Osten grenzt sie an die Aukštaitija und im Westen an die Ostsee bzw. an das Kurische Haff.

Die Bewohner der Žemaitija, die Žemaiten, haben sich in der Geschichte oft durch ihren vehementen Widerstand gegen Fremdherrscher hervorgetan. 1382 wurde die Žemaitija beispielsweise dem Kreuzritterorden unterstellt, den sie kurzerhand wieder abschüttelte. In Kretinga verbrannte man sogar einen Ordensvertreter öffentlich auf dem Scheiterhaufen. Als Litauen und Polen eine Personalunion eingingen und die Polonisierungen immer weitläufiger wurden, antwortete die kleine Volksgruppe sofort mit einem Aufstand. In vielen Aufzeichnungen werden die Žemaiten als verschlossene und halsstarrige Menschen beschrieben. Daß sie hartnäckig sind, beweist die Tatsache, daß sich bei ihnen heidnische Sitten und Bräuche am längsten haben halten können.

Bekannt sind die Žemaiten auch wegen ihrer Holzschnitzkunst, insbesondere in Form von Tier- und Phantasiemasken, mit denen sie sich zu Karneval verkleiden.

Touristische Höhepunkte im Überblick

Klaipėda (Memel), Stadt am Kurischen Haff, hübsche Altstadt mit Fachwerkbauten.

Kurische Nehrung, gigantische Dünen und bunte Holzhäuser, einzigartiges Naturparadies.

Palanga, größtes Seebad Litauens mit blütenweißem Sandstrand und Bernsteinmuseum.

Kretinga, behagliche Kleinstadt mit Franziskaner-Kloster.

Mosėdis, interessantes Steinmuseum.

Kelmė, Bezirkshauptstadt mit geschichtsträchtiger Umgebung.

Bijotai, Baubliai - ausgehöhlte Eichenstämme, in denen der Dichter Poška arbeitete, ältestes Museum Litauens.

Plateliu-See, größter und schönster See der Žemaitija, zum Nationalpark gehörend.

Telšiai, Hauptstadt der Žemaitija mit schönem Dom und kleinem Freilichtmuseum.

Westlitauen - Memelland

Unter dem Memelland versteht man den nördlich des Nemunas (Memel) gelegenen Teil des ehemaligen Ostpreußen. Seine Fläche beträgt 2.566 qkm. Bis zur Zeit der Eroberungsfeldzüge der deutschen Kreuzritter war das Gebiet Siedlungsraum der Žemaiten, Kuren und Pruzzen. Nach dem *Frieden von Meln* im Jahre 1422 fiel das Gebiet offiziell an den Deutschen Orden und wurde nach dessen Säkularisierung preußisch.

Bis zum Ersten Weltkrieg war das Memelland von Deutschen und Litauern bewohnt, wobei die Deutschen in der Mehrheit waren. Als sich im Herbst 1944 die Rote Armee näherte, floh der größte Teil der deutschen Bevölkerung. In der Geschichtsschreibung ist das Memelland ein heikles Thema. Oft wurden Tatsachen verdreht oder gänzlich verfälscht.

Als ein Schritt, die unglückliche Vergangenheit zu überwinden, wird vielerorts die Wiedererrichtung des Denkmals für *Simon Dach*, einem memelländischen Dichter, angesehen. Anfänglich klafften die Meinungen über dieses Denkmal in Klaipėda weit auseinander: Schließlich handelte es sich bei diesem Denkmal um ein Symbol der Stadt Memel und der Deutschen und nicht um eines der Stadt Klaipėda und der Litauer. Da sich anfängliche Befürchtungen, daß dies ein Schritt der Deutschen sei, sich das Memelland zurückzuholen, als unbegründet erwiesen, versuchte man schließlich, in dem Denkmal einen Schritt der gegenseitigen Annäherung zu sehen. Aus dieser Annäherung heraus könne sich, so einige Bewohner Klaipėdas, mit der Zeit eine Art Brücke entwickeln, auf der sich Kultur und Traditionen von Westlitauern und Memelländern treffen könnten, um auf diese Weise die Vergangenheit gemeinsam zu bewältigen.

Klaipėda (Memel)   *(ca. 250.000 Einwohner)*

Mit über 200.000 Einwohnern ist Klaipėda die drittgrößte Stadt Litauens und der einzige Seehafen des Landes. Durch die Stadt fließt der Fluß Danė, der hier in das Kurische Haff mündet. Klaipėda gegenüber liegt das berühmte Naturparadies der Kurischen Nehrung.

Klaipėda ist ein wichtiges Industriezentrum. 15 % der litauischen Produktion kann die Stadt auf sich verbuchen. Ein Großteil der Fabriken ist im einstigen Vorort **Smeltė** (Schmelz) zu finden, der sich im Laufe der Jahre zu einem wahren Industrieviertel mit Fischereihafen entwickelt hat. Die neuen Wohnviertel erstrecken sich immer weiter gen Süden und haben fast schon die Kleinstadt **Prikulė** (Prökuls) erreicht.

Auch das auf der Nehrung liegende **Smiltynė** (Sandkrug) ist mittlerweile eingemeindet worden. Das moderne Stadtzentrum ist in der ehemaligen Friedrichstadt zu finden, gelegen zwischen Bus- und Zugbahnhof und der Altstadt.

Geschichte

Die ältesten archäologischen Funde, die in dem Gebiet um Klaipėda gemacht wurden, reichen weit in prähistorische Zeiten zurück. Aus ihnen wird geschlossen, daß diese Gegend bereits vor unserer Zeitrechnung von baltischen Stämmen besiedelt war, die an der Dainė zwei hölzerne Burgen errichteten, *Poys* und *Claipėda*. Als Gründungsjahr der Stadt wird jedoch das Jahr 1252 angesehen, als nämlich der Livländische Ritterorden das Gebiet um Klaipėda stürmte und eine hölzerne Ordensburg errichtete, die er *Memelburg* taufte. Der Name geht auf den Irrglauben einiger Ritter zurück, die dachten, daß sie ihre Burg am Ufer der Memel (Nemunas) errichtet hätten, die in Wirklichkeit aber einige Kilometer weiter südlich ins Kurische Haff mündet.

1254 erhielt Memel, wie die Stadt an der Memelburg genannt wurde, das Dortmunder Stadtrecht, wenig später das Lübische. Die Voraussetzungen für eine blühende Handelsstadt waren gegeben, doch scheiterte ihr Aufschwung an den Aufständen der hier ursprünglich lebenden Kuren und Žemaiten, die sich nicht ohne weiteres der Fremdherrschaft beugen wollten. 1379 fanden die kriegerischen Auseinandersetzungen mit der Niederbrennung der um die Memelburg entstandenen Stadt einen vorläufigen Höhepunkt. Der Livländische Orden sah sich gegenüber den anhaltenden Angriffen und dem immer stärker werdenden Großfürstentum Litauen machtlos und übergab die Memelburg an den Deutschen Orden. Auch nach dem *Frieden von Meln* 1422, in dem die Memelburg dem Deutschen Orden offiziell zuerkannt wurde, hielten die Übergriffe auf die Stadt durch die Žemaiten an. 1455 gelang es ihnen gar, die Stadt zu erobern und zu verwüsten. Die Unruhen legten sich erst, als das litauische Großfürstentum seine Interessen nach Polen verlagerte. Langsam verbesserte sich mit der Entfaltung von Handel und Handwerk die wirtschaftliche Lage der Stadt.

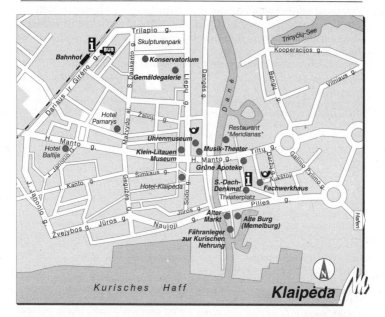

Kurisches Haff

Klaipėda

Dies lief allerdings den Interessen der Hansestädte Danzig und Königsberg zuwider, die daher versuchten, die Geschäfte, die von Memel ausgingen, zu behindern. Im Jahre 1540 wurde Memel von einer großen Feuersbrunst heimgesucht, wovon sich die Stadt nur langsam wieder erholte. 1595 erhielt Memel die Rechte einer freien Handelsstadt.

1629 fielen Memel und die umliegenden Ländereien an Schweden, die sechs Jahre lang die Herrschaft in der Stadt hielten und nach dem Krieg mit Rußland 1757 für fünf Jahre von den Russen abgelöst wurden.

Einen Aufschwung erfuhr die Stadt während der napoleonischen Kriege: Als Berlin in der Hand der Franzosen lag, machten *König Friedrich Wilhelm III.* und *Königin Luise* Memel von 1807 bis 1808 zur provisorischen Hauptstadt Preußens, was einige reiche und einflußreiche Familien sowie Kaufleute und Händler in die Stadt lockte.

Nach dem Ersten Weltkrieg wurde das Memelland gemäß dem Versailler Vertrag im Jahre 1920 vom Deutschen Reich abgetrennt und unter französische Verwaltung gestellt.

Während der Ruhrkrise 1923 besetzten litauische Freischärler die Stadt und das umliegende Memelland, so daß die Stadt schließlich litauisch wurde. In einer ein Jahr später stattfindenden Konvention über das Memelland erhielt das Gebiet einen Autonomiestatus, stand aber unter litauischer Oberhoheit. Ab 1926 herrschte derAusnahmezustand. Im März 1939 erzwang die deutsche NS-Regierung per Ultimatum die Rückgabe des Memellandes. Im Januar 1945 besetzte schließlich die Sowjetarmee die

Stadt und gliederte sie mitsamt dem Memelland der litauischen SSR an. Die Entscheidungen von 1924 und 1939 haben das Verhältnis zwischen Deutschen und Litauern sehr belastet. Nach dem Krieg lag weit über die Hälfte der Stadt in Schutt und Asche. Mittlerweile sind die gelungenen Wiederaufbau- und Restaurierungsarbeiten fast abgeschlossen.

- *Postleitzahl*: 5800
- *Vorwahl*: 26
- *Information*: Tomo g. 2. **Touristen- und Exkursionsbüro**. Material ist noch etwas spärlich, die Mitarbeiter sind aber sichtlich bemüht, individuelle deutsch- und eng-

lischsprachige Stadtführungen zu organisieren. Kosten ca. 3 DM die Stunde, Tel. 14732. Nach Informationen des Exkursionsbüros ist ein englischsprachiges Informationsheft *"Klaipėda in your pocket"* inkl. Veranstaltungskalender in Vorbereitung.

Verbindungen

- *PKW*: Zu erreichen ist Klaipėda von Vilnius via Kaunas über die A-227, von Palanga über die A-223 und von Nida über die Kurische Nehrung.
- *Bus*: Verbindung mit jeder größeren Stadt Litauens sowie mit Kaliningrad, Riga und Liepäja. Busbahnhof in der Butkų Juzes g. 9. Busabfahrtszeiten sind unter Tel. 11432, 14863 oder 33313 zu erfragen.
- *Bahn*: Züge Richtung Vilnius, Šiauliai, Kaliningrad und Riga. Bahnhof befindet sich in der Priestoties g. 1. Informationen unter Tel.14438/14614.
- *Schiff*: Verbindung mit Kiel und Rügen. Eine Fähre täglich nach Neu-Mukran (Insel Rügen), Abfahrt 15 Uhr, einfache Fahrt 184 DM, die Mitnahme von Personen ist allerdings begrenzt. Nach Kiel geht jeden Donnerstag eine Fähre. Tickets zwischen 250 und 600 DM, in Klaipėda selbst sind Fahrkarten nur am Abfahrtstag zu erwerben. Der Passagierhafen befindet sich in der Perkelos g. 10 und ist zu erreichen mit Bus 18. Abfahrt am Markt, bis zur Endstation mitfahren, Tel. Kasse 56116. Um mit dem PKW zum Hafen zu gelangen, die Minjos g. runterfahren, auf Schilder achten.

Mit dem eigenen Schiff: Wer mit dem eigenen Boot Kurs auf Klaipėda nehmen will,

kann beim Joadklub in Smiltynė anlegen. Vor dem Einlaufen Funkkontakt aufnehmen. Information beim Joadklub, Smilčių g. 5, Smiltyne, Tel. 18151.

Fähren zur Nehrung: Abgelegt wird am südlichen Danė-Ufer, ungefähr an der Ecke der Sukilių g. mit der Verlängerung der Žvejų g. Die Fähren (auch für Autos) verkehren im Sommer von 6-24.30 Uhr dreimal die Stunde, im Winter einmal in der Stunde; angelegt wird in Smiltynė. Fahrkarten gibt es an den jeweiligen Ablegestellen. Eine weitere Fährverbindung zur Nehrung gibt es im Stadtteil Smeltė, der über die Minjos g. erreichbar ist.

Fähren nach Kaunas: In der Regel verkehren Raketas (Tragflächenboote) zwischen Klaipėda via Nida und Kaunas, Fahrtzeit etwa 5 Std.; Z. Zt. ist der Flußfahrtverkehr auf Grund finanzieller Probleme stark eingeschränkt, nähere Informationen daher unter Tel. 14488 erfragen.

- *Transport innerhalb der Stadt*: Im Zentrum und zu den einzelnen Stadtteilen verkehren Busse, Trolleybusse und Taxis. **Taxistände**: am Zug- und Busbahnhof; am Hotel Kleipėda und am Frachthafen. Die Taxis fahren in Klaipėda ziemlich rasant.

Taxiruf: 19258.

Übernachten

Klaipėda, Naujo sodo g. 1; Roter Betonklotz, dem einst die alte Feuerwehr weichen mußte. Zentrale Lage, nicht weit von der Altstadt entfernt, Zimmer ausgestattet mit Bad, Telefon und TV, Sauna buchbar, Restaurant und Café angeschlossen. Im Foyer des Hotels besteht die Möglichkeit, für viel Geld Ausflüge in die Umgebung zu buchen. EZ ca. 75 DM, DZ ca. 120 DM, Lux ca. 170 DM und Appartements ca. 200 DM, Tel. 19960.

Pamarys, Šaulių g. 28; Zimmer mit Bad, Telefon und TV, ÜB zwischen 65 und 135 DM. Restaurant angeschlossen, Tel. 19943/19969.

Baltija, J.Jaunino g. 4; gelegen im neuen Zentrum. Einfache Zimmer, aber akzeptabel, ÜB etwa 7 DM, Café angeschlossen. Vom Zug- und Busbahnhof mit Bus 1, 8 und 11 zu erreichen. Aussteigen am ehemaligen Pergales a., der z. Zt. namenlos ist, aber bald seinen Vorkriegsnamen,

Imanuel Kanto ak. (Immanuel-Kant-Platz) zurückerhalten soll.

Vetrungė, Taikos pr. 28; Hierbei handelt es sich eigentlich um ein Übernachtungsheim für Seeleute. Wenn Platz vorhanden ist, werden auch Zimmer an Touristen vergeben. Obwohl das einfache Hotel nicht unsympathisch wirkt, wird von Seiten der Touristeninformation darauf hingewiesen, daß das Vertrunge nicht sehr sicher sei, ÜB um die 5 DM, Tel. 54801.

Dinamo Draugijos, Gulbių g. 8; Sehr einfach ausgestattet, aber sicher und preiswert. Liegt allerdings nicht mitten im Zentrum. Zum Zentrum Bus 2 nehmen oder aber die Janonio g., die am Gastromija-Supermarkt vorbeiführt, runtergehen, bis sie auf die Hauptstraße *H. Mantos g.*, trifft. Zur Innenstadt dann rechts und immer geradeaus gehen. In der Nähe des Hotels befindet sich auch der Frachthafen, vor dem stets einige Taxis auf Kunden warten. ÜB etwa 2 DM, Tel. 17740. Zum Bahnhof Bus 1 nehmen.

Viktorija, Šimskaus g. 12; gegenüber vom Hotel Klaipėda. Zimmer akzeptabel und sauber, ÜB um die 9 DM. Angeschlossen ist eine an sich ganz nette Bar, die sich allabendlich, darauf wird jedenfalls hingewiesen, zu einem Treffpunkt des Rotlichtmilieus verwandeln soll, Tel. 13670.

Smiltynė, s. Smitynė (Sandkrug)/ Kurische Nehrung.

Essen

• *Restaurants*: **Klaipėda**, Naujo sodo g. 1, gehört zum gleichnamigen Hotel, geöffnet von 8-10, 12.30-17 und 19-24 Uhr, Tel. 57017.

Viktorija, M. Melnikaitės g. 12, großer Saal mit recht guter Küche, gilt jedoch als beliebter Treff von Seemännern und Prostituierten, geöffnet 12-15 und 18-24 Uhr, Mo von 12-15 Uhr, Tel. 57505.

Neptunas, Tiltų g. 18. Gaststätte mit einfacher Ausstattung und äußerst einfachem Essen, geöffnet Fr-Mi von 19-1 Uhr, Tel. 13666.

Neringa, Spalio pr. 40a, Küche und Ausstattung mittelmäßig, geöffnet Di-So von 19-1 Uhr, Tel. 40332.

Žuvėdra, Kepėjų g. 10, recht gute Fischgerichte zeichnen das Restaurant aus, geöffnet Di-So von 12-16 und 18-22.30 Uhr, Tel. 15667.

Meridianas, Danės krantinė, befindet sich in einem uralten, auf der Danė liegenden windschiefen Schipperkahn, gute Küche, geöffnet 18.30-0.30 Uhr, Di von 12.30-15 und 18.30-0.30 Uhr, Tel. 16851.

Vyturys, Laukininkų g. 17, ausgezeichnete litauische Gerichte, serviert in freundlicher Atmosphäre, liegt etwas außerhalb. Mit Bus 8 bis zum Vyturys Einkaufszentrum fahren, von 12-21.30 Uhr geöffnet.

Arka, Liepų g. 20, Klitzekleines Restaurant mit koreanischer und vietnamesischer Küche, geöffnet von 11-24 Uhr.

Bangpūtys, Kurpių g. 3, spezialisiert auf Hühnergerichte. Unten im Keller befindet sich eine etwas finstere Bierbar, Di-So von 12-20.30 Uhr geöffnet.

Du Gaideliai, Mažvydo al. 8. Café und Restaurant für Kinder, mit Märchenfiguren an den Wänden verziert und kleinen Tischen und Stühlen ausgestattet.

• *Cafés/Bars/Kneipen*: **Palanga**, Liepų g. 19, einfaches Café, geeignet für einen Kaffee zwischendurch, von 12-15 und 16-23 Uhr geöffnet, Tel. 12800.

Šašlykinė, Žvejų g. 21, gutes Schaschlick im Angebot, geöffnet von 12-15.30 Uhr, Di von 12-18 Uhr, Tel. 19806.

Žardė, Taikos pr. 115, befindet sich im gleichnamigen Einkaufszentrum etwas außerhalb vom Zentrum. Serviert werden litauische Gerichte. Manchmal treten auch litauische Folkbands auf. Bus 8, 10 oder 10a nehmen. Unmittelbar am Café befindet sich auch eine interessante Kräuterapotheke, geöffnet Di-So von 12-15 ud 19-23 Uhr, Tel. 76452.

Jūratė, am ehemaligen Pergales al. 4, sauber wirkendes, aber einfaches Café. Gut zum Frühstücken geeignet, da es ab 8 Uhr morgens geöffnet hat, Tel. 12800.

Banga, H. Manto g. 24, Tel. 14962.

Svaja, H. Manto g. 7, Aufmachung erinnert ein wenig an einen hölzernen Eisenbahnwaggon. Unterteilt in zwei Räume, in dem einen gibt es Süßspeisen, in dem anderen knusprige Grill- Hähnchen. Junges Publikum, von 10-15.30 und 16.30-21.30 Uhr, Tel. 10295.

Rasytė, Tiltų g. 6. Gaststätte mit zwei Etagen. In der unteren gibt es Hot dogs und Sauerkraut, unterm Dach befindet sich eine einfache Bar, geöffnet von 11.30-15.30 und 16.30-21.30 Uhr, Tel. 12667.

Ašra, Sukilelių g., neben dem Hügel der ehemaligen Burg, Seiteneingang im Massivkomplex des Cafés Nida. Gemütliche Kneipe mit netter Atmosphäre, von 12-21 Uhr geöffnet.

Pas Alberte, Sukilelių g., Hintereingang der Musikschule. Nettes Café mit angeschlossener gemütlicher Kegelbahn. Am Wochenende abends Disco.

Judoate, H. Mantos g., schräg gegenüber vom Banga. Schwarz-weiß gestyltes Café, in dem man auch essen kann, gute Salatteller, von 12-22 Uhr geöffnet.

Vynine, Žvejų g. 5, Gemütlicher Weinkeller mit Glühweinausschank, von 15-24 Uhr geöffnet.

Burgu Uzeiga, Kepėjų g. 17, nette Gaststätte, untergebracht in einem sehr alten Haus. Unten viereckiger Tresen, wo einem das Essen vor den Augen zubereitet wird. In der 2. Etage befindet sich ein einfaches, aber ansprechendes Selbstbedienungscafé und unterm Dach eine rustikale Cafébar, geöffnet Mo-Sa von 12-16 und 17.30-22 Uhr, Tel. 14 970.

Skorpionas Bar, Kepėjų g. 15, nette Bar, im Sommer kann man sehr gut auf der wild bewachsenen Hofterrasse sitzen.

Vynite, Glühweinkeller, öffnet um 15 Uhr.

Picerija, Mažvydo g. 7, weder italienisch gestylt, noch sind echte Spezialitäten aus "bella Italia" zu erwarten, doch genießbar sind die Pizze allemal.

Café im Ausstellungspalast, Aukštoji g. 1, Nette Atmosphäre. Oft finden hier abends Jazz-, Rock- und Blueskonzerte statt.

Baltija, Žvejų g. 1-3. Verwandelt sich allabendlich in eine Disco.

Verschiedenes

● *Theater/Konzerte*: **Schauspielhaus**, Teatro g. 2, Kasse von 11-14 und 17-19 Uhr geöffnet, Tel. 12589.

Musiktheater, Danės krantinė 19, Kasse von 15-20 Uhr geöffnet, Tel. 12346.

Zilinskoū, Kurių g. 1, Privates Theater mit experimentellen Stücken (Karten oft nicht ganz billig) und angeschlossener Kneipe, noch kein fester Spielplan.

Open-Air-Konzerte, im Innenhof des Uhrenmuseums; auf dem kleinen Platz gegenüber vom Meridianas wird im Sommer oft Kammermusik gespielt.

● *Museen*: **Uhrenmuseum**, Liepų g. 12, kleines Museum über die Geschichte der Zeitmessung, eine Ausstellung verschiedener Uhrmodelle aus Gotik, Renaissance, Barock und Rokoko sowie Öllampen-, Sanduhren usw. Im Innenhof des Museums kann man den Klängen des Glockenturms lauschen, außerdem werden im Sommer dort manchmal Konzerte klassischer Musik veranstaltet, geöffnet Mi-So 12-18 Uhr.

Klein-Litauen-Museum, Liepų g. 7, Filiale in der Diždiojo Vandens 6. In beiden Museen sind überwiegend Dokumente zur Geschichte Klein-Litauens bzw. zur Geschichte des Memellands zu sehen, geöffnet Di-So von 12-18 Uhr.

Ausstellungspalast, Aukštoji g. 3/3a. Wechselnde Ausstellungen von Werken professioneller Künstler aus dem In- und Ausland. Die Ausstellungsräume setzen sich aus vier miteinander verbundenen Häusern zusammen, die zu den ältesten der Stadt gehören, geöffnet Mi-So von 11-19 Uhr.

Meeresmuseum, Smiltynė, zu erreichen mit der Fähre. Sehenswertes, großes Museum über die Bewohner des Meeres, Aquarium (Delphindressur!) angeschlossen. Geöffnet Mi-So von 11-19 Uhr, im Winter teilweise nur bedingt geöffnet, Informationen unter Tel. 91122.

Gemäldegalerie, Liepų g. 33, Bilder litauischer Meister des 18. und 19. Jh. sowie einiger Westeuropäer. Gelegentlich finden auch Ausstellungen von Amerikanern litauischer Herkunft statt. Im Erdgeschoß des Museums befindet sich eine überaus interessante moderne Skulpturensammlung, geöffnet Di-So von 11-18 Uhr.

Skulpturenpark, Liepų g., unweit von der Gemäldegalerie gelegen. Einst befand sich hier ein Friedhof, doch die aufgestellten Skulpturen verleihen dem ehemaligen Gottesacker noch immer eine gewisse Ernsthaftigkeit. Zu sehen sind überwiegend Plastiken aus der litauischen Geschichte und Mythologie. Benannt ist der Park nach *Martin Mažvydas*, der das erste litauischsprachige Buch, die Übersetzung des Katechismus Luthers, herausbrachte. Im Sommer ist der Platz ein angenehmer Erholungsort, in dem unzählige Eichhörnchen herumflitzen und darauf warten, daß sie gefüttert werden.

• _Galerien/Souvenirläden_: **Boheme**, Aukštoji g. 3. Zu finden im höchsten Haus der Altstadt, wechselnde Ausstellungen zeitgenössischer Kunst, geöffnet Di-So von 11-14 und 15-18, Uhr.
Galerie in der alten Post, Aukštoji g. 13. Verkauf von edlem Silber- und Bronzeschmuck und von Steinskulpturen. In der Post sind Sonderstempel erhältlich.
Kunstgewerbeladen, am Theaterplatz. Angeboten werde hauptsächlich Gegenstände aus Bernstein.
Pas Alberte, Sukilelių g., interessante Kunstgalerie und Verkauf von Souvenirs, geöffnet Di-Sa von 12-18 Uhr.

• _Diverses_: **Geldwechsel** - Turgaus g. 1.
Post: Liepų g. 16.
Satellitentelefon, Fax, Telex: Liepų g. 30.
Ambulanz: Jurginų g. 30.
Apotheke: H. Manto g. 2 und 44; Taikos pr. 79, 101, 119 Kräuterapotheke; Naikupės g. 14.
Tankstellen: Kretingos pl.; Tilžes pl.; Minijos g.
Autowerkstatt: Mokyklos g. Tel. 18922; Šilutes pl. Tel. 41943.
Flughafenkasse: J. Janonio g. 2, Verkauf von Tickets und Buchung unter Tel. 30409.
Markt: Turgaus a. 5; Taikos pr. 80.
Bewachter Parkplatz: Sodo g. 1, beim Hotel Klaipėda.

Sehenswertes

Altstadt

Geprägt wird die Altstadt von den für Litauen unüblichen Fachwerkhäusern. Der alte Kern Klaipėdas erstreckt sich am Südufer der Dainė. Durch die vielen Brände und die Folgen des Zweiten Weltkrieges ist nicht allzuviel von den historischen Bauten des alten Klaipėdas übriggeblieben. Doch zu erkennen ist auch heute noch das mittelalterliche, schachbrettartig angelegte Straßensystem.

Der eigentliche historische Mittelpunkt der Altstadt, die **Memelburg**, hat die Stürme der Zeit nicht überstanden. Doch ist im Gespräch, die Burg originalgetreu wiederherzurichten und sie anschließend der neugegründeten Universität von Klaipėda zur Nutzung zu überlassen, worüber die Meinungen allerdings weit auseinandergehen. Die Reste der Burg befinden sich unweit des Theaterplatzes westlich der Altstadt.

Die alten Straßennamen verraten auch heute noch, wer sie früher einmal bewohnt hat, wie z. B. die Fischer- (Žvejų g.), Schmiede- (Kalvių g.), Bäcker- (Kepėjų g.), Glaser- (Stiklių g.) oder Schusterstraße (Kurpių g.).

Simon Dach-Denkmal vor dem Theater

Theaterplatz: Der frischrestaurierte Theaterplatz bildet das Zentrum der Altstadt. Sein heutiges Erscheinungsbild erhielt der Platz im 19. Jh. Kürzlich wurde auch das Theater umgebaut, wobei darauf geachtet wurde, daß seine ursprüngliche Fassade von 1857 erhalten blieb. Auf Initiative der deutschen *Ännchen-von-Tharau-Gesellschaft* ist 1989 vor dem Theater wieder das Denkmal für den memelländischen Dichter *Simon von Dach* aufgestellt worden. Es besteht aus dem Standbild der berühmten Mädchenfigur seines Gedichtes "Ännchen von Tharau". Der Sockel trägt das Medaillon des Dichters.

"Ännchen von Tharau ist's, die mir gefällt, sie ist mein Leben, mein Gut und mein Geld.
Ännchen von Tharau hat wieder ihr Herz auf mich gerichtet in Liebe und Schmerz.
Ännchen von Tharau, mein Reichtum, mein Gut, du meine Seele, mein Fleisch und mein Blut."

Als der aus einer Memelländer Familie stammende Dichter Simon Dach (1605-1659) Ännchen von Tharau das erste Mal erblickte, verliebte er sich sofort Hals über Kopf in die schöne Frau. Leider war der Anlaß ihrer ersten Begegnung die Hochzeit Ännchens mit einem anderen Mann. So blieb dem verliebten Dichter nur die Möglichkeit, in Form von Versen seine Liebe zum Ausdruck zu bringen.

1912 wurde zu Ehren des Dichters auf dem Platz des Klaipėdaer/ Memeler Theaters über einem Springbrunnen ein Denkmal für Simon Dach errichtet. Während des Zweiten Weltkrieges wurde es zunächst versetzt und war später spurlos verschwunden. Die Nachbildung einer neuen Ännchen-Figur war zwar sehr kompliziert, doch konnte 1989 schließlich das neue Denkmal für Simon Dach enthüllt werden.

Aukštoji g.: Geht man vom Theaterplatz geradeaus die Straße runter, die links am Exkursionsbüro vorbeiführt, gelangt man in die Aukštoji g., in der die ältesten Häuser der Stadt sowie alte Speicher und Fachwerkbauten zu bewundern sind. In der Nr. 13 der Straße befindet sich die alte Post, in der man seine Briefe und Karten mit einem Sonderstempel versehen lassen kann. In der Post läuft außerdem eine Dauerausstellung von Bronzearbeiten und Kunsthandwerk.

Alter Markt und Žvejų g.: An der Ecke der Pilies g. mit der Žvejų g., am Ufer der Danė, wurde einst der Markt abgehalten. Einige alte Speicher erinnern noch an vergangene Zeiten. Spaziert man durch die Žvejų g. am Ufer entlang, findet man sich im Hafenmilieu wieder. Viele Bierkneipen, untergebracht in alten Häusern, reihen sich aneinander. Am Ende der Žvejų g. führt eine kleine Treppe zur Tiltų g. hinauf. Über sie gelangt man zu dem windschiefen Restaurant-Kahn und einem kleinen Platz, auf dem im Sommer oft Konzerte klassischer Kammermusik stattfinden.

Grüne Apotheke: Tiltų g./Ecke Turgaus g. Kommt man über die Stufen aus der Žvejų g. hinauf auf die Tiltų g. und geht diese Straße einen Block weiter runter, so gelangt man zu der liebevoll restaurierten *Grünen Apotheke*, die schon von außen ganz intensiv nach Medizin riecht. 1677 wurde sie von *Jakob Jung* gegründet und beeinhaltet heute u. a. auch eine kleine Pharmazieausstellung.

Aukštoji g.

Neustadt

Hinter der Dainė-Brücke, wo die Tiltų g. zur H. Manto g. wird, beginnt die Neustadt von Klaipėda, die sich am Nordufer des Dainė erstreckt. Das Zentrum der Neustadt bilden das Hotel Klaipėda und der ehemalige Leninplatz, der z. Zt. noch namenlos ist, aber bald wieder zum Immanuel-Kant-Platz, wie er vor dem Zweiten Weltkrieg hieß, werden soll. In diesem Viertel sind die meisten Läden und Geschäfte zu finden. Schräg gegenüber vom Hotel Klaipėda, an dessen Stelle übrigens einmal die alte Feuerwache stand, erhebt sich das Musiktheater. Die interessanteste Straße der Neustadt ist wohl die **Liepų g.** (Lindenstraße), in der in letzter Zeit einige Cafés aufgemacht haben und in der auch das Uhrenmuseum und die Gemäldegalerie liegen. Beachtenswert ist das Haus Nr. 16, in dem sich das Hauptpostamt befindet. Das Gebäude ist ein imposanter neugotischer Backsteinbau aus dem Jahre 1890.

Umgebung von Klaipėda

▶ **Gargždai** *(ca. 10.000 Einwohner)*: Die kleine, an sich nicht besonders interessante Stadt könnte sich aber wegen seines Hotels und der Nähe zu Klaipėda als hilfreich erweisen. Durch den jüngst aufblühenden Tourismus nach Klaipėda (Memel) und ins Memelland reicht dort das Hotelangebot oftmals nicht aus. Falls das der Fall sein sollte, kann man dann auf das 20 km entfernte Gargždai ausweichen.

• *Anfahrt/Verbindungen*: PKW - liegt an der A-227, ca. 20 km östlich von Klaipėda Richtung Vilnius.
Bus: regelmäßige Verbindung mit Klaipėda. Der Busbahnhof liegt ein wenig außerhalb. Bus mit Aufschrift SMK zum Zentrum nehmen, hält auch am Hotel. Am besten Bescheid sagen, da es zur Haltestelle keine Anhaltspunkte gibt.

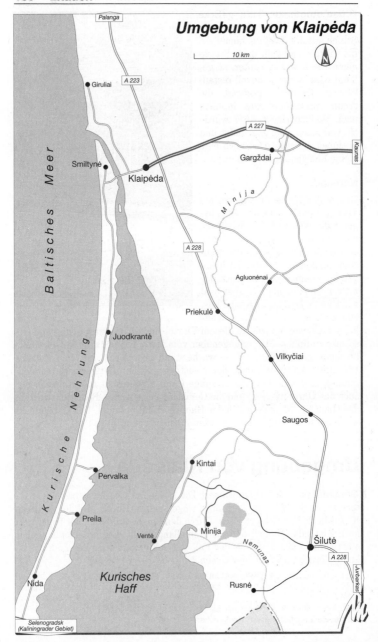

Umgebung von Klaipėda

• *Übernachten*: Vorweg sei gesagt, daß das Hotel sehr einfach ist und deshalb wohl eher für Touristen mit niedrigem Budget in Frage kommt.

Hotel, Krietinių 26. Liegt etwas außerhalb am Waldrand. Vom Zentralplatz auf die Krietinų g. fahren und dann geradeaus, bis rechter Hand ein Hinweisschild kommt.

Dort geht ein kleiner Waldweg ab, wo drei Häuser stehen. Das Hotel, schwer als solches erkennbar, ist das dritte auf der linken Seite.

• *Essen*: Vom Zentralplatz ein Stück die Klaipėda g. hochgehend kommt linker Hand ein Restaurant.

▶ **Agluonėnai (Aglonehnen)**: Kleines, altes Dorf am Ufer des Baches Agluona. Die erste urkundliche Erwähnung des Dorfes erfolgte im Jahre 1540. Mitarbeiter der Kolchose von Agluonėnai haben den Ort zu einem Zentrum der memelländischen Kultur gemacht und am Rande des Dorfes eine ethnographische Ausstellung eingerichtet, in der Werkzeuge und Gegenstände aus dem Memelland gezeigt werden. Vor der dortigen Scheune werden im Sommer oft Theaterstücke aufgeführt.

• *Anfahrt/Verbindungen*: **PKW** - von Klaipėda die A-228 in südliche Richtung bis Priekulė fahren. Kurz hinter Prikulė geht nach 3 km eine kleine Straße nach Agluonėnai ab. **Bus**: vereinzelt Verbindung mit Prekulė und Klaipėda.

▶ **Giruliai (Försterei)**: Das etwa 7 km nördlich von Klaipėda gelegene Dorf ist wegen seinem würzigen Kiefernwald, seinem Ostseestrand und der schönen Landschaft, die es umgibt, interessant. Im Sommer bietet der Campingplatz von Giruliai Möglichkeit zum Übernachten, doch ist er ziemlich schmuddelig. Um Besucher werben z. Zt. die hiesigen Kuranlagen, die, ganzjährig geöffnet, für ca. 80 DM einen 24-tägigen Kuraufenthalt anbieten.

Palanga (Polangen) *(ca. 20.000 Einwohner)*

Palanga ist ein hübsches und vielfältiges Seebad. Es hat etwas für historisch Interessierte zu bieten, verfügt über einen botanischen Garten, befindet sich ganz in der Nähe der Großstadt Klaipėda und liegt an einem karibikweißen Sandstrand, dem sich viele kleine Dünen anschließen.

Landeinwärts ist Palanga von Bäumen und Büschen umgeben. Die würzige Waldluft und die salzige Seeluft ergeben eine wohltuende Mischung, die beschwingend und erholsam wirkt. Mitten im Park von Palanga erhebt sich der sagenumwobene Birutė-Hügel, ein alter heidnischer Opferberg.

Palanga ist Litauens größter Kurort und reicht administrativ von der lettischen Grenze im Norden bis hin zur Ortschaft **Nemirsėta** (Nimmersatt) im Süden. In den zahlreichen Kuranlagen werden die Patienten mit Heilschlamm und Mineralwasser behandelt. Als Seebad der SSR Litauen platzte der Ort förmlich aus allen Nähten. Ob es Bauarbeiter, Journalisten, Seefahrer oder andere Berufszweige waren, von Moskau bis Wladiwostock kamen die Menschen hierher zur Erholung. Unzählige Betriebe und Berufsvereinigungen unterhalten hier Ferienheime für ihre Mitglieder. Doch durch die starken Geldsorgen, die die meisten Bewohner der ehemaligen

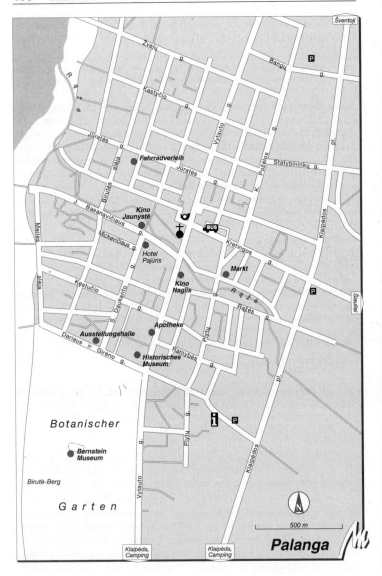

Palanga

UdSSR quälen, bleibt ein Großteil der Touristen heute aus. Im Gegensatz zu manchen anderen Städten gibt es in Palanga mehrere Restaurants und viele kleine Cafés, die in der ganzen Stadt verteilt zu finden sind. Im Zuge der Privatisierung werden sicherlich noch einige dazukommen.

Geschichte

Schon in der Steinzeit war das Gebiet um Palanga besiedelt. Noch vor gar nicht langer Zeit sind erneut Funde gemacht worden, denen man ein Alter von mindestens 5000 Jahren zugesteht und der Narva-Kultur zuordnet. Gefunden wurden neben Werkzeugen und sonstigen Gegenständen einer steinzeitlichen Kultur auch geschnitzte Holzfiguren. Aufschlußreich über die Vergangenheit Palangas haben sich freigelegte Grabfelder aus dem 3. Jh. n. Chr. erwiesen. Dabei ist man nicht nur auf Grabbeigaben wie Bronzeschmuck und Geräte aus Eisen gestoßen, sondern auch auf einige römische Münzen, was darauf schließen läßt, daß bereits zu dieser Zeit ein Handel zwischen den Žemaiten und den alten Römern bestanden haben muß. In Grabmälern aus der Zeit des 8. bis 13. Jh. hat man ebenfalls Schmuck gefunden, aus Silber gefertigt, sowie reich verzierte Waffen.

Wie viele andere Städte im Baltikum blieb auch Palanga nicht vom Missionarseifer der deutschen Kreuzritter verschont, die zwischen dem 13. und 15. Jh. immer wieder versuchten, Palanga zu erobern. Auf dem heiligen Opferberg der heidnischen Litauer, dem **Birutė-Hügel**, ließen sie sogar demonstrativ eine Kapelle errichten. Doch nach der Schlacht bei Tannenberg 1410 mußten die Kreuzritter Palanga verlassen.

Begünstigt durch seinen Hafen trieb Palanga Mitte des 17. Jh. einen florierenden Handel mit dem damaligen Königsberg, Danzig, Riga und anderen europäischen Küstenstädten. Mit Ausbruch der Schwedenkriege wurde in Palanga viel zerstört und der Hafen zugeschüttet. Letzteres soll übrigens auf Bestreben einiger Rigaer Kaufleute geschehen sein, die anscheinend jegliche Konkurrenz ausschalten wollten. Palanga verlor an Bedeutung. Der Handel erfuhr erst 1791 wieder einen Aufschwung, nämlich als Palanga das Magdeburger Stadtrecht erhielt.

Nach der dritten Teilung Polens 1795 wurde Palanga russisch. Um eine erfolgreiche Russifizierung durchzuführen, war in der Zeit von 1864 bis 1904 jegliche Verbreitung litauischen Schriftums verboten. So wurden die Bücher meistens im preußischen Sowetsk (Tilsit) gedruckt und über Palanga nach Litauen eingeschmuggelt.

Richtig bergauf ging es mit Palanga erst mit seiner Erhebung zum Kurort. Die ersten Hotels, Ferienheime und Kureinrichtungen bekam Palanga nach dem Zweiten Weltkrieg.

- *Vorwahl*: 236
- *Postleitzahl*: 5720
- *Information*: Dariaus ir Girėno g. 18. Unter der Woche bis 17 Uhr und Sa bis 13 Uhr geöffnet, Tel. 53119.
- *Anfahrt/Verbindungen*: **PKW** - am Schlagbaum vor den Toren Palangas treffen sich die A-223 aus Klaipėda und die A-225 aus der Richtung Šiauliai. In Palanga selbst sind Autos ungern gesehen, so daß für das Passieren der Stadtgrenze eine Gebühr verlangt wird. Obwohl diese Gebühr für westliche Verhältnisse sehr niedrig ist, bietet es sich an, sein Fahrzeug auf dem bewachten Parkplatz vor der Stadt abzustellen, da die Ruhe, die Palanga ausstrahlt, auch daher kommt, daß die Stadt so gut wie autofrei ist. Die meisten Straßen sind sowieso gesperrt. Dieser Parkplatz liegt an der großen Kreuzung vor Palanga. **Bus**: von und nach Klaipėda mindestens ein Bus stündlich. Da sich in Palanga stets viele Touristen aufhalten und wegen Nähe zu Klaipėda sind die Verbindungen in die litauischen Städte entsprechend gut. Busbahnhof in der Kretingos g.1.

Übernachten

Das Übernachtungsangebot in Palanga ist im Vergleich zu anderen Orten relativ reichhaltig und reicht von der Luxussuite bis hin zu den einfachen, meist komfortlosen Ferienheimen, wobei letztere überwiegen. Allerdings sind noch nicht sämtliche Erholungsherbergen für die Allgemeinheit zugänglich.

• _Hotels_: **Alka**, Daukanto g. 21. Großer Komplex mit gut ausgestatteten Zimmern. EZ etwa 2,50 DM, Tel. 56279.

Kastytis, Mickevičiaus g. 8. Zu vergeben sind zwei Luxussuiten. Die 2-Zimmer-Suite kostet 100, die Dreier 130 DM. Preise inkl. Frühstück, Tel. 53507.

Palanga, Daukanto g. 3. Erholungsheim der Vereinigung der Künstler, Zimmer einfach, aber akzeptabel. Auf je zwei DZ ein Bad. Im Foyer annehmbare Valgykla, pro Person ca. 2 DM, Tel. 53636.

Pajūris, Basanavičiaus 9. Altes schönes Gebäude, zentral zwischen Zentrum und Strand gelegen. Verschiedene Kategorien, ÜB je nach Zimmer zwischen 3 und 11 DM pro Person, Tel. 53345.

Romuva, Birutės al. 37a. Träger ist die Universität Vilnius. Schönes Holzhaus, von innen jedoch sehr spartanisch. Daran ändern auch die etwas großzügiger möblierten Zimmer für die Lehrkörper nichts. Einfachste Zimmer ohne Bad, Gemeinschaftsküche. Kostet ca. 8 DM pro Nacht. Ein internationaler Studentenausweis kann hilfreich sein.

Touristenherberge, Darius ir Girėno g. 18. Liegt etwas außerhalb. Die Ausstattung ist sehr einfach, teilweise auch etwas heruntergekommen, ÜB ca. 2 DM.

Vandenis, Birutės al. 47, liegt fast am Meer. Kleines überschaubares Ferienheim. Zur Zeit das einzige Haus dieser Art, das in Privatbesitz ist. Die Zimmer sind sauber, jedoch ohne Bad. Angeschlossen ist eine nette kleine Bar, in der man auch recht gut essen kann. Außerdem werden Exkursio-

nen nach Klaipėda, Neringa und ins Steinmuseum von Mosėdis angeboten. ÜB etwa 15 DM, VP 20 DM, Tel. 53530.

Vetra, Daukanto g. 35. Ferienheim der Seeleute. Zimmer alle ohne Bad und Komfort. Freundliche Leitung, VP 2 DM, Tel. 53736.

• _Privatquartiere_: Im Restaurant _"Du brolioi"_ (Zwei Brüder), Daukanto 15, das im Besitz von zwei Brüdern ist, werden Privatquartiere für 25 DM die Nacht vermittelt, nach Vaidas Jankauskas fragen. Er spricht gut englisch.

In Kürze werden die beiden Brüder ein **Hotel** in der Druskinikai/Ecke Vytauto g. eröffnen, in dem dann alles vom Feinsten sein soll.

• _Camping_: **Campingplatz**, Vytauto g. 8. Zwischen Klaipėdaer Chaussee und Vytauto g. gelegen, etwas außerhalb vom Zentrum. Die Busse in Richtung Klaipėda halten direkt an der Anmeldung, die Haltestelle heißt _Camping_. Ebenfalls mit Stadtbus 1 zu erreichen, der die Vytauto g. runterfährt. Bis zum Ende der Vytauto g. mitfahren und dann entgegengesetzt der Fahrtrichtung rechts nach Trampelpfaden durch den löchrigen Zaun Ausschau halten. Betritt man den Platz von der Vytauto g. aus, muß der gesamte Campingplatz überquert werden, um zur Anmeldung zu gelangen. Nur zu empfehlen, wenn im Zentrum von Palanga alles ausgebucht sein sollte. Übernachtung in Zwei-, Drei- und Vierbetthütten oder im eigenen Zelt. Geöffnet vom 1.6.-15.9., Tel. 53533.

Essen

• _Restaurants_: **Baltija**, Vytauto g. 98. Einrichtung und Essen mittelmäßig, Tel. 52458.

Banga, Basanavičiaus g. 2. Das Restaurant hat einen schönen Balkon, von dem man unter Tulpenschirmen sitzend hervorragend das Treiben auf der Straße beobachten kann. Gute Küche, Tel. 51370.

Vakaris, Vytauto g. 64. Ganz gutes Essen, Ausstattung durchschnittlich, Tel. 53715.

Gabija, Vytauto g. 40. Frisch renovierter Spiegelbau, wo man auch draußen essen kann, abends Varietévorstellungen, Tel. 53021.

Du broliai, Daukanto g. 15. Schönes, kleines Privatrestaurant. Empfehlenswert.

Vakaris, Vytauto g. 64. Gemütliches, freundliches Lokal in einem gewölbeartigen Raum mit antik aussehenden Möbeln und gutem Essen.

• _Cafés/Bars_: **Aušrine**, Vytauto g. 98. Wirkt durch sein Spiegeldesign so, als ob man einen niemals endenden schmalen Gang durchschreiten müsse, um zum Tresen zu gelangen. Innen düster gehalten, mit kleinen Sitznischen, Tel. 52069.

Gilė, Vytauto g. 55. Nette, kleine Bar mit Atmosphäre. Tel.51095.

Raše, Vytauto g. 84. Schöner als die Bar ist die Terrasse. Befindet sich unter dem Buchladen direkt am Bach. Für einen Kaffee zwischendurch geeignet, Tel. 57292.

Klumpė, Neries g. 9. Die Kneipe an sich ist nichts besonderes, doch der teilweise überdachte Innenhof ist sehr gemütlich, Tel. 53900.

Ruta, Vytauto g. 94. Nicht in die Valgykla reingehen, sondern ein Stück weiter bis zur nächsten Ecke, wo eine Treppe zur Dachterrasse und zu einem hübschen klei-nen, ganz blauen Café hochführt.

Pajūris, Basavavičiaus g. 9. Gehört zum Hotel, gutes Frühstück, Tel. 53559.

Aglona, kleines Café in der Vytauto g. gegenüber einem kleinen Lebensmittelladen, der unschwer an der davorstehenden Warteschlange zu erkennen ist. Möglichkeit zum Draußensitzen.

Perlas, liegt direkt vor der Holzbrücke, die zum Strand führt, mit Sonnenterrasse.

Agnis, Birutės al. 47a. Gehört zum Studentenferienheim, zwar etwas schmuddelig, dennoch ganz nett.

Vandenis, Birutės al. 47. Dem gleichnamigen Ferienheim angeschlossen. Die Bar ist klein, serviert aber leckere Gerichte.

Neringa, Daukanto g. 10. Kleines, schönes Café in dem Erholungskomplex Neringa, mit kleinen Snacks.

Verschiedenes

• _Unterhaltung_: **Tanz**: Daukanto g. 12 und Vytauto g. 45.

Konzerte: _Konzertsaal_, Vytauto g. 43, hat nur während der Saison geöffnet; _Kulturhaus_, Vytauto g. 35; _Konzerthalle_, Jūratės g. 13.

Video: Daukanto g. 12. Gelegentlich werden auch deutsch- und englischsprachige Streifen gezeigt. Das Programm ist im Foyer des Erholungskomplexes _Neringa_ angeschlagen.

Kino: _Naglis_, Basanavičiaus g. 16. Ganz selten Filme auf deutsch oder englisch, ab und zu auf russisch.

Schach: Basanavičiaus g. 45.

• _Einkaufen_: **Markt**: Berų g. 12. Im Sommer reichhaltiges Angebot an Beerenobst und frischem Gemüse. Insbesondere am Wochenende werden lautstark Importwaren angepriesen.

Schmuckladen: Basanavičiaus g. 12. Handgearbeiteter hübscher Silberschmuck, der auch seinen Preis verlangt.

Dailė: Vytauto g. 49. Souvenirladen, in dem es Leder- und Keramikwaren gibt, sowie Bernstein- und Silberschmuck.

Galerie, Daukanto g. 24. Moderne Ausstellungshalle, die ihre Exponate auch zum Verkauf anbietet.

Bernstein, die besten Orte, um Bernstein zu kaufen, sind Klaipėda und Palanga. Fast an jeder Straßenecke stehen Büdchen, an denen man das fossile Harz erstehen kann.

Buchladen: Vytauto g. 84. Stadtplan und Prospekte über Palanga erhältlich.

Lebensmittelgeschäft: an dem großen Platz, gegenüber der Flughafenkasse. Einer der reichhaltigsten Supermärkte Litauens mit Milchprodukten, knusprigen Baguettes, Kuchen, Obst, Bier u. v. m.

• _Diverses_: **Geldwechsel**: Vytauto g. 100, in der Flughafenkasse, die auch am Wochenende vormittags geöffnet hat, sowie in der Jūrates g. 17. Kleine Wechselstuben schießen momentan wie Pilze aus dem Boden.

Post: Vytauto g. Ecke Neries g.

Poliklinik: Vytauto g. 92.

Fahrräder: Smilčių g. 11. Fahrrad ca. 1 DM am Tag. Räder gut abschließen, bei Verlust sind 80 DM zu zahlen. Neben Drahteseln sind auch Federballschläger zu leihen, sowie Kinderwagen, tragbare Transistorgeräte und sogar Krücken.

Wäscherei: Požėla g. 8.

Ehemaliges Schloß des Grafen Tiškevičiaus, heute Bernsteinmuseum

Sehenswertes

Die Hauptattraktionen Palangas sind selbstverständlich Sand, See und Sonne, doch auch Kulturinteressierte kommen hier auf ihre Kosten.

Schloß und Bernsteinmuseum: Im ehemaligen Domizil des *Grafen Tiškevičiaus* ist heute das Bernsteinmuseum untergebracht. Eine interessante Ausstellung, in der man Wissenswertes über die Entstehung und Verarbeitung des Bernsteins erfahren kann. Außerdem können Schmuck, Schatullen und viele andere Gegenstände aus dem Ostsee-Gold bewundert werden. Die Erklärungen zu den Exponaten sind auch in deutscher Sprache angeschlagen.

Botanischer Garten: Schöner, romantischer Park, in dem sich auch das neoklassizistische Schloß befindet. Mitten in dem idyllisch angelegten Garten erhebt sich eine hohe, befestigte Düne, der **Birutė-Berg.** Vor langer Zeit soll der Berg ein Heiligtum gewesen sein, an dem die alten Litauer ihren heidnischen Göttern geopfert haben, und an dessen Fuße ein heiliges Feuer entfachten. Hüterin dieses Feuers, so sagt man, sei die wunderschöne *Birutė* gewesen. Der Sage nach muß auch der damalige *Großfürst Kęstutis* die Kunde von der Schönheit Birutės vernommen haben, begehrte sie und wollte sie zur Frau. Birutė aber, die den Göttern bei ihrer Jungfräulichkeit geschworen hatte, bis an ihr Lebensende ihnen zu huldigen, weigerte sich. So hat Kęstutis sie schlichtweg geraubt und mit nach Trakai genommen, wo er eine prächtige Hochzeit ausrichten ließ. Doch die Ehe hielt nicht lange, da der Großfürst kurz darauf ermordet wurde. Nach dem Tod ihres Gatten soll Birutė zu dem heiligen Berg zurückgekehrt sein.

Angeblich hat man sie auch auf dem Berg begraben, so daß dieser nun ihren Namen trägt.

Historisches Museum, Vytauto g. 23a: Kleines Museum über die jüngste Geschichte Palangas, bis hin zu Steinzeitfunden, die auf diesem Gebiet entdeckt worden sind.

Teufelsmuseum, Daukanto g. 16: Private, kleine Sammlung von Teufels- abbildungen und - figuren, die mit dem großen Teufelsmuseum in Kaunas allerdings nichts zu tun hat; besonders interessant für Kinder. Mo ge- schlossen.

Ausstellungshalle, Daukanto g. 24: Zu sehen sind wechselnde Werke zeitgenössischer, zumeist unbekannter Künstler.

Baden: Wie auf Puderzucker federt man über Palangas strah- lend weißen Sand. Geht man die Basanavičiaus g. bis zum Ende durch, kommt man zu einer Holz- brücke, die ein gutes Stück ins Meer ragt. Es handelt sich hierbei um die alte Landungsbrücke des längst versandeten Hafens, die heute als Promenade genutzt wird. Wer will, kann hier mit Micky, Donald & Co. vor der Ka- mera posieren. Um die Promenade herum ist der Strand ziemlich voll, obwohl er noch lange nicht mit den Stränden der Touristenhochbur- gen des Mittelmeeres zu verglei- chen ist. Etwas weiter südlich ist es um einiges ruhiger, fast einsam. Beliebt zum Sonnenbaden sind auch die Dünen, die sich dem Strand anschließen.

Strand von Palanga

FKK: Spaziert man Richtung Nor- den am Strand entlang, so kommen zwei FKK-Strände, einer für Damen und einer für die Herren.

Šventoji

Šventoji, administrativ zu Palanga gehörend und der Post unter Palanga 2 bekannt, ist ein aus dem Boden gestampfter und auf Mas- sentourismus ausgerichteter Ferienort.

Šventoji besteht nur aus gewaltigen Erholungskomplexen und kleinen Campinghütten. Die massiven Gebäude wirken erdrückend, schöne Cafés sind rar, und der Strand ist nicht so weiß wie der im 20 km entfernten Palanga.

● *Anfahrt/Verbindungen*: **PKW** - die Vytauto g. einfach geradeaus Richtung Norden entlangfahren.

Bus: vom Busbahnhof Palangas fährt jede halbe bis volle Stunde ein Bus nach Šventoji.

● *Übernachten*: **Energetika**, Kuršių Taras 1. Willkommen im Schloß! Riesige Betonburg, Zimmer mittelmäßig, etwa 6 DM pro Nacht, Tel. 55514.

Banga, Kopų 25. Nicht ganz so gewaltiges Gebäude, wirkt dennoch nicht gerade einladend. Zimmer einfach, oft ausgebucht. ÜB 2 DM, Tel. 55584 oder 55185.

Žilvitis, Topolių 22a. Überschaubar und schöne Zimmer (besonders im 2. Stock), die um eine große Terrasse herum angeordnet sind, ÜB ca. 3 DM, Tel. 55252.

Campinghütten: Diese kleinen Holzhäuschen sind an sich ganz hübsch, doch stehen sie alle dicht an dicht. Meist ist es sehr schwierig, eine zu mieten. Oft sind irgendwelche Betriebe die Besitzer und die Hütten somit nur für deren Mitarbeiter zugänglich. Häufig ausgebucht. Evtl. kann man in den Häuschen der Arbeiter eines Kaunaser Betriebes wohnen. Kopų 7, Administration in Hütte 10a.

● *Essen*: **Bar**, im Žilvitis. Die Bar ist ganz nett, und man kann dort auch Kleinigkeiten essen.

Astra, Šventosios 17, mittelmäßige Küche.

● *Diverses*: **Post** - Mokylos 2.

Kretinga   *(ca. 23.000 Einwohner)*

Die alte Stadt Kretinga steht ein wenig im Schatten des nahegelegenen Seebades Palanga, ist aber durchaus einen Besuch wert. Interessant sind die hier ansässigen Franziskanermönche, die keine Fremden hinter ihre Klostermauern blicken lassen.

Die Geschichte von Kretinga verlief sehr wechselhaft. Im Mittelalter wurde die Stadt häufig von deutschen Kreuzrittern angegriffen, gegen die sich die als halsstarrig bekannten Žemaiten jedoch vehement zur Wehr setzten. Nach einer Schlacht sollen sie sogar einen Ordensführer öffentlich verbrannt haben.

● *Postleitzahl*: 5700

● *Vorwahl*: 258

● *Anfahrt/Verbindungen*: **PKW** - liegt an der A-225, etwa 13 km östlich von Palanga auf dem Weg nach Panevėžys.

Bus: gute Verbindungen mit Palanga. Alle Busse, die von Palanga aus über die A-225 fahren, halten auch in Kretinga. Busbahnhof in der Šventosios g. 1. Zum Zentrum fahren die Busse 1 und 1a und ein Mikrobus.

Bahn: Züge der Linie Šiauliai-Klaipėda halten auch in Kretinga. Bahnhof in der Stoties g.1. Zwischen Bahnhof und Zentrum verkehren die gleichen Busse wie zum Busbahnhof.

● *Übernachten*: **Gintaras**, Mėguiva g. 3. Relativ neues, sauberes und preiswertes Hotel in der Nähe vom Hauptplatz. Verschiedene Kategorien. Einfache ÜB um die 3 DM, Tel. 52912.

● *Essen*: **Restoranas**, Rotušės a. 13. Gaststätte nichtssagend ausgestattet, aber akzeptables Essen.

Kaukas, Vilniaus g. 8. Kleines privates Café, in dem man gut essen kann, freundlicher Service.

● *Diverses*: **Geldwechsel** - Vilniaus g. 1.

Post: Rotušės a. 7.

Poliklinik: Žemaitės al. 1.

Sehenswertes

Klosteranlage: Sehr interessant und beeindruckend ist das Bild des Klosters und der Kirche. Das Kloster, Anfang des 17. Jh. errichtet, wird auch heute noch von Franziskanermönchen bewohnt. Das Kloster selbst ist für die Öffentlichkeit nicht zugänglich, wohl aber die dazugehörige **Maria-Offenbarungs-Kirche**. Die Kirche, die wie das Kloster Anfang des 17. Jh.

entstand, ist stilistisch schwer einzuordnen, da jede Zeit ihre Spuren hinterlassen hat, so daß heute Stilelemente der Gotik, des Barock und der Renaissance zu finden sind.

Museum: Vilniaus g. 2, neben der Kirche. Zu sehen sind Ausstellungsfunde aus der Umgebung, volkstümliche Masken, altes Geschirr sowie Bernsteinornamente aus prähistorischen Zeiten.

Im Foyer des Museums können hübsche Schmuck-, Leder- und Keramikwaren erstanden werden.

Altstadt: Die Kretingaer Altstadt ist zwar nicht überwältigend groß, dennoch laden die schmucken Häuser des 17. Jh. am Hauptplatz zu einem kleinen Bummel ein.

Absurditätenmuseum in Salantai

▶ **Salantai:** Kleines Städtchen im Bezirk Kretinga, an beiden Seiten der *Minija* gelegen. Im Kampf gegen die deutschen Kreuzritter war Salantai relativ bedeutungsvoll, da hier eine žemaitische Festung stand. Heute ist die Stadt interessant wegen eines kleinen Bauerngehöfts, in dem sich das **Absurditätenmuseum** der *Familie Orvydas*, die "höchstkurioses Allerlei" über mehrere Generationen hinweg zusammengetragen hat, befindet. Das Museum liegt an der Straße von Plungė nach Skuodas.

• *Anfahrt/Verbindungen*: **PKW** - Der Ort liegt etwa 15 km nordöstlich von Kretinga und 20 km nordwestlich von Plungė, jeweils auf dem Weg nach Skuodas. **Bus**: Verbindung mit Plungė, Skuodas und Kretinga.

Skuodas   *(ca. 9.000 Einwohner)*

Kleinstadt und Verwaltungszentrum im Nordwesten Litauens, nicht weit entfernt von der lettischen Grenze. Skuodas soll einmal eine recht ansehnliche Altstadt gehabt haben, die aber während des Zweiten Weltkrieges weitgehend zerstört wurde.

Im Besitz der Stadtrechte ist Skuodas seit 1572. Bekannt ist der Ort jedoch schon seit Mitte des 13. Jh., als sich nämlich der Livländische Orden und die Žemaiten hier eine blutige Schlacht lieferten, aus dem der Orden mit einer Niederlage hervorging.

In Skuodas selber gibt es keine besonderen Attraktionen, doch nur 12 km südlich liegt das Dorf Mosėdis mit seinem sehenswerten Steinmuseum, das zu einem Ausflug einlädt.

- *Postleitzahl*: 5670
- *Vorwahl*: 216
- *Anfahrt/Verbindungen*: **PKW** - Von Kretinga die Landstraße in nordöstliche Richtung über Külupėnai und Salantai nach Skuodas nehmen. Von Mažeikiai aus die Landstraße nach Skuodas entlang fahren.
  Bus: Am besten von Mažeikiai aus zu erreichen, aber auch von Klaipėda, Palanga und Kretinga. Busbahnhof in der Vilniaus g. 34.

- *Übernachten*: **Apuolė**, Dariaus ir Girėno g. 3. Verschiedene Kategorien, Zimmer sind sauber. Tel. 51709.
  Camping: Auf dem Weg zwischen Skuodas und Mosėdis befindet sich eine Zeltwiese, ausgeschildert.
- *Essen*: **Bartuva**, Dariaus ir Girėno g. 2. Ausstattung und Essen mittelmäßig, Tel. 51441.
- *Diverses*: **Geldwechel** - Jaunimo g. 7.
  Poliklinik: Basanavičiaus g. 23

▶ **Mosėdis**: Kleines Städtchen im Bezirk Skuodas. Bekannt über die Grenzen Žemaitijas heraus ist der Ort wegen seines kleinen, aber sehenswerten **Steinmuseums**. Die Gegend um Mosėdis ist, zum Ärger der Bauern, sehr steinig. Nicht umsonst bezeichneten sie die Steine als das *Saatgut des Teufels*. Ganz anders sah das ein in der Stadt ansässiger Arzt und begann, die Steine zu sammeln. Als es schließlich so viele wurden, und der emsige Sammler nicht mehr wußte, wohin mit seinen Funden, richtete man das Steinmuseum ein. Das Museum befindet sich in einer alten, malerischen Wassermühle. Vom gewöhnlichen Stein, den man auf den Feldern findet, bis hin zu ansehnlichen Findlingen sind alle Steine, die es in der näheren Umgebung von Mosėdis gibt, zu sehen. Gegenüber der Wassermühle liegt außerdem ein Park, in dem man Steine aus ganz Litauen bewundern kann. Das Museum ist täglich von 8-14 und 15-20 Uhr geöffnet.

- *Anfahrt/Verbindungen*: **PKW** - liegt an der Straße zwischen Salantai und Skuodas.
  Bus: Linie Klaipėda - Skuodas nehmen. Haltestelle in Mosėdis vor der Brücke.

Die Kurische Nehrung

Vor den Toren Klaipėdas liegt die einzigartige Kurische Nehrung. Sie ist einmalig in Europa und absolut sehenswert, so daß sie in keiner Litauen-Tour fehlen sollte. Schon Alexander v. Humboldt war 1809 auf seiner Reise durch das Baltikum so von ihrer Schönheit angetan, daß er gesagt haben soll, daß ein jeder die Nehrung gesehen haben muß, wolle man seiner Seele nicht ein herrliches Bild verweigern.

Recht hat er - wo sonst findet man einen solch schmalen Landstreifen, auf dem duftende Fichten- und Kiefernwälder wachsen, der gleichzeitig aber auch mit einer leuchtend-weißen Wüstenlandschaft, die man die litauische Sahara nennt und über die kreischende Möwen und Krähen ihre Runden drehen, aufwarten kann - und der dazu noch im Norden Europas liegt?

Zur Entstehung der Nehrung

. . . vor vielen, vielen Jahren, als es die berühmte Kurische Nehrung noch gar nicht gab, lagen vor dem litauischen Festland eine Reihe von Inseln. Auf einer dieser Inseln wurde eines Tages ein Mädchen geboren, das man auf den Namen *Neringa* taufte. Neringa war nicht nur schön, sondern auch von besonderem Wuchs. Schon bald überragte sie alle ihre Mitmenschen an Größe, bis sie schließlich die Ausmaße einer Riesin annahm. Zeit ihres Lebens fühlte sich Neringa den Fischern verbunden und half ihnen, wo es sich als nötig erwies. Eines Tages aber wütete der Meeresgott *Bangputys* (Wellenbläser) auf der Ostsee und schickte einen furchtbaren Sturm, mit dem er gewaltige und gefährliche Wellen über das tobende Meer peitschte. Den Fischern wurde angst und bange, und in ihrer Verzweiflung wandten sie sich an Neringa. Neringa konnte ihren Schützlingen die Hilfe nicht verweigern und begab sich an eine mühsame Arbeit: Unmengen von Sand schöpfte die Riesin tagelang in ihre Schürze, den sie zwischen die einzelnen Inseln ausschüttete, bis er schließlich so hoch war, daß er zusammen mit den Inseln einen schützenden Sandwall bildete. Ihr Werk beendete sie aber erst dann, als auch hohe Dünen von der Nehrung in den Himmel emporragten. So schenkte sie den Fischern ein ruhiges Gewässer, das Kurische Haff nämlich, in dem sie unbesorgt fischen konnten und nicht länger den Launen des Meeresgottes unterworfen waren. Die Fischer aber benannten die Landzunge nach ihrer Schöpferin, *Neringa*.

Wissenschaftlichen Untersuchungen zufolge geht die Nehrung auf eine Inselkette von Endmoränen zurück, die sich vor etwa 7000 Jahren zu einer Landzunge verbunden haben. Die Ursache dafür war, daß sich das *Samland* zu heben begann und seine Küste unterspült wurde. Die so entstandenen

Sandmassen bewegten sich Richtung Norden und lagerten sich schließlich in dem relativ ruhigen Wasser zwischen den Inseln ab. Im Laufe der Zeit sind die Inseln auf diese Weise zu einer schmalen Landzunge zusammengewachsen. Durch die Nehrung ist das *Kurische Haff* fast völlig von der Ostsee abgetrennt und läßt es zum größten Binnengewässer Litauens werden. Sicherlich wäre auch die Meerenge bei Klaipėda, die einzige Stelle, wo sich Haff- und Meereswasser vermischen, geschlossen, würde nicht der kräftige Nemunas unweit von Rusnė mit einem Delta ins Kurische Haff münden. Mit den Jahren haben sich durch einen meist aus westlicher Richtung wehenden Wind gigantische Dünen gebildet, die Höhen bis zu 60 m erreichen.

Geschichte

Nach archäologischen Forschungen ist die Nehrung seit etwa 4000 Jahren, vermutlich ursprünglich von baltischen Stämmen, besiedelt worden. Ihre ersten Bewohner ernährten sich von der Jagd und vom Sammeln und lebten im Einklang mit der empfindlichen Natur der Nehrung. Vor 500 Jahren jedoch begannen die Menschen, Raubbau mit der Nehrung zu treiben, indem sie wegen des Handels große Baumbestände abholzten, was fatale Folgen haben sollte: Die Dünen "erhoben sich" und begannen zu wandern. Zwischen dem 16. und 19. Jh. sind ganze 14 Dörfer unter den Massen der gigantischen Sandberge begraben worden. Erst nach einem Wiederaufforstungsplan des Wittenberger Professors *J. Titius* begannen sich die Dünen allmählich wieder zu beruhigen. Nach seinem Vorschlag wurden am Meeresufer sog. Vordünen gebildet, die verhindern sollten, daß die Wanderdünen über das Meer neuen Sand erhielten. Der Nidener Postangestellte *Georg Kuwert* war der erste, der mit der langwierigen Arbeit begann, die Dünen zu bepflanzen. Es entstand ein Waldstreifen, der weitere Katastrophen verhinderte, obwohl es im Süden von Nida immer noch eine Reihe unbefestigter Dünen gibt. Doch mittlerweile ist die "Dünenfrage" in ihr Gegenteil umgeschlagen: Durch die Vordünen, die ja verhindern sollen, daß die Wanderdünen weiterziehen und Häuser und Höfe unter sich begraben, besteht nun die Gefahr, daß jene Dünen, die ja keine neue Nahrung mehr erhalten, selbst verschwinden könnten. So ist in den letzten zwei Jahrzehnten die große Düne bei Nida um ganze 15 m gesunken. Bewahrheiten sich die Prognosen der Wissenschaftler, so wird es die Litauische Sahara, falls nicht irgendeine Lösung gefunden wird, in ein paar hundert Jahren nicht mehr geben.

Naturschutz

Die litauischen Behörden sind sich der Empfindlichkeit der Kurischen Nehrung bewußt und haben daher den Teil der Nehrung, der zur zusammengefaßten Stadt Neringa gehört, unter Naturschutz gestellt und zum Nationalpark erklärt. Besucher, die die Nehrung weiter als bis Smiltynė bereisen wollen, werden am Kontrollposten in Alksmynė, gelegen zwischen Smiltynė und Juodkrantė, zur Kasse gebeten. Die Situation an der

Kurisches Haff bei Vente

Kontrollstelle ist etwas unübersichtlich. Die offizielle Version lautet zwar, daß stets nur eintägige Aufenthaltsgenehmigungen erteilt würden, es sei denn, es läge der Nachweis einer Hotelreservierung vor. Doch die Praxis sieht oft so aus, daß beim Passieren des Kontrollpunkts nur ein bestimmter Betrag bezahlt wird und fertig. Richtig ist jedoch, daß die zu entrichtende Summe je nach Saison und Besucheransturm variiert, sich in etwa aber im Rahmen von 8 bis 15 DM (Autofahrer und Radler zahlen mehr) befindet. Autotouristen werden angehalten, ihre Fahrzeuge nur auf den dafür vorgesehenen Parkplätzen abzustellen. Darüber hinaus werden alle Besucher dringlichst gebeten, auf keinen Fall die markierten Wege zu verlassen, da die Landschaft der Nehrung dadurch ernsthaft gefährdet würde. Feuer machen und wildes Campen ist strengstens verboten.

Neringa

Die "Stadt" Neringa besteht aus dem administrativen Zusammenschluß der Fischerdörfer Juodkrantė (Schwarzort), Pervalka (Perwelk), Preila (Preil) und Nida (Nidden) und erstreckt sich über 50 km die halbe Nehrung hinunter.

Der Hauptort von Neringa ist Nida, das südlichste der vier Dörfer. Dahinter verläuft auch die Grenze zum Kaliningrader Gebiet. Sollte sie mittlerweile nicht geschlossen worden sein, so ist hier in der Regel eine visumfreie Einreise in das Kaliningrader Gebiet möglich. Viele der Hotels und Ferienheime auf der Nehrung haben schon Verträge mit ausländischen Reiseveranstaltern oder aber sind den Mitgliedern des jeweiligen Trägers vorbehalten, so daß es besonders in der Hochsaison schwierig werden kann, ein Quartier zu finden. Daher sollte man sich voranmelden.

- *Postleitzahl:* 5800
- *Vorwahl:* 26 (Klaipéda)
- *Anfahrt/Verbindungen:* **PKW** - Den litauischen Teil der kurischen Nehrung erreicht man mit der Fähre von Klaipéda aus oder über Selenogradsk (Cranz), dem Tor zur Nehrung vom Kaliningrader Gebiet aus.

Näheres zu den Fähren, siehe Klaipéda.

Bus: Es besteht eine Busverbindung zwischen Klaipéda und Kaliningrad, die den Weg über die Nehrung nehmen. Außerdem wird Neringa mehrmals täglich gesondert von Klaipéda angefahren. Die Busse halten in jedem Dorf der Nehrung.

Die einzelnen Orte der Nehrung

▸ **Smiltyné (Sandkrug):** Smiltyné ist, aus Klaipéda kommend, der erste Ort auf der Nehrung. Das ehemalige Fischerdorf gehört allerdings nicht wie die anderen Nehrungsdörfer zur Stadt Neringa, sondern zu Klaipéda. Hier in Smiltyné befinden sich das Meeresmuseum und der Jachthafen. Fährt man von der Anlegestelle die Hauptstraße etwa 2,5 km weiter südlich, trifft man auf die Anlegestelle der Fähren, die 2 km südlich von Klaipéda ablegen.

- *Übernachten:* **Smiltyné**, Smiltynés g. 17, hübsches Kurhaus, das gerade in ein Hotel verwandelt wird. Unweit vom Haus beginnt der Strand. Z. Zt. ist das Hotel nur während der Saison geöffnet, Preise sind noch unklar, doch kann davon ausgegangen werden, daß sie auf Grund der Umbauten nicht allzu niedrig sein werden, Tel. 91149.

▸ **Juodkranté (Schwarzort):** Juodkranté liegt etwa 20 km von Klaipéda und 30 km von Nida entfernt. Er ist nach Smiltyné der nächste Ferienort auf der Nehrung. Alte Waldbestände haben den Ort vor den Wanderdünen geschützt, so daß man davon ausgeht, daß Juodkranté wohl das älteste Dorf der Nehrung ist. In der zweiten Hälfte des letzten Jahrhunderts hat man hier intensiv nach Bernstein gesucht, wobei bedeutende Funde aus dem Mesolithikum und Neolithikum gemacht wurden (zu besichtigen im Preußischen Museum in Kaliningrad).

1650 eröffnete in Juodkranté die erste Schänke, die man "Zum schwarzen Ort" nannte und die dem Dorf dann seinen Namen gab. 1697 wurde Schwarzort das *Culmer Recht* verliehen, 1743 erhielt der Ort eine Schule. 15 Fischerhäuser und das Kurhaus von Juodkranté stehen unter Denkmalschutz. Die evangelisch-lutherische Kirche stammt aus dem Jahre 1885. Leider gibt es im Dorf auch einige weniger ästhetische Nachkriegsbauten, die als Erholungsheime für den Massentourismus entstanden sind. Trotzdem ist ein Besuch lohnenswert, denn die saubere Luft und der atemberaubende Blick auf das Kurische Haff sind mehr als entschädigend. Die Bushaltestelle liegt direkt an der Hauptstraße.

- *Übernachten:* **Ryšiai**, Taikos g. 15. Einfaches Ferienheim, ÜB um die 4 DM, Tel. 52824.

Gintaras, Kalno g. 12. Massiver Ferienheimkomplex, Zimmer entsprechen eher unterem Jugendherbergsniveau, Preis-Leistungsverhältnis unausgeglichen, VP zwischen 30 und 50 DM, Tel. 53281.

Eléktonas-2, Misko g. 1. Wie der Name vermuten läßt, gehört das Erholungsheim einer Elektrofirma, dennoch kann man dort, wenn Platz vorhanden, unterkommen. Je 2 Zimmer teilen sich ein Bad, Ausstattung einfach, ÜB ca. 2 DM, Tel. 53278.

Smilga, Kalno g. 18. Noch ist alles sehr einfach, doch die Renovierungsarbeiten haben begonnen, was sich sicher auf die Preise niederschlagen wird, nette Bar angeschlossen, Leute freundlich, ÜB momentan zwischen 10 und 15 DM, nur im Sommer geöffnet, Tel. 53283.

Kirche von Juodkrantė

Žuolynas, L. Lešos g. 54. Frisch renoviertes Hotel, unmittelbar am Haff gelegen. Meistens belegt von deutschen Reisegruppen, für Gäste Fahrradausleihe möglich. An der Rezeption Verkauf deutschsprachiger Bücher und Zeitungen, EZ 54 DM, DZ 74 DM, Preise inkl. VP, Bezahlung in Devisen, Tel. 53116.

• *Essen*: Da die meisten Ferienheime über eine hauseigene Valgykla (Kantine) verfügen und in der Regel VP anbieten, ist es etwas schwierig, richtige Restaurants zu finden. Am Hauptparkplatz gibt es ein einfaches Restaurant. Ganz nett ist die Bar des Ferienhauses *Smilga*, die aber nur Snacks im Angebot hat.

• *Diverses*: **Post** - Kalno g. 32. **Telegrafenamt**: Kalno g. 7.

Sehenswertes

Märchenpfad: Außer der schönen Natur der Nehrung reizt auch der Märchenpfad in den sog. *Hexenberg* hinauf zu einem Spaziergang. An die 40 kunstvoll geschnitzte Holzskulpturen laden ein in die Welt der litauischen Märchen- und Fabelwesen. Der "sagenhafte" Pfad geht vom großen Hauptparkplatz in Juodkrantė ab.

Museum für Holzskulpturen: Direkt an der Hauptstraße gelegen, Di-So von 11-18 Uhr geöffnet.

▶ **Pervalka (Perwelk):** Pervalka liegt unmittelbar am Haffufer, etwas abseits von der Hauptstraße. Im Jahre 1836 wurde das Dorf von Flüchtlingen gegründet, deren Hab und Gut unter den Sandmassen der Wanderdünen begraben worden war, in der Hoffnung, hier sicher zu sein. Nicht weit von Pervalka erhebt sich die 53 m hohe *Skirpstas-Düne*, deren höchster Punkt von einem Eichenpfahl mit einem holzgeschnitzten Porträt des 1776 geborenen Dichters *Ludwig Rhesa* geziert wird.

Rhesa, bedeutsam für die Kultur Litauens, unterrichtete an der Universität Königsberg die litauische Sprache und machte die litauischen Dainas

(Volkslieder) auch in deutschen Ländern bekannt. Geboren wurde er im Dorf *Karvačiai* (Karwaiten), das die mächtige Skirpstas-Düne nun unter sich begraben hält.

Auch Pervalka ist heute ganz auf Tourismus eingerichtet, allerdings nur für Mitglieder und Mitarbeiter bestimmter Betriebe, die meist auch Träger der hiesigen Ferienhäuser sind.

● *Übernachten*: **Baltija**, Piles g. 2. Das Haus gehört einer Werft aus Klaipėda, in der man unterkommen kann, wenn noch was frei ist. Die Zimmer sind sehr einfach, ÜB um die 2 DM, Tel. 12324. Hier kann man auch *Boote* ausleihen.
● *Post*: Pervalka g. 12.

▶ **Preila (Preil)**: 1843 wurde das zwischen dem *Ziegenhorn* und dem *Kleinen Horn* gelegene Preila von den Fischern, die aus dem versandeten Dorf Nagliai geflohen waren, gegründet. Nagliai befindet sich heute unter der 55 m hohen *Nagelner Düne*, die sich etwa 3 km nördlich von Preila erhebt. Längst hat sich das einstmals verschlafene Fischerdorf zu einem turbulenten Ferienort entwickelt, wobei die Architekten sich allerdings bemüht haben, die Ferienhäuser stilgemäß an die kleinen, schmucken Behausungen der Fischer anzupassen. 19 der im Dorf befindlichen Fischerhäuschen stehen unter Denkmalschutz.

Südlich von Preila beginnt der *Elchwald*, ein größeres Waldgebiet, durch das auch heute noch Elche streifen sollen.

Nida (Nidden)

Ob es die gigantische große Düne ist, die zu einem Spaziergang in der "litauischen Sahara" einlädt, oder das Kurische Haff, das malerisch durch die Fichten- und Kiefernwälder schimmert, oder aber die hübschen bunten Fischerkaten - Nida ist der am meisten besuchte Ort der Nehrung und der touristisch interessanteste.

Auch Nida wurde von Flüchtlingen aus verschütteten Dörfern gegründet. Ursprünglich bestand Nida aus drei Dörfern, die mit der Zeit zusammengewachsen sind, nämlich **Skruzdynės** (Ameisenhaufen), **Purvynas** (Schlamm) und eben **Nida**. Archäologische Ausgrabungen besagen allerdings, daß es bei Nida schon in grauer Vorzeit Siedlungen, vermutlich baltische, gegeben hat.

Mit 54 alten Fischerkaten ist Nida ursprünglicher als die anderen Dörfer der Nehrung. Vor vielen der denkmalgeschützten Häuschen blühen kleine Rosengärten, eingefaßt mit niedrigen, bunten Holzzäunen. Doch auch hier finden sich die bekannten Ferienheime - Betonburgen, die so gar nicht ins malerische Bild passen. Momentan versucht man, diese häßlichen Bauten ein wenig zu verschönern. Das Zentrum Nidas ist die Gegend um das Lebensmittelgeschäft Gilija, in dessen Nähe sich auch die Bushaltestelle und das Rathaus befinden.

Schlägt man vom Rathaus den Weg zur großen Düne ein, so erreicht man das ethnographische Museum.

Dünen von Nida

Nida und seine Künstler

Die Schönheit Nidas als Inspirationsquelle zu nutzen, verstanden schon immer viele Maler und Schriftsteller, die ihre Eindrücke entweder mit kräftigen, frischen Farben auf der Leinwand einfingen, wie beispielsweise die Expressionisten *Schmidt-Rotluff* und *Kirchner*, oder aber mit schnell fließender Feder aufs Papier brachten wie *Thomas Mann*.

Der Schriftsteller hat sich hier ein Ferienhäuschen gebaut, in dem er und seine Familie die Sommer von 1930-1932 verbrachten. Für sein kleines Feriendomizil hatte sich Thomas Mann die beste Lage ausgesucht: hoch oben auf einem Hügel, umgeben von duftenden Kiefern und mit einem traumhaften Blick auf das Wasser, den er schlichtweg als "*Italienblick*" bezeichnete. Im Laufe der Zeit ist der "Italienblick " durch wilde Sträucher und Gestrüpp ein wenig zugewachsen. In Nida begann Thomas Mann übrigens mit seinem Roman "Joseph und seine Brüder". In dem Haus befindet sich heute ein kleines Gedenkmuseum für den Schriftsteller.

● *Information*: Taikos g. 4, Tel. 52604.

● *Anfahrt/Verbindungen*: **PKW** - Von Smiltynė die Hauptstraße etwa 50 km immer geradeaus runterfahren. Der letzte Ort Neringas ist Nida. Fährt man die Straße noch weiter, so gelangt man an die Grenze zum Kaliningrader Gebiet.

Bus: Verbindung mit Klaipėda, Kaliningrad und den anderen Nehrungsdörfern. Haltestelle Tarybų g., schräg gegenüber vom Rathaus.

Schiff: Die Informationen bezüglich der Schiffe zwischen Nida und Kaunas sind z. Zt. sehr schwammig. Wenn sie fahren sollten, wird jedenfalls an der Hafenmole vor dem Rathaus ab- bzw. angelegt. Am besten im Informationsbüro nochmal nachfragen.

● *Übernachten*: **Juratė**, Pamario g. 3. Bei dieser Adresse handelt es sich um die Administration einer riesigen Ferienanlage, zu der kleine Holzhäuser, aber auch einige Komplexbauten gehören. Insgesamt verfügt sie über unzählige Zimmer der verschiedensten Kategorien und Preise. Billig, aber ohne jeglichen Komfort, wohnt man in

der am Haff gelegenen *Villa Vaiva*, ÜB dort ca. 2 DM, Tel. 52618/52619.
Dobilas, Koverto g. 7. Äußerst einfache Ausstattung, ÜB um die 5 DM, Tel. 52621.
Statybininkas, Skruzdynės 7. Einfache, sau-

bere Zimmer, ÜB ca. 14 DM, Tel. 52629.
Ruta, Pajūrio g. 13. Einfach ausgestattetes Ferienheim, ÜB um die 12 DM, Tel. 52497.
Zuvėdra, Pajūrio g. 10. einfache Zimmer, ÜB ca. 13 DM, Tel. 52497.

Verschiedenes

● *Essen*: **Nida**, Tarybų g. 1. Preiswertes Restaurant sowjetischen Stils, Tel. 52754.
Užuovėja, Skruzdynės g. 1. Nettes Restaurant mit der Möglichkeit, draußen auf der Terrasse zu speisen und dabei den schönen Haffblick zu genießen, Tel. 52742.
Ešerine, Naglių g. Liegt direkt am Haff, kurz vor dem Pfad zur großen Düne. Gemütlich zünftiges Fischlokal. Draußen steht ein hölzernes, offenes Rondell, unter dem man sich mit Blick auf das Haff verschiedene Biersorten schmecken lassen kann. Nur von Mai-Oktober geöffnet.

● *Cafés/Bars*: **Seklyčia**, Lotmiškio g. 1,

nicht weit weg vom Ešerine. Kleine Bar mit hübschem Vorgarten, Blick auf das Wasser und auf die große Düne, von 11-23 Uhr geöffnet.
Jūratė, Pamario g. 3. Kleines Café mit Kuchen und heißen Sandwiches.
Naglis, Rėzos g. 6. Einfaches Café mit kleinen Snacks, Tel. 53225.
● *Diverses*: **Geldwechsel** - Naglių g. 27.
Post: Taikos g. 13.
Poliklinik: Taikos g. 7.
Apotheke: Taikos g. 6.
Bootsverleih: Lotmiškio g., bei der Bar Seklyčia.

Sehenswertes

Ethnographisches Museum, Naglių g. 4. Untergebracht in einem strahlendblauen alten Fischerhaus, zu erkennen an dem ausgedienten alten Kahn im Vorgarten. Die kleine Ausstellung gewährt Einblicke in das Leben des ehemaligen Nida.
Öffnungszeiten: Mi-So von 11-19 Uhr.

Thomas-Mann-Museum, Skruzdynės g. 17. Kleine Ausstellung in dem liebevoll restaurierten Sommerhaus des bekannten Schriftstellers, befindet sich auf dem *Schwiegermutterberg*, einem kleinen Hügel kurz hinter der Kirche. Vom Dorfzentrum aus nördlich gehen.
Öffnungszeiten: Mi-So von 11-18 Uhr.

Kirche: Das evangelisch-lutherische Gotteshaus wurde 1888 eingeweiht und hatte während der Sowjet-Ära die Funktion eines Heimatmuseums. Neben der Kirche befindet sich ein alter Friedhof mit Grabmälern, auf denen die Namen der Verstorbenen in Holzscheiben eingraviert sind.

Strand: Baden kann man in der Ostsee, auf der anderen Seite der Nehrung. Der Strand, hinter einer Kette von kleinen Hügeln gelegen, ist übrigens unterteilt in einen für die Damen und einen für die Herren.

Große Düne: Eine wunderschöne Wanderung verspricht ein Gang über die Große Düne hinunter zum *Tal des Schweigens*, wo das Auge nichts als Sand und Sand und nochmals Sand erblickt. Von der ersten Düne, zu der ein steiler Weg aus Treppen und Holzbrettern hochführt, hat man einen wunderschönen Blick auf Nida, den rot-weiß-geringelten Leuchtturm und auf das Haff.

Mittlere und südliche Žemaitija

Šilutė (Heydekrug)   *(ca. 20.000 Einwohner)*

Die freundliche Kleinstadt liegt nicht weit weg vom Kurischen Haff. Als Ort ist Šilutė noch recht jung, denn die vier Dörfer, aus denen er besteht, sind erst 1910 vereinigt worden, und das Stadtrecht erhielt Šilutė erst 1941.

Die einzelnen Dörfer dagegen sind schon lange bekannt, das älteste seit dem 13. Jh. Schon in alten Zeiten gab es in Šilutė eine Schänke, um die herum ein Dorf litauischer und deutscher Siedler entstand. Die Gaststube lag inmitten einer schönen Heidelandschaft. Heide heißt auf litauisch *šilas* und Kneipe *karčema*. Daraus ergab sich der Name *Šilokarčema*, der sich mittlerweile auf *Šilutė* verkürzt hat. Im ehemaligen Memelland liegend, gehörte die Stadt lange Zeit zu Ostpreußen. Im Zweiten Weltkrieg befand sich hier ein KZ für litauische Gefangene.

- *Postleitzahl*: 5730
- *Vorwahl*: 241
- *Anfahrt/Verbindungen*: **PKW** - liegt an der A-228, der Verbindungsstraße Kaunas-Klaipėda, die lange parallel zum Ufer des Nemunas (Memel) verläuft.
Bus: Verbindung mit Vilnius, Kaunas, Klaipėda und in die umliegenden Dörfer. Busbahnhof, Geležinkai g. 19, erreichbar mit Bus 1 ab Universalmarkt.
Bahn: Züge Richtung Klaipėda und Kaliningrad. Bahnhof, Geležinkai g. 19.
- *Übernachten*: **Nemunas**, Lietuvininkų 70.

Hübsches, selten ausgebuchtes Hotel, je nach Kategorie 4-8 DM die Nacht.
- *Essen*: **Nemunas**, zum Hotel gehörend. Restaurant und Café in einem, riecht etwas muffig, aber das Essen ist akzeptabel.
Kavinė, direkt neben dem Hotel, mit angeschlossener Konditorei und Möglichkeit zum Draußensitzen.
- *Diverses*: **Geldwechsel** - Jankos g. 8.
Post: Lietuvininkų g. 23.
Telegrafenamt: Gudobelų g. 1.
Poliklinik: Rusnė g. 1.

Sehenswertes

Stadtmuseum, Lietuvininkų g. 36. Ansprechende Ausstellung über das Leben der Menschen in Westlitauen und dem ehemaligen Memelland; auch Exponate aus der Steinzeit.

Kirche: Das evangelisch-lutherische Gotteshaus direkt neben der Post stammt aus dem Jahre 1926. Das Innere der Kirche ist ganz in Blau gehalten. Interessant ist ein Gespräch mit dem Pfarrer der Kirche, Herrn Ernst Rogal. Er weiß viel über die Stadt und ihre Geschichte und spricht deutsch. Sein Häuschen befindet sich in der Skirevita g. 16 hinter der Kirche.

▶ **Rusnė (Ruß)**: Auf einer Insel im Delta des Nemunas, zwischen seinen Armen *Skirvytė* und *Atmata*, liegt das alte Fischerdorf Rusnė. Den Westen der Insel begrenzt das *Kurische Haff*. Bekannt ist Rusnė seit dem 14. Jh. Die Landschaft um das Fischerdorf herum ist durch die allwinterlichen Überschwemmungen sumpfig, die Wiesen sind saftig und von sattem Grün. Schon allein der Blick, den man von der Brücke über den Nemunas hat, wenn man sich Rusnė nähert, ist einmalig. Der Ort wirkt verschlafen, die Zeit scheint stehengeblieben zu sein. Abends sieht man die Alten im Park bei einem guten Schluck über die Ereignisse des Tages reden. Vereinzelt leben hier auch noch einige Deutsche.

• *Anfahrt/Verbindungen*: **PKW** - In Šilutė auf die Rusnė g. und dann immer geradeaus fahren. Ist etwas unübersichtlich ausgeschildert. Um auf diese Straße zu kommen, durch Šilutė fahren und nach einer kleinen Brücke in die Rusnė g. einbiegen. **Bus**: Verbindung mit Klaipėda und Šilutė, jedoch nicht häufig.

Schiff: Wenn die Schiffe zwischen Kaunas und Klaipėda bzw. Neringa fahren, dann halten sie auch in Rusnė. Die Anlegestelle befindet sich in der Nähe der Kirche.

• *Essen*: Am Kirchplatz befindet sich lediglich eine Valgykla und eine kleine spelunkenhaft wirkende Kneipe.

▶ **Minija (Minge):** Malerisches Fischerdorf, an beiden Seiten des Minija-Flusses gelegen. Da im Ort die Brücken fehlen und man nur per "Gondoliere" das andere Ufer erreicht, wird Minija vielerorts, auch wenn das ein wenig hochgegriffen erscheint, als das *Venedig Litauens* bezeichnet. Da viele der alten Häuser und Höfe des Dorfes mit der Zeit verfallen sind, weil immer mehr Einwohner in die Städte abwandern, hat man sich entschlossen, hier Sommerhäuser für Schriftsteller, Bildhauer, Maler und andere Künstler entstehen zu lassen. Für einen kurzen Stopp ist der Ort durchaus lohnenswert.

• *Anfahrt/Verbindungen*: **PKW**: Etwa 15 km nordöstlich von Šilutė gelegen. Von Šilutė führt eine nicht asphaltierte Straße Richtung Kurisches Haff. Nach ca. 11 km kommt das Dorf Rūgaliai. Etwa 3 km nach

Rūgaliai geht ein Weg nach Minija ab. **Bus**: Verbindungen nach Minija mehr schlecht als recht, unregelmäßiger Verkehr mit Šilutė.

Ventė

Auf einer Halbinsel im Kurischen Haff liegt das Fischerdorf Ventė. Betrachtet man den winzigen Ort heute, mag man gar nicht glauben, daß der Deutsche Orden 1360 hier eine seiner ersten Ordensburgen, nämlich die Windenburg, errichtete.

Die geographische Lage hielt man damals für strategisch günstig, liegt die Halbinsel doch dem Nemunas-Delta gegenüber. Fluten und Wellen jedoch machten den Eroberern einen Strich durch die Rechnung. Die Burg wurde häufig unterspült und schließlich knapp 150 Jahre später aufgegeben. Von der Festung ist nichts mehr zu sehen. Sie soll jetzt auf dem Grund des Kurischen Haffs liegen und über Jahre hinweg auch als solche erkennbar gewesen sein. An der Stelle, wo einst die Burg stand, steht heute ein alter Leuchtturm, von dem man einen schönen Blick auf das Haff hat und ganz links am Horizont einen Teil der Nemunas-Mündung sehen kann. Die Kirche der Windenburg dagegen fiel dem Meer nicht zum Opfer, sondern ist Stück für Stück abgetragen und im benachbarten *Kintai* wieder aufgebaut worden.

Der Weg nach Ventė führt einige Zeit am Wasser entlang. Bei Windstille wirkt das Haff geradezu friedlich. Schwäne schwimmen stolz umher, und Storche waten durchs Wasser auf der Suche nach Nahrung. Die Luft ist sauber, und die einzigen Geräusche, die zu hören sind, sind das leise Plätschern des Wassers und das Zwitschern der Vögel.

Es ist sicherlich kein Zufall, daß gerade hier eine Vogelwarte, die sogar mit der UNESCO zusammenarbeitet, eingerichtet worden ist. Im Gebäude der Vogelwarte gibt es ein kleines Museum, in dem die Tierarten des Kurischen Haffs zu sehen sind.

● *Anfahrt/Verbindungen*: PKW - Der kürzeste Weg ist über die schmale Sandpiste von Šilutė, vorbei am Krokų Lankos-See, nach Vente. Schneller geht es jedoch vom Dorf **Priekulė** aus, das an der A-228 Šilutė-Klaipėda liegt. Von dort führt eine asphaltierte Landstraße via Kintai ins etwa 30 km südlich gelegene Ventė. Teilweise erstreckt sich die Straße am Kurischen Haff entlang. Ventė ohne fahrbaren Untersatz zu erreichen, dürfte schwierig werden.

Tauragė (Tauroggen)   *(ca. 29.000 Einwohner)*

Die Kleinstadt Tauragė, gelegen am Ufer der Jūra, ist das Zentrum der litauischen Lutheraner. Doch auch historisch ist der Ort von Bedeutung.

Bekannt wurde der Ort nämlich durch die Konvention von Tauroggen, als der preußische General *Graf York von Wartenburg* und sein russischer Kollege *Graf Diebitsch* am 30. Dezember 1812 ein Bündnis gegen Napoleon schlossen. Diese Vereinbarung wird vielerorts als Auftakt des Widerstandes der Völker Europas gegen Napoleon angesehen. Die Unterzeichnung der Abmachung fand allerdings nicht direkt in Tauragė statt, sondern im nahegelegenen Dorf *Požerūnai*. Ein Gedenkstein 3 km von Tauragė an der Straße nach Sowetsk (Tilsit) erinnert an die Konvention.

● *Postleitzahl*: 5900
● *Vorwahl*: 246
● *Anfahrt/Verbindungen*: **PKW** - liegt an der A-216, Kaliningrad-Riga und an der A-222, die Richtung Plungė führt.
Bus: Verbindung mit den großen litauischen Städten und den umliegenden Dörfern sowie mit dem Kaliningrader Gebiet und Riga. Busbahnhof in der Dariaus ir Girėno g. 38a.
Bahn: Züge Richtung Kaliningrad und Riga. Bahnhof in der Rambyno g. 25, liegt etwas außerhalb. Vom Universalmarkt in der Vytauto g. Bus 1 dorthin nehmen.
● *Übernachten*: **Tauragė**, Vytauto g. 83. Relativ großes Hotel mit verschiedenen Kategorien. Zimmer alle mit Bad. Für westliche Verhältnisse günstig, doch im Vergleich zu anderen Hotels teuer. Billigste Übernachtung ca. 7 DM, Tel. 51345.
● *Essen*: **Tauragė**, Vytauto 83. Von der Einrichtung her wie alle aus den 70er Jahren stammenden Restaurants, Essen ist jedoch akzeptabel.
Eine **Bar**, in der man auch warme Gerichte essen kann, gibt es an dem künstlichen Wasserfall. Von der Straße nach Kaliningrad geht kurz vor der Brücke rechts ein Weg dorthin ab.
● *Diverses*: **Geldwechsel** - Dariaus ir Girėno g. 11.
Post: Dariaus ir Girėno g. 16.
Poliklinik: Juros g. 5.

Sehenswertes

Museum: Befindet sich in einem turmähnlichen Gebäude, das sich unübersehbar mitten in der Stadt erhebt und ausschaut, als stamme es aus dem Mittelalter. In Wirklichkeit wurde es aber Mitte des 19. Jh. errichtet. Zu sehen sind Exponate aus dem Bezirk Tauragė.

Skulpturen: Am Ufer der Jūra, linksseitig der Brücke, über die es nach Kaliningrad geht, sind einige interessante Skulpturen zeitgenössischer Künstler aufgestellt.

▶ **Bijotai:** Kleines verschlafenes Dorf im Bezirk Šilalė, das mit etwas ganz Besonderem aufwarten kann: Bekannt wurde der Ort durch den aus einer verarmten Kleinadelsfamilie stammenden Dichter und Volksgutsammler *D. Poška* (1757-1830). Poška ließ sich in Bijotai nieder, um sich ganz dem Sammeln von Volksliedern und seiner Schreiberei zu widmen. Wohl um seine Inspirationen zu steigern, faßte der Dichter den Entschluß, von nun an in einem Baum zu arbeiten. Daraufhin höhlte er den Stamm einer 1000-jährigen Eiche aus, schnitt einen Eingang und Fenster hinein und setzte zu guter Letzt noch ein Strohdach oben drauf. Dieses kuriose Häuschen nennt sich *Baubliai* (Rohrdommel) und ist das älteste Museum Litauens.

• *Anfahrt/Verbindungen*: **PKW** - liegt an der südlichen Seite der A-227 Kaunas-Klaipėda, kurz hinter dem Abzweig nach Tauragė. Auf Schilder achten, die auf den winzigen Ort hinweisen.

▶ **Raseiniai:** Erwähnt wird das im Südosten der žemaitischen Höhen gelegene Bezirkszentrum erstmalig 1253 in der Chronik des Deutschen Ordens. 1421 erhielt der Ort eine Kirche. Lange Zeit wurde in Raseiniai auch ein Kloster unterhalten. Das Stadtrecht erhielt Raseiniai 1792. Raseiniai teilt das Schicksal vieler anderer, ursprünglich alter Städte, die die beiden Weltkriege nicht überstanden haben. 90 % der Stadt lagen nach dem Zweiten Weltkrieg in Schutt und Asche. Als widerstandsfähig gegen die Stürme der Zeit hat sich interessanterweise das 1934 enthüllte Denkmal des *Žemaites* erwiesen, der die Litauer im Aufstand gegen den Zaren führte. Erhalten geblieben sind auch Teile der im Renaissancestil errichteten Kirche der Stadt.

• *Anfahrt/Verbindungen*: **PKW** - liegt unweit der A-227 Kaunas-Klaipėda.

▶ **Ariogala:** Malerische Kleinstadt ca. 37 km südöstlich von Raseiniai, am Ufer des Dubysa-Flusses gelegen und überwiegend von Bauern bewohnt. Erstmalig wird der Ort 1253 in Briefen erwähnt. Auch in den Ordenschroniken war Ariogala nicht unbekannt, haben die Bewohner Ariogalas im Jahre 1382 doch die dortige *Palisadenburg* angesteckt und zerstört.
1792 wurde Ariogala zur Stadt erhoben, was allerdings keine großartigen wirtschaftlichen Veränderungen mit sich brachte. Viele Holzbauten der Stadt sind den Flammen des Ersten Weltkriegs zum Opfer gefallen. Die ursprünglich aus dem frühen 15. Jh. stammende Holzkirche ist durch unzählige Umbauten kaum wiederzuerkennen.

• *Anfahrt/Verbindungen*: **PKW** - von Raseiniai Landstraße in südöstliche Richtung nehmen, verläuft parallel zur A-227.

Kelmė *(ca. 22.000 Einwohner)*

Die freundliche, kleine Stadt ist die Bezirkshauptstadt des gleichnamigen Gebietes.

Sehenswert sind hier die beiden Kirchen und das Schloß aus dem 18. Jh. Kelmė ist nicht sehr groß, doch für einige Stunden durchaus lohnenswert und erholsam. Interessant ist der Ort auch als Ausgangspunkt für Ausflüge in die Nachbarorte **Tytuvėnai** (18 km) und **Šiluva** (26 km).

Ort in der Žemaitija

• *Postleitzahl*: 5470
• *Vorwahl*: 297
• *Anfahrt/Verbindungen*: **PKW** - liegt an der A-216, der Verbindungsstraße Kaliningrad-Riga, ca. 45 km südlich von Šiauliai.
Bus: gute Verbindung mit Šiauliai. Ebenfalls Busse nach Klaipėda und mindestens ein Bus täglich nach Kaunas, Vilnius, Kaliningrad und Riga. Bushaltestelle am nördlichen Stadtrand in der Babio g., die später zur Dariaus ir Girėno g. wird.

• *Übernachten*: **Viešbutis**, Vytauto Didžioyo g. 55. Einfache, aber saubere Zimmer, ÜB ca. 3 DM, Tel. 51345.
• *Essen*: Damit sieht es schlecht aus, denn das einzige Restaurant im Ort ist z. Zt. geschlossen. Doch kann das bald schon wieder anders sein.
• *Diverses*: **Post** - Vytauto g. 86.
Telegrafenamt: Vytauto g. 89.
Poliklinik: Nepriklausomybės g. 2.

Schloß: Schräg gegenüber der Bushaltestelle geht links an der Kirche ein kleiner Weg ab, der an einem idyllischen See vorbeiführt, auf dem Enten schwimmen und Seerosen blühen. Das Schloß, das Merkmale des Barocks und der Renaissance aufweisen kann, liegt etwas versteckt am Ende des Sees und beherbergt ein Museum über die Geschichte der Stadt Kelmė und ihre umliegenden Dörfer.

Umgebung

▶ **Tytuvėnai:** An einer kleinen Landstraße, nicht weiter als 20 km östlich von Kelmė und unmittelbar an der Grenze zur Aukštaitija, liegt das 2500 Seelendorf Tytuvėnai. Der Ort ist umgeben von Wäldern und Seen. Der Glanzpunkt von Tytuvėnai ist zweifelsohne seine Basilika mit ihren beiden Türmen und der dazugehörigen **Klosteranlage**. Die Türme sind im Barockstil erbaut, und die Altäre weisen schon Elemente des Rokokos auf. Geweiht ist die Kirche, mit deren Bau 1609 begonnen wurde, der heiligen Maria. Erst im Jahre 1788 war die Kirche fertig. Nicht solange wurde dagegen an dem Kloster gebaut. Es wurde in der Zeit von 1614 bis 1618 errichtet, ist aber knapp 250 Jahre später wieder geschlossen worden. Der Innenhof ist verwildert und romantisch. Im Klostergarten und in den Kreuzgängen stehen steinerne, bemooste Heiligenfiguren herum. Wenn man genau hinsieht, kann man an den Wänden der Gänge noch alte Malereien entdecken.

• *Anfahrt/Verbindungen*: **PKW** - über eine kleine Landstraße mit Kelmė verbunden. Es gibt auch eine Straße nach Radviliškis, doch ist diese sehr schlecht. **Bus**: Verbindung mit Kelmė und Radviliškis, jedoch selten.

• *Essen*: Lediglich in der Basanavičiaus 6, der Dorfhauptstraße, gibt es eine kleine Valgykla.

• *Campen*: Ganz in der Nähe von Tytuvėnai, mitten im Wald, liegt der **Gilius-See**. Bislang war dort ein Campingplatz mit kleinen Holzhütten in Betrieb, der aber aus Geldmangel 1992 geschlossen wurde.

Findet sich ein finanzkräftiger Käufer, wird er wohl bald wieder eröffnet werden. Die wenigen Leute, die sich an dem See erholen, campen alle wild am Seeufer und im umliegenden Wald. Von Tytuvėnai zu Fuß in etwa 25 Minuten zu erreichen. Mit dem Auto, aus Kelmė kommend, die Maironio g., die am Dorf vorbeiführt, ca. 500 m hochfahren. An einem kleinen dunkelbraunen Holzhaus links in die Misko g. (Straßenschild ist schlecht zu sehen) einbiegen. An einer Weggabelung gehen zwei Waldwege von der Misko g. ab, der zweite führt zum See.

▶ **Šiluva**: Die im Bezirk Raseiniai gelegene Kleinstadt ist eine der wichtigsten Pilgerstätten Litauens. Alljährlich Ende Oktober werden hier von der katholischen Kirche große Messen veranstaltet. Diese Gottesfeiern finden aus dem Grunde ausgerechnet in Šiluva statt, weil es hier im 16. Jh. erstmalig in Europa eine *Marienerscheinung* gegeben haben soll.

... eines Tages erblickten die Hirten auf dem Felde einen Stein, der das Bild einer bitterlich weinenden Frau trug. In ihren Händen hielt sie ein Kind geborgen. Als die Hirten das sahen, erschraken sie sehr. Einer von ihnen holte sofort einen Geistlichen herbei, der die Frau nach dem Grund ihrer Tränen fragte. Schluchzend antwortete diese, daß es sie so traurig mache, daß auf dem Feld, wo vor Jahren doch einmal ihrem Sohn gehuldigt wurde, jetzt nur noch Getreide wachse - und kaum hatte sie es ausgesprochen, da war sie auch schon verschwunden. Die Gelehrten hielten die Erscheinung der Dame schlichtweg für ein Gespenst, doch die einfachen Leute wollten sich damit nicht zufrieden geben und fragten einen Greis um Rat. Als dieser erklärte, daß sich von jenem Feld einst eine Kirche erhob, bis sie von reichen Herrschaften zerstört wurde, war man sich im Dorf sicher, daß es nur die heilige Jungfrau Maria mit dem Jesuskind selbst gewesen sein konnte, die den Hirten auf dem Feld erschienen war.

So wurde an jener Stelle eine neue Kirche errichtet, die im Laufe der Jahre häufig umgebaut wurde. Seit der wiedererlangten Unabhängigkeit Litauens ist Šiluva wieder zu einem bedeutenden Wallfahrtsort für die Gläubigen geworden.

• *Anfahrt/Verbindungen*: **PKW** - von Tytuvėnai einfach 5 km die Straße nach Raseiniai entlangfahren, der Weg ist zum großenTeil nicht asphaltiert.

Telšiai *(ca. 35.000 Einwohner)*

Das hübsche Städtchen liegt im Herzen der Žemaitija und gleichzeitig auch deren Hauptstadt.

Zum erstenmal erwähnt wurde der Ort Ende des 14. Jh. Besonders schön ist der prachtvolle Dom von Telšiai, der sich würdevoll von einem Hügel inmitten der Stadt erhebt. Aus Telšiai stammt übrigens auch der umstrittene Politiker *Juazas Paleckis*. Er hat lange dem Obersten Sowjet der SSR Litauen vorgesessen, war aber gleichzeitig ein echter Patriot, so daß ihm sein Land meist näher stand als die Anordnungen aus Moskau.

- *Postleitzahl*: 5610
- *Vorwahl*: 294
- *Anfahrt/Verbindungen*: **PKW** - liegt an der A-225, etwa 70 km westlich von Šiauliai und etwa 90 km östlich von Palanga.
Bus: gute Verbindung mit Šiauliai, Palanga und Klaipėda, doch auch nach Vilnius, Kaunas und Panevėžys mindestens ein Bus täglich. Busbahnhof, Stoties g. 35.
Bahn: Züge Richtung Daugavpils und Klaipėda. Bahnhof befindet sich in der Republikos g. 1, im Norden der Stadt. Um ins Zentrum zu kommen, Bus 2 oder 3 nehmen, am Busbahnhof aussteigen.
- *Information*: Žemaitės g. 14, Tel. 51640.

Den Gang in dieses Büro kann man sich allerdings sparen, da hier ans Bezirksmuseum verwiesen wird.
- *Übernachten*: **Žemaitija**, Kęstučio g. 21. Verschiedene Kategorien. Die Zimmer sind akzeptabel. Am einladendsten ist die mit einem rosarotem Salon ausgestattete Luxus-Suite. Zwischen 3 und 8 DM die Übernachtung, Tel. 53292. Vom Busbahnhof geradeaus in die Stadt reingehen, Straße ist etwas ansteigend.
- *Essen*: **Restaurant**, Respublikos g. 51. Momentan das einzige Restaurant im Ort.
- *Diverses*: **Geldwechsel**: Birutės g. 5a.
Post: Sedos g. 1.
Poliklinik: Kalno g. 40.

Sehenswertes

Dom: Beeindruckend ist der prächtige Dom von Telšiai. Die Litauer nennen ihn *Švento Antano Bažnyča*, nach dem heiligen Antonius von Padua. Er ist von 1761 bis 1761 im Stil des Spätbarock erbaut worden. Im Inneren des Doms sind jedoch auch Stilelemente des Klassizismus zu finden.

Freilichtmuseum: Einen Einblick in die žemaitische Architektur der Jahrhundertwende liefert eine ansprechende Ausstellung im Stadtpark. Zu sehen sind verschiedene Häuser dieser Epoche.

Heimatmuseum, Muziejūs g. 31: Es befindet sich im Erdgeschoß eines Hochhauses, das von der Hauptstraße etwas zurückversetzt liegt. Die Muziejūs g. geht vom Zentrum kommend links von der Kreuzung am Busbahnhof ab. Die kleine, aber interessante Ausstellung informiert über das Leben der eigenwilligen Žemaiten. Darüber hinaus kann das Museum auf eine kostbare Gemäldesammlung verweisen, worunter sich sogar ein Bild von *Lucas Cranach* befindet.

Umgebung

▶ **Varniai an der Virvytė**: Nettes, in einer kleinen Talsenke gelegenes Dorf, ca. 31 km südlich von Telšiai. Eine steinerne Kirche und ein kleines goldgelbes Gotteshaus zieren den Ort. In dem Tante-Emma-Laden des Dorfes trifft man sich am späten Nachmittag, um Lebensmittel zu kaufen und ein bißchen zu schwatzen. Gegenüber auf dem Dorfplatz sitzen die Alten zusammen mit den Jungen und trinken Bier. Nicht weit vom Dorf befindet sich der **Lūksto-See**, der eigentliche Grund, in dieses Tal zu fahren. Es sind in der Regel nur wenig Leute am See, so daß man den schmalen Sandstrand und die würzige Waldluft meist alleine genießen kann. Gut zum Campen geeignet.

• *Anfahrt/Verbindungen*: PKW - von Telšiai führt eine schmale, asphaltierte Landstraße nach Varniai. Um zum See zu gelangen, zurück zur Straße, an der das Dorf liegt und ungefähr 3 km gen Süden fahren.
Hinweis: Auf dem Weg von Varniai nach Užventis, über den man nach Šiauliai gelangen kann, ist die Straße etwa 20 km sehr schlecht.

Bus: Verbindungen von Telšiai, Plungė und Klaipėda nach Varniai, weiter zum See zu Fuß. Busse fahren selten.
• *Essen*: **Restoranas**, Medininkų a. 1/1. Einzige Möglichkeit im Ort. Eine Alternative zum Restaurant bietet nur der schon erwähnte **Laden** neben der Kirche.

Fahrradtour durch die Žemaitija

(nach Informationen des Touristen-Clubs Vilnius)

Auf diese Art und Weise gelangt man auch in die etwas entlegeneren Winkel der Žemaitija, durchstreift den jüngsten Nationalpark Litauens und kommt an interessanten Museen und Sehenswürdigkeiten vorbei. Vor Fahrtbeginn sei gesagt, daß es mit der Qualität der Straßen nicht immer zum besten steht. Asphaltdecken fehlen oftmals völlig, so daß man unter Umständen gelegentlich in einer großen Staubwolke verschwinden kann. Auch sollten die Räder etwas robuster sein, Zelte und Vorräte nicht vergessen.

• **Telšiai - Plinkšių-See** (ca. 17 km)
Von Telšiai über die Landstraße nach Seda gelangt man zum Plinkšių-See. Die Strecke dorthin ist etwas hügelig. Am Ufer befindet sich das ehemalige Landgut des Grafen *K. Pliateris*. Das Anwesen ist umgeben von einem alten Park, in dem der Graf auch begraben liegt.

• **Plinkšių - Seda** (ca. 7 km)
In Seda, einem alten Städtchen, ist die hölzerne Kirche mit dem Glockenturm von 1770 von Interesse. Hier kann ebenfalls ein Denkmal von *Vytautas dem Großen* besichtigt werden. Nimmt man von Seda die Landstraße Richtung Žemalė, gelangt man nach Renavas.

• **Seda - Renavas** (ca. 12 km)
Die Strecke nach Renavas führt fast ständig am Varduva-Fluß entlang. Auf dem Weg dorthin trifft man auf den *Užpilis-Festungsberg*, auf dessen Spitze wohl einmal eine Žemaiten-Burg gestanden hat. Wenige Kilometer weiter erscheint dann in einer malerischen Flußbiegung der Ort Renavas. Hier ist ein schöner Palast von Interesse. Schön ist auch der Park mit sei-

nen alten Bäumen. Das Ufer der Varduva bietet sich zum Campen an.

• **Renavas - Seda- Žemaičių Kalvarija** (ca. 28 km)
Fährt man von Renavas zurück nach Seda, gelangt man, wenn man auf dieser Straße bleibt, nach Žemaičių Kalvarija, eine wichtige Pilgerstätte der Litauer. Sehenswert sind die Kirche, das Kloster und die Kapellen.

• **Kalvarija - Platelių-See** (ca. 15 km)
Diese Etappe ist landschaftlich wunderschön und führt durch den Žemaitija-Nationalpark. Der Weg schlängelt sich vorbei an grünschimmernden Teichen und Seen, Sumpfgebieten und kleinen, klaren Bächen.
Von Žemaičių Kalvarija Richtung Plungė radeln, bis nach ca. 7 km rechts eine Straße abgeht. Sie führt vorbei am Platelių-See und endet im Dorf Plateliai.
Dadurch, daß das Platelių-See nun zum Territorium des Nationalparks zählt, wird das Wildcampen am Seeufer unter Umständen nicht mehr gestattet sein. Im Dorf Plateliai befindet sich in der Nemunas g. 3 das einfach ausgestattete Hotel Vilniaus.

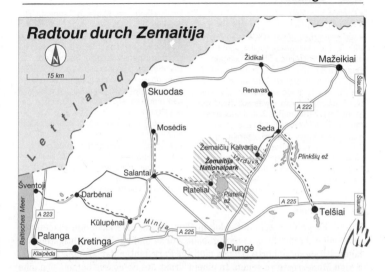

Radtour durch Zemaitija

- **Plateliai - Salantai** (ca. 15 km)
Von Plateliai geht eine Straße nach Salantai ab. Die letzten Kilometer der Strecke sind nicht asphaltiert. In diesem kleinen Ort ist das sog. *Absurditätenmuseum* sehenswert. Es befindet sich an der Straße von Plungė nach Skuodas (siehe auch S. 197)

- **Salantai - Mosėdis** (ca. 15 km)
Nach Mosėdis gelangt man über die Hauptstraße, die von Plungė nach Skuodas geht und an Salantai vorbeiführt. In einer kleinen Mühle ist ein imposantes Steinmuseum eingerichtet. Am Dorfrand an der Straße nach Plungė liegt eine Campingwiese. Das nächste Hotel befindet sich im ca. 10 km entfernten Skuodas (siehe S. 198).

- **Mosėdis - Darbėnai - Šventoji** (ca. 43 km)
Etwa 31 km beträgt die kürzeste Strecke von Mosėdis nach Darbėnai, die allerdings nicht asphaltiert ist. Daher empfiehlt es sich, einen kleinen Umweg über Salantai zu fahren, dort 16 km die asphaltierte Landstraße bis nach Kūlupėnai entlang zu radeln und dann rechts in den Weg nach Darbėnai einzubiegen. Von da sind noch ca. 16 km Sandpiste zurückzulegen.
In Darbėnai steht ein alter Glockenturm aus dem 19. Jh. und eine alte Wassermühle (1820). Von hier aus sind es jetzt noch mal 12 km, teilweise Schotterpiste, bis zum Meer. Šventoji, auch Palanga II genannt, ist ein Kurort in dem sich ein Erholungsheimkomplex an den nächsten reiht. Bis zum bedeutend schöneren Palanga sind es nochmals 20 km.

Plungė *(ca. 24.000 Einwohner)*

Nicht weit vom Žemaitija-Nationalpark, am Minija-Fluß, befindet sich die Kleinstadt Plungė. Der Ort strahlt eine ruhige und behagliche Atmosphäre aus.

Plungė war nie ein Ort von großer Wichtigkeit, auch seine Geschichte verlief nicht sonderlich aufregend. Doch gut geeignet ist Plungė als Ausgangspunkt zum etwa 20 km nördlich gelegenen Platelių-See im Žemaitija-Nationalpark.

Plungė ist übrigens die Partnerstadt von Menden im Sauerland.

- *Postleitzahl*: 5640
- *Vorwahl*: 218
- *Anfahrt/Verbindungen*: **PKW** - an der A-222 Tauragė-Mažeikiai, südlich vom Kreuz mit der A-225 Kretinga-Šiauliai gelegen.

Bus: Am einfachsten von Telšiai und Kretinga aus zu erreichen, aber auch Verbindung mit den größeren Städten Litauens. Der Busbahnhof liegt etwas außerhalb der Stadt. Zum Zentrum Bus 3, 4, 5 oder 6 nehmen und am Universalmarkt aussteigen.

- *Übernachtung*: **Gandhi**, Minija g. 4. Telefonnummer und Preis noch unbekannt. Um zum Hotel zu gelangen, überquert man den am Universalmarkt gelegenen Zentralplatz, vorbei am Restaurant und hält sich am Ende des Platzes rechts, bis linker Hand die Minija g. abgeht. Tel. 52345/51965.

- *Essen*: **Gandhi**, dem Hotel angeschlossen. Dazu gehört auch eine Bierbar, wo es schon morgens kräftig zur Sache geht.

Barbrungas, Senamiesčio a. 8. Große Speisehalle mit gleichmäßig angeordneten Tischen, etwas schmuddelig. Macht wegen mangelndem Publikum oft schon gegen 20 Uhr zu.

Klumpė, Dariaus ir Girėno 1. Nettes Café im Kulturhaus.

- *Diverses*: **Geldwechsel**: Vytauto g. 3.

Post: Dariaus ir Girėno g., in zwei verschiedenen Häusern, neben dem Kulturhaus untergebracht.

Poliklinik: Vaižgauto g. 91.

Sehenswertes

Ruine: Es gab einmal ein Schloß in Plungė, das 1879 nach den Plänen des deutschen Architekten *Lorenz* gebaut wurde und zu den prächtigsten Anlagen Litauens gehörte. Heute sind im Park hinter der Brücke nur noch einige Mauerreste zu sehen. In einem Trakt des Schlosses befand sich eine Musikschule, zu deren bedeutendsten Schülern der Maler und Komponist *Čiurlionis* gehörte.

Kirche: Am Ende der Vytauto g. erhebt sich eine markante Kirche aus den 30er Jahren unseres Jahrhunderts. Daneben steht ein kleines Holzhäuschen, in dem Čiurlionis und seine Frau während ihrer Plungėr Zeit gelebt haben.

Heimatmuseum: Das Museum befindet sich in dem weißen Turm am Kirchplatz, Öffnungszeiten sporadisch.

▶ **Žemaičių Kalvarija**: Das kleine Dorf im Bezirk Plungė ist eine der wichtigsten Pilgerstätten und Wallfahrtsorte für die katholischen Litauer. Erwähnt wurde das Dorf bereits 1253, allerdings unter seinem ursprünglichen Namen *Gardai*. Anfang des 17. Jh. ging Gardai in den Besitz der Bischöfe über, worauf der Ort 1637 ein Dominikanerkloster erhielt. Die Mönche des Klosters errichteten kurz darauf nicht nur eine Kirche, sondern legten eine sich über 7 km erstreckende Darstellung der Stationen des Leidensweges Christi an, begleitet von neunzehn Kapellen. Am Ende des Passionsweges erhebt sich die Kirche der Heimsuchung Marias. So wurde Gardai zu einem žemaitischen Kalvarienberg

- *Anfahrt/Verbindungen*: **PKW** - liegt etwa 32 km nordöstlich von Plungė unweit der A-222 Richtung Mažeikiai.

Bus: zu erreichen mit der Linie Plungė-Mažeikiai, jedoch nicht allzu häufig.

Platelių-See im Žemaitija-Nationalpark

Žemaitija-Nationalpark (Žemaitijos nacionalinis parkas)

Die wunderschöne Gegend um den Platelių-See ist erst unlängst zum Nationalpark erklärt worden. Grüne Hügellandschaft, bunte Blumen und tiefe Wälder kennzeichnen das Hochland der Žemaitija, in das der idyllische Platelių-See eingebettet ist.

Sieben kleine Inseln liegen in dem See, der ein beliebtes Ziel für Wassersportler ist. Dennoch ist diese Gegend hier noch kein Ort des Massentourismus. Das Zentrum des Nationalparks ist die Kleinstadt Plateliai.

▶ **Plateliai:** Entstanden ist der Ort aus einer Inselburg, die im 16. Jh. noch in den Chroniken auftauchte, von der heute allerdings nichts mehr zu sehen ist. Hier befindet sich ein Segelzentrum und der Sitz der **Parkverwaltung.**

● *Information:* Tel. 218-48343/48312, Fax 218-55558.

▶ **Platelių-See:** Mit seiner Fläche von etwa 12 qkm und einer Tiefe bis zu 46 m ist er der größte See der Žemaitija. Entstanden ist der See vor etwa 10.000 Jahren, zum Ende der letzten Eiszeit. Glaubt man aber der Legende, so ist der See ganz anders entstanden:

> ... ursprünglich soll sich der See einmal viel weiter westlich befunden haben, bis sich eines Tages *Viesulas*, der Gott des Sturmes, den See während eines Unwetters gepackt hatte, ihn in seine "Wolkentasche" steckte, in der Absicht, ihn mit nach Osten zu nehmen. Allerdings hielt seine Tasche dem Gewicht des Sees nicht stand, so daß diese platzte und der See in Form von Sturzbächen an seinen jetzigen Standort auf die Erde fiel.

● *Anfahrt/Verbindungen*: **PKW** - von Plungė etwa 6 km die A-222 Richtung Mažeikiai entlangfahren, bis linker Hand der Abzweig nach Plateliai kommt.
Bus: Verbindung mit Plungė und Telšiai, jedoch eher selten.

Mažeikiai   *(ca. 20.000 Einwohner)*

Die Stadt ist Bezirkszentrum an der Grenze zu Lettland. Mit historischen Reichtümern kann die Stadt nicht auftrumpfen, dafür aber mit finanziellen.

Mažeikiai lebt vom Öl. Seit 1980 arbeitet hier eine gigantische Raffinerie, die durch eine Pipeline mit Sibirien verbunden ist. Die Wirtschaftsblockade, die Moskau 1990 gegenüber Litauen verhängte, traf die Ölstadt besonders. Für litauische Verhältnisse ist Mažeikiai reich. Der Kraftstoff ist hier billiger, und die Geschäfte sind voller als anderswo in Litauen, dafür ist aber auch die Umwelt stärker belastet.

● *Postleitzahl*: 5500
● *Vorwahl*: 293
● *Anfahrt/Verbindungen*: **PKW** - liegt an der A-222, die weiter nach Saldus (Lettland) führt.
Bus: Mehrmals täglich Verbindung mit Šiauliai, Plungė und Klaipėda.
Bahn: Züge nach Riga und Vilnius via Šiauliai.
● *Information*: Vydūna g. 4, Tel. 32915
● *Übernachten*: Tulpe, Laisvės g. 7. Einfache Zimmer, Unterkunft vieler Arbeiter, ÜB etwa 2 DM, Tel. 32345.

● *Essen*: **Restoranas**, Laisvės g. 11. Auswahl ist etwas größer als in anderen Städten, Tel. 33346.
Neben der Post steht eine **Imbißbude**, in der knusprige und leckere Hähnchenkeulen gebraten werden. Davor stehen auch einige Tische, allerdings direkt an der Hauptstraße.
● *Diverses*: **Geldwechel**: Laisvės g. 17.
Post/Telegrafenamt: Laisvės g. 38.
Poliklinik: Basanavičiaus g. 26.
Stadtmuseum: Laisvės g. 33/13.
Supermarkt: neben dem Hotel.

Umgebung

▶ **Renavas**: Kleines Dorf im Bezirk Mažeikiai. Interessant ist der Ort wegen seinem klassizistischen Schloß, das die Adelsfamilie Renée zwischen dem 18. und 19. Jh. hier errichten ließ. Das frisch restaurierte Anwesen ist von einem überaus romantischen Park umgeben, in dem eine 35 m hohe und 1,2 m dicke Tanne steht. Die Dorfkirche entstand 1786.

Suvalkija

Die kleinste der litauischen Provinzen ist im Südwesten des Landes zu finden. Ihre Nord- und Ostgrenze bildet der in einem Bogen fließende Nemunas. Im Westen grenzt die Suvalkija an Polen, im Süden an die Dzūkija. Der Boden hier ist fruchtbar, so daß es der Bevölkerung, gemessen an anderen Gegenden in Litauen, relativ gut geht.

Auch die Suvalkija unterscheidet sich durch seine Brauchtümer, Sprache und Traditionen von den andern Gebieten des Landes. Besonderer Beliebtheit erfreut sich in der Suvalkija, übrigens auch Sudūva genannt, das Spielen der Kanklės, eines der ältesten Zupfinstrumente im Baltikum. Die Hauptstadt der Suvalkija ist Marijampolė.

Marijampolė *(ca. 50.000 Einwohner)*

Hauptstadt der Provinz Suvalkija. Lange Zeit trug die Stadt den Namen Kapsukas, nach dem Freund Lenins und Mitbegründer der kommunistischen Partei Litauens. Doch wie überall im Land wurde auch hier ab 1989 nach und nach alles beseitigt, was an das unliebsame Sowjetregime erinnerte. So erhielt die Stadt schließlich auch ihren alten Namen zurück.

Marijampolė kann auf keine lange Geschichte zurückblicken. Entstanden ist die Stadt aus dem Zusammenschluß des Dorfes *Pažašupis*, was sich später zum Marktflecken entwickelte und den Namen *Starapolė* erhielt, und dem nicht weit entfernt gelegenen *Marijanenkloster*. 1717 wurde aus den beiden Ortschaften die Stadt Marijampolė. Obwohl sie direkt das Stadtrecht erhielt, ging die Entwicklung langsam voran und erfuhr erst mit dem Bau der Eisenbahn und der Straße St. Petersburg - Warschau einen Aufschwung. Auch der Weg von Vilnius nach Kaliningrad führt durch Marijampolė. Da die Stadt ein wichtiger Verkehrsknotenpunkt ist, hat sich hier mittlerweile viel Industrie angesiedelt. Deshalb ist sie auch touristisch weniger interessant. Hotel, Restaurant, Telegrafenamt usw. liegen alle am großen Zentralplatz, der einst Lenin gewidmet war.

- *Postleitzahl*: 4520
- *Vorwahl*: 243
- *Anfahrt/Verbindungen*: **PKW** - von Vilnius die A-229 Richtung Kaliningrad nehmen; von Kaunas die A-226 Richtung Süden. **Bus**: Fast alle Busse, die zwischen Vilnius, Kaunas und Kaliningrad verkehren, fahren durch Marijampolė. Zudem Anschluß in jede größere Stadt Litauens. Einmal täglich fährt ein Bus via Lazdijai nach Polen. **Bahn**: Züge nach Kaunas und Alytus, Bahnhof in der Stotis g. etwas außerhalb des Zentrums. Um in die Innenstadt zu gelangen, Taxi oder Bus 2a bis Busbahnhof nehmen.
- *Information*: Gedimino g. 7, Tel. 51818/51804.
- *Übernachten*: **Sūduva**, Basanavičiaus a. 1. Hotel verfügt über Ein- und Mehrfachzimmer und über Suiten der oberen Kategorie. Auch die einfachsten Zimmer sind mit Bad ausgestattet, akzeptabel und sauber. ÜB ab ca. 3 DM. Der mehrgeschossige Hotelbau paßt ganz in das Stadtbild von Marijampolė. Vom Busbahnhof die Kreuzung überqueren und ein kurzes Stück die Straße, die nach Kaliningrad führt bis zur Ecke mit der Dailides g. entlanggehen, dort rechts rein und geradeaus bis zum Hotel, liegt auf der linken Seite. Tel. 53970.
- *Essen*: **Sūduva**, direkt neben dem Hotel gelegen. Die Bedienung ist freundlich und sichtlich um das Wohl der Gäste bemüht. Jeden Abend spielt eine Band bis 23.30 Uhr, und am Wochenende tanzt man hier auf alte Schlager. **Kaveterija**, Kęstučio g./Laisvēs g., gute Kuchen. **Pasaka**, am Basanavičiaus. Kleines Café, das im Sommer vor seinen Türen Tische und Stühle unter Sonnenschirmen aufstellt.
- *Diverses*: **Geldwechsel**: Kęstučio g., ohne Nummer, die sehr kurze Straße geht vom großen Basanavičiaus-Platz ab. **Post/Telegrafenamt**: Die beiden Ämter befinden sich nicht in einem Gebäude, liegen aber direkt nebeneinander am Basanavičiaus-Platz. Im Telegrafenamt kann man in dringenden Fällen den eingerichteten Bereitschaftsdienst in Anspruch nehmen.

▶ **Prienai:** Bezirkshauptstadt der Region Prienai, 7 km entfernt von Birštonas und 30 km von Kaunas gelegen, siehe S. 144.

▶ **Žuvintas-Naturschutzgebiet:** Naturreservat, ca. 30 km östlich von Marijampolė und ca. 30 km von Prienai entfernt. Touristen haben zu dem Park keinen Zutritt, da er Lebensraum einiger bedrohter Tier- und Pflanzenarten ist. In einem kleinen, dort eingerichteten Museum kann man sich anhand präparierter Tiere und getrockneter Pflanzen ein Bild über die Flora und Fauna des Reservats machen. Es leben dort Dachse, Füchse, Wildschweine, Goldfinken, Habichte und Bussarde, um nur einige Tierarten zu nennen. Im Sommer, während der Saison, werden im Museum Filme über das Naturparadies gezeigt.

• *Anfahrt/Verbindung:* **PKW** - von Marijampolė und Prienai jeweils die A-229 entlangfahren bis zum Abzweig nach Simnas, dort einbiegen. Nach etwa 15 km kommt ein Hinweisschild auf das Žuvintas-Reservat. Nach ca. 300 m erscheint ein Schild in Form einer unauffälligen Holzskulptur.

Hinweis: Von der Abkürzung über Krokialaukis nach Alytus ist abzuraten, da die Straße sehr schlecht ist.

Bus: Das Reservat ist zwar mit den Bussen der Linie Alytus - Simnas zu erreichen, doch der Aufwand ist sehr groß.

Vilkaviškis   *(ca. 18.000 Einwohner)*

Vilkaviškis ist ein einfaches, aber sehr hübsches Städtchen. Es liegt nicht weit von der Grenze zum Kaliningrader Gebiet, das heute zur russischen Föderation gehört.

Im Zweiten Weltkrieg ist in Vilkaviškis viel zerstört worden, doch trotz des Neuaufbaus wirkt das Verwaltungszentrum des gleichnamigen Bezirkes nicht wie aus dem Boden gestampft. Ideal ist Vilkaviškis als Ausgangspunkt zum *Vištytis-See.*

• *Postleitzahl:* 4270

• *Vorwahl:* 242

• *Anfahrt/Verbindungen:* **PKW** - liegt etwa 23 km nordwestlich von Marijampolė an der A-229 Vilnius-Kaliningrad.

Bus: Da die Wege von Vilnius und von Kaunas nach Kaliningrad durch Vilkaviškis führen, ist die Verbindung mit diesen Städten verhältnismäßig gut. Busbahnhof in der Vytauto g. 103.

• *Übernachten:* **Viešbutis,** Atgimimo a. 5. Funkelnagelneues Hotel, das so sauber ist, daß es fast schon wieder steril wirkt.

Zimmer alle mit Bad. Verfügt über einfache Zimmer bis hin zur Kategorie "lux". EZ ca. 3 DM, Lux ca. 7 DM, Tel. 51345. Gegenüber vom Busbahnhof steht ein Hinweisschild zum Hotel.

• *Essen:* **Restauranas,** Gedimino g. 3. Altes Restaurant mit mittelprächtiger Küche, Tel. 53745.

• *Diverses:* **Geldwechsel:** Gedimino 16, Mo-Fr nur vormittags geöffnet.

Post/Telegrafenamt: Vytauto g. 89.

Poliklinik: Maironio g. in der Nähe vom Hotel.

Umgebung

▶ **Paežeriai:** Kleiner Ort im Bezirk Vilkaviškis, in dem das klassizistische, kürzlich erst restaurierte Schloß von Interesse ist. Es entstand im 18. Jh. nach den Plänen des Deutschen *M. Knackfuss* (1740-1803). Die Inneneinrichtung des Schlosses stammt aus dem 19. Jh. Beachtung verdienen die reich mit Stuck verzierten Decken des Schlosses und seine Bildergalerie.

• *Anfahrt/Verbindungen:* von Vilkaviškis etwa 12 km die A-229 Richtung Marijampolė nehmen und dann links auf die Straße nach Pilviškiai abfahren. Nach ca. 7 km kommt linker Hand ein Abzweig nach Paežeriai.

▶ **Vištytis-See**: Schön gelegener See, in dessen Mitte die Grenze zwischen Litauen und dem Kaliningrader Gebiet verläuft. Schon allein der Zufahrtsweg zum See ist einmalig. Direkt am Ufer des Sees liegt das winzig kleine Dorf **Vištytis**. Am Ortsein-

gang fällt der erste Blick auf die malerisch baumverhangene Kirche. Gleich danach gelangt man zum Dorfplatz, der trotz eines modernen Lebensmittelkaufhauses nichts von seinem Charme eingebüßt hat. Mit einem Restaurant kann das Dorf nicht aufwarten, so daß man mit der Valgykla vorlieb nehmen muß. Die gesamte Atmosphäre hat etwas Verträumtes an sich. Am Ende des Platzes geht rechts ein schmaler Weg zu einem kleinen, verschlafenen Grenzposten zum Kaliningrader Gebiet hinunter.

Die Grenze kann hier mit Auto, Fahrrad oder zu Fuß überquert werden, und oft lassen die zuständigen Beamten selbst Touristen mit Auto ohne Stempel im Paß in das Gebiet der russischen Föderation einreisen. Doch es ist möglich, daß sich das wieder geändert hat.

Dorf in der Suvalkija

In Vištytis gibt es keine Hotels, doch in der Nähe des Dorfes befindet sich ein Campingplatz.

● *Anfahrt/Verbindungen*: **PKW** - von Vilkaviškis die A-229 bis zum Grenzstädtchen Kybartai nehmen. Dort geht links eine Straße nach Vištytis ab. Um zum Campingplatz zu gelangen, durch Vištytis durchfahren. Die Straße macht am Ortsausgang einen kleinen Linksknick, dann weiter geradeaus fahren, bis nach ca. 1,5 km rechts eine Straße abgeht, an der auch ein Hinweisschild zu dem Campingplatz aufgestellt ist. Diese Straße geradeaus entlangfahren, auch wenn sie mittlerweile zur Schotterpiste geworden ist, bis ein weiteres Hinweisschild kommt. Dort geht der Weg ab, der dann endgültig zum Campingplatz führt.
Bus: Frühmorgens, mittags und am frühen Abend fahren Busse von Vilkaviškis nach Vištytis, die weiter zum Camping fahren. Haltestelle hinter dem letzten Hinweisschild, weiter s. o.

● *Camping*: Sehr schöner Platz, unmittelbar am Seeufer gelegen. Die umliegende Natur ist saftig grün und der Seeblick einzigartig. Das andere Ufer, hinten am Horizont, gehört zum Kaliningrader Gebiet.
Wer kein Zelt dabei hat, kann sich auch eine der 13 Hütten mieten (die Anzahl der Hütten soll steigen). Es gibt Häuschen für 2 und 6 Personen, alle ohne Wasser und WC. Wasserhahn vor jeder Hütte, Toiletten übers Gelände verteilt. Einige Häuschen liegen versteckt hinter Bäumen. Eine kleine Hütte kostet um die 4 DM, eine große ca. 9 DM. Für das leibliche Wohl sorgt der Inhaber z. Zt. noch höchstpersönlich, indem er gekonnt in einem ausgedienten Bahnwaggon aus wenigen Zutaten leckere Köstlichkeiten kreiert. Doch ist das alles nur vorübergehend, da sich ein Restaurant und Tennisplätze im Bau befinden. Am Ufer kann gegrillt werden, Verleih von Ruderbooten.

Kontaktadresse: Herr Vidas Venskevičius, Rošiųa. 59, 4270 Vilkaviškis, Tel. 242/52426. Man kann mit Vidas Venskevičius auch einen Treffpunkt in Vištytis oder Vilkaviškis ausmachen und dann mit ihm zusammen zum Campingplatz fahren. Er ist sehr bemüht um seine Gäste und lernt gerade fleißig englisch.

Lazdijai   *(ca. 9000 Einwohner)*

Die unspektakuläre Kleinstadt liegt etwa 35 km südöstlich von Marijampolė und 8 km von der Grenze zu Polen entfernt. Doch durch Lazdijai müssen alle, die über das polnische Suwalki per Bus oder PKW ins Baltikum einreisen.

Obwohl Bezirkszentrum, ist das kleine Grenzstädtchen nicht weiter interessant. Doch die Gegend um Lazdijai ist lohnenswert. Zahlreiche Seen, eingebettet in saftige Wiesen und bunte Felder, schmale Straßen, die an farbigen Holzhäuschen - Stil "Villa Kunterbunt" - mit romantisch verwilderten Vorgärten vorbeiführen, laden zu einem Ausflug ein.

- *Postleitzahl:* 4560
- *Vorwahl:* 268
- *Anfahrt/Verbindungen:* **PKW** - von Marijampolė die Landstraße über Krosna nehmen; von Vilnius aus die A-229 bis zur Kreuzung mit der A-231 nehmen, auf diese wechseln und bis Alytus entlangfahren. Dort rechts halten und auf eine der Landstraßen (entweder über Simnas oder Seirijai) nach Lazdijai abbiegen (Näheres zur Anfahrt aus Polen siehe Anreise).

Busse: Verbindung mit jeder größeren Stadt Litauens. Der letzte Bus nach Vilnius fährt gegen 7, nach Kaunas schon gegen 19 Uhr. Täglich 4 Busse nach Kaliningrad, 2 Busse via Sejny nach Suwalki (Polen). Die Busse nach Suwalki sind rappelvoll, Ticket mindestens 2 Stunden vorher kaufen. Am Fahrkartenschalter hängen oftmals Angebote für Busfahrten in verschiedene polnische Städte aus. Anfahrt aus Polen, siehe dort.

- *Information:* Vilniaus g. 1, geöffnet Mo-Fr von 9-18 Uhr.
- *Übernachten:* **Roadtel**, Akenių g. 6, kleines privates Hotel mit 9 Betten, direkt hinter der Grenze am See gelegen. ÜF pro Person etwa 24 DM, Tel. 51854.

Kirpykla, Nepriklausomybės a. 5a, noch staatliches Hotel im Zentrum. Zimmer in Ordnung, mit Bad ausgestattet. Hilfsbereite Leute an der Rezeption. ÜB etwa 3 DM, Tel. 8-268/51983.

- *Essen:* Das kulinarische Angebot fällt zur Zeit noch sehr bescheiden aus.

Svetaine Lazdijai, Vilniaus g., liegt neben der Post. Kleines Privatcafé, in dem man auch Kleinigkeiten zu essen bekommt, sporadische Öffnungszeiten.

Valgykla, Vilniaus g., neben dem Privatcafé, einfachste Ausstattung und einfachstes Essen zu absolut niedrigen Preisen.

- *Diverses:* **Geldwechsel: Lazdijk-Skyrius Bank**, Kauno g. 5.; **Wechselstube**, gegenüber der Bank.

Post/Telegrafenamt: Vilniaus g., Richtung Busbahnhof.

Poliklinik: Kauno g. direkt neben der Wechselstube.

Tankstelle: Turisto g. 16, rund um die Uhr geöffnet.

Weg vom Busbahnhof zum Hotel Kirpykla: Aus dem Busbahnhof kommend, links die Vilniaus g. runtergehen bis zum Nepriklausonybės-a., wo sich in der hintersten Ecke des Platzes das Hotel befindet. Die Vilniaus g. wird hier zur zur Kauno g.

Umgebung

In der Gegend um Lazdijai gibt es mehrere hübsche kleine Dörfer, die aber keine Übernachtungsmöglichkeiten bieten. Doch kann an den Seeufern und in den Wäldern gecampt werden. Vorsicht beim Feuermachen: Waldbrandgefahr! Kleine Lebensmittelgeschäfte gibt es in jedem dieser

Orte, in denen man das Nötigste (aber auch wirklich nur das Nötigste) für unterwegs, z. B. für eine Rad- oder Wandertour kaufen kann. Mit Gaststätten am Wegesrand sieht es eher mager aus.

▶ **Krosna:** Kleiner verschlafener Ort, etwa 25 km nördlich von Lazdijai an der Bahnlinie Kaunas-Alytus. Am Ortseingang befindet sich, von Lazdijai kommend, ein kleiner Lebensmittelladen. Hält man sich dort links und fährt über die Brücke, so trifft man auf das *Kawine Wartai*, das tägl. von 12 bis 20.00 Uhr geöffnet hat, Tel. 42626 (Kreis Lazdijai).

▶ **Simnas:** Auf dem Weg von Krosna nach Simnas liegt links ein großer See. Der Traum der unberührten, leicht hügeligen Landschaft wird durch das plötzliche Auftauchen der Wohnsiedlungen von Simnas leider kurzzeitig unterbrochen. Doch die Renaissancekirche des Ortes wirkt wie ein Dornröschenschloß. An der Durchgangsstraße, der Vytauto g., befinden sich Post, Apotheke, Lebensmittelgeschäft und das *Kawine Giluitis* mit angeschlossener Konditorei. Am Ortsausgang stößt man auf eine Karpfenzucht, wo man frischen Fisch kaufen kann. Simnas liegt ebenfalls an der Eisenbahnlinie Kaunas-Alytus, Entfernung von Krosna ca. 15 km.

▶ **Seirijai:** Der Weg dorthin führt am *Dusios-See* und am *Metelio-See* vorbei. An letzterem liegt das Dorf **Meteliai** mit seinem romantischen Waldfriedhof. Kurz vor Seirijai liegt an der Hauptstraße, die hier noch Vytauto g. heißt, eine Tankstelle mit 24-Stunden-Service. Seirijai liegt am gleichnamigen See. Die Entfernung von Simnas nach Seirijai beträgt etwa 22 km.

▶ **Veisiejai:** Das schönste dieser kleinen Dörfer ist Veisiejai. Von Serijai aus über den unbedeutenden Ort Leipalingis kommend, fällt der erste Blick auf ein Sägewerk, doch nach der ersten Kurve wird der wunderschöne *Ančios-See* sichtbar. Das flaschengrüne, dunkle Wasser, in das kleine Stege hineinführen, ist von dichtem Wald umgeben. Fährt man weiter am See entlang, kommt an der rechten Seite eine Bushaltestelle und ein Stück weiter das *Restaurant Ančia*, Vytauto 3, geöffnet von 12-24 Uhr. Entfernung von Serijai etwa 30 km und von Lazdijai etwa 21 km. Mit dem Bus sind diese Orte von Lazdijai aus erreichbar, doch die Busse fahren selten.

Dzūkija

Die südlichste Provinz Litauens ist geprägt von ihren dichten, tiefen Wäldern. Da diese Wälder noch sehr ursprünglich sind und darin auch seltene und bedrohte Tierarten leben, ist ein großer Teil der Dzūkija 1991 unter Schutz gestellt und zum Nationalpark erklärt worden.

Das Leben in der Dzūkija war seit jeher nie einfach, da ihr Boden nicht besonders fruchtbar ist. Dennoch werden die Menschen der Dzūkija im allgemeinen als fröhliche und gesprächige Menschen beschrieben und ihre Provinz als das Land der Sänger und Volkstänzer bezeichnet. Die Hauptstadt der Dzūkija ist Druskininkai.

Druskininkai (ca. 25.000 Einwohner)

Inmitten von duftenden Fichtenwäldern liegt der Kurort Druskininkai, der hauptsächlich durch seine Mineralwasserquellen bekannt geworden ist. Schon in alter Zeit bemerkten die Menschen in dem Dorf Druskininkai, daß ihr Wasser salzig war und Wunden heilte.

Im 18. Jh. war hier ein erfolgreicher Heiler namens *Dr. Sūritius* (frei übersetzt "Dr. Salzig") tätig. Er baute große, hölzerne Badewannen, füllte sie mit dem salzhaltigen Wasser und steckte seine Patienten hinein. Vielen wurde mit der Heilkraft des Wassers geholfen. Davon erfuhr auch *Stanislaw August II.*, König von Polen, worauf er Druskininkai 1794 zum Kurort erklärte. Doch infolge der dritten Teilung Polens 1795 durch Rußland, Preußen und Österreich fiel Druskininkai an Rußland und geriet zunächst in Vergessenheit. So wurde erst 1837, als ein Vilniuser Professor die Heilkraft des Wassers von Druskininkai bestätigte, das erste Sanatorium gebaut. Mittlerweile gibt es deren elf, zwei davon für Kinder. Mitten im Ort, der übrigens erst 1953 das Stadtrecht erhielt, liegt der *Druskonis-See*, in dem jedoch nicht gebadet werden darf. Doch gibt es im Umland von Druskininkai Seen, in denen das Schwimmen gestattet ist. Zusammen mit den dichten Wäldern und der sauberen Luft erfüllt Druskininkai alle Voraussetzungen eines Kurortes.

- *Postleitzahl*: 4690
- *Vorwahl*: 233
- *Anfahrt/Verbindung*: **PKW** - von Alytus die A-231 ca. 60 km Richtung Süden bis zur Ausfahrt nach Druskininkai fahren; von Lazdijai die Landstraße in südöstliche Richtung über Leipalingis nehmen, ca. 50 km.
Bus: Verbindung in die umliegenden Dörfer und mit allen größeren Städten Litauens, insbesondere nach Vilnius und Kaunas. Ebenfalls Verbindung mit Suwalki. Busbahnhof in der Gardino g. 1.
Bahn: Es verkehren nur Züge zwischen Druskininkai und Vilnius. Auf dem Weg nach Vilnius fahren die Züge ein Stück durch Weißrußland, wo sie auch anhalten. Grenzposten waren im Frühjahr 1993 an den Bahnhöfen nicht zu sehen, doch kann sich das mittlerweile geändert haben, Bahnhof in der Gardino g. 3.
- *Information*: Sodų g. 26, Tel.53434
- *Übernachten*: **Druskininkai**, Kudirkos g. 41, direkt am Kirchplatz gelegen, Zimmer ganz hübsch, gilt als bestes Hotel am Ort. ÜB pro Person ca. 8 DM, Tel. 52566.
Vakaras, Čiurlionio g. 22, Zimmer einfach, aber mit Bad. Man hat leider an der Rezeption immer das Gefühl, etwas lästig zu

sein. ÜB um die 4 DM, Tel. 55232.
Sanatorium Lietuva, Kudirkos g. 43. VP plus medizinische Anwendungen wie Massage, Heilbäder usw. für 35 DM pro Tag/Person. Auf Grund der schlechten wirtschaftlichen Lage bleiben viele Touristen aus der ehemaligen Sowjetunion aus, so daß man niemandem den Kurplatz wegnimmt, Tel. 52414.
- *Essen*: **Nemuas**, Fonbergo g. 5. Schön gelegene, große Restauranthalle, mit recht guten Fischgerichten, von 12-23.30 Uhr geöffnet, Tel. 51007.
Druskininkai, Taikos g. 12, mittelgroßes, nettes Café/Restaurant, zum Hotel Druskininkai gehörend. Von 8-23 Uhr geöffnet, allerdings mit kleinen Ruhepausen dazwischen, die meistens genau in die Mittagszeit fallen, Tel. 53805.
Astra, Vilniaus al. 10. Mittlerweile in Privatbesitz, was an der Qualität des Essens und am Service bemerkbar ist, liegt etwas von der Straße zurückversetzt, nur abends geöffnet, Mo geschlossen.
Alka, Veisiejä g. 13, nettes privatbetriebenes Restaurant, Tel. 52849.
Bebenciukas, Čiurlionio g. 103, kinderfreundliches Restaurant, gute Küche, Tel. 53514.

Sehenswertes

Druskonis-See: Im See darf zwar nicht gebadet werden, dafür kann man ihn aber mit dem Boot befahren, Tretboote gibt es in der Svento Jokubo g. Der See liegt zwischen der neugotischen katholischen Kirche und dem alten verwilderten Waldfriedhof. In der Nähe des Gottesackers befinden sich noch zwei weitere kleine Seen, die von der Bevölkerung als die *Augen der Mädchen* bezeichnet werden.

Stadtkern: Als das Zentrum Druskininkais ist die Gegend um das gleichnamige Hotel anzusehen. Romantische, bunte Holzhäuser und Villen, umgeben von Bäumen, Wiesen und Blumenbeeten, bestimmen das Bild. Schräg gegenüber dem Hotel erhebt sich die katholische *Kirche der heiligen Maria Skaplierine*, die im Stil der Neugotik erbaut wurde. Nicht weit vom anderen Ende des Platzes steht eine hübsche *russische Holzkirche* in Blautönen.

Girios Aidas, Waldmuseum, Čiurlionio g. 102. Ist leider Anfang des Jahres 1992 abgebrannt. Bislang war es von 12-18 Uhr geöffnet, außer Mo. Das Museum besaß vier Ausstellungszimmer, wobei jedes in einer anderen Holzart gestaltet war. Zu sehen waren die Tiere der hiesigen Wälder und sog. Naturkunst. Der originalgetreue Wiederaufbau an gleicher Adresse hat bereits begonnen.

M. K. Čiurlionis-Museum, Čiurlionio 41. M. K. Čiurlionis war Komponist und der berühmteste Maler Litauens. Er verbrachte in Druskininkai seine Kindheit
Öffnungszeiten: Di-So von 12-18 Uhr.

1875 in Varėna geboren, kam er im Alter von zwei Jahren nach Druskininkai, weil sein Vater dort eine Stelle als Kirchenorganist antrat. Sehr früh erkannte man Čiurlionios musikalische Begabung und schickte ihn auf die Musikschule nach Plungė, wo dem damaligen *Fürsten von Plungė* sein Talent auffiel. Der Fürst beschloß, dem jungen Talent einen Studienaufenthalt in Warschau zu finanzieren. Mit 25 Jahren entdeckte Čiurlionis die Malerei. Seine Bilder waren anders als die seiner Zeitgenossen, mystischer und voller Symbolkraft. Im allgemeinen wurde seine Kunst zur damaligen Zeit nicht verstanden. Zeitweise litt der junge Künstler an Depressionen und starb schließlich im Alter von nur 38 Jahren.

Čiurlionisweg: Zum 100. Geburtstag des Künstlers im Jahre 1975 haben Künstler aus ganz Litauen Holzskulpturen, die Szenen aus dem Leben Čiurlionis und aus seinem Werk darstellen, auf der Straße zwischen Druskininkai und Varėna aufgestellt.

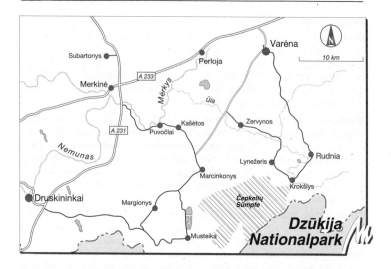

Dzūkija-Nationalpark

Östlich von Druskininkai erstreckt sich über 55 ha der 1991 gegründete Dzūkija-Nationalpark. Er umfaßt eine Landschaft mit scheinbar grenzenlosen Wäldern und über 150 Seen.

Malerisch bahnen sich *Nemunas*, *Merkys* und *Ula*, die Hauptflüsse des Parks, ihren Weg durch die Hügel und hinterlassen idyllische Flußtäler mit teilweise steilen, sandigen Ufern. In den Sümpfen wachsen seltene Pflanzenarten, an den Bächen und auf den Anhöhen gedeihen Heilkräuter. Der größte Teil des Parks ist von riesigen Wäldern bedeckt, die zu 92 % aus Nadelbäumen bestehen, der Rest aus Birken, Erlen und anderen Laubbäumen. Wild und kleine Raubtiere gibt es im Park verhältnismäßig wenig, dafür aber Raubvögel wie Falken, Uhus und Seeadler. Die zahlreichen Gewässer des Nationalparks sind fischreich, es finden sich Forellen, Hechte und Barben.

Hier in der südöstlichen Ecke Litauens sind die größten Temperaturschwankungen des Landes zu finden. Während im Winter das Thermometer bis zu -40°C hinunter rutschen kann, werden im Sommer teilweise bis zu +37°C gemessen. Die Gegend ist zudem ziemlich windstill.

Die Dörfer der Dzūkija

Erwähnenswert sind die alten Dörfer der Dzūkija, die sich in *Wald-* und *Felddörfer* einteilen lassen.

Die Häuser der Walddörfer scheinen häufig unsystematisch angelegt und weisen oftmals ein ihnen ganz eigenes Wegenetz auf (z. B. Marcinkonys oder Rudnia). Die Felddörfer sind dagegen planvoll angelegt, was an den rechts und links der Straße gelegenen Gehöften zu sehen ist (z. B. Subartonys). Am Ufer des Nemunas gibt es auch sogenannte *Flußdörfer.*

Bekannt für Honig und Bienenzucht sind die kleinen Dörfer **Margionys**, **Daršeliai** und **Puvočiai**. Insbesondere im Frühsommer ist es hier wunderschön. Die Luft ist sauber, und überall duftet es nach Wald und Wiesen, die Bäume stehen in voller Blüte. Dahinter schimmern die hübschen, oftmals sonnengelb getünchten Holzhäuser hervor. Die Lebensweise auf den Dörfern ist noch sehr ursprünglich und der Anblick von wagenziehenden Pferden keine Seltenheit. Auch wenn es auf Außenstehende idyllisch wirken mag, ist das Leben hier wohl nicht einfach. Nicht umsonst ist die Bevölkerung der Dörfer im Durchschnitt verhältnismäßig alt, da die jüngere Generation zunehmend in die Städte abwandert, wo man sich eine bessere und leichtere Zukunft erhofft.

Landschaft im Dzūkija-Nationalpark

Allgemeine Hinweise für Touristen

Der Park ist noch nicht touristisch erschlossen. Vor seiner Tür liegt zwar der Kurort Druskininkai mit seinen vielen Besuchern, aber auf den Park hatte das bislang keine Auswirkungen. Es gibt im Park weder Touristenherbergen noch Campingplätze. Wildcampen und das Entfachen von Lagerfeuern ist auf dem Territorium des Nationalparks nicht gestattet, bzw. bedarf einer Genehmigung. Das macht es ein wenig schwierig, den Park ohne eigenes Fahrzeug zu erkunden.

Kartenmaterial und Pläne mit eingezeichneten Routen für Fuß-, Rad- und Bootswanderungen gibt es bis jetzt auch noch nicht, obwohl der Touristenclub in Vilnius und zwei weitere Anlaufstellen in der Hauptstadt Ausflüge in den Dzūkija-Nationalpark anbieten.

Auf Wunsch organisieren sie eine mehrtägige Kanutour über den schnellen Ula-Fluß, der sich durch die unberührten Wälder Südlitauens schlängelt. Eine solche Tour umfaßt den Hin- und Rücktransport, das Bereitstellen von Booten und Zelten und das Einholen der entsprechenden Genehmigungen (z. B. für den Ula-Fluß). Preise nach Vereinbarung, da man sich über die endgültigen Preise für diese Ausflüge noch nicht einig ist. Geplant sind max. 150 DM für 3 Tage.

• *Kontaktadresse*: Ella, Pylimo g. 33. Nach Daiva Daugviliené oder Nijolé Viténaite fragen, Tel. 226414, 226027. Touristenclub Vilnius, Didžioji g. 11, nach Jučevičius Algis fragen, Tel. (003702) 352320.

• *Parkverwaltung*: 4670 Marcinkonys, Bezirk Varéna, Tel. 260-44718/44641, Fax 260-53637.

Tour durch den Nationalpark für Auto- und Fahrradfahrer

Ausgangspunkt ist Druskininkai. Südöstlich von Druskininkai geht eine kleine, sandige Landstraße in Richtung Marcinkonys ab. Der Weg führt durch dichte Wälder und ist teilweise etwas staubig, nach Regentagen ziemlich matschig.

Der erste Abzweig rechts auf dem Weg nach Marcinkonys führt zu dem winzigen Dorf **Musteika**, ein altes Dorf, das ein gutes Beispiel für die Volksarchitektur der Dzūkija abgibt. Südlich und östlich der Ortschaft beginnen die **Čepkeliai-Sümpfe**, die allerdings nur mit Genehmigung der Parkverwaltung betreten werden dürfen. Bleibt man auf dem Hauptweg aus Druskininkai, gelangt man nach etwa 25 km in das Dorf **Marcinkonys**, das hauptsächlich von der Bienenzucht lebt.

Nimmt man von Marcinkonys die links abgehende Straße, so gelangt man auf direktem Wege (ca. 23 km) nach **Merkinė**. Der unasphaltierte Weg führt an zwei ethnographischen Dörfern, **Kašetos** und **Pudočiai**, vorbei. Pudočiai ist bekannt für seinen Honig. Die Strecke nach Merkinė führt größtenteils durch den Wald und erstreckt sich ein kleines Stück am Grūda-Bach entlang, der unweit von Pudočiai in den Mérkys fließt.

Wer die Tour durch den Dzūkija-Nationalpark weiter ausdehnen möchte, kann auch über Varéna nach Merkinė gelangen (ca. 54 km mehr):
Am nördlichen Dorfrand von Marcinkonys geht rechts eine schmale, asphaltierte Straße nach Varéna ab. Etwa auf halber Strecke kommt man zu einer Brücke, die über den malerischen **Ula-Fluß** führt. Auf der linken Seite befindet sich ein Parkplatz. Die Landschaft, durch die der Ula sich schlängelt, ist wild und unberührt. Da

der Fluß ziemlich schnell ist, eignet er sich gut zum Wasserwandern. Am anderen Flußufer führt nach etwa 1 km ein kleiner Weg zu dem Dorf **Zervynos**. Es ist eines der ursprünglichsten Dörfer der Dzūkija und gilt als ethnographisches Denkmal.

Von Zervynos kann man auch einen Abstecher in das Walddorf **Lynežeris** machen, indem man die Straße einfach geradeaus weiterfährt und an der nächsten Weggabelung rechts abbiegt. Auch dieses Dorf steht komplett unter Denkmalschutz. Von hier aus ist es günstiger, nicht zurück zur "Hauptstraße" zu fahren, sondern den Weg geradeaus bis nach **Krokšlys** fortzusetzen, um dann über Rudnia nach **Varéna** zu gelangen. Von der Umgebung her ist diese Strecke schöner, doch bestehen die Straßen entweder aus Schotter oder festem Sand, so daß sich Radfahrer vorher gut überlegen sollten, ob sie diesen Weg nehmen.

Bleibt man dem Überqueren der Ula-Brücke auf der asphaltierten Straße, so ist man in ca. 12 km in Varéna. Auf dem Weg dorthin liegen zwei weitere Parkplätze. In Varéna, übrigens Verwaltungszentrum des gleichnamigen Bezirks, gibt es ein Hotel. Ansonsten ist die Stadt nicht sonderlich interessant.

Über die A-233 in südwestliche Richtung, geht es weiter nach Merkinė (24 km), dem Herzen des Nationalparks. Auch wenn die Straße A-233 heißt, so verbirgt sich hinter ihr keine wirkliche Schnellstraße. Sie ist relativ schmal, wenig befahren, führt längere Zeit am Mérkys-Fluß vorbei und ist rechts und links von Wald umgeben. Kurz hinter Varéna liegt, von der Straße aus sichtbar, der schöne **Glėbo-See**. Nach etwa 5 weiteren Kilometern erreicht man das Dorf **Perloja**. (Näheres s. S. 236). Nach 15 km ist man in Merkinė. Etwa 7 km nördlich von Merkinė, gelegen an der A-231, befindet sich **Subartonys**, ein sog. Felddorf. Hier wurde der berühmte litaui-sche Schriftsteller *V. K. Mickevičiaus* (1882-1954) geboren.

Über die A-231 Richtung Süden geht es zurück nach Merkinė und wieder zurück nach Druskininkai (von Merkinė ca. 27 km).

▶ **Marcinkonys:** Idyllisches Dorf, bestehend aus einigen wenigen Häusern und Höfen. Dazwischen liegen saftige Wiesen, auf denen gemächlich Kühe weiden und Störche stolzieren. In Marcinkonys befindet sich auch der Sitz der Parkverwaltung. Das Dorf kann mit einer Eisenbahnstation aufwarten, an der die Züge nach Druskininkai und Vilnius halten, allerdings führt diese Strecke ein Stück durch Weißrußland.

Zusammenfluß von Mėrkys und Nemunas

Merkinė

Dieses historisch interessante Dorf liegt im Bezirk Varėna an der Mündung des Merkys-Flusses in den Nemunas. Alte Funde besagen, daß hier schon vor 10.000 Jahren eine Siedlung gestanden haben soll. 1377 wird Merkinė zum erstenmal urkundlich erwähnt, nämlich zur Zeit, als die Kreuzritter begannen, die Burg von Merkinė zu erobern. Durch seine geographische Lage an der Strecke Warschau-Vilnius kann Merkinė mit einer wechselhaften Geschichte aufwarten. Im Nordischen Krieg war Merkinė kurzzeitig zwischen 1707 und 1708 sogar die Hauptstadt der Dzūkija. Den Mittelpunkt des Ortes bildet die am Zentralplatz stehende russisch-orthodoxe Kirche aus der Mitte des 19. Jh.

• *Übernachten*: Noch gibt es keine Übernachtungsmöglichkeiten, doch es heißt, daß hier in nächster Zukunft ein Motel entstehen soll.

Essen: **Kawine Stangė**, es besteht zwar die Möglichkeit zu speisen, doch die Qualität des Essens und die Ausstattung erinnern sehr an eine Valgykla.

Sehenswertes

Aussichtspunkt: Wenn man am Restaurant vorbei die Ortshauptstraße weiter geht, gelangt man zu dem Schüttberg, auf dem einmal eine hölzerne Burg gestanden haben soll. Von dort oben hat man einen wunderschönen Blick auf den Zusammenfluß von Merkys und Nemunas.

Stadion: Der Weg rechts an der Kirche vorbei führt zu einem ehemaligen Stadion, wo Opfer des Faschismus und Widerstandskämpfer gegen das kommunistische Regime begraben liegen.

Museum: Befindet sich gegenüber vom Restaurant. Zu sehen ist eine Ausstellung über Merkinė und seine Geschichte (Mo geschlossen).

● *Anfahrt/Verbindungen:* **PKW** - liegt an der A-231, etwa 27 km nördlich von Druskininkai, und der A-233 Richtung Vilnius. **Bus:** Verbindung mit Druskininkai und Alytus.

▶ **Perloja:** Ein großes Vytautas-Denkmal ist hier zu bewundern. Interessant ist auch die Geschichte dieses Dorfes: Perloja war nämlich einmal ein selbständiger Zwergstaat mit einer eigenen, wenn auch nur 50 Mann umfassenden Armee. Ausgerufen wurde die "perlojanische Republik" von revolutionären Volkssozialisten im Oktober 1918, was Litauen allerdings nicht anerkennen wollte. Als Polen 1920 das südliche Litauen um Vilnius besetzte, hatte das für den Freistaat äußerst positive Auswirkungen, lag er doch genau in dem 20 km breiten Niemandsland-Streifen zwischen litauischem und polnischem Territorium. Erst als der Völkerbund im Jahre 1923 endgültig den polnisch-litauischen Grenzverlauf festlegte, hörte Perloja auf zu existieren.

6 km von Perloja entfernt liegt ein schöner See, der **Glebo-See.**

● *Anfahrt/Verbindungen:* **PKW** - liegt an der Strecke zwischen Merkinė und Varėna. **Bus:** Zu erreichen ist der See mit Bussen der Linie Druskininkai-Vilnius. Aus Druskininkai Richtung Vilnius fahrend an der Haltestelle nach dem Hinweisschild auf den Glebo-See aussteigen. 1 km von der Hauptstraße entfernt befindet sich ein **Lagerplatz,** eine schöne, am See gelegene Wiese.

Varėna　(ca.10.000 Einwohner)

Die Stadt hat eine kleine Besonderheit aufzuweisen, denn auf der Karte gibt es eigentlich zwei Varėnas.

Als die Eisenbahnlinie St. Petersburg-Berlin gebaut wurde, richtete man ungefähr 10 km vom Dorf Varėna einen gleichnamigen Bahnhof ein. Um diesen Bahnhof herum entstand eine Kleinstadt, die heute das Verwaltungszentrum des Bezirks Varėna ist.

Die kleine Stadt liegt an der Bahnstrecke Druskininkai-Vilnius, was für müde Radfahrer bestimmt von Interesse ist, da das Fahrrad in die Bahn mitgenommen werden kann.

● *Postleitzahl:* 640
● *Vorwahl:* 260
● *Anfahrt/Verbindung:* **PKW** - Das "alte Varėna" liegt an der Landstraße von Druskininkai nach Vilnius. Von dort geht eine Seitenstraße zum "neuen Varėna" ab.

Bus: Mehrmals täglich Verbindung mit Vilnius, Kaunas, Alytus, Lazdijai und in die Dörfer des Bezirks Varėna. Einmal täglich geht auch ein Bus nach Klaipėda und nach Kaliningrad. Busbahnhof befindet sich in der Savanorių g. 5.

Bahn: Bahnhof, Savanoriu̧ g. 3, schönes Gebäude mit bunten Glasfenstern. Mehrere Züge täglich nach Vilnius und Druskininkai, zwei nach Grodno (Weißrußland), zwei nach Warschau und ein Zug nach St. Petersburg.

• *Übernachten*: **Viešbutis**, Vasario-16 g. 1. Akzeptables Hotel mit Ein- und Mehrbettzimmer und zwei Luxus-Suiten. ÜB um die 3 DM. Das Hotel soll in Kürze privatisiert werden, was sich mit Sicherheit auch auf die Zimmerpreise auswirken wird, Tel. 51345.

• *Essen*: **Restoranas**, direkt neben dem Hotel, einziges Restaurant am Ort, frisch renoviert.

• *Diverses*: **Geldwechsel** - Vytauto g. 6/ Ecke Laisvės.

Post: Vytauto g. 21.

Alytus   *(ca. 55.000 Einwohner)*

Alytus ist das Verwaltungs- und Industriezentrum Südlitauens, gelegen am Nemunas, in den hier alle möglichen Abwässer eingeleitet werden.

Nähert man sich der von dichten Fichtenwäldern umgebenen Stadt, sollte man nicht meinen, daß gewaltige Industriebauten und riesige Wohnkomplexe das Bild von Alytus prägen. Die sechstgrößte Stadt Litauens ist nicht überwältigend. Geeignet ist sie jedoch als Durchgangsstation und als Ausgangspunkt für Ausflüge an die umliegenden Seen.

Geschichte

Ursprünglich besaß Alytus eine Burg *Aliten*, an die aber lediglich noch der Burghügel erinnert, auf der sie einst gestanden haben soll. Der Burghügel liegt am Zusammenfluß des Nemunas mit dem Fluß *Alyputin*. Im 14. Jh. wurde sie häufig von Kreuzrittern angegriffen.

Im Laufe seiner Geschichte stand Alytus nicht nur unter der Herrschaft des Großfürsten von Litauen, sondern auch unter der der Preußen. Im Jahre 1581 erhielt die Stadt das Magdeburger Recht. Später wurde Alytus von Rußland verwaltet, und oft kam es zu Kämpfen mit dem Zarenheer.

1919 wurde hier das Revolutionäre Komitee gebildet und die Macht der Sowjets proklamiert. Nach dem Zweiten Weltkrieg ist Alytus sehr gewachsen und hat sich zu einer reinen Arbeiterstadt entwickelt. Sie verfügt über 15 Industriebetriebe, die mehr als 4 % der Gesamtproduktion Litauens erzeugen. Ebenfalls ist in der Stadt ein Wohnungsbaukombinat ansässig, durch das jährlich 500 Alytuser Familien die Schlüssel für eine neue Wohnung erhalten.

• *Postleitzahl*: 4580

• *Vorwahl*: 235

• *Information*: Seiriju̧ g.3/ Ecke Pulko g. Die Touristeninformation befindet sich in einem etwas asymmetrisch gebauten Haus, an deren Fensterscheiben mit unscheinbaren Lettern *Ekskursni Buro* steht. Aus dem Busbahnhof kommend, rechts die Jotvings g. bis zur Pulko g. runtergehen. Dort links einbiegen und geradeaus bis zur nächsten Ecke die Straße entlanglaufen. Es gibt weder Stadtpläne noch Prospekte, doch die Mitarbeiterinnen sind durchaus bereit, einen Plan mit den wichtigsten Straßen zu erstellen. Eine von ihnen spricht etwas deutsch, Tel. 54660.

• *Anfahrt/Verbindungen*: PKW - liegt an der A-231, der Straße zwischen Kaunas und Grodno. Etwa 28 km nördlich von Alytus befindet sich das Kreuz der A-231 mit der A-229 Vilnius-Kaliningrad.

Bus: mindestens vier **Busse** in jede größere litauische Stadt, gute Anschlußmöglichkeiten nach Vilnius und Kaunas, täglich ein Bus nach Riga und nach Kaliningrad. Mehrmals am Tag Verbindungen mit den umliegenden Dörfern und nach Lazdijai (Grenzstädtchen), ein Bus täglich nach Suwalki. Busbahnhof, Jotvingis g. 5/7.

Bahn: Bahnhof liegt außerhalb von Alytus und ist mit dem Bus Nr. 5 zu erreichen. Haltestelle direkt vor dem Markt, Busfahrkarten am Zeitungskiosk. Es verkehren jedoch nur Züge zwischen Alytus und Kaunas. Abfahrtszeiten: 4.20, 8.20, 12.30 und 19.42 Uhr.

Verkehr innerhalb der Stadt: Die meisten Punkte liegen an der Naujoji g. und sind mit den Trolleybuslinien 4, 6, 7 und 8 zu erreichen, die alle am Markt halten.

● *Übernachten*: **Hotel Dzūkija**, Pulko g. 14/1. Die gelbe Hinterfront des Hotels ist schon vom Busbahnhof aus sichtbar. Vier Preiskategorien, alle ohne Frühstück, vom Luxuszimmer mit TV bis hin zum Bett in einem Dreier-Zimmer. Dem Hotel ist ein Restaurant angeschlossen, Tel. 51345.

Hotel Signalas, Santaikos g. 30a, verfügt zwar auch über sog. Luxuszimmer und -Suiten, doch sind sie für unsere Maßstäbe sehr einfach. Die Zimmer der Mittelklasse sind mit Badewanne, doch ohne Toilette. Das Hotel liegt etwas außerhalb, gegenüber der Tankstelle. Zu erreichen mit Bus Nr. 9 bis zur Station Signalas, fährt direkt vor dem Busbahnhof ab. Das Hotel schließt um 24 Uhr, Tel. 35985.

● *Essen*: **Restoranas**: Rotūšės 10. Nett ausgestattetes Restaurant, einfache Valgykla und kleines Café in einem Gebäude. **Hotelrestaurant**, Pulko g. 14/1. Das Essen ist nicht gerade spektakulär und die Bedienung ziemlich unfreundlich.

Restaurant Zuvintas, Naujoji g. 8., befindet sich im Einkaufskomplex *Pietries*. Dem Restaurant ist eine Bar angeschlossen.

Café im Sportpalast, Naujoji g, unweit der Poliklinik. Nettes Café, in dem man auch Kleinigkeiten essen kann.

● *Diverses*: **Bank**: Pulko g. 5., früh hingehen, da nachmittags oftmals kein Bargeld mehr da ist, Mo-Fr von 9-13 und 14-18 Uhr geöffnet; Geldwechsel im Jotving - Einkaufszentrum, Naujoji g.

Post: Jotvingis g., gegenüber vom Hotel Dzūkija.

Markt: Täglich Markt gegenüber vom Busbahnhof, auf dem es bunte Cremetörtchen, Zigaretten, Weißkohl, manchmal sogar Mandarinen und Blumen gibt.

Poliklinik: Naujoji g. 48.

Tankstelle: Santaikos g. 30a, meist an der langen Autoschlange schon früh erkennbar.

Autowerkstatt: Naujoji g. 122 (in Richtung Kaunas).

Kultur: großes, graues Kulturzentrum *Medvilnis* in der Pramanez g. Dort finden Konzerte und Theateraufführungen statt. Zu erreichen mit den Buslinien 4, 6, 7, und 8.

Unterhaltung: am Wochenende bis 21 Uhr Disco im alten Kulturzentrum, Dariaus ir. Girėno g.

Museum: Savanorių g 6. Heimatmuseum und wechselnde Ausstellungen zeitgenössischer Kunst.

Umgebung

▶ **Daugai**: Gelegen am gleichnamigen See. Netter Ort, aber nicht weiter interessant. Hotels gibt es noch keine, doch am See kann man campen. Daugai ist in eine schöne grüne Landschaft gebettet, in der man immer wieder auf kleine Tümpel und Teiche bis hin zu größeren Seen trifft, alle malerisch in der Sonne glitzernd. Die Landschaft wirkt unendlich, da keine Zäune den Blick unterbrechen. Die Kühe sind einzeln angepflockt, den Pferden sind oftmals die Beine gefesselt.

● *Anfahrt/Verbindungen*: **PKW** - Etwa 20 km von Alytus enfernt, gelegen an der Landstraße, die nach Varėna führt.

Bus: Zu erreichen von der Bezirksstadt Varėna und von Alytus. Nach Alytus fahren etwa 7 Busse täglich. Bushaltestelle liegt an der Hauptstraße. Von dort aus sind es noch ca. 500 m bis in den Ort.

● *Essen*: **Valgykla** und ein billiges **Kawinė** ist alles, was Daugai im Punkte "Leibliches Wohl" anzubieten hat. Beides befindet sich in dem aus rotem Backstein errichteten Komplex *Suvingis*. Auch ein größerer Lebensmittelladen ist darin untergebracht.

● *Diverses*: **Post**: Ežero g. 13, von 8-17 Uhr geöffnet.

Punia

Das kleine verschlafene Dörfchen befindet sich im Bezirk Alytus. Wer Punia erreichen will, muß zunächst eine dichte, majestätische Birkenallee durchfahren.

Kurz vor Ortseingang arbeitet eine große Kolchose. Nicht weit von der Kolchose liegt ein schöner See, der sich zum Zelten eignet. Das Tankstellenschild vor Punia ist ein Trugschluß, sie ist geschlossen. Im Ort selbst reihen sich zahllose Teiche und Tümpel aneinander.

Für Reisende aus aus dem Westen ist es sicherlich ungewöhnlich zu sehen, wie Bauern im Schweiße ihres Angesichts mit Hilfe von Pferden ihre Felder pflügen und der Milchmann, hoch oben auf dem Kutschbock thronend, seine blechernen Milchkannen mit Pferd und Wagen durch das Dorf karrt. Am Ende der Dorfstraße fällt der Blick auf ein von Bäumen verschleiertes Gotteshaus und auf einen verwilderten Kirchhof. Ein grober Kontrast zu der romantischen Kirche ist das danebenstehende moderne Kulturhaus. Für einen kurzen Abstecher ist Punia sicher lohnenswert.

Anfahrt/Verbindungen: **PKW** - Von Alytus auf die A-231 Richtung Kaunas fahren. Nach etwa 15 km geht links eine kleine Straße nach Punia ab. **Bus**: Die Verbindung ins Dorf selbst ist schlecht. Lediglich ein Bus aus Vilnius und vier Busse aus Alytus fahren hierher. Doch am Abzweig nach Punia halten die Busse der Linie Alytus-Vilnius und Alytus-Kaunas. Von da aus sind es noch ca. 15 Minuten zu Fuß.

Burghügel: Von hier aus hat man ein gute Sicht auf den Nemunas, der sich wie ein Urwaldstrom am dunkelgrünen Waldufer entlangschmiegt. Schon zu Urzeiten soll auf dem Hügel die hölzerne Festung *Pilenai* gestanden haben.

Im Jahre 1336 belagerte der Deutsche Orden diese Burg, stieß aber auf den vehementen Widerstand der litauischen Verteidiger. Als diese, so sagt man, den Berennungen der deutschen Kreuzritter nicht länger standhalten konnten, töteten sie zuerst ihre Frauen und Kinder, verbrannten sie und nahmen sich dann selber das Leben. Lieber wollten sie sterben, als sich den Feuertäufern zu ergeben. Anführer der Litauer war *Fürst Margis*, nach dem auch die Hauptstraße des Ortes benannt ist.

Der Burghügel liegt nicht direkt im Dorf. Links an der Kirche den kleinen Feldweg bis zum Wald runtergehen. Von dort führt ein Pfad zur Anhöhe.

▶ **Trakai** (siehe S. 121)

▶ **Eišiškės:** Kleine Stadt im Šalčininkaier Bezirk, eingebettet in eine unberührte und schöne Moorlandschaft. Architektonisch interessant ist die steinerne Christi-Himmelfahrt-Kirche, die zwischen 1847 und 1852 nach dem Geschichtsforscher T. Narbutas entstand. In Eiškiškės wurde auch der für Litauen wichtige Theologe Stanislaus Rapalionis (1485-1545) geboren, der lange Zeit als Professor an der Königsberger Universität lehrte.

Kaliningrader Gebiet

Das Kaliningrader Gebiet, das heute zu Rußland gehört, ist der nördliche Teil des historischen Ostpreußens. Landschaftlich ist diese Gegend wunderschön. Bilder von saftigen Wiesen, dichten Wäldern und Störchen, die auf Häuserdächern und Strommasten in ihren großen Nestern brüten, sind typisch für die ländlichen Gegenden.

Ganz anders sieht es dagegen in den Städten aus. Die ehemals prächtigen Häuser sind im Laufe der Zeit verfallen. Es gab eine Ära, in der alles, was an die ehemaligen deutschen Bewohner und ihre Kultur erinnerte, ausgemerzt werden sollte. So sind zu dieser Zeit viele schöne Bauten, die den Krieg überdauert haben, insbesondere in der Stadt Kaliningrad, abgerissen worden. Die entstandenen Lücken füllen phantasielose Plattenbauten.

Geschichte

Die ältesten Siedlungen dieses Gebietes gehen bis in die Jungsteinzeit (Neolithikum) um 3000 v. Chr. zurück und werden als sogenannte Haffküstenkultur bezeichnet. Besiedelt wurde die Gegend vom baltischen Stamm der Pruzzen (auch Prusen, Prusai, Borusi, Pruteni oder Prui genannt), die sich von der Jagd und vom Fischfang ernährten.

Bereits in der Bronzezeit, Ende des 3. bis Anfang des 1. Jahrtausends v. Chr. blühte der *Bernsteinhandel* mit den Hochkulturen der Länder des Mittelmeeres und Asiens. Erstmals wurde das Gebiet im Jahre 100 n. Chr. von dem römischen Geschichtsschreiber *Tacitus* erwähnt, der von den *Ästorirum gentes*, den östlichen Nachbarn der Germanen berichtet. Im 2. und 3. Jh. n. Chr. siedelten sich auch Goten und Wikinger hier an. Die Pruzzen lebten relativ ruhig neben ihren germanischen Nachbarn und betrieben Bernsteinhandel, der ihnen einen gewissen Wohlstand bescherte.

Die goldenen Zeiten änderten sich, als *Herzog Konrad von Masovien* den Deutschen Orden um Hilfe im Kampf gegen die Pruzzen bat. So marschierte im Jahre 1255 der böhmische König *Ottokar II.* mit einem großen Heer von Kreuzrittern ins *Samland* ein, um die heidnischen Pruzzen zu missionieren und zu unterwerfen. Als Stützpunkt errichteten sie auf dem *Tvangste-Berg* am Pregelufer eine feste Burg, die König Ottokar zu Ehren *Königsberg* genannt wurde. Lange versuchten die Pruzzen, sich gegen die Christianisierung zu wehren. Hatten sie beispielsweise einen Toten zu beklagen, wurde er zum Schein nach christlichem Brauch beerdigt, in der folgenden Nacht jedoch wieder ausgescharrt, damit er nach heidnischen Riten bestattet werden konnte. Doch die Aufstände der nur locker in Stammesverbänden zusammengeschlossenen Pruzzen gegen die Kriegsmaschinerie des Ordens und das straff organisierte Heer der Kreuzritter waren aussichtslos. 1283 erklärte der Deutsche Orden die Kämpfe gegen die aufsässigen Pruzzen als erfolgreich beendet. Viele der Pruzzen waren gefallen oder wanderten nach Litauen aus. Die wenigen Verbliebenen wurden zwangsweise getauft. Um die Lage in Preußen zu stabilisieren, rief man deutsche Siedler ins Land. Heute erinnert nur noch der Name Preußen an den mittlerweile ausgestorbenen Baltenstamm.

Als der Ordensstaat 1410 in der **Schlacht von Tannenberg** eine empfindliche Niederlage gegen das polnisch-litauische Reich erlitt, zeigten sich die ersten Anzeichen für den Untergang des Ordensstaates. Der Westteil des Territoriums mußte an die Sieger abgetreten werden, was für den Orden gewaltige Machteinbußen bedeutete. Hinzu kam eine große Aufgeschlossenheit gegenüber protestantischem Gedankengut im Volk. Der letzte Ordensmeister war *Hochmeister Albert von Brandenburg-Ansbach*, der 1525 begann, den Kirchenstaat zum *Herzogtum Preußen* umzuwandeln, was mit dem .**Vertrag von Kraukau** vollzogen wurde. Albert von Brandenburg-Ansbach leistete einen Lehnseid auf das polnisch-litauische Reich. 1618 ging Preußen eine Personalunion mit Brandenburg ein, deren Sitz das damals noch relativ unbedeutende Berlin wurde.

Während der schwedisch-polnischen Kämpfe des 17. Jh. gelang dem Kurfürsten *Friedrich Wilhelm* eine noch engere Angliederung Preußens an Brandenburg und schließlich die Aufhebung der polnischen Oberhoheit.

1701 krönte sich *Kurfürst Friedrich III. von Brandenburg* zum *König Friedrich I. von Preußen* und machte Königsberg zu seiner Residenz. Als Ostpreußen wurde das Gebiet des preußischen Königreichs angesehen. Durch die übertriebenen Ausgaben für die Repräsentation des Königsberger Hofs trieb Friedrich I. die preußische Monarchie an den Rand des Ruins. Ein blühendes Zeitalter erfuhr Preußen jedoch unter *Friedrich II.*, der den Aufstieg Preußens zur Großmacht einleitete.

Im Zuge der ersten Teilung Polens 1772 zögerte Preußen nicht, sich Westpreußen, das nach der Niederlage von Tannenberg an Polen fiel, zurückzuholen. Als Polen 1793 ein zweites Mal geteilt wurde, sicherte sich Preußen die Städte **Thorn** und **Danzig**.

1807 zog Napoleon nach Preußen: Königsberg wurde besetzt und Preußen mußte starke Gebietsverluste hinnehmen. Daran änderte auch die preußische Königin Luise nichts, die in einem Gespräch mit dem Korsen versuchte, den Friedensvertrag von Tilsit 1807 abzumildern.

Als sich 1815 der **Deutsche Bund** gründete, lieferten sich Preußen und Österreich anhaltende Machtkämpfe, die 1866 im Deutschen Krieg eskalierten. Als Sieger aus diesem Krieg ging Preußen hervor und konnte sich damit die Vormachtstellung unter den deutschen Ländern sichern. Auch nach der Gründung des **Deutschen Reichs** 1871 durch *Bismarck* gelang es Preußen, seine Sonderstellung zu behaupten.

Nach dem Ersten Weltkrieg ging gemäß dem **Versailler Vertrag** ein Teil des preußischen Territoriums an *Polen*, womit der *Polnische Korridor* entstand, der das verbleibende Ostpreußen vom Deutschen Reich abtrennte. Weiter verlangte der Vertrag den Verzicht auf das *Memelland*, den Norden Ostpreußens.

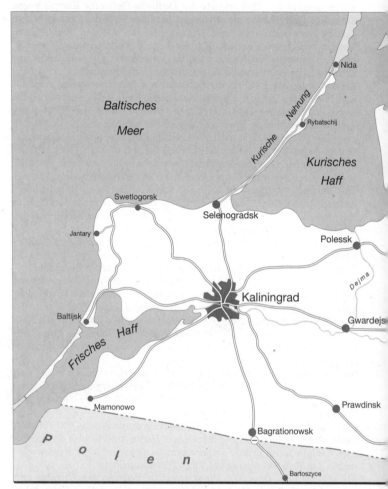

Am Ende des Zweiten Weltkriegs lag Ostpreußen vollständig in der Hand der Roten Armee. Im **Potsdamer Abkommen** vom August 1945 beschlossen die Siegermächte, Ostpreußen zwischen Polen und der Sowjetunion aufzuteilen. Mit Ausnahme des Memellandes gehört seitdem das Gebiet des nördlichen Ostpreußens mit der damaligen Stadt Königsberg zur *Russischen Föderation.*

Die heutige Bevölkerung setzt sich hauptsächlich aus Russen, Weißrussen und Ukrainern zusammen. Viele der dort stehenden Prachtbauten sind im Laufe der Zeit verfallen. In der heutigen Zeit sind jedoch Strömungen erkennbar, deren Ziel es ist, die Reste der kulturellen Güter der mittlerweile

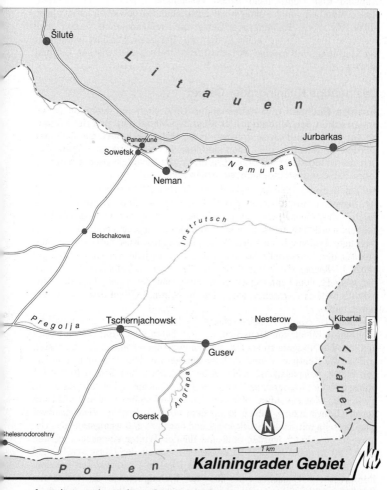

Kaliningrader Gebiet

als *Kaliningrader Gebiet* oder auch *Kaliningrader Oblast* bezeichneten Gegend zu retten und zu restaurieren. Doch meist werden die Bestrebungen auf Grund der fehlenden Gelder bereits im Keim erstickt.

Heutzutage überlegen mehrere Staaten, was mit dem Oblast geschehen soll. Polen und Litauen haben bereits territoriale Ansprüche auf das Gebiet geltend gemacht. Besonders für Litauen ist das ehemalige Ostpreußen von kultureller Bedeutung: Hier entstanden die ersten Schriften in litauischer Sprache, und das 1718 an der Albertina gegründete Litauische Seminar war lange Zeit die einzige Einrichtung, an dem die litauische Sprache gelehrt und als Wissenschaft betrieben wurde.

Rußland und Deutschland haben vereinbart, Deutsche aus Sibirien, Kasachstan und von der Wolga hier anzusiedeln. 20 000 leben bereits hier. Mitte 1992 ist das Kaliningrader Gebiet zur Freihandelszone "Jantar" (das russische Wort "Jantar" heißt zu deutsch "Bernstein") erklärt worden, in der Hoffnung, daß es eine wirtschaftliche Drehscheibe zwischen Ost und West werde.

Das heutige Kaliningrader Gebiet

Eisernes Rechnen und mehrmaliges Umdrehen der wenigen Rubel beherrschen den Alltag der hier lebenden Menschen. Seit der Freigabe der Preise sind diese immens in die Höhe geklettert. Die Gehälter wurden eingefroren, die Läden sind leer. In den Textilgeschäften bleiben die wenigen Artikel ohne Käufer, da die Bevölkerung die angebotenen Kleidungsstücke nicht bezahlen kann.

Bei einem Durchschnittsgehalt, das im Herbst 1992 bei etwa 3500 Rubel lag, bedeutet beispielsweise das Erstehen eines Wintermantels zweieinhalb bis drei Monatsgehälter. Zum Lebensmitteleinkauf muß viel Zeit investiert werden. Warteschlangen werden geduldig hingenommen.

In einigen Läden gibt es Milch, Wurst, Fleisch und Käse mittlerweile ohne *Talonas*, den Lebensmittelkarten. Oft kommt es jedoch noch vor, daß bei neuer Lieferung die Kundschaft zum Ausladen aufgefordert wird. Wer sich weigert, dem kann es passieren, daß er von den Verkäufern als unkameradschaftlich angesehen wird und mit leeren Taschen den Laden verlassen muß.

Seit der Freigabe der Preise scheint die Inflationsrate ins Unermeßliche zu steigen. Bilder von Menschen, die mit Tüten voller Banknoten losziehen, um das Nötigste zu kaufen, sind an der Tagesordnung. Am härtesten trifft es die Rentner. Viele von ihnen können von dem, was ihnen zum Leben bleibt, beispielsweise nicht mehr als 2 Päckchen Tee, 5 Brote, 6 l Milch, 3 Ecken Käse, etwas Wurst, ein Pfund Butter und ein kleines Stück Fleisch im Monat kaufen. Wer von den Alten kinderlos ist und nicht auf deren Unterstützung zählen kann, dem geht es dreckig. Viele besitzen eine Datscha mit einem Stückchen Land dabei, so daß wenigstens das Gemüse nicht gekauft werden muß und für den Winter eingekocht werden kann. Das Angebot auf dem Basar richtet sich nach der Jahreszeit. So sind die Marktstände im Sommer üppig mit frischen Köstlichkeiten beladen. Für westliche Besucher, die hier für Pfennigbeträge die leckersten Früchte erstehen können, ist es sicher schwer nachvollziehbar, daß so ein kleines Tütchen Himbeeren vielen Einheimischen sofort ein großes Loch ins Budget frißt. Im Winter kann man nur Weißkohl kaufen, ansonsten herrscht auf den Märkten gähnende Leere. Auch Grundnahrungsmittel sind äußerst knapp. Auf Grund der wirtschaftlichen Misere wünschen sich viele wieder das alte System herbei, unter dem es wenigstens das Notwendigste zum Leben gab.

Die benachbarten Baltenrepubliken können ihrer auch nicht gerade rosig aussehenden Wirtschaft immerhin noch die frisch erlangte Unabhängigkeit entgegenhalten und mit der Währungsreform auf Besserung hoffen.

Doch einen solchen Glauben gibt es für die Menschen im Kaliningrader Gebiet nicht. Zum einen sind sie weit vom Mutterland, und dann ist die wirtschaftliche Gesundung eines so großen Landes wie Rußland um einiges schwerer und langwieriger als die eines kleinen Landes. Seit dem Frühjahr 1992 ist das Gebiet zwar zur Freihandelszone erklärt worden, doch stellt sich der wirtschaftliche Aufschwung nur langsam ein.

Abkürzungen/Begriffe

Die im Reiseteil verwendeten Abkürzungen, die auch im Russischen so gebraucht werden, setzen sich wie folgt zusammen:

pl.= *plotschad* - Platz

ul.= *uliza* - Straße

pr.= *prospekt* - größere Straße

Anreise

Es gibt verschiedene Varianten, das Kaliningrader Gebiet zu erreichen, wobei man mittlerweile nicht mehr auf organisierte Reisen angewiesen ist.

▶ **Mit dem Flugzeug:** Seit Mai 1993 wird Kaliningrad von der Aeroflot einmal wöchentlich per Linie angeflogen. Die Maschine startet immer montags. Ein Ticket ist ab 506 DM erhältlich. Zu buchen sind die Flüge über bestimmte Reisebüros oder bei Aeroflot selbst. Außer dem regulären Linienflug werden von einigen Reiseveranstaltern auch Charterflüge nach Kaliningrad angeboten (s. Reiseveranstalter)

Aeroflot, Budapester Str. 50, 10787 Berlin, Tel. 2618250; Unter den Linden 51, 10117 Berlin, Tel. 030-2292164; 16 Place Cornavin, CH 1201 Genf, Tel. 022-7311643; Parkring 10, A 1010 Wien, Tel. 01-5121501.

▶ **Mit dem PKW:** In der Presse stand bereits geschrieben, daß der Grenzübergang bei Bartoszyce (Bartenstein) zwischen Polen und dem Kaliningrader Gebiet ab April '93 auch für den internationalen Verkehr geöffnet sei, was damit der kürzeste Anreiseweg ins Kaliningrader Gebiet wäre. Vom polnischen Konsulat ist diese Pressemeldung auch bestätigt worden, während das russische Konsulat dagegen verlauten läßt, daß dieser Grenzübergang nicht offiziell geöffnet sei. Für das Passieren der Grenze ist auf jeden Fall ein russisches Visum vonnöten, und falls man mit dem eigenen PKW unterwegs ist, ein entsprechender Vermerk.
Zu erreichen ist Bartoszyce über die Landstraße 51, die nördlich von Olsztyn (Allenstein) abgeht. Ebenfalls ist es möglich, über Litauen ins Kaliningrader Gebiet einzureisen.

▶ **Mit der Bahn:** Seit einiger Zeit fährt einmal wöchentlich über Elblag (Elbing) auf direktem Weg der Königsberg-Expreß, ein Sonderzug, nach Kaliningrad. Die Abfahrt ist jeden Fr um 20 Uhr, Ankunft in Kaliningrad am nächsten morgen gegen 11 Uhr. Zurück geht es Sa um 19 Uhr, Ankunft in Berlin ca. 9 Uhr. Es ist möglich, nur die Zugfahrt zu buchen, wenn man sich vor Antritt der Reise selbst eine Unterkunft und ein Visum besorgt hat. Man kann aber auch an der zusätzlich angebotenen organisierten Reise teilnehmen. Eine einfache Fahrt ohne Visum und Versicherungszuschläge, kostet im 4-Bett-Abteil ca. 295 DM pro Person. Wer mit diesem Zug fahren will, sollte sich spätestens 3 Wochen vor Reisebeginn um die Fahrkarte kümmern, Anmeldung bei den Sonderschaltern auf den Bahnhöfen und bei Mochel-Reisen (Adresse s. Reiseveranstalter).

Tip: Bezüglich der Unterkunft im Kaliningrader Gebiet sollte man sich an die dortigen Reiseveranstalter wenden. Sie schicken bei Hotelbuchung ein Visum und haben in der Regel günstigere Übernachtungsmöglichkeiten im Angebot, als westliche Reiseveranstalter. Seit Neustem vermittelt Intourist-Reisen Berlin einige preiswertere Hotels.

▶ **Mit dem Schiff:** Seit geraumer Zeit bieten einige Reiseveranstalter Seereisen nach Kaliningrad an. Eine solche Schiffsfahrt ist dann aber automatisch an eine organisierte Reise gebunden (s. Reiseveranstalter).

Einreise

Das Kaliningrader Gebiet gehört zum russischen Staatsgebiet, und für die Einreise auf russisches Territorium ist ein Visum erforderlich.

Die Praxis sieht jedoch anders aus. Über Litauen ist es bislang unproblematisch, ohne Visum einzureisen. In den Zügen wurde bislang gar nicht kontrolliert, in den Bussen nur sporadisch. Auch das Passieren der Grenze mit Fahrrad und Auto geht in der Regel reibungslos über die Bühne. Von litauischer Seite wurde der Paß bis jetzt nicht mit einem Ausreisestempel versehen, so daß das baltische Visum seine Gültigkeit nicht verliert. Bei den Angaben handelt es sich um den Stand des Frühjahrs 1993, der in einigen Monaten jedoch schon wieder überholt sein kann.

Zu beachten ist, daß es bei der Quartiersuche unter Umständen passieren kann, daß man, falls im Paß kein Visum vorhanden ist, an der Hotelrezeption aufgefordert wird, sich eine Aufenthaltsgenehmigung bei der Miliz zu besorgen. Ohne diese Genehmigung ist es den Hotels untersagt, Zimmer zu vergeben. Die Miliz reagiert sehr verärgert, wenn die Einreisebestimmungen nicht eingehalten werden, nimmt ein Protokoll auf und verlangt eine Strafe, die bislang für westliche Besucher gering ausfiel. Diese Strafgebühr soll jedoch, so sagt man, in Kürze auf 200 Dollar angehoben werden. Russischkenntnisse sind in diesem Falle ausgesprochen nützlich.

Alles wäre viel einfacher, wenn es ein Visum für das gesamte Gebiet gäbe, das den Inhabern das Umherreisen gestatten würde. Dem ist aber leider nicht so. Für jede Stadt, in der man im Hotel übernachten möchte, ist ein spezielles Visum erforderlich. Erteilt werden diese Visa auf Einladung oder beim Kauf einer gebuchten Reise über einen Reiseveranstalter. Es ist ein Teufelskreis, denn um Leute kennenzulernen, die eine Einladung schicken könnten, muß man in der Regel schon einmal dagewesen sein.

Gesprächen mit der Miliz zufolge sind diese ortsgebundenen Visa nicht nötig, wenn man privat irgendwo wohnt. Wer ohne Visum ins Kaliningrader Gebiet eingereist ist, sollte nicht versuchen, über Polen auszureisen. Es kann passieren, daß man wegen der nichtvorhandenen Einreisegenehmigung schon an der russischen Seite scheitert. Ist das nicht der Fall, kann das aber immer noch an der polnischen Seite passieren. Offiziell ist der Übergang nicht für den internationalen Grenzverkehr geöffnet, was von polnischer Seite ziemlich genau beachtet wird.

Hausnummern

Viele Gebäude des Kaliningrader Gebietes tragen keine Hausnummer. Da sie größtenteil auch den Bewohnern und Mitarbeitern der Restaurants und Hotels unbekannt sind, waren einige Nummern oft nicht auszumachen.

Kulinarisches

Russische Spezialitäten sind *Borschtsch*, ein Eintopf aus Roten Beeten mit saurer Sahne und Fleisch, verschiedene *Fleischpasteten*, *Nierensuppe* mit eingelegten Gurken und nicht zu vergessen die köstlichen *Blinis*, gebratene oder gekochte Teigtaschen mit Quark- oder Fleischfüllung. Es gibt in den meisten Restaurants auch die sogenannte europäische Küche, was Kartoffeln, Fleisch und ein bißchen Gemüse bedeutet. Salate sind ähnlich klein wie im Baltikum und werden nur als Beilage verstanden. Die Kellner in den meist noch staatlichen Restaurants überschlagen sich im Allgemeinen nicht vor Freundlichkeit. Oft kommt es vor, daß der Ober während des Essens zum Abkassieren kommt.

Papiere

Benötigt wird außer dem Visum der internationale Führerschein. Versicherungen sind von russischer Seite nicht erforderlich, aber es ist dennoch ratsam, eine Vollkasko- bzw. eine Teilkaskoversicherung, zumindest für die Dauer der Reise, abzuschließen. Die grüne Versicherungskarte hat keine Geltung!

Reisebüros im Kaliningrader Gebiet

Über folgende Reiseunternehmen im Kaliningrader Gebiet ist ein Visum erhältlich, allerdings ist damit auch eine Hotelbuchung verbunden, die meistens teuer ist. Am besten dem jeweiligen Büro seine Preisvorstellungen mitteilen.

Most, Leninskij pr. 81, 236040 Kaliningrad, Tel.453216/211770, Fax 469590

Velbis, ul. Gorkogo 107, 236029 Kaliningrad, Exkursionen durch Kaliningrad und das umliegende Gebiet, Tel. 275793, Fax 275048

Spiral, ul. Kommunalnaja 4, 236000 Kaliningrad, Tel. 218732, Fax 210740

AG "Selenogradsk", ul. Pugatschewa 8, 238530 Selenogradsk, Tel. 250-21833.

Exkursions-Büro, ul. Moskowskaja 34, 238530 Selenogradsk. Verständnis für die Touristen mit geringeren Budgets. Das Angebot fängt bei 10 DM pro ÜB an und endet bei etwa 60 DM. Gezahlt wird ausschließlich in Valuta, Tel. 8-250-31094/31092.

Telefon

Wie in den Baltenrepubliken erreicht man die Unfallrettung unter 03, die Feuerwehr unter 01 und die Miliz unter 02. Die Auskunft hat die Nummer 09. Auslands- und Ferngespräche müssen beim Post- und Telegrafenamt angemeldet werden. Beim Versuch, nach Deutschland, Österreich oder in die Schweiz anzurufen, wird die Geduld auf eine harte Probe gestellt. Die Vermittlungszeit für ein solches Gespräch kann durchaus 24 Stunden betragen. Ferngespräche innerhalb der ehemaligen Sowjetunion werden in der Regel binnen weniger Minuten vermittelt. Eine schnelle und preiswerte Alternative zum Telefon ist das Telegramm.

Verkehr

Die Höchstgeschwindigkeit beträgt innerhalb der Ortschaft 60 km/h und außerhalb 90 km/h.

Hinweis: Alle, die weniger als zwei Jahre im Besitz des Führerscheins sind, dürfen generell nicht schneller als 70 km/h durch die Gegend brausen.

Währung

Im Kaliningrader Gebiet gilt der russische Rubel zu je 100 Kopeken. In der Praxis allerdings wird fast jede Währung lieber genommen als die eigene. Das ist auch kein Wunder, denn der anhaltenden Inflation kann man förmlich zusehen. Erhielt man Anfang des Jahres 1992 für eine DM noch 45 Rubel, so zahlte die Bank im Sommer des gleichen Jahres mehr als das Doppelte und im Herbst bereits das vierfache, vom Schwarzmarkt ganz zu schweigen. Bevorzugt werden allerdings Dollar und DM. Die meisten Hotels und Restaurants erwarten, daß ihre Leistungen in harter Währung bezahlt werden. Die angegebenen Preise sind auf Grund der hohen Inflationsrate nur als vage Orientierungshilfe gedacht. Überall, wo Valuta verlangt werden, zahlt man den drei- bis vierfachen Wert von dem, was in Rubeln zu bezahlen gewesen wäre.

Zeit

Etwas verwirrend, daher besser noch mal vor Ort abchecken. Normalerweise gilt die gleiche Zeit wie in den baltischen Staaten. Bahn und Flugzeuge richten sich allerdings nach Moskauer Zeit, d. h. Ortszeit + 1 Std., während der Fahrplan der Busse sich natürlich der Ortszeit anpaßt.

Zollbestimmungen

Wichtig ist, daß man sich beim Kauf von Antiquitäten, Gold- und Silberschmuck und Gemälden quittieren läßt, daß die Ware in Devisen bezahlt wurde. Bernsteinschmuck ohne Einlagen von Gold und Silber kann problemlos ausgeführt werden, nicht aber Rohbernstein. Mitgeführter Treibstoff muß bei der Einreise verzollt werden.

Kaliningrad (Königsberg)

Die am Ufer der Pregolja (Pregel) gelegene Hauptstadt der russischen Exklave quillt über vor Touristen. Allerdings handelt es sich zumeist um Pauschalreisende, meist Menschen, die hier einmal gelebt haben oder sich irgendwie mit der Stadt verbunden fühlen. Fragt man sie nach ihrem Eindruck vom ehemaligen Königsberg, so sind die meisten enttäuscht.

Im Krieg hat die Stadt sehr gelitten. Ein Großteil der Häuser lag in Schutt und Asche. Sie sind durch häßliche Plattenbauten ersetzt worden. Im Herzen der Stadt, wo einst das Schloß stand, steht jetzt eine andere Art von Burg. Eine Betonburg nämlich, an der seit 24 Jahren gebaut wird und deren Fertigstellung noch immer nicht absehbar ist. Nach einer Altstadt sucht der Besucher vergebens. Es gibt noch einige Straßenzüge mit schönen alten Stadthäusern, doch diese findet man auch in Berlin, Köln und anderen deutschen Städten. Vor dem Bahnhof und auf der Leninskij Prospekt bieten die Menschen alles feil, was in ihren Gärten wächst und was sie sonst noch irgendwie entbehren können, um es zu Geld zu machen. Not macht er-

Blick auf die Pregolja

finderisch. An jeder Ecke ist selbstgebrannter Wodka zu haben, eine relativ sichere Quelle, aus der noch ein Zubrot zu schöpfen ist. Die Bevölkerung ist arm. Ärmer als die benachbarten Balten, was durch die etwas düstere Atmosphäre in der Stadt spürbar ist. Hinzu kommen gewaltige Wohnbunker und die dunklen Häuserfassaden, die eine recht bedrückende Stimmung hervorrufen.

Individualtouristen haben es schwer und brauchen gute Nerven. Auf Zimmersuche und im Restaurant werden sie ständig mit der Frage nach ihrer Gruppe rechnen müssen. Denn die meisten Hotels arbeiten ausschließlich mit Reiseveranstaltern zusammen und nehmen Individualtouristen nicht auf. Das einzige Hotel, das "Gruppenlose" aufnimmt, ist allerdings in der Saison so gut wie immer ausgebucht. Zimmervorbestellung ist deshalb ratsam.

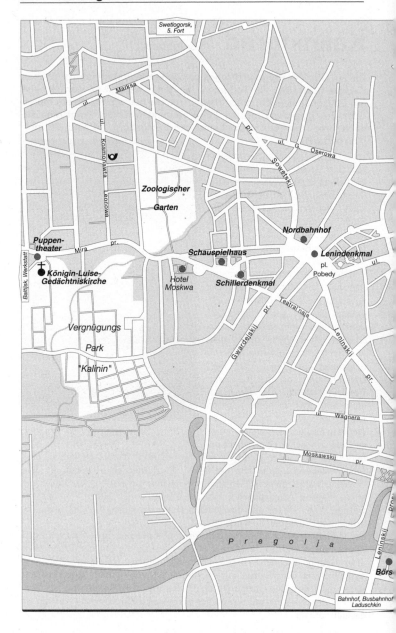

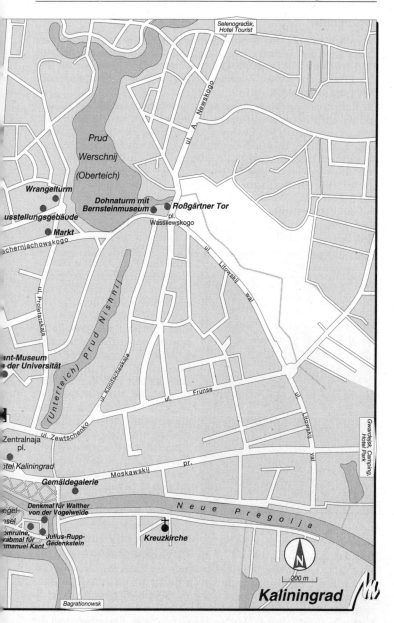

Selenogradsk,
Hotel Tourist

ul. A. Newskogo

Prud

Werschnij

(Oberteich)

Wrangelturm

Dohnaturm mit
Bernsteinmuseum ● **Roßgärtner Tor**

usstellungsgebäude
pl.
Wassilewskogo

● **Markt**

schernjachowskogo

ul. Litowskij wal

ul. Projetarskaja

ant-Museum
der Universität

ul. Klintschaskaja

(Unterteich) Prud Nishnij

ul. Frunse

ul. Zewtschenko

ul. Litowskij

wal

Zentralnaja
pl.

tei Kaliningrad

Moskawskij pr.

● **Gemäldegalerie**

Gwardejsk, Camping,
Hotel Park

N e u e   P r e g o l j a

Denkmal für Walther
von der Vogelweide

egel-
nsel

omruine,
rabmal für
mmanuel Kant

Julius-Rupp-
Gedenkstein

Kreuzkirche

N

200 m

Kaliningrad

Bagrationowsk

Geschichte

Eigentlich besteht das ehemalige Königsberg aus dem Zusammen-schluß von drei Städten. Eine davon war die Burg mit der Altstadt. 1255 errichtete der Deutsche Orden auf dem Hügel Tvangste am Ufer des Pregel eine starke Festung. Vorher hatte hier eine preußische Fliehburg gestanden.

Die Burg erhielt den Namen *Königsberg*, dem böhmischen König *Ottokar II.* zu Ehren, der mit seinem Heer dem Orden behilflich war, die heidnischen Pruzzen zu unterwerfen. Zwischen der Burg und dem Fluß entwickelte sich die Altstadt. 1286 wurde sie offiziell zur Stadt erhoben. Nicht weit von ihr entstand zu Beginn des 14. Jh. *Löbenicht*, die Stadt der Handwerker. 1327 wurde schließlich eine weitere Stadt, der *Kneiphof*, gegründet. Die auf der Pregelinsel gelegene Stadt war die Stadt der Händler, Kaufleute und Reisenden. 1330 wurde hier der Dom errichtet. In allen drei Städten galt das *Culmer Recht* (ein mittelalterliches Stadt- und Landrecht, das die Rechtsstellung der landbesitzenden Bürger regelte). Doch obwohl sie dicht beieinander lagen, blieben Altstadt, Löbenicht und Kneiphof bis ins

18. Jh. hinein eigenständig. Zum Ende des 14. Jh. traten die drei Städte der Hanse bei und trieben lebhaften Handel mit Schweden und Rußland. Erst im Jahre 1724 vereinigte Friedrich I. die drei Städte zur Stadt **Königsberg**. Königsberg war seither Residenz der preußischen Könige. Unter König Friedrich II. (1740-1786) erlebte die Stadt eine wirtschaftliche Blüte. Auch der Siebenjährige Krieg von 1758-1763 konnte dem keinen gravierenden Abbruch tun. Königsberg war stets eine stark befestigte Stadt. Während der napoleonischen Kriege 1808-1809 wurde Königsberg zur Hauptstadt Preußens. Erwähnenswert ist auch die 1544 gegründete Universität, aus der Denker wie Herder und Kant oder berühmte Wissenschaftler wie Friedrich Wilhelm Bessel hervorgegangen sind.

Es gibt noch einige wenige malerische Villen in Kaliningrad

Mit Beginn des Zweiten Weltkrieges wurde der Untergang der einst blühenden Stadt eingeläutet. Mehr als die Hälfte aller Bauten sind durch Bombenangriffe zerstört worden. Dazu kam 1946 die Belagerung durch die Rote Armee, die der Stadt nach heftigem Artilleriebeschuß schließlich den Rest gab. Gemäß dem *Potsdamer Abkommen* fielen Königsberg und der

Norden Ostpreußens an die UdSSR. Auf Beschluß des Obersten Sowjets der UdSSR wurde Königsberg im April 1946 auf **Kaliningrad** umgetauft nach Michail Kalinin, einem der ergebensten Mitarbeiter Lenins und später auch Stalins. "Grad" kommt von dem russischen Wort Gorod, das Stadt bedeutet. Der sogenannte *Kaliningrader Oblast* wurde zu einem Militärgebiet besonderen Ranges erklärt und lange von der übrigen Welt abgeschottet. Selbst Bürger der Sowjetunion brauchten für die Einreise eine Erlaubnis. In einem Vertrag hatte die Bundesrepublik Deutschland den Verbleib des Kaliningrader Gebietes in der Sowjetunion anerkannt.

Während der siebziger Jahre begann die Ära, in der man alles, was an die ehemalige deutsche Bevölkerung erinnerte, zerstörte. Der damalige Bürgermeister von Kaliningrad konnte das blinde Zerstören der Kulturgüter nicht verhindern, doch gelang es ihm, einige der alten Bauten zu retten.

Mittlerweile wird Bedauern laut, daß so viele Kulturgüter nach dem Krieg sinnlos abgerissen wurden. Nun versucht die Stadt sogar, ihren Namen Kaliningrad wieder abzuschütteln. In einem Interview meinte der Bürgermeister von Kaliningrad, erst müsse die Stadt in eine Europastadt umgewandelt werden, dann könne die Frage der Umbenennung gelöst werden.

- *Postleitzahl*: 236000
- *Vorwahl*: 12
- *Information*: Reisebüro, Leninskij pr. 28 (Steindamm), Tel. 431031. Hektische Atmosphäre, deutschsprachige Stadtführung möglich, doch meist nicht auf Individualtouristen eingestellt. Stadtpläne gibt es im Hotel Kaliningrad. Dort kann man auch Stadtexkursionen mit deutschsprachigen Taxifahrern bestellen, etwa 15 DM pro Std.

Verbindungen

Man kann sich Kaliningrad wie einen großen Stern vorstellen, von dem aus strahlenförmig die Straßen in die einzelnen Städte des Oblasts abgehen.

- *Flugzeug*: Der Flughafen befindet sich in Chrabrowo, 25 km nördlich vom Zentrum. Busse zum Airport vom Busbahnhof aus. **Flugauskunft**: pl. Kalinina 3, Tel. 446657
- *PKW*: Es gibt zwei Hauptrouten. Die A-229 von Vilnius über Kybartai und die A-216 von Šiauliai über Sowetsk. Darüberhinaus führen noch viele kleine Landstraßen ins Kaliningrader Gebiet.
- *Bus*: Anschluß in alle größeren Orte des Kaliningrader Gebietes, sowie nach Vilnius, Kaunas, Klaipėda, Marijampolė und Riga. Busbahnhof befindet sich am pl. Kalinina. Tel. 443635.
- *Bahn*: Zugverbindungen bestehen nach Vilnius über Kaunas, nach Klaipėda, nach Riga über Šiauliai und nach St. Petersburg. Abfahrt vom Jushny Woksal (Südbahnhof und gleichzeitig Hauptbahnhof), am pl. Kalinina. Tel. 493700.
In die Küstenorte Selenogradsk und Swetlogorsk fährt in regelmäßigen Abständen die Elektrischka. Abfahrt vom Severny Woksal (Nordbahnhof), pl. Pobedy.
Hinweis: Im Bahnhofsviertel besonders gut auf Gepäck und Wertsachen achten!

Übernachten

Hotels müssen eigentlich über einen Reiseveranstalter im voraus gebucht werden. Es gibt zur Zeit ein einziges Hotel, das Reisende, die auf eigene Faust unterwegs sind, aufnimmt. Doch wie schon erwähnt, müßte offiziell ein Visum für Kaliningrad vorliegen, was Individualtouristen nur auf Einladung erteilt wird. Gezahlt werden muß überwiegend in harter Währung. Da es aber durchaus möglich sein kann, daß sich die Einreisebedingungen in absehbarer Zeit ändern, hier dennoch die Hoteladressen und die Verbindungen mit öffentlichen Verkehrsmitteln vom Hauptbahnhof (Südbahnhof) aus.

● *Hotels*: **Moskwa**, pr. Mira 19. Zimmer einfach und preiswert. ÜB liegt zur Zeit bei 3 DM pro Person, Bezahlung in Rubel möglich. Tel. 272089. Bus 3, 5, und Trolley 1, 3, 4 und 6.

Baltika, ul. Saosörje, im Stadtteil Issakowo (Lauth). Gut ausgestattetes Hotel mit Restaurant, Bars und Sauna. Mit mindestens 70 DM für ein DZ rechnen, Tel. 437977. Liegt etwas außerhalb vom Zentrum Bus 25 und vom pl. Pobedy (Hansaplatz) Linie 28 nehmen. Haltestelle vorm Hotel.

Turist, ul. A. Newskogo 56. Liegt nicht mitten in der Innenstadt, aber zentral. Mit einjähriger Voranmeldung können Individualtouristen mit ein bißchen Glück auf ein Zimmer hoffen. Bestes Hotel am Ort, mit Restaurant und Bar. Zimmer luxuriös, DZ etwa 120 DM, Tel.430801. Mit Bus 11 und Tram 8 erreichbar, Haltestelle vorm Hotel.

Kaliningrad, Leninskij pr. 81. Blauer, massiver Klotz im Herzen der Stadt zwischen Pregelinsel und Prud Nishnij gelegen, nicht zu verfehlen. Nur für Gruppen. Preis und Qualität der Zimmer stimmen nicht ganz überein. Beim Frühstück mit Warteschlangen rechnen, Tel. 469440. Bus 3, 5, 11, 16, 101, Straßenbahn 2 und Trolley 1, 3, 4 und 6.

● *Camping*: **Campingplatz Königsberg**, am Uschakowskoje Osero (Lauther Mühlenteich), wenige Meter nördlich vom Hotel Baltika gelegen.

Essen

Die besseren Restaurants sind den Hotels angeschlossen. In den Stoßzeiten ist es oft schwierig, einen Platz zu bekommen. Von daher ist Tischreservierung (siehe Sprachteil) empfehlenswert. Auch hier sind die Unterschiede zwischen Restaurants und Cafés nicht genau auszumachen, da viele Cafés warme Gerichte anbieten. Bezahlt wird fast immer in Valuta.

Baltika, gutes Restaurant des gleichnamigen Hotels. Tel. 453929.

Turist, hübsches Restaurant im Hotel Turist, gute Küche. Tel. 465417.

Moskwa, gutes Restaurant und gemütliches Café im Hotel Moskwa. Bezahlung in Rubel zur Zeit noch möglich, Vorbestellung hier nicht unbedingt vonnöten. Tel. 272767.

Kaliningrad, zum gleichnamigen Hotel gehörend. Mittelmäßige Küche. Tel. 4322334.

Atlantika, Leninskij pr. 426. Gute Küche, aber langsame Bedienung. Tel. 443865.

Brigantina, Leninskij pr. 83. Restaurant befindet sich in der Börse, einem schönen, alten, blauen Gebäude. Gute Küche, abends Live-Musik. Tel. 443443.

Olsztyn, ul. Olschtynskaja 1. Gute Adresse zum Essen, abends auch hier Live-Musik und Tanz. Tel. 444635.

Jushanka, ul. Kosmonawta Leonowa 27, gegenüber vom Hauptpostamt. Privatcafé mit guter Küche und schnellem Service.

Kentaur, Litowskij wal, befindet sich in den alten Festungsanlagen beim Dohna-Turm. Nur kleine Gerichte erhältlich, überwiegend junges Publikum.

Westretscha, pr. Mira 10. Gemütliches Café mit durchschnittlicher Küche.

Kamenny Zwetok, ul. Klinitscheskaja 25. Modernes Restaurant mit guter Küche, wird abends zur Disco.

Otdych, ul. Sergejewna/Ecke Tschernjachowskogo. Schöne Lage zwischen Schloß- und Oberteich. Modernes und gemütliches Restaurant mit leckeren Gerichten und MTV-Untermalung, Tel. 432225.

Verschiedenes

Geldwechsel: möglich in den Hotels, außerdem in der Investbank, Leninskij pr. 28 und in der Gosbank, ul. Schillera 28.

Post: Kosmonawta Leonowa 22.

Poliklinik: Erste-Hilfe, Barnaulskaja 2.

Tankstellen: ul. Newskogo, Richtung Selenogradsk; ul. J.Gagarina; Moskowskij pr., beim Hotel Baltika, manchmal bleifreies Benzin erhältlich; ul. Surorowa, auf dem Weg nach Laduschkin; Lesnaja al.; ul. B. Okruschnaja, Richtung Bagrationowsk.

Autoreparatur: pr. Pobedy 221, auf der Straße Richtung Baltijsk, Tel. 273383.

Taxi: Meist warten Taxis vor Bus- und Zugbahnhöfen, den Hotels und am Flughafen. **Taxiruf**: 058.

Bewachte Parkplätze: pr. Kalinina in der Nähe vom Friedlandtor; ul. Oktjabraskaja, kurz hinter der Brücke über den Alten Pregel; zwischen Litowskij wal und ul. Gagarina; ul. Gen. Galizkogo, in der Nähe der astronomischen Station; ul. Saosörje, über die Moskowskij pr. erreichbar, beim Hotel Baltika.

• *Märkte*: **Hauptkolchosemarkt**, Tschernjachowskaja 15. Buntes Treiben, schreiende Händler und geschäftiges Handeln schaffen eine interessante Atmosphäre, am letzten Montag des Monats geschlossen. Am Wochenende wird ein Stück weiter ein großer **Flohmarkt** abgehalten. Mit etwas Glück kann man hier Matroschkas (farbige Holzfigur, die in ihrem Inneren zahlreiche weitere Püppchen beherbergt), russische Samoware und alte Leika-Kameras finden.

Ein weiterer **Markt** wird in der Kiewskaja 80 abgehalten. Doch eigentlich ist die ganze Stadt ein großer Markt. Wer auch nur irgendetwas besitzt, was entbehrt werden kann, der verkauft es an der Straße.

• *Einkaufen*: **Schallplatten und Musiknoten**: Melodija, Leninskij pr. 36, und Gramplastinki, Moskowskij pr. 90.

Schmuckläden: Jantar, pr. Mira 53; Rubin, Leninskij pr. 40 Topas, Polozkaja 6. Überwiegend Bernstein-, aber auch Silberschmuck.

Fotogeschäft: Fotovary, Leninskij pr. 133, nicht davon ausgehen, daß Filme stets vorrätig sind.

Buchladen: Knigi, Sowetskij pr. 19.

Zeitungen: Deutsche und englische Zeitungen sind in der ul. Klinitscheskaja 14 zu bekommen und gelegentlich im Hotel Kaliningrad.

Spielwaren: Detskij Mir (Kinderwelt), Leninskij pr. 83 a. Es ist interessant, durch das legendäre Detskij Mir-Kaufhaus (Kinderwelt) zu schlendern, das in keiner größeren Stadt der ehemaligen UdSSR fehlte.

Valutaläden: Olpur, ul. Grekowa 6a-8; Albatroß, B. Chmelnizkogo 119, außerdem in den meisten Hotels.

Freizeit/Sport

Puppentheater, pr. Pobedy 1: Auch für Erwachsene interessant. Aufführungen in der aus dem Jahr 1901 stammenden Luisenkirche, Kasse ab 10 Uhr geöffnet.

Schauspielhaus, pr. Mira 4: Wuchtiger Säulenbau um 1927. Vor dem Theater, am Anfang des kleinen Parks steht ein Denkmal für Friedrich Schiller. In der ersten Etage ist ein nettes, kleines Theatermuseum untergebracht. Kasse ist von Di-So von 12 Uhr bis zu Beginn der Vorstellung geöffnet, Tel. 212422

Laientheater, Leninskij pr. 83: In der Börse. Interessante und z. T. sehr amüsante Darbietung von Amateurschauspielern.

Philharmonie, B. Chmelnizkogo 61: In einer ehemaligen katholischen Kirche. Hervorragende Akustik, Karten gibt es täglich von 11-20 Uhr, Tel. 448890.

Vergnügungspark Kalinin, pr. Pobedy: Neben dem Puppentheater. Einst ein Ort der Trauer, hat sich der ehemalige Altstädter Friedhof in einen Ort des Vergnügens verwandelt. Schießbuden und Karussells sorgen für Kurzweil, von 10-22 Uhr geöffnet. Abends manchmal Disco.

Park für Erholung und Kultur, pr. Kalinina: Unterhaltsamer Garten in der Nähe vom Bahnhof. Karussell und Bootfahren möglich, nur während der Saison geöffnet.

Botanischer Garten, ul. Lesnaja: Im Norden der Stadtmitte. Schön angelegter Garten mit interessanten Pflanzen.

Tiergarten, pr. Mira gegenüber vom Hotel Moskwa: Nach seiner Eröffnung 1896 wurde der Tiergarten wegen seiner Artenvielfalt schnell über die Grenzen Königsbergs bekannt. Der Glanz dieser Zeit ist längst gewichen; den Krieg scheint der Zoo bis heute nicht überwunden zu haben, so daß der Park sehr trist wirkt.

Sehenswertes

Altes und neues Stadtzentrum: In der Vorkriegszeit bildete das Schloß mit den Einrichtungen in seiner Umgebung, wie Post, Bank und Läden das Zentrum.

Schloß: Die ältesten Mauern des Schlosses sind Reste der alten Ordensburg. Als man 1457 den Sitz des Ordensmeisters von Marienburg nach Königsberg verlegte, wurde sie den Bedürfnissen der geistlichen Herrscher gemäß umgebaut. Seit Beginn des 17. Jh. diente es als Wohnsitz der preußischen Könige, die das Schloß weiter vergrößern ließen.

Die dazugehörige Kirche wurde schließlich zur Krönungskirche. Nach dem Zweiten Weltkrieg waren von dem einst prachtvollen Bau nur noch Mauerreste übrig, die 1969 auf Befehl von Moskau gesprengt wurden und somit endgültig verschwanden.

Straßenszene in Kaliningrad

Zentralnaja plotschad: Zwischen dem Hotel Kaliningrad und der Pregel-Insel erstreckt sich der kahle Hauptplatz der Stadt. An der Stelle des Hotels Kaliningrad stand früher das Hauptpostamt und ein Stück weiter das Bankgebäude.

Das heutige Zentrum der Stadt bilden das Hotel Kaliningrad und die bereits erwähnte, unfertige Betonburg, nicht zu vergessen der wenig reizvolle *Palast der Sowjets*.

Schloßteich und Oberteich: Geht man vom Zentralnaja pl. die ul. Proletarskaja (Münzstraße, wird später zur Burgstraße und Cäcilienallee) oder die ul. Zewtschenko (Junkerstraße) rein, gelangt man zum *Prud Nishnij*, dem ursprünglichen Schloßteich. Obwohl auch er von Wohnblöcken aus den 70er Jahren gesäumt wird, gehört er dennoch zu den beschaulichen Orten der Stadt. Hier kann man sich Boote ausleihen und gemütlich über den See rudern. Schön ist es auch am *Prud Wershnij*, dem Oberteich. Zu ihm gelangt man, wenn man die ul. Klinitscheskaja, die nach dem pl. Wassilewskogo zur ul. A. Newskogo (Cranzer-Allee) wird, oder aber die ul. Proletarskaja hochgeht.

In der ul.Tschernjachowskogo (Wrangelstraße) zum pl. Wassilewskogo hin trifft man am Südufer des Teiches auf das *Roßgärtner Tor* und das Bernsteinmuseum mit dem *Dohnaturm*. Auf der anderen Seite des Teichs steht in der ul. Proletarskaja der momentan militärisch genutzte *Wrangelturm*.

Stadttore und alte Bastionen: Für Architekturfreunde sind die relativ gut erhaltenen Stadttore und Ruinen der alten Festungsmauern sicher von Bedeutung. Viele dieser Bauten stehen am Litowskij wal (Litauer Wall). Geht man vom pl. Wassilewskogo den Litowskij wal runter, kommt man zunächst an den Bastionen *Obermannsteich* und *Grollmann* vorbei. Weiter südlich findet man auf derselben Straße Reste der alten Festung, und noch ein Stück weiter unten erhebt sich das *Königstor* und ganz in der Nähe auch das *Sackheimtor*. Das *Brandenburger Tor* befindet sich wenige Meter westlich vom Bahnhof in der ul. Bagrationa. Das *Friedrichsburgertor* ist ganz in der Nähe in der ul. Portowaja (Hafenstraße) zu finden.

Pl. Pobedy (Hansaplatz): Über den Leninskij pr. ist der Platz in wenigen Minuten zu Fuß erreichbar. Unterwegs kommt man an unzähligen kleinen Verkaufsständen und Händlern vorbei, die oftmals nur ein einziges Teil zum Verkauf anbieten. Der pl. Pobedy, zu deutsch *Platz des Sieges*, war während der Sowjetzeit der Ort, an dem die militärischen Paraden abgenommen und die Errungenschaften des Sozialismus verkündet wurden. Das alles geschah vor den Augen des den Platz überblickenden Genossen Lenin. Bis jetzt ist seinem Dasein noch kein Ende bereitet worden wie in den baltischen Republiken, doch steht er auch nicht mehr so sicher wie in vergangenen Zeiten. Finden zu seinen Füßen doch immer öfter Demos statt, die sich gegen die momentane Lage des Gebietes richten und mehr Marktwirtschaft fordern.

Das Haus mit den gewaltigen Säulen am pl. Pobedy entstand 1930 als *Nordbahnhof*. Heute beherbergt es ein Übernachtungsheim für Seeleute. Das Gebäude, das den Platz links von dem Seemannsheim säumt, wurde 1933 als Amtsgericht gebaut. Sehr schön ist auch der kleinePark.

Fünftes Fort, Versteck der Nazis im Zweiten Weltkrieg

Fünftes Fort, Sowjetskij pr.: Außerhalb des Zentrums liegt die Anlage auf dem Weg nach Swetlogorsk. Äußerlich sieht das schon in alten Zeiten genutzte Fort sehr friedlich aus. Überwucherte, malerisch an einem Wassergraben gelegene Backsteinmauern, bilden einen Ort der Ruhe. Hier befand sich während des Zweiten Weltkrieges ein berüchtigtes Versteck der Nazis. Ein wuchtiges Denkmal am Ende des Weges erinnert an die im Krieg gefallenen Soldaten und mahnt zum Frieden. Vom Hotel Kaliningrad mit Bus 101 oder Trolley 8 erreichbar.

Pregel-Insel: Auf der Insel zwischen altem und neuem Pregel, dem ehemaligen *Kneiphof*, stehen noch die Ruinen des mittelalterlichen Doms (1330-1380), der momentan restauriert wird. Die Pregel-Insel ist eine der schönsten Ecken der Innenstadt, obwohl auch hier der Blick stets an unpersönlichen Hochhäusern endet. Gut erhalten und gepflegt ist das Grab *Immanuel Kants,* vor dem immer frische Blumen liegen. Es befindet sich an der Nordseite der Dommauern.

An der Südseite der Ruine ist eine Gedenktafel für *Julius Rupp* zu finden. Rupp war in Königsberg als Pfarrer tätig und ein Verfechter der Philosophie Kants. Er war übrigens der Großvater von Käthe Kollwitz. Ferner gibt es auf der Insel noch einen *Skulpturenpark* mit Arbeiten zeitgenössischer Bildhauer.

Börse: Am Ufer des alten Pregel, gegenüber der Dominsel, erhebt sich das schöne Gebäude der nach dem Krieg wieder aufgebauten Börse. Sie ist heute das Kulturhaus der Seeleute. Außerdem befindet sich hier ein gutes Restaurant. Abends werden hier oft Discos veranstaltet und Theaterstücke von Laienschauspielern aufgeführt. Seit 1991 gibt es hier auch wieder eine *Warenbörse.*

Museen

Bernsteinmuseum, pl. Wassilewskowo 1: Ausstellung von Schmuck und Schatullen, Erklärungen zur Entstehungsgeschichte des Ostsee-Goldes. Wegen Renovierung sind z. Zt. nur Teilbereiche des Museums zugänglich, Di-So von 10-18 Uhr geöffnet.

Museum für Geschichte und Kunst, Klintscheskaja 21: Auf der Grundlage von archäologischen Funden und historischen Dokumenten durch die Geschichte wird ein Querschnitt Ostpreußens und später dann durch die des Kaliningrader Gebietes gezeigt. Geöffnet Di-So.

Immanuel-Kant-Museum, ul. Universijtetskaja 2, im Unigebäude. Kleine Ausstellung über die Arbeit und das Leben des großen Denkers, der nie über die Grenzen seiner Stadt hinauskam, sowie Einblicke in das Königsberg der damaligen Zeit. Vor dem Museum steht eine Kant-Statue. Es handelt sich dabei um eine Kopie des vermißten Originals des Künstlers *Christian Rauch,* die hier auf Initiative von Marion Gräfin Dönhoff im Jahre 1991 aufgestellt wurde. Besichtigung des Museums nur auf Anmeldung, Olga Krupina, Tel. 434513, privat 444548.

Gemäldegalerie, Moskowskij pr. 60-62: Überwiegend russische und baltische Malereien nach 1945. Seit Sommer 1992 werden auch Bilder zum Verkauf angeboten. Di-So von 11-19 Uhr geöffnet.

Kunsthalle, pr. Pobedy 3: Wechselnde Ausstellungen von Künstlern aus Kaliningrad und Umgebung. Di-So von 14-20 Uhr geöffnet.

Unterwegs im Kaliningrader Gebiet

Das Kaliningrader Gebiet ist nicht größer als 15.100 qkm und schnell zu durchqueren. In den meisten Städten lohnt es nicht, länger als ein paar Stunden zu bleiben. Die meisten von ihnen wirken finster, die alten Häuser sind grau und verfallen, die neuen trist und erdrückend.

Einladend dagegen sehen die Häuser auf dem Land und die sie umgebende Natur aus. Weite grüne Wiesen, in denen Störche herumstolzieren, sind charakteristisch für das Binnenland. Besonders reizvoll ist die malerische Samlandküste und die Strände vom Frischen und Kurischen Haff.

Selenogradsk (Cranz) *(ca. 10.000 Einwohner)*

Das hübsche Seebad gilt als das Tor zur Kurischen Nehrung. Die Bevölkerungsdichte der Stadt hängt von der Jahreszeit ab. Im Sommer kommen Massen von Touristen hierher, um sich zu erholen.

An heißen Tagen scheint sich halb Kaliningrad an den Stränden von Selenogradsk zu tummeln. Im Zentrum des Ortes stehen noch viele hölzerne Gebäude der Vorkriegszeit. Besonders hübsch ist die Fußgängerzone, die von blauen, grünen und gelben Holzhäusern gesäumt wird. Neubauten gibt es zwar auch, doch wirken sie nicht wie aus dem Boden gestampft. Auf Grund seiner schönen Häuser und Lage erwartet Selenogradsk im Laufe der nächsten Zeit Urlauber aus dem Westen.

In der frühesten Geschichte der Stadt befand sich auf dem Gebiet des heutigen Cranz eine alte Pruzzensiedlung und nicht weit davon entfernt ein Handelsumschlagplatz der Wikinger.

Als Cranz durch die Eisenbahnlinie an Königsberg angeschlossen wurde, avancierte das kleine Seebad zum berühmten Kurort der Vorkriegszeit. Binnen einer halben Stunde waren die Königsberger am Meer. Den Krieg hat die Stadt relativ unbeschadet überstanden. Viele der alten Bauten des ehemaligen Cranz sind erhalten geblieben und damit auch der Charme des ehemals so noblen Seebades.

- *Postleitzahl*: 238530
- *Vorwahl*: 250
- *Anreise/Verbindungen*: **PKW** - In Kaliningrad auf die ul. Newskogo fahren, die zur Selenogradskogo Chaussee wird und zum Seebad führt. Sehr schön ist die Anfahrt über die Kurische Nehrung von Litauen aus. Für das Befahren der Nehrung wird eine Gebühr erhoben, da sie unter Naturschutz steht. Wer nicht durchs Kaliningrader Zentrum will, bleibt einfach auf dem Ring, der um die Stadt führt, und von dem ein Weg nach Selenogradsk abgeht.

Bus: Mit der Kaliningrad-Klaipėda-Linie, die über die Nehrung fährt, erreichbar. Verbindung höchstens dreimal täglich. Abfahrt vorm Bahnhof.

Bahn: Am bequemsten gelangt man mit der Elektrischka nach Selenogradsk. Abfahrt mindestens einmal stündlich von und nach Kaliningrad (Nordbahnhof) und etwa alle 2 Stunden nach Swetlogorsk.

- *Information*: ul. Moskowskaja 34, Tel. 31094/31092

• *Übernachten*: Zimmervermittlung über das Reisebüro in der ul. Moskowskaja 34. Die Unterkünfte sind recht einfach.

• *Essen*: **Cranz**, an der Promenade. Gutes Restaurant und hübsches Strandcafé. Am Anfang der ul. Lenina geht Weg dorthin ab. **Bäckerei**, am Bahnhof. Große Auswahl an leckeren Broten und Kuchen.

• *Diverses*: **Geldwechsel**, ul. Pobedy 49, in der zweiten Etage des Milizgebäudes. **Post**: am Anfang der ul. Lenina. **Apotheke**: neben dem Informationsbüro. **Markt**: am Bahnhof. **Taxi**: am Bahnhof.

Die Küste des Kaliningrader Gebietes

▶ **Rybatschij (Rositten) und Kurische Nehrung:** Der Südteil der schmalen Landzunge gehört zur russischen Enklave (der andere zu Litauen) und ist über Selenogradsk erreichbar. Ungefähr auf der Mitte der Nehrung liegt das Fischerdorf **Rybatschij**, in dem viele Menschen der ehemaligen Sowjetunion ihre Ferien verbringen. Das Gebiet von Rybatschij war schon in der jüngeren Steinzeit besiedelt. Erstmalig erwähnt wurde der Ort 1372 im Zusammenhang mit der als Stützpunkt gegen die Litauer errichteten Burg, die nach Beendigung der litauischen Kriege jedoch schnell an Bedeutung verlor.

Seit dem Mittelalter betrieben die Bewohner Rosittens ein blühendes Geschäft mit Falken. Auf ihrem Weg in den Süden wurden die majestätischen Vögel gefangen und an Adlige und wohlhabende Leute für viel Geld verkauft. Der Handel dehnte sich bis nach Spanien aus. Zu Beginn unseres Jahrhunderts richtete man eine *Vogelwarte* ein, die später der *Sowjetischen Akademie der Wissenschaften* unterstellt wurde.

Die Weiterfahrt durch die herrliche Dünenlandschaft und die dichten Wälder der Nehrung bis zum litauischen **Nida** (Nidden) ist wunderschön. Bis jetzt funktioniert der Weg über die schmale Halbinsel in beide Richtungen problemlos. Auf litauischer Seite wird, da die gesamte Nehrung unter Naturschutz steht, für das Durchfahren eine Gebühr von etwa 12 DM erhoben.

Swetlogorsk (Rauschen)

Bis vor dem Zweiten Weltkrieg stand Swetlogorsk ganz im Schatten des edlen und berühmten Selenogradsk. Nach 1945 aber verwandelte sich das an der Ostsee gelegene Städtchen zu einem Ort des Massentourismus.

Es entstanden Ferienheime, Sanatorien und Badeanlagen, denn in Swetlogorsk gibt es Heilschlamm. Viele dieser Ferienheime sind phantasielose Betonbauten, doch es überwiegen die mit hübschen Schnitzereien verzierten Holzhäuschen.

Swetlogorsk besteht aus zwei Stadtteilen, nämlich aus **Swetlogorsk 1**, in dem sich das Zentrum befindet, und **Swetlogorsk 2** (Rauschen-Ort und Rauschen-Düne). Die meisten Sanatorien, Bäder und natürlich der Strand befinden sich im letztgenannten, für den Autoverkehr gesperrten Stadtteil. Swetlogorsk liegt an einer malerischen Steilküste, die es zu bezwingen gilt, wenn man zum Strand hinunter will. Eine Möglichkeit ist, mit dem wackligen Lift langsam zum Strand hinunterzuschweben. Aber es gibt auch einen asphaltierten Weg, der sich steil die Küste hinunterschlängelt, und eine Treppe (beide gehen von der ul. Lenina, Rchtg. Osten, ab). Der feine Sandstrand ist ideal zum Baden, ist aber an warmen Tagen völlig überfüllt. In Swetlogorsk 2 ist auch das Wahrzeichen der Stadt, das *Warmbad* mit seinem 25 m hohen, alles überragenden Turm und der Sonnenuhr zu finden. An das Warmbad schließt sich der erholsame Kurpark an. Im Sommer haben viele Leute am Straßenrand unter den schattigen Bäumen ihre Stände aufgebaut, um Eis, Krapfen und Bernsteinschmuck zu verkaufen. Die Hauptgeschäftsstraßen sind die ul. Karla Marxa und die ul. J. Gagarina.

- *Vorwahl*: kein Selbstwähldienst!
- *Information*: auf der Kaliningradskij pr. Hilfreicher ist jedoch das Büro von Selenogradsk.
- *Anfahrt/Verbindungen*: **PKW** - Swetlogorsk liegt nordwestlich von Kaliningrad. Vom pl. Pobedy auf die Sowetskij pr. fahren, sie führt nach Sowetsk. Wer nicht ins Zentrum von Kaliningrad will, bleibt auf der ul. B. Okruzhnaja (Ringstraße), die um die Stadt herumführt.

Bus: Verbindung mit Kaliningrad und Selenogorsk. Bequemer ist jedoch die Bahn.

Bahn: In regelmäßigen Abständen pendelt die Elektrischka zum Kaliningrader Nordbahnhof und nach Selenogradsk.

- *Taxi*: vor den beiden Bahnhöfen und auf der Kaliningradskij pr., kurz vorm Ortsausgang in Richtung Kaliningrad.
- *Übernachten*: Das Selenogradsker Touristenbüro vermittelt auf Wunsch auch hier Unterkünfte. Die Hotels sind einfach, meist auf der Kaliningradsij pr. zu finden.

In der Nähe vom Strand gibt es einen Campingplatz, der mit dem deutschen Campingverein Schinderhannes zusammenarbeitet. Nähere Informationen bei Camping Schinderhannes, 56291 Hausbay, Tel. 06746/8470.

- *Essen*: **Wolna**, auf der Kaliningradskij pr., zum gleichnamigen Hotel gehörend.

Jantar, ul. Lenina 2, in der Nähe vom Bahnhof. Essen durchschnittlich.

Korwet, ul. Lenina, nahe der Treppe, die zum Strand führt. Küche mittelmäßig.

Einige nette **Cafés** und ein **Restaurant** gibt es an der Promenade.

- *Cafés*: Die meisten der Cafés und Eisdielen sind in der ul. Oktjabraskaja zu finden.

Wstretscha, ul. Oktjabraskaja, gegenüber vom Warmbad. Ganz gemütlich, draußen sitzen möglich.

Minutka, auf der Mitte der ul. Oktjabraskaja. Innen ganz nett, manchmal köstliche Kuchen im Angebot.

▶ **Jantarny (Palmnicken):** Die russische Bezeichnung der Stadt kommt von dem Wort *jantar*, zu deutsch *Bernstein*. Einen treffenderen Namen könnte die Stadt gar nicht haben. Schon während der Antike waren die reichen Bernsteinvorkommen der Küste Ostpreußens bis weit nach Indien, Ägypten und Mesopotamien bekannt. Der Bernstein galt als begehrtes Handelsobjekt. Die Pruzzen kannten den Wert ihrer Schätze und errichteten hier eine gut befestigte Burg. Nachdem der Deutsche Orden das *Samland* und die Pruzzen unterworfen hatte, ist es sicher nicht mehr schwer zu erraten, woher der Orden seinen mächtigen Reichtum schöpfte. Er hatte sich das Monopol auf den Handel mit dem baltischen Gold gesichert.

Zu finden ist der Bernstein in einer bläulich schimmernden Schlammschicht, ca. 40-50 m tief unter der Erde. In 1,5 Tonnen dieser blauen Erde findet man im Durchschnitt 2 kg Bernstein. Früher wurden die begehrten

Harze einfach mit Netzen aus der Ostsee gefischt, doch seit Ende des 19. Jh. gilt diese Methode als überholt. Es wurde eine Mine angelegt, und nicht viel später war es möglich, den Bernstein im Tageabbau zu fördern. Von Interesse ist sicher das Bernsteinkombinat, das Einblicke in die Förderung und Verarbeitung von Bernstein gewährt. Da sich die Regierung darum sorgt, daß bei einem unkontrollierten Besucheransturm viel Bernstein verschwinden könnte, brauchen alle Besucher, Bürger des Kaliningrader Oblasts eingeschlossen, eine Sondererlaubnis. Für diese Genehmigung wendet man sich am besten ans Reisebüro von Selenogradsk.

▶ **Baltijsk (Pillau):** Auf dem sogenannten *Haken* gegenüber der Frischen Nehrung liegt der Fischerort **Baltijsk**. Schon früh gab es an dieser strategisch günstigen Stelle eine Burg, die im 17. Jh. an Bedeutung gewann und schließlich zur Zitadelle ausgebaut wurde. Den Zweiten Weltktieg hat Baltijsk stark zerstört überstanden. Im Winter 1945 siedelte man viele Menschen aus der Bevölkerung und der Wehrmacht vom Baltijsker Hafen aus um. Danach wurde die kleine Stadt und ihr Hafen zu einem strategisch wichtigen Stützpunkt der Roten Armee und zum militärischen Sperrgebiet erklärt. Auch jetzt sind in Baltijsk noch ehemalige sowjetische Militärs stationiert, was bedeutet, daß das Städtchen auch heute nur mit Sondergenehmigung besucht werden kann.

▶ **Polessk (Labiau):** Der kleine Ort liegt in der Nähe vom Kurischen Haff. Seit der Mitte des 13. Jh. erhob sich hier eine stolze, vom Deutschen Orden errichtete *Wasserburg*. In den 60er Jahren unseres Jahrhunderts fiel sie leider den Flammen zum Opfer, so daß heute nur spärliche Mauerreste an sie erinnern.

Eine wunderschöne Landschaft umgibt das etwa 10 km nördlich liegende **Saliwino**, besonders dort, wo die *Dejma* malerisch ins Kurische Haff mündet.

Das Landesinnere des Kaliningrader Gebietes

▶ **Gwardejsk (Taipau):** Im frühen Mittelalter stand hier eine Pruzzenburg, die der Deutsche Orden auf seinen Eroberungsfeldzügen nicht ohne Schwierigkeiten einnehmen konnte. Schließlich gelang es aber doch und die pruzzische Festung wurde zum Ausgangspunkt für die sog. *Missionsreisen* nach Litauen. Später diente die Feste als letzter Wohnsitz alter Soldaten im Ruhestand. Gwardejsk ist keine bedeutende Stadt, hat aber eine ganz freundliche Ausstrahlung.

● *Anfahrt/Verbindungen*: **PKW** - Gwardejsk liegt an der A-229, ca. 55 km östlich von Kaliningrad. **Bus:** Alle Linien, die über die A-229 Richtung Litauen und umgekehrt fahren, kommen hier vorbei.

Tschernjachowsk (Insterburg)   *(ca. 40.000 Einwohner)*

Wo aus Instrutsch (Inster) und Angrapa (Angerapp) die Pregolja (Pregel) entsteht, liegt Tschernjachowsk. Die Atmosphäre der Stadt ist etwas düster. An der ul. Lenina, die einmal recht prächtig ausgesehen haben muß, sitzen am Straßenrand alte Frauen, die Eier, Fische, weiße Rüben, Zigaretten und selbstgebrannten Wodka feilbieten. Ihre Waren haben sie auf Zeitungspapier auf dem Boden ausgebreitet.

Die Mühsal dieser Menschen liegt förmlich in der Luft, was unweigerlich auf die Stimmung der Stadt schlägt. Wäre Geld vorhanden, um die den Krieg unversehrt überstandenen Häuser mit frischer Farbe zu versehen, würde sich Tschernjachowsk in eine hübsche Stadt verwandeln. An der Straße nach Sowetsk, die vom pl. Lenina abgeht, stehen die Ruinen der verfallenen, alten *Insterburg*. Auch zu diesen Restaurierungsarbeiten fehlt leider das nötige Geld.

Bevor der Deutsche Orden das Samland Stück für Stück eroberte, unterhielten die Pruzzen am Zusammenfluß von Inster und Angerapp eine Festung, die der Deutsche Orden jedoch schon 1275 sein eigen nannte und sie zur Insterburg ausbaute. Da die Litauer diese Festung oft stürmten, wurde sie stärker befestigt und erhielt die Funktion eines Stützpunktes, von dem aus man gegen die heidnischen Litauer loszog.

- *Postleitzahl*: 238100
- *Vorwahl*: 241
- *Information*: ul. Puschkina, unweit der Kreuzung mit der ul. Tuchauewskogo, Tel. 32494.
- *Anfahrt/Verbindungen*: **PKW** - Über die A-229 erreichbar, ca. 90 km östlich von Kaliningrad.
Bus: Es gilt das gleiche wie für Gwardejesk. Busbahnhof in der ul. Puschkina, gegenüber vom Bahnhof.
Bahn: Mehrere Züge täglich nach Kaliningrad, Kaunas, Vilnius, St. Petersburg und Moskau. Bahnhof liegt am pl. Tschernjachowskogo.

- *Übernachten*: Es besteht die Möglichkeit, sich über das Touristenbüro privat einzuquartieren.
Perwomaiskaja, ul. Lenina 2. Allereinfachste Kategorie, Tel. 32401.
- *Essen*: **Restaurant**, ul. Kaliningradskogo, in der Nähe vom Markt. Große, relativ festlich eingedeckte Halle mit zufriedenstellender Küche.
- *Diverses*: **Geldwechsel**: ul. Pionierskogo 7.
Post: ul. Kalinina 5.
Poliklinik: ul. Tuchauewskogo 9.
Markt: neben dem Restaurant, je nach Jahreszeit buntes Angebot oder gähnende Leere.

Umgebung von Tschernjachowsk

▶ **Georgenburg:** Die aus dem 13. Jh. stammende Burg ist heute eine äußerst malerisch zugewachsene Ruine. Seit dem Sommer 1992 wird mit deutscher Hilfe an der Instandsetzung der Burg gearbeitet. In den restaurierten Räumen sollen wechselnde Ausstellungen stattfinden und ein Restaurant eingerichtet werden.

▶ **Osersk:** Auch dieser Stadt würde ein kleiner Anstrich zu neuer alter Schönheit verhelfen, trotzdem ist die Atmosphäre des kleinen Kreisstädtchens angenehm. Das Herz der Stadt ist der *pl. Pobedy*, an dem sich alles abspielt. In der ul. Moskowskaja 5 befindet sich ein denkbar einfaches Hotel. Die zentrale Bushaltestelle befindet sich in der ul. Komsomolzkaja 3.

Viel reizvoller als Osersk ist die den Ort umgebende Landschaft mit ihren grünen Wiesen, den Storchennestern, aus denen im Frühsommer mindestens fünf Köpfe neugierig herauslugten, und den schönen, zwischen sanften Hügeln gelegenen Seen.

● *Anfahrt/Verbindungen:* **PKW** - Ein kurzes Stück die A-299 Richtung Gusev runterfahren und nach etwa 8 km nach Osersk abbiegen. **Bus**: Verbindung mit Tschernjachowsk.

Tip: Der Leiter des Touristenbüros von Tschernjachowsk bietet Wanderungen entlang der polnischen Grenze an, die sehr reizvoll zu sein scheinen. Sie starten in der Nähe von Ozersk. Die normalerweise mehrere Tage dauernde Route richtet sich nach den Wünschen der Teilnehmer und ist individuell verkürzbar. Die vollständige Tour endet am Wischtynezkoje-See, der die Grenze zwischen dem Oblast und Litauen bildet und je nach Tempo in 8 bis 10 Tagen zu erreichen ist. Gennadyj Smirnow beschreibt die Landschaft, durch die die Wanderung führen wird, schwärmend als eine kleine grüne Welt, voll glitzernder Seen, die malerisch zwischen Hügeln liegen, und verspricht ein unvergeßliches Naturerlebnis. Zelte und Schlafsäcke können auf Wunsch gestellt werden. Proviant muß mitgenommen werden, und übernachtet wird in den Wäldern, da weder Schänke noch Gasthaus am Wegesrand liegen. Unterwegs kann man sich an Heidelbeeren und dicken Wilderdbeeren sattessen und sich in den klaren Seen erfrischen. Gennadyj ist Russe und spricht außer Russisch auch Polnisch. Vor Jahren hat er einmal Deutsch gelernt, das er nun wieder auffrischen will. Informationen dazu gibt es im Touristenbüro Tschernjachowsk, wo man auch deutsch spricht.

▶ **Gusev (Gumbinnen):** Linden- und Kastanienalleen und einige verblaßte Fassaden alter Häuser erinnern daran, daß das farblos gewordene Städtchen auch einmal bessere Zeiten gesehen hat.

Auf Initiative von *Herzog Albrecht* wurde 1545 eine Burg errichtet, um die langsam eine kleine Stadt entstand. 1721 erhielt sie das Stadtrecht. Etwa Mitte des 18. Jh. siedelten viele Deutsche und Schweizer nach Gusev über. In beiden Kriegen hat die Stadt sehr gelitten. Sie verlor viele der alten Gebäude und wurde später mit Betonklötzen und Plattenbauten neu bestückt. Doch die sattgrüne Natur um Gusev ist sehr schön.

● *Postleitzahl:* 238030
● *Vorwahl:* 243
● *Information:* ul. Malachowa 7, Tel. 32557.
● *Anreise/Verbindungen:* **PKW** - Gusev liegt an der A-229.
Bus und Bahn: s. Tschernjachowsk, Bus- und Zugbahnhof am pl. Priwoksalnaja.
● *Übernachten:* **Rossija**, ul. S. Kosmodemjaiskoi 2. Recht gutes Hotel, Gruppen des westlichen Auslandes werden gelegentlich hier untergebracht, Tel. 32178.
● *Essen:* **Älita**, direkt neben dem Hotel mit recht guter Küche. Tel. 32757.
● *Diverses:* **Geldwechsel** - Pobedy 1.
Post: Pobedy 2.
Museum: ul. Malachowa 8. Ausstellung über die Geschichte Gusevs.

Sowetsk (Tilsit)   (ca. 48.000 Einwohner)

Die an der Grenze zu Litauen gelegene Stadt ist die zweitgrößte des Kaliningrader Gebietes. Obwohl auch hier viele der alten Bauten im Krieg zerstört wurden, sind doch einige erhalten geblieben und geben der Altstadt eine angenehme Ausstrahlung.

Einige hübsche und restaurierte Jugendstilhäuser sind hauptsächlich in der ul. Pobedy (Hochstraße) zu finden, aber auch in der ul. Parkogo (Marienstraße) und ul. Rabotscha (Heinrichswalderstraße). Sehr schön ist auch der pl. Lenina mit dem Hotel Rossija und dem alten Bankgebäude.

Die Ausreise nach Litauen war von hier bislang unproblematisch. Man fuhr einfach durch ein schönes Sandsteintor auf die Königin-Luise-Brücke, überquerte den Nemunas und fand sich in Litauen wieder. Die Grenzbeamten begnügten sich in der Regel mit einem Blick in den Reisepaß.

Königin-Luise-Brücke

1365 setzte der Deutsche Orden an die Stelle einer Pruzzenburg eine mächtige Festung, die später zur *Burg Tilsit* wurde. Um die Ordensburg herum entstand eine Siedlung und später ein wirtschaftlich blühendes Städtchen.

Zu einem Ort der Weltgeschichte wurde Tilsit, als sich hier zu Beginn des 19. Jh. *Zar Alexander I.* und Preußens König *Friedrich Wilhelm III.* als Verbündete trafen. Wenig später, im Jahre 1806, führte Preußen einen Krieg gegen das napoleonische Frankreich, aus dem Preußen als Verlierer hervorging. Besiegelt wurde die Niederlage mit dem für Preußen demütigenden *Frieden von Tilsit*, der den Abtritt sämtlicher Gebiete westseits der Elbe forderte, woran auch die Bemühungen der damaligen *Königin Luise* nichts mehr

ändern konnte. Das kurz vorher noch verbündete Rußland sicherte sich die Gegend um Bialystok (heute Polen).

Von Bedeutung ist die Stadt auch für die Litauer. Während der russischen Herrschaft über Litauen wurden 1865 sämtliche Publikationen in litauischer Sprache verboten. So wurden die Bücher litauischer Sprache in Tilšė, wie die Litauer die Stadt nannten, gedruckt und über den Nemunas nach Litauen geschmuggelt.

- *Postleitzahl*: 238700
- *Vorwahl*: 261
- *Information*: Reisebüro Tilsit, im Hotel

Rossija. Stadtführungen in deutscher Sprache möglich, Tel. 76318.

• _Anfahrt/Verbindungen_: **PKW** - Sowetsk liegt an der A-216, die zwischen Gvardejsk und Tschernjachowsk von der A-229 abgeht und ganz bis Riga führt.

Bus: Verbindung mit allen Orten, die auf dem Weg nach Kaliningrad und Riga liegen, sowie nach Klaipėda, Vilnius und Kaunas. Busse fahren vom Woksalnaja pl. ab.

Bahn: Züge nach Kaliningrad, Riga und Klaipėda.

• _Übernachten_: **Rossija**, am pl. Lenina. Zimmerreservierung erforderlich, VP um die 50 DM pro Pers, Tel. 72467.

• _Essen_: **Rossija**, Zunocharskogo 2 (Landwehrstr.), neben dem Hotel. Ambiente etwas langweilig, jedoch mit ganz guter Küche. Zu den Stoßzeiten Tischbestellung zu empfehlen. Tel. 76658/75418.

Sowetska, ul. Pobedy 44. Ob Live-Musik oder Musik aus der Konserve, sie ist einfach zu laut. Die Bedienung ist relativ schnell, das Essen durchschnittlich.

Café und Grill, Pobedy 9. Die Küche ist recht gut.

• _Diverses_: **Geldwechsel** - ul. Pobedy 2 und im Hotel (bis mittags).

Post: ul. Pobedy 12.

Poliklinik: ul. Gogola 12 (Williamstraße).

Markt: ul. Gagarina (Deutsche Straße).

Tankstelle: ul. Leningradskaja 1 (wird in absehbarer Zeit mit Sicherheit zur ul. St. Peterburga).

Neman (Ragnit) _(ca. 14.000 Einwohner)_

Neman ist ein kleiner, beinahe etwas verschlafener Ort in der Nähe von Sowetsk. Auf seltsame Weise fließen im Zentrum die Reste der alten deutschen Häuser und die Bauten des Sowjetsozialismus ineinander über, doch die Mischung ist nicht unangenehm.

Das typische Bild der armseligen Verkaufsstände von hauptsächlich alten Menschen, die ihren selbstgebrannten Wodka, Gemüse oder sonstige Dinge loswerden wollen, fehlt auch in Neman nicht. Für einen längeren Aufenthalt hat Neman nichts Aufregendes zu bieten, doch für Durchreisende lohnt es sich schon anzuhalten.

Auch hier errichtete der Deutsche Orden 1289 an der Stelle einer pruzzischen Burg, nachdem er sie 1275 erobert hatte, eine Festung. Da das Ordensschloß mehrmals von den Litauern gestürmt wurde, ließ der Orden 1293 zusätzlich noch die _Schalauerburg_ bauen. Im Laufe der Geschichte verloren die Ragniter Burgen jedoch an Bedeutung. Im Zweiten Weltkrieg haben beide großen Schaden erlitten, so daß heute nur noch ihre Ruinen zu besichtigen sind.

Für die Litauer ist _Ragainė_, wie sie die Stadt nennen, kulturhistorisch von Bedeutung, arbeitete doch _Martynas Mažvydas_, der das erste Buch in litauischer Sprache herausgab, Mitte des 16. Jh. hier als Pfarrer.

• _Postleitzahl_: 238710

• _Vorwahl_: 262

• _Anfahrt/Verbindungen_: **PKW** - Neman liegt ca. 10 km östlich von Sowetsk, von wo Landstraße Richtung Osten abgeht, die nach Neman führt.

Bus: Häufige Verbindung mit Sowetsk, Gusev und Kaliningrad. Haupthaltestelle in der ul. Krasnoarmeskaja.

• _Übernachten_: **Neman**, ul. Sowjetskaja 1. Freundliche Leute, sehr einfache Ausstattung, ÜB ca. 2 DM. Tel. 23237.

• _Essen_: Restaurant, ul. Pobedy, in der Nähe der Bank. Wirkt etwas schmuddelig von innen.

• _Diverses_: **Geldwechsel** - ul. Pobedy 49, z. Zt. hier noch kein Geldtausch möglich, was sich aber demnächst ändern kann.

Post: ul. Pobedy 37.

Poliklinik: ul. Pobedy 12.

Apotheke: ul. Krasnoarmeskaja 2.

Tankstelle: Gusseivskoje Chaussee (Straße Richtung Gusev).

Königin-Luise-Gedächtniskirche in Kaliningrad

Lettland

Geschichte Lettlands

Historischen Forschungen zufolge sind die ersten Spuren menschlichen Lebens auf lettischem Territorium 10.000 Jahre zurückzudatieren. Nach der letzten Eiszeit wanderten Nomadenstämme aus dem Südosten zum Baltischen Meer und lebten dort von der Jagd und vom Sammeln.

Die zwischen Riga und Narva lebenden Volksstämme gehörten zur damaligen Zeit der Kunda-Kultur an, aus der sich später die neolithische Memel- und Narvakultur herausbildete.

Ankunft der Indoeuropäer: Etwa in der Mitte des dritten Jt. v. Chr. erschienen indogermanische Stämme aus der Weichsel-Region im Baltikum. Die Keramik, über die sie bereits verfügten, wies Abdrücke gedrillter Schnüre auf. Aus diesem Grund spricht man auch von der sog. *Schnurkeramik-Kultur*. Ebenfalls waren sie im Besitz von Streitäxten. Diese indogermanischen Volksgruppen gelten als die Vorläufer der Baltenvölker. Sie bauten Siedlungen und trieben Ackerbau und Viehzucht. Im Laufe der Zeit haben sich auf dem Gebiet des heutigen Lettlands die verschiedenen baltischen Stämme wie Litauer, Lettgaller, Semgaller, Selonier und Pruzzen herausgebildet und sich mit den ebenfalls im Baltikum ansässigen finno-ugrischen Stämmen vermischt. Dabei behielten im Süden die indogermanischen Volksgruppen, im Norden die finno-ugrischen Stämme die Überhand.

Durch das *Baltische Gold* der Bernsteinküste unterhielt das Baltikum bereits vor unserer Zeitrechnung lebhaften Handel mit Kaufleuten aus Ländern des Mittelmeers und Arabiens, mit den benachbarten Slavenstämmen und mit den skandinavischen Wikingern. Unterbrochen wurde das goldene Zeitalter und diese florierende Entwicklung mit der Ankunft deutscher Missionare, Kreuzritter und Kaufleute.

Die Ankunft der deutschen Kreuzritter und Siedler

Im Jahre 1168 landeten die ersten deutschen Schiffe an der Daugava-Mündung, mit dem deutschen Mönch und Missionar Meinhard an Bord. Da er ein friedlicher Mann mit freundlichen Umgangsformen war, ließen sich die ansässigen Liven widerstandslos von Meinhard taufen und behinderten ihn auch nicht beim Bau einer Kirche.

Zwar sprangen die Liven nach ihrer Taufe in der Regel in den nächsten Fluß, um sie wieder abzuwaschen, doch sie ließen den Missionar gewähren.

"Venta-Rumba" malerische Stromschnelle bei Kuldīga

Anders standen sie allerdings seinem Nachfolger *Berthold* gegenüber. Berthold landete direkt mit einem tausend Mann starken Kreuzritterheer an die Daugava-Mündung, um mit aller Kraft zu missionieren. Die blutige Schlacht mit den Liven ließ dann auch nicht lange auf sich warten. Der Orden ging zwar als Sieger aus dem Gefecht hervor, Berthold selbst jedoch fiel ihm zum Opfer. Der Feuertaufe überdrüssig versuchten die Liven schließlich, sich von den gewalttätigen Missionaren zu befreien. Als dies in Bremen bekannt wurde, schickte der Bischof seinen *Domherrn Albert* in das Gebiet mit dem Auftrag, im Namen Gottes die Heiden zu missionieren und dem Orden Land zu sichern. Viele deutsche Kaufleute beteiligten sich damals finanziell an dem Vorhaben, da sie im Land der Liven einen neuen Absatzmarkt witterten.

1201 erreichte Domherr Albert dann zusammen mit einem gewaltigen Heer von Kreuzrittern die Daugava-Mündung. Sogleich begann er mit dem Bau einer steinernen Burg und gründete die Stadt **Riga**. Im Jahre 1202 rief der nun als Bischof von Riga agierende Albert den *Orden der Schwertritter* ins Leben, um mit dessen Hilfe die "Operation Livland" schnell und erfolgreich ausführen zu können. Um die eroberten Gebiete zu sichern, holte man deutsche Siedler, Handwerker und Kaufleute ins Land und gestand ihnen Sonderrechte zu. Im Jahre 1206 waren die Liven unterworfen, womit Bischof Albert zum Oberhaupt des nun entstehenden Ordensstaates wurde. Nach kurzer Zeit aber begann der Orden, die Macht des Bischofs anzutasten, da die Schwertritter ihm nicht länger unterstehen, sondern ihre eigenen Interessen verfolgen wollten. Nach der verlorenen Schlacht bei **Saule** 1236 gegen Litauer und Semgaller gingen die Schwertritter im Deutschen Orden auf und unterstanden somit direkt dem Papst, jeglicher Verantwortung gegenüber dem Bischof von Riga entbunden.

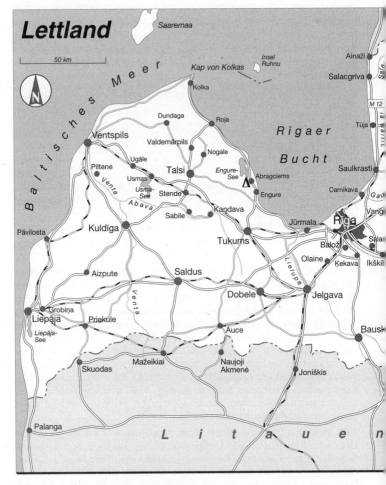

Es folgte ein erbitterter Machtkampf zwischen Orden und Bischof. Teilweise eskalierten diese Streitigkeiten sogar zu bürgerkriegsähnlichen Zuständen, wobei das Bürgertum sich auf die Seite des Bischofs schlug, denn der Orden machte ihnen im Handel Konkurrenz. So zögerte die Rigaer Bürgerschaft beispielsweise nicht, die Ordensburg in Brand zu stecken, worauf der Orden im Gegenzug den Bischof in Gewahrsam nahm. Um Herr der Lage zu werden, holte sich der Orden gelegentlich Hilfe aus Preußen. Diese teilweise blutigen Auseinandersetzungen zogen sich über Jahrzehnte hin, und da die Unruhen nicht abklingen wollten, wurde der Sitz des Ordensmeisters schließlich nach Cēsis verlegt.

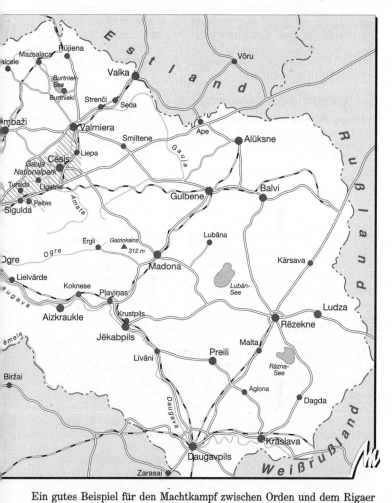

Ein gutes Beispiel für den Machtkampf zwischen Orden und dem Rigaer Bischof geben die beiden Ufer der Gauja bei Sigulda ab. Die eine Seite gehörte dem Orden, während die andere bischöfliches Terrain war. So entschied es damals der Papst. Beide Seiten errichteten stark befestigte Burgen, um dem Gegner die eigene Stärke zu demonstrieren.

Doch trotz aller Kämpfe entwickelten sich die Städte Livlands zu blühenden Handels- und Hansestädten, und ihre Bürger gelangten zu einem gewissen Wohlstand. Selbstverständlich floß das umlaufende Geld meist nur in die Hände der deutschen Oberschicht, da die Handelsfreiheit für Nicht-Deutsche von vornherein stark beschränkt wurde. Die Urbevölkerung

Livlands verdingte sich ihren kargen Lebensunterhalt überwiegend als Landarbeiter und geriet zunehmend in die Abhängigkeit von den Großgrundbesitzern. Zum Handelszentrum des jungen Ordensstaates wurde die Stadt Riga. Als wirtschaftlicher Höhepunkt der livländischen Städte gilt das 14. Jh., obwohl Livland ständig mit Dänemark, Rußland, Schweden oder Polen in kriegerischer Fehde lag.

Der Untergang des Ordensstaates

Trotz zahlreicher Ordensburgen, die der Orden zur Untermauerung und Festigung seiner Macht im Laufe der Zeit errichtete, hatten die anhaltenden Kämpfe mit den Nachbarmächten den Orden stark geschwächt.

1522 erfaßte die Reformation Livland. Dies brachte die Macht des Ordens noch mehr ins Wanken. Das endgültige Aus für den livländischen Ordensstaat läutete jedoch der *Livländische Krieg* (1558-1583) ein. *Iwan der Schreckliche*, dem das Ordensland schon lange ein Dorn im Auge war, versuchte Livland Schritt für Schritt zu unterwerfen. Es gelang ihm zwar nicht, die Herrschaft in dem untergehenden Ordensstaat zu übernehmen, wohl aber sein Ende heraufzubeschwören. Nach dem Krieg wurde Livland zwischen Schweden, Dänemark und Polen aufgeteilt, wobei den Polen die größten Gebiete zukamen. Der Ordensmeister von Kurland, *Gottfried Kettler*, erkannte rechtzeitig, daß die Zeit des Ordens abgelaufen war. Er wandelte sich schnell vom Geistlichen zum Herzog und erkannte die polnische Oberhoheit an. Auf diese Weise gelang es Kettler, Kurland für eine geraume Zeit eine gewisse Autonomie zu sichern.

Nach dem schwedisch-polnischen Krieg (1600-1629) änderten sich die Machtverhältnisse im ehemaligen Ordensland erneut. Lediglich die heutige Provinz Latgale blieb in polnischer Hand, während der Rest Livlands schwedisch wurde. Die Herrschaft der Schweden brachte für die lettische Bevölkerung einige Vorteile mit sich. Sie durften Schulen besuchen, und die Bauern konnten sich gegen ungerechte Großgrundbesitzer mit juristischen Mitteln wehren. Dennoch, die eigentliche Macht blieb in den Händen der deutschen Kaufleute und des Landadels, die schließlich auch die Aufhebung der Leibeigenschaft erfolgreich zu verhindern wußten. Mit Ausbruch des *Nordischen Krieges* nahm die "gute schwedische Zeit" ein Ende. Mit Ausnahme Kurlands fiel das gesamte ehemalige Ordensland 1710 an Peter I.

Die Herrschaft der Russen
und das erwachende Nationalbewußtsein der Letten

Die Russen unterwarfen das Gebiet des heutigen Lettlands schrittweise, angefangen 1710 unter Peter I. 1795 wurde dann auch das Herzogtum Kurland ein Teil des Zarenimperiums.

Der deutschen Oberschicht brachte die russische Herrschaft die Wiederherstellung ihrer alten Stellung, an der die Schweden während ihrer Besatzungszeit zu rütteln gewagt hatten. Das führte natürlich zu Aufständen von Seiten der lettischen Bevölkerung, da sie, gerade im Besitz einiger Rechte, diese nicht wieder verlieren wollten. Der Widerstand wurde niedergeknüppelt, doch das brutale Vorgehen löschte den Unmut des Volkes über die damaligen Zustände in keinster Weise. Im Gegenteil trug es eher dazu bei, bei den Letten ein Gefühl der Zusammengehörigkeit zu erzeugen. So begannen sie, ihre eigene Geschichte und Kultur zu entdecken und ein nationales Bewußtsein zu entwickeln. Träger dieser Bewegung waren meist lettische Persönlichkeiten des kulturellen Lebens, wie z. B. *Kr. Valdemārs* oder *Kr. Barons*. Als Mitauslöser für das nationale Erwachen der Letten gelten auch einige deutsche Geistliche, die Ende des 18. Jh. die Gedanken der Aufklärung vertraten, wie beispielsweise *Gottfried Herder*.

Doch es gab noch weitere Gründe, die zum Erstarken des lettischen Nationalbewußtseins entschieden beitrugen. 1819 wurde die Leibeigenschaft in den Provinzen des ehemaligen Livlands aufgehoben. Zwar kamen nun auch einige lettische Bauern in den Genuß, selber Land zu besitzen, und konnten gegenüber deutschen und russischen Machthabern ein gewisses Selbstbewußtsein entwickeln, doch die Landverteilung ging sehr unbefriedigend und schleppend voran, da die meisten Ländereien bereits fest in der Hand deutsch-baltischer Barone lagen. Bei den lettischen Bauern führte das zu großer Unzufriedenheit.

Ein weiterer Punkt war die Industrialisierung. Mit dem Anschluß an das Eisenbahnnetz und mit der Inbetriebnahme einiger Fabriken entwickelte sich Riga zum drittgrößten Industriezentrum des gesamten Zarenimperiums. Natürlich blieb auch hier, wie in benachbarten Nationen, die Verelendung der Arbeiterschaft nicht aus, so daß sich 1904 eine lettische sozialdemokratische Partei gründete. Die Ideen der Russischen Revolution von 1905 fiel bei der lettischen Bevölkerung auf fruchtbaren Boden und entwickelten sich für die Letten schließlich zu einer Frage der Unabhängigkeit und der Autonomie von Rußland. Erstmalig traten die Letten als politische Kraft auf, wurden aber von den zaristischen Truppen brutal niedergeschlagen. Doch einmal ins Rollen gekommen, konnte der Wunsch der Letten nach nationaler Selbstbestimmung und Souveränität nun nicht mehr aufgehalten werden.

Der Erste Weltkrieg

Während des Ersten Weltkrieges lag das Baltikum sowohl in der Interessensphäre des Deutschen Reiches als auch in der des zaristischen Rußlands. 1915 wurde Kurland durch deutsche Kaisertruppen besetzt.

Um die Truppen Wilhelms II. abzuwehren, stellten die Russen lettische Regimenter auf, die sog. *Lettischen Schützen*, die ihre Heimat verteidigen sollten. Doch trotz der engagierten Einsätze der Lettischen Schützen gelang es den Deutschen 1917, Kurland zu erobern. Da die Lettischen Schützen vom russischen Zaren regelrecht "verheizt" worden waren, war es für die Bolschewiken nicht schwer, sie auf ihre Seite zu ziehen.

Nach der bolschewistischen Oktoberrevolution von 1917 und dem Zusammenbruch des russischen Zarenreichs und des deutschen Kaiserreiches entstanden günstige Rahmenbedingungen für die Verwirklichung der lettischen Unabhängigkeit. Hinzu kam das neu in Europa propagierte Prinzip des Selbstbestimmungsrechts der Völker. Dieses Recht wollten auch die neuen Machthaber in Moskau, die Bolschewiken, dem lettischen Volk garantieren. Sie knüpften es allerdings an die Voraussetzung, daß die Rechte der Arbeiterklasse im bolschewistischen Sinne gewährleistet würden.

Am 18. November 1918 war es soweit: Bürgerliche Kreise riefen die *Unabhängige Republik Lettland* aus und bildeten eine provisorische Regierung mit *Kārlis Ulmānis* an der Spitze. Im Norden des Landes wurde dagegen die Räterepublik unter dem Vorsitz *Peter Stučkas* proklamiert. Nachdem die deutschen Truppen endlich aus Kurland abgezogen waren, marschierte sogleich die Rote Armee in das frischgegründete Lettland ein.

Das Überleben der drei gerade souverän gewordenen Baltenrepubliken war nun ernsthaft gefährdet. In den folgenden zwei Jahren wurde Lettland von einem heftigen Bürgerkrieg heimgesucht, bei dem die Rotarmisten versuchten, Lettland der Sowjetunion anzuschließen.

Um die "rote Gefahr" zu bannen, unterstützten Großbritannien, Frankreich und die USA die neugegründeten Baltenrepubliken und verlangten auch von deutscher Seite tatkräftige Mithilfe, um den Vormarsch des Kommunismus zu stoppen. Am 22. Mai 1919 wurde Riga von der baltischen Landwehr unter dem Befehl des Generals *von Goltz* erobert. Sofort flammte der auf deutscher Seite so häufig geträumte Traum von einer Vereinigung der baltischen Länder, gebunden in eine Personalunion mit Ostpreußen, wieder auf. Doch nach der verlorenen Schlacht bei Cēsis gegen die Esten, die sich solidarisch mit dem lettischen Volk erklärten, zwangen die Alliierten die Deutschen, Lettland endgültig zu verlassen.

Am 11. August 1920 erklärte die Sowjetunion in einem Friedensvertrag, "für immer auf jegliche Gebietsansprüche und Souveränitätsrechte bezüglich Lettlands zu verzichten und das Völkerbestimmungsrecht anzuerkennen". Im September 1921 wurde Lettland Mitglied der Vereinten Nationen.

Nachdem sich die Lage in der kleinen Baltenrepublik wieder stabilisiert hatte, leitete die wiedereingesetzte Ulmānis-Regierung sofort tiefgreifende Reformen ein. Die KP wurde verboten, und die deutsch-baltischen Barone wurden ohne Entschädigung enteignet. Nach seiner Verfassung, der *Satversme*, war Lettland eine parlamentarische Demokratie. Erster frei gewählter Premierminister wurde Kārlis Ulmānis, unter dem Lettland rasch einen wirtschaftlichen Aufschwung erfuhr.

Als sich Ende der zwanziger Jahre dieses Jahrhunderts die Welt in einer tiefgreifenden Wirtschaftskrise befand, blieb auch Lettland nicht davon verschont. 1934 verhängte Ulmānis den Ausnahmezustand, schaltete das Parlament aus, regierte mit Sonderdekreten und betrieb eine überaus autoritäre Politik. Ulmānis gelang es zwar, die Wirtschaftskrise zu bewältigen, doch kam es durch seinen neuen Regierungsstil wiederholt zu Verhaftungen politisch Andersdenkender. Gewerkschaften wurden verboten,

und die Rechte der in Lettland lebenden Minderheiten wurden nicht mehr
in dem Sinne respektiert, wie es die Verfassung eigentlich vorsah.

Der Hitler-Stalin-Pakt und der Zweite Weltkrieg

Nachdem sich das Deutsche Reich und Sowjetrußland von den Wirren des Ersten Weltkrieges erholt hatten, wuchs auch wieder ihr Interesse an den baltischen Staaten. Das weitere Schicksal des Baltikums sollte am 23. August 1939 besiegelt werden.

An jenem Tag schlossen Hitler und Stalin den *Nicht-Angriffspakt* mit dem
mittlerweile weltbekannten *geheimen Zusatzprotokoll*. In diesem Protokoll
ist von einer territorialen Umgestaltung Osteuropas die Rede, wobei das
Baltikum der Sowjetunion und Polen dem Deutschen Reich zugeschlagen
wird. Kurz nach der Ratifizierung dieses Nicht-Angriffspaktes durch die
damaligen Außenminister *Ribbentrop* und *Molotow* zwang die Sowjetunion
die baltischen Staaten zum Abschluß von sog. *Beistandspakten*, in denen sie
sich verpflichten mußten, sowjetischen Truppen Stützpunkte in ihren
Ländern einzuräumen. So konnten bereits im Oktober 1939 Truppen der
Roten Armee im Baltikum stationiert werden. Etwa zur gleichen Zeit
wurden zahlreiche Deutschbalten aus Lettland evakuiert, was zu Recht so
gedeutet wurde, daß Nazi-Deutschland das Baltikum der Sowjetunion
überlassen hatte.

Im Juni 1940 sollten sich die baltischen Befürchtungen bewahrheiten, als
die Rote Armee Stalins das Baltikum besetzte und die Macht an sich riß.
In kürzester Zeit wurde die Intelligenz - Wirtschaftsfunktionäre, Wissenschaftler, Theologen, Fabrikbesitzer, und was sonst noch alles als potentielle Klassenfeinde angesehen wurde -, nach Sibirien verschleppt. Es wurden Scheinwahlen mit pro-sowjetischen Einheitslisten abgehalten, aus
denen eine kommunistische, sowjetfreundliche Regierung als "Sieger" hervorging. Wenig später "bat" Lettland schließlich um die Aufnahme in die
Sowjetunion.

Als die deutsche Wehrmacht im Zuge ihres Überfalls auf die Sowjetunion
am 22. Juni 1941 die baltischen Länder besetzte, wurde die Sowjetisierung
des Baltikums kurzzeitig unterbrochen. Die Bevölkerung begrüßte die
deutschen Truppen zunächst als Befreier, wurde aber bald enttäuscht, da
den Deutschen in keinster Weise an der Wiederherstellung eines souveränen Lettland gelegen war. Vielmehr vereinigte man die baltischen Gebiete
mit Weißrußland zum *Reichskommissariat Ostland* und bürdete der Bevölkerung gewaltige Kriegslasten auf.

Dennoch zog es die Mehrheit der Bevölkerung vor, an der Seite der deutschen Wehrmacht zu kämpfen, als an der Seite der Roten Armee. So gelang es der SS leicht, eine 60.000 Mann starke Legion von Letten aufzustellen. Gleichzeitig zögerten die Nazis nicht, sogleich nach ihrer Ankunft
in Lettland Konzentrationslager einzurichten, in denen Tausende von
Menschen, vornehmlich Juden, einen grausamen Tod fanden. Allein in
Salaspils, eines der 23 Vernichtungslager Lettlands, wurden an die 100.000
Menschen ermordet.

In den Jahren 1944-45 eroberte die Sowjetarmee das Baltikum zurück. Große Teile der Bevölkerung flüchteten vor Stalins Truppen ins Ausland, wobei viele Menschen ums Leben kamen. Während des Krieges hatte sich die Bevölkerung Lettlands um etwa ein Drittel verringert. Weitere Verluste brachte die Wiederherstellung der Sowjetmacht mit sich. Sogleich wurde an 1940 angeknüpft. Eine sowjetfreundliche Regierung wurde eingesetzt und eine neue Welle von Deportationen eingeleitet, begleitet von Schauprozessen und der Zwangskollektivierung der Landwirtschaft. Um die Sowjetmacht zu stabilisieren, siedelte man in den lettischen Städten gezielt russische Arbeiter an, so daß die Letten auch heute noch in einigen ihrer Städte in der Minderheit sind.

Die Nachkriegszeit - Unionsrepublik Lettland

Mit der Wiederherstellung der Macht der Sowjets folgte eine harte Zeit für Lettland. Im eigenen Land wurden die Letten zu einer Art Bürger zweiter Klasse.

Amtssprache wurde Russisch, und die Pflege der lettischen Kultur wurde als Nationalismus und somit als Staatsfeindlichkeit angesehen. Viele der Kirchen wurden zu weltlichen Zwecken genutzt. Gläubige und Menschenrechtler gerieten in Schwierigkeiten, so daß während der sowjetischen Zeit an die 100.000 Letten ins Exil flüchteten.

Zu Beginn der fünfziger Jahre hatte es die Sowjetmacht geschafft, jeglichen bewaffneten Widerstand von Seiten der lettischen Bevölkerung gegen das Regime auszuschalten. Hoffnung auf Besserung wurde an die sog. *Tauwetterperiode* der Ära Chruschtschows geknüpft, der nach Stalins Tod in den Kreml zog.

Tatsächlich ließ Moskau die Zügel etwas lockerer. Um nicht den Anschein einer Kolonialisierung Lettlands zu liefern, konnten nun auch Letten in die Führungskader-Ebene gelangen. Als jedoch der damalige stellvertretende lettische Ministerpräsident *Berklavs* im Jahre 1958 den Stopp der Ansiedlung russischer Arbeiter forderte, wurde das von Moskau sofort als bourgeoiser Nationalismus und Gefahr für das Sowjetsystem angesehen. Berklavs wurde "entfernt". Die Macht lag uneingeschränkt in Moskau. Dennoch gab es Untergrundorganisationen, die für die Einhaltung der Menschenrechte und für Meinungs-, Versammlungs- und Religionsfreiheit eintraten und die Wiederherstellung der lettischen Unabhängigkeit diskutierten. Mit illegalen Flugblättern wandten sie sich an die Öffentlichkeit. Während der Regierungszeit Breschnews, der 1964 an die Macht kam, konnten sie jedoch relativ wenig erreichen. Streng wurde darüber gewacht, daß kein von der bolschewistischen Ideologie abweichendes Gedankengut verbreitet wurde.

In der Periode der *Großen Stagnation* von 1964-1985, die die gesamte Sowjetunion heimsuchte, fiel auch Lettland in eine tiefe Lethargie und erfuhr Ende der siebziger Jahre den Höhepunkt einer sozialen, wirtschaftlichen und kulturellen Krise. Der geheime Wunsch auf die Wiederherstellung des lettischen Freistaates kam einer schönen Utopie gleich, die von der Erinnerung an die Unabhängigkeit zu Beginn des Jahrhunderts zehrte. Erst mit Amtsantritt Gorbatschows und seiner Politik von Glasnost und Perestroika erwachte Lettland erneut, womit auch der Wunsch nach Souveränität allmählich wieder aufflammte.

Die Friedliche Revolution

Mit dem Amtsantritt Gorbatschows kam wieder Leben in die erlahmten baltischen Republiken. Ausgelöst durch die Moskauer Beschlüsse an der Daugava, ein Wärmekraftwerk und eine U-Bahn durch Riga zu bauen, der große Teile der Altstadt zum Opfer gefallen wären, kam es zu heftigen Protesten der Bevölkerung, mit denen die neuen Projekte nicht einmal diskutiert worden waren.

Als Antwort gründete sich in Liepāja die Menschensrechtsgruppe *Helsinki '86*, die die Einhaltung der Menschenrechte, Demokratie und Wiederherstellung der lettischen Souveränität forderte. Am 14. Juni versuchte die Gruppe zu ergründen, wie ernst es Gorbatschow mit seiner neuen Politik wirklich meinte. An jenem Tag riefen sie in Riga zu einer Demonstration auf, um den zahlreichen von Stalin nach Sibirien Deportierten zu gedenken. Etwa 5000 Menschen versammelten sich am Rigaer Freiheitsdenkmal. Zu Auseinandersetzungen mit der Miliz kam es dabei nicht. Anders verlief dagegen eine Demonstration am 18. November 1987, als man der Ausrufung der Lettischen Republik vor 69 Jahren gedachte. Doch das lettische Volk war wiedererwacht, und damit auch sein Wunsch nach Souveränität. Die Lawine war ins Rollen geraten ... .

Jahrelang verbotene Staatssymbole tauchten plötzlich wieder aus der Versenkung auf, und es kam zur Gründung politischer Gruppierungen und Bürgerinitiativen, die anders dachten als die KP.

Im Jahre 1988 bildete sich aus der KP Lettlands ein reformfreundlicher Flügel heraus, dem es gelang, die entscheidenden Schlüsselpositionen in der lettischen SSR zu besetzen. Im Sommer des gleichen Jahres wurde die *Lettischen Unabhängigkeitsbewegung (LNNK)* ins Leben gerufen. Wenige Monate später gründete sich im Oktober die *Lettische Volksfront (LTF)*, ein Zusammenschluß aller Reformkräfte. Vorerst gingen die Forderungen nur so weit, daß man eine Autonomie innerhalb der Sowjetunion verlangte, doch spätestens nach den Wahlen zum *Volksdeputierten-Kongreß*, aus denen die Volksfront als klarer Sieger hervorging, war die Unabhängigkeit wieder in aller Munde. Allerdings hatte sich als Gegenbewegung zur Volksfront die sog. *Interfront* gebildet, eine Bewegung, die das alte System in der Sowjetunion und die Allmacht der kommunistischen Partei beibehalten wollte. Als der Ministerrat im Februar 1989 ein Gesetz zur Begrenzung der russischen Einwanderer nach Lettland verabschiedete, führte das zu Demonstrationen und heftigen Protesten der Interfront.

Ein bedeutendes Zeichen, um den Wunsch nach Freiheit zum Ausdruck zu bringen, wurde am 23. August 1989, dem 50. Jahrestag des Hitler-Stalin-Paktes, gesetzt. 1,7 Millionen Leute bildeten eine Menschenkette quer durch das Baltikum, angefangen in Tallinn über Riga bis nach Vilnius.

Von Seiten des Zentralkommitees der KPdSU wurde das Vorgehen der baltischen Republiken auf das stärkste mißbilligt und ein Austritt aus der Sowjetunion strikt abgelehnt.

Im Januar 1990 wurde die monopolistische Stellung der KP aus der Verfassung der lettischen SSR gestrichen und ein Mehrparteiensystem zugelassen. Bei den Wahlen zum Obersten Sowjet erhielten die Kandidaten, die für die lettische Unabhängigkeit eintraten, die absolute Mehrheit. Im Mai rief der Oberste Sowjet Lettlands die Übergangsphase zum Austritt aus der UdSSR aus, was noch im gleichen Monat von Gorbatschow für ungültig erklärt wurde. Dennoch konnte die lettische Seite im Oktober eigene Grenzposten aufstellen.

Zu Beginn des Jahres 1991 war die bislang friedlich verlaufende Revolution der baltischen Republiken ernsthaft in Gefahr. Am 2. Januar besetzte die *Omon*, eine Einheit des sowjetischen Innenministeriums, das Pressehaus in Riga. Am nächsten Tag gingen in Riga über eine halbe Million Menschen auf die Straße, um der Protestkundgebung der LTF beizuwohnen und das Parlamentsgebäude zu verbarrikadieren. Am 20. Januar stürmten sowjetische Sondereinheiten das lettische Innenministerium in Riga, wobei vier Menschen ums Leben kamen.

Am 3. März wurde in Lettland eine Volksbefragung zur Unabhängigkeit Lettlands durchgeführt, in der sich 73,7 % der Stimmberechtigten für den Austritt aus der UdSSR aussprachen.

Einstige Barrikaden vor dem Parlamentsgebäude

Als im Sommer 1991 in Moskau geputscht wurde, nahm Lettland die Gelegenheit wahr und erklärte sich am 21. August für unabhängig. Am 24. August erkannte der russische Präsident *Jelzin* die Entscheidung Lettlands an und am 27. August auch die EG. Am 6. September ließ das wieder amtierende Oberhaupt der Sowjetunion, *Michail Gorbatschow*, Lettland offiziell aus der UdSSR austreten. Erster Präsident des wieder unabhängigen Lettlands war *Anatolijis Gorbunovs*, Premier *Ivars Godmanis*. Im Juni 1993 hat das lettische Volk eine neue Regierung gewählt. Es koalieren jetzt der "Weg Lettland" und die Bauernunion miteinander. An der Spitze des Staates steht *Ulmānis*.

Wirtschaft

Schon vor der Zeit der Kreuzritter blühte auf dem Territorium des heutigen Lettlands der Handel. Es gab florierende Häfen, wichtige Wasser- und Handelsstraßen durchzogen das Land. Stets kam Lettland und seinen baltischen Nachbarn eine Brückenfunktion zwischen der westlichen und östlichen Welt zu.

Schon im Mittelalter lebte das damalige Livland vom Ost-West-Handel. Stand es mit Rußland und Westeuropa mal nicht zum Besten, machte sich das sofort in Form von Handelseinbußen bemerkbar.

Zu Beginn des 20. Jh. gehörte das heutige Lettland zu den am besten entwickelten Provinzen des gesamten russischen Imperiums. Während der Unabhängigkeitsperiode (1918-1939) lockerte man die ökonomischen Verbindungen zu Moskau und förderte die Industrie vor der volkswirtschaftlich bislang an erster Stelle stehenden Landwirtschaft. Produziert wurde nach den Bedürfnissen des lokalen Marktes. Von daher wurde Lettland nicht allzu hart von der Weltwirtschaftkrise getroffen. Mit der Eingliederung in die Sowjetunion wurde das Land jedoch völlig zugrunde gewirtschaftet. Durch die zentralistische Produktionsweise des Sowjetregimes wurden die einzelnen Unionsrepubliken voneinander abhängig gemacht, was sich heute gravierend auf die lettische Wirtschaft niederschlägt. Hinzu kommt, daß es in der Produktion jahrelang auf Quantität anstelle von Qualität ankam, was den Absatz lettischer Produkte nun erschwert. Außer Torf, Ton, Sand und Heilschlamm besitzt Lettland keine weiteren Bodenschätze, die aus der wirtschaftlichen Misere heraushelfen könnten. Durch den Übergang zur Marktwirtschaft und der damit verbundenen Privatisierungen ist in Lettland ein großes Heer von Arbeitslosen entstanden. Hinzu kommt, daß seit der Freigabe der Preise die Lebenshaltungskosten ins Unermeßliche gestiegen sind, die Gehälter mit diesem Tempo jedoch nicht Schritt halten. Der anfängliche Enthusiasmus über die erreichte Unabhängigkeit ist verflogen und durch die unerbittliche Härte des Alltags ersetzt worden. Nicht selten konnte man gerade von Seiten alter Menschen den Wunsch nach Wiederherstellung des Sowjetsystems hören, unter dem sie zwar nicht in Freiheit leben konnten, aber das Nötigste zum Leben hatten. Die nicht aufzuhaltende Inflation des Rubels traf Rentner und Arbeitslose am schlimmsten. Am Straßenrand sitzende Bettler, die es unter der Herrschaft der Sowjets nicht gab, gehören mittlerweile zum Alltag.

Literatur

Von einer eigenständigen lettischen Literatur kann man erst seit Beginn des Nationalen Erwachens der Letten (1850-1880) sprechen. Wichtig für die literarische Entwicklung waren die alten, mündlich überlieferten Dainas.

Dainas sind Volkslieder, bestehend aus mehreren, meist vierzeiligen Strophen, die über das Leben der Landbevölkerung von der Wiege bis zum

Grab berichten. Ein großer Teil der Dainas sind von *Kr. Barons* sowie von einigen deutschen Akademikern, wie beispielsweise *Gottfried Herder*, gesammelt und niedergeschrieben worden. Kurz bevor Kr. Barons die ersten Dainas veröffentlichte, verfaßte *Andrējs Pumpurs* das gern erzählte Epos *Lāčplēsis* (der Bärentöter), vergleichbar mit der deutschen Nibelungensage, den die Letten als den Beschützer ihres Volkes ansehen.

Der Bärentöter

Vor langer Zeit wurde einst ein hilfloser Säugling von seinen hartherzigen Eltern im tiefen Wald ausgesetzt und seinem Schicksal überlassen. Schließlich fand eine Bärenmutter das wimmernde Bündel, nahm sich seiner an und nährte es. So wuchs Lāčplēsis im Einklang mit der Natur auf und entwickelte Bärenkräfte. Lāčplēsis war sehr gutmütig veranlagt, versuchte den Menschen zu helfen, wo er nur konnte, und machte es sich zur Aufgabe, sie zu beschützen und ihnen bei der Arbeit zu helfen. Manchmal konnte er allerdings das Ausmaß seiner Kräfte nicht so ganz abschätzen, so daß er oft mehr kaputt machte als daß er half. Dennoch war Lāčplēsis bei jedermann beliebt, und die Menschen fühlten sich in seiner Gegenwart sicher. Schnell verbreitete sich die Kunde von Lāčplēsis Bärenstärke und seiner Beliebtheit bei den Menschen. Eines Tages hörte auch ein böser Riese von Lāčplēsis Kräften und wurde blaß vor Neid. Haßerfüllt beschloß er, Lāčplēsis aufzusuchen, um ihn zu einem Duell herauszufordern. Der böse Riese war ein häßlich anzusehendes Ungeheuer mit drei furchterregenden Köpfen. Er war sich seines Sieges über Lāčplēsis vollkommen sicher, hatte ihm doch vorher eine finstere Fee die einzig verwundbare Stelle an Lāčplēsis' Körper verraten: seine Ohren . . . Der Kampf begann. Sogleich schlug Lāčplēsis dem dreiköpfigen Monster einen seiner speienden Köpfe ab, worauf das Ungeheuer ihm ein Ohr abhieb. Doch eine Entscheidung wollte sich nicht abzeichnen. Die beiden Gegner kämpften, bis alle ihre Waffen zerbrochen waren. So nahmen sie ihre bloßen Hände zu Hilfe und verfielen in einen erbitterten Ringkampf. Mitten im Gefecht geschah dann das Schreckliche: Das Ungeheuer und Lāčplēsis stürzten hinab in die Daugava, die sie weit ins offene Meer hinausspülte. Weder der böse Riese noch Lāčplēsis wurden seitdem je wieder gesehen.
Kaum hatten die Letten ihren geliebten Beschützer verloren, endete auch ihre Freiheit. Die Kreuzritter fielen ins Land ein, dem mehr als 700 Jahre Fremdherrschaft folgen sollten.

Der erste große lettische Roman erschien 1879 von den Brüdern *R. und M. Kaudzīte*. Erwähnenswert für die Entwicklung der lettischen Literatur waren die Werke der Dichterin *Aspazija*. Apazija verstand es, in Poesie und Drama auf gekonnte Weise Sozialkritik und Rebellion zu verpacken. Großen Einfluß hatte ihre Arbeit auf das Werk ihres Lebenspartners *Jānis Rainis* (1865-1929), der für die lettische Literatur ebenfalls sehr wichtig und prägend war und als der lettische Nationaldichter gilt. Sechs Jahre seines Lebens verbrachte Rainis in sibirischer Verbannung, da er es wagte, die Ausbeutung der lettischen Landbevölkerung durch deutsch-baltische Barone zu kritisieren. In der Verbannung übersetzte er Goethes "Faust" ins Lettische. 1905 flüchtet Rainis zusammen mit Aspazija ins Schweizer Exil. Hier lebten sie 14 Jahre, in denen Rainis 1907 sein Hauptwerk *"Feuer und Nacht"* verfaßte, in dem er den anhaltenden Kampf der Letten um Gleichberechtigung und Freiheit, basierend auf Pumpurs Lāčplēsis, beschrieb.

Eine weitere herausragende Persönlichkeit der lettischen Literatur war die Schriftstellerin *Anna Brigadere*. Sie wählte überwiegend Themen aus dem Leben der Landbevölkerung für ihre Erzählungen und schrieb mehrere Märchen. Als einer der größten lettischen Dramatiker und Verfasser von Kurzgeschichten gilt *Rudolfo Blaumanis* (1863-1908).

Bedeutsam für die Freiheit innerhalb der Literatur war der Schriftsteller *K. Skalbe* (1879-1945). Außer Versen und Märchen verbreitete er als einer der Ersten den Gedanken an ein freies Lettland und mußte deshalb viele Jahre seines Lebens im Exil verbringen.

Eine neuer Abschnitt innerhalb der Literatur wurde mit dem Inkrafttreten der Unabhängigkeit eingeläutet. Es war nun nicht mehr vordergründig, sich in den Werken um die eigene Nationalität zu kümmern, sondern konnte jetzt offen sein für multikulturelle Einflüsse. Als die populärsten Schriftsteller dieser Zeit gelten *A. Čaks* und *J. Sudrabkalns*. Den neuen Strömungen der lettischen Literatur und ihrer Entfaltung wurde mit der Eingliederung Lettlands in die Sowjetunion ein jähes Ende bereitet. Unter Stalin wurden seine "Heldentaten" und die Errungenschaften des Sowjet-Sozialismus zu den Hauptthemen der Literatur.

Mit der vorsichtigen Entstalinisierung unter Chruschtschow durften zumindest wieder lettische Märchen verbreitet werden. Dennoch war die Freiheit in der Schrift noch lange nicht gegeben, und Kritik konnte nur geschickt verpackt und versteckt geäußert werden.

Durch die Jahre hindurch hat die Literatur stark zur Festigung des lettischen Selbstverständnisses beigetragen, so daß es nicht verwundert, daß die Letten an vielen Stellen Denkmäler für ihre literarischen Größen aufgestellt und viele Straßen nach ihnen benannt haben.

Bildende Kunst

Die ersten Werke der hier lebenden baltischen und finno-ugrischen Stämme waren Gebrauchsgegenstände wie Textilien, Keramik und Holzarbeiten. Erst Mitte des 19. Jh. begann sich eine eigenständige lettische Malerei und Bildhauerei herauszubilden.

Einige Künstler dieser Zeit studierten an der Akademie in St. Petersburg und waren durch Auslandsreisen von den Richtungen der westeuropäischen Kunst beeinflußt. Mit der Zeit jedoch fanden die lettischen Maler zu einem eigenen Stil und zu eigenen Ausdrucksformen. Ende des 19. Jahrhunderts ist in den Gemälden einiger Maler gerade der Wunsch nach

Unabhängigkeit und die Auseinandersetzung mit der Geschichte der lettischen Nation unübersehbar. Eine romantische Verherrlichung der Vergangenheit ist in den Bildern von *Ā. Alksnis* und *A. Baumanis* zu finden.

Die Maler *J. Valters* (1869-1932) und *J. Rozentāls* (1866-1916) dagegen beschäftigten sich mit der realistischen Darstellung ihrer Umwelt und dem Leben der Landbevölkerung. Durch viele Auslandsreisen war besonders Rozentāls mit den Stilrichtungen von Symbolismus, Jugendstil und Impressionismus vertraut, die er gezielt in seinen Bildern einsetzte. Als herausragender Landschaftsmaler gilt *V. Purvītis*. Sein Lieblingsmotiv war der Frühlingsbeginn mit der einsetzenden Schneeschmelze und das Zusammenspiel von Licht und Schatten.

Von Interesse sind auch die mystischen Aquarelle von *Rūdolfs Pērle* (1875-1917). Die ersten professionellen lettischen Bildhauer waren *G. Šķilters*, *T. Zaļkalns* und *B. Dzenis*.

Der Kampf um die Unabhängigkeit und das Interesse an dem eigenen Land und seiner Kultur war bis zur Herstellung eines souveränen Lettlands auch in der Malerei das allgegenwärtige Thema. Nach 1920 wurde die Malerei, genau wie die Literatur, weltoffener und expressiver. Es gründete sich in Riga eine progressive, experimentelle Künstlervereinigung. Auch die Bildhauerei konnte sich während dieser Zeit frei entfalten. Als Lettland im Zweiten Weltkrieg zu einer Unionsrepublik der UdSSR wurde, unterstanden auch die Bildenden Künste einer strengen ideologischen Kontrolle. Kreativität war nur noch innerhalb der vom Staat vorgegebenen Richtlinien und Themen möglich. Bestimmend wurde der *Sozialistische Realismus*.

Die Volkskunst war während der Stalin-Ära verboten, wurde aber seit der Tauwetterperiode Chruschtschows wieder zugelassen.

Seit der wiedererlangten Unabhängigkeit scheint die Entwicklung in der lettischen Malerei und Bildhauerei da anzuknüpfen, wo sie 1939 unterbrochen wurde. Zahlreiche Galerien mit modernen bis experimentellen Werken, meist in kraftvoller, lebensfroher Farbgebung, schießen wie Pilze aus dem Boden.

Musik

Die Stärkung des nationalen Selbstverständnisses haben die Letten zu großen Teilen ihrer Volksmusik zu verdanken. Bis ins 19. Jh. hinein waren die lettischen Dainas (Volkslieder) die Stimme des Volkes.

Wichtige familiäre Begebenheiten oder besondere Naturereignisse wurden stets besungen. Oft widmete man sich auch Themen aus der lettischen Mythologie. Das typischste Instrument in der lettischen Folklore ist seit dem Mittelalter die *Kokle*, eine Art Zither. Während der jahrhundertelangen Fremdherrschaft und besonders während der sowjetischen Zeit verkörperte die Volksmusik für die Letten ein Stück ihrer Kultur und half ihnen, ihre nationale Identität zu finden und zu wahren.

Als die populärsten Figuren der klassischen Musik gelten die Komponisten *Alfrēd Kalniņs, Jānis Mediņš* und *Jāzeps Vītols* (bekannt geworden unter dem Namen Joseph Wihtol), die Opern, Ballettstücke und Symphonien schrieben. Hohes Ansehen genießen auch *J. Cimze, K. Baumanis* und *A. Jurjāns,* die überwiegend Chorstücke schrieben. Häufig trifft man in den Städten Lettlands auf die eine oder andere Musikerbüste, denn die Letten gedenken ihren Kulturgrößen sehr gerne in Form von Denkmälern.

Wie in allen anderen kulturellen Bereichen stand auch die Musik seit 1939 unter strenger Kontrolle der Sowjets, die kreativen Individualismus strikt ablehnten und untersagten. Selbst die traditionellen Sängerfeste waren russifiziert. 1990 fand in Riga erstmalig wieder ein Sängerfestival ausschließlich unter lettischer Leitung statt (Dieses Festival wird alle fünf Jahre veranstaltet).

Die Volksmusik der Letten erfreut sich gerade einer großen Renaissance, wobei sich mittlerweile zwei verschiedene Strömungen herauskristallisiert haben. Es gibt die reine Folklore, die sich unmittelbar auf die Vergangenheit bezieht, und die Verbindung von Folklore mit Country- und Rockmusik. Wer 1995 in Riga verweilen sollte, sollte sich das in diesem Jahr stattfindende internationale Sängerfest nicht entgehen lassen.

Theater

Im Jahre 1205 wurde im heutigen Lettland erstmalig eine Theaterinszenierung auf die Bühne gebracht. Wie zu vermuten war, war diese Aufführung deutschsprachig. Über die Jahre hinweg zogen Wandertheater übers Land. Erst 1863 eröffnete in Riga das Deutsche Theater, heute Nationales Opernhaus, seine Pforten.

Zur gleichen Zeit wurden auf den Dörfern die ersten Theaterstücke und Possenspiele in lettischer Sprache aufgeführt, orientiert an der lettischen Folklore. 1870 wurde schließlich auch ein lettischsprachiges Theater ins Leben gerufen. Erster lettischer Regisseur wurde *Ā. Alunās.* Schnell erfreute sich das Theater bei der Bevölkerung großer Beliebtheit. Oft gespielt wurden die Tragödien und Komödien von *Blaumanis* sowie Stücke von *Aspazija* und *Rainis.*

Zu Zeiten der lettischen Unabhängigkeit stieg die Anzahl der Theater sprunghaft an. Während der Sowjetzeit mußten jedoch auch Schauspieler, Dramatiker und Regisseure gravierende Einschnitte in der Entfaltung ihrer Kreativität hinnehmen. Das Theater war nicht mehr frei, und nur regimefreundliche Stücke durften auf die Bühne gebracht werden. Auf der anderen Seite hatten die Theaterbetriebe zu dieser Zeit aber keine finanziellen Probleme.

Seit der Wiederherstellung der Unabhängigkeit können die Theater wieder aufführen, was ihnen beliebt. In einigen Städten haben sich mittlerweile Schauspielgruppen gebildet, die überwiegend experimentelle Stücke zur Aufführung bringen. Die Kehrseite der Medaille ist allerdings, daß man sich aus finanziellen Gründen nun am Publikumsgeschmack orientieren muß, was die große Freiheit wieder stark einschränkt.

Zu erwähnen ist auch noch der *Lettische Zirkus*. Zum ersten Mal konnten 1831 in Riga Artisten und Dompteure bewundert werden, als ein Wiener Wanderzirkus durch die Gegend zog. Seit 1899 gibt es in Riga eine feste Gruppe von Zirkusleuten, die auch heute noch ihre Kunststücke zur Schau stellt. Sehr beliebt ist in Lettland übrigens auch das Puppentheater.

Religion

Vor der Einführung des Christentums hatten die Letten ihre eigene Volksreligion, den Dievturība-Glauben. Diese Religion basierte auf Werten wie Weisheit, Liebe, Gerechtigkeit, Schönheit und Freude und hatte Heiligtümer, die in harmonischer Einheit zueinander standen.

Unzählig waren die Göttlichkeiten, zu finden in den Elementen, im Universum und in der Natur, die von den alten Letten verehrt wurden. Drei von ihnen, *Dievs*, *Māra* und *Laima*, wurden als göttliche Wesen angesehen:

Dievs, der höchste der drei Götter, war Herr über das gesamte Universum. Man stellte sich ihn als einen gütigen Weisen vor, der an den Sorgen und Anstrengungen der Menschheit teilnahm. Māra war die Mutter Erde, diejenige, die Leben gab und Leben nahm und für die Versorgung allen irdischen Lebens zuständig war. Die Dritte im Bunde war Laima, die Schicksalsgöttin, die über den Werdegang eines Menschens bestimmte. Besondere göttliche Bedeutung hatten für die damalige Bevölkerung auch Sonne und Donner. Mit Einfall der Kreuzritter wurde die Dievturība-Religion durch das Christentum ersetzt.

Vor dem Einzug der Kreuzritter hatten aber auch schon Russisch-Orthodox-Gläubige angefangen, die örtlichen Stämme zu bekehren. Sie gingen dabei etwas behutsamer vor als ihre römisch-katholischen Kollegen. Als Gründer der lettischen Kirche wird dennoch der Bremer Augustinermönch *Meinhard* angesehen.

1520 hielt die Reformation erfolgreich Einzug in Livland. Ihre Anführer waren *A. Knopke* und *S. Tegetmeyer*. Das Zentrum der Reformation lag in den Städten, hauptsächlich in Riga. Nach der Teilung Livlands im Jahre 1562 wurde die lutherische Kirche, während der Herrschaft der ebenfalls lutherischen Schweden, fest verankert, so daß auch heute die Mehrheit aller Letten sich zu dieser Glaubensrichtung bekennt. Die Provinz Letgallen, die viele Jahre in der Hand des katholischen Polen lag, ist dagegen überwiegend katholisch geblieben.

1739 kam die Bewegung der *Herrnhuter* auf, eine Art Sekte, die sich an alte lettische Volkstraditionen anlehnte. Im 19. Jh. traten jedoch viele Mitglieder der Herrnhuter Bewegung zum russisch-orthodoxen Glauben über, bis sie sich schließlich auflöste.

Mit der Errichtung des Sowjetregimes begannen schlechte Zeiten für Religion und Kirche. Religion war von staatlicher Seite verpönt. Viele der Gotteshäuser wurden zweckentfremdet und z. B. als Lagerräume, Konzertsäle und Sporthallen genutzt. Seit der Unabhängigkeitsbewegung erfüllen viele der Kirchen wieder ihre ursprüngliche Funktion.

Sprache

Die lettische Sprache zählt zu dem baltischen Zweig der indogermanischen Sprachfamilie und ist verwandt mit dem Litauischen. Eine Verständigung zwischen Letten und Litauern ist jedoch nicht ohne weiteres möglich, so daß sie sich meistens auf russisch, seit neuestem auch auf englisch unterhalten.

Entwickelt hat sich das Lettische aus den Sprachen der dicht beieinander lebenden lettgallischen, kurischen, semgallischen und selonischen Stämme, die im Laufe der Zeit zu einer Sprache verschmolzen sind. Während der Jahrhunderte haben sich im Lettischen drei Hauptdialekte herausgebildet: *Hochlettisch*, der *Dialekt Ostlettlands* und der sog. *livische Dialekt*.

Das Lettische verfügt über 48 Phoneme (kleinste sprachliche Einheiten), die sich aus 12 Vokalen, 26 Konsonanten und 10 Doppellauten zusammensetzen. Die vielen Jahre deutscher Fremdherrschaft haben ihre Spuren in der lettischen Syntax (Satzlehre) und eine Reihe deutscher Lehnwörter hinterlassen. Zudem sind Lehnwörter aus dem Estnischen und Russischen gebräuchlich, wobei letztere den Letten Sorgen bereiten, da sie darin die Gefahr sehen, daß ihre Sprache weiterhin einer gewissen Russifizierung unterliegt. Aufgrund des hohen russischen Bevölkerungsanteils Lettlands beherrschen nämlich knapp die Hälfte aller Einwohner Lettlands nicht die lettische Sprache.

Während der Sowjetzeit war Russisch die offizielle Amtssprache. Erst seit 1989 bedient man sich in der Amts- und Staatssprache wieder des Lettischen. Geschrieben wird mit lateinischen Buchstaben unter Verwendung einer Reihe von Sonderzeichen.

Geographie

Die Küstengebiete des Baltischen Meeres und des Rigaer Meerbusens bilden gleichzeitig die Westgrenze Lettlands. Die mittlere der drei Baltenrepubliken liegt am westlichen Rand der osteuropäischen Ebene und hat eine Fläche von etwa 66.000 qkm.

Lettland gehört somit zu den kleinsten Staaten Europas, ist jedoch größer als die Schweiz, Belgien oder Dänemark. Im Norden hat Lettland eine Grenze mit Estland, im Osten mit Rußland und Weißrußland und im Süden mit Litauen. Die Staatsgrenzen umfassen insgesamt 1.800 km Länge, die Küstenlänge beträgt etwa 500 km.

Die Landschaft Lettlands setzt sich größtenteils aus flachen Ebenen, dem Küstentiefland und leichten Höhen zusammen. Seine geographische Struktur verdankt das Land der letzten Eiszeit, die vor 12.000 Jahren das gesamte Baltikum mit gewaltigen Gletschern bedeckte.

Geographisch kann Lettland in das *Küstentiefland* und *drei Inland-Regionen*, nämlich West-, Mittel- und Ostlettland, unterteilt werden.

Höhenzüge und Ebenen: Die höchste Stelle Lettlands ist in *Vidzeme* zu finden. Mit 311 m Höhe ragt der *Gaiziņkalns* aus dem Vidzemer Hochland empor. Doch nur 2 % des lettischen Territoriums liegt höher als 300 m über dem Meeresspiegel. Mehr als die Hälfte des Landes liegt nur 100 m über NN und nur wenige Gebiete über 200 m über NN.

Die weiteste Ebene Lettlands ist die *Maliena-Ebene* im Norden Vidzemes. Die überaus fruchtbare *Zemgaler Ebene* ist im äußersten Westen Lettlands, in der Provinz *Kurzeme*, zu finden. Lange Zeit wurde diese Gegend als die Kornkammer Lettlands bezeichnet. Die Erhebungen in Kurzeme sind gering. Der höchste Gipfel des kurischen Hochlandes ist der *Krievukalns* mit einer Höhe von 184 m. Im Latgaler Hochland befindet sich Lettlands zweitgrößter Hügel, der 289 m hohe *Lielā Liepukalns*.

Gewässer: Durch das hügelige Relief des Landes und das feuchte Klima haben sich im Laufe der Zeit eine Vielzahl an Wasserläufen gebildet. Ganze 12.000 Flüsse und Bäche schlängeln sich durch Lettland, allerdings sind davon nur 17 länger als 100 km und nur zwei, nämlich *Daugava* und *Gauja* länger als 200 km. Die wasserreichsten Flüsse sind neben *Daugava* und *Gauja* die Flüsse *Lielupe* und *Venta*.

17 % des Gebietes Lettlands nehmen seine Seen ein. Mehr als 3000 Seen und Teiche kann das kleine Land sein Eigen nennen. Viele der Gewässer sind im Hochland Lettgallens zu finden, das nicht umsonst *"Land der blauen Seen"* genannt wird. 10 % des lettischen Territoriums bestehen aus Sumpf und Marschland, das hauptsächlich in den Küstenregionen und im Osten Lettlands zu finden ist.

Charakteristisch für das lettische Landschaftsbild sind aber auch die dichten, tiefen Wälder, die 41 % der Fläche Lettlands bedecken. Die dichtesten Wälder sind im Norden Kurzemes und Vidzemes zu finden, sowie im Gauja-Nationalpark.

Flora und Fauna

Die lettische Flora ist vielfältig und paßt sich der jeweiligen geographischen Struktur an.

Auf den weiten Ebenen Lettlands wachsen Heilkräuter, Lupinen, Klee und Heide. Die gigantischen, dichten Wälder Lettlands bestehen hauptsächlich aus Pinien, Linden, Eichen, Birken und Nadelbäumen, die auch alle in der lettischen Mythologie eine Rolle spielen.

Der weiche Waldboden ist im Sommer mit herrlichen, dicken Beeren übersät und im Frühherbst mit Pilzen. Das Marschland ist mit Gräsern und Moosen bedeckt und dient vielen Vogelarten als Lebensraum.

An Tiergattungen zählt Lettland rund 14.000 Arten, darunter Elche, Marder, Füchse, Eulen, Nerze, Biber und Hirsche. Die beiden letzten Arten standen zeitweise kurz vor der Ausrottung. Gelegentlich werden auch Braunbären und Luchse gesehen.

Schilfbewachsener See, ein häufiges Bild im Baltikum

Von den ca. 300 in Lettland gezählten Vogelarten leben etwa 50 Arten ständig dort. Die anderen kommen und gehen, je nach Jahreszeit. Ein vielgesehener Vogel in Lettland ist der Storch, der oft durch die Sümpfe watend nach Nahrung sucht. Auf zahlreichen Häuserdächern oder Strommästen sind ihre riesigen Nester zu sehen. Viele der Tiere Lettlands und weite Teile seiner Landschaft stehen unter Naturschutz.

Umwelt

Im Vergleich zu den beiden anderen baltischen Republiken hält sich die Umweltbelastung in Lettland noch in Grenzen. Der Boden ist nicht verseucht und die Luft noch relativ sauber.

Vor ein großes Problem sieht sich Lettland jedoch durch die starke Verschmutzung seiner Flüsse gestellt. Abwässer aus Fabriken und Häusern werden so gut wie ungeklärt in die Bäche und Flüsse geleitet, die so ins Meer gelangen. Von daher ist von ausgiebigen Badefreuden im Golf von Riga abzusehen. Sauber dagegen und zum Baden geeignet sind die Seen des *Latgaler Hochlandes*. Wegen seiner reinen Luft wird die Gegend um Madona, gelegen im Vidzemer Hochland gerühmt. Dort sollen die weißesten Birken des gesamten Baltikums wachsen.

Eine böse Überraschung wird von den Truppenplätzen der Sowjetarmee erwartet. Viel ist darüber bis jetzt noch nicht bekannt, da die Truppen teilweise noch im Land verweilen. Um weitläufige Teile der Landschaft Lettlands zu schützen, stehen viele Teile der Baltenrepublik unter Naturschutz. Das Größte der geschützten Gebiete ist der *Gauja-Nationalpark*. Die Einrichtung eines weiteren Naturschutzgebietes, das Teile der Kreise Limbaži, Valka und Valmiera umfassen soll, ist momentan im Gespräch.

Ein entscheidender Faktor zum erneuten Erwachen der Letten war die öffentliche Diskussion über ökologische Probleme. Über die Köpfe der hier lebenden Menschen hinweg hatte sich Moskau entschlossen, an der Daugava ein Wärmekraftwerk zu errichten. Die Bevölkerung setzte sich erfolgreich zur Wehr, wodurch sie das Gefühl erhielten, nicht mehr völlig ohnmächtig gegenüber dem etablierten Machtapparat zu sein. In Lettland sowie in den baltischen Nachbarstaaten entstanden Umweltschutzbewegungen. 1988 gründete sich in Lettland ein *Club zum Schutz der Umwelt*. Von ihm stammte auch die Aktion im Sommer 1988, als sich eine 36 km lange Menschenkette entlang der lettischen Küste bildete, um auf die Meeresverschmutzung aufmerksam zu machen. Weitere Demonstrationen gegen das Sowjetregime folgten.

Klima

Das Klima Lettlands wird bestimmt durch seine geographische Lage im Nordwesten des eurasischen Kontinents und seiner Nähe zum Atlantik.

Durch den Durchzug von 120 bis 140 Tiefdruckgebieten jährlich ist das Wetter in Lettland wechselhaft. Die Sommer sind im Durchschnitt etwas kühler als in anderen Regionen mittlerer Breiten, die Winter dagegen etwas milder. Die Durchschnittstemperatur liegt im Sommer bei ungefähr 17° Celsius, wobei aber auch Temperaturen von 30° Celsius erreicht werden können. Die wärmsten Monate sind Juni, Juli und August. Am 23. Juni wird in Lettland der längste Tag mit 17,5 Stunden gefeiert.

In den Herbstnächten ist mit Nachtfrost zu rechnen. Richtig kalt wird es jedoch erst im Januar/Februar, wenn die Temperaturen durchschnittlich bei -4° Celsius und kälter liegen. Im allgemeinen fallen in Lettland im Jahr ca. 600 bis 650 mm Niederschlag, im Winter in Form von Schnee, obwohl dieser selten höher als 25 cm liegt. Viele der Seen frieren in der kalten Jahreszeit zu und bieten hervorragende Möglichkeiten zum Eislaufen.

Bevölkerung

Lettland hat eine Gesamtbevölkerung von etwa 2,8 Millionen Menschen, wovon 34 % in Riga leben. Das liegt sicherlich nicht zuletzt daran, daß die lettische Hauptstadt während der sowjetischen Zeit für viele das Fenster zum Westen war. Zudem war nach der Kollektivierung der Landwirtschaft ein verstärkter Zuzug in die Städte, besonders nach Riga, zu verzeichnen.

Seit dem Ersten Weltkrieg ist die Mehrzahl der Bevölkerung Lettlands weiblich. Geheiratet wird in der Baltenrepublik verhältnismäßig früh, was sicherlich mit ein Grund dafür ist, daß von den etwa 25.000 jährlich geschlossenen Ehen nur 15.000 nicht vor dem Scheidungsrichter enden.

Ein großes Problem sieht Lettland in der hohen Anzahl der im Land lebenden Russen. Während der lettische Teil der Gesamtbevölkerung des Landes vor dem Zweiten Weltkrieg noch bei 75 % lag, beträgt er heute nur noch 52 %. In der Hauptstadt Riga und in Daugavpils sind die Letten mittlerweile in der Minderheit. Zurückzuführen ist das auf die Bestrebungen Moskaus, durch gezieltes Ansiedeln von Nicht-Letten in diesen Produktionszentren nationalistische Tendenzen gar nicht aufkommen zu lassen.

Im allgemeinen werden die Sowjetfunktionäre mit dem russischen Volk auf eine Stufe gestellt, so daß das Verhältnis zwischen den beiden Volksgruppen nicht gerade das Beste ist. Die meisten in Lettland lebenden Russen haben sich während der sowjetischen Zeit leider nicht die Mühe gemacht, die lettische Sprache zu erlernen. Manche können noch nicht einmal lettische Ortsnamen in lateinischen Buchstaben schreiben, was von lettischer Seite als ziemliche Arroganz angesehn wurde.

Zur Zeit wird in Lettland überlegt, ob man die Russen an den Privatisierungsprozessen teilhaben lassen und ihnen das Wahlrecht einräumen soll. Letzteres wird auf jeden Fall an den Nachweis lettischer Sprachkenntnisse gekoppelt sein. Wahrscheinlich wird es darauf hinauslaufen, daß die russischen Bürger Lettlands nur dann wählen dürfen und auf Erteilung der lettischen Staatsbürgerschaft hoffen können, wenn sie mindestens 16 Jahre in Lettland gelebt haben.

Lettland befürchtet, auf indirektem Wege wiederholt zu einer russischen Provinz zu werden. Sollten alle in Lettland lebenden Russen das Wahlrecht erhalten, so steht zu erwarten, daß diese binnen kürzester Zeit wichtige Schlüsselpositionen im lettischen Staat einnehmen. Zu lange haben russische Sowjetfunktionäre über die Letten bestimmt.

Auf der anderen Seite muß man aber auch die Lage der Russen betrachten. Viele von ihnen sind im Begriff, Lettland zu verlassen, weil sie sich nun als Menschen zweiter Klasse behandelt fühlen. Immerhin haben auch zahlreiche Russen aktiv an der lettischen Unabhängigkeitsbewegung teilgenommen und das sicher nicht, um jetzt weniger Rechte zu haben als vorher. Die Lage ist äußerst schwierig. Eine allen gerechte Lösung des Problems scheint unmöglich. Auf der einen Seite spricht man von Russenhassern, auf der anderen Seite von Besatzern. Ein Großteil der lettischen Bevölkerung sähe es sicher gerne, wenn mit dem Abzug der Roten Armee alle Russen das Land verlassen würden. Ob die Rote Armee aber nun tatsächlich wie geplant abzieht, dürfte auch mit der Regelung der Rechtslage und Stellung der in Lettland lebenden Russen zusammenhängen. Aufgrund dieser komplizierten Situation sind die Beziehungen zwischen Lettland und Rußland entsprechend kühl.

Staatsaufbau

Laut Artikel 1 der lettischen Satversme (Verfassung) ist Lettland eine unabhängige, demokratische Republik, die sich aus den Provinzen Latgale, Kurzeme, Zemgale und Vidzeme zusammensetzt.

Die Staatsgewalt geht vom Volk aus, indem es in allgemeiner, direkter und geheimer Wahl die *Saeima* (Volksvertretung) wählt. Die 201 Abgeordneten der Saeima wählen den Präsidenten, der wiederum den Premier bestimmt. Die ausführende Kraft in Lettland liegt beim *Ministerrat,* der sich aus 20 Ministern zusammensetzt. Eine Legislaturperiode entspricht drei Jahren. Darüber hinaus gibt es noch den *Latvijas kongress,* über den jedoch nur lettische Staatsbürger abstimmen. Die 231 Mitglieder dieses Kongresses sollen die Verwirklichung der Interessen der lettischen Bevölkerung gewährleisten. Der erste Premier des unabhängigen Lettland war *Ivars Godmanis,* und der erste Präsident *Anatolijis Gorbunovs.* Seit dem Zeitpunkt der Parlamentswahlen im Juni 1993 gilt in Lettland wieder die Verfassung vom Februar 1922.

Vidzeme

Die Provinz Vidzeme, in der auch die Hauptstadt Rīga liegt, grenzt im Westen an den Golf von Rīga und im Osten an die Provinz Latgale. Südlich endet das Gebiet an der Daugava und im Norden an der estnischen Grenze. Vidzeme entspricht im Groben dem Süden des historischen Livlands.

Bis zur Ankunft der deutschen Missionare und Kaufleute gehörte das Land dem finno-ugrischen Stamm der Liven. Als 1201 der Bremer *Domherr Albert* die Stadt Rīga gründete und ein Jahr später den Schwertbrüder-Orden, wurden die Liven schnell unterworfen. Mit der gezielten Ansiedlung deutscher Handwerker und Kaufleute und der Ausstattung derselben mit Privilegien, entstand binnen kurzer Zeit eine deutsche Oberschicht, die in Form von prächtigen Stadthäusern und großzügigen Landsitzen ihre Spuren hinterlassen hat. Nach den Wirren der Reformation von 1522 und dem livländischen Krieg mußte Livland 1525 die polnische Oberhoheit anerkennen. 1629 eroberte der schwedische *König Gustav II.* Livland, und nach dem *Nordischen Krieg* fiel das Gebiet 1710 an das zaristische Rußland. Nach dem Ersten Weltkrieg wurde Livland zwischen den neugegründeten Staaten Estland und Lettland aufgeteilt.

Rīga   *(ca. 940.000 Einwohner)*

Rīga, eine pulsierende Stadt an der Mündung der Daugava, ist die Seele der lettischen Nation und Kultur. So wie in ihrer Geschichte, lockt Rīga auch heute zahlreiche Besucher an. Kein Wunder, denn neben den Reizen einer Großstadt liegt vor der westlichen Tür Rīgas das Seebad Jūrmala, und nordöstlich der Hauptstadt sind wunderschöne, menschenleere Sandstrände zu finden.

Auch während der sowjetischen Zeit legten im Rīgaer Hafen stets Schiffe aus Übersee an, womit trotz Eisernem Vorhang und Kaltem Krieg stets westliche Einflüsse nach Rīga gelangten. Von vielen wurde Rīga als das Fenster zum Westen angesehen, so daß es nicht verwundert, daß immerhin 34 % der Gesamtbevölkerung Lettlands in Rīga lebt.

Blick auf die Rīgaer Altstadt von der anderen Seite der Daugava

Seit der wiedererlangten Unabhängigkeit boomt in Rīga der Handel. Überall herrscht geschäftiges Treiben, und an fast jeder Ecke haben fliegende Händler ihre Verkaufsstände aufgebaut. Feilgeboten werden vornehmlich Blumen, Bücher und Wodka. Gemütliche Kneipen und Cafés gibt es in Hülle und Fülle, die nach einem Bummel durch die schmalen Gassen entlang der schön restaurierten alten Handwerker- und Kaufmannshäuser der Rīgaer Altstadt zu einer Verschnaufpause einladen.

Durch die Neustadt von Rīga führen breite Boulevards, teilweise gesäumt von prachtvollen Alleen, so daß Rīga auch als das *Paris des Nordens* bezeichnet wird.

In Rīga befindet sich der Sitz der Regierung und die einzige Universität des Landes. Rīga ist fast eine Millionenstadt, eine gerade wieder aufblühende Metropole, die trotz ihrer gut erhaltenen mittelalterlichen Altstadt, die rasch die Gegenwart vergessen läßt, das Flair einer Großstadt ausstrahlt. Rīga ist die größte Stadt des Baltikums und kann durchaus mit westlichen Städten konkurrieren.

Geschichte

Schon lange bevor deutsche Eroberer an der Mündung der Daugava landeten, war das Gebiet von dem finno-ugrischen Stamm der Liven besiedelt. Die dort ansässige Bevölkerung trieb ein wenig Handel mit den gotischen Wikingern und lebte in Freiheit.

Das änderte sich, als die deutschen Verfechter des Christentums, ermuntert durch den Papst, ins heidnische Nordosteuropa ausströmten, um mit Feuer und Schwert zu missionieren. Als erstes erschien der Missionar *Meinhard* an der Daugava-Mündung. 1184 errichtete er eine Kirche und wenig später eine Festung. Er wird als ein gütiger Mann beschrieben, der nichts von der Feuertaufe hielt und sich friedlich und freundlich gegenüber den hier lebenden Menschen verhielt. Die Liven ließen sich widerstandslos von ihm taufen, wuschen allerdings später das geweihte Wasser wieder ab. Nach dem Tod Meinhards erschien 1197 *Abt Berthold* an der Daugava-Mündung, um das Christentum mit Gewalt zu verbreiten. Ihm waren Meinhards milde Umgangsformen mit der Bevölkerung ein Dorn im Auge. Bei seiner Ankunft entbrannte sofort ein heftiger Kampf mit den Liven. Zwar gewannen Bertholds Leute die Schlacht, er selbst fiel ihr jedoch zum Opfer. Im Jahre 1199 versuchten die Liven, der gewalttätigen Missionare überdrüssig, diese aus dem Land zu vertreiben. Um diesen Bestrebungen sofort massiven Einhalt zu gebieten, schickte der Erzbischof von Bremen den aus seiner Stadt stammenden *Domherrn Albert* an die Daugava-Mündung, mit dem Auftrag, dem Orden das Land der Liven zu sichern.

1201 machte sich Albert dann auf den Weg, gründete die Stadt Rīga und wurde Erzbischof der Stadt. Im Jahre 1202 rief Bischof Albert den *Schwertbrüder-Orden*, auch bekannt als Livländischer Orden, ins Leben, um die "Operation Livland" erfolgreich und schnell auszuführen. Rīga wurde rasch zum Zentrum des ständig wachsenden Ordenslandes. Nachdem Alberts Macht in Rīga als gefestigt galt, folgten ihm viele deutsche Kaufleute, die aus wirtschaftlichen Interessen die Mission des ehemaligen Domherrn finanzkräftig unterstützten.

Gemeinsam beanspruchten die Zugezogenen und der Orden sämtliche Handelsplätze, die die einheimische Bevölkerung bereits vor Ankunft der Ritter und Kaufleute unterhielt, für sich. Das war einer der wenigen Momente, in denen sich die herrschende Schicht in Rīga einig war, denn binnen kurzer Zeit hatten sich in der Stadt drei verschiedene Machtfaktoren herauskristallisiert, nämlich Kaufleute, Orden und Bischof. Der neugegründete Orden verfolgte schon bald seine eigenen Interessen, trieb Handel und entwickelte sich zu einer großen Konkurrenz für die weltlichen Kaufleute, was bald gravierende Folgen haben sollte. Zunächst jedoch schritt die wirtschaftliche Entwicklung Rīgas rasch voran. Das ursprünglich Gotische Stadtrecht, das Bischof Albert eingeführt hatte, wurde schrittweise in das *Hamburg'sche Stadtrecht* umgewandelt, bis es schließlich zum Rigischen wurde.

1226 bildete sich in Rīga ein Stadtrat. Mitte des 13. Jh. vereinigten sich die Kaufleute zu einer allgemeinen Gilde, der sowohl ortsansässige als auch fremde Händler angehören durften. Im Laufe der Jahre wurde der Hafen von Rīga stark vergrößert. Der Handel in der Stadt florierte, und er verstärkte sich noch mehr, als Rīga im Jahre 1282 Mitglied im Bund Norddeutscher Städte, der späteren *Hanse*, wurde.

Um das immer reicher werdende Rīga vor feindlichen Übergriffen zu schützen, wurde eine festungsartige Mauer um die Stadt gezogen. Unruhe ins Leben der blühenden Handelsstadt brachte der Schwertbrüder-Orden, der mit dem Bischof und den Kaufleuten in ständiger Fehde lag. Als die Schwertritter 1236 in der Schlacht gegen Litauer und Letten bei *Saule* eine vernichtende Niederlage einstecken mußten, schlossen sie sich dem Deutschen Ritterorden an, womit sie direkt dem Papst unterstanden und dem Bischof von Rīga in keinster Weise mehr verantwortlich waren.

1297 brach in Rīga eine Art Bürgerkrieg zwischen den Bürgern und dem Bischof auf der einen und dem Orden und den Rittern auf der anderen Seite aus. Der Bischof verbündete sich teilweise sogar mit den heidnischen Litauern. Rīgaer Bürger steckten mit Wissen des Bischofs die Ordensburg in Brand, worauf die Ritter vorübergehend den Bischof gefangen nahmen. Erst als der Orden sich Verstärkung aus Preußen holte, entschieden sich die Kämpfe vorübergehend zu Gunsten der Schwertbrüder. Doch trotz Waffenstillstand blieb die Stimmung in der Stadt weiterhin gespannt. 1318 flackerten die Kämpfe erneut auf. Auch aus dieser kriegerischen Auseinandersetzung ging der Orden, wenngleich nur für kurze Zeit, als Sieger hervor. Doch die Unruhen schwelten nicht ab. Der Höhepunkt der Unruhen war 1484 zu verzeichnen, als das zweite Schloß des Ordens zerstört wurde. Unter *Wolter v. Plettenberg* gewinnt der Orden zwar 1491 endgültig den Kampf um Rīga, doch der Ordenssitz wurde nach **Cēsis** verlegt.

1522 begann die Macht des Ordens zu bröckeln. Die Gedanken der Reformation wurden auch in Livland verbreitet und überwiegend sehr positiv aufgenommen. 1561 wurde Rīga freie Hansestadt, hielt aber weiterhin lokkere Beziehungen zu den deutschen Ländern. Mit Ausbruch des Livländischen Krieges (1558-83) war es mit der gerade erhaltenen Unabhängigkeit Rīgas schnell wieder vorbei. Das Ende des livländischen Ordensstaates zeichnete sich ab, die polnische Oberhoheit mußte anerkannt werden, und 1582 hielt der König von Polen Einzug in Rīga.

Doch die Polen blieben nicht lange in Rīga. Während des *polnisch-schwedischen Krieges* (1600-1629) wurden 1621 die Schweden zu den neuen Machthabern Rīgas. Die damit eingeleitete neue Ära ermöglichte erstmalig auch den Letten die Teilnahme am öffentlich-kulturellen Leben und am Schulunterricht. 1638 erschien in Rīga eine lettischsprachige Bibel, das erste Buch in dieser Sprache überhaupt.

Aber auch die "gute schwedische Zeit", wie sie auch heute noch gerne bezeichnet wird, hielt nicht lange an. Mit Beginn des Krieges zwischen Polen, Rußland und Schweden (1656-1661) wurde Rīga von russischen Truppen belagert, allerdings nicht erobert. Das geschah erst im Jahre 1710 während des *Nordischen Krieges* (1700-1721) unter der Führung von *Peter I.* Trotz der ständig wechselnden Besatzer in Rīga blieb die eigentliche Macht in der Hand der deutschen Oberschicht. Die nun folgende, etwa 200 Jahre anhaltende russische Herrschaft verlief relativ friedlich. In Aufregung geriet Rīga nochmal, als 1812 *Napoleon* mit seiner *Grande Armée* Richtung Moskau zog. Zwar ließen die Franzosen die Stadt links liegen, doch mißfiel Napoleon die Anwesenheit der zahlreichen, in Rīga verweilenden Briten, die wegen der von Napoleon gegen England verhängten *Kontinentalsperre* hierher geflüchtet waren. Mehrmals drohte der Korse, die englische Vorstadt, wie er Rīga bezeichnete, niederzubrennen. Als Vorsichtsmaßnahme steckten die Rīgaer schließlich selbst ihre Vorstädte in Brand. Von diesen Schrecken abgesehen,verlief das 18. Jh. ruhig, und die Wirtschaft erfuhr einen neuen Aufschwung. Im Jahre 1868 wurde die Eisenbahnlinie *Rīga-Jelgava* eröffnet, und ab 1872 verband eine eiserne Brücke die beiden Ufer der Daugava.

Zu Beginn des 19. Jh. begannen die Letten, sich ihrer nationalen Identität bewußt zu werden, was allgemein als das *Nationale Erwachen* des lettischen Volkes bezeichnet wird. Zu dieser Zeit erschien auch die erste lettischsprachige Zeitung. Mitte das 19. Jh. wurde den Letten endlich die Teilnahme am Handel zugestanden. Sie waren nun nicht mehr dazu gezwungen, nur die niedrigsten und schwersten Arbeiten zu verrichten. Mit den Jahren bildete sich sogar eine lettische Mittelschicht heraus. 1868 wurde eine kulturelle lettische Organisation ins Leben gerufen, die 1873 in Rīga das erste *lettische Sängerfest* veranstaltete. Als es 1905 in Rußland zur Revolution kam, griff diese auch auf Lettland über. In den Straßen von Rīga kam es zu Streiks und Aufständen, die von zaristischen Truppen jedoch brutal niedergeschlagen wurde.

Nach Beendigung des Ersten Weltkrieges und der bolschewistischen Oktoberrevolution von 1917, erklärte sich Lettland am 18. November 1918 für unabhängig. Rīga wurde Hauptstadt und Regierungssitz. Im Januar 1919 marschierte die Rote Armee in Lettland ein, so daß die lettische, in Rīga amtierende Regierung, unterstützt von Franzosen und Briten, nach Liepāja verlegt wurde und in der Stadt ein heftiger Bürgerkrieg zwischen bolschewistischen und bürgerlichen Kreisen tobte.

Im Mai 1919 fielen deutsche Truppen in Rīga ein. Sie vertrieben die Bolschewisten und eroberten anschließend die Stadt Rīga. 1920 muß das Deutsche Reich auf Druck der Alliierten des Ersten Weltkrieges einen Friedensvertrag unterzeichnen und sich für immer zum Verzicht auf lettisches Territorium verpflichten. Die gleiche Verpflichtungserklärung unterzeichnete auch die Sowjetunion. Doch sollten diese Erklärungen bezüglich der lettischen Freiheit und ihrem Selbstbestimmungsrecht noch nicht einmal 20 Jahre eingehalten werden. Nach der Unterzeichnung des *Hitler-Stalin-Paktes* von 1939 wurde Lettland ein Jahr später von sowjetischen Truppen besetzt. Dieser Okkupation folgte eine Welle von zahlreichen Deportationen nach Sibirien. Im Jahre 1941 maschierten im Zuge des Überfalls auf die UdSSR nationalsozialistische Truppen in Rīga ein und standen den stalinistischen Truppen an Grausamkeit um nichts nach. Unweit von Rīga errichteten sie in einem Wald bei **Salaspils** ein Konzentrationslager, in dem an die 100.000 Menschen, vornehmlich Juden, auf furchtbare Weise den Tod fanden. Im Oktober 1944 war die Stadt erneut in der Hand der Roten Armee, womit Rīga schließlich zur Hauptstadt der SSR Lettlands wurde. In den folgenden Jahren wurde versucht, die lettische Identität auszumerzen und die Hoffnungen auf die Wiederherstellung der Unabhängigkeit wurden zu einer schönen Utopie.

Erst mit dem Einzug der Gorbatschow-Ära begann sich das lettische Volk wieder zu regen. Es folgten eine Reihe von Aktionen, in denen die Letten auf den Straßen Rīgas ihren Wunsch nach Unabhängigkeit zum Ausdruck brachten. Im Januar 1991, an den sog. "drei schwarzen Tagen", versuchten Sowjettruppen ein letztes Mal, ihre dahinschwindende Macht zu retten. Das lettische Innenministerium wurde gestürmt, und in den Straßen von Rīga kam es zu blutigen Gefechten und Schießereien, bei denen vier Menschen getötet wurden. Doch auch das konnte den Wunsch der Letten nach Unabhängigkeit nicht mehr aufhalten. Während im August 1991 in Moskau geputscht wurde, rief Lettland am 21. August 1991 erneut seine Souveränität und Unabhängigkeit aus, womit Rīga wieder zur Hauptstadt eines freien Lettland wurde.

- *Postleitzahl*: LV-1055
- *Vorwahl*: 22
- *Anfahrt/Verbindungen*: **PKW** - Viele Wege führen in die lettische Hauptstadt. Mit Tallinn und Vilnius ist Rīga über die **M-12**, der Via Baltica, verbunden. Liepāja ist über die **A-218**, Daugavpils über die **A-215** und Rēsekne über die **M-9** zu erreichen. Richtung Pskow führt die **A-212**, von der die **A-204** nach Valmiera abgeht, nach Šiauliai führt über Jelgava die **A-216** und nach **Ventspils** die **A-220**.

Bus: Verbindung mit jeder Kreisstadt und allen größeren Dörfern in Lettland. Ferner Busse nach Vilnius, Klaipēda und Tallinn, Busbahnhof an der Prāgas ielā 1, in der Nähe vom Zentralmarkt.

Bahn: Züge zu allen Bahnhöfen Lettlands sowie nach Tallinn, Vilnius, Moskau, Pskow und Berlin via Warschau. Es gibt im Bahnhof zwei Hallen. In der linken, vorm Bahnhof stehend, gibt es Fahrkarten für das Inland und für die Elektrischka (z. B. nach Jūrmala). Zugauskünfte sind am Informationsstand in der Nähe vom Ausgang einzuholen, zu erkennen an der langen Warteschlange. Tickets für das Ausland gibt es in der rechten Halle. Der Hauptbahnhof befindet sich am Stacijas lauk. im Zentrum.

Schiff: Es gibt einige Möglichkeiten, mit dem Schiff nach Rīga zu gelangen. Näheres dazu siehe Einreise. Der Passagierhafen befindet sich in der Eksporta ielā 1.

Tragflügelboot: Bislang bestand regelmäßige Verbindung mit Jurmala, die allerdings momentan aus finanziellen Gründen stark eingeschränkt ist. Man kann die Boote für wenig Geld chartern, doch ist es eine Frage des Geschmacks, ob man sich als einziger Passagier an Bord nach Jurmala bzw. nach Rīga einschiffen läßt. Abgelegt wird in der 11. novembra krastmala zwischen Vanšu- und Oktoberbrücke.

Eigenes Schiff: Der Yachthafen von Rīga befindet sich in der Balasta dambis ielā 1a, an der Āgenskalna-Bucht, im Süden der Daugavainsel Ķīpsala gelegen.

Flugzeug: Der Flughafen befindet sich in Skulte, etwa 8 km südwestlich von Rīga. Die Innenstadt ist mit Bus 22 erreichbar, Tel. 207009. Näheres zu Flugverbindungen siehe Einreise.

Information

Stadtpläne von Rīga gibt es fast an jedem Kiosk. Bedingt zu empfehlen ist das im Buchhandel erhältliche englisch-sprachige Heftchen *Rīga Guide*, das auf die Veranstaltungen der Hauptstadt hinweist, jedoch noch sehr unregelmäßig erscheint. Ferner gibt es das Heft *Rīga tales*, das stets die wichtigsten praktischen Neuigkeiten in sich birgt. In den Touristenbüros gibt es immer Mitarbeiter, die deutsch oder zumindest englisch können und deutschsprachige Stadtexkursionen anbieten.

Latvija Tours, Kalpaka bulv. 1. Privates Reisebüro, im Angebot Touren durch ganz Lettland, außerdem Zimmervermittlung, Tel. 32846.

Lettisches Fremdenverkehrsamt, Brīvības bulv. 36. Bietet Exkursionen durch Rīga und durch Lettland an, Tel. 226170, Fax 294572

Tourist Klub of Latvia, Skarņu ielā 22. Neben Touren durch Rīga und Lettland gibt es hier auch immmer aktuelles Kartenmaterial, Tel. 221731

Vesta, Kaleju ielā 50. Kleines Reisebüro im Café "Pie Kalēja", Zimmervermittlung und deutschsprachige Stadtexkursionen, Tel. 223300.

Hotel Latvija, de Rome und Rīga: Alle drei Hotels unterhalten eine Touristeninformationsstelle und bieten auf individuelle Wünsche ausgerichtete Stadtführungen an.

Stadtinformation: in der Bahnhofshalle, in der es Fahrkarten für das Inland gibt, vor der Unterführung zu den Gleisen und am Aspazijas/Ecke Brīvības bulv.

Stadtplan: An fast jedem Kiosk werden englischsprachige Pläne mit eingezeichneten Buslinien verkauft.

Übernachten

Die Zimmerpreise der besseren Hotels in Rīga entsprechen denen im Westen, doch die Anzahl der guten Hotels hält sich in Grenzen. Wer sich die lange Sucherei nach einer Unterkunft sparen will, sollte vor Beginn der Reise ein Zimmer bestellen.

• *Hotels*: **Latvija**, Elizabetes ielā 55. Ehemaliges Intouristhotel mit Restaurant und verschiedenen Bars, befindet sich in der Innenstadt. Zimmer mit Bad, TV und Telefon. EZ ca. 130 DM, DZ ca. 170 DM, Dreierzimmer ca. 160 DM, Lux ca. 320 DM, Tel. 212645.

Rīdzene, Raiņa bulv. 7. Gute Lage im Zentrum, dem Hotel angeschlossen sind Restaurant, Bar und Sauna. Zimmer alle mit Bad. EZ 115 DM, DZ ca. 140 DM, Suite ca. 200 DM, Tel. 324433.

Rīga, Aspazijas bulv. 22. Schönes Haus in der Altstadt. Zimmer mit Bad, Telefon und TV. Zum Hotel gehören ein gutes Restaurant und einige Bars und ein Café, EZ 120 DM, DZ 165.DM und Suite ca. 300 DM, Tel. 216104.

Hotel de Rome, Kaļķu ielā 28. Noch sehr neu und hat mit 4 Sternen den meisten Luxus zu bieten. EZ ca. 200 DM, DZ ca. 270 DM, dem Hotel angeschlossen ist das Restaurant "Otto" sowie einige Bars, Mietwagen-Service, Tel. 226050, 216268, Funktel. 8/46348110, Telex 161131 ROME SU.

Juroling, Aspazija bulv. 22. Zentrale Lage, Zimmer mit Bad, Telefon und TV. EZ ca. 190 DM, DZ ca. 225 DM, Suite ab 330 DM. Zum Hotel gehören ein gutes Restaurant sowie einige Bars, Tel. 682832.

SAS, früher Metropol, Aspazijas bulv.

36/38. Gelegen am Rande der Altstadt, hat Anfang des Jahres als Edelherberge der schwedischen Fluggesellschaft SAS neu eröffnet, DZ ca. 220 DM, Tel. 216184.

• *Preiswertere Unterkünfte*: **Tūrists**, Slokas ielā 1. Akzeptable Zimmer, alle mit Bad und TV, allerdings etwas außerhalb gelegen. EZ ca. 48 DM, DZ ca. 80 DM, Tel. 615455, zu erreichen mit Tram 4.

Arsenāl, Palasta ielā 5. Gehört dem Zirkus. Wenn er nicht in Rīga probt, sind dort preiswerte, einfache Zimmer zu haben. Nette Leute und top-Lage direkt am Dom, Tel. 228583.

Bāka, Elizabetes ielā 3, wird z. Zt. renoviert, Tel. 321508.

Viktorija, A. Čaka ielā 55. Zentrale Lage, akzeptable Zimmer und Preise, EZ ca. 20 DM, DZ ca. 30 DM, Faxservice, Tel.272305

Saulīte, Merķela ielā 12. Im Zentrum von Rīga, einfach und preiswert, ÜB um die 6 DM, Tel. 224546

Aurora, Marijas ielā 5, direkt gegenüber vom Bahnhof. Zimmer mit Waschbecken und teilweise mit TV, Duschen und WC auf dem Gang, relativ sauber, ÜB ca. 8 DM, Tel. 224479.

Baltija, Raiņa bulv. 33. Gute Lage, aber relativ einfach ausgestattet, ÜB um die 9 DM, Tel. 227461.

Essen

Schlemmen ist in Rīga durchaus möglich, vom Edeldiner bis hin zum Hamburger ist alles zu haben.

• *Restaurants*: **Latvija**, gehört zum Hotel Latvija, Essen mittelmäßig.

Otto, befindet sich im Hotel de Rome. Exklusive, internationale Küche.

Lido, Lāčplēsa ielā 53. Edelstes Restaurant Rīgas mit hervorragender Küche, teuer, von 12-17 und 19-24 Uhr geöffnet, Tel. 287927.

Picerija, Lačplēsa ielā, gegenüber vom Lido. Gute italienische Spezialitäten, edles

Ambiente, hohe Preise, von 12-17 und 19-24 Uhr geöffnet.

Argentina Bistro, gegenüber vom Pulverturm. Edel und teuer, das Publikum scheint sich aus dynamischen, erfolgreichen Geschäftsleuten zusammenzusetzen, von 12 bis in die frühen Morgenstunden hinein geöffnet.

Jever, Kaļķu ielā. Kulinarisch ausgezeichnet, große Auswahl an Drinks, gutes Bier, aber viele Geschäftsleute und yuppiehafte Atmosphäre, von 11-3 Uhr geöffnet, Tel. 227078.

Rīga, Restaurant zum gleichnamigen Hotel. Dunkle Tische mit rotgepolsterten Stühlen strahlen Eleganz aus, gute Küche, geöffnet von 11.30-23 Uhr, Tel. 216699.

Skonto Wong, Mārstalu/Ecke Alksnāja ielā. Neues Asienrestaurant inmitten der Altstadt.

St. Petersburga, Raiņa bulv. 25. Stilloser Bau, mit russischer und europäischer Küche, guter Krabbensalat, zu späterer Stunde Live-Musik und Tanz. Am Eingang wird Eintritt verlangt, von 12-18 und 19-23 Uhr geöffnet, Tel. 226516.

Pūt vējiņi, Jaunielā 18. Im lettischen Stil dekoriert, nationale Gerichte, geöffnet von 11-22 Uhr, Tel. 228841.

Pie Kristapa, Jaunielā 25/29. 2 gemütliche Restaurants mit zwei Speiseräumen. Lettische Spezialitäten, edel angerichtet und akzeptabel im Preis, von 12-18 und 19-24 Uhr geöffnet, Tel. 226354/227590.

Kaukās, Merķela ielā 12. Nett eingerichtet, aber etwas dunkel. Kaukasische Spezialitäten, wie der Name vermuten läßt, sind rar, von 12-22 Uhr geöffnet.

Astorija, Audēju ielā 16. Großes Restaurant im 5. Stock des größten Kaufhauses Lettlands, verströmt einen Hauch von Nostalgie, oft mehr Kellner als Gäste, von 12-17 und 18-24 Uhr geöffnet, Tel. 211475.

Poloněze, R. Vāgnera ielā 3. Rustikale Gaststätte mit freundlichem Service und guter Küche, von 12-21 Uhr geöffnet, Küche jedoch nur bis 20 Uhr, Tel. 222759.

Magadalēna, Smilšu ielā 6. Das Essen ist ganz gut, das Restaurant an sich ist etwas dunkel gehalten. Abends müssen für das Restaurant Eintrittskarten gelöst werden, von 12-14 und 15-23 Uhr geöffnet, Tel. 224378. Schöner ist die Bar im Keller.

• *Cafés/Bars/Fast Food*: In der Altstadt gibt es fast an jeder Ecke ein Café, die meisten sind bereits im Privatbesitz.

Architekts, Amatu ielā 4. Kellercafé und -bar, gegenüber der großen Gilde, von 11-17 und 18-22 Uhr geöffnet,Tel. 225172.

Aromāts, Aldaru ielā 2/4. Dunkel, doch die Glasbausteine schaffen Atmosphäre, Tel. 210803.

Balta Roze, Kaļķu ielā 7/9. Eingerichtet wie ein verspielter Salon, leckere Quarksandwiches, Beeren und Nüsse im Angebot.

Forum, Kaļķu ielā 24. Großer grüner Saal, in dessen Mitte eine gut sortierte Bar steht,

Pubatmosphäre, Tel. 228484.

Kafejnīca, Merķeļa ielā 13. Hat mit seinen bunten Fenstern und dunklen Möbeln das Zeug zu einem urigen Caféhaus, was es demnächst auch werden soll, wenn die Finanzen es zulassen, So geschlossen, Tel. 228491.

Dom, Smilšu ielā 1/3. Caféhausatmosphäre, große dunkle Stühle, zum Kaffee sind kleine Kuchenstücke erhältlich, von 10-18 Uhr geöffnet.

Mosūms, Šķūņu ielā 19. Nettes dunkles Café, das mittags immer ein bis zwei Gerichte anbietet, von 11-22 Uhr geöffnet.

Pils, Pils ielā. Stimmungsvolles Sommercafé im Burghof, abends wird oft gegrillt, junges Publikum, Tel. 222842.

Veldze, Meistaru ielā 23. Kleines freundliches Café, halbdunkel gehalten.

13 Krēsli (13 Stühle), am Domplatz/Ecke Jaunielā. Klitzeklein und gemütlich, genau Platz für 13 Leute, *Rīgaer Balsam* erhältlich, Tel. 211733.

Pārsla, Audēju ielā 12, befindet sich im Erdgeschoß des großen Kaufhauses. Gestylt mit weißen Plastikmöbeln und den aktuellsten Hits im Hintergrund, "Waffelburgers", Eis und Hühnersuppe erhältlich, von 8-21 Uhr geöffnet.

Pulvertornis, Vaļņu ielā 1. Selbstbedienungskantine, Essen mittelmäßig, Preise niedrig.

Viking Burgers, Basteja bulv. 16. Hamburger und French fries.

Stehcafé, R. Vāgnera ielā 8. Klein und gemütlich, es wird türkischer Kaffee serviert.

Vecriga, Vaļņu ielā 18. Hohe Tische und Barhocker, nicht gerade gemütlich, aber hervorragende Kuchen.

Palēte, Gleznotāju ielā 12. Befindet sich in einem schönen alten Haus, innen bonbonfarben gehalten, Tel. 228057.

Petergailis, Skārņu ielā 25. Hat von innen etwas kirchenähnliches, Bedienung recht unfreundlich, Tel. 212888.

Mäskla, Vaļņu ielā 9, Eingang in der Smilšu ielā. Üppig geraffte Gardinen schaffen eine elegante und gemütliche Atmosphäre, Tel. 216756.

Ridzene, Skārņu ielā 9. Die vielen kleinen Nischen wirken wie ein Labyrinth, oft wird Musik aus den 60ern gespielt, Tel. 223418.

Sigulda, Brīvības bulv. 21. Unten nettes Stehcafé mit den verschiedensten Pasteten, Kuchenstücken und Keksen. Die obere Etage soll Anfang 1993 in neuem Glanz erstrahlen, Tel. 229292.

Lasite, Lielā pils ielā 13-15. Gemütliche Cocktailbar, Eingang etwas versteckt, liegt vor der dänischen Botschaft.

Cunam, im Pulverturm. Mit einer Eintrittskarte für das Museum hat man Zugang zu der urgemütlichen, kerzenerleuchteten Kellerkneipe des mittelalterlichen Turmes. An den Museumstagen von 11-18 Uhr geöffnet.

Pie Kalēju, Kalēju ielā 50. Nettes, allerdings etwas dunkles Café mit einer Selbstbedienungstheke, an der es gutes Essen gibt, auch frische Sachen, geöffnet von 10-19 Uhr, Tel. 223300.

Journalistencafé, Mārstaļu ielā 2. Wie der Name schon sagt, Café der Journalisten in Rīga, manchmal wechselnde Bilderausstellungen, nette Atmosphäre.

Do-re-mi, 1. Ganibu dambis ielā 1. Bis vor einem Jahr fanden in dem kleinen Keller Blueskonzerte statt, auf die die Besitzer in Zukunft nach Besserung der Finanzlage wieder hoffen. Außerhalb der Altstadt gelegen, Tel. 323297.

Marta, Albert ielā 1. Gemütliches, kleines Café mit Bar, befindet sich außerhalb der Altstadt, Tel. 331421.

Cvaigzņīte, Tērbatas 20/Ecke Blaumanis. Nettes Stehcafé in der Neustadt.

Pinguin, Brīvības ielā 76. Eisdiele unweit des top-modernen Kaufhauses Pickwick in der Neustadt.

American fried chicken, Tērbatas 33-35.

● *Nachtleben*: Die meisten Lokale, in die auch normalverdienende Einheimische gehen, machen meist gegen 23, spätestens um 1 Uhr dicht, danach bleiben nur noch die neureich wirkenden Bars und Kasinos. Daß dort nur harte Groschen akzeptiert werden, versteht sich von selbst.

Casinos Latvia, 24 Kaļķu ielā 24, von 16-4 Uhr geöffnet.

Monte Carlo, Lāčplēsa ielā 42/54, von 16-2 Uhr geöffnet.

● *Varieté-Shows*: Die Varieté-Shows beginnen meistens zu späterer Stunde und sind in folgenden Hotels zu sehen: Latvia, Rīga, de Rome, Tūrist.

Verschiedenes

Geldwechsel: Daugavas Banka, Pils ielā 23; Rīgas Komerzbanka, Smilšu ielā 6; Sakaru Banka, Elizabetes ielā 41/43; außerdem an jeder Ecke in der Altstadt in den zahlreichen Wechselstuben und in den großen Hotels, wo teilweise auch Bezahlung mit Kreditkarten und das Einlösen von Reiseschecks möglich ist.

Post: Brīvības ielā 21, große Filiale am Bahnhof.

Poliklinik: Staatliches Klinikum, Pilsoņu ielā 13, Tel. 611412/61198; Erste-Hilfe-Krankenhaus, Bruņieku ielā 5, Tel. 276643.

Unfallklinik: Duntes ielā 16/22, Tel. 363008.

Zahnklinik: Stabu ielā 9, Tel. 274546.

MNS-Meddiagnostika: Grebenščikova ielā 6. Gute Zahnklinik, wo man sich ohne Bedenken behandeln lassen kann, Termin ausmachen, Verständigung auf Deutsch möglich, Kosten erschwinglich, Tel. 143925.

Apotheke: Brīvības ielā 38; Audēju ielā 20; Kaļķu ielā 18; Vaļņu ielā, Verkauf homöopathischer Mittel; Elizabetes ielā 21, relativ großes Angebot an westlichen Medikamenten; Matisa ielā 8, Apotheke westlichen Standards, liegt in der Neustadt.

Autoverleih: für viel Geld über die Scorpio Trading Company, Tel. 565239, Fax (0132) 565239 oder Auto-Ventus, Tel. 2213627, telex 161195, Fax 213666, möglich. Auch buchbar über das Hotel de Rome und westliche Reiseveranstalter. Preise richten sich nach Leihzeit und Karossentyp. Bei einer Mietdauer von 1-2 Tagen muß man im Durchschnitt mit etwa 110 DM/Tag, ab 3 Wochen mit ca. 65 DM/Tag rechnen. Dazu kommt ein Kilometergeld von ca. 0,40 DM bis zu 1,10 DM pro km und eine Versicherungsgebühr von 12 DM. Mit Fahrer sind 30 % mehr zu zahlen. Bezahlung mit American Express möglich. Die Mindestmietdauer beträgt 24 Stunden. Wer ein Auto ausleihen will, muß mindestens 1 Jahr im Besitz des Führerscheins sein und das 21. bzw. 25. Lebensjahr vollendet haben. Mit den Mietautos kann man durch das gesamte Baltikum reisen und es nach Absprache z. B. in Vilnius oder Tallinn zurückgeben.

Tankstellen: Neste, Brīvības ielā 386, Benzin, Kiosk und Reparatur, Tel. 551806; Neste, Pērnavas ielā 78, Tel. 296684; Miera ielā 3; Maskavas ielā 349; Nometņu ielā; Skaistkalnes ielā 1; Vestienas ielā 37; Sporta ielā 9; Krustpils ielā 1; Jurmala av. 142.

Autoreparatur: Neste, Brīvības ielā 386; Eizenšteina ielā 6, spezialisiert auf Audi und VW, 24 Stunden-Reparatur-Service, Tel. 538353; Vogonu ielā 35, spezialisiert auf Volvos, Tel. 295910/295966; "Bergi", liegt 14 km außerhalb Rīgas an der Hauptstraße nach Pskow, hauptsächlich Volvos, Tel. 994393/994345.

Unterwegs mit Bus, Tram und Trolleybus: Zahlreiche Busse, Trams und Trolleybusse pendeln täglich durch die Straßen von Rīga. Sie beginnen früh morgens mit dem Berufsverkehr und fahren bis Mitternacht. Fahrkarten gibt es an den Kiosken. Sie müssen im Verkehrsmittel entwertet werden. Um zum Flughafen zu fahren, sind zwei Fahrscheine zu lösen, da dieser etwas außerhalb liegt, und dazu mindestens noch einer für das Gepäck. Die Hauptbushaltestelle der Busse innerhalb Rīgas befindet sich in der **Prāgas ielā 1**. Ferner gibt es Routen-Taxis, die bestimmte Strecken abfahren und auf Wunsch anhalten. Es gibt einen Plan von Rīga (Rīga-Jaunākā), auf dem alle Linien der öffentlichen Verkehrsmittel eingezeichnet sind.

Taxi: Sicherlich die bequemste Art, sich in Rīga fortzubewegen, da Busse, Trams und Trollies meist hoffnungslos überfüllt sind.

Taxistände gibt es massig. Die Hauptstände befinden sich am Flughafen, vor dem Bahn- und Busbahnhof, vor den Hotels Rīga und Latvija, in der Tērbatas ielā vor dem Vērmanes-Park, in der Veidenbauma ielā/Ecke Ģertrūdes ielā und am Freilichtmuseum.

Taxiruf: Tel. 3340441/42/43/44; 333354. Taxibusse sind unter der 225551 oder 272769 zu bestellen.

Satellitentelefone: vom Hotel de Rome und Hotel Latvija aus möglich, schnelle, problemlose Verbindung nach Westeuropa. Vom Hotel de Rome aus kostet 1 Min. ca. 4 DM und vom Latvija aus ca. 8 DM. Etwas billiger ist es vom Fax-Service-Shop in der Dzirnavu ielā, hinter dem Hotel Latvija.

Waschen: Kr. Barona 52, Reinigungs- und Bügelservice innerhalb eines Tages möglich; Kr. Barona ielā 17, Wäsche nach 48 Stunden erhältlich.

Bewachter Parkplatz: 11. novembra krastmala/Ecke Mārstaļu ielā, gegenüber der Oktoberbrücke.

Yacht-Club: Liela ielā 6, Tel. 433250; Yacht-Club für Hochseesegeln, Eksporta 1a, Tel. 323261.

Einkaufen

• *Geschäfte*: **Souvenirs** - Sakta, Brīvības 32; Brīvības 62 und 84; Aspazijas ielā 21, Vaļņu ielā 21 und 25, Kaļķu ielā 15. Zu kaufen gibt es in den ansprechend dekorierten Läden gestrickte Handschuhe und Mützen, handgefertigte Decken, Bernstein, Keramik, Lederwaren und Kunsthandwerk aus Glas und Holz.

Juweliergeschäfte: *Pērle*, Kr. Barona ielā 3; *Rota*, Brīvības ielā 15; *Tik Tak*, Kaļķu ielā 4.

Salon Paija, Trokšņu ielā/Ecke Aldaru ielā. Befindet sich in der schmalsten Straße Rīgas. Schöne handgefertigte Kleidung und Spielsachen für Kinder.

Musikgeschäfte: *Sonāte*, Elizabetes ielā 77 und Vaļņu ielā 26, Verkauf von Schallplatten und Notenheften. Musikinstrumente gibt es in der Grēcinieku ielā 18.

Buchläden: *Jāna Rozes*, Kr. Barona ielā 31, Kunst-, Foto- und Bildbände, oft mehrsprachig; *Centrālā grāmatīca*, Aspazijas bulv. 24; *Gaisma*, Brīvības bulv.; Tērbatas ielā 5, Second-hand Bücher, u. a. auch ausländische Exemplare; Elizabetes ielā 63, ehemaliger Devisen-Shop. Neben

Büchern auch Verkauf von Bildern und Postkarten. *Globuss*, Aspazijas bulv. 26, fremdsprachige Bücher .

Parfümerie, Kr. Barona ielā 3. Verkauf des in Lettland kreierten Duftstoffes *Dzintars*.

Westkonsumgüter: im Hotel Latvija und im Hotel Rīga erhältlich. Hier bekommt man auch Foto- und Diafilme. Als Zahlungsmittel gelten DM, US$ und Kreditkarten.

Fotogeschäft: Brīvības ielā 40, täglich geöffnet.

• *Märkte*: Rīga besitzt fünf Märkte, von denen der bunte, riesengroße Zentralmarkt der interessanteste ist.

Āgenskalna-Markt, Laicēna 64, auf der andern Seite der Daugava gelegen.

Čiekurkalna-Markt, Ropažu ielā 70. Tram 2 oder 6, Abfahrt an der Oper nehmen.

Torlakalna-Markt, Telts ielā 3. Vom Strēlnieku lauk. (Altstadt) Tram 5 nehmen.

Vidzeme-Markt, Brīvības ielā 90.

Zentralmarkt, Nēģu ielā 7, hinter dem Busbahnhof gelegen, am bunten Menschengetümmel schon von weitem zu erkennen. Multikulturelle Vielfalt, Menschen aus allen Teilen der ehemaligen Sowjetunion verkaufen Gemüse, heimisches Obst bis hin zu exotischen Früchten aus dem Kaukasus und Mittelasien. Fleisch und Fisch gibt es in den Markthallen. Bei den Hallen handelt es sich übrigens um alte deutsche Zeppelinhallen. Der riesige, im Sommer so prallgefüllte Markt ist im Winter trist und leer. Im Marktgewühl auf Wertsachen aufpassen.

Musik und Theater

Karten im Vorverkauf gibt es gegenüber vom Haupteingang zur Domkirche und an den Veranstaltunsgsorten. Bis 11 Uhr vormittags können auch über das Hotel Latvija für den jeweiligen Tag Karten bestellt werden.

Nationaltheater (Nacionālis teātris), Kronvalda bulv. 2. Platz für etwa 1000 Zuschauer, gebaut im Barockstil mit Elementen des Klassizismus. Im Repertoire Stücke lettischer und ausländischer Autoren, Matineeveranstaltungen für Kinder. Kasse täglich von 10-14 und 16-19 Uhr geöffnet, Tel. 322828/322759.

Kunsttheater (Dailes teātris), Brīvbas ielā 75. Modernes Gebäude mit zwei Theatersälen. Aufführungen lettischer und ausländischer Schauspiele. Kasse täglich von 10-14 und 16-19 Uhr geöffnet, Tel. 270424/271036.

Russisches Theater (Krievu Drāmas teātris), Kaļķu ielā 16. Im Programm russische Klassiker und ausländische Stücke. Kasse täglich von 11-17 Uhr geöffnet, Tel. 225395.

Jugendtheater (Jaunatnes teātris), Lāčplēša ielā 25 und 37. Bei erstgenannter Adresse sind Schauspiele in lettischer, bei zweiter in russischer Sprache zu sehen. Auf die Bühne gebracht werden hauptsächlich Komödien. Kasse täglich von 12-15 und 16-19 Uhr geöffnet, Tel. 224448.

Puppentheater (Leļļu teātris), Kr. Barona ielā. Fabel- und Märchenspiele für Kinder. Karten gibt es Di-So von 11-18 Uhr, Tel. 285418.

Kabata, Grēcinieku ielā 26/28, Eingang Peldu ielā 19. Das Theater gehört einer experimentellen Schauspielgruppe, Karten in der Krāmu ielā 4, täglich zwischen 11 und 16 Uhr, Tel. 212943/229437.

Pantomime (Rīgas Pantomīma), Ropažu 1. Hauptsächlich junge Darsteller, noch unregelmäßige Spielzeiten.

Operetten-Theater (Operetes teātris), Brīvības ielā 96. Operetten und Musicals, Kasse von Mo-Fr von 10-14 und 15-19 Uhr und am Wochenende von 10-14 und 15-18 Uhr geöffnet, Tel. 276528.

Philarmonie, 6 Amatu ielā. Die Konzerte finden in der Großen Gilde (Lielā ģilde) statt, Tel. 312798.

Ave sol, Citadeles ielā 7. Konzerthalle befindet sich in der Peter-und-Paul-Kirche, überwiegend Chorkonzerte, Kasse von 10-16 Uhr geöffnet.

Opern- und Ballett-Theater (Operas und Baleta Teātris), Aspazijas bulv. 3. Schöne klassizistische Fassade, das Innere barock gestaltet. Zu sehen sind klassische und moderne Opern- und Ballettaufführungen lettischer und ausländischer Komponisten, Karten im Vorverkauf gibt es Mo-Sa in der Lāčplēša ielā von 11-18.30 Uhr.

Zirkus (Rīgas Cirks), Merķeļa ielā, in der Nähe vom Bahnhof. Gedacht ist der Zirkus für die Kinder, die Sitze sind auf kleine Personen zugeschnitten, die Garderoben sind alle "tiefergelegt" und die Zuckerwatten- und Buttercremewaffeln genau auf Kinderaugenhöhe. Zu sehen sind ganz ansehnliche Artisten-, und Clownsnummern, oft werden auch Leute aus dem Publikum zum Mitspielen in die Manege geholt. Etwas traurig erscheinen manche Tiervorführungen, dennoch ist die unumstrittene Attraktion der Vorstellung, wenn auch unter Vorbehalten, Skippi, das boxende Känguruh. Der Zirkus spielt nicht das ganze Jahr, ansonsten drei Vorstellungen täglich, Informationen unter Tel. 213479 oder im Foyer des Hotels Latvijas. Kasse von 10-18 Uhr geöffnet.

Dom-Konzertsaal (Doma koncertzāle) Doma lauk. 1, beeindruckende Orgelkonzerte bei hervorragender Akustik, Tel. 213498.

Richard-Wagner-Halle, Vāgnera ielā 4, Kammermusik, Tel. 210814.

Universitäts-Konzerthalle, Raiņa bulv. 19. Überwiegend klassische Konzerte.

Konzertsaal der Musikakademie, Kr. Barona ielā 1.

Museen und Ausstellungshallen

Falls der Wettergott beim Besuch in Rīga mal nicht mitspielen sollte, so bedeutet das in keinster Weise Langeweile. Als das Herz von Lettland besitzt Rīga zahlreiche Museen, die einen Einblick in die wechselvolle Geschichte des Landes liefern. Insbesondere Kunstliebhaber kommen bei den vielen Ausstellungshallen und Galerien auf ihre Kosten.

Dom-Museum, Doma lauk. 1. Im Jahr 1764 gegründet, ist es das älteste Museum Rīgas und liefert einen breiten Überblick über die Geschichte Rīgas und die Schiffahrt, geöffnet Di-Do von 14-18, Fr und So von 10-14 Uhr.

Museum der Geschichte Lettlands, Pils lauk. 3. Ausstellung von Gegenständen des sozialen und kulturellen Lebens der Letten im Laufe der Jahrhunderte, geöffnet Do, Sa, So von 11-17 und Mi, Fr von 11-17 Uhr.

Museum für Schiffahrt und Stadtgeschichte, Palasta ielā 4. Geöffnet Mi-Do von 13-19 und Fr-So von 11-17 Uhr.

Naturkunde-Museum, Kr. Barona ielā 4. Dokumentation über die Vielfalt der lettischen Flora und Fauna, geöffnet Mi, Fr, Sa, So von 10-17 und Do von 12-17 Uhr.

Theater-Museum, E. Smiļģa ielā 37/39. Ausstellung über die Entwicklung des lettischen Theaters und seine berühmtesten Schauspieler und Regisseure, geöffnet Mi von 12-19 und Do-So 11-18 Uhr.

Ethnographisches Freilichtmuseum, Brīvības gatve 440. Alte Bauernhäuser, Kirchen und Windmühlen laden zu einer Reise in das Landleben der letzten Jahrhunderte ein. Geöffnet täglich von 10-17 Uhr.

Museum für die Geschichte der Medizin, L. Paegles ielā 1. Die ältesten Ausstellungsstücke stammen aus prähistorischer Zeit, geöffnet Mi-Fr von 12-17.30 und am Wochenende von 11-16.30 Uhr.

Kunstmuseum, Kr. Valdemāra ielā 10a. Zu sehen sind alte lettische und russische Meister und die Anfänge der Moderne, geöffnet Mo, Mi, Do, Fr von 12-18, am Wochenende von 11-18 Uhr.

Pharmazie-Museum, R. Vāgnera ielā 13/15. Dokumentation über die Arzneimittelgeschichte in Rīga, geöffnet Mi-So von 10-16 Uhr.

J. Rozentāl und R. Blaumaņa Museum, F. Gaila ielā 12, Appartement 9. Sowohl der Maler als auch der Dramatiker haben in diesem Haus gelebt und gearbeitet. Zu sehen sind Werke der beiden lettischen Kulturgrößen und persönliche Dinge aus ihrem Leben. Gelegentlich finden Gemäl-deausstellungen statt. Vorher Besichtigungstermin ausmachen, Tel. 331641.

Kr. Barona Museum, Kr. Barona ielā 3, Appartement 5. Das Museum befindet sich in dem ehemaligen Wohnhaus des lettischen "Liedervaters". Dokumentation über sein Leben und seine Arbeit, geöffnet Di, Do, Sa, So von 11-17 Uhr, Mi und Fr von 13-19 Uhr.

Museum für ausländische Kunst, Pils lauk., im Schloß. Zu betrachten sind Bilder, Skulpturen und Zeichnungen, überwiegend von deutschen, holländischen und französischen Meistern und wertvolles Porzellan, geöffnet Di, Do, Sa, So von 11-18, Mi und Fr von 13-19 Uhr.

J. Rainis-Museum, Pils lauk. 3, im Schloß. Ausstellung über Leben und Werk des berühmten lettischen Dichters *J. Rainis*, außerdem ein Querschnitt durch die Literaturgeschichte des Landes, geöffnet Mo, Di, Do, Fr, Sa von 11-17 und Mi von 13-19 Uhr.

Janā-Sēta, Janā sēta 7. Kunsthalle mit wechselnden Ausstellungen meist avandgardistischer Künstler, geöffnet täglich von 10-20 Uhr.

Kīpsala, Balasta dambis 34. Wechselnde Keramikausstellungen. In dem Gebäude werden auch Keramik-Workshops angeboten, Mi-So von 12-18 Uhr geöffnet. Befindet sich auf der Daugavainsel Kīpsala, die über die Vanšu-Brücke erreichbar ist.

T. Zaļkalna Museum, Biķernieku ielā 18. Museum zur Erinnerung an den lettischen Bildhauer, Maler und Kunstkritiker *Teodor Zaļkana*. Von 1899-1903 studierte er in Paris. Er hat die Bildhauerei Lettlands stark beeinflußt. Besichtigung nach Absprache, Tel. 557681. Mit Trolley 14 ein Stück die Brīvības ielā bis zur Ecke Bišernieku ielā hochfahren.

Gustav Šķiltera-Museum, Daugavgrīvas ielā. Gedenkmuseum für einen großen Meister der lettischen Bildhauerei, geöffnet Mi-So von 12-18 Uhr.

Museum für angewandte und dekorative Kunst, Skārņu ielā 10/20. Wechselnde Ausstellungen, mit z. T. sehr volkstümlichem Charakter. Zu sehen sind u. a. Arbeiten

aus Glas, Keramik, Skulpturen und moderne Bilder. Geöffnet Di-So von 10-18 Uhr.
Motormuseum, Eizenšteina ielā 6. Unübersehbar durch die über dem Eingang angebrachte Rolls-Royce-Kühlerhaube. Neben nostalgischen Oldtimern und den neuesten Modellen des Freundes Auto sind auch Motor- und Fahrräder ausgestellt, geöffnet Di-So von 10-18 Uhr.
Ausstellungshalle Latvija, Brīvības ielā 31. Wechselnde Kunstausstellungen, geöffnet Di-So von 12-18 Uhr.
Skulpturen-Garten, Pils lauk. 3, während der Sommermonate sind im Schloßpark interessante Plastiken zu bewundern, Di-So von 11-18 Uhr geöffnet.
Reuternhaus, Mārstaļu ielā 2. Ausstellungssaal mit wechselnden Expositionen im Haus der Journalisten, geöffnet Di-So von 12-19 Uhr.
Foto-Club, Blaumaņa ielā 21. Ausstellungen lettischer Kunstfotografen, geöffnet Di-Sa von 12-18 Uhr.
Ausstellungshalle in der St. Petrikirche, Skārņu ielā 19. In liturgischer Kirchenatmosphäre sind verschiedene interessante Kunstwerke zu sehen. Vom Kirchturm einmalige Aussicht auf die Rīgaer Altstadt, geöffnet Di-So von 10-18 Uhr.
Ausstellungshalle "Schatzkammer", 11. novembra krastmalā. Wechselnde Expositionen moderner, lettischer Künstler, Mi-So von 11-18 Uhr geöffnet.
Arsenal, Torņa ielā 1/3. Kunstgalerie mit moderner lettischer Kunst, geöffnet Di und Fr von 12-18 und am Wochenende von 11-18 Uhr.
Feuerwehrmuseum, Hanzas ielā 5. Einblick in die Arbeit der Feuerwehrleute im Laufe der Geschichte, geöffnet Mi-So von 12-17 Uhr.
Armeemuseum, Smilšu ielā 20. Ein Teil des Museums ist im Pulverturm untergebracht. Die Ausstellung befaßt sich hauptsächlich mit den beiden Weltkriegen und der Oktoberrevolution von 1917. Geöffnet Mo, Mi, So von 10-17 und Di von 12-19 Uhr.
Museum der Lettischen Schützen, Latviešu strēlnīeku lauk. Dokumentation über die militärischen Erfolge der Lettischen Schützen im Ersten Weltkrieg und während der russischen Revolution in Moskau.

Galerien

Rīga hat eine Reihe ganz herausragender Galerien zu bieten, die durchweg mit interessanten Ausstellungen aufwarten. Alle in den Galerien ausgestellten Werke werden auch zum Verkauf angeboten.

Rol-Art, 2 Pils lauk. Ausstellung von Werken russischer Künstler, Di-So von 11-17 Uhr geöffnet.
Bastejs, Basteja bulv. Zu sehen ist moderne lettische Kunst, geöffnet täglich von 12-17 Uhr.
Kolonna, Šķūņu ielā 16. Ausgestellt sind moderne Arbeiten lettischer Künstler, Mo-Sa von 10-19 Uhr geöffnet.
Ars longa, Vāgnera ielā 4. Grafiken, klassische Bilder sowie Keramik- und Glasarbeiten, Di-So von 11-17 Uhr geöffnet.
A & E, Jauniela 17. Ausstellung von dekorativen Bildern und Kunsthandwerk, geöffnet Mo-Sa von 11-17 Uhr.
Salons Lasītava, Vaļņu ielā 2. Gemälde-, Keramik- und Schmuckausstellung, Mo-Sa von 10-19 Uhr geöffnet.
Pulvertornis, Smilšu ielā 2/0, wechselnde zeitgenössische Expositionen, Di, Mi, Fr und Sa von 11-18 Uhr, Do von 12-19 Uhr geöffnet.
Mf Salons, Vaļņu ielā 2/5. Lederwaren, schöne rustikale Dekoration, ähnelt einem Pferdestall, geöffnet Mo-Sa von 10-17 Uhr.
Galerie G&G, Mazā-Pils 19. Ausstellung moderner Bilder in mittelalterlichem Ambiente, geöffnet Mi-So von 11-17 Uhr.
Āsūna, Laipu ielā 6. Ausstellung moderner Gemälde und Skulpturen, Mo-Fr von 9-18 Uhr geöffnet.
Galerija, Kalēju ielā 2/1. Schon von außen lädt die Galerie mit ihrer bunten Fassade zum Schauen ein. Zu sehen sind wechselnde moderne Werke.

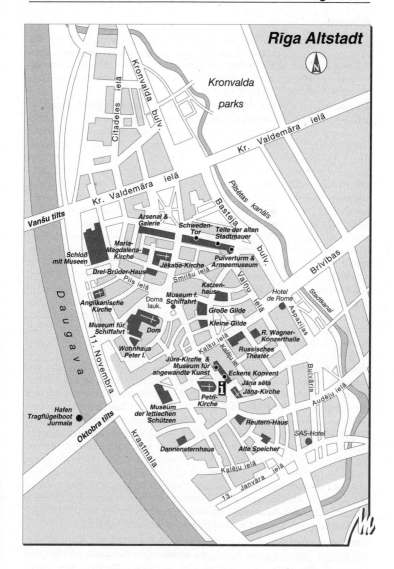

Rīga Altstadt

Kronvalda parks

Kronvalda bulv.

Citadeles ielā

Kr. Valdemāra ielā

Kr. Valdemāra ielā

Pilsētas kanāls

Vanšu tilts

Bastejā bulv.

Brīvības

Arsenal & Galerie

Schweden-Tor

Teile der alten Stadtmauer

Maria-Magdalena-Kirche

Schloß mit Museen

Jēkaba-Kirche

Pulverturm & Armeemuseum

Drei-Brüder-Haus

Smilšu ielā

Valņu ielā

Stadtkanal

Katzen-haus

Hotel de Romē

Aspazijas

Anglikanische Kirche

Doma lauk.

Museum f. Schiffahrt

Große Gilde

Museum für Schiffahrt

Dom

Kleine Gilde

R. Wagner-Konzerthalle

Daugava

11. Novembra

Wohnhaus Peter I.

Kaļķu ielā

Kaļķu iel.

Russisches Theater

Jūra-Kirche & Museum für angewandte Kunst

Eckens Konvent

Bulvāris

Hafen Tragflügelboot Jurmala

Oktobra tilts

Petri-Kirche

Jāņa sēta

Jāņa-Kirche

Audēju ielā

Museum der lettischen Schützen

Reutern-Haus

SAS-Hotel

Krasta iela

Dannensternhaus

Alte Speicher

Kalēju ielā

13. Janvāra ielā

Altstadt

**Die Hauptattraktion Rīgas ist sicherlich ein Spaziergang durch die
sehr schön restaurierte Altstadt. Wie in so vielen anderen alten
Städten hat sich auch in Rīga im Laufe der Zeit ein wahres Sammel-
surium der verschiedenen Baustile angehäuft. Von der Romanik bis
hin zum Jugendstil ist alles vertreten.**

An fast jeder Ecke der Rīgaer Altstadt steht irgendein Baudenkmal, so
daß es sicherlich immer noch einiges selbst zu entdecken gibt. Läßt man
sich durch die Altstadt treiben, trifft man in einigen Gassen auf hübsche
Gotikbauten mit malerischen, mehrfach abgestuften Giebeln. An der nächsten Ecke erheben sich Häuser im Stil prachtvollster Renaissance und
noch einige Meter weiter können üppig verzierte Hausfassaden mit barok-
ken Portalen und Skulpturen bewundert werden, nicht zu vergessen die
zahlreichen Jugendstilhäuser. Anhand der großzügigen Kaufmanns- und
Handwerkerhäuser ist unschwer zu erkennen, wie blühend und wohlhabend Rīga im Mittelalter und während der neueren Geschichte gewesen
war. Untermalt wird ein Rundgang durch die schmalen, mit Kopfstein ge-
pflasterten Straßen oft durch die Melodien und Gesänge der Straßenmusi-
kanten. In den romantischen, verwinkelten Gassen trifft man nicht selten
auf Maler, die versuchen, ihre Impressionen der Altstadt auf der Leinwand einzufangen. Ein Spaziergang durch Alt-Rīga kann leicht das Gefühl
vermitteln, sich in den verschiedenen, längst vergangenen Jahrhunderten
zu bewegen. Allerdings wird die nostalgische Idylle sofort unterbrochen,
wenn man sich den stark befahrenen Hauptstraßen, die die Altstadt be-
grenzen, nähert, wie der Kr. Vāldemara ielā im Norden und der 13. janvāra ielā im Südosten.

Von der **Neustadt** gelangt man am einfachsten über den Brīvības bulv. auf
dem sich hoheitsvoll das lettische *Freiheitsdenkmal* erhebt, in den historischen Stadtkern Rīgas. Rechts und links des Monuments erstreckt sich
der romantische *Bastejkaln-Park*, der sich in Form eines Grüngürtels dem
östlichen Teil der Altstadt anschließt. Der Brīvības bulv. wird später zur
Kaļķu ielā (Kalkstraße), die längs durch die Altstadt verläuft und schnurstracks zur Daugava hinführt. Im Mittelalter war am Ufer der Daugava,
die sich an den Toren der Altstadt vorbeischlängelt, stets lautes Marktgeschrei zu vernehmen. Händler von nah und fern, Bauern und Fischer versuchten lautstark ihre Waren an den Mann zu bringen. Für einen ausgedehnten Altstadtspaziergang sollte man mindestens zwei bis drei Stunden
einplanen. In allen Reisebüros Rīgas können fachkundige deutschsprachige Stadtführungen, auch für Einzelpersonen, bestellt werden.

Domplatz: Das Herz der Rīgaer Altstadt ist der Domplatz, auf dem sich
der größte Sakralbau des Baltikums erhebt. Der Domplatz ist übrigens
jünger als der Dom selbst. Lange Zeit war das Gotteshaus von einem
Friedhof umgeben und später von Gemüsegärten. Erst zu Beginn dieses
Jh. wurde der Domplatz angelegt. So stammen viele Häuser, die um den
Platz herum plaziert sind, auch erst aus dieser Zeit. Mittlerweile sind hier
einige Kneipen und Sommercafés entstanden, in denen man sich nach

einem Bummel durch die Altstadt stärken kann. Nicht selten kann man hier den Klängen der Straßenmusiker lauschen oder die Straßenmaler beobachten. In der warmen Jahreszeit verwandelt sich der Domplatz häufig in eine einzige Tanzfläche, nämlich dann wenn hier Volks- und Tanzfestivals steigen. Dann ist Jubel, Trubel, Heiterkeit angesagt ist. Doch der Platz sah auch schon traurige Momente, wie z. B. an den *Drei Schwarzen Tagen* im Januar 1991, als schießende sowjetische Armeefahrzeuge aufkreuzten und es auf dem Domplatz zu einer blutigen Straßenschlacht zwischen Einheiten des sowjetischen Innenministeriums und der Bevölkerung kam.

Dom: Der Grundstein wurde im Jahre 1211 gelegt. 15 Jahre später war der Backsteinbau, der auch heute noch als das größte Gotteshaus des Baltikums gilt, fertiggestellt. In der Mitte des 14. Jh. sah sich der Rīgaer Bischof genötigt, den Turm des Doms aufzustocken, damit dieser nicht länger im Schatten des höheren Turmes der *St. Petri-Kirche* stehen mußte. Auch im Inneren wurden im Laufe der Jahrhunderte viele Änderungen vorgenommen, so daß er Stil-

elemente der Romanik, der Gotik, der Renaissance und des Barock aufweisen kann. Das Interieur des Gotteshauses ist kostbar, obwohl viele der wertvollen Ordensschätze während der Reformation verloren gingen. Die ältesten Teile des Doms sind der Chor, das Querschiff und der untere Teil des Langhauses. Einst waren im Boden des Doms zahlreiche Grabplatten eingelassen, wovon die meisten jedoch nach dem Ende der Pest verschwanden, da man sich entschloß, alle Toten aus der Kirche zu entfernen. Die sterblichen Überreste des *Missionars Meinhard* und des *Bischofs Albert* durften bleiben und befinden sich auch heute noch in der Domkrypta. Auch einige wertvolle Epitaphe sind erhalten geblieben. Die erwähnenswertesten Kostbarkei-

Rīgaer Dom

ten der Kirche aber sind die kunstvoll geschnitzte Kanzel des Meisters *Tobias Heinc* aus dem Jahre 1641, sowie die weltbekannte, hervorragend klingende Orgel mit ihren 6768 Pfeifen zwischen 8 mm und 10 m Länge. Wenn der Organist in die Tasten greift, hat er 127 Register zur Verfügung und kann Melodien über 9 Oktaven hinweg spielen. Bildschön ist auch der reich verzierte Orgelprospekt aus dem 16. Jh. von *Jakob Raab*. Ein Orgelkonzert sollte man auf keinen Fall versäumen. Auf Grund der großen

Nachfrage ist es ratsam, vorzeitig Karten über die Reisebüros oder an der Kasse gegenüber vom Dom, neben dem Herder-Platz, zu bestellen.

Zu empfehlen ist auch ein kleiner Spaziergang durch den nostalgischen Domgarten. In einem Teil des gigantischen Sakralbaus ist das Museum für Geschichte und Schiffahrt eingerichtet.

Wohnhaus von Peter I.: Es befindet sich am Ende der M. Jauniela. Nachdem Rīga 1710 an Rußland fiel, pflegte Peter I. des öfteren in der Stadt zu verweilen. Das Haus, in dem er wohnte, ist jedoch häufig umgebaut worden, ist also nicht mehr im Originalzustand zu bewundern.

Johann Gottfried Herder-Denkmal: Neben dem Dom befindet sich ein ganz kleiner Platz, in dessen Mitte dem Philosophen, Theologen und Dichter *Johann Gottfried Herder* ein Denkmal gesetzt wurde. Der Aufklärer und Humanist unterrichtete in den Jahren 1764-1769 an der Domschule Geschichte, Geographie und deutsche Stilistik. Besonders interessierte er sich für die lettische Folklore, was ihm die Verehrung der Letten einbrachte. 1778/79 gab er eine Sammlung von Volksliedern heraus, worunter sich auch einige lettische "Dainas" befanden. Begibt man sich vom Herder-Platz zurück zum Domplatz, geht linker Hand die Pils ielā (Schloßstraße) ab, die geradewegs zum Rīgaer Schloß führt.

In einer Seitenstraße der Pils ielā steht die **anglikanische Kirche**, errichtet zwischen 1857 und 1859. Gepredigt wird in dem restaurierungsbedürftigen Sakralbau jedoch nicht mehr. Am Ende der Pils ielā, unweit vom Schloß, erhebt sich die **Kirche der Schmerzhaften Mutter Gottes**. Das klassizistische Gebäude stammt aus dem 18. Jh. und gehört der Katholischen Gemeinde Rīgas.

Das **Schloß** befindet sich am Pils lauk. (Schloßplatz), an der Ecke der Kr. Valdemāra ielā und 11. novembra krastmala. 1330 wurde der Grundstein des Rīgaer Schlosses, das ursprünglich als Ordensburg gebaut wurde, gelegt. Die Arbeiten dauerten lange, weil sich nachts oft Rīgaer Bürger auf der Baustelle einfanden, um die gerade errichteten Mauern wieder zu zerstören, in der Hoffnung, auf diese Art die Ordensritter abzuschütteln. Doch vergeblich, die Burg wurde fertig, und die Ritter blieben. Nach dem Untergang des Ordensstaates diente das Gebäude mit seinen vier Türmen als Residenz der jeweiligen Machthaber der Stadt. Während der ersten lettischen Unabhängigkeit war die Burg Sitz des Präsidenten. 1941 ging sie in den Besitz der *Jungen Pioniere* über. Heute beherbergt das Rīgaer Schloß drei Museen, das Geschichtsmuseum, das J. Rainis-Literaturmuseum und das Museum für ausländische Kunst. In einem Teil des Schloßparks können im Sommer interessante Skulpturen bewundert werden. Das reizvolle Freiluftcafé im Schloßhof lädt während des Saison zu einer Verschnaufpause ein.

Arsenal: Geht man vom Pils lauk. in die Torža ielā hinein, ist auf der rechten Seite das alte *Zeughaus* zu sehen. Es wurde von 1828-1832 erbaut, z. T. unter Verwendung der alten Stadtmauer. Heute beherbergt der Bau eine Kunstgalerie.

Haus der Ritterschaften: Jēkaba ielā 11, geht rechts von der Torža ielā ab. 1867 wurde das Haus für die *Livländischen Ritterschaften* fertiggestellt. Bauherr des prunkvollen Gebäudes, das im Stil der florentinischen Renaissance errichtet wurde, war der Lette *Baumanis*. In der Zeit von 1919-1934 tagte hier das lettische Parlament. Nach dem Zweiten Weltkrieg wurde das Gebäude als Sitz des Obersten Sowjet genutzt. Seit der neuerlangten Unabhängigkeit ist es wieder Parlamentssitz.

Jēkaba Kirche (Jakobi-Kirche): Klostera/ Ecke Jēkaba ielā. Als die Kirche zu Beginn des 13. Jh., etwa zur gleichen Zeit wie der Dom, entstand, lag sie noch außerhalb des damaligen Stadtzentrums. Obwohl das Gotteshaus im Laufe der Geschichte mehrmals restauriert wurde, konnte sich die dreischiffige Basilika ihr ursprüngliches Äußeres bewahren. Erwähnenswert ist der gotische Turm der Kirche, übrigens der einzige Turm dieses Stiles in Rīga. Die ursprünglichen Glocken des Turmes waren die ältesten Rīgas; sie stürzten allerdings im 15. Jh. während eines Sturms herab. Die jetzigen Glocken hatten die Funktion des Sünderläutens, d.h., sie erklangen jedesmal, wenn der Henker seines Amtes waltete. Da die mittelalterlichen Scharfrichter nicht gerade feinfühlige und abwägende Juristen waren, läuteten die Sünderglocken ständig, sehr zum Ärger der Anwohner. Im Jahre 1522 wurde in der Jēkaba-Kirche der erste lutheranische Gottesdienst Rīgas abgehalten. Heute ist die Kirche wieder katholisch.

Drei-Brüder-Haus: Mazā-Pils ielā 17, 19, und 21, geht hinter der Jēkaba-Kirche ab. Dieses Gebäude aus drei Häusern gibt ein interessantes Beispiel für die Rīgaer Architektur des Mittelalters ab. Es ist zu vermuten, daß das *Drei-Schwestern-Haus* in Tallinn, das ein Kaufmann einst für seine drei Töchter errichten ließ, namengebend für die drei Rīgaer Häuser war. Allerdings war hier kein Vater am Werk, der ein Domizil für seine drei Söhne errichten ließ. Die Häuser sind noch nicht einmal zur selben Zeit entstanden. Die Fassaden des mit der Zeit etwas windschief gewordenen Drei-Häuser-Gebäudes sind originalgetreu wieder hergerichtet worden. Das Haus Nr. 17, ein altes Handwerkerhaus, stammt aus dem 15. Jh. und ist das älteste Wohnhaus der Stadt. Ein schöner stufenartiger Giebel und kleine weiße Fenster zieren seine Vorderfront. Die in sattem Gelb erstrahlende Nr. 19 wurde 1646 von einem Händler erbaut. Im Erdgeschoß des Hauses befindet sich die avantgardistische *G&G-Galerie*. Das grüne Haus stammt aus dem 18. Jh. Die steinernen Löwen der Fassade waren zur Vertreibung böser Geister und Räuber gedacht.

Geht man von der Mazā Pils ielā zurück zur Jēkaba ielā und dann Richtung Dom, kommt linker Hand die Smilšu (Sand) ielā.

Maria-Magdalena-Kirche: Mazā Pils ielā 2 (Kleine Schloßstraße). Die aus dem 13. Jh. stammende Kirche gehörte zunächst den Nonnen eines Zisterzienserklosters. Während des 17. Jh. war sie schwedische Garnisonskirche. Im Nordischen Krieg wurde sie zerstört, jedoch wieder aufgebaut. Gegenwärtig ist sie in Besitz der in Rīga lebenden Katholiken. Zurück in der Jēkaba ielā, geht, Richtung Dom, linker Hand die Smilšu ielā (Sandstraße) ab, an deren Ende sich der Pulverturm erhebt.

Der Pulverturm in Rīga

Pulverturm: Smilšu ielā 20 / Ecke Vaļņu ielā. Als einziger der ehemals zwei Verteidigungstürme der Stadtmauer hat der alte Pulverturm die Stürme der Zeit überstanden. Im Jahre 1621 wurde er zwar zerstört, kurz danach jedoch wieder aufgebaut. Alte Kanonenkugeln, die den Turm erneut in Schutt und Asche zu legen drohten, sind noch im Mauerwerk zu sehen. Heute beherbergt der Pulverturm einen Teil des Armeemuseums und eine Kunstgalerie.

Schlägt man vom Turm den Weg in die Torža ielā ein, so kann man Teile der alten Stadtmauer betrachten. Im 16. Jh. wurde die Mauer Stück für Stück abgetragen, um das rasante Wachstum der Stadt nicht zu behindern. Die Stadt wurde daraufhin mit Wällen befestigt und war während der schwedischen Zeit einer der am besten befestigten Städte Europas. Immerhin brauchte Peter der Große drei Jahre (!), um Rīga einzunehmen. 1865 begann man schließlich mit dem Abbau der Wallanlagen, weil sonst wiederum die Erweiterung der Stadt behindert worden wäre. Überbleibsel der ehemaligen Wallanlagen sind z. B. der Bastionshügel im gleichnamigen Park und der Stadtkanal. Die noch stehenden Fragmente der Stadtmauer wurden erst entdeckt, als man wegen Baufälligkeit einige Gebäude abriß, die einst unter Verwendung der alten Stadtmauer entstanden waren. Da auf der Daugava nicht nur Freunde, sondern auch Feinde nach Rīga kamen, waren in die Stadtmauer auch "Spione" eingebaut: Einige der eingebauten Halbziegel saßen nur locker, so daß Späher unbeobachtet die Lage überblicken konnten. Die sog. "Zacken" im restaurierten Teil der Stadtmauer gehen auf einen Kompromiß einiger Historiker zurück, die sich nicht einigen konnten, ob es nun Zacken auf der Stadtmauer gegeben hatte oder nicht. So wurde ein Teil mit, der andere ohne die umstrittenen Zacken wiederaufgebaut. In der warmen Jahreszeit entstehen entlang der Stadtmauer oftmals kleine, provisorische Sommercafés, die Getränke und Snacks anbieten. Bleibt man auf der Torņa ielā, so gelangt man zum Schwedentor.

Schweden-Tor: Torņa ielā. Das einzige, noch erhaltene Tor der Rīgaer Stadtmauer wurde 1698 von den Schweden, den damaligen Machthabern in Rīga, errichtet. Da sich die schwedische Kaserne gegenüber des heutigen Tores befand, brachen die Besatzer einfach ein Loch in die Mauer, das sie danach zum Tor ausbauten, um direkten Zugang zum Stadtzentrum zu haben. Das Stadttor ist in eine Gruppe von Häusern gebettet, die geschlossen als das *Architektenhaus* bezeichnet werden. In der Russenzeit wurden vor dem Tor zwei Kanonen aufgestellt, als Symbol, daß Rīga nunmehr keine militärischen Angriffe mehr von Rußland zu befürchten habe, solange es Provinz des Zarenreiches bliebe und den Russen den ersehnten Zugang zur Ostsee gewährleiste.

Schwedentor, einziges erhaltenes Tor der Rīgaer Altstadt

Schreitet man durch das Stadttor hindurch, trifft man auf die *Trokšņu ielā*, zu deutsch Lärmstraße. Diesen Namen trägt die Straße, eine der schmalsten Rīgas, nicht zu Unrecht.

Zu der Zeit, als die Damen der feineren Gesellschaft noch Reifröcke trugen, war ständig lautes Gezeter aus dieser Straße zu vernehmen. Begegneten sich zwei Frauen in der Lärmstraße, mußte eine unweigerlich in eine der dafür vorgesehenen Nischen ausweichen, da zwei reifrocktragende Damen nicht aneinander vorbeikamen. Nun stellte sich aber die Frage, welche der anderen den Vortritt zu lassen habe. Da ein Vorbeilassen die Anerkennung des höheren gesellschaftlichen Status der anderen bedeutete, eskalierte eine solche Begegnung meist in einem lärmenden Streit. Diese Auseinandersetzungen konnten sich über Stunden hinziehen, vor allem dann, wenn sich weitere Damen dazugesellten, die ebenfalls die Lärmstraße passieren wollten. Gelegentlich konnte das sogar zu einem Handgemenge führen. Erst die kluge Bitte eines jungen Künstlers, daß die Jüngere der beiden den Weg freimachen möge, führte zu einer Lösung: Beide Damen waren im Nu verschwunden. Doch richtige Ruhe kehrte erst dann wieder in die Lärmstraße ein, als die Reifröcke aus der Mode kamen.

An der Ecke Trokšnu/Aldaru ielā (Brauerstraße) flößte das **Haus des Henkers** den Vorbeigehenden sicherlich ein mulmiges Gefühl ein. War der Scharfrichter "bei der Arbeit", lag ein schwarzer Handschuh im Fenster. Besonders schöne Wohnhäuser sind in der Aldaru ielā 10, 12 und 12/14 zu sehen. Einen *alten Speicher* aus dem 17. Jh. kann man am Haus Nr. 5 der gleichen Straße betrachten. Das *Café Aromāts* im Haus 2/4 der gleichen Straße lädt zu einem Kaffee in gemütlicher Atmosphäre ein. Die Aldaru ielā endet auf der Smilšu ielā, die wiederum zum Domplatz führt. Biegt man von dort in die Šķūžu ielā ein, sollte man auf das Haus 12/14, einen schönen *Jugendstilbau*, achten. Im Erdgeschoß des prachtvollen Gebäudes befindet sich eine Wechselstube. Hinter den Mauern der Nr. 16 können die modernen Exponate der Galerie *Kolonna* bewundert werden.

Die nächste Querstraße links, die Amatu ileā, führt zu den Gildenhäusern.

Kleine Gilde: Amatu ielā 5. Hier befand sich der Treffpunkt der Rīgaer Handwerkervereinigung, die sich 1352 bildete und aus der die späteren Handwerkszünfte hervorgingen. Ihr gegenwärtiges Aussehen erhielt die Kleine Gilde in der zweiten Hälfte des 19. Jh., als man sie optisch an das Haus der Großen Gilde anpaßte. Heute wird die Kleine Gilde für kulturelle Zwecke genutzt.

Große Gilde: Amatu ielā 6. In diesem Haus traf sich vom 14. Jh. bis hin zum 19. die Vereinigung der deutschen Kaufleute Rīgas, die sog. Große Gilde. Seit einem Erlaß von 1226 bildeten die Geschäftsleute von Rīga zusammen mit der Kleinen Gilde und dem Stadtrat das weltliche Machtzentrum der Stadt. So ist es nicht verwunderlich, daß sie sich selbst reichlich mit Privilegien ausstatteten. Schmuckstücke des Gildenhauses sind die *Alte Gildenstube* und die *Brautkammer* gewesen. Zwischen dem 16. und dem 17. Jh. war es Sitte, daß Gildenmitglieder, die den Hafen der Ehe anzulaufen gedachten, ihre Hochzeit im Gildenhaus ausrichteten. Nach der Feier zog sich das frisch vermählte Paar dann traditionsgemäß in die Brautkammer zurück, um dort die Hochzeitsnacht zu verbringen.

Mitte des 19. Jh. wurde die Große Gilde vergrößert und im gotischen Stil umgebaut. Heute ist in ihr die Philharmonie untergebracht. Das Haus, in dem kleinere Konzerte der Philharmonie stattfinden, befindet sich gegenüber der Gildenhäuser.

Katzenhaus: Meistaru ielā, schräg gegenüber der Großen Gilde. Das Haus, dessen Dach auch heute noch von zwei Katzen geziert wird, sorgte einst für große Furore unter den Gildenmitgliedern. Ein Kaufmann (ob deutscher oder lettischer Herkunft, ist umstritten), der es zu einigem Reichtum gebracht hatte, wollte Mitglied der Großen Gilde werden. Aus irgendwelchen Gründen wurde ihm die Aufnahme verweigert. Empört und zornig über die versnobten Kaufleute schwor er Rache: Unweit der Großen Gilde erbaute er ein großes Haus. Auf dem Dach postierte er zwei schwarze Katzen, deren eine dem Gildenhaus ihren Allerwertesten zuwendete. Was sich dieser lettische Kaufmann da geleistet hatte, war natürlich ein Skandal in den Augen der eitlen Gildenmitglieder. Nach einigem hin und her wurde der verhaßte Kaufmann schließlich widerwillig aufgenommen, allerdings nur unter der Bedingung, daß die Katze dem Gildenhaus ihr Gesicht zuwenden müsse. Leider waren dem Kaufmann die Privilegien der Großen Gilde nicht allzu lange vergönnt, da er schon kurze Zeit später, sicher zur Erleichterung der anderen Mitglieder, verstarb.

Gegenüber des Katzenhauses befindet sich das Finanzministerium. Bleibt man auf der Meistaru ielā und überquert die Kaķķu ielā, gelangt man in ie Kalēju ielā. Rechts von der Kalēju ielā geht die Jana ielā ab, die zur Petri-Kirche und Jāna-Kirche führt.

Alte Handwerkshäuser in der Altstadt

Jāna-Kirche (Johanniskirche), Skārņu ielā 24 (Scharrenstraße). In den Chroniken wird das 1234 erbaute Gotteshaus erstmalig als Kapelle eines Dominikanerklosters erwähnt. Die ältesten Teile der ehemaligen Klosterkirche sind das Portal und der Torweg. Im Laufe der Zeit wurde die Jāna-Kirche mehrmals umgebaut, so daß in ihr Elemente der Romanik, der Gotik, der Renaissance und des Barock zu finden sind. Den reich verzierten Barockaltar erhielt die Kirche im 18. Jh. In der Sakristei hängt ein Gemälde von *Jānis Rozentāls*. Glaubt man der Legende, so wurde beim Bau der Kirche ein Mann lebendig miteingemauert. Neben der Kirche befindet sich der Jāna-Hof und ein Teil der alten Stadtmauer.

Jāna sēta (Johannishof): Der romantische Hof besteht aus den Resten des zur Jāna-Kirche gehörenden Klosters. Im Sommer ist der Jāna-Hof ein Mekka für Maler und Musiker. An den alten Klostermauern hängen Gemälde und Collagen, auf der Bühne spielen Jazz-, Blues- und Rockbands und schaffen eine reizvolle Atmosphäre. Vom Jānahof hat man Zugang zu dem neuen *Jāna sēta-Museum*, das in wechselnden Ausstellungen moderne bis experimentelle Werke zeitgenössischer Künstler zeigt.

Eckens Konvent: Skāržu ielā 22. Das aus dem 15. Jh. stammende Gebäude diente ursprünglich als Übernachtungsmöglichkeit für Fremde. Zum Ende des 16. Jh. hin wurde es auf Initiative des damaligen *Bürgermeisters Ecke* in ein Heim für mittellose Witwen umgewandelt. Das benachbarte *Konvent zum Heiligen Geist* war ebenfalls eine karitative Einrichtung für Bedürftige.

St. Jūra-Kirche (Jurgenskirche): Skārņu ielā 10/16. Zu Beginn des 13. Jh. wurde sie als Kapelle der ersten Ordensburg errichtet und ist eine der ältesten Steinbauten Rīgas. Als die Ordensfestung mit Wissen des Bischofs durch das Rīgaer Bürgertum zerstört wurde, verlor die Kirche an Bedeutung und fungierte im 16. Jh. nur noch als Kornspeicher. An der Südwestmauer sind zwei Steinmasken zu sehen, durch die die Mönche damals auf die Straße predigten. Heute befindet sich hinter den Kirchenmauern das *Museum für angewandte und dekorative Kunst.*

Petri-Kirche (Skārņu ielā 19): Die Petrikirche aus dem Jahre 1209 war das Gotteshaus der Rīgaer Bürgerschaft. Sie entstand zunächst in Form einer Holzkirche. Ihr 137 m hoher Turm überragte damals sämtliche Bauten Rīgas, den Dom miteingeschlossen, wodurch der gekränkte Bischof sich genötigt fühlte, seinen Turm um zwei Stockwerke zu erhöhen. 1352 wurde die erste Uhr Rīgas an einer Außenwand der Petri-Kirche aufgehängt. Turm und Kirche standen im Zuge der Geschichte häufig in Flammen, was nicht zuletzt an den ständigen, bürgerkriegsähnlichen Auseinandersetzungen der Rīgaer Bürger und des Bischofs mit dem Orden und den Rittern lag. Nicht selten wurde der hohe Kirchturm jedoch auch Opfer einschlagender Blitze. 1690 wurde der Straßburger Architekt *Rubbert Bindenschuh* mit dem Bau eines neuen Turmes beauftragt. Kurze Zeit später, im Jahre 1721, wurde auch dieser durch einen gewaltigen Blitz zerstört. Während des Unglücks hielt sich Peter I. in Rīga auf. Er ordnete nach dem Unglück den originalgetreuen Wiederaufbau des Turmes an. Angeblich hat er beim Löschen des Brandes sogar selbst mit Hand angelegt. Als der neue Turm fertig war, soll sich der Baumeister *Heinrich Hülbern* auf den goldenen Wetterhahn der Kirchturmspitze gesetzt und zum Wohle des Gotteshauses ein Glas Wein getrunken haben. Danach habe er, so wird erzählt, sein Glas zur Erde fallen lassen, wo es lediglich in zwei Teile zerbrach. Das wurde als ein gutes Omen gedeutet, und man sagte der Kirche voraus, daß sie etwa 200 Jahre unversehrt überstehen würde. Ob Weissagung oder Zufall - gute 200 Jahre lang wurde die Petri-Kirche tatsächlich nicht beschädigt, doch dann wurde sie durch die Bomben der deutschen Wehrmacht zerstört, wobei u. a. die Orgel verloren ging. Beim erneuten Wiederaufbau des Turmes wollte auch jener Architekt wissen, wie es um das Schicksal von Turm und Kirche bestellt war. Also nahm er Platz auf dem Wetterhahn, leerte sein Glas und warf es hinab zur Erde, wo es in tausend Splitter zerschellte. Was auch immer das bedeuten mochte, die Zukunft wird es zeigen. Noch steht die Petri-Kirche jedenfalls fest an ihrem Platz und ihr Turm kann erklommen oder mit dem eingebauten Fahrstuhl bezwungen werden. Von der Aussichtsplattform eröffnet sich ein gigantischer Ausblick über Rīga. Im Inneren der Kirche sind interessante Arbeiten zeitgenössischer Künstler, besonders Plastiken, zu sehen.

Alter Rathausplatz: Unweit der Petri-Kirche befindet sich der alte Rathausplatz. Bis zum Zweiten Weltkrieg, als das **Rathaus** zerstört wurde, tagte hier der Stadtrat von Rīga. Fertiggestellt wurde der Bau 1764 im klassizistischen Stil. Dem Rathaus gegenüber stand das **Schwarzhäupterhaus**, in dem sich die Vereinigung lediger Kaufleute traf, die damals auch karitative Einrichtungen betreute. Das Schwarzhäupterhaus, das ebenfalls die Stürme der Zeit nicht überstanden hat, stammte aus dem 15. Jh. und besaß eine bildschöne Renaissancefassade. Zum Bild des ehemaligen Rathausplatzes gehörte auch der Turm der Petrikirche, der majestätisch hinter den dort stehenden Häusern hervorschien. Vom alten Rathausplatz ist es nicht weit bis zur Mārstaķu ielā, in der einige schöne alte Wohnhäuser zu sehen sind.

Reutern Haus: Mārstaļu ielā 2/4. Das prachtvolle Haus wurde in den Jahren 1684/1688 nach den Plänen des Architekten R. *Bindeschuh* für den reichen Kaufmann *Johann Reutern* errichtet. Prachtvolle Steinreliefs verzieren die Fassade. Im Eingang sind zwei Säulen zu sehen, die die Büsten des Ehepaares Reiters tragen. Heute wird der Bau vom Journalistenverband genutzt, der dort ein gemütliches Café unterhält. Gelegentlich finden in dem Gebäude auch Kunstausstellungen statt.

Von der Mārstaļu ielā zurück zur Audēju ielā und schließlich rechts in die Kalēju ielā gehend, kann man sich anhand der Häuser Nr. 5-11 ein gutes Bild von *alten Speichern* des 17. Jh. machen. Weiter gelangt man zum Albert lauk. (Albert-Platz). In der am Platz vorbeiführenden Alksnāja ielā, sind die Häuser Nr. 5, 7, 8, 9, 11 und 14, **Speicher** und **Wohnhäuser** des 16.-19. Jh., interessant. Geht man die Alksnāja ielā weiter geradeaus, gelangt man zurück zur Mārstalu ielā, die links zum Dannensternhaus führt.

Dannensternhaus: Mārstaļu ielā 21. Ein Beispiel prächtiger Barockarchitektur liefert das Haus des Kaufmannes Dannenstern. Errichtet wurde es Ende des 17. Jh. Momentan lebt das Haus jedoch von seinem alten Glanz, denn es befindet sich leider in einem jämmerlichen Zustand. Restauratoren haben sich jedoch mittlerweile des Baues angenommen.

Denkmal der Lettischen Schützen: Einen groben Stilbruch zu Rīgas mittelalterlicher Altstadt stellt das Denkmal der Rīgaer Schützen dar, die im Ersten Weltkrieg von Rußland zur Verteidigung ihrer Heimat aufgestellt worden waren. Als sie merkten, daß der Zar sie mehr oder weniger verheizte, liefen sie zu den Bolschewisten über, beteiligten sich maßgeblich an der Durchführung der russischen Oktoberrevolution von 1917 und kämpften für die Errichtung einer lettischen Räterepublik. Obwohl momentan alles, was auch nur im weitesten Sinne mit der Sowjetunion zu tun hat, entfernt wird, konnte sich das Denkmal der Rīgaer Schützen bis jetzt halten. Doch hätten die lettischen Schützen im Ersten Weltkrieg nicht so verbissen gegen die deutschen Kaisertruppen gekämpft, wäre ihr Denkmal sicherlich schon verschwunden. Beim Denkmal ist auch das Museum für die Lettischen Schützen zu finden.

Am Platz führt die Kaķķu ielā vorbei, die schnurstracks zum Freiheitsdenkmal und in die Neustadt führt.

Freiheitsdenkmal: Auf dem Weg über den Brīvības bulv., der Altstadt und Neustadt miteinander verbindet, trifft man unweigerlich auf das lettische Freiheitsdenkmal. 1935 wurde das Monument zum 15. Jahrestag der lettischen Unabhängigkeit mit Hilfe von Bürgergeldern aufgestellt. Von einem Sockel erhebt sich eine bronzene Frauenfigur, die mit ihren über den Kopf gestreckten Armen drei Sterne in den Himmel emporhält. Diese Sterne symbolisieren Lettlands drei historische Regionen, nämlich *Kurzeme*, *Vidzeme* und *Latgale*. Der Sockel des Denkmals trägt die Inschrift *"Tēvzemei un Brīvībai"* (Für Vaterland und Freiheit) und zeigt Figuren und Charaktere der lettischen Geschichte und Mythologie. Entworfen wurde das Monument von dem Architekten *E. Štālbergs* und umgesetzt von dem Bildhauer *K. Zāle.*

Das Freiheitsdenkmal von Rīga

Als Lettland Unionsrepublik wurde, war den neuen Machthabern das Denkmal natürlich ein gewaltiger Dorn im Auge. Für die Letten jedoch wurde es zum Symbol der ersehnten Freiheit und Unabhängigkeit. Der Versuch, daß Denkmal niederzureißen, stieß auf heftigen Protest der Bevölkerung. Aus welchen Gründen auch immer hat das Symbol der lettischen Freiheit die Sowjetzeit unversehrt überstanden. In den damaligen, sowjetisch orientierten Reiseführern wurde es meist nicht erwähnt. In den umliegenden Parks wimmelte es von Miliz, die ständig ein Auge auf das Denkmal warfen, um jeden wegen Staatsfeindlichkeit festzunehmen, der es wagen sollte, sich dem Freiheitsmonument zu nähern, doch niedergerissen wurde es nicht. Später wurde es ganz einfach als Willkommensgruß Lettlands für die sowjetische Macht uminterpretiert. Seinen eigentlichen Sinn, nämlich die Freiheit des lettischen Volkes zu symbolisieren, erfüllte das Denkmal erstmalig wieder im Sommer 1987, durch die Gruppe *Helsinki '86.* Sie wollten die Ernsthaftigkeit der von Gorbatschow propagierten Politik von Glasnost und Perestroika ergründen und riefen zu einer illegalen Demonstration auf, um am Freiheitsdenkmal der zahlreichen von Stalin nach Sibirien deportierten Landsleute zu gedenken. 5000 Leute folgten dem Aufruf und legten damit den Grundstein für die darauffolgende friedliche Revolution. Es liegt auf der Hand, daß die lettische Freiheitsstatue heute nicht nur die Freiheit symbolisiert, sondern auch für den jüngsten Kampf um die Unabhängigkeit steht.

Christus-Kathedrale: Sie befindet sich am Brīvības bulv., am Rande des Esplanāden-Parks. Der Sakralbau von 1884 wird heute für weltliche Zwecke genutzt. Er beherbergt das Rīgaer **Planetarium** und das **Haus des Wissens.** Gelegentlich werden auch Bilder ausgestellt und wissenschaftliche Vorträge gehalten.

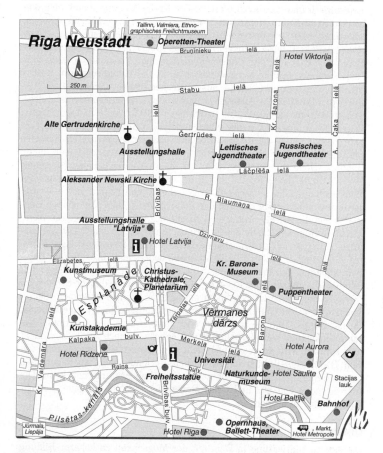

Neustadt

Von einem breiten Grünstreifen, dem Bastejkaln-Park, sind Alt- und Neustadt voneinander getrennt. Die Rīgaer Neustadt besteht nicht aus erdrückenden Plattenbauten (diese können in den grauen Vorstädten betrachtet werden), sondern überwiegend aus Häusern aus dem 19. und dem Anfang des 20. Jh.

Die nostalgische Idylle des alten Rīgas sucht man zwar vergebens, vor allem, weil ständig lärmende Autos und Straßenbahnen über die breiten Boulevards knattern, doch ein Spaziergang durch die Straßen der Neustadt ist durchaus lohnenswert. Ein bißchen erinnern die breiten Boulevards an St. Petersburg. Der Brīvības bulv., der in Richtung Altstadt zur Kaļķu ielā wird und zum Norden hin zur Brīvības ielā, ist die Hauptachse Rīgas. Auf dem gesperrten Stück des Brīvības bulv. erhebt sich majestätisch und würdevoll die lettische Freiheitsstatue. Läuft man den Boulevard Richtung Nordenosten weiter, gelangt man zu einer schönen, schattigen Allee, die von einem unnübersehbaren Hochhaus, dem *Latvija Hotel*, begrenzt wird. Linker Hand des Boulevards schließt sich der *Esplanäden-Park* mit der *Christus-Kathedrale* an. Am anderen Ende des Parks befindet sich die *Kunstakademie*, sowie das **Kunstmuseum**. Rechts von der Allee erstreckt sich der ausgesprochen schöne *Vērmanes-Park*. Unter den Bäumen der Allee am Brīvības bulv. sind im Sommer zahlreiche Verkaufsstände aufgebaut, die überwiegend Kunstbände und fremdsprachige Bücher anbieten. In der Elizabetes ielā, rechts und links des Hotels Latvija, sind einige interessante Jugendstilhäuser zu betrachten. Spaziert man die breite Brīvības ielā immer weiter geradeaus, trifft man linker Hand, in Höhe der Lāčplēša ielā, auf die russisch-orthodoxe *Alexander Newski Kirche*, die zu Beginn des 19. Jh. entstand. In der Lāčplēša ielā befindet sich auch das lettische und russische Jugendtheater. Etwas weiter nördlich erhebt sich in der von der Brīvības ielā links abgehenden Ģertrūdes ielā die *Alte Ģertrūde*, eine Kirche aus dem Jahre 1865. Die *Neue Ģertrūde* steht am Rande des Zentrums, in der Brīvības ielā 119. Sie entstand zu Beginn unseres Jahrhunderts. Rechts und links der breiten Brīvības ielā befinden sich eine Reihe alter und neuer Geschäfte, die zum Bummeln einladen. Ergänzt wird das Straßenbild durch die vielen fliegenden Händler, die an fast jeder Ecke ihr Glück versuchen, so daß die Straßen im Zentrum der Neustadt oft einem einzigen Markt gleichkommen. Sei es eine alte Frau, die Gläser mit frischem Beerenobst feilbietet, eine Bäuerin, die mit bunten Blumen aufwartet oder junge Leute, die angetautes Eis aus Pappkartons verscherbeln - jede Möglichkeit, noch zusätzliches Geld zu verdienen, wird ausgeschöpft. Nicht zu vergessen sind die wie Pilze aus dem Boden schießenden kioskähnlichen Verkaufsbuden, an denen man Lottoscheine, Softdrinks, Feuerzeuge und ähnliches erstehen kann. Die angrenzenden Kneipen und Cafés eignen sich gut, um die neue Geschäftigkeit Rīgas zu beobachten.

Universität

Die älteste Einrichtung in Rīga mit der Möglichkeit zu höherer Bildung war das *Politechnische Institut*, gegründet 1862, das heute ein Teil der Rīgaer Universität ist. Das Hauptgebäude der 1919 ins Leben gerufenen Alma Mater befindet sich am Raiņa bulv. 19a, direkt am Bastejkalns-Park. Der Bau entstand zwischen 1866 und 1885. An der Rīgaer Universität, die gleichzeitig die einzige des Landes ist, studieren an elf Fakultäten etwa 12.500 Studenten. Den Studenten, die die Universität irgendwann einmal wieder verlassen möchten, wird geraten, niemals die Haupttreppe des Gebäudes zu benutzen, da diese den Professoren und Dozenten vorbehalten ist. Wer dennoch über diese Stufen schreiten sollte, so heißt es, werde die hiesige Alma Mater bis zum Tode niemals verlassen und entweder selbst zur Lehrkraft werden oder ihr als Langzeit-Student verfallen.

Konservatorium: Kr. Barona ielā 1. Das 1919 gegründete Konservatorium befindet sich in einem schönen klassizistischen Gebäude von 1873. In der Aula finden gelegentlich Konzerte statt.

Kunstakademie: Kalpaka bulv./Ecke Kr. Valdemāra ielā 13. In einem prachtvollen Neoklassizistischen Bau von 1902, am Rande des Esplanade-Parks, ist die Akademie der bildenden Künste untergebracht. Vor der Kunsthochschule steht ein Denkmal für den lettischen Maler *J. Rozentāls*. Es ist durchaus lohnend, die im Foyer ausgestellten Arbeiten der Studenten zu betrachten.

Parks und Grünanlagen

Wer sich ein wenig vom Großstadtrummel erholen will, der kann das in Rīgas zahlreichen Parks, Gärten und Grünanlagen tun. Knapp 7000 Hektar Grünfläche bilden Rīgas grüne Lunge.

Es würde zu weit führen, auf sämtliche Parks und Gärten einzugehen, deshalb seien nur die Parks in der Nähe der Altstadt, das Freilichtmuseum und der etwas außerhalb gelegene Meža-Vergnügungspark erwähnt.

Bastejkalns-Park: Rechts und links der Freiheitsstatue, begrenzt durch den Raiņa und Aspazijas bulv., erstreckt sich der malerische Bastejkalns-Park, der sich wie ein Grüngürtel zwischen die Altstadt und die Neustadt schiebt. Mitten durch den Park fließt der schmale Stadtkanal, in den kleine Wasserfälle eingebaut sind. Eine Augenweide sind die Blumen und Sträucher, die sich malerisch um den alten *Bastionshügel* legen. Im nördlichen Teil der Grünanlage, in der Nähe der Fußgängerbrücke, die über den Kanal führt, ist dem lettischen Schriftsteller *Rudolfo Blaumaņis* ein Denkmal gesetzt worden. Auf dem Grünstreifen zwischen dem Brīvības bulv. und der Kr. Barona ielā befindet sich, von der Neustadt kommend vor der Fußgängerbrücke, eine Büste für den Wissenschaftler *M. Keldiša*. Hinter der Brücke steht vor der Oper ein Denkmal zu Ehren des großen lettischen Komponisten *A. Kalniņš*. Die Fassade des prächtigen Opernhauses ist dekoriert mit sechs mächtigen Säulen, die wiederum von allegorischen Skulpturen verziert werden.

Kronvalda-Park: An den nördlichen Teil des Bastejkalns-Parks schließt sich hinter der Valdemāra ielā der Kronvalda-Park an. In der Mitte des Gartens wird der Stadtkanal sehr breit, so daß er fast einem kleinen See gleichkommt. Unweit dieser Stelle liegt das *Café Ainava*. Neben dem Café steht ein Denkmal für den Schriftsteller *S. Edžus*. Spaziert man von dort aus zurück in Richtung Zentrum, so trifft man auf das Denkmal für einen weiteren Schriftsteller, *A. Upīts*.

Esplanāde: Am Brīvības bulv., vor dem Hotel Latvija gelegen. Lange Bänke unter schattigen Bäumen und alte Rosengärten laden zu einer Rast ein. Am Rande der Esplanade erhebt sich die schöne Christus-Kathedrale, in der das *Haus des Wissens* und das *Planetarium* untergebracht sind. Bei einem Spaziergang durch die Esplanade trifft man auf das Denkmal für den beliebten Dichter *J. Rainis*. Am 11. September, dem Geburtstag des Poeten, wird hier alljährlich das Literaturfestival eröffnet.

Während der lettischen Unabhängigkeit von 1919-1940 fanden im Park zahlreiche Sänger- und Sportfeste, Theater- und Tanzaufführungen statt.

Vērmanes-Park: Auf der andern Seite des Brīvības bulv., gegenüber der Esplanāde gelegen. 1817 schenkte eine Frau namens *Vērmanes* der Stadt Rīga das Gelände des heutigen Parks. Die Bedingung, die die edle Spenderin an die Schenkung geknüpft hatte, war die Einrichtung eines Parks, der insbesondere gesundheitlich Schwachen die Möglichkeit zur Erholung geben sollte. Im Laufe der Zeit entwickelte sich die Grünanlage, in der übrigens Rīgas erster Rosengarten erblühte, zu einem beliebten Treffpunkt der Bürger. Bis zur sowjetischen Besetzung fanden hier Konzerte unter freiem Himmel statt, Fontänen schossen in die Luft, und am Wochenende wurde das Tanzbein geschwungen. Während der Sowjet-Ära sind einige Einrichtungen des Parks verfallen, doch die Arbeiten haben bereits begonnen die Grünanlage wieder so herzurichten, wie sie einst war.

Meža-Park: Ein gutes Stück außerhalb des Zentrums erstreckt sich Rīgas größter Park. Herrliche Nadel- und Pinienwälder, der Ķīš-See (wenngleich er auch nicht gerade zum Baden einlädt), Sportstätten, der Tier- und Vergnügungspark machen die grüne Oase im nördlichen Rīga zu einem vielbesuchten Ausflugsziel. Besonders bei Kinder ist der Meža-Park sehr beliebt. Direkt am Eingang befindet sich der Zoo. 1912 wurde er gegründet und beherbergt heute an die 300 verschiedene Arten und insgesamt etwa 3000 Tiere. Er ist täglich von 10-16 und im Sommer bis 20 Uhr geöffnet. In einem anderen Teil des Parks sorgen Karussels, Schießbuden, eine Kindereisenbahn und massenweise Eis- und Limonadenbuden für Kurzweil. Im Winter kann man hier mit Schlittschuhen über das Eis jagen. Im nördlichen Teil des Parks befinden sich ein riesiges Amphitheater und eine übergroße Freilichtbühne. Alle fünf Jahre erstrahlt sie in besonderem Glanz, nämlich dann, wenn hier das berühmte lettische *Sängerfest* abgehalten wird. Tausende von Menschen stehen dann auf der Bühne, um ihre Volkslieder, die Dainas, zu singen. Wer sich während dieses großen Ereignisses in Rīga aufhält, sollte auf keinen Fall versäumen, sich unter die Zuhörermassen zu mischen, um den Dainas zu lauschen und um **das** lettische Volksfest schlechthin mitzuerleben.

Zu erreichen ist der Park mit der Tram 11, am Zoo am Meža pr. aussteigen. Eine andere, sehr interessante Variante, den Park zu erreichen, bietet das Tragflächenboot, das momentan aus finanziellen Gründen allerdings nur unregelmäßig verkehrt. Es legt an der 11. novembra kratmala, zwischen der Vanšu und Oktoberbrücke ab und macht direkt am Meža-Park fest.

Friedhöfe: Unterhalb des Meža-Parks befinden sich drei Gottesäcker. Auf dem **Rainis kapi** (Rainis-Friedhof) sind viele Persönlichkeiten aus dem kulturellen Leben begraben. Auch der lettische Dichter *J. Rainis* fand hier seine letzte Ruhe. Sein Grab wird von einer halbliegenden Skulptur geziert. Oberhalb des Rainis-Friedhof befindet sich der **Brāļu kapi** (Bruderfriedhof) an. Angelegt wurde er von 1924 bis 1936. Die überaus künstlerische Gestaltung des Friedhofes, in Form von Skulpturen und Torbögen stammt von dem Bildhauer *K. Zāle*. Auf dem Friedhof wachsen viele Eichen, die in der lettischen Mythologie die Männlichkeit symbolisieren. Lindenbäume dagegen stehen für die weibliche Liebe. Wohl aus diesem Grunde führt eine Allee aus Linden zur *Māte Latvija*, der Mutter Lettland, die sorgenvoll auf die ihr zu Füßen liegenden, gefallenen Soldaten herabblickt. Fast 2000 Soldaten der Roten Armee sind hier begraben.

Der **Meža kapi** (Waldfriedhof) dient als letzte Ruhestätte von Persönlichkeiten aus Politik und Wissenschaft. Unter den Grabsteinen sind auch einige deutschsprachige zu finden. Der Wald und die bunten Blumen verleihen dem Gottesacker eine romantische Atmosphäre. Tram 11 bis Brāļu kapi nehmen.

Freilichtmuseum am Jugla-See

Eine historische Reise durch das Landleben der lettischen Provinzen und ein absolutes Erlebnis bietet das ethnographische Freilichtmuseum am Rande Rīgas im Stadtteil Bergi.

Alte, nachgebaute Dörfer mit riedgedeckten, hölzernen Bauernhäusern, in deren Höfen alte Ziehbrunnen und Wasserpumpen stehen, und alte Werkstätten, wie beispielsweise das Haus des Dorfschmiedes oder das des Töpfers, vermitteln einen lebendigen Einblick in das dörfliche Leben vergangener Zeiten. Nicht zu vergessen die alten Gotteshäuser und die urige Dorfkneipe, in der man sich sonntags nach dem Kirchgang stets zu einem edlen Tropfen traf. Die Fischerkaten und Räucherkammern der nachgebauten Fischerdörfer wirken absolut authentisch, zumal sie direkt am Ufer des *Jugla-Sees* (Jägelsee) stehen. Die umgedrehten Kähne am Strand vermitteln den Eindruck, sie seien gerade von den heimkehrenden Fischern aus dem Wasser gezogen worden.

Auch von innen sind viele der Häuser zu besichtigen. Sie zeigen, daß ihre damaligen Bewohner sie zwar einfach, aber liebevoll und gemütlich einrichteten. Große Truhen mit bunten, eingeritzten Ornamenten und farbenfrohe gewebte Decken, die auf den kurzen Holzbetten und kleinen Tischen aufliegen, schmücken die Stuben. Jede Provinz hatte damals, wie auch heute noch, ihre eigenen Web- und Strickmuster. Besonders deutlich wird das an den gewebten und bestickten Trachtengürteln. Es soll in Lettland noch einige alte Frauen geben, die die Stickereien dieser Gürtel wie ein Buch lesen können.

Besonders herauszuheben ist die wunderschöne kurländische *Usma-Kirche* von 1704 mit ihrem handgeschnitzten Barockaltar. Unendlichkeit strahlen die hellblau getünchten Deckendielen aus, die zusätzlich von posaunenblasenden Engeln geziert werden.

Ein Besuch im Freilichtmuseum ist zu jeder Jahreszeit lohnenswert. Wer zufällig am ersten Juniwochenende in Rīga sein sollte, hat Glück, denn zu diesem Zeitpunkt wird im Museum am Rad der Geschichte gedreht: Die alten Werkstätten erwachen zu neuem Leben. Es wird geschmiedet, getöpfert, gesponnen, geklöppelt und gewebt. Handwerker aus ganz Lettland halten einen großen, historischen Handwerksmarkt ab, gekleidet in

Landestracht. Gleichzeitig findet ein buntes Folklorefestival statt. Zu Karneval laufen zwischen den Höfen, Werkstätten und Fischerkaten sogar Hexen und Gespenster umher.

● *Anfahrt/Verbindung*: **PKW** - Schnurstracks führt die Brīvības ielā, die später zur Brīvības gatve wird, aus der Neustadt zum Stadtteil **Bergi**. Kurz nach der Brücke über den Juglas-See geht rechter Hand die Brīvdabas ielā ab, in der sich der Eingang des Museums befindet.

Bus: Das Museum ist zu erreichen mit Bus 1, Abfahrt vor dem Hotel Latvija.

Umgebung von Rīga

Salaspils

Es sei vorneweg gesagt: Salaspils ist ein Ort des Grauens. Als 1941 die Nationalsozialisten Rīga erreichten, richteten sie sofort im nahen Salaspils eines ihrer unzähligen Massenvernichtungslager ein.

Über 100.000 Menschen, darunter Letten, Juden, Tschechen, Österreicher, Polen, Franzosen, Belgier und Holländer, fanden hier einen furchtbaren Tod oder erlitten Höllenqualen. Selbst vor der Hinrichtung von Kindern (7000) schreckte man nicht zurück. Die Gedenkstätte wurde 1967 am Standort des damaligen Todeslagers eingerichtet. Den Eingang markiert ein kalter Betonklotz mit der Aufschrift "Hinter diesem Tor stöhnt die Erde". Direkt neben dem Eingang steht unter schwarzem Marmor ein Metronom, von dem Tag und Nacht ein anklagender, hoher Ton ausgeht, der dumpf und erschütternd über die ganze Gedenksättte hallt, den Herzschlag der Opfer dieses KZs symbolisierend. Außer den monotonen, dumpfen Herztönen ist hier nichts zu hören. Es herrscht eine schauderhafte Stille. Sechs aufgestellte überdimensionale Skulpturen rufen Erinnerungen an die hier verübten Greueltaten und die unzähligen Toten wach. Geht man weiter über die weite, grüne Fläche, trifft man auf weiße Steinplatten, die auf die Standorte der Baracken hinweisen, sowie an einen Gedenkstein für den Widerstandskampf einiger Gefangener, die versuchten, sich von ihren Peinigern zu befreien. Doch vergeblich: Ihr Vorhaben wurde erkannt und die Gruppe sofort exekutiert.

Zugegeben, ein Besuch in der Gedenkstätte ist belastend, doch gerade momentan, wo einige Menschen den Horror und das Elend des NS-Regimes vergessen zu haben scheinen und gewisse Leute meinen, Brandsätze auf ausländische Mitbürger und Kinder werfen zu müssen, ist es besonders anzuraten, sich die Schrecken der NS-Zeit neu ins Gedächtnis zu rufen.

● *Anfahrt/Verbindungen*: **PKW** - Große Hinweisschilder an der A-215 weisen, aus Rīga kommend, auf die Gedenkstätte hin. Neben der Autobahn befindet sich ein großer Parkplatz. Zu Fuß, durch ein Stück Kiefernwald, gelangt man zu dem Ort des Schreckens. Über die A-215 aus Jēkabpils kommend, ist die Gedenkstätte schlecht ausgeschildert.

Bus: Linien, die die Daugava runterfahren, halten an der Hauptstraße in Salaspils.

Bahn: Einfacher als mit dem Bus ist es mit der Bahn. Zug Richtung Ogre nehmen und in Darzini aussteigen. Von dort Fußweg zur Gedenkstätte.

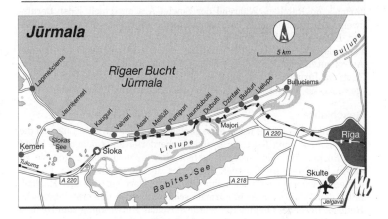

Jūrmala   *(ca. 60.000 Einwohner)*

Jūrmala ist ein sehr schönes und abwechslungsreiches Seebad an der Rīgaer Bucht, 17 km entfernt von Rīga. Die Stadt setzt sich aus einer Anzahl ehemals selbständiger Fischerdörfer zusammen. Angefangen an der Mündung der Lielupe erstreckt sie sich über 30 km am Rīgaer Meerbusen entlang.

Die Lielupe, die ein ganzes Stück parallel zum Meer und an den Stadtteilen Jūrmalas entlang fließt, bildet die südliche Grenze Jūrmalas und macht das Seebad zu einer Halbinsel. Die Stadt lebt ausschließlich vom Tourismus. Scheint Jūrmala im Sommer aus allen Nähten zu platzen, ist hier im Winter so gut wie gar nichts los.

Der meiste Ferientrubel spielt sich in den Stadtteilen **Majori** und **Dzintari**, deren Grenze die *Turaidas ielā* bildet, ab. Die meisten der Jurmaler Kneipen, Restaurants und Cafés befinden sich hier. Die Fußgängerzone, die *Jomas ielā*, die quer durch Majori verläuft, ist gespickt mit Geschäften, Bars und Kiosken, vor denen oft Tische und Stühle stehen, die zum Kaffee oder Eis einladen. In Majori gibt es ein *Gedenkmuseum* für den beliebten, lettischen Poeten *Jānis Rainis*. Das *Stadtmuseum* von Jūrmala kann in *Dubulti* besichtigt werden.

Der Hauptgrund, nach Jūrmala zu fahren, sind wohl in erster Linie seine schönen, weißen Strände, die uralten Parks und die herrlichen Pinienwälder. Im Spätsommer sind die Waldböden Jūrmalas übersät mit Waldbeeren und im Frühherbst mit dicken Pilzen. Eigentlich ist Jūrmala ein Ort des Massentourismus, doch geht es dem Seebad heute ähnlich wie anderen Ferienorten: Viele Gäste der ehemaligen Sowjetunion bleiben aus, weil das Geld für einen Urlaub momentan einfach nicht reicht. Dennoch ist in Jūrmala wesentlich mehr los, als anderswo an der lettischen Küste, doch verglichen mit manchem Strand in Südeuropa, halten sich die Massen von

Jūrmala im Rahmen. Während der Sowjet-Ära unterhielt jeder Berufszweig in den beliebtesten Touristenzentren Ferienheime für seine Mitglieder. Diese Strukturen sind in Jūrmala noch gut zu erkennen. So gibt es beispielsweise das Haus der Politiker, das der Wissenschaftler, das der Astronauten usw. Viele dieser Heime sind phantasielose Betonburgen. Im Zentrum Jūrmalas überwiegen jedoch schmucke, holzverzierte Häuschen, die romantisch unter schattenspendenden Kiefern und Pinien stehen.

Geschichte

Schon Ende des 18. Jh. wußten die geplagten Rīgaer die gute Luft und die Ruhe jener kleinen Küstenorte und Fischerdörfer zu schätzen, die heute zum Seebad Jūrmala zusammengefaßt sind. Schnell avancierten sie zu einem beliebten Ausflugsziel. Ende des 18. Jh. eröffnete ein Förster namens Ķemeri in dem nach ihn benannten Dorf ein privates Heilbad. Mitte des 19. Jh. gab es in Jūrmala schließlich auch das erste staatliche Heilbad. Besonders begünstigt wurde Jūrmalas Entwicklung zum Heilbad mit der Inbetriebnahme der Eisenbahnlinie Rīga-Tukums.

- *Postleitzahl*: 9080
- *Vorwahl*: 22 (wie Rīga)
- *Information*: Jomas ielā 56, Majori, Tel. 47114. Neue Stadtpläne von Jūrmala sind in Vorbereitung.

Verbindungen

- *PKW*: Die Anreise nach Jūrmala mit dem Auto endet am Schlagbaum, denn das Seebad ist offiziell für den Autoverkehr gesperrt. Leider weist die Praxis mittlerweile Lücken auf. Autofahrer werden oft durchgelassen, und manchmal sind die Schranken sogar weit geöffnet und problemlos zu passieren. Damit die behagliche Ruhe und die wohltuende Luft Jūrmalas nicht durch Abgase und Motorenlärm gestört wird, sollte man das Auto auf einem bewachten Parkplatz in Rīga abstellen.
- *Bus*: Die Busse nach Jūrmala fahren nur bis zum Stadtteil Sloka. Zu den anderen Stadtteilen die Elektrischka nehmen, die Haltestelle befindet sich direkt neben dem Busbahnhof.
- *Bahn*: Am einfachsten ist Jūrmala mit der Elektrischka zu erreichen. Sie pendelt alle 20 Minuten zwischen Jūrmala und Rīga hin und her und hält an jedem ehemaligen Dorf der Stadt. Fahrkarten gibt es am jeweiligen Bahnhof oder in den davor befindlichen Kiosken. Am besten direkt ein ganzes Bündel Billetts kaufen, da vor den Schaltern in der Regel immer eine lange Schlange steht, falls sie nicht zufällig "mal eben" geschlossen sein sollten. Fahrkarten müssen vor Fahrbeginn mit Lochern, die meist vorm Bahnhof angebracht sind, entwertet werden.

Übernachten

An Übernachtungsmöglichkeiten mangelt es in Jūrmala nicht. Man hat die Wahl zwischen massiven Hotelkomplexen, bunten Holzhäusern, Sanatorien, Ferienheimen und einfachen Campingplätzen, die über die einzelnen Jurmaler Stadtteile verteilt liegen.

Majori

Dzintasa, Jūras ielā 41/45. Heute ist das Hotel, das früher Feriendomizil für Funktionäre war, für die Allgemeinheit geöffnet. Da das Dzintasa sehr klein ist, ist vorherige Reservierung empfehlenswert. 3-Zimmer-Suite ca. 165 DM, Zweier-Suite ca. 140 DM und Suite mit 1 1/2 Zimmern ca. 110 DM. pro Nacht. Preise inkl. Frühstück und Poolbenutzung. Gutes Restaurant, nur für Gäste, Tel. 7620071.

Jūrmala, Jomas ielā 47/49. Großes mehrstöckiges Hotel mit Souvenirladen und

Wechselstube. EZ ca. 50 DM, DZ ca. 80 DM, Preise ohne Frühstück, Tel. 64276.

Pensionat Draudziba, Administration in der Jūras ielā 39. Zum Draudziba gehören eine ganze Reihe hübscher Holzhäuser, schöne Zimmer. DZ ca. 15 DM, VP ca. 20 DM, Tel. 64236 (Voranmeldung!).

Vaivari

Vaivari, Asaru pr. 61. Zu Zeiten der Sowjetunion befand sich hier das Sanatorium und Ferienheim der Astronauten und Piloten. Von daher gibt es hier ausgesprochen gute Augenärzte. Massagen erhältlich. Riesiger Ziegelsteinbau mit Ednīca und gemütlicher Bar, Zimmer eher einfach. Viele Kinder werden zur Erholung hierher geschickt. EZ ca. 6 DM, DZ ca. 10 DM bis 12 DM. Preise inkl. VP und Anwendungen. Einfache ÜB ca. 3 DM, Tel. 766122, Fax 01232/766124.

Touristenherberge Vaivari, Kanguru ielā 49. Verschiedene Kategorien. DZ ca. 15-25 DM. Zimmer durchschnittlich, obwohl die Herbergsleitung ihnen 3 Sterne gibt.

Ķemeri

Ķemeri, Dārziša ielā 28. Prachtvolle, weiße Villa, die sich majestätisch aus einem großzügigen Garten erhebt. Im Erdgeschoß befindet sich eine alte Bibliothek und ein eleganter Salon. Nicht umsonst werden hier ab und zu Nostalgie-Filme gedreht. EZ um die 4 DM, DZ ca. 7 DM. VP möglich. Hotel liegt 6 km vom Meer entfernt. Zum Strand Bus 2 nehmen.

Pumpuri

● *Camping*: **Kempings**, Upes ielā 2. Hier kann man sich in einem der einfachen, aber netten, unter hohen Bäumen liegenden, zweistöckigen Holzhäuschen einmieten. ÜB zwischen 2 und 5 DM, Tel. 67554. Zum Kempings gehört ein Café. Am Meer befindet sich ein Schaschlikrestaurant.

● *Anfahrt/Verbindungen*: **Bahn** - Bis Pum-

Lilupe

Science-Hotel, Vikingu ielā 3. Massiver, roter Backsteinbau, wo einst die Wissenschaftler der UdSSR neue Kraft schöpften. Zimmer mit Bad, durchschnittlich. Hotel verfügt über ednīca, Café und Restaurant

Sanatorium Edinburg, Jūras ielā 60. Man kann sich hier behandeln lassen oder einfach nur übernachten. Zimmer alle mit Bad. ÜB ca. 20 DM, DZ mit Anwendungen und VP ca. 75 DM. Tel. 762578, Fax 0132-222937.

● *Camping*: **Kemping Vaivari**, Atbals ielā 1. Denkbar einfache Holzhütten in unmittelbarer Strandnähe. Der Platz ist nicht gerade schön und kann nur als Notlösung empfohlen werden. In Planung ist ein Motel mit drei Etagen und ein Café. Eine 2-Bett-Hütte kostet um die 10 DM, Tel. 362921.

● *Anfahrt/Verbindungen*: **Bahn** - Für alle drei Adressen mit der Elektrischka bis **Vaivari** fahren und von dort zur Rīga-Chaussee laufen. Die Touristenherberge ist ausgeschildert und das Astronautenheim direkt sichtbar. Zum Campingplatz in Bus 4 umsteigen und bis zur Haltestelle *Kempings* mitfahren.

● *Anfahrt/Verbindungen*: **Bahn** - Bis zur Haltestelle **Ķemeri** fahren, von da noch ca. 15 Min. zu Fuß gehen oder Bus 2 (2 Stationen) nehmen, der direkt vorm Hotel hält.

● *Essen*: **Ķemeri**, Tukuma 23. Einfache, aber gute Küche, Tel. 65321.

● *Diverses*: **Post/Telegrafenamt** - Katedrāles ielā/Ecke Tukuma ielā.

puri fahren. Von den Gleisen kommend, links den asphaltierten Weg durch den Wald nehmen bis zu einem neueren, gelblichen Haus. Dort rechts gehen und dann lange, über zwei Hauptstraßen hinüber, geradeaus laufen, bis an der rechten Seite die Verwaltung des Campingplatzes kommt. Ist etwas schwierig zu finden.

mit guter Küche. Tennisplätze und Sauna vorhanden. Sämtliche russischen Bezeichnungen sind mittlerweile durch englische ersetzt worden. EZ ca. 25 DM, DZ ca. 35 DM und Lux ca. 60 DM, Tel. 751985.

Essen

In Jūrmala ist man zwar nicht auf ein einziges Restaurant angewiesen, doch hält sich das kulinarische Angebot trotz der relativ hohen Besucherzahl in Grenzen.

● *Restaurants*: **Aero**, Jomas ielā 32, Majori. Café mit guter Küche.

Jūrmala, in Majori, zum gleichnamigen Hotel gehörend, gegen 21 Uhr Varieté-Show.

Orient, Jomas ielā 86, Majori. Kaukasische und usbekische Spezialitäten. Für Vegetarier ist *Assorti*, ein gigantischer, exotischer Salat, zu empfehlen. Lecker sind auch *Čibureki*, knusprige, goldgelbe Teigtaschen, gefüllt mit Lammfleisch. Empfehlenswert!

Septimas Musimas, Jomas ielā 37, Majori. Durchschnittliches Restaurant, wechselnde Öffnungszeiten.

● *Cafés/Bars*: Die meisten der Cafés und Bars befinden sich in Majori oder Dzintari.

Jūra, Turaidas ielā 3. Nettes, helles Sommercafé, Tel. 3392.

Jūrmala, schöne Dachterrasse, gehört zum Hotel.

Konzertcafé, kleines, simples Café in der Turaidas ielā neben der Sommerkonzerthalle, Richtung Strand.

Mežabele (Apfel), Turaidas ielā 10/12. Kuchen und kleine Snacks erhältlich.

Pinguin, Jomas ielā 48. Eisdiele der Pinguin-Kette.

Regina, Turaidas ielā 11. Mittelding zwischen Café und Bar, liegt neben der Ausstellungshalle, Tel. 61882.

Sencis, Jomas ielā 33. Zünftiger, etwas düsterer Bierkeller.

Soul, Turaidas ielā. Schicke, in Schwarz gehaltene Bar, befindet sich in einem schönen, alten Haus Richtung Strand. Ausgeschenkt werden überwiegend westliche Spirituosen, Tel. 64235.

Vilnis, Selbstbedienungscafé, befindet sich im selben Gebäude wie das Mežabele, Tel. 54509.

Verschiedenes

● *Einkaufen*: Hübsche Souvenirs wie Keramik- und Lederwaren, Silberschmuck, handgearbeitete Decken und Bernstein gibt es in der **Turaidas ielā** 10/2 und in der **Jomas ielā** 31 und 46.

● *Unterhaltung/Kultur*: **Sommerkonzertsaal**, Turaidas ielā 1. Bei schönem Wetter finden die meist klassischen Konzerte auf der dazugehörigen überdachten Freilichtbühne statt. Schön ist es, während der Mittagszeit im Garten vor der Konzerthalle zu sitzen und den Proben zu lauschen.

Ausstellungssaal, Turaidas ielā 11. Wechselnde Arbeiten zeitgenössischer Künstler, Di geschlossen.

● *Verschiedenes*: **Geldwechsel** - im Hotel Jūrmala oder in einer der unzähligen Wechselstuben in der Jomas ielā.

Post: Jomas ielā 2, gehört bereits zum Stadtteil Dubulti, liegt aber näher an der Bahnstation Majori.

Telegrafenamt: Lienas ielā 16/16, Majori.

Fahrräder: Jomas ielā 92. 1 Std. ca. 10 Pfennig plus 50 DM Kaution oder Reisepaßhinterlegung.

Bootsverleih: beim Yachtclub, schräg gegenüber vom Science-Hotel. Ruderboote und einige, wenige Segelyachten zu vermieten. Yachten für 6 Leute ca. 25 DM/Tag können beliebig lange ausgeliehen werden, auf Wunsch auch mit Begleitung eines Kapitäns und eines Kochs, ca. 60 DM/Tag, um z. B. nach Estland zu segeln. Da die Segelboote heiß begehrt sind, ist eine Reservierung im voraus anzuraten. Kontaktadresse: Jūrmala-Lilupe, Vikingu 6, *Janis Romižs*, am besten vormittags zwischen 9 und 10 erreichbar, Tel. 52409.

Baden

Der 30 km lange Sandstrand von Jūrmala präsentiert sich vielfältig. Ķemeri beispielsweise verspricht mit seinen oft fast leeren Stränden einsame Strandromantik, sei es unter rauschenden Pinien und Kiefern oder in den weichen Dünen. In **Majori** dagegen ist kunterbuntes Strandleben angesagt. Die meisten Urlauber von Jūrmala tummeln sich hier am schönen, breiten Sandstrand. Fotografen schießen Erinnerungsfotos mit Micky-Maus, und Kinder verkaufen Süßigkeiten, Souvenirs und T-Shirts.

Das "Meer" von Jūrmala

Die Wassertemperatur ist im Hochsommer angenehm erfrischend und gelegentlich sogar mild. Bevor man sich jedoch unbekümmert in die Fluten des Rīgaer Meerbusens stürzt, sollte man wissen daß das Wasser sehr verschmutzt ist, obwohl Jūrmala den Status eines Kurorts genießt. Sämtliche Flüsse, die in den Rīgaer Meerbusen münden, erreichen diesen ungeklärt. Die Abwässer Rīgas fließen ebenfalls direkt ins Meer hinein. Eine Alternative zu ausgelassenen Badefreuden ist eine Wanderung am Meer entlang. Mit etwas Glück entdeckt man am Strand von Dzintaris (zu dtsch. Bernstein) vielleicht einige Stücke des begehrten *"baltischen Goldes"*.

Sehenswertes

J. Rainis-Museum, Plieksans ielā 7, Majori: Interessant ist die Datscha des beliebten lettischen Volksdichters *Jānis Rainis*. Heute ist in dem Sommerhaus ein kleines Gedenkmuseum für den berühmten Poeten eingerichtet. Die Wohnräume Rainis geben einen Einblick in die Privatsphäre des Dichters. Hier wird immer noch das Jahr 1929 geschrieben, das Todesjahr des von den Letten so verehrten Schriftstellers.

Jūrmala-Museum, Muzeja ielā 3, Dubulti. In einer lutherischen Kirche, im ältesten Dorf Jūrmalas sind Exponate zur Geschichte des Seebades und wechselnde Kunstausstellungen zu sehen. Di geschlossen.

Orthodoxe Kirche, Ķemeri: hübsche Holzkirche, die ohne einen einzigen Nagel im Jahre 1893 erbaut wurde. Das Innere des Gotteshauses ist mit reichen Schnitzereien verziert.

Friedhof und Insel: Bei der Kirche befindet sich ein Soldatenfriedhof, auf dem Gefallene beider Weltkriege liegen. Nicht weit davon liegt ein kleiner malerischer See mit einer künstlich angelegten Insel, der *Insel der Liebe*.

Gauja-Nationalpark

Etwa 54 km nordöstlich von Rīga beginnt der einzigartige Gauja-Nationalpark. Landschaftlich prägend ist der etwa 100 km lange Gauja-Fluß, der sich wie im Bilderbuch durch tief eingeschnittene Urstromtäler schlängelt.

Nicht umsonst wird das Gebiet auch als die *Schweiz Vidzemes* bezeichnet. Der 1973 gegründete Park erstreckt sich über etwa 900 qkm bei einer Länge von 100 km und einer Breite von 10 km.

Das Naturschutzgebiet ist in sieben Zonen unterteilt, drei davon sind für Besucher zugänglich. Die Hauptorte des Nationalparks sind **Sigulda**, **Cēsis** und **Ligatne**. Wenn man auch sonst in Lettland problemlos überall seine Zelte aufschlagen kann, so ist das im Nationalpark außerhalb der vorgegebenen Rastplätze streng verboten.

Die vielen Naturschönheiten des Gauja-Nationalparks machen einen Besuch zu einem unvergeßlichen Naturerlebnis: Goldgelbe bis feuerrote Sandsteinfelsen und dichtbewaldete Hügel, mit uralten, knorrigen Eichen säumen das malerische Flußbett.

Am Fuße der Hänge, die die Gauja säumen, befinden sich zahlreiche, sagenumwobene Höhlen und Grotten, in deren Nähe geheimnisvolle Quellen sprudeln. In alten Zeiten waren die Höhlen oftmals von mystischen Heilern bewohnt, die mit heiligem Wasser die um Hilfe bittenden Menschen behandelten. Es wird sogar gemunkelt, daß der Teufel selbst in den Grotten der Gauja hauste.

Ideal eignet sich der Nationalpark für ausgedehnte Wanderungen und Bootstouren. Doch der Park ist nicht nur im Sommer eine Reise wert. Die bunten Wälder im Herbst oder die glasigen Eisschollen des Winters, die bei klirrender Kälte auf der Gauja umhertreiben, machen auch zu diesen Jahreszeiten einen Besuch reizvoll. Im Winter laden zusätzlich noch eine Piste und mehrere Loipen zum Skilaufen ein, und bei Sigulda gibt es sogar eine Bobbahn. Die vielen

Lagerplätze ▲

❶ Vitoli
❷ Sapa
❸ Grivini
❹ Rauna
❺ Jāņarāmis
❻ Priedulājs
❼ Lenči
❽ Kvēpene
❾ Briediši
❿ Skaļupīte

⓫ Katrina
⓬ Paslavas
⓭ Brasla
⓮ Bērzi
⓯ Vējupīte
⓰ Lielais Akmens

Inciems

Ragana

Turaida

Gauja

⓯

Loja

Maža Velnala

Lielā Velnala

Rīga

⓰ ▲

Sigulda

Lorupe

Ruinen und historischen Bauten machen den Nationalpark auch zu einem Paradies für Geschichtsliebhaber. Im Park stehen über 300 Bauten unter Denkmalschutz, darunter auch ein Wohnhaus aus dem 9. Jh. am **Araišu-See**. Bevor die deutschen Kreuzritter die Gauja erreichten, um mit Gewalt ihren Glauben einzuführen, war das Flußufer von dem finno-ugrischen Stamm der *Liven* besiedelt, deren hölzerne Festungen sich von den höchsten Hügeln des Gauja-Tals erhoben. Doch die Liven-Burgen wurden schnell niedergebrannt und an ihrer Stelle steinerne Ordensfestungen errichtet.

An der Gauja prallten übrigens ganz vehement die Interessen des Bischofs von Rīga und die des Ordens aufeinander. Beide Seiten waren sich nicht gerade wohl gesonnen und lagen in ständigen Machtkämpfen. Schließlich schaltete sich der Papst ein und sprach den Rittern das Ufer, an dem sich heute das Zentrum der Stadt **Sigulda** befindet zu, während der Bischof von Rīga die andere Seite erhielt, wo sich heute der Siguldaer Stadtteil Turaida befindet. An beiden Ufern erinnern noch einige massive Bauten an die einstigen christlichen Machthaber. Noch gut erhalten ist die Bischofsburg von Turaida mit dem Grab der legendären *Roze*, die lieber in den Tod ging, als ihrem Verlobten untreu zu werden.

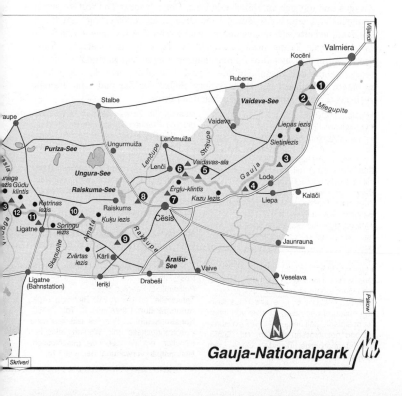

Gauja-Nationalpark

Sigulda (Segewold)   *(ca. 14.000 Einwohner)*

Die Stadt Sigulda bezeichnet man auch als das Tor zum Gauja-Nationalpark. Sie ist umgeben von einer bildschönen Naturlandschaft.

Sigulda, auf der östlichen Gaujaseite liegend, ist ein nettes, altes Städtchen. Seine Umgebung ist ein Paradies für historisch Interessierte und Höhlenforscher. Am andern Ufer der Gauja erhebt sich majestätisch die Burg von Turaida. Die beiden Flußufer sind durch eine Brücke und eine Seilbahn miteinander verbunden.

Seit 1207 ist Sigulda als Stadt bekannt. Archäologische Forschungen besagen allerdings, daß schon weit vor unserer Zeitrechnung finno-ugrische Fischer und Jäger am Gauja-Ufer lebten. Als im 13. Jh. die Kreuzritter Einzug hielten, fanden sie also schon eine Stadt vor, die nur noch erobert werden mußte. Nach Beendigung der Kämpfe errichteten sie am Ufer der Gauja eine Ordensfestung.

Während des 16. Jh. war Sigulda abwechselnd von Russen, Schweden und Polen besetzt. Stark zugesetzt haben der Stadt die Wirren des Nordischen Krieges und die sich anschließende Pest. Der schwarze Tod wütete erbarmungslos und verschonte lediglich ein Drittel der Bevölkerung Siguldas.

Die Stadt erholte sich jedoch überraschend schnell und wurde in den 80ern des 19. Jh. als Erholungsort entdeckt. Viele Adlige und betuchte Kaufleute bauten sich hier ihre Sommerhäuser. Begünstigt noch durch die Inbetriebnahme der Eisenbahnlinie Rīga-Pskow avancierte Sigulda schnell zu einem Urlaubsort der High Society. Selbst der Zar und seine Familie verbrachten hier stets einige Wochen des Jahres.

- *Postleitzahl*: 2150
- *Vorwahl*: wie Rīga.
- *Anfahrt/Verbindungen*: **PKW** - Sigulda liegt an der **A-212**, Rīga- Pskow, etwa 54 km nördlich von Rīga.
Bus: Verbindung mit Rīga, Cēsis und Valmiera, Busbahnhof, Raiņa ielā 3.
Bahn: Die Elektrischka von Rīga und die Züge nach Moskau und Tallinn halten hier. Bahnhof, Stacija ielā.
- *Information*: Pils ielā, sollte nach Renovierung im Sommer 93 wiedereröffnet werden. Ansonsten im Museum oder evtl. Hotel nachfragen.
- *Übernachten*: Obwohl Sigulda für Touristen sehr anziehend und attraktiv ist, sind die Übernachtungsmöglichkeiten rar.
Sigulda, Pils ielā 6. Das alte Haus sieht von außen hübsch aus, ist aber von innen recht einfach. Soll demnächst wegen Renovierung geschlossen werden, Tel. 72263.
Touristenherberge, Turaidas ielā 4. Liegt etwas außerhalb des Zentrums, Richtung

Turaida. Die Zimmer sind recht schmuddelig, die kleinen Sommerhütten direkt am Ufer der Gauja sind etwas besser. Boote für Paddeltouren erhältlich. ÜB im Haus ca. 5 DM, Tel. 72513.
- *Essen*: Wenn in nächster Zeit mehr Gäste nach Sigulda kommen, wird sicherlich auch das kulinarische Angebot erweitert werden.
Gauja, L. Paegales ielā 3. Frisch renoviert.
Café, Turaidas ielā, am Parkplatz, gegenüber der Museumsanlage. Einfaches Café.
Café Turaida, nettes Café in der Museumsanlage.
- *Diverses*: **Geldwechsel** - Stacijas ielā 12.
Post: Pils ielā 2.
Poliklinik: L. Paegles ielā.
Tankstelle: an der A-212 Richtung Rīga.
Autoreparatur: Dārza ielā 2, Tel. 73450.
Kunstmuseum: L. Paegles ielā 4. Kleine Ausstellungshalle mit Werken lettischer Künstler, am Wochenende geschlossen.
Nationalparkverwaltung: Raina ielā 15.

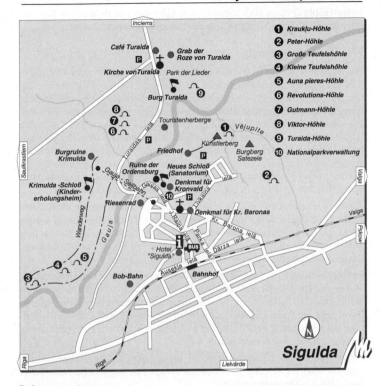

Legend:

1 Krauklu-Höhle
2 Peter-Höhle
3 Große Teufelshöhle
4 Kleine Teufelshöhle
5 Auna pieres-Höhle
6 Revolutions-Höhle
7 Gutmann-Höhle
8 Viktor-Höhle
9 Turaida-Höhle
10 Nationalparkverwaltung

Sigulda

Sehenswertes

Ruinen der Ordensburg: Die Festung wurde vom Deutschen Orden zwischen 1207 und 1226 erbaut. Im Nordischen Krieg wurde sie stark beschädigt. Zwei Wachtürme und Mauerreste sind das einzige, was erhalten geblieben ist. Im Schloßpark befindet sich eine schöne Freilichtbühne, auf der im Sommer Konzerte und Sängerfeste abgehalten werden.

Neues Schloß: An der Stelle der ehemaligen Vorburgen der Ordensfestung wurde von 1878-1881 ein Schloß als Wohnsitz eines reichen Gutsherren gebaut. Heute beherbergt es ein Sanatorium. Im Hof steht ein Denkmal zur Erinnerung an den lettischen Sprachwissenschaftler *Atis Kronvald* (1837-1875). Nicht weit von hier, an der Straßenecke Kr. Barona/Livkalna, befindet sich ein Denkmal für *Kr. Baronas* (1835-1923), Sammler lettischer Dainas und Folklore, auch "Vater der Lieder" genannt.

Künstlerberg (Gleznotāju kalns): Der Weg hinauf zum Künstlerberg lohnt sich. Der Blick von hier oben ins Gauja-Tal ist überwältigend. Das fanden auch die Maler *Rozentāls* und *Purvītis*, deren Lieblingsplatz dieser Hügel gewesen sein soll, und die sich von der atemberaubend schönen Aussicht inspirieren ließen.

Peter-Höhle (Pētera ala): Die etwa 5 m hohe und 6 m tiefe Höhle liegt am Ufer des Flüßchens Vējupite. Für Speläologen sicher interessant.

Westliche Gaujaseite

Um von der Gaujaseite der Kreuzritter auf die Seite, die zum Einflußgebiet des Rīgaer Bischofs gehörte, zu gelangen, kann man entweder die Gaujas ielā, die aus Sigulda-Stadt zur Gauja-Brücke führt und sich dann in Serpentinen nach Turaida hochschlängelt, nehmen oder aber die Seilbahn. Die eindeutig schönere Variante ist natürlich die Seilbahn. Die Talstation befindet sich am Ende der Baumaṇa ielā. Auch wenn die 40 m hoch schwebende Gondel Nervenkitzel auslösen sollte, der wunderschöne Blick ins romantische Gauja-Tal und hinauf zur alten Bischofsburg entschädigt für alle ausgestandenen Ängste. Links von der Bergstation steht das **Schloß von Krimulda**, in dem sich heute ein Sanatorium für Kinder befindet.

Kleine Teufelshöhle (Mazā Velnala): Ein gutes Stück weiter südlich des Schlosses befindet sich die Kleine Teufelshöhle. In der 10 m tiefen Gaujahöhle soll die *Quelle der Weisheit* sprudeln. In Urzeiten sollen Mütter ihre Kinder hierher gebracht und in dem allwissenden Wasser gebadet haben, um ihnen Glück und Klugheit mit auf den Weg zu geben.

Krimulda-Burg: Auf dem Weg nach Turaida, rechts von der Bergstation, stehen die Ruinen der Krimulda-Burg. Die Festung entstand in der zweiten Hälfte des 13. Jh., war aber nie von großer kriegerischer Bedeutung. Sie wurde eher zur Unterbringung hochwichtiger geistlicher und weltlicher Gäste genutzt. Im 17. Jh. wurde sie im polnisch-schwedischen Krieg zerstört und nie wieder aufgebaut.

Krimulda-Schloß: Nicht weit von der Burg, links der Bergstation, erhebt sich ein 1854 im Stil des Klassizismus errichtetes Schloß. Es beherbergt heute ein Kindererholungsheim.

Große Teufelshöhle (Lielā Velnala): Der Name der Höhle kommt, wie anzunehmen, von des Teufels Anwesenheit höchstpersönlich . . .

. . . einmal, als der Teufel durch das malerische Tal der Gauja flog, vernahm er plötzlich das laute Krähen eines Hahns, das ihn bis ins Mark erschrecken ließ. Vor Angst zitternd, konnte er seinen Flug unmöglich fortsetzen und beschloß, in jener Höhle zu übernachten. Die schwarzen Höhlenwände sind durch den dunklen Atem des Teufels so schwarz geworden.

Gutmann-Höhle (Gūtmaṇa ala): Mit 10 m Höhe, 12 m Breite und 19 m Tiefe eine der größten Sandsteinhöhlen des Baltikums. Sie soll eine Zeit lang der geheime Treffpunkt der Verliebten Maija und Viktor (siehe unten) gewesen sein. Der in der Höhle sprudelnden Quelle wurden heilende Kräfte zugesprochen, was ein in der Höhle lebender Mann für sich zu nutzen wußte. Dies brachte ihm die Bezeichnung "guter Mann" ein, die schließlich der Höhle zu ihrem Namen verhalf.

Viktor-Höhle: Angeblich hat Viktor diese Höhle aus Liebe zu seiner Maija, der *Roze von Turaida*, mit seinen bloßen Händen gegraben, damit diese von dort die Möglichkeit hatte, ihn bei der Arbeit beobachten zu können. Die Höhlen liegen alle drei dicht beieinander und sind zu finden, wenn man am "bischöflichen" Ufer der Gauja Richtung Turaida entlangspaziert.

Turaida-Museumsanlage

In Turaida, etwas weiter nördlich von der Krimulda-Ruine, befindet sich am hohen Ufer der Gauja eine große Museumsanlage, die die alte Bischofsburg, das Grab der legendären Rose von Turaida, eine Kirche, eine Ausstellung über die Geschichte Siguldas und Umgebung und einen großen Skulpturenpark umfaßt.

Gegenüber vom Museumseingang befindet sich ein großer Parkplatz. Dort gibt es einige Souvenirbuden, an denen man Wimpel, Spazierstöcke und Bernstein erstehen kann. Vor dem Museumseingang kann man sich entweder per Pferd oder per Kutsche die nähere Umgebung erschließen. Es besteht auch die Möglichkeit zu einer zweitägigen Reitwanderung.

Öffnungszeiten: Die Anlage ist ganzjährig geöffnet.

Grab der Roze von Turaida

Grab der Roze von Turaida: Zur Burg führt der Weg vorbei am Grab der legendären *Roze von Turaida*, ein beispielloses Symbol für wahre Liebe. Auf dem Grab rascheln auch heute noch die Zweige der Linde, die Viktor, Rozes Geliebter, bei ihrer Beerdigung in tiefer Trauer auf ihr Grab pflanzte. Über das Mädchen wird folgende traurige Geschichte erzählt:

Man schrieb das Jahr 1601. Im Lande wütete der schwedisch-polnische Krieg. Die Schweden hatten gerade nach einer dreitägigen erbitterten Schlacht die Polen an den Ufern der Gauja geschlagen und die Burg Turaida erobert. Nach Beendigung der Kämpfe machte sich der alte Schreiber der Burg auf, um in den umliegenden Wäldern nach Verwundeten zu suchen. Dabei fand er ein kleines, weinendes Mädchen, das allein zwischen den Verletzten umherirrte.

Der alte Mann nahm das Mädchen zu sich und gab ihr den Namen Maija. Im Laufe der Zeit wuchs Maija zu einer bildhübschen jungen

Frau heran. Sie war so schön, daß sämtliche Männer der Umgebung sie zu ehelichen wünschten und ihr schwärmerisch den Beinamen Roze von Turaida gaben. Doch Maija hatte ihre Entscheidung bereits getroffen: Sie liebte einen jungen Gärtner, der im Schloßpark von Turaida arbeitete. Die beiden Verliebten trafen sich oft in der Gutmann-Höhle am Ufer der Gauja. Doch das junge Glück sollte auf tragische Weise zerstört werden:

Eines Tages kam ein polnischer Offizier nach Turaida, der von Maijas Schönheit geblendet war. Auf der Stelle wollte er das Mädchen zu seiner Geliebten machen. Doch all seine kostbaren Geschenke konnten Maijas Treue zu Viktor nicht beeinträchtigen. So überlegte sich der Offizier eine List, wie er an das Mädchen herankommen könnte. Eines Tages ließ er Maija einen Brief überbringen, in dem er Viktors Handschrift fälschte und sie um ein Treffen in der Höhle bat. In der Hoffnung, ihren Liebsten zu sehen, machte sich Maija auf den Weg zur Höhle. Verzweifelt und traurig darüber, anstelle Viktors den Offizier anzutreffen, erzählte sie ihm, um ihre Ehre bangend, daß das Halstuch, das sie trüge, Zauberkräfte besäße und seine Träger vor sämtlichem körperlichen Leid schütze. Mit der Bitte, ihre Freiheit und ihre Ehre behalten zu dürfen, bot sie dem Offizier das Halstuch an. Damit er sich selbst von der Zauberkraft des Halstuches überzeugen könne, forderte sie ihn auf, ihr einen gewaltigen Hieb mit dem Schwert zu erteilen. Der Offizier setzte an und sah, wie der Körper des Mädchens leblos vor ihm zusammensackte. Fluchtartig verließ er die Gutmann-Höhle und ward in Turaida nie wieder gesehen.

Als Viktor am Abend zur Höhle kam, fand er den Leichnam seiner Freundin. Als er mit einigen Arbeitern Maija hochhob, fanden sie den Brief mit der gefälschten Handschrift Viktors und seine Axt. Sofort wurde Viktor des Mordes bezichtigt und zum Tode verurteilt. Doch er hatte Glück im Unglück. Ein Freund des Offiziers, der ihm heimlich zum Stelldichein gefolgt war, berichtete, was sich wirklich in der Höhle zugetragen hatte. Somit wurde Viktor freigesprochen. In tiefer Trauer beerdigte er seine geliebte Maija und pflanzte eine Linde auf ihr Grab. Am nächsten Tag verließ er Turaida und kehrte nie zurück. Alles, was er mitnahm, war eine Handvoll Erde von Maijas Grab.

Bischofsburg: Die 1214 erbaute Burg von Turaida diente einst als Residenz des Bischofs von Rīga. Lange Zeit war die Festung eine der mächtigsten auf den Höhen des Gauja-Tals. Ursprüglich war sie von einer gewaltigen Mauer mit fünf Wachtürmen umgeben. Bei dem großen Brand von 1776 wurde ein großer Teil der Burg zerstört. Einiges ist mittlerweile wiederaufgebaut worden, doch die Restaurierungsarbeiten sind noch lange nicht beendet, da die Festung wieder in ihren ursprünglichen Zustand versetzt werden soll. Bereits fertiggestellt ist der 30 m hohe Burgfried, den zu erklimmen es sich lohnt. Der Blick auf das üppiggrüne Gauja-Tal ist traumhaft. In einem erneuerten Trakt der Burg befindet sich heute das *Regionalmuseum von Sigulda*.

Kirche von Turaida: Das guterhaltene Gotteshaus zählt zu den ältesten Holzkirchen Lettlands. Hübsch ist der im Barockstil errichtete Turm. In dieser Kirche fanden sowohl Maijas Taufe als auch ihre Trauerfeier statt.

Volkslieder- und Skulpturenpark: Zu Ehren *K. Barons* (1865-1944), dem Sammler lettischen Volksguts, wurde der Garten 1985 eingerichtet. In dem Park sind monumentale, sehr ansprechende Steinplastiken des lettischen Bildhauers *I. Ranka* zu sehen. Das Thema, das die Skulpturen verbindet, ist ihr Bezug zur lettischen Volkstradition. Besonders eindrucksvoll ist die Plastik *Vater der Lieder*, ein überdimensional großer Kopf eines sehr weise aussehenden Mannes, der sich mit einer Hand nachdenklich das Kinn hält.

Freizeit/Sport

Baden: Es gibt bei Sigulda schöne Strände am Ufer der Gauja. Die Bewohner nutzen den Fluß, von dem man sagt, daß er sauber sei, im Sommer gerne zur Erfrischung. Dieser Unbekümmertheit ist jedoch entgegenzuhalten, daß die Gauja u. a. durch Valmiera fließt, wo eine Glasfaserfabrik arbeitet, die ihre Abwässer sicherlich nicht geklärt in den Fluß leitet.

Wintersport: In Sigulda-Stadt, beim Gauja-Ufer, besteht die Möglichkeit zum Ski-, Schlitten- und Bobfahren. Hier trainiert übrigens auch das lettische Olympia-Team, das 1988 in Calgary die Goldmedaille holte.

Bungeejumping: Im Sommer baumeln gelegentlich Gestalten mit dem Kopf nach unten, der auch manchmal im Wasser landet, von der Gaujabrücke (Richtung Turaida) herab.

Boote: Ausleihe bei der Touristenherberge, auch für weitere Touren, wie z. B. von Valmiera nach Sigulda, Tel. 972295.

Kanutour auf der Gauja durch den Nationalpark

Die Tour startet unter der Brücke von Valmiera. Von dort ist es nicht mehr weit, bis der Gauja-Nationalpark beginnt. Ab hier darf nur auf den dafür vorgesehenen Lagerplätzen übernachtet und auch nur dort Feuer gemacht werden.

Nachdem man die Gauja etwa 4,5 km abwärts gerudert ist, befindet man sich im Nationalpark. Nach etwa 1 km kommt am linken Ufer der Lagerplatz *Vitoli*. Die nächste Lagerstätte *Sepa* befindet sich nur 4 km weiter stromabwärts, ebenfalls auf der linken Seite. Nicht weit von den Rastplätzen stößt man auf die wunderschöne *Liepaiezis*, Sandsteinfelsen, die wie gemalt das Ufer der Gauja säumen.

Nach weiteren 2 km erheben sich am rechten Ufer majestätisch die *Sientiņiezis*. Die Steine schimmern rötlich und werden als des *Teufels Ferse* bezeichnet.

Auf dem Weg zum 5 km entfernten Ort *Lode* kommt man an der Lagerstelle *Grīviņi* vorbei. Sie befindet sich am linken Ufer. Unweit von Lode liegt das Dorf *Liepa*. Wer schon immer einmal einen Blick in die Hölle werfen wollte, ist hier genau richtig. Hier befindet sich eine 11 m tiefe Sandsteinhöhle, aus der eine kleine Quelle herausfließt. Im Volksmund wird die Höhle als die *Hölle Lettlands* bezeichnet, in Urzeiten diente sie als Kultstelle.

Literaturliebhaber sollten nach weiteren 3 km, kurz nach der Mündung der *Rauna* in die Gauja, anlegen, um sich das in der Nähe befindliche Museum des Schriftstellers *E. Treimanis-Zvārgulis* anzusehen. Ein kurzes Stück vor der Mündung der Rauna befindet sich am linken Ufer der Lagerplatz *Rauna*. Flußabwärts, hinter der Mündung der Rauna, liegt am rechten Ufer die Lagerstelle *Jānarāmis*.

Auf dem Weg dorthin wartet die Natur mit einer weiteren Schönheit auf: Linker Hand erheben sich die rötlich-braunen *Kazukalns*. Das Gauja-Ufer ist hier sehr steil und stark bewachsen.

Die Gauja

Nach 6 km gelangt man zu einer Fußgängerbrücke, und nach weiteren 4 km erhebt sich links der gigantische 15 m hohe *Ērglu-kaln*, der Adlerfelsen, hoheitsvoll aus der Gauja. Es gibt hier einige schöne Sandbänke und -strände, die zu einer Rast und zum Sonnenbaden einladen. Am anderen Ufer liegt der Lagerplatz *Priedulājs*. 1 km weiter flußabwärts mündet rechter Hand die *Striķupe* in die Gauja. Nicht weit von dem Zusammenfluß (2 km) liegt die *Vaidava-Höhle*.

Auf der anderen Gauja-Seite liegt der Lagerplatz *Lenči*. Nach 4 km fließt die Lenčupe in die Gauja Nach weiteren 3 km hat man die *Raiskuma-Brücke* erreicht. Wer das romantische Städtchen *Cēsis* besichtigen will, muß hier festmachen. Bis ins Zentrum sind es etwa 3 km. In Cēsis besteht auch die Möglichkeit zu übernachten (siehe S. 336).

Gleich nach der Reiskuma-Brücke wird die Gauja von den wunderschönen *Roten Felsen* gesäumt. Etwa 5 km weiter stromabwärts erhebt sich rechts der *Kvēpene-Burghügel*. Am Schloßberg steht eine ur-

alte Eiche, die über 5,5 m Stammesumfang mißt. Nicht weit vom Hügel liegt am gleichen Ufer der Rastplatz *Kvēpene*.

2 km weiter erheben sich am linken Ufer die *Briedīši iezis*, in deren Nähe sich die gleichnamige Lagerstätte befindet. Weitere 2 km stromabwärts mündet die Amata, die während der Schneeschmelze fast zu einem reißenden Strom wird, in die Gauja. Hier lohnt es sich anzuhalten, um einen Fußmarsch (eine Strecke 6 km) zu den *Zvārtas iezis* anzutreten. Mit ihren 46 m sind sie die höchsten Felsen Lettlands.

Zurück auf der Gauja passiert man nach 1 km die wunderschönen und überaus malerischen *Ķūķu-iezis*. Hier beginnt eine Reihe von kleinen Stromschnellen.

Nach 3 km mündet die *Skaļupite* in die Gauja. Am rechten Ufer befindet sich ein Lagerplatz gleichen Namens. An der linken Gauja-Seite kommt nach 2 km eine kleine Höhle, die das Flußwasser im Laufe der Jahre in den Sandstein gewaschen hat. Bis zum Zusammenfluß von *Ligatne* und Gauja ist es nur noch 1 km. Hier verkehrt auch eine Fähre, die auch Autos über den Fluß transportiert. Sehenswert sind der *Wildpark* und der *Märchenpfad* von Ligatne, die wenige km weiter stromabwärts liegen. Am nächsten kommt man den beiden Sehenswürdigkeiten, wenn man kurz nach dem am linken Ufer liegenden Lagerplaz *Katrina* anlegt.

Rudert man weiter bis nach Sigulda, trifft man am rechten Gauja-Ufer kurz vor dem Nebenfluß Brasla auf die Lagerstätten *Paslavas* und *Brasla*. Bis nach *Turaida*, dem geschichtsträchtigen Stadtteil Siguldas, sind es noch etwa 12 km. Nach etwa 5 km kommt auf der linken Seite der Lagerplatz *Bērzi* und nach weiteren 5 km auf der selben Seite der Platz *Vējupīte*.

Kurz bevor sich das beeindruckende *Schloß von Turaida* hoch oben auf einem Berg erhebt, verdient noch der malerische *Berg der Maler* Beachtung. Ihn zu erklimmen lohnt sich, denn die Aussicht in das Gauja-Urstromtal ist einmalig. Kurz hinter dem hohen Ufer von Turaida erreicht man *Sigulda*. Unter der Brücke von Sigulda ist die Fahrt auf der Gauja beendet.

Ligatne

Das Dorf Ligatne ist vor allem wegen seines schönen Wald- und Wildparks interessant. Hier soll den Besuchern das Leben des Waldes nähergebracht werden.

Man kann das Gehege auf eigene Faust erwandern oder aber an einer fachkundigen Führung teilnehmen, die an der Kasse bestellt wird. Wer nicht die Zeit für eine ausgedehnte Wanderung hat, kann das Gebiet auch per Auto durchqueren.

Die reizvolle Variante, das Gehege auf dem Pferderücken zu durchqueren, gibt es seit einigen Monaten leider nicht mehr, da die edlen Vierbeiner aus Kostengründen abgeschafft werden mußten. Es kann jedoch nicht ausgeschlossen werden, daß, sobald es Lettland finanziell besser geht, auch wieder die Pferde durch den Waldpark Ligatnes galoppieren.

Im Wald sind Aussichtsplattformen aufgestellt, von denen aus man die in Gehegen lebenden Bewohner des Waldes, wie Elche, Hirsche, Wildschweine, ja sogar Bären, beobachten kann. Wegen des Naturschutzes ist das Verlassen der Wege streng untersagt. Im Winter ist der Park geschlossen.

Maja und Paja: Geht man an der Kasse zum Waldpark die Straße ca. 100 m weiter, so gelangt man zu amüsanten Holzfiguren. Nicht von dem fälschlicherweise nach rechts verweisenden Maja- und Paja- Schild irritieren lassen, denn das führt zum Pflanzenlehrpfad. Ein Stück an dem Schild vorbeigehen, bis linker Hand die Holzskulpturen stehen. Zu sehen sind holzgeschnitzte Figuren aus dem Märchen von Maja und Paja.

Ligatne-Bach: Folgt man dem Pflanzenlehrpfad, gelangt man schließlich an die Ligatne, an deren Ufern sich einige schöne kleine Sandstrände befinden. Wenn man sich am Ligatne-Ufer rechts hält, so gelangt man zu einem gewaltigen, rötlichen Sandsteinfelsen, der malerisch ins Wasser abfällt. Im Wald befinden sich

Märchenpfad von Ligatne

mehrere Feuerstellen, an denen man auch übernachten kann.

● *Anfahrt/Verbindungen*: **PKW** - Von Sigulda etwa 10 km die A-212 Richtung Cēsis nehmen, bis ein Schild nach Ligatne kommt. Dort abfahren und ca. 9 km auf dieser Straße bleiben. Bei einer Verkehrsinsel links abbiegen und rechts in einen Weg fahren, bis nach ca. 2-3 km links der Park beginnt (schlecht ausgeschildert). **Bahn:** Züge von Valmiera-Rīga. Die Station Ligatne liegt noch ein ganzes Stück vom

Ort selbst und vom Park entfernt. Am Wochenende paßt ein Mikrobus jeden Zug ab, um die Besucher in den Park zu bringen. In der Woche sieht die Weiterfahrt vom Bahnhof schlecht aus, da Transferbusse nur spärlich, wenn überhaupt, verkehren. Wer sein Fahrrad dabeihaben sollte, fahre die Bahnhofsstraße geradeaus bis zur Hauptstraße, dort links fahren und dann immer geradeaus, bis linker Hand ein Schild nach Ligatne kommt, weiter s.o. Die Strecke dieser Berg- und Talfahrt beträgt ca. 12 km.

- *Information*: Pauguri ielā, Tel. 53323.
- *Lebensmittelladen*: Komjunautes ielā 3.

Cēsis (Wenden) *(ca. 21.000 Einwohner)*

Die alte, hübsche Hansestadt liegt inmitten des Hochlandes des Nationalparks. Sie ist ideal als Ausgangspunkt für Ausflüge in die Umgebung geeignet.

Seit 1930 ist Cēsis ein Touristenort. Mit seiner romantischen Ordensburg, der alten Kirche und seinen teilweise unter Denkmalschutz stehenden Häusern, versprüht Cēsis einen Hauch von Mitttelalter und lädt zu einem Bummel durch seine schmalen Gassen und Straßen ein.

Erstmals urkundlich erwähnt wurde Cēsis 1224. Dank seiner günstigen Lage am Ufer der Gauja, über die die Handelsroute Rīga-Tartu-St. Petersburg führte, entwickelte sich Cēsis schnell zu einer blühenden Handelsstadt. Cēsis muß sehr einladend auf die deutschen Schwertbrüder gewirkt haben, die 1209 die Stadt unterwarfen und eine Ordensfestung errichteten. Im 14. Jh. trat Cēsis der Hanse bei.

1577 belagerte *Iwan der Schreckliche*, dessen größter Wunsch es gewesen sein muß, den livländischen Ordensstaat vor seiner Haustür zu beseitigen, die Ritterburg von Cēsis. Glaubt man den Erzählungen, so haben die Verteidiger der Festung es vorgezogen, die Burg und sich selbst in die Luft zu sprengen, als in die Hände des schrecklichen Iwan zu fallen.

Durch eine große Feuersbrunst im Jahre 1671 erlitt die Stadt große Verwüstungen. Cēsis ist übrigens auch der Geburtsort des lettischen Poeten *Eduard Veidenbaum*, der als ein Wegbereiter der Literatur aus der Zeit des Nationalen Erwachens in Lettland gilt.

- *Postleitzahl*: LV-4100
- *Vorwahl*: 241
- *Anfahrt/Verbindungen*: **PKW** - Von Sigulda die A-212 hochfahren bis zum Abzweig nach Valmiera, via Cēsis Sehr viel schöner ist es jedoch, von Ligatne über Kārlī nach Cēsis zu fahren, auch wenn die Straße ziemlich schlecht ist. Die Strecke führt ein Stück an der Gauja entlang. Auf dem Weg liegt eine beeindruckende, 16 m hohe Sandklippe, die *Zvārtas iezis*.
Bus: Verbindung mit Rīga, Sigulda, Valmiera und Ainaži. Busbahnhof Uzvaras bulv. 26.
Bahn: Züge Richtung Rīga, Tallinn, Moskau und Vilnius. Bahnhof Uzvaras bulv. 26.

- *Information*: Uzvaras bulv. 3. Mo-Fr von 9-18 Uhr, Samstagsvormittag geöffnet, Tel. 22249. Exkursionen in die Umgebung mit deutschsprachigen Reiseleitern möglich.
- *Übernachten*: **Tērvete**, Vienības lauk. 1. Hotel befindet sich in einem stilvollen Gebäude. Zimmer einfach, ohne Bad, sauber. EZ ca. 3,50 DM, DZ ca. 6 DM, Tel. 22392.
Priekuļi, Veidenbauma ielā 2. Relativ neu, schön eingerichtet, mit Preisen wie in einem westlichen Mittelklasse-Hotel rechnen. Tel. 30457. Von der Post Bus 11 bis zur Haltestelle Skola.
Hostel, Saules 23. Sehr einfach, ÜB ca. 2 DM, Tel. 25290.

●*Essen*: **Pie Raunas Vārtiem**, Rīgas ielā 1/3. Gemütlich ausgestattetes Kellerrestaurant mit guter Küche. Oben Bar. Die Musik der Bar und die des Kellers geben eine interessante Geräuschkulisse ab.

Tārvete, befindet sich im gleichnamigen Hotel. Ansprechende Ausstattung, gute Küche. Im Keller Selbstbedienungscafé mit einigen Gerichten.

Saietu nams, Rīgas ielā 43. Nettes Privatcafé, in dem man gut essen kann. Eingang im Hof, Tel. 22507.

●*Cafés/Bars*: **Teras**, Vienības lauk., neben dem Markt. Nettes Sommercafé auf einer Dachterrasse.

Uguntina, Raunas ielā 12. Das Café ist durchschnittlich. Schöner ist die dazugehörige Bar.

Koktailbar, Rīgas ielā 25. Winzige Milchbar, in der es Eis-Saft-Shakes, Kuchenteilchen und Eis mit Crunch gibt.

●*Diverses*: **Post** - Raunas ielā 14.

Poliklinik: Beverīnas ielā 11.

Souvenirs Rota: Rīgas ielā 16, das Angebot hält sich im Rahmen.

Sehenswertes

Jāna-Kirche (Johannes-Kirche): Sie steht mitten in der Stadt, in der Nähe der Rīgas ielā. Gebaut wurde das Gotteshaus in der Zeit von 1281-1284 auf Initiative der livländischen Glaubensbrüder. Viele ihrer Ordensmeister liegen hier begraben. Der Bau ist teilweise im romanischen Stil erbaut worden, doch sind bereits Elemente der Frühgotik zu erkennen. Die Stadtarchitekten von Cēsis haben über lange Zeit hinweg versucht, das Stadtbild harmonisch auf den sakralen Bau der Jāna-Kirche abzustimmen.

Schloß: Hoch auf dem Schloßberg erhebt sich das noch recht gut erhaltene Anwesen des *Grafen Sivers*. Errichtet wurde der Bau im 18. Jh.

Maler in Cēsis

Stadtmuseum: Es befindet sich in einem Trakt des Schlosses, am Ende der Pils ielā. Neben Exponaten zur wechselhaften Geschichte Cēsis sind auch verschiedene Ausstellungen mit Werken der bildenden Künste zu sehen, geöffnet Di- So von 10-17 Uhr.

Burgruine: Unweit vom Schloß stehen die Ruinen der alten Ordensburg aus dem Jahre 1209. Ein schmaler Pfad führt durch die alten, unter Bäumen befindlichen Burgmauern, und lädt zu einem romantischen Spaziergang ein.

Tanz- und Singfest: In der Regel findet Ende Juni/Anfang Juli auf der Estrada im Schloßpark ein Tanz- und Sängerfestival statt.

Umgebung von Cēsis

Südlich von Cēsis, auf dem Weg zur A-212, liegt neben vielen, kleinen anderen Gewässern der **Āraišu-See**. Archäologen vermuten, daß auf einer Insel des Sees im 9. Jh. eine *livische Wasserburg* gestanden habe. Durch die Freilegung eines Wohnhauses und aufgrund von Funden von Gebrauchsgegenständen und Waffen dieser Zeit scheinen sich die Annahmen der Wissenschaftler zu bestätigen. Momentan wird das entdeckte Wohnhaus restauriert.

In der Nähe vom Ufer, umgeben von einem großzügigen Park, liegt das *Gutshaus von Āraišu*. Zum Anwesen gehört auch eine holländische Getreidemühle. Nicht weit vom Gutshof entfernt, befindet sich die mit roten Ziegeln gedeckte lutherische *Kirche* aus dem Jahr 1225.

▶ **Straupe:** Wie gemalt schimmert das *Schloß Lielstraupe* zwischen den dunklen Bäumen, die es umgeben, hervor. Das Bauwerk stammt aus dem 13. Jh. Im Inneren des gut restaurierten Gebäudes befindet sich heute ein Konzertsaal.

• *Anfahrt/Verbindungen*: **PKW**: Das Schloß befindet sich am nordwestlichsten Punkt des Gauja-Nationalparks. Von Cēsis die Landstraße Richtung Limbaži nehmen. Im Dorf Stalbe dann nach Straupe abfahren. **Bus**: Zu erreichen mit der Linie Cēsis-Limbaži, Busse verkehren jedoch selten.

Limbaži *(ca. 9000 Einwohner)*

Zum Bezirk der kleinen, ruhigen Kreisstadt gehören ein schöner Campingplatz und ein nettes Hostel, beides direkt am Meer gelegen.

Limbaži ist dann interessant, wenn man in der Gegend "formelle Angelegenheiten" zu erledigen hat, wie z. B. das Abschicken von Post und Telegrammen oder der Einkauf von Lebensmitteln. In Zukunft wird in Limbaži allerdings das Zentrum des neuen Nationalparks zu finden sein, das die Salaca und die Gegend um Mazsalaca unter Schutz stellen wird.

• *Postleitzahl*: LV-4000
• *Vorwahl*: 240
• *Anfahrt/Verbindungen*: **PKW** - M-12 bis Tūja nehmen und dort nach Limbaži abfahren.
Bus: am häufigsten Verbindung mit Valmiera, Cēsis und Rīga. Busbahnhof am Ende der Posti ielā.
• *Essen*: **Restoranās**, Rīgas ielā 8. Üblicher Komplex, das Essen ist mittelmäßig.
• *Diverses*: **Geldwechsel** Burtnieku ielā 8. **Post**: Posti ielā 3.

Umgebung von Limbaži

▶ **Tūja:** Im Westen des kleinen Dorfes befindet sich ein menschenleerer, endlos langer feiner Sandstrand. Theoretisch könnte man bis nach Rīga oder Pärnu wandern, wobei man unterwegs auf den einen oder anderen Campingplatz stoßen würde. Im winzigen Tuja gibt es außer dem schönen Strand nichts Aufsehenerregendes. An der Bushaltestelle befindet sich zwar eine ēdnīca, doch ist sie sehr einfach.

• *Anfahrt/Verbindungen*: **PKW** - Tūja liegt an der M-12. Von Limbaži einfach die Landstraße, die aus Valmiera kommt, Richtung Meer entlang fahren.
Bus: Alle Busse der Linie Rīga-Tallinn halten an der Schnellstraße M-12, unweit von

Tūja. Ort und Strand liegen noch ca. 30 Min. von der Haltestelle entfernt. Von der Bushaltestelle in Tūja rechts in den Ort gehen. Etwas weiter kommt links eine Straße, die zum Strand führt. Nach Tūja selbst fahren nur wenige Busse aus Limbaži.

• *Übernachten*: **Captains Hostel**, ein Katzensprung* vom Campingplatz entfernt, befindet sich ein hübsches ehemaliges Fischerhaus, das jetzt ein einfaches, aber nettes Hostel beherbergt. Einige Zimmer haben Seeblick, draußen gibt es eine Grillmöglichkeit. Die Zimmer sind ohne Bad, ÜB ca. 7 DM, Sauna und Küche für Selbstversorger vorhanden.

Adresse: Captains, Vietrupes ciems, Lielkalni, Tel. 243-55350, Limbaži raj.

Anfahrt mit dem **PKW** - Kempings liegt an der M-12, auf dem Stück zwischen Tūja und Salacgrīva. Am Straßenrand steht ein großes Schild, das auf das Hostel des Captains hinweist. Dem Schild nachfah-

rend, ist der Campingplatz sofort zu sehen. Zum Hostel den kleinen Weg am Campingplatz vorbeifahren und, bis nach etwa 1-1,5 km auf der linken Seite das Hostel auftaucht.

Auch mit dem **Bus** gut zu erreichen. Linie Rīga- Tallinn fährt mehrmals täglich diese Strecke, außerdem Busse aus Limbaži via Tūja, Valmiera, Cēsis und Ainaži.

• *Camping*: Lettisch/schwedischer Campingplatz, an einem herrlichen, weißen Sandstrand gelegen. Alles befindet sich noch im Aufbau. An den kleinen, frischgetünchten Hütten kann man die Farbe noch riechen. Ein Café soll in Kürze eröffnet und Fahrräder angeschafft werden. Ein 2-Bett-Häuschen kostet ca. 3 DM und eines mit 4 Betten ca. 5 DM, freundliche Leitung. Es kann auch im eigenen Zelt oder Wohnwagen geschlafen werden.

Adresse: Kempings Meleki LTD, p/n Vitrupe, Tel. 243- 55353, Limbaži raj.

Valmiera (Wolmar) *(ca. 20.000 Einwohner)*

Das nette Städtchen liegt am nördlichen Rand des Gauja-Nationalparks, wo Ratsupe und Gauja zusammenfließen. Es eignet sich gut als Ausgangspunkt zu Ausflügen in den Nationalpark.

Obwohl die Gegend um Valmiera überwiegend landwirtschaftlich genutzt wird, ist die Stadt selbst ein für Lettland bedeutsames Industriezentrum. Wichtigster Wirtschaftssektor Valmieras ist seine Glasfaserfabrik, deren Abwässer aber leider alle ungeklärt in der Gauja landen. Dennoch strahlt die Stadt eine freundliche Atmosphäre aus.

Die günstige geographische Lage Valmieras, nämlich direkt an der Handelsstraße St. Petersburg-Tartu-Rīga, ließ den Ort schnell zu einem blühenden Handelsplatz werden. Er lockte dadurch nicht nur Händler an, sondern auch die deutschen Kreuzritter. Um ihre Macht in Valmiera zu festigen und sich die Kontrolle über den Handel zu sichern, errichteten sie kurz nach ihrer Ankunft eine Ordensburg. Das genaue Entstehungsdatum der Festung ist nicht bekannt, doch wird vermutet, daß sie bereits vor dem Bau der Kirche existierte. Die Kirche selbst entstand 1283, in dem Jahr, in dem die Stadt zum ersten Mal urkundlich erwähnt wurde.

Im Laufe der Zeit wurde die Ordensburg mehrmals geschleift und erobert, hauptsächlich von Schweden und Polen, bis sie im Nordischen Krieg 1702 schließlich völlig zerstört wurde.

• *Postleitzahl*: LV-4200
• *Vorwahl*: 242
• *Information*: Ein spezielles Büro gibt es z. Zt. nicht, bei Bedarf im Museum, Bruņinieku ielā 3, nachfragen.

• *Anreise/Verbindungen*: **PKW** - Valmiera ist über die A-211, die nach Ainaži führt, die A-204 Cēsis-Viljandi und über die A-201 Richtung Tartu erreichbar.

Bus: Verbindung mit Cēsis, Sigulda, Rīga, Valka und nach Burtnieki, Busbahnhof, Cēsu ielā 1.

Bahn: Züge Richtung Rīga und Valka. Der Bahnhof befindet sich in der Stacijas ielā. Um ins Zentrum zu gelangen, Bus 1, 2, 5 oder 6 nehmen, aussteigen an der Haltestelle *Centras*.

• *Übernachten*: In der Lāčplēša ielā, mitten in der Stadt, steht ein großes Hotel, das 1993 wegen Renovierung geschlossen war. Da momentan so gut wie keine Gelder in den Bau fließen, ist noch nicht abzusehen, wann das Hotel wieder seine Pforten öffnen wird.

• *Essen*: Gourmets sind hier nicht an der allerersten Adresse. Viele Restaurants und Cafés haben in den letzten Monaten zugemacht. Es kann aber durchaus sein, daß in der Zwischenzeit einige private Restaurants eröffnet haben.

Gauja, Rīgas ielā 4. Einziges Restaurant der Stadt, durchschnittlich, Tel. 23352.

Saule, Rīgas ielā 10. Kleineres, nicht gerade überwältigendes Café, Tel. 23654.

Sulu-Bārs, Rīgas ielā 25, Snacks und ultrasüße Saftshakes.

• *Diverses*: **Geldwechsel** - Rīgas ielā 40.

Post: Diakonatu ielā 8.

Poliklinik: Jumaras ielā 195.

Autoreperatur: Berzu ielā 3, Tel. 3450.

Sīmaņu-Kirche (Simoniskirche): Sie befindet sich am Hauptplatz der Stadt, neben dem Hotel, in der Nähe des Museums. Die dreischiffige Kirche wurde von 1283-1287 gebaut. Seit Ende des Zweiten Weltkrieges diente sie als Konzert- und Ausstellungshalle. Das hat sich bis heute nicht geändert, obwohl die Gläubigen seit Beginn von Glasnost und Perestroika ihre Kirche zurückfordern.

Ruinen der Ordensburg: Zwischen Kirche und Museum sind nur noch spärliche Überreste der einstigen Ordensfestung zu sehen. Dennoch hat die Stadt mit Restaurierungsarbeiten begonnen.

Museum: Bruņinieku ielā 3. Alte Postkarten und Dokumente liefern einen Querschnitt der Geschichte Valmieras und Umgebung. Zu sehen sind außerdem Gemälde, die sich überwiegend der lettischen Natur widmen. Im Foyer des Museums ist ein kleiner Stand aufgebaut, an dem es Bernsteinschmuck zu kaufen gibt.

Öffnungszeiten: Di-So von 11-17 Uhr.

Burtnieki (Burtneck)

Kleines Dorf zwischen Valmiera und Mazsalaca, am Ufer des Burtniek-Sees gelegen. Der Burtniek-See, eingebettet in üppiges Grün, ist der zweitgrößte See Lettlands.

In dem Dorf Burtnieki steht oberhalb des Sees ein gut erhaltenes Herrenhaus, zu dem ein idyllischer und romantischer Schloßpark gehört. Es wurde teilweise auf den Grundmauern einer alten Ordensburg errichtet.

Interessant ist Burtnieki aber in erster Linie wegen seines *Gestüts*. In den ursprünglich zum Herrenhaus gehörenden Stallungen, wo u. a. Springpferde gezüchtet werden, besteht die Möglichkeit zu reiten. Das grüne Ufer des Burtnieki-Sees lädt geradezu zu einem ausgedehnten Ritt ein. Im Sommer sollte man es nach einem Ausritt den Pferden gleichtun und ein erfrischendes Bad im See nehmen. Die Tiere und die Ställe sehen übrigens sehr gepflegt aus. Beim Ausritt ins Gelände ist stets eine Begleitung mit dabei. Ein dreistündiger Ritt kostet um die 25 DM. Wer reiten will, sollte sich einige Tage vorher anmelden.

Jānis und Valda Juras sprechen beide etwas deutsch und sind sogar bereit, Interessenten in Valmiera abzuholen. Hotels gibt es keine, doch bietet sich das Seeufer zum Zelten an. Für das leibliche Wohl vorsorgen!

● *Adresse*: Valmiera rajons, Burtnieki, Vintēna ielā 5-12, Jānis und Valda Juras. Tel. priv. (242)-564477, im Stall 56444.

● *Anfahrt/Verbindungen*: PKW - Von Valmiera die A-204 etwa 18 km Richtung Vil-

jandi nehmen und etwa 5 km hinter dem Dorf *Lizdēn* links abfahren. Auf dieser Straße bleiben, bis schließlich rechts ein Weg nach Burtnieki abgeht.

Bus: Verbindung mit Valmiera, selten.

Mazsalaca (Salisburg) *(ca. 3500 Einwohner)*

Das hübsche kleine Dorf liegt direkt am Ufer des geheimnisvollen Salaca-Flusses. Im Ort selbst befindet sich eine interessante lutherische Kirche aus dem 13. Jh.

Attraktiv ist Mazsalaca aber vor allem wegen seiner vielen sagenumwobenen Naturschönheiten und der alten Kultstätten: Mystische Höhlen, geheimnisvolle, knorrige Bäume, rötliche Felsen, die abrupt in fast schwarzes Wasser abfallen, dazu ein sagenhaftes Echo und allerlei Teufelsgeschichten laden zu einem überaus reizvollen Spaziergang ein.

● *Postleitzahl*: LV-4215

● *Vorwahl*: 242

● *Anfahrt/Verbindungen*: PKW - Von Valmiera ist Mazsalaca in 45 km über die Landstraße via Matīši zu erreichen. Die anderen Anfahrtswege sind meist sehr schlecht, insbesondere der über Aloja.

Bus: Spärlicher Busverkehr mit Valmiera, Limbaži und Ainaži. Abfahrt in der Posta ielā vor dem Haus 2a.

Bahn: Züge in Richtung Rīga und in Richtung Tallinn. Der Bahnhof liegt ein gutes Stück außerhalb des Zentrums. Von den Gleisen kommend rechts gehen und dann immer geradeaus, bis der Weg auf die Pernavas ielā stößt. Dort links, dann geradeaus bis zum Zentrum laufen, ca. 1,7 km.

● *Übernachten*: Das Hotel von Mazsalaca

in der Rīgas ielā 17 ist momentan wegen Renovierung geschlossen. Die Wiedereröffnung ist eine Frage des Geldes.

● *Essen*: Hier muß mit einfacher Kost vorlieb genommen werden.

Café, Baznīcas ielā 2. Ēdnica, Café und Lebensmittelladen in einem.

Bierbar, am Anfang der Park ielā, untergebracht in einem überdimensionalen Bierfaß, kleine Snacks erhältlich und nur während der Sommermonate geöffnet.

● *Diverses*: **Geldwechel** - Rūjenas ielā 11, im 1. Stock.

Post: befindet sich im Erdgeschoß des Bankgebäudes.

Erste Hilfe Station: Brīvības bulv. 4.

Tankstelle: Baznīcas ielā 24.

Alle Sehenswürdigkeiten liegen etwas außerhalb. Man erreicht sie, indem man am "Großen Stern" im Zentrum des Ortes an der Galanterija in die Parka ielā abbiegt und geradeaus bis zur Schule fährt, die in einem alten Gutshaus untergebracht ist. Kurz danach geht links ein asphaltierter Weg in den Wald ab. Geht man den entlang, kann man die im Wald befindlichen Kuriositäten nicht verfehlen, die allesamt ausgeschildert sind.

Am Anfang des Weges steht eine **magische Pinie** (Vilkaču pried), die Männer zum Werwolf werden läßt. Bei Vollmond einfach leise die richtigen Zauberworte murmeln und durch die Wurzeln der Pinie kriechen.

Nicht weit davon entfernt befindet sich die **Treppe der Träume** (Sapņu kāpnes), die zum Ufer des dunklen Salaca-Flusses hinunterführt. Diese Stufen waren ursprünglich nur für Verliebte gedacht, die beim Hinunterschreiten feststellen sollten, ob man nun tatsächlich füreinander bestimmt sei oder nicht. Doch die Treppe gehen mittlerweile auch andere hinunter, denn alles, was man sich auf der Treppe wünscht und erträumt, wird - so will es jedenfalls die Legende - in Erfüllung gehen.

Einige Meter weiter, den Hauptweg durch den Wald entlanggehend, erreicht man schließlich die **Teufelshöhle** (Velnala). Die Behausung des Herrn mit dem Pferdefuß und dem roten Gesicht liegt direkt am Flußufer. Den dort sprudelnden Quellen wurden heilende Kräfte zugesprochen.

Am Ende des Waldweges befindet sich eine Feuerstelle. Hier hat man auch die Möglichkeit zu campen, wenn man sich traut ... Denn angeblich spukt es hier ein bißchen. Mit etwas Phantasie kann es in der Tat ein wenig unheimlich werden. Hier befindet sich nämlich ein **roter Felsen** (Skaņaisiezis), der steil ins **schwarze Wasser** der Salaca abfällt. Dazu kommt ein phänomenales Echo, das jeden Ton mindestens zweimal klar, deutlich und vor allem sehr laut, wiederholt. Besonders schön ist dieses Plätzchen bei Sonnenuntergang.

▶ **Ainaži (Hainasch):** Kleine Hafenstadt mit ca. 7000 Einwohnern an der M-12, nicht weit von der Grenze zu Estland entfernt. 1864 wurde in Ainaži eine Matrosenschule gegründet. Heute befindet sich hier ein interessantes Meeresmuseum, Kr. Valdemāra ielā 21b, geöffnet Di-So von 10-16 Uhr.

Will man von Lettland per Bus nach Estland reisen, muß man oftmals hier umsteigen.

▶ **Salacgrīva (Salismünde):** Am Ufer der Salaca und unweit vom Meer, direkt an der M-12, etwa 15 km südlich von Ainaži gelegen. Lohnenswert ist der Ort wegen seines empfehlenswerten Restaurants *"Pie bocamaņa"* (Zum Bootsmann), in dem man sich an herzhaften Speisen und guten Fischgerichten laben kann.

Valka (Walk) *(ca. 9000 Einwohner)*

In den einen Städten verschwinden die Grenzen, in anderen Städten entstehen neue. Die Rede ist von Valka, der geteilten Stadt.

Die große Schwester *Valga* gehört zu Estland. Seit der Unabhängigkeit der beiden Staaten verläuft die Grenze genau durch die Stadt. Zwar ist es nicht schwierig, sie zu passieren, doch wer im anderen Teil der Stadt arbeitet, kann ohne Grenzkontrolle seiner Beschäftigung nicht nachgehen.

• *Postleitzahl*: LV-4700

• *Vorwahl*: 247

• *Anfahrt/Verbindungen*: **PKW** - Valka liegt an der A- 201 Valmiera- Tartu.

Bus: Verbindung mit Valmiera, Cēsis, Alūksne, Rīga und Tartu. Busbahnhof, Rīgas ielā 7.

Bahn: Züge Richtung Rīga, Tartu und Pskow. Bahnhof befindet sich allerdings im estnischen Valga. Von dort bis zum Hotel im lettischen Valka, Bus 2, 4, 5 oder 7 nehmen.

• *Übernachten*: **Viesnīca**, Tirgus ielā 4. Einfache und kleine Herberge, aber preiswerter als im benachbarten Valga, ÜB ca. 2 DM, Tel. 22378.

• *Essen*: **Rota**, Raiņa ielā 7. Üblicher Restaurantkomplex mit unspektakulären Gerichten, Tel. 23042.

• *Diverses*: **Geldwechsel** - Rīgas ielā 25. **Post**: Prožna Semināza 21

Telegrafenamt: 3 Häuser weiter.

Poliklinik: Rūjenas ielā 3.

Madona *(ca. 11.000 Einwohner)*

Hier, am östlichen Rand des Vidzemer Hochlandes, kann man, glaubt man dem madonischen Exkursionsbüro, die sauberste Luft Lettlands atmen und die weißesten Birken des Landes bewundern.

Aus diesem Grunde kamen angeblich alljährlich Besucher aus allen Winkeln der ehemaligen Sowjetunion, um sich in Madona zu erholen. Das Zentrum der Stadt bildet der *Saljeta laukums*, um den herum die wichtigsten Einrichtungen plaziert sind.

Der Name Madona ist übrigens nicht, wie vielleicht zu vermuten wäre, religiösen Ursprungs, sondern hat sich aus den Eßgewohnheiten der hier lebenden Bevölkerung entwickelt. Übersetzt heißt der Name soviel wie "*Honig mit Kruste*". Da in Madona einst viele Imker lebten, ernährten sich die Menschen überwiegend von Honig, in den sie knusprige, kleine Brotkrusten tunkten.

In der Umgebung von Madona gibt es viele schöne Seen und Hügel. Etwa 25 km westlich der Stadt hebt sich gar der höchste Gipfel Lettlands, der *Gaiziņkalns* mit seinen stolzen 311 m Höhe in den Himmel empor. Im Winter wedeln zahlreiche Skiläufer seine Hänge hinunter.

Madona ist eine sehr junge Stadt ohne aufregende Geschichte. Dafür ist die Geschichte der Umgebung umso wechselvoller, denn sie war oft Austragungsort zahlreicher Kämpfe, Kriege und Schlachten. Zunächst erschienen zu Beginn des 13. Jh. die Kreuzritter des Bischofs von Rīga auf der Bildfläche, um mit Feuer und Schwert die Bevölkerung zum christlichen Glauben zu bewegen und um im gleichen Zuge ihr Land zu erobern. Im Livischen Krieg (1558-1583) fiel das Gebiet in die Hände von *Iwan dem Schrecklichen*. Weitere Verwüstungen erlitt die Region in dem sich anschließenden Krieg zwischen Schweden und Polen. Die nächsten Schlachten und Kämpfe ließen nicht lange auf sich warten: Von 1653-1667 wütete der schwedisch-russisch-polnische Krieg, der ebenfalls nicht spurlos an der Madoner Gegend vorüberzog, im Jahre 1700 dann auch noch der Nordische Krieg. 1720, nach Beendigung des Krieges, wurde das Gebiet Teil des russischen Imperiums.

- *Postleitzahl*: LV-4800
- *Vorwahl*: 248
- *Information*: Saljeta lauk. 4, Tel. 22611.
- *Anfahrt/Verbindungen*: **PKW** - Madona liegt an der M-9 Rīga-Moskau, ca. 140 km östlich von Rīga.

Bus: Verbindung mit Rīga, Rēsekne, Gulbene und Jēkabpils.

Bahn: Züge Richtung Rīga und Gulbene. Bahnhof in der Saules ielā, gegenüber der Post.

- *Übernachten*: **Viesnīca**, Saljeta laukums 10. Das Hotel stammt aus den 70er Jahren. Zimmer akzeptabel, meist mit Bad ausgestattet, ÜB um die 3 DM, Tel. 22606.
- *Essen*: **Restorāns**, Poruka 4., Tel. 22676. **Pizzaria**, 6 km außerhalb der Stadt in Richtung des *Gaiziņkalns* liegt am Wegesrand ein altes Haus, das früher als Gasthaus für Wanderer und als Unterstellplatz für Pferde diente. Heute befindet sich in den Räumlichkeiten eine privat betriebene Pizzeria, die gute Pizzen anbietet.
- *Diverses*: **Geldwechsel** - D. Štanera ielā 3.

Post: Saules ielā 21.

Poliklinik: Skolas ielā 10.

Stadtmuseum: Skolas ielā 8, Mo. geschlossen.

Gaiziņkalns

Von Madona erreicht man nach ca. 25 km, größtenteils über staubige Schotterpiste, die höchste Erhebung Lettlands. Die umliegende Natur ist geprägt von saftigen, hügeligen Wiesen und dichten Wäldern.

Auf dem Gipfel des Gaiziņkalns hat man vor zehn Jahren einmal mit dem Bau eines 14-stöckigen Aussichtsturmes begonnen. Leider ist im Laufe der Zeit das Geld ausgegegangen, so daß ein halbfertiger und mittlerweile auch schon wieder halbverfallener Turm den höchsten Punkt Lettlands "ziert". Die Bauabsperrung ist mit der Zeit auch verrottet, so daß man problemlos die vielen Stufen des Turms hinaufkraxeln kann, um von dort aus eine wunderschöne Aussicht auf sieben Seen zu genießen, die malerisch in der sattgrünen Hügellandschaft des Vidzemer Hochlandes liegen. Wenn der Gaiziņkalns noch im März oder April von einer festen Schneedecke bedeckt ist, findet hier ein großer Skikarneval statt. In bunten Kostümen und mit geschminkten Gesichtern wird dann die Piste runtergebrettert. Genaue Termine im Touristenbüro in Madona erfragen.

• *Anfahrt/Verbindungen*: **PKW** - Etwa 16 km die Straße Richtung Cēsis bis zum Dorf Lautere entlang. Dort links abbiegen und sofort wieder links fahren. Nach wenigen Kilometern geht rechts ein Weg nach Viesiena ab. Den entlangfahren, vorbei an einem kleinen See und dann die zweite Möglichkeit nach links abbiegen, die dann zum höchsten Berg Lettlands führt.

Bus: Es besteht zwar eine Verbindung mit Madona, doch die Busse fahren selten.

Alūksne (Marienburg)   *(ca. 20.000 Einwohner)*

Im Norden Lettlands, gut 200 km von Rīga entfernt und unweit der estnischen und russischen Grenze, liegt am gleichnamigen See das Kreisstädtchen Alūksne. Für einen kurzen Aufenthalt ist der Ort durchaus lohnend.

Die umliegende Landschaft ist sehr reizvoll. Sie ist noch völlig unberührt und von schönen Seen und Bächen durchzogen. Ursprünglich war das Alūksner Gebiet einmal von finno-ugrischen Stämmen besiedelt

Mitte des 14. Jh. errichtete der Deutsche Orden auf einer Insel im Alūksne-See eine Burg. Diese Feste an der Ostgrenze des Baltikums zu Rußland war für den Orden von großer strategischer Wichtigkeit. Nach dem Untergang des Ordensstaates ging die Burg zunächst in polnischen Besitz über, bis Mitte des 17. Jh. die Schweden ihre Ansprüche geltend machten und 1702 die gesamte Festung in die Luft sprengten. Das um die Burg entstandene Städtchen wurde nicht viel später von russischen Truppen zerstört. Zahlreiche Familien mußten flüchten, darunter auch die Familie von Katharina I., der späteren Frau von Peter dem Großen.

• *Postleitzahl*: LV-4300
• *Vorwahl*: 243
• *Information*: Bei evtl. Fragen an die Leute vom Hotel wenden, sie sind hilfsbereit und freundlich.

• *Anfahrt/Verbindungen*: **PKW** - Von Rīga kommend die A-212 in nordöstliche Richtung fahren. Kurz hinter dem Abzweig zum Grenzort Ape geht rechts eine Straße nach Alūksne ab. Von Gulbene die Landstraße Richtung Balvi fahren, bis nach ca. 18 km eine Abzweigung nach Alūksne kommt.

Bus: Verbindung mit Rīga, Gulbene, Madona, Rēsekne, Daugavpils, vereinzelt Busse nach Estland. Busbahnhof, Pils ielā 72.

- *Übernachtung*: **Vesnīca**, Pils ielā 68. Äußerst einfache Herberge, ÜB ca. 3 DM, Tel. 21135.
- *Essen*: **Cerpurtee**, Tirgotāju ielā 13. Durchschnittlich ausgestattetes Restaurant mit recht gutem Essen, Tel. 22046. **Alūksne**, Pils ielā 29. Unterscheidet sich

nicht großartig vom Cerpurtee, Tel. 22784.
- *Diverses*: **Geldwechsel** - Pils ielā 68. **Post**: O. Vācieša ielā 8. **Telegrafenamt**: L. Ezera ielā 6. **Poliklinik**: Vidus ielā 1. **Apotheke**: Tirgotāju 13.

Sehenswertes: Lohnenswert ist ein Spaziergang durch die üppige grüne Pracht des romantischen und verwilderten **Stadtparks** von Alūksne. Sehr malerisch ist auch der Alūksner See mit seiner kleinen grünen Insel. Zu erreichen ist er über die O. Vāčieša ielā. Am Seeufer liegen Boote, die, wenn sie nicht gerade selbst benötigt werden, ausgeliehen werden können (kein offizieller Verleih).

Bootstour entlang der Gauja

Die "klassische" Gauja-Route führt sicher zurecht stets durch den Nationalpark, der wahrlich ein wahres Naturerlebnis ist. Doch auch eine Kanutour entlang der oberen Gauja ist sehr reizvoll. Es geht vorbei an dunklen Wäldern, kräftig-grünen Wiesen und kleinen Siedlungen. Da diese Strecke außerhalb des Nationalparks liegt, kann an beliebiger Stelle Rast gemacht werden (Vorsicht, Waldbrandgefahr). Außerdem ist die Gauja hier noch sauber, so daß man unbekümmert auch einmal hineinspringen kann.

Organisation: Boote kann man beim Latvian Tourist-Club in Rīga (s. Reiseveranstalter im Baltikum) bekommen. Sie organisiern auch den Hin- und Rücktransport. Eine weitere Möglichkeit, ein Boot für diese Tour zu bekommen, besteht evtl. in Alūksne. Es gibt dort einen Yachtclub, der auch Ruderboote besitzt.

Kanutour auf der oberen Gauja

Die Tour beginnt unter der Brücke der Schnellstraße Rīga-Pskow unweit der Siedlung Virešu. Nach 4 km fließt auf der linken Seite die Palsa in die Gauja. Unweit der Mündung erhebt sich der alte Burghügel Staldi.

Nach 9 km erreicht man die Brücke des Dorfes *Gaujiena*. Kurz vor der Brücke befindet sich ein schöner Lagerplatz. In Gaujiena selbst ist die alte Ordensruine aus dem 13. Jh. und ein 1850 erbautes Schloß von Interesse.

Nach 10 km wird die Gauja, nachdem sie den Ort *Zvārtava*, wo es einen alten Park zu sehen gibt, hinter sich gelassen hat, zum Grenzfluß und bildet 24 km lang die natürliche Grenze zwischen Estland und Lettland. Kurz danach mündet der Mustjōgi-Fluß in die Gauja. Mustjōgi heißt übersetzt "Schwarzer Fluß". Schaut man nach

Estland, sieht man dichte Wälder, wendet man den Blick nach Lettland, so schaut man auf Wiesen und Büsche.

Etwa 9 km, nachdem die Gauja nicht mehr entlang der Grenze fließt, gelangt man zur Brücke von *Annu*. Ein schöner Eichenhain säumt das Ufer. Hier befindet sich auch die Siedlung *Zīles* und eine Försterei. Das linke Gauja-Ufer lädt zum Baden ein. Nach weiteren 8 km durch das unberührte, malerische Flußbett mündet rechter Hand der Kaičupe-Fluß in die Gauja, nach 3 km trifft man auf eine romantische 1 km lange Insel. 9 km weiter liegt links der Bauernhof *Kasīši*, vielleicht eine Möglichkeit, die Lebensmittelvorräte aufzufüllen. Bis zur Mündung der Vija in die Gauja sind es noch 6 km. Nicht weit von dem Zusammenfluß erhebt sich malerisch ein Sandsteinfelsen, der *Kankarīši-iezis*, aus dem Wasser. Diese Stelle eignet sich gut als Rastplatz. Wer ein Stück am Ufer der Vija entlangspaziert, trifft nach ca. 4 km auf den alten Burghügel Celtškalns, auf den einst die Beverīna-Festung stand. Zurück auf der Gauja, passiert man nach ca. 7 km den Ort *Olinas*. Nach weiteren 12 km erscheint links der Bauernhof *Kauči* und in der Mitte des Flusses eine Insel. Vorbei an dem Ort *Strenči*, findet man sich nach 7 km unter einer Eisenbahnbrücke wieder, über die die Zuglinie Rīga-Valga verkehrt. Ab hier hat die Gauja über eine Strecke von 4 km mit einigen ungefährlichen Stromschnellen zu kämpfen. 5 km nach der Brücke fließt rechts die Lielūpe in die Gauja (Ende der Stromschnellen). Nach weiteren 5 km trifft man rechts auf die Mündung der Melupe. Etwas unterhalb des Zusammenflusses von Melupe und Gauja befindet sich der Bauernhof Sīmaneni, hinter dem sich eine mächtige, 800jährige Eiche erhebt. Der uralte Baum ist das letzte Relikt eines heiligen Hains, der von der damals heidnischen Bevölkerung verehrt wurde.

Nach etwa 5 km, kurz vor Valmiera, fließt der Fluß Abuls in die Gauja. An seiner Mündung befinden sich ideale Lagerplätze. Außerdem ist hier die letzte Möglichkeit, in der Gauja zu schwimmen, bevor sie in Valmiera gehörig verdreckt wird. Wer noch nicht genug gerudert ist, kann die Gauja noch weiter, durch den kurz hinter Valmiera beginnenden Nationalpark, bis Sigulda hinunterfahren (siehe S. 327).

(Routenbeschreibung von M. Laiviņs)

Kurzeme

Die Provinz Kurzeme, die in etwa dem Gebiet des historischen Kurlandes entspricht, grenzt im Westen und Norden an die Ostsee und den Rīgaer Meerbusen, im Süden an Litauen und hat durch die Daugava eine natürliche Grenze zu den Provinzen Latgale und Vidzeme.

In der Geschichte hat sich Kurland einst ganz bis Palanga (heute Litauen) ausgedehnt. Ursprünglich lebten hier der westfinnische Stamm der Kuren, von denen das Gebiet auch seinen Namen hat. Im Laufe der Zeit sind die Kuren allerdings in den Baltenstämmen aufgegangen.

Nachdem 1237 die deutschen Kreuzritter auch hier mit Gewalt die ansässige Bevölkerung der Feuertaufe unterwarfen und daraufhin ihr Land eroberten, fand die Freiheit der Kuren ein Ende. Um seine Macht zu festigen, errichtete der Orden eine Reihe von Burgen und siedelte gezielt deutsche Handwerker und Kaufleute an, die nach kurzer Zeit eine privilegierte Oberschicht bildeten.

Nach dem livländischen Krieg und dem Untergang des Ordensstaates wandelte der damalige Ordensmeister von Kurland, *Gottfried Kettler*, die Provinz in ein erbliches Herzogtum um, wohlwissend, daß die Macht des Ordens nicht mehr zu retten war. Um eine gewisse Autonomie für Kurland zu erreichen, erkannte Kettler die polnische Oberhoheit an. Hauptstadt wurde *Mitau*, das heutige *Jelgava*. Bis 1737, als der letzte der Kettlers kinderlos verstarb, blieb Kurland in der Hand dieser Familie und ging danach an *Johann v. Biron* über, der ein Favorit der damaligen russischen Zarin *Anna Iwanowa* war. Da die Herzöge von Kurland aber mittlerweile von der Gunst und Gnade der russischen Herrscher abhängig waren, konnte sich Biron nach dem Tod seiner zaristischen Fürsprecherin nicht länger auf dem kurländischen Thron halten. Im Zuge der dritten Teilung Polens

1795 wurde Kurland ein Teil des russischen Imperiums. Gouverneur von Kurland wurde auf Wunsch der Zarin Katherina II. *Valerian Zubow.*
Seit der lettischen Staatsgründung im Jahre 1918 gehört der größte Teil Kurlands zu Lettland.

Der Osten Kurzemes

Die Daugava (Düna)

Der Strom ist 1020 km lang. Er fließt zunächst durch Rußland und Weißrußland, bevor er sich 357 km lang seinen Weg durch Lettland bahnt, um schließlich oberhalb von Rīga in die Ostsee zu münden. Bei Daugavpils noch zu Latgalen gehörend, bildet der Fluß stromaufwärts die Grenze zwischen den Provinzen Vidzeme und Kurzeme. Von Rīga nach Daugavpils führt die A-215 kontinuierlich am Fluß entlang. Die Strecke eignet sich hervorragend zum Radwandern. Als Ausgangspunkt einer solchen Tour ist die Stadt **Jēkabpils** (Jakobsstadt) zu empfehlen. Bis zum nächsten Hotel in **Aizkraukle** sind es etwa 56 km. Die Entfernung von Aizkraukle bis nach **Ogre** beträgt ca. 45 km und von dort bis nach **Rīga** sind es nochmal um die 35 km. Oft sieht die Daugava sehr malerisch aus, wie sie majestätisch durch ihr breites Bett fließt. An ihrem Ufer liegen einige Sehenswürdigkeiten.

Jēkabpils (Jakobsstadt) *(ca. 46.000 Einwohner)*

Beidseitig der Daugava gelegen, hat sich Jēkabpils im Laufe der Geschichte zu einem wichtigen Industrie- und Handelszentrum Lettlands entwickelt. Auch die alten Wikinger wußten die günstige Lage der Flußstadt zu schätzen und kamen in grauer Vorzeit öfters hierher, um Handel zu treiben.

Besondere Sehenswürdigkeiten hat die Stadt nicht zu bieten, ist aber interessant für Durchreisende, die entlang der Daugava unterwegs sind. Das heutige Jēkabpils wurde erst 1920 gegründet und besteht aus den bis dahin eigenständig gewesenen Städten **Jēkabpils** und **Krustpils** (Kreuzburg). Im 13. Jh. entstand in Krustpils eine Festung, die heute von der Roten Armee genutzt wird.

Hinweis: In Jēkabpils werden sich noch einige Straßennamen ändern.

• *Postleitzahl*: LV-5200
• *Vorwahl*: 252
• *Anfahrt/Verbindungen*: **PKW** - Der Ort liegt an der A-215 zwischen Rīga und Daugavpils. Die Straße führt die ganze Zeit am Fluß entlang.
Bus: Am häufigsten Verbindung mit Rīga und Daugavpils und mit den umliegenden Orte. Der Busbahnhof befindet sich im Stadtteil Jēkabpils, direkt am Hauptplatz, dem Zentrum der Stadt.

Bahn: Züge nach Rīga, Daugavpils und Rēzekne. Zum Bahnhof Bus 5 nehmen. Abfahrt am Hauptplatz, vor der Apotheke.
• *Übernachten*: **Vesnīca**, Rīga ielā 171 (Krustpils). Von Innen alles knallbunt angemalt, da seit kurzem in Besitz junger, netter Leute. Zimmer sind noch sehr einfach, sollen aber nach und nach renoviert werden, ca. 3 DM die Nacht, Tel. 21604. Vom großen Platz im Stadtteil Jēkabpils, Bus 3 oder 4 nehmen. Aus Rīga oder

Daugavpils über die A-215 kommend, erst gar nicht bis Jēkabpils fahren, sondern schon vorher in Krustpils aussteigen.

• *Essen*: **Restorāns**, Brīvības ielā 131, Jēkabpils. Schneller Service und recht gute Küche, Tel. 31841.

• *Diverses*: **Geldwechsel** - im Hotel Rīga, 24 Stunden geöffnet, guter Kurs.

Post: am großen Hauptplatz in Jēkabpils, wo auch die Busse halten.

Poliklinik: Stadiona ielā 1, Jēkabpils.

Russische Klosterkirche: Nicht weit vom Busbahnhof steht, verdeckt von hohen Bäumen, ein ehemaliges, russisch-orthodoxes Kloster und eine alte, schöne Kirche. Romantisch und erholsam ist der dazugehörige verwilderte Klostergarten.

Stadtmuseum: Brīvības ielā 169. Ausstellungsstücke aus der Geschichte der Stadt und den umliegenden Orten. So geschlossen.

Festung von Krustpils: Die Burg ist nur von außen zu betrachten, da noch Truppen der Roten Armee hier stationiert sind.

▶**Koknese**: Kleines Dorf an der Daugava mit den Resten einer alten Ordensburg. Die Mauern stehen unmittelbar am Ufer und werden bei stärkerem Wind vom Flußwasser umspült. Betrachtet man die Ruine im Sonnenschein und blickt auf das glitzernde Wasser der Daugava, auf dem alte, kleine Fischerboote verträumt vor sich hintreiben, so strahlt die gesamte Kulisse ein südländisches Flair aus.

• *Anfahrt/Verbindungen*: **PKW** - die A-215 entlang der Daugava bis Koknese fahren. Dort aus Jēkabpils kommend, in den links der Straße gelegenen Teil des Ortes einbiegen und immer geradeaus fahren, bis der Weg an einem massiven Kulturhaus und einer Estrade endet. Von da aus zu Fuß geradeaus durch das kleine Wäldchen zur Ruine gehen.

Bus: Die Busse der Linie Rīga-Jēkabpils halten an der Hauptstraße in Koknese.

Aizkraukle (Aisdumble)   *(ca. 8000 Einwohner)*

Lange war das kleine, am Ufer der Daugava gelegene Verwaltungszentrum Aižkraukle nach Peteris Stučka (1865-1932) benannt.

Stučka war ein enger Freund Lenins und führte zeitweise die kommunistische Partei Lettlands. Da nun aber alle Spuren des Kommunismus beseitigt werden, mußte auch der Name des Genossen Stučka weichen. Aižkraukle ist lediglich als Durchgangsstation interessant.

• *Postleitzahl*: LV-5100
• *Vorwahl*: 251
• *Anfahrt/Verbindungen*: **PKW** - Liegt an der A-215 Rīga-Daugavpils.

Bus: Hauptsächlich Verbindung mit Rīga und Jēkabpils. Busbahnhof in der Nähe vom Zentralplatz.

Bahn: Züge in Richtung Rīga und Daugavpils. Der Bahnhof befindet sich etwa 2 km vom Zentrum entfernt. Vom Bahnhof ent-

weder Bus 5 nehmen oder aber in den Ort reingehen und nach ein paar Metern links in eine schmale Straße einbiegen, die schließlich zur Lāčplēša ielā wird.

• *Übernachten*: **Pērse**, Lāčplēša ielā 6. Zimmer sind einfach, ÜB ca. 2 DM, Tel. 23159.

• *Essen*: Großes wird den Gourmets nicht geboten. Dem Hotel ist ein kleines Café angeschlossen.

▶**Lielvārde**: Kleines Dorf, an der Daugava und der A-215 gelegen, ca. 30 km nordwestlich von Aizkraukle. Hier ist ein Museum für den bekannten lettischen Schriftsteller *Andrējs Pumpurs* eingerichtet.

Pumpurs ist eine wichtige Figur in der lettischen Literatur. In seinen Schriften spiegelt sich das neu entstandene Bewußtsein des Nationalen Erwachens der Letten (1850-1880) wieder. Am bekanntesten ist sein mittlerweile zum Nationalepos erhobener *Lāčplēsis*, eine Geschichte über einen gutmütigen Riesen, vergleichbar dem Siegfried aus der deutschen Nibelungen-Sage. Im Museum ist eine Dokumentation und Fotoausstellung über das Leben und Werk des Schriftstellers zu sehen. Verständigung im Museum nur auf lettisch und russisch möglich.

Ogre (Oger)   *(ca. 25.000 Einwohner)*

Beliebt ist die kleine Stadt am Zusammenfluß von Ogre und Daugava vor allem bei den Einwohnern Rīgas, die in der herrlichen Natur um Ogre Erholung von der Großstadt suchen.

Gut zum Entspannen eignet sich der schöne Stadtpark mit seinen Karussells und dem Riesenrad. In der Nähe des Parks befindet sich das Amphitheater mit der zweitgrößten Bühne des Landes, die u. a. für das große, alle fünf Jahre stattfindende Sängerfest genutzt wird.

• *Postleitzahl:* LV-5000

• *Vorwahl:* 250

• *Anfahrt/Verbindungen:* **PKW** - Liegt an der A-215, knapp 40 km östlich von Rīga.
Bus: Nach Ogre selbst fahren wenig Busse. An der Hauptstraße halten jedoch alle Busse von Rīga in Richtung Daugavpils und umgekehrt.
Bahn: Gute Verbindung mit Rīga und Daugavpils. Bahnhof in der Skolas ielā.

• *Übernachten:* **Sportas:** Skolas ielā 19. Zimmer alle mit Bad ausgestattet, einfach, DZ ca. 3 DM, Tel. 45646.

• *Essen:* **Restaurant,** Brīvības ielā 1. Unspektakuläres Restaurant, Tel. 23105.

• *Diverses:* **Geldwechsel** - in der Brīvības ielā 36 möglich.
Post: Brīvības ielā 38.
Poliklinik: Miera ielā 2.
Regional- und Kunstmuseum: Kalna pr. 3.

Der Westen Kurzemes

Jelgava (Mitau)   *(ca. 65.000 Einwohner)*

Heute ist das Bezirkszentrum an der Lielupe, das in der Geschichte schließlich einmal die Hauptstadt Kurlands war, eher unbedeutend und touristisch wenig interessant.

1226 errichtete der Livländische Orden die Burg *Mitawa*. Als Kurland zum Herzogtum wurde, entstand unweit der alten Ordensburg ein Schloß für die nun weltlichen Herrscher. Bauherr des prachtvollen Barockpalastes war der Italiener *Rastrelli*. 1919 wurde das Schloß zerstört, während der Phase der lettischen Unabhängigkeit aber wieder aufgebaut. Seitdem beherbergt es die Akademie für Landwirtschaft. Viele historische Bauten der Stadt sind im Krieg zerstört worden. Die heutige Bedeutung Jelgavas liegt in seiner Industrie und in seinem Binnenhafen.

In der zweiten Hälfte des 18. Jh. erschien hier die erste lettischsprachige Zeitung. Die wohl bekannteste aus Jelgava stammende Persönlichkeit ist *Kārlis Ulmanis*, Präsident Lettlands während seiner Unabhängigkeitsperiode zwischen den beiden Weltkriegen.

- _Postleitzahl_: LV-3000
- _Vorwahl_: 230
- _Anfahrt/Verbindungen_: **PKW** - Jelgava liegt an der **A-216** Šiauliai-Rīga und der Verbindungsstraße zur **A-218** Rīga-Liepāja. Aus der Hauptstadt kommend, am Rīgaer Ring aufpassen, denn aus Rīga wieder herauszukommen ist etwas schwierig.

Bus: Sehr gute Verbindung mit Rīga, ebenfalls Busse Richtung Liepāja, Bauska und Jēkabpils. Busbahnhof in der Pasta ielā.

Bahn: Jelgava ist ein großer Eisenbahnknotenpunkt. Züge Richtung Rīga, Estland, Litauen und nach Berlin. Außerdem Anschluß nach Liepāja, Ventspils und Jēkabpils. Bahnhof, Zemgales pr. 1. Vom Bahnhof Bus 4, 5 oder 7 ins Zentrum nehmen.

- _Übernachten_: **Jelgava**, Lielā ielā 6. Schönes, altes Gebäude. Gelegentlich von deutschen Schulklassen besucht, DZ ca. 4 DM, Tel. 26193. Das Hotel liegt schräg gegenüber der Landwirtschaftsakademie, die in dem alten Schloß untergebracht ist.
- _Essen_: **Jelgava**, zum Hotel gehörend, akzeptables Essen, Tel. 24068.
- _Diverses_: **Geldwechsel** - Lielā ielā 7.

Post: Pasta ielā 114. Zum Telegrafenamt Eingang Raiņa ielā benutzen.

Poliklinik: Sudraba Idžus ielā 10.

▶ **Dobele (Dobene):** Etwa 70 km von Rīga und 30 km von Jelgava entfernt liegt Dobele. Die Stadt mit ihren 15.000 Einwohnern ist nur interessant als Durchgangsstation für Radler, da es hier ein Gasthaus gibt, und als Ausgangsposition für einen Ausflug nach Tērvete.

- _Postleitzahl_: LV-3700
- _Vorwahl_: 237
- _Anfahrt/Verbindungen_: **PKW** - Liegt an einer Landstraße, etwa 30 km südwestlich von Jelgava. Von Rīga die A-218 Richtung Liepāja nehmen. Nach ca. 55 km geht eine Straße nach Dobele ab.

Bus: Verbindung mit Jelgava und Rīga. Busbahnhof am Stacijas lauk.

Bahn: Gelegen an der Bahnlinie Rīga-Liepāja. Bahnhof am Stacija lauk.

- _Übernachten_: **Dobele**, I-Uzvaras ielā 2. Hotel stammt aus den 70ern. Zimmer alle mit Bad und relativ sauber, verfügt über mehrere Kategorien. EZ ca. 4 DM, DZ ca. 7 DM und Luxussuite ca. 18 DM.
- _Essen_: **Tērvete**, Brīvības ielā 10. Essen durchschnittlich.

Ligo, Krasta ielā 1. Ganz nettes Café, kleine Snacks und Salate erhältlich.

- _Diverses_: **Geldwechsel** - Brīvības ielā 14a. Günstiger wechselt man in Rīga.

Post: Zaļā ielā 10.

Poliklinik: Brīvības ielā 17.

Stadtmuseum: Zaļā ielā 17.

Umgebung

▶ **Tērvete (Thervetene):** In Urzeiten war das kleine Dorf einmal das Zentrum der semgallischen Stämme, bis schließlich auch hier die Kreuzritter erschienen, eine steinerne Burg errichteten und Tērvete ihr Eigen nannten. Heute ist das Dorf interessant wegen des Gedenkmuseums für _Anna BRīgadare_. Das berühmteste Werk, das aus der Feder der BRīgadares geflossen ist, ist sicherlich das lettische Volksmärchen von _Maja und Paja_.

▶ **Anna Brigadare-Museum:** Zu sehen sind das Wohnhaus der Schriftstellerin und mehrere riesige Parks: Da gibt es den _Pinien-Park_, in dem die ältesten Pinien Lettlands wachsen, den _Sonnen-Park_ mit knorrigen, alten Eichen und strahlend-weißen Birken und zu guter Letzt den zauberhaften _Märchen- und Zwergenwald_, in dem die phantastischen Wesen der Sagen- und Fabelwelt der BRīgadare am Wegesrand stehen.

- _Öffnungszeiten_: Vom 1.5.-31.1. jeweils von 11-16 Uhr, Mo geschlossen. Das Museum ist in Tērvete ausgeschildert.
- _Anfahrt/Verbindungen_: **PKW** - Liegt ca. 20 km südöstlich an der Straße Richtung Bauska.

Bus: Am einfachsten von Dobele zu erreichen, gelegentlich Verbindung mit Bauska.

Bauska (Baukse) *(ca. 10.000 Einwohner)*

Das gemütliche alte Städtchen liegt unweit der Grenze zu Litauen. Ursprünglich war Bauska Siedlungsstätte semgallischer Stämme. Im 14. Jh. riß aber der Deutsche Orden die Macht an sich und errichtete eine Steinfestung auf dem Hügel am Zusammenfluß von *Mēmele* (Memel) und *Mūsa* (Muß). Urkundlich erwähnt wurde Bauska erstmals im Jahre 1443. Im Laufe der Geschichte wurde die strategisch günstig gelegene Burg auch von den Herzögen Kurlands und von den jeweiligen polnischen, schwedischen und russischen Herrschern genutzt. Während des Nordischen Krieges wurde die Ordensfestung zerstört, so daß nur ihre Ruinen geblieben sind.

In der Altstadt von Bauska sind noch eine Reihe schmucker, kleiner Holzhäuser des 18. und 19. Jh. zu sehen, die momentan teilweise restauriert werden. Sehenswert ist auch die im Zentrum stehende lutherische Kirche aus dem 16. Jh. Die Bedeutung Stadt liegt heute in ihrer Textilindustrie.

- *Postleitzahl*: LV-3900
- *Vorwahl*: 239
- *Information*: Slimnīcas 7, im Hotel, Tel. 22907.
- *Anfahrt/Verbindungen*: PKW - Liegt an der M-12, etwa 65 km südlich von Rīga.
Bus: Verbindung mit Rīga, Dobele, Jelgava, Liepāja und Jēkabpils. Busbahnhof befindet sich neben dem Hotel.
- *Übernachten*: Bauska, Slimnīca ielā 7. Liegt direkt am Busbahnhof, akzeptable Zimmer mit Bad. EZ ca. 2 DM, DZ ca. 3 DM und Lux ca. 5 DM, Tel. 24705.
- *Essen*: Pilskalns, Brīvības bulv. 2. Ganz gutes Restaurant, unmittelbar neben der Ruine, Tel. 22077.
Musa, Rāts lauk. 1. Mit seinen roten Sitznischen ansprechend aufgemacht, Essen durchschnittlich, Tel. 22138.
Kronis, Rīga ielā 5. Privatrestaurant/Café mit leckerem Essen und freundlicher Bedienung, Sauna buchbar, Tel. 24699.
- *Diverses*: **Geldwechsel** - Plūdoņa ielā 48 und in der Rīga ielā 3.
Post: Slimnīcas ielā 9.
Poliklinik: Slimnīcas ielā 2.
Stadtmuseum: Kalna ielā 6. Dokumentation über die Geschichte Bauskas und Umgebung, wechselnde Ausstellungen moderner Kunst, geöffnet Mi-So von 9-17 Uhr.

Burgruine: Um zur Ruine zu gelangen, muß erst einmal ein idyllischer, etwas verwilderter Park durchquert werden. Auch wenn nur noch Mauerreste an das Mittelalter erinnern, so macht es dennoch Spaß, durch das Burggelände zu spazieren. Momentan wird die Ruine übrigens restauriert. Ein Turm der Festung ist bereits fertiggestellt und bietet einen herrlichen Blick auf die Flußtäler und auf Bauska.

Umgebung

Pilsrundāle: Prachtvoller Palast und ein wahres Meisterwerk der Barockarchitektur, nicht weit von Bauska entfernt. Auf Befehl der Zarin *Anna Iwanowa* wurde im Jahr 1735 der Grundstein für den Bau gelegt. Gedacht war der Palast als Sommerresidenz für Herzog *Ernst Johann v. Biron*, den die Zarin persönlich zum Nachfolger des Grafen von Kurland, *Ferdinand Kettler*, bestimmte. Mit dem Bau beauftragt wurde der russische Architekt italienischer Abstammung, *Francesco Bartolomeo Rastrelli*, nach dessen Plänen auch der Winterpalast in St. Petersburg entstand.

Ebenfalls von Rastrelli entworfen wurde der nach französischem Muster angelegte Schloßpark, in dem er 328.185 (!) Linden pflanzen ließ. Ernst Johann von Biron war es jedoch nur drei Jahre lang vergönnt, in dem noch nicht fertiggestellten Prachtbau zu residieren. Mit dem Tod der Zarin, deren Günstling er war, endete seine Regentschaft und damit auch der Weiterbau am Palast. Aus welchen Gründen auch immer, wurde Biron kurz nach dem Tod Anna Iwanowas verhaftet und wenig später in die Verbannung geschickt. Erst unter *Katharina II.* konnte Biron 1763 nach Kurland zurückkehren. Die Arbeiten am Schloß wurden wieder aufgenommenn und waren 1767 schließlich abgeschlossen. 1795 übergab die Herrscherin das Schloß jedoch ihrem Favoriten, dem Grafen *Valerian Zubow*, worauf Biron Kurland erneut verlassen mußte. Sein Schicksal vorausahnend, hatte er bereits vor seiner Flucht einen Teil der kostbaren Möbel des Rundāle-Palasts zur Seite geschafft. Bei der Mehrzahl der Einrichtungsstücke handelt es sich also nicht um Orginale.

Später fiel das stolze Anwesen dann an die Familie *Suwalow*, in deren Besitz es bis 1920 verblieb. Im Ersten Weltkrieg wurde der Palast stark beschädigt, und erst 1972 wurde mit den Restaurationsarbeiten begonnen. Obwohl das Schloß seit nunmehr 20 Jahren restauriert wird, sind die Arbeiten noch lange nicht abgeschlossen. Der Ostflügel und der Mittelbau sind zwar seit 1981 als Museum für Besucher zugänglich, doch viel Zeit und Geld wird noch der geplante Wiederaufbau der riesengroßen Parkanlage und der sich darin befindlichen Gebäude in Anspruch nehmen.

Ein Gang durch den Palast

Daß beim Bau und bei der Einrichtung des Palastes an nichts gespart wurde und das Beste gerade gut genug war, beweisen die zahlreichen prächtigen Säle und Salons. Der prunkvollste aller Räume ist der *Goldene Saal*, geschmückt mit kostbarem, vergoldetem Marmorstuck, in dem auch der Thron Birons stand.

Wunderschön und dabei gar nicht protzig ist der *Weiße Saal*, in dem die Gäste des Herzogs das Tanzbein schwangen. Der helle Saal ist reichlich verziert mit meisterhaften Stuckarbeiten und Skulpturen des Berliner Meisters *Johann Michael Graff*. Besonders hervorzuheben ist auch das *Rosenzimmer*, dessen Wände mit feinster, handgewebter Seidenbrokat-Tapete dekoriert sind, die man originalgetreu in Moskau nachbilden ließ. Viele der Räume sind mit kunstvollen Wand- und Deckenmalereien der alten Meister *Carlo Zucchi* und *Francesco Martini* geschmückt. Die schönsten sind im Schlafgemach des Hausherrn zu finden.

Eine interessante Ausstellung über die Schwierigkeiten und Techniken der Restaurierungsarbeiten ist im Erdgeschoß des Ostflügels zu sehen. Im Mittelbau der gleichen Etage befindet sich ein kleines Museum für angewandte Kunst. Zu besichtigen ist der Palast Mi-So von 11-18 Uhr, Führungen auf deutsch möglich.

Schloß Rundale in der Nähe von Bauska

• *Anfahrt/Verbindungen*: **PKW** - Etwa 15 km westlich von Bauska gelegen und innerhalb weniger Minuten über die Landstraße Richtung Dobele zu erreichen.

Bus: Wenn das Benzin nicht knapp ist, rollen täglich an die 15 Busse nach Pilsrundāle. Von Bauska den Bus Richtung Dobele über Eleja nehmen.

Saldus *(ca. 8000 Einwohner)*

Das nette, aber relativ unbedeutende Städtchen liegt ganz in der Nähe des Cieceres-Sees.

Interessant ist Saldus für Kunstinteressierte, da sich hier ein kleines Gedenkmuseum für den lettischen Maler *Rozentāls* befindet.

• *Postleitzahl*: LV-3800

• *Vorwahl*: 238

• *Anfahrt/Verbindungen*: **PKW** - Liegt an der A-217, ca. 120 km südwestlich von Rīga und 200 km östlich von Liepāja.

Bus: Saldus liegt auf der Strecke der Linie Rīga-Liepāja und Ventspils-Liepāja, außerdem Busse nach Jelgava. Zentrale Haltestelle in der Jelgavas ielā 2.

Bahn: Züge nach Rīga und Liepāja. Bahnhof befindet sich ca. 2,5 km vom Zentrum, in der Stacijas ielā 1. Bus 1 verbindet die Stadt und den Bahnhof miteinander,

verkehrt aber nicht allzu häufig.

• *Übernachten*: **Saldus**, Saldus Stirķu ielā 12. Klein, einfach, von freundlichen Leuten betrieben. ÜB DZ ca. 3 DM, Tel. 22120.

• *Essen*: **Ciecere**, Revolūcija ielā 12 (Straßenname wird sich wohl ändern), nicht weit vom Hotel. Essen mittelmäßig, Tel. 22615. **Atvars**, Saldus Striķu ielā 13. Nettes Hinterhofcafé.

• *Diverses*: **Geldwechsel** - Revolucija ielā, gegenüber von Haus No. 8.

Post: Kuldigas ielā 4.

Poliklinik: Slimnīcas ielā 3.

J. Rozentāls-Museum, Saldus Striķu ielā 22: Rozentāls (1866-1916) war eine wichtige Figur in der lettischen Kunstgeschichte. In vielen seiner Bilder beschreibt er auf realistische Weise das Leben der Bauern und der einfachen Bevölkerung. Zudem war er ein hervorragender Porträtist. In Saldus sind nur einige seiner Bilder ausgestellt.

Öffnungszeiten: etwas sporadisch, in der Regel jedoch Di-Do von 10-17 Uhr.

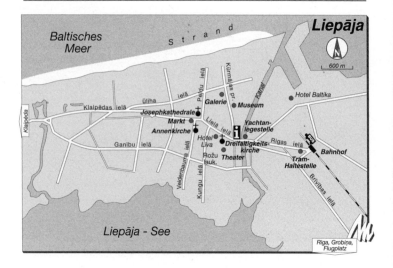

Liepāja (Libau)   (ca. 350.000 Einwohner)

Kilometerlanger blütenweißer Sandstrand und alte Architektur sind die beiden Höhepunkte, die die am baltischen Meer gelegene Stadt zu bieten hat. Ein kräftiger Anstrich würde Liepājas Altstadt gewiß gut tun. Trotzdem strahlt sie einen gewissen Charme aus, der den Anschein erweckt, als sei Liepāja gerade eben aus einem tiefen Dornröschenschlaf erwacht.

Viele Besucher sah die Stadt im Laufe der Zeit nicht. Auf Grund des hier stationierten Militärs war Liepāja für Ausländer gänzlich geschlossen, und Bürger der Sowjetunion benötigten für einen Besuch eine Einladung und Sondergenehmigung.

Nicht nur die Schönheit der Küste Liepājas, sondern auch ihr Bernsteinreichtum lockte bereits im 13. Jh. Seefahrer aus Schweden, Rom, Byzanz und letztendlich aus deutschen Ländern an. Damals war die Stadt jedoch nur ein kleines Dorf, das den Namen *Liva* trug, was übersetzt soviel wie Sand bedeutet. Zur Stadt wurde der Ort erst 1625 erhoben.

1253 wurde Liva von den deutschen Kreuzrittern erobert, doch waren sie nicht die einzigen Fremdherrscher, die Liepāja im Laufe seiner Geschichte sah. Im Nordischen Krieg (1700-1721) fiel die Stadt an Schweden und 1795 an Rußland. *Peter I.* muß es hier ganz gut gefallen haben, denn er hielt sich des öfteren "ganz privat" in Liepāja auf.

Während des Rußlandfeldzugs *Napoleons* im Jahre 1812 fühlten sich kurzzeitig die Franzosen als die Stadtherren und zur Zeit des Krimkriegs (1853-1856) auch die Briten. Liepāja war bis zum Zweiten Weltkrieg stets ein bedeutendes Tor zum Westen und unterhielt sogar Schiffsverbindungen nach Halifax und New York. Schon zur Zeit des Ordens besaß Liepāja einen Hafen, der jedoch ständig versandete. 1697 wurde schließlich der Ausbau des Hafens in Angriff genommen, was ganze 30 Jahre lang dauern sollte. Für den Handel, der von Liepāja ausging, war der Hafen von großer Wichtigkeit, da die Stadt an keinem bedeutenden Fluß lag.

Während des zweijährigen Freiheitskrieges, den Lettland nach der Unabhängigkeitserklärung von 1918 auszutragen hatte, war Liepāja der Sitz der provisorischen Regierung. Während des Zweiten Weltkrieges hat die Stadt sehr gelitten und einige ihrer historischen Bauten verloren. Heute ist Liepāja die drittgrößte Stadt Lettlands und das Zentrum Kurzemes. Doch nicht nur politisch war und ist die Stadt bedeutend, sondern auch kulturell und industriell. Viel Hoffnung wird jetzt auf den Tourismus gesetzt, der jedoch nur zögernd einsetzt.

- *Postleitzahl*: LV-3400
- *Vorwahl*: 234
- *Information*: Rīga iela 3, liegt in der Innenstadt, nicht weit von der Brücke, deutschsprachige Stadtführungen möglich, Tel.

22113.
Hinweis: Es ist im Gespräch, das Büro an einen neuen, noch unbekannten Standort zu verlagern.

Verbindungen

- *PKW*: Von Rīga über die A-218 erreichbar; von Ventspils empfiehlt es sich, die A-222bis Saldus zu nehmen und dort auf die A-218 zu wechseln. Es gibt zwar auch eine Verbindung entlang der Küste, die etwa 80 km kürzer ist als die Strecke über Saldus und darüberhinaus auch viel schöner ist, doch ist sie nicht asphaltiert.
- *Bus*: Mehrmals täglich Verbindung mit Rīga und Ventspils sowie mit den umliegenden Orten. Busbahnhof, Rīga iela 43. Von dort Tram 1 in die Innenstadt nehmen,

Fahrscheine gibt es am Kiosk.
- *Bahn*: Züge nach Ventspils und Rīga. Bahnhof, s. Busbhf.
- *Schiff*: Seit neuestem können Yachtbesitzer Kurs auf Liepāja nehmen, die Hafenverwaltung vor Einlaufen anfunken.
- *Flugzeug*: Einmal wöchentlich Flugverbindung mit Rīga. Liepāja kann auch von Privatjets angeflogen werden, nähere Informationen im Exkursionsbüro. Vom Flughafen fährt Bus 2 ins Zentrum.

Übernachten

Līva, Lielā iela 11. Wird von den beiden Liepälern Hotels als das bessere gehandelt, was sich auch auf die Preise niederschlägt. DZ ca. 25 DM, Lux ca. 40 DM. Ist öfters ausgebucht. Das kleine Schild *Viesnīca* ist über dem unscheinbaren Eingang nur schlecht erkenntlich. Erreichbar mit Tram 1, eine Station hinter der Kanalbrücke aussteigen und noch paar Meter in Fahrtrichtung weitergehen, Tel. 25345.
Baltika, Flotes iela 14. Zimmer ohne Bad aber mit WC und TV. Über die Mattscheibe

flimmern nach einigem Knöpfchendrücken auch deutschsprachige Programme, EZ ca. 3,50 DM, DZ ca. 6 DM, Tel. 24949. Liegt nicht weit weg vom Bahnhof. Einfach die Gleise (Fußgängerbrücke) überqueren, links halten und den Schotterplatz gehen, bis er an einer Straße endet. Wieder links haltend geht schräg gegenüber von dieser Straßenecke die Flotes iela ab, ca. 7 Min. Fußweg. Vom Baltika aus fahren die Busse 3 und 10 ins Zentrum.

Essen

Dafür, daß Liepāja die drittgrößte Stadt Lettlands ist, gibt es hier noch relativ wenige Restaurants. Doch da im Zuge der anhaltenden Veränderungen überall neue Cafés, Bars und Restaurants aus dem Boden schießen, wird sich das in Zukunft wohl auch in Liepāja ändern.

• _Restaurants_: **Jūra**, Lielā ielā 5. Liegt neben dem Theater. Von innen nicht gerade aufregend, jedoch ganz gute Küche, Tel. 24737.

Kaja, Lielā ielā 12. Restaurant relativ gemütlich, das Essen ist auch nicht schlecht, doch die Bedienung war bei uns unmöglich. Achtung, saloppe Kleidung erschwert den Zugang, Tel. 25244.

Lieva, gehört zum Hotel Lieva. Gut zum Frühstücken geeignet, Tel. 27173.

• _Cafés/Bars_: **Majigums**, Zivju ielā 10/12. Modernes, fast designermäßig durchgestyltes Privatcafé mit kleinen Snacks und Salaten, Tel. 22650.

Pienenīte, Zivju ielā 3, klitzekleines Café am Rožu lauk. (Rosenplatz), geeignet für einen Kaffee zwischendurch. Nicht durchs Hauptportal, sondern durch den Seiteneingang reingehen.

Pilsetas varti, Zivju ielā 2. Urige Kellerbar, die schon mittags aufmacht und bis 5 Uhr morgens geöffnet hat, Tel. 25685.

Roma, Zivju ielā 3. Befindet sich im Hinterhaus. Haupteingang nehmen und zum Hinterhaus durchgehen, im Sommer kann man im Hof sitzen.

Taika, Lielā ielā 7. Kleines Café mit Eisspezialitäten.

Verschiedenes

• _Einkaufen_: **Souvenir Ilze**, Graudu ielā 23. Hier gibt es gemusterte Handschuhe und Mützen, bestickte Decken, Bernsteinschmuck sowie Leder- und Keramikwaren, So und Mo geschlossen.

Kunstgewerbe, Rožu lauk. 5/6. Wechselnde Ausstellungen von Schmuck, Keramik- und Lederwaren.

Importläden, Lielā ielā und Pasta ielā. In den Geschäften gibt es für viel Geld einige Konsumgüter des Westens.

• _Markt_: Im Herzen der Stadt, zwischen St. Anna und St. Jozēpa Kirche, stehen die stimmungsvollen alten Markthallen, in denen sich die Gerüche von Fisch, Käse, Fleisch und Blumen mischen. Auch vor den Hallen herrscht ein buntes Treiben, untermalt von lautem Marktgeschrei.

• _Konzerte/Theater_: **Konzertsaal**, Auseklā ielā 11/13. Konzertsaal befindet sich in der Musikschule, überwiegend klassische Vorstellungen.

Konzerthalle, Grauda ielā 50.

Theater, Teatra ielā 4.

• _Festivals_: Die Termine für die alljährlich wiederkehrenden Veranstaltungen sind nicht immer dieselben. Fest steht lediglich, daß sie im Sommer stattfinden.

Tanzfest **"Pērle"**: Findet in dem Park am Strand statt, eher älteres Publikum.

Sängerfest **"Zintas"**: Warum sollten die Sängerfeste nur in Rīga stattfinden? Veranstaltungsort ebenfalls die Estrada im Park am Strand.

Rockfestival: Findet immer irgendwann im August statt. Viele in Lettland bekannte Rock- und Heavy Metal-Bands stammen übrigens aus Liepāja.

• _Diverses_: **Geldwechsel** - Teatra ielā 3, sowie im Touristenbüro und in den zahlreichen, in der Stadt befindlichen Wechselstuben.

Post: Pasta ielā 4, Telefone schräg gegenüber.

Poliklinik: Respublikos ielā 12.

Sehenswertes

Altstadt: Liepāja hat viele alte Bauten, vorwiegend Jugendstil und Neo-Klassizismus, aufzuweisen, darunter auch sehr schöne Kirchen. Natürlich wäre alles viel prächtiger, erhielten die Häuser einen neuen Anstrich, doch die Altstadt besitzt trotzdem einen angenehm nostalgischen Flair. Viele Bauten stammen von _M. P. Bertschy_, einem Architekten deutscher Herkunft, der 1871 mit seinem Schaffen in Liepāja begann. Die großen, stattlichen Häuser und breiten Straßen zeigen, daß es der Stadt einmal recht gut gegangen sein muß.

Bei einem Stadtbummel lohnt es sich, folgenden Häusern oder Straßen etwas Aufmerksamkeit zu schenken: Eines der ältesten Häuser der Stadt steht in der Bāriņu ielā 32 (Waisenstraße) und wurde 1699 für den damaligen Bürgermeister _J. Schröder_ gebaut.

Auch die Lielā ielā (Große Straße) wird von einer Reihe alter Bauten gesäumt, die das Bild der Hauptstraße Liepājas prägen. Sie wurden parallel zum neuen Hafen der Stadt errichtet. Im gleichen Zug entstanden zu dieser Zeit auch am Rožu lauk. (Rosenplatz) neue Bauten und ein neues Zentrum.

In der Zivju ielā 4/6 (Fischstraße) ist noch ein alter Speicher von 1690 zu sehen.

Annenkirche (Annas baznīca): Befindet sich gegenüber vom Markt in der Anna tirgus ielā, der Verlängerung der Zivju ielā. Die aus dem 16. Jh. stammende Kirche war in einem jämmerlichen Zustand, als der Architekt Bertschy sich ihrer annahm. Sehr beeindruckend sind der reich verzierte Barockaltar und die vielen Skulpturen im Inneren des Gotteshau-

Der Rosenplatz in Liepāja

ses. Der Altar ist ein Werk von *N. Seffenz*, einem Meister der Holzschnitzkunst und stammt aus dem Jahr 1697.

Dreifaltigkeitskirche, Lielā ielā: Liegt etwas von der Straße zurückversetzt in der Nähe vom Hotel Līva. Zwischen 1742 bis 1758 entstand das hübsche Gotteshaus auf Initiative von deutschen Gläubigen. Sowohl von außen als auch von innen ist die Kirche prachtvoll ausgestattet. Herauszuheben ist die wunderschön klingende Orgel mit ihren 131 Pfeifen, die die Orgel des Doms zu Rīga übertreffen soll.

Josephkathedrale (Sv. Jāzepa Katedrāle): Auf der anderen Seite des Marktes zu finden. Im 19. Jh. forderte die katholische Gemeinde Liepājas eine neue Kirche, was ihnen jedoch versagt wurde. So begannen sie, ihr altes Gotteshaus umzubauen. In ihrem gegenwärtigen Erscheinungsbild sind neuromanische Formen tonangebend. Die innere Aufteilung der Kirche ist sehr verwinkelt und kompliziert, die Dekoration prächtig bis prunkvoll.

Museum, Kurmājas pr. 6: Nicht nur das Museum, sondern auch das Haus, in dem es untergebracht ist, ist sehenswert. Um die Jahrhundertwende erbaut, wurde es ganz im Stil englischer Gotik errichtet, was besonders im Treppenhaus zu erkennen ist. Gewohnt hat hier einst eine reiche Kaufmannsfamilie.

Zu sehen ist ein Querschnitt durch die Geschichte Lettlands und Liepājas, untermauert mit Originaldokumenten und alten Gebrauchsgegenständen. Viele der ausgestellten Schriftstücke sind deutschsprachig.

Im ersten Stock sind die sozialkritischen Schnitzarbeiten des Künstlers *M. Pankoks* zu sehen, der bis zum Zweiten Weltkrieg in Liepäja arbeitete. Im obersten Stockwerk des Gebäudes finden stets wechselnde Ausstellungen etablierter lettischer Maler statt.

Öffnungszeiten: Mi-So von 11-17 Uhr.

Gütmane Lïga-Galerie, schräg gegenüber vom Museum Richtung Strand zu finden. Schönes altes Haus, in dem auch unbekannte Künstler die Gelegenheit haben, ihre Arbeiten auszustellen. Bemerkenswert ist der alte Backsteinkeller. Keine festen Öffnungszeiten.

Baden: Gibt es eine Karibik des Nordens? Mit seinem tiefblauen Wasser und den zuckerweißen Stränden kommt Liepäja dieser Vorstellung sehr nahe. Zwar fehlen die Palmen, doch dafür gibt es Pinien und wunderschöne Dünen, die den Traum vom einsamen Strand zur Wirklichkeit werden lassen. Leider wird die Idylle ein wenig dadurch gestört, daß das Wasser nicht das sauberste ist.

Umgebung

▶ **Grobina:** Nettes kleines Dorf, etwa 10 km östlich von Liepäja entfernt. Am Ortseingang liegen unter dicken alten Bäumen idyllisch die alten Reste der Ordensburg, die im Jahre 1259 erbaut wurde. Seit 1659 war sie abwechselnd in polnischer und schwedischer Hand, bis sie schließlich russisch wurde, als ganz Kurland 1795 an Rußland fiel. Nicht weit von der Ruine steht eine hübsche lutherische Kirche aus dem 16. Jh. 1710 erlag die gesamte Bevölkerung Grobinas bis auf acht Bürger der Pest. Früher einmal selbst Kreisstadt gewesen, gehört Grobina heute zum Bezirk Liepäja.

- *Postleitzahl:* LV-3430
- *Vorwahl:* wie Liepäja
- *Anfahrt/Verbindungen:* **PKW** - Von Liepäja ca. 10 km die A-218 Richtung Rïga entlangfahren.

Bus: Alle Busse nach Rïga und Ventspils müssen an Grobina vorbei, halten jedoch nur an der Hauptstraße. Busse, die von Liepäja ins Dorf reinfahren, sind selten.

- *Übernachten:* **Rolova,** etwa 5 km außerhalb von Grobina, an der Straße nach Rïga, hinter der gleichnamigen Bushaltestelle gelegen. Schon im Mittelalter fanden Fuhrleute, Handwerker und Handlungsreisende hier eine Herberge. Heute ist es ein kleines, freundliches Gasthaus mit 27 Betten und 8 Schlafsesseln. ÜB ca. 1 DM.
- *Essen:* **Rolova,** gemütliches und gutes Restaurant, zum Gasthaus gehörend. Zu empfehlen ist das süßliche Sauerbrot aus eigener Herstellung. Das Fleisch, das im Roluva auf den Tisch kommt, stammt aus der hauseigenen Schlachterei, Tel.92887. **Restoräns,** unmittelbar neben der Ruine. Freundlicher Service und gutes Essen, Tel. 991803.

Kuldïga (Goldingen)   *(ca. 10.000 Einwohner)*

Am Ufer der Venta und im Herzen Kurzemes liegt die malerische Kleinstadt Kuldïga. Am Ortsrand befindet sich der Venta-Rumba, ein sehr schöner Wasserfall.

Mitten durch die Altstadt von Kuldïga schlängelt sich das Flüsschen *Alekšupite*, was ein wenig an die Lagunenstadt Venedig erinnert. Vielerorts wird Kuldïga auch als die *Perle Kurlands* bezeichnet.

Bekannt ist die Kleinstadt seit 1242. Wie zu vermuten, machte der Deutsche Orden auch nicht vor Kuldīga halt und errichtete am Venta-Ufer, unweit der Stadt, die damalige Jesusburg. 1378 trat Kuldīga der Hanse bei. 1561 wurde Kuldīga die erste Hauptstadt des Herzogtums Kurland. Bis zum Nordischen Krieg war Kuldīga ein florierendes Handelsstädtchen, das sich überraschend schnell wieder von den Kriegswirren erholt hatte. 1886 wurde gar die Baltische-Lehrer-Akademie von Rīga hierher verlegt, die sich bis 1915 halten konnte.

In der Altstadt von Kuldīga

- *Postleitzahl*: LV-3300
- *Vorwahl*: 233
- *Information*: Ein Exkursionsbüro gibt es noch nicht. Im Sommer 1992 ist eine Broschüre für Touristen gedruckt worden, die, falls noch nicht vergriffen, im Buchhandel oder bei der Stadtverwaltung erhältlich ist, beide am großen Hauptplatz zu finden.
- *Anfahrt/Verbindungen*: **PKW** - Kuldīga liegt an der Landstraße zwischen Ventspils und Saldus. Von Rīga aus ist die Anfahrt durch die sogenannte *Lettische Schweiz* zu empfehlen: Die A-220 nach Ventspils bis zu dem etwa 28 km hinter Tukums gelegenen Dorf Intes nehmen. Dort nach Kandava abfahren und auf dieser Straße bis Kuldīga bleiben. Sie verläuft parallel zur *Abava*, die sich hier malerisch ihren Weg durch die kurischen Höhen bahnt.
Bus: Die Linie Ventspils-Liepāja führt durch Kuldīga, ebenfalls mehrmals täglich Verbindung mit Rīga. Busbahnhof liegt etwas außerhalb in der Stacijas ielā 2. Ins Zentrum fährt Bus 1 bis zum Universalmarkt.
- *Übernachten*: **Kursa**, Pilsētas lauk. 6. Zimmer, alle mit Bad, freundliche Leitung, DZ ca. 4 DM, Lux ca. 7 DM, Tel. 22430.
- *Essen*: Obwohl Kuldīga touristisch sehr attraktiv ist, gibt es in der Stadt bislang nur ein Restaurant.
Venta, Pilsētas lauk. 1. Gute Küche, insbesondere die Rote-Rüben-Suppe ist empfehlenswert. Am Abend manchmal Live-Musik und Tanz, Tel. 24966.
- *Cafés*: Für einen kleinen Imbiß oder einen Kaffee eignen sich auch folgende Cafés:
Kursa, gehört zum Hotel.
Staburadze, Liepājas ielā 8, Tel. 22268.
Vejnis, Mucenieku ielā 1, Tel. 22807.
- *Diverses*: **Geldwechsel** - Liepājas ielā.
Post: Liepājas ielā 34.
Poliklinik: Liepājas ielā 37.
Autoreperatur: Ēdoles ielā, Tel. 22558.
Tankstelle: Graudu ielā 5.

Sehenswertes

Die **Altstadt** Kuldīgas ist fast ein kleines Freilichtmuseum. Alte deutsche Kaufmannshäuser und Bauten im Renaissance-, Barock- und Gotikstil verleihen der Stadt eine gewisse nostalgische Ausstrahlung. Bei einem Altstadtbummel ist der Rathausplatz von besonderem Interesse. Das Rathaus in der Padomju ielā 5 wurde im 17. Jh. gebaut. Sein Keller wurde als Stadtgefängnis genutzt. Heute sitzt die Stadtverwaltung allerdings in einem Neubau am Pilsētas laukums. Das Haus Nr. 7 in derselbn Straße ist das älteste Wohnhaus von Kuldīga. Es stammt aus dem Jahr 1670. Die einstige Wetterfahne des Hauses, ein *Einhorn*, kann in der St. Kathrīnas-Kirche besichtigt werden.

Katharinenkirche, Padomju ielā 33. Zum ersten Mal erwähnt wurde die Kirche bereits 1252. Ihr heutiges, barockes Äußeres erhielt das Gotteshaus 1655. Schmuckstück der Kirche ist ihr über 300 Jahre alter Altar. Vom Kirchturm hat man bei gutem Wetter einen schönen Blick auf Kuldīga und die Venta.

Kirche der Heiligen Dreieinigkeit, Raiņa ielā 10: Errichtet wurde das Gotteshaus 1640 im Stil der Renaissance. Im Inneren sind jedoch auch Elemente des Barock und des Rokoko zu finden. Der Altar ist ein Geschenk von *Zar Alexander I.*, das er im Jahre 1820 der katholischen Gemeinde von Kuldīga übergab.

Historisches Museum, Pils ielā 5: Nicht weit vom Venta-Wasserfall gelegen. Interessante Ausstellung über die Geschichte und Umgebung Kuldīgas. Mo geschlossen.

Skulpturengarten: Schöne und ansprechende Plastiken lettischer Bildhauer, aufgestellt in dem alten Park beim Museum.

Venta Rumba: Den besten Blick auf den 110 m breiten und 2 m hohen Wasserfall, der eher die Bezeichnung Stromschnelle verdient, hat man von der alten Venta-Brücke. Das Ufer eignet sich zum Zelten.

Umgebung

▶ **Campingplatz Dinasdarrs**: Mitten im Wald und unmittelbar am Ufer des tiefblauen *Nabas-Sees* sind die kleinen Holzhütten des Campingplatzes zu finden. Der weiche Waldboden ist mit Blau- und Wilderdbeeren übersät. Hier sind übrigens auch Boote für Kanutouren ausleihbar. Auf Wunsch kann man sich vom Besitzer des Campingplatzes an die Abava oder Venta bringen und abholen lassen oder aber nur so auf dem Nabas-See herumpaddeln. Wer die Sommersonnenwende ausgiebig feiern will, der ist hier genau richtig.

• *Adresse*: Apvienība Kursa, Kempings Dinasdarrs, 9500 Kuldīgas raj., Nabas ezeres, Tel. 233-25154. Besitzer ist Vladimir Valentinowitsch Vogdanow, er spricht sogar ein wenig deutsch. Tel. 233-25154.

• *Anfahrt/Verbindungen*: **PKW** - An der A-222 Richtung Ventpils kommt ca. 15 km hinter Kuldīga ein Hinweisschild zum Campingplatz. Von dort geht es noch etwa 1,5 km über sandigen Waldweg.

Bus: Von Kuldīga mit dem Bus Richtung Ventpils erreichbar. Die Haltestelle liegt an der Hauptstraße und heißt *Dobei*. Aus Kuldīga kommend, ist noch ca. 1 km entgegengesetzt der Fahrtrichtung bis zum Hinweisschild zurückzulegen. Es ist auch möglich, sich mit Vladimir Valentinowitsch in Kuldīga zu verabreden.

▶ **Ēdole**: Ebenfalls im Kreis Kuldīga gelegen. In Ēdole sind die Ruinen einer alten Burg aus dem 13. Jh. zu sehen, in denen es ganz gewaltig spuken soll. Der Gutsherr, der hier vor langer Zeit einmal lebte, hatte zwei Söhne. In einem Streit brachte ein Sohn den anderen um. Von jenem Tag an erschien jede Nacht in Form eines unheimlichen roten Flecks das Blut des toten

Bruders an einer Wand des Schlosses. Obwohl man an dieser Stelle einen Kamin errichtete, konnte die Seele des Getöteten keine Ruhe finden. Glaubt man der Legende, geistert er auch heute noch durch die verfallenen Gemäuer.

Die Burg soll restauriert werden, doch das Wann ist eine Frage des Geldes. Der Zufahrtsweg zur Ruine, vorbei an einem alten Bauernhaus und einem Teich voller Entengrütze und Seerosen, ist traumhaft schön.

● *Anfahrt/Verbindungen*: **PKW** - Von Kuldīga über eine kleine Landstraße aus erreichbar. Alternativ dazu kann man von Kuldīga aus auch ca. 20 km die **A-222** Richtung Ventspils entlangfahren, bis eine schmale Straße nach Ēdole abgeht.

Bus: Verbindung mit Kuldīga, jedoch selten. Man kann auch den Bus nach Ventspils nehmen, beim Abzweig nach Ēdole aussteigen und die restlichen ca. 8 km zu Fuß zurücklegen.

Ventspils (Windau) *(ca. 50.0000 Einwohner)*

Bedeutende Industrie- und Hafenstadt an der Mündung der Venta in die Ostsee. Gezielt baute die Sowjetregierung nach dem Zweiten Weltkrieg die Hafenanlagen von Ventspils aus, da dieser Hafen im Gegensatz zu dem Hafen von Rīga das ganze Jahr über eisfrei ist. Darüber hinaus wurde das Erdöl der ehemaligen Sowjetunion von Ventspils aus in die Bestimmungsländer exportiert.

Über die Pipeline *Drushba* (Freundschaft) wird das Öl aus Sibirien direkt zum Hafen geleitet. Durch die hier ebenfalls ansässige Gasraffinerie und das Petroleumwerk ist die Umwelt bei Ventspils schwer belastet. Dennoch hat die Stadt eine recht angenehme Ausstrahlung, und die Reste der noch verbliebenen Altstadt laden zu einem Bummel ein.

Geschichte: Die Namen von Stadt und Fluß sind von den im 10. bis 12. Jh. hier siedelnden Wenden abzuleiten. Später wurden die Wenden von den Kuren vertrieben. Den Kuren war es nur für kurze Zeit vergönnt, in Freiheit auf dem neugewonnenen Territorium zu leben, denn Anfang des 13. Jh. erschienen die Ritter des Livländischen Ordens. Die Schwertbrüder unterwarfen die Kuren und errichteten Ende des 13. Jh. ihre Ordensburg. Um die Festung herum entstand die Stadt. Ventspils entwickelte sich rasch dank seines eisfreien Hafens zu einer blühenden Handelsstadt. Auch im späteren Herzogtum Kurland kam der Hafenstadt Ventspils besondere Bedeutung zu. Während der Pest zur Zeit des Nordischen Krieges verlor die Stadt fast alle seine Bewohner. Ein neuer Aufschwung konnte erst um die Jahrhundertwende mit dem Bau der Eisenbahn verzeichnet werden. Seitdem ist Ventspils kontinuierlich gewachsen. Von 1915 bis heute hat sich die Fläche der Stadt mehr als verzehnfacht.

● *Postleitzahl*: LV-3600
● *Vorwahl*: 236
● *Information*: Annas ielā 13, im ehemaligen Rathaus. Die Auskünfte über die Stadt sind noch etwas spärlich, Tel. 24166.
● *Anfahrt/Verbindungen*: **PKW** - Von Rīga

über die A-220 erreichbar. Von Liepāja die A-218 bis Saldus nehmen, dort auf die Landstraße, die A-222 nach Ventspils fahren. Es gibt auch eine Verbindung entlang der Küste , doch ist die 100 km lange Strecke nicht asphaltiert.

Bus: Verbindung mit Rīga und allen größeren Orten Kurzemes. Busbahnhof in der Kuldīga ielā 5.

Bahn: Züge nach Rīga und Liepāja. Der Bahnhof liegt am anderen Ufer der Venta, direkt hinter der Brücke. Vom Busbahnhof mit den Linien 2, 8, 10 und 12 erreichbar.

• *Übernachten*: **Dzintarjūra**, Ganību ielā 26 im Zentrum gelegen. Das Hotel ist zwar einfach, aber nett, EZ ca. 3 DM, DZ ca. 5 DM, Tel. 22712.

Valna, Talsu ielā 5. Noch ist alles sehr einfach ausgestattet, doch soll das Hotel demnächst renoviert werden. DZ ca. 3 DM, Tel. 61259. Liegt nicht im Zentrum, sondern auf der anderen Seite der Venta. Die Linien 2, 8, 10 und 12 fahren vom Busbahnhof zum Bahnhof und halten auch am Hotel. Die Haltestelle heißt *Valna*.

• *Essen*: **Kosmos**, Ganību ielā 22/24. Gute Küche, abends Live-Musik.

Sārtās Buras, Lauku ielā 2. Befindet sich am Busbahnhof. Ist von innen ein wenig heruntergekommen, das Essen ist mittelmäßig, Tel. 24029.

• *Cafés/Bars*: **Dzintarjūra**, gehört zum gleichnamigen Hotel. Selbstbedienung, gut zum Frühstücken geeignet. Außerdem nette Bar im Keller.

Kurzeme, Jūras ielā 8, gegenüber der Post. Kaffee und kleine Snacks, Selbstbedienung.

Eiscafé, Kuldīgas ielā 32. Nicht nur Eis, sondern auch leckere Kuchen erhältlich.

• *Diverses*: **Geldwechsel** - Kuldīgas ielā 3.

Post: Jūras ielā 11.

Erste-Hilfe-Station: Annas ielā, neben dem Informationsbüro.

Poliklinik: Pils ielā 2.

Ventspils

Anlegestelle für Yachten

Strand

Fischerhafen

Segelboote

Mednu iela

Vasirņigu

iela

Freilichtmuseum für Fischerei

Inženieru

Rinku iela

Estrada

Autoreparatur: Kuldīgas ielā 20, Tel. 22048.

Tankstelle: Rūpniecības ielā 14

Einkaufen: **Buchladen**, Jūras ielā 10. Prospekte über Ventspils und Bücher über Lettland, z. T. auch auf deutsch und englisch erhältlich.

Importläden: Jūras ielā 17 und 36.

Sehenswertes

Freilichtmuseum für Fischerei, Riņķu ielā 2: Alles, was zum Leben eines Fischers gehört, kann hier besichtigt werden. Alte Fischerkaten der Küstendörfer, Fischerboote, eine riesengroße Mühle u. v. m. ist ansprechend unter schattigen Bäumen unweit des Meeres aufgebaut. Weitere Ausstellungsgegenstände und einige Aquarien sind in einem dazugehörigen Haus untergebracht.

• *Anfahrt*: Entweder vom Strand durch die Dünen zum Museum laufen oder aus dem Zentrum Bus 5, 6 oder 10 nehmen. Aussteigen kurz vor dem Museum. Da die Haltestelle namenlos ist, am besten dem Fahrer Bescheid sagen, daß man zum Museum möchte. Von der Haltestelle noch ca. 20 m in Fahrtrichtung geradeaus gehen. Das Museum sieht von außen sehr unauffällig aus. Mo und Di geschlossen.

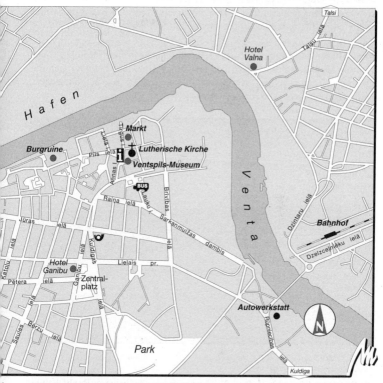

Ventspils-Museum, Akmeņu ielā 5: Dokumentiert ist die Geschichte der Stadt und ihrer Umgebung, Mo und Di geschlossen.

Altstadt: Am Marktplatz in der Nähe vom Touristenbüro sind noch einige hübsche Häuser aus dem 18. Jh. und eine schmucke lutherische Kirche zu sehen.

Ruine Pils ielā: Auch wenn sie vielerorts als guterhalten bezeichnet wird, ist die ehemalige Ordensfestung doch in einem jämmerlichen Zustand. Sie ist etwas schwierig zu finden, da kein von weitem sichtbarer Turm den Standort der Burg verrät. In absehbarer Zeit soll sie restauriert werden und ein Museum für Völkerkunde in ihr eingerichtet werden. Doch entscheidet auch hier das Geld über den Beginn der Bauarbeiten.

Baden: Ventspils hat einen sehr schönen Strand, dem sich viele größere und kleinere Dünen anschließen. Die Bewohner baden unbekümmert, ungeachtet der direkten Nähe zum Hafenbecken und einiger Industrieanlagen. Die Bewohner versichern zwar ernsthaft, daß das Meer grundsätzlich erst ab Hafen verschmutzt sei und begründen es mit dem tatsächlich sauber aussehenden Wasser, doch dem ist nicht unbedingt Glauben zu schenken. Empfehlenswerter ist ein ausgiebiges Sonnenbad oder eine ausgedehnte Strandwanderung. Vom Zentrum entweder zu Fuß zum Strand gehen oder Bus 5, 6 oder 10 bis zur Medņu ielä nehmen, die zum Strand runterführt.

Park: Hinter den Dünen erstreckt sich ein schöner großer Park, begehbar von der Medņu und der Vasarnīcu ielä. Im Mittelpunkt befindet sich die *Estrada*, auf der u. a. alle zwei bis drei Jahre das Ventspilser Sängerfest und das allsommerliche Rockfestival ausgetragen werden.

"Zwei-Meere-Strand" am Kolkasrags

▶ **Kolkasrags (Kap von Kolka):** Willkommen am nördlichsten Punkt Kurzemes! Hier kann man mit beiden Füßen zur gleichen Zeit in zwei verschiedenen Meeren stehen. Das *Baltische Meer* und der *Rīgaer Meerbusen* treffen hier aufeinander. Der "Zwei-Meere-Strand" mit seinen duftenden Kiefern ist einsam und idyllisch, doch bläst hier stets ein frischer Wind. Am Strand sind noch die Reste des alten Leuchtturms zu sehen. Vom Dorf Kolka führt geradeaus eine Schotterpiste zum Kolkarags.

● *Anfahrt/Verbindungen:* **PKW** - Am einfachsten über die Küstenstraße entlang der Rīgaer Bucht zu erreichen. Von Ventspils aus führt eine staubige Schotterpiste, ebenfalls entlang der Küste, hierher. **Bus:** Verbindung mit Ventspils, Talsi und Rīga, jedoch sehr selten.

▶ **Naturschutzgebiet Slītere:** Das zweitgrößte Naturreservat Lettlands schließt sich unmittelbar an den Ort Kolka an. Charakteristisch für das Gebiet sind seine dichten und duftenden Wälder. Campen und Feuermachen ist strengstens verboten. Fährt man durch das Reservat über die Schotterpiste Richtung Ventspils, kommt es nicht selten vor, daß einem Füchse, Wildschweine oder Rehe über den Weg laufen.

▶ **Dundaga (Dondangen):** Schönes, kleines Dorf, etwa 40 km südlich von Kolka im Kreis Talsi gelegen. Im Mittelalter befand sich hier das größte Gut des gesamten baltischen Raumes, in dem bei Vollmond Geister und Gespenster lebendig werden sollen. Der Legende nach hatte die Schwester eines hier lebenden Barons einer Gnomenhochzeit beigewohnt. Zur Strafe für diese Schandtat wurde das Mädchen lebendig in die Burg eingemauert. Seitdem zeigt sie sich einmal im Monat bei Vollmond.

Erbaut wurde die Wasserburg 1245 vom Domkapitel Rīga. Sie wechselte oft die Besitzer, bis sie schließlich an die Familie *von der Osten* gelangte, in deren Händen das Schloß bis 1920 blieb. Die Burg ist äußerlich ziemlich gut erhalten, wird aber momentan restauriert. Im Inneren befindet sich eine Musik- und Kunstschule für 10- bis 15jährige Kinder. Jeweils im Mai und Dezember finden Konzerte und interessante Ausstellungen mit den Werken der Nachwuchskünstler statt. Betritt man den Turm der Burg, so trifft man auf ein verblüffendes Echo, das jeden Laut und jedes gesprochene Wort klar und deutlich mehrmals wiederhallen läßt.

6 km nördlich von Dundaga, auf dem Weg nach Mazirbe, liegt am Wegesrand der 2 m hohe *Ažustāvakmens*, zu deutsch Ziegenstein. Es handelt sich hierbei um einen Opferstein der alten Balten, in den sie ihre Schriftzeichen und Symbole eingemeißelt haben.

• *Anfahrt/Verbindungen*: **PKW** - Dundaga liegt etwa 35 km nordwestlich von Talsi an der Landstraße Richtung Mazirbe.
Bus: Die Busse der Linien Ventspils-Roja und Ventspils-Kolka sowie die Busse aus Talsi halten in Dundaga, jedoch verkehren sie alle sehr selten.

▶ **Valdemarpils:** Ungefähr 4 km entfernt von Valdemarpils liegt das kleine Waldmuseum von *Janis Metuzāls*. Richtig liebevoll hat der ehemalige Förster sein Museum eingerichtet. Zu sehen ist alles, was auch nur im entferntesten Sinne mit Wald zu tun hat. Janis Metuzāls spricht lettisch und russisch. Besonders eindrucksvoll ist sein zuverlässig funktionierendes Wetterbarometer aus einer Tannenastgabel. Das ist, so der Förster, nur von solchen Tannen möglich, die unter einer anderen gewachsen sind. Die Öffnungszeiten richten sich danach, wann die Familie Metuzāls zu Hause ist, sie wohnen gegenüber vom Museum.

• *Adresse*: 9560 Talsi rajons, Valdemarpils, Mešniecībā, Janis Metuzāls.
• *Anfahrt/Verbindungen*: **PKW** - Von Valdemarpils in Richtung Vandzeme, bis zu einem geknickten Bauernhaus fahren, dort rechts abbiegen und weiter geradeaus, vorbei an der Bushaltestelle Kronis, fahren. An einem dicken Eichenstamm, der mit einem Hut verziert ist, links abbiegen, den Weg bis zum Ende durchfahren und nach Janis Metuzās fragen.

▶ **Nogale:** Sehenswert ist das Jagdschloß in den Wäldern von Nogale. Momentan wird es restauriert, um dann als Museum seine Pforten für Besucher zu öffnen. Das Schloß ist von einem romantischen Park umgeben, in dem ein malerischer, dunkler See liegt. Hier kann man Zeuge eines sonderbaren akustischen Phänomens werden: Wenn sich Leute in der kleinen Backsteingrotte am See unterhalten, so ist das Gespräch noch am Seeufer zu hören. Es soll sogar eine Stelle geben, an der sich die gesprochenen Worte der Grotte wie der Gesang eines großen Chores anhören sollen, so daß man das Gefühl habe, ein Echo des Himmels zu vernehmen.

● *Anfahrt/Verbindungen*: PKW - Nogale liegt etwa 15 km östlich von Valdemarpils. Von dort die Sandpiste nach Kronmuiža nehmen und auf dieser Straße bleiben, bis linker Hand ein Weg nach Nogale abgeht. Ohne fahrbaren Untersatz ist Nogale schwierig zu erreichen.

▶ **Usma-See:** Etwa 65 km östlich von Ventspils und 38 km westlich von Talsi liegt der Usma-See. Nicht weit voneinander entfernt liegen unmittelbar am Seeufer zwei Campingplätze. Sie sind nicht sehr attraktiv, doch als Übernachtungsstation geeignet (ÜB ca. 2 DM, nur im Sommer geöffnet).

● *Anfahrt/Verbindungen*: PKW - liegt an der A-220 Rīga-Ventspils. Auf Schilder achten. **Bus:** Linie Ventspils-Rīga nehmen. Haltestelle heißt Tirukši. Zum zweiten Camping ca. 300 m die Straße Richtung Rīga entlanggehen.

● *Übernachten*: **Ventspils Usma**, Tirukši A/B VVR, Tel. 236- 73622, gehört einer Ventilatorenfirma aus Ventspils. Alles ist denkbar einfach, es gibt kein fließendes Wasser, Zimmer wie in einer Jugendherberge der 60er, Boote ausleihbar.

Ventspils Usma, Tirukši A/S VVR, Tel. 236-73759. Kleine Hütten mit 2 Zimmern à 2 Personen zu vermieten.

Talsi (Talsen) *(ca. 13.000 Einwohner)*

Zwischen vielen Seen und dicht bewaldeten Hügeln liegt die kleine Kreisstadt Talsi. Früher wurde Talsi auch einfach als die "9 Hügel" bezeichnet.

Auf einer der Erhebungen stand einst die Ordensburg der deutschen Kreuzritter und auf einem anderen die Lettenburg. Das Stadtbild wird überwiegend von kleinen, z. T. bunten Holzhäuschen geprägt, die eine gemütliche Atmosphäre ausstrahlen. Am überwältigendsten ist jedoch die wunderschöne, leicht hügelige Landschaft in der Umgebung von Talsi.

● *Postleitzahl*: LV-3200
● *Vorwahl*: 232
● *Information*: Kareivju ielā 16, im Hotel.
● *Anfahrt/Verbindungen*: PKW - Talsi liegt etwas nördlich von der A-222, fast genau zwischen Tukums und Ventspils. Zu erreichen ist Talsi auch von Jurmala über die Landstraße, die geradewegs nach Talsi führt und einige Zeit parallel zur Küste verläuft.
Bus: Verbindung mit Rīga, Ventspils, Saldus und Kuldīga. Busbahnhof in der Dundagas ielā 15.
● *Übernachten*: **Talsi**, Kareivju ielā 16. Relativ großes Hotel, das gerade stück-weise renoviert wird, neue Preise stehen noch nicht fest, Tel. 22689.
● *Essen*: **Nacionālā zāle**, Lielā ielā 1. Serviert wird schmackhafte lettische Nationalkost, Tel. 24398.
Kurzeme, Brīvības ielā 17a. Essen durchschnittlich, Tel. 22388.
Māra, Lielā ielā. Kleines, ganz nettes Café, So geschlossen.
● *Diverses*: **Geldwechsel** - Lielā ielā 17.
Post: Lielā ielā 4/6.
Poliklinik: Ruģēna ielā 7.
Autoreparatur: Laidze ielā 24, Tel. 16368.
Souvenirs: Salon Rota, Lielā ielā 18.

Stadtmuseum, Rožu ielā 7: Dokumentation über die Geschichte Talsis und wechselnde Ausstellungen moderner Gemälde und Skulpturen. Das Museum soll demnächst in ein frisch restauriertes, altes Haus umziehen, das von einem romantischen Park umgeben ist. Hier wachsen Sträucher und Bäume aus aller Welt. (Mo geschlossen.)

Kunstgalerie, Lielā ielā 31, wechselnde Ausstellungen lettischer Maler, Mo geschlossen.

Technikmuseum, Celtnieku ielā 11. Kleiner Querschnitt durch die Geschichte der Technik, Mo geschlossen.

Sabile (Zabeln) *(ca. 4000 Einwohner)*

Malerisches Dorf im Tal der Abava. Von der alten Ordensburg von 1282 ist so gut wie nichts mehr übrig geblieben, doch der Ort versetzt einen leicht in den Glauben, das Mittelalter sei erst gestern gewesen.

Auf den Hügeln Sabiles ist vor nicht allzu langer Zeit noch Wein angebaut worden, was die Gegend prompt als nördlichstes Weinanbaugebiet ins Guiness-Buch der Rekorde brachte. Vom ehemaligen Weinberg, der sich inmitten des Dorfes erhebt, hat man eine traumhafte Aussicht auf Sabile und die Abava. Der Wasserfall von Abava, auf den die Dorfbewohner gerne stolz hinweisen, ist nicht mehr als eine kleine Stromschnelle. Dennoch ist das Plätzchen, etwa 5 km Richtung Renda gelegen, sehr idyllisch und lädt zu einem ausgiebigen Picknick ein.

• *Postleitzahl*: LV-3294

• *Vorwahl*: 232 (Talsi)

• *Anfahrt/Verbindungen*: **PKW** - Von Talsi die Straße Richtung Süden nehmen, die **A-220** kreuzen und geradeaus bis nach Stende fahren, wo links die Straße nach Sabile abgeht. Von Kuldīga die Straße Richtung Tukums via Renda nehmen.
Bus: Verbindung mit Talsi, Tukums, Kuldīga und Rīga.

• *Übernachten*: Hotels gibt es in Sabile nicht, doch nicht weit von hier, Richtung Kandava, befindet sich eine einfache **Touristenherberge** (s. u.). Eine Alternative dazu bietet das Ufer der Abava, das sich hervorragend zum Zelten eignet.

• *Essen*: Kafejnīca, Rīgas ielā 11. Kleines Privatcafé mit sehr guter Küche und freundlicher Bedienung.

Kandava (Kandau) *(ca. 7000 Einwohner)*

Kandava ist ein weiteres romantisches Städtchen an der malerischen Abava. Der Ort gehört zum Kreis Tukums. Die Strecke von Sabile nach Kandava ist landschaftlich wunderschön.

Von der Bevölkerung wird diese Gegend auch stolz als die *Schweiz Kurzemes* bezeichnet. Sie ist optimal geeignet zum Radeln, Paddeln und Wandern. Natürlich gab es hier auch eine Ordensfestung, die 1253 an der Stelle einer kurischen Burg errichtet wurde. 1659 wurde die Festung von den Schweden angegriffen, die dabei Stadt und Kirche plünderten. Von der Ordensfeste ist lediglich der viereckige Pulverturm übriggeblieben.

• *Postleitzahl*: LV-3120

• *Vorwahl*: 231 (Tukums)

• *Anfahrt/Verbindungen*: **PKW** - Von Sabile einfach geradeaus Richtung Tukums entlang der Abava fahren; aus Tukums kommend, etwa 28 km die A-220 Abzweig nach Kandava kommt.
Bus: Anschluß nach Tukums, Talsi, Rīga, Saldus, Ventspils und Kuldīga. Die Hauptbushaltestelle liegt in der Lielā ielā 2a.

• *Übernachten*: **Kandava**, Sabiles ielā 3. Winziges, einfaches Hotel in der Altstadt. ÜB ca. 1.50 DM, Tel. 31108.
Touristenherberge, gehört zwar zu Kandava, liegt aber ein Stück außerhalb, Rich-

tung Sabile. An der Straße auf Hinweisschilder achten.
Tukums raj., LV-3120 Kandavas pasts, Kandavas tourbaze, Tel. 231-31349. Unterbringung in einfachen Zimmern oder Holzhütten. ÜB etwa 2 DM. Zur Anlage gehört eine kleine gemütliche Bar. Mit dem Bus Kuldīga-Tukums via Kandava erreichbar.

• *Essen*: **Veckandava**, Sabiles ielā 3. Kleines gemütliches Lokal mit gutem Essen, Tel. 31469.

• *Diverses*: **Geldwechsel** - Talsi ielā 11.
Post: im Zentrum, gegenüber vom Universalmarkt.
Poliklinik: Lielā ielā 14.

Tukums   *(ca. 20.000 Einwohner)*

Obwohl Kreisstadt und trotz seiner Nähe zu Rīga macht Tukums einen recht verschlafenen Eindruck, und das einzige Hotel der Stadt hat seine Pforten bereits geschlossen.

Das Gebiet um Tukums war einst vom finno-ugrischen Stamm der Liven besiedelt. Ertmalig erwähnt wurde der Ort im Jahre 1445, doch die Erhebung zur Stadt erfolgte erst zum Ende des 18. Jh. Erwähnenswert ist die lutherische Kirche von 1670 und der 113 m hohe *Milzu kalns*, der Berg des Riesen, der sich etwa 5 km nordöstlich der Stadt erhebt. Bei klarem Wetter hat man von hier eine atemberaubende Sicht bis hin zum Meer.

• *Abfahrt/Verbindungen*: **PKW** - Von Rīga etwa 55 km die A-220 Richtung Ventspils bis zur Ausfahrt nach Tukums fahren.

Bus: Züge nach Rīga und Ventspils.
Bahn: von Rīga und Jurmala mit der Elektrischka zu erreichen

Umgebung

Nicht weit von Tukums befinden sich direkt am Rīgaer Meerbusen zwei **Camping-Plätze**. Beide sind von Ende Mai bis spätestens Anfang Oktober geöffnet.

• **Abragciems Kempings**, Tukums rajons, p/n Engure, Tel. 231-61668. Meeresrauschen zum Einschlafen, denn die kleinen Hütten stehen direkt am weiten, leeren Sandstrand. Tretboote und Fahrräder ausleihbar, Sauna. Selbstbedienungscafé und ansprechende Bar garantieren für's leibliche Wohl; von netten Leuten geleitet. Abends wird oft frischer Fisch verkauft. ÜB pro Person ca. 2 DM.
Anfahrt/Verbindung: **PKW** - Der *Kempings* liegt an der Küstenstraße, die an der Rīgaer Bucht Richtung Kolka entlangführt, etwa 55 km nordwestlich von Rīga, an der Straße auf Schilder achten.
Bus: Zu erreichen mit den Linien **Rīga-Kolka** und **Jurmala-Kolka**, aussteigen an der Haltestelle *Abragciems*.

• **Apšuciem Kempings**, Tukums rajons, Engures Ciems, Tel. 231-43146.
Der andere Campingplatz liegt etwas weiter nördlich. Es gibt 2-, 3- und 4-Betthütten. ÜB ca. 1 DM. Das Schlafen im eigenen Zelt ist auch möglich. Der Platz verfügt über ein kleines Café und eine Sauna. Das Meer mit seinem schönen Strand liegt allerdings auf der anderen Straßenseite.
Anfahrt/Verbindungen: **PKW** - Der Campingplatz liegt nördlich von dem oben genannten Platz, ungefähr auf der Höhe des *Engures-Sees*. Auf Hinweisschilder an der Straße achten.
Bus: Anfahrt s. o., Aussteigen an der Haltestelle *Abragciems*. Aus Richtung Rīga kommend noch ca. 500 m in Fahrtrichtung weitergehen.

Latgale

Der aufkommende Tourismus in Lettland läßt den Osten des Landes eher unbeachtet. Der Norden der Provinz Latgale wird überwiegend landwirtschaftlich genutzt. Im Osten grenzt das Gebiet an Rußland und Weißrußland und im Westen an Vidzeme. Der Süden ist mit zahlreichen Seen durchzogen, die sich an die Seenplatte des Nordosten Litauens anschließen. Süd-Latgale trägt von daher auch den Beinamen "Land der blauen Seen".

Wer gern abseits der Touristenorte seine Ferien verbringt, für den ist der Süden Latgales genau das Richtige. Unterkunftsmöglichkeiten gibt es allerdings kaum. Eine sehr schöne Variante, den Osten Lettlands zu erkunden, ist die mit dem Fahrrad, auch wenn man sich wegen der leicht hügeligen Landschaft ein wenig abstrampeln muß (ausgearbeitete Fahrradrouten können schon von Deutschland aus beim Latvian Tourist Club in Rīga bestellt werden). Der Norden Latgales ist eher uninteressant.

In der Geschichte hielten die deutschen Kreuzritter auch hier mit Schwert und Feuer Einzug. Doch da das Gebiet keinen Zugang zum Meer hat und nicht an den wichtigen Handelsrouten lag, war Latgale lange nicht so bedeutend für den Orden wie Kurland oder Livland. Etwas interessanter war der Süden, durch den sich die Daugava, der Seeweg zwischen Rīga und Witebsk (Weißrußland) schlängelt. Doch im Vergleich zu den anderen lettischen Provinzen hat der Orden in Latgale relativ wenige Spuren hinterlassen. Nachdem Latgale eine Zeitlang zum Orden gehörte, fiel es im 16. Jh. an Polen und wurde zu *Polnisch-Livland*. Vor der lettischen Staatsgründung, als das gesamte Baltikum Teil des Zarenimperiums war, gehörte Latgale zum Witebsker Regierungsbezirk.

Daugavpils (Dünaburg)   *(ca. 130.000 Einwohner)*

Zweitgrößte Stadt Lettlands, beidseitig der Daugava (Düna) gelegen. Erwähnt wurde Daugavpils erstmals 1225, als nämlich die deutschen Kreuzritter hier Einzug hielten und eine Burg errichteten.

Archäologen sind der Meinung, daß das hiesige Ufer der Daugava schon in der Steinzeit besiedelt war.

1577 gelang es *Iwan dem Schrecklichen*, die Stadt zu erobern. Er zerstörte die Ordensburg, um sich anschließend eine neue Festung zu bauen. Das Stadtrecht erhielt Daugavpils 1582. Aufgrund seiner Nähe zu Litauen und Rußland haben stets viele Nationalitäten hier gelebt. Durch die Eisenbahnlinie von Rīga über Daugavpils nach Warschau entwickelte sich die Stadt zu einem wichtigen Industrie- und Handelszentrum.

Nach 1940 wurde auf Druck Moskaus in Daugavpils verstärkt und gezielt Industrie angesiedelt. Die zusätzlich benötigten Arbeitskräfte besorgte die damalige Sowjetregierung überwiegend aus Rußland. So kommt es, daß Daugavpils zu einer russischen Stadt geworden ist, in der die Letten mit 10 % eine kleine Minderheit bilden. Aus diesem Grund sind wohl auch Straßenschilder wie *Karla Marksa* oder *Lenina*, obwohl die neuen Straßennamen längst feststehen, noch zu sehen. Viele Häuser sehen düster aus und verleihen der Stadt eine bedrückende Ausstrahlung. Bei genauerem Hinsehen fällt jedoch auf, daß die dunkel wirkenden Häuser unter einer neuen Farbschicht in wahrer Pracht erstrahlen würden. Einige Häuser sind bereits in den Genuß eines Farbbades gekommen und lohnenswert anzusehen.

- *Postleitzahl*: LV-5400
- *Vorwahl*: 254
- *Information*: Vienības ielā 25. Der Direktor des Büros spricht deutsch.
- *Anfahrt/Verbindungen*: PKW - Zahlreiche Straßen treffen sich in Daugavpils. Von Rīga über die A-215 Richtung Vitebsk zu erreichen; von Resēkne über die A-116; von Kaunas über die A-226.

Bus: Verbindung mit Rīga, Valmiera, Cēsis, Aglona, Krāslava sowie mit Panevēžys und Rokiškis (Litauen). Busbahnhof, Viesture ielā

Bahn: Züge nach Rīga, Krāslava, Klaipė-da, Kaliningrad, Šiauliai, Vilnius und Moskau. Jeden Morgen auch ein Zug nach Berlin. Der Bahnhof befindet sich am Ende der Rīga ielā.

- *Übernachten*: **Latvija**, Ğimnazijas ielā 46. Mehrstöckiges ehemaliges Intourist-Hotel. Zimmer sind zwar mit Bad, doch läßt die Qualität ziemlich zu wünschen übrig. EZ ca. 2.50 DM, DZ 4 DM, Tel. 29003. Eine Filiale des Hotels befindet sich in der Saules ielā 23a.

- *Essen*: **Latvija**, Rīga ielā 9. Restaurant ist so unpersönlich wie das Hotel, dem es angeschlossen ist, dennoch akzeptable Küche, Tel. 20937.

Daugavpils, Rīga ielā 22. Gemütliches Kellerrestaurant mit gutem Essen. Am Wochenende ist im Nebenraum Disco, Tel. 20555.

- *Cafés und Bars*: **Minutite**, Rīga ielā 76. Kleines Selbstbedienungscafé mit wechselnden Tagesgerichten, Tel. 20541.

Vēsma, Rīga ielā 51. Eisdiele, mit z. T. etwas ungewohnten Eiskreationen, Tel. 20515.

Konditorija, Rīga ielā, neben dem Minutite. Konditorei, in der kleine rote Tische und Stühle stehen. Leckere Kuchen.

- *Diverses*: **Geldwechsel** - Im Hotel Latvija. **Post/Telegrafenamt**: Cietokšņa ielā 28, und in der Rīga ielā 85.
Apotheke: Rīga ielā 54a.
Markt: Cietokšņa ielā 60.
Tankstelle: Cietokšņa ielā, 18. novembra ielā.
Autoreparatur: Liginisku ielā 15, Tel. 24129.

Sehenswertes

Ruine: Etwas außerhalb vom Zentrum stehen die Mauerreste der alten Festung, die u. a. auch von den Nazis im Zweiten Weltkrieg als Lager genutzt wurde. Heute ist in den Gemäuern eine Militärschule untergebracht, so daß die Ruine nur von außen betrachtet werden kann. Zu erreichen mit Tram 3, fährt vor dem Hotel Latvija ab.

Kirchen: Zu erwähnen sind die russisch-orthodoxe *Boris und Gleba- Kirche* mit ihren märchenhaften Zwiebeltürmen in der Tautas ielā 2 und die *Marienkirche* in der Andreja Pumpura ielā 11. Beide Gotteshäuser liegen nicht weit voneinander entfernt und sind mit Bus 9 erreichbar.
Schön ist auch der prächtige, symmetrisch angelegte Kuppelbau der *Peter und Paul-Kirche,* der sich an der Rīga ielā erhebt. Entlang der Straße stehen auch noch einige alte Häuser. Hübsch restaurierte Bauten sind in der Saules ielā zu finden.

Stadtmuseum, Rīga ielā 8: Das Museum ist in einem stattlichen Jugendstilgebäude untergebracht. Zu sehen sind nicht nur Exponate aus der Geschichte der Stadt und ihrer Umgebung, sondern auch Bilder und Plastiken zeitgenössischer Maler. Interessant ist die ansprechend aufgemachte Ausstellung von Gegenständen aus den verschiedenen Epochen des Daugavpilsner Lebens.
Öffnungszeiten: Mi-So von 11-17 Uhr.

Umgebung von Daugavpils

Direkt vor den Toren von Daugavpils liegt die wunderschöne **Seenplatte von Latgale**, was die Landschaft um Daugavpils um einiges attraktiver macht als die Stadt selbst.

▶ **Aglona:** Geistliches Zentrum der in Lettland lebenden Katholiken und die Pilgerstelle schlechthin ist die Kirche von Aglona. Sie liegt in einer reizvollen Landschaft am Anfang der unzähligen Seen von Latgale. An die 50.000 Gläubige pilgern im Laufe eines Jahres in das im Barockstil errichtete Gotteshaus.

Die Basilika ist prachtvoll gestaltet. Der Altar sieht aus wie eine große Bühne. Oberhalb des Altars hängen übereinander zwei leuchtende Bilder. Darüber befindet sich ein tiefblaues Fenster, das mit seinem bläulich einfallenden Licht den gesamten Altarraum überflutet. Am 15. August findet jedes Jahr ein großes Fest in der Kirche statt.

- *Anfahrt/Verbindungen*: **PKW** - Von Daugavpils etwa 44 km die A-116 Richtung Rēsekne nehmen. Kurz vor Rušona geht rechter Hand eine Straße nach Krāslava ab, die durch Aglona führt. **Bus**: Vereinzelt bestehen Verbindungen mit Daugavpils und Krāslava.

Krāslava   *(ca. 15.000 Einwohner)*

Krālava liegt an der Daugava, etwa 46 km östlich von Daugavpils und unweit der Grenze zu Weißrußland. Überwältigende Sehenswürdigkeiten hat der Ort nicht zu bieten, doch wirkt das Städtchen dennoch sehr freundlich.

Wer in Latgale unterwegs ist, sollte hier ruhig einen Stopp einlegen. Im Laufe der Geschichte hat die Stadt die verschiedensten Fremdherrscher gesehen. Zu Beginn des 13. Jh. hielten die deutschen Kreuzritter Einzug in Krāslava und hinterließen ihre Spuren in Form einer Ordensburg. 1569 gerieten große Teile Latgales, Krāslava eingeschlossen, unter polnische Herrschaft. Mitte des 17. Jh. waren die Schweden kurzzeitig die neuen Machthaber, und Ende des 18. Jh. fiel Krāslava und seine Umgebung an Rußland.

- *Postleitzahl*: LV-5600
- *Vorwahl*: 256
- *Anfahrt/Verbindungen*: **PKW** - Liegt etwa 45 km östlich von Daugavpils, an der A-215 Richtung Witebsk.
Bus: Am regelmäßigsten Verbindung mit Daugavpils, ebenfalls Busse nach Rīga und Rēsekne. Busbahnhof in der Maskavas ielā 129.
- *Übernachten*: **Krāslava**, Raiņa ielā 35. Zimmer sind annehmbar und preiswert, ÜB ca. 1,50 DM. Ein Informationsbüro hat die Stadt bis jetzt noch nicht eingerichtet, doch der Leiter des Hotels ist sehr hilfsbereit. Er stellt für Interessierte Kontakte mit deutsch- oder englischsprachigen Einheimischen her.
Vom Busbahnhof zum Hotel Richtung Zentrum laufen, links in die Smorugova ielā einbiegen, bis zur Ecke Baznīcas ielā und geradeaus bis zum Hotel durchgehen.
- *Essen*: **Restorāns**, Maskavas ielā 92, Ausstattung nicht sehr ansprechend, Essen durchschnittlich, Tel. 24606
Jaņuptee, Baznīcas ielā 1. Kleines, nettes Café mit ein paar warmen Gerichten.
- *Diverses*: **Post** - Brīvības ielā 11.
Poliklinik: Rīgas ielā 215.
Markt: Krasta ielā 1.
Stadtmuseum. Grafu plateru ielā, Mo und Di geschlossen.
Autoreparatur: Vasarnieku ielā 92, Tel. 21328.

Ruine, Raiņa ielā 46: Schön kann ein Spaziergang zu den Mauerresten und durch den üppig bewachsenen Stadtpark sein (Zugang zum Park schräg gegenüber vom Busbahnhof). Teile der Ordensruine werden gerade renoviert. Lohnenswert ist auch die lutheranische **Kirche** in der Baznīcas ielā.

Umgebung

▸ **Dagda**: Zwischen Krāslava und Ezernieki liegt am gleichnamigen See das 4000-Seelendorf Dagda. Mit seinen schilfbedeckten Ufern bietet der See einen wunderschönen Anblick und ein herrliches Fotomotiv. Zum Baden ist er aber eher ungeeignet, weil es schwierig ist, einen Zugang zum Wasser zu finden.

▸ **Ezernieki**: Hinter dem Namen verbirgt sich ein unbedeutendes Dorf, doch befindet sich hier eine riesige Touristenherberge, in der jedoch mangels Urlauber momentan eine gähnende Leere herrscht. Das Gebäude ist ziemlich häßlich und die Einrichtung denkbar einfach. Entschädigend für das wuchtige Ferienheim ist jedoch die wunderschöne, unberührte Landschaft um Ezernieki. Ein See schließt sich dem nächsten an. Die Sonne spiegelt sich im tiefblauen Wasser, in dem kleine und kleinste bewaldete und unbewohnte Inseln liegen.

● *Postleitzahl*: LV-5692
● *Vorwahl*: 256 (Krāslava)
● *Anfahrt/Verbindungen*: **PKW** - Von Krāslava die Landstraße Richtung Ludza über Dagda nehmen, ca. 45 km.
Bus: Verbindung mit Rēzekne, jedoch nicht allzu oft. Die Bushaltestelle liegt an der Hauptstraße, von dort ist ca. noch 1 km zu Fuß zum Ferienheim zurückzulegen,

auf Hinweisschilder achten. Der Leiter, Leonid Romanow, ist bereit, seine Gäste mit dem Auto in Rēzekne abzuholen. Er spricht etwas deutsch.
● *Übernachten*: Krāslavas raj., Ezernieki, Turistu Baze. VP kostet momentan 4 DM pro Person., Tel. 5390
Verpflegung in der zur Herberge gehörenden ednīca (Kantine). Qualität variierend.

Freizeitmöglichkeiten: Zu einem richtigen Abenteuer kann eine mehrtägige Tour zu den unbewohnten, malerischen Seeinseln werden, um sich am Lagerfeuer bei gegrilltem, selbstgeangeltem Fisch kurzzeitig wie Robinson zu fühlen. Aufpassen jedoch wegen Waldbrandgefahr. Boote und Angelerlaubnis sind in der Herberge erhältlich. Außerdem werden Ausflüge nach Pskow und Rīga angeboten.

Rēzekne   *(ca. 43.000 Einwohner)*

Wenn man in Latgale verweilen sollte, lohnt sich ein kurzer Abstecher in dieses freundliche Städtchen auf alle Fälle.

Seit dem 10. Jh. bis zur Eroberung Rēzeknes durch den Deutschen Orden soll hier eine Burg der Latgaler gestanden haben. Diese verschwand jedoch, als im 13. Jh. die Kreuzitter ankamen und eine steinerne Festung errichteten. Im 16. Jh. fiel Rēzekne an Polen. Dem waren allerdings heftige Kämpfe vorausgegangen, die der Stadt sehr zugesetzt haben. So bestand Rēzekne im Jahre 1580 nur aus 14 Gehöften. Als im 17. Jh. die Schweden die Herrschaft in Rēzekne übernahmen, wurde die Ordensburg zerstört. 1772 fiel die Stadt an Rußland.

- *Postleitzahl*: LV- 4600
- *Vorwahl*: 246
- *Information*: Brīvības iela 3, gegenüber vom Hotel gelegen, Tel. 22848.
- *Anfahrt/Verbindungen*: **PKW** - Rēzekne liegt an einem Verkehrsknotenpunkt. Von Daugavpils ist die Stadt über die A-116 Richtung Nowgorod zu erreichen. Nördlich der Stadt führt die M-9 Rīga-Moskau vorbei.

Bus: Anschluß nach Daugavpils, Ludza, Kräslava und zur Touristenherberge Ezernieki, mindestens ein Bus täglich auch nach Rīga. Busbahnhof liegt im Zentrum.

Bahn: Es gibt zwei Bahnhöfe. Der Bahnhof Rēzekne I befindet sich in der Zvidra ielā, der Bahnhof Rēzekne II in der Stacijas ielā. Zugauskünfte im Informationsbüro erfragen. Direkt vorm Hotel fährt Bus 1 zum Bahnhof I ab, von der gegenüberliegenden Straßenseite fährt die gleiche Linie zu Bahnhof II.

- *Übernachten*: **Latgale**, Brīvības ielā 2. Saubere Zimmer, verschiedene Kategorien, EZ ca. 2,50 DM, DZ ca. 4 DM, Tel. 22033.
- *Essen*: **Latgale**, neben dem Hotel. Schneller Service, Essen durchschnittlich. Das dazugehörige Café ist ganz nett.
- *Diverses*: **Geldwechsel** - Baznīcas ielā 22

Post: Atbrīvožanas aleja 8 1/5.

Poliklinik: 18. novembra ielā 41.

Apotheke: Atbrīvožanas aleja 117.

Regionalmuseum: Atbrīvožanas aleja 102.

Luzda *(ca. 1700 Einwohner)*

Wenn man über die Latgales ielā nach Luzda kommt, fällt der erste Blick auf die schöne Kirche des Ortes mit ihrem grünen Dach und den hübschen Kuppeln.

Luzda ist eine nette Kleinstadt, doch für einen längeren Aufenthalt nicht weiter interessant. Der Ort liegt im Norden von Latgale, am Ufer des *Luzda-Sees*, der allerdings ziemlich verschmutzt ist. Nicht weit entfernt befindet sich der *Cirmas-See*, der sich zum Baden und Campen besser eignet.

- *Postleitzahl*: LV-5700
- *Vorwahl*: 257
- *Anfahrt/Verbindungen*: **PKW** - Die Stadt liegt unmittelbar an der M-9 Rīga-Moskau, etwa 20 km östlich von Rēzekne.

Bus: Verbindung mit Rīga, Daugavpils und Rēzekne sowie zum Campingplatz am Cirmas-See. Busbahnhof in der Kr. Barona ielā.

Bahn: Es verkehren Züge über Rēzekne nach Rīga und nach Moskau. Der Bahnhof liegt in der Stacijas ielā.

- *Übernachten*: **Ezerzeme**, Stacijas ielā 44. Zimmer einfach, DZ ca. 6 DM. Im Foyer des Hotels scheinen sich allabendlich die Gäste zum gemeinsamen Fernsehschauen zu treffen, Tel. 22490.
- *Essen*: **Luzda**, Stacijas/Ecke Kr.Barona ielā. Innen sehr sauber und gepflegt, Essen mittelmäßig, Tel. 24142.
- *Cafés/Bar*: **Ezerzeme**, nettes, zum Hotel gehörendes Café.

Varsara, Café und Bar in einem, befindet sich im Gebäude des Restaurants Luzda.

Jolanta, Stacija ielā 41/20. Café verwandelt sich abends, zumindest am Wochenende, in eine Disco. Nach dem Urteil einiger Anwohner verkehrt dort nicht das allerbeste Publikum.

- *Diverses*: **Geldwechsel** - Skolas ielā 31/27.

Post: Latgales ielā 110/19.

Telegrafenamt: Latgales ielā, schräg gegenüber der Post.

Poliklinik: Raiņa ielā 43.

Apotheke: Latgales ielā 114.

Heimatmuseum: Kuļņeva ielā 2.

▶ **Campingplatz am Cirma-See**: Wilde Romantik verspricht die am Seeufer mitten im Wald gelegene Lagerstätte. Man kann im eigenen Zelt schlafen oder sich eine von den kleinen, sehr einfachen Holzhütten mieten. Der See ist riesig. Einen Strand gibt es nicht, weil das Ufer von dichtem Schilf umgeben ist. Sogar ganz weit draußen ragen noch kräftige Halme aus dem Wasser. Am Ufer führt jedoch ein Steg ins Wasser, so daß man problemlos baden kann. Ein Restaurant oder einen Laden gibt es nicht, dafür aber eine Feuerstelle und eine Küche, Geschirr vorhanden. Das

Wasser muß, wie in alten Zeiten, aus dem Brunnen geschöpft werden. Der Besitzer, Aleksander Novikow, der nur mit Zigarette im Mund zu sprechen scheint, wirkt zuerst etwas unwirsch, entpuppt sich aber nach einer gewissen Zeit als zugänglich und hilfsbereit. Nicht vor seinem großen Hund erschrecken. Der Platz öffnet irgendwann im Mai, wenn die ersten Leute kommen, so der Besitzer. Geschlossen wird je nach Campern und Wetterlage zwischen September und Oktober.

● *Adresse*: Luzdas raj., Cirma, Alexander Novikow, Tel. 62226.

● *Anfahrt/Verbindungen*: PKW - Von Luzda kommend, an der Hauptstraße Richtung Rēzekne, beim Hinweisschild auf den Campingpplatz, rechts abbiegen. Der Zufahrtsweg ist recht holprig.

Bus: Linie Luzda-Rēzekne nehmen und an der Haltestelle Tutaņ aussteigen. Weiter wie oben.

Gulbene *(ca. 10.000 Einwohner)*

Die kleine Bezirkshauptstadt liegt ca. 65 km von der estnischen Grenze entfernt. Zweimal jährlich hat das ansonsten ruhige und friedliche Städtchen ein sensationelles Erlebnis für alle Autofans zu bieten.

In Gulbene findet nämlich allwinterlich und allsommerlich eine spektakuläre *Autorallye* statt. Am Start sind Ladas, Wolgas und Co., die sich, durchs Crossgelände bretternd, einen unerbittlichen Wettkampf liefern. Die kleinen Mosquitschs sind leider nicht zugelassen. Die Termine für das Rennen variieren. Meistens finden sie im Januar und Anfang August statt, im Hotel nachfragen.

● *Postleitzahl*: LV-4400
● *Vorwahl*: 344
● *Anfahrt/Verbindungen*: PKW - Gulbene liegt an der Landstraße, etwa 54 km nördlich von Madona.
Bus: Verbindung mit Rīga, Daugavpils, Rēzekne und Madona. Busbahnhof befindet sich in der Dzelzeeļa ielā 8.
Bahn: Züge nach Rīga. Bahnhof ebenfalls in der Dzelzeeļa ielā.

● *Übernachten*: **Gulbene**, Sarkanarmijas ielā 27a. Freundliche Leute an der Rezeption. Zimmer sauber. EZ ca. 2.50 DM, DZ ca. 5 DM.
● *Essen*: **Restaurant**, Sarkanarmijas ielā 62, Essen mittelmäßig.
Gulbene, zum Hotel gehörendes Café. Junges Publikum, wird abends zur Disco.
● *Diverses*: **Poliklinik** - Brīvības ielā 2.
Apotheke: Rīgas ielā.

Ordensruine bei Koknese an der Daugava

Eesti - Estland

Der Name Eesti stammt von dem Wort Aisti, was soviel bedeutet wie "die nördlichen Nachbarn der Germanen". So bezeichnet jedenfalls Tacitus das Gebiet an der Bernsteinküste in seinen aus dem im 1. Jh. n. Chr. stammenden Aufzeichnungen. Erstmalig auf einer Landkarte erschien Estland 1154, nämlich auf der des arabischen Weltenbummlers al-Idrisi.

Geographie

Im Westen grenzt Estland ans Baltische Meer und im Norden an den Finnischen Meerbusen. 83 km Seeweg trennen Estland und das finnische Festland voneinander. Im Süden hat die nordosteuropäische Republik eine Grenze mit Lettland und im Osten gemeinsam mit Rußland. Estlands Landesgrenzen erstrecken sich über 680 km.

Die Fläche des estnischen Staatsterritoriums beträgt 45.215 qkm, womit Estland zwar die kleinste der drei Baltenrepubliken ist, aber immer noch die Niederlande, Dänemark oder die Schweiz an Größe übertrifft. Um das Land einmal von Norden nach Süden zu durchqueren, müssen 240 km und von West nach Ost 360 km zurückgelegt werden.

Das estnische Festland befindet sich im Nordwesten der osteuropäischen Ebene, 90 % seiner Fläche liegen unter 100 m. Dennoch wird das Land von einigen Höhenzügen durchzogen. Seine geographische Struktur verdankt Estland der letzten Eiszeit. Mit dem Rückgang der gewaltigen Gletscher, die das estnische Territorium bedeckten, hinterblieben Felsen, Moränen, Findlinge, zahlreiche Flüsse und Seen, aber auch Talsenken und weite Ebenen, so daß das estnische Landschaftsbild wie ein abwechslungsreiches Mosaik anmutet.

Der Boden ist reich an Mineralien und verbirgt Ölschiefer, Phosphor, Kalkstein, Ton, Heilschlamm, Kies und Torf unter seiner Oberfläche. Die fruchtbarsten Ebenen des Landes sind in Nord- und Mittelestland zu finden und werden größtenteils landwirtschaftlich genutzt. Teilweise sind diese weiten Flächen mit Heide, Wacholder oder Lupinen bewachsen. Die dichtesten Wälder, die etwa 43 % des estnischen Staatsterritoriums ausmachen, wachsen im Westen der Republik. Estlands höchster Gipfel und obendrein der höchste des gesamten Baltikums ist der zum *Haanja-Höhenzug* gehörende 318 m hohe *Suur Munamägi* im Südosten des Landes. Etwa 20 % des estnischen Territoriums sind sumpfig und von Seen durchzogen. Auf Grund von Moränen und Talsenken, in denen das Wasser schlecht abfließen kann, konnten sich Moore und Sumpfgebiete bilden. Eine wunderschöne Moorlandschaft mit vielen dunklen Seen ist im *Kõrve-maa-Gebiet* bei **Aegviidu** zu finden. Das estnische Inland ist generell sehr wasserreich. Über 1400 Seen und Talsperren kann Estland aufweisen. Sein größtes Binnengewässer ist der *Peipsijärv* mit einer Fläche von 3.555

qkm. Mitten durch den See verläuft die Grenze zu Rußland. Der zweitgrößte See Estlands ist der überaus fischreiche *Vortsjärv* und der tiefste ist der *Suurjärv* bei **Rõuge** mit 38 m. *Järv* ist übrigens das estnische Wort für See. Die letzte Eiszeit hat über 3000 Flüsse und Bäche zurückgelassen, die 5 % des estnischen Staatsgebietes einnehmen. Viele der Wasserläufe, insbesondere in Südestland, bahnen sich ihren Weg durch malerische Täler und sind umrahmt von steilen Sandsteinwänden. 420 der estnischen Flüsse sind länger als 10 km, darunter die *Narva*, der *Emajõgi* (Embach) und die *Pärnu* (Pernau).

Der höchste Punkt Nordestlands ist der 166 m hohe *Emumägi*, zum *Pandivere-Kalksteinrücken* gehörend. Dieser Höhenzug zieht sich von Rakvere bis hin nach Paide. Im Süden klingt der Kalksteinrücken sanft in der Senke des Võrstjärv aus, während er im Norden zum finnischen Meerbusen hin bis zu 56 m steil abfällt.

Die estnische Küste ist stark zerklüftet und gefingert und erstreckt sich, die Inseln eingeschlossen, über eine Länge von 3800 km. Über 1500 Inseln kann Estland sein eigen nennen, die rund 4100 qkm der Staatsfläche einnehmen.

Die estnische Inselwelt läßt sich in drei Gruppen unterteilen: Die erste Inselgruppe wird als das *Moonsundi-Archipel* bezeichnet, das die beiden großen Eilande Saaremaa (Ösel) und Hiiumaa (Dagö) sowie die zwischen ihnen und dem Festland liegenden Inseln und Kleinstinseln umfaßt. Zur zweiten Gruppe zählt man die *Inseln der Rigaer Bucht*, gelegen zwischen Pärnu und Kuremaa. Zu dieser Gruppe gehören Kihnu und Ruhnu, deren Bewohner sich bis auf den heutigen Tag eine sehr ursprüngliche Lebensweise erhalten haben. Die dritte Gruppe umfaßt die *Inseln des Finnischen Meerbusens* einschließlich Osmussaar. Sie sind meist steinig und mit Kiefern bewachsen. Außer Aegna und Prangli sind diese Inseln unbewohnt, wobei auf letzterer Militär stationiert ist, so daß sie z. Zt. nicht betreten werden darf. Dies soll sich jedoch nach Abzug der Armee ändern.

Flora und Fauna

Estlands Flora, zum nördlichen Teil der Mischwaldzone gehörend, ist vielfältig. In Urzeiten war das Land, die Küstengebiete und Sümpfe ausgenommen, dicht bewaldet.

Am häufigsten trifft man auf Pinien, Birken und Nadelbäume sowie auf Ahorn, Eschen, Espen und Erlen. 40,1 % des estnischen Territoriums ist heutzutage noch mit Wald bedeckt. Die Waldböden sind beeren- und pilzreich. Ebenso charakteristisch für das estnische Landschaftsbild sind die weiten, flachen Wiesen und Felder, auf denen Heide, Wacholderbüsche, Kräuter und bunte Blumen, vornehmlich Lupinen, wachsen und die nordische Landschaft Estlands mit einigen Farbklecksen verzieren. Auf den Inseln Saaremaa und Hiiumaa wachsen an einigen Stellen sogar Orchideen. Die Sumpfgebiete Estlands sind meist von jungen Baumbeständen bedeckt und dienen als Nistplatz vieler Vogelarten.

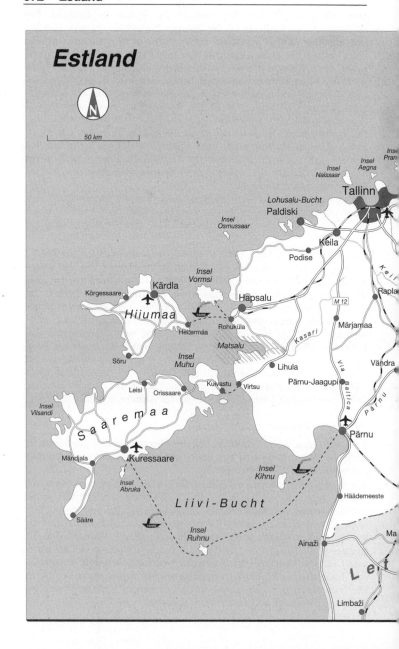

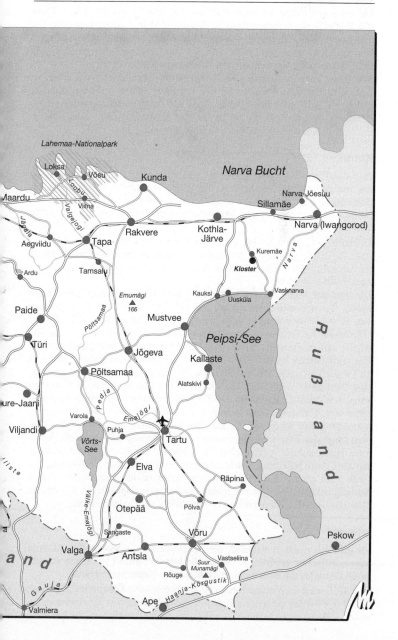

Die estnische Fauna ist lange nicht so mannigfaltig wie ihre Flora. Etwa 470 Wirbeltiere, darunter rund 60 Säuger, sind in Estland heimisch. Die meistvertretenen Arten sind Vögel und Waldbewohner. Sehr fischreich sind die unzähligen Seen, in denen insgesamt an die 80 verschiedene Gattungen herumschwimmen. An den Ufern leben Fischotter.

Mit seiner Vogelinsel Vilsandi und dem Naturschutzgebiet von Matsalu ist Estland ein wahres Paradies für die Vogelwelt, die u. a. Enten, Kibitze, Eulen und Schnepfen beherbergt. Rund 320 Arten werden gezählt, eingeschlossen die Zugvögel, die auf ihrem Weg in oder aus dem Süden alljährlich in Estlands Naturreservaten Station machen.

Klima

Das estnische Klima ist nordisch, teilweise sehr rauh und vergleichbar mit dem Mittelschwedens. Die Wetterverhältnisse Estlands werden von seiner Lage am nordwestlichen Rand des eurasischen Kontinents und vom Einfluß des Nordatlantiks bestimmt, der stets feuchte Luft mit sich bringt.

Dennoch kann es im Frühling und Frühsommer zu längeren Trockenperioden kommen, während es zur Heuernte häufig regnet. Örtlich beeinflußt wird das estnische Wetter zusätzlich, insbesondere in den Küstenregionen, vom Baltischen Meer.

Die Sommer sind kurz. Bis in den Juni hinein kann es noch Nachtfröste geben. Der wärmste Monat ist der Juli mit einer Durchschnittstemperatur von 16° Celsius, was nicht ausschließt, daß das Quecksilber auch die 30° Celsius-Marke erreichen kann. Anfang bis Mitte September kann bereits wieder mit Nachttemperaturen um den Gefrierpunkt gerechnet werden. Der erste Schnee kommt in der Regel im November, bleibt aber meist erst ab Dezember liegen. Estland ist dann bis in den März hinein mit einer festen Schneedecke bedeckt, die bis zu einem halben Meter dick werden kann. Der kälteste Monat ist der Februar mit einer Durchschnittstemperatur von -6 °Celsius. Doch je nach Wettereinflüssen kann das Thermometer auch weiter bis zu -30 °Celsius und tiefer rutschen. In strengen Wintern friert der Finnische Meerbusen zu. Der Seeweg zu den Inseln Saaremaa, Hiiumaa und Vormsi friert im Winter in der Regel zu und ist dann mit dem Auto befahrbar. Doch aufgrund der allgemeinen Erwärmung der Erde wird auch in Estland das Klima immer milder. Der längste Tag in Estland zählt 18 Stunden Helligkeit, der kürzeste dagegen nur 6 Stunden. Etwa 500-600 mm Niederschlag fallen jährlich auf Estland nieder.

Umwelt

Es gibt sie noch in Estland, die romantischen, unberührten Gebiete von nordischer Wildnis, in denen die Umwelt intakt ist. Doch es gibt auch Gebiete, die eine einzige ökologische Katastrophe sind.

Seit 1916 wird im Norden Estlands, bei *Kothla-Järve* **Ölschiefer** abgebaut. Zu 80 % wird der geförderte Rohstoff zur Beheizung von Kraftwerken genutzt. Filteranlagen fehlen fast völlig, weshalb alljährlich an die 200.000 t

Schwefeldioxid und 21.000 t Stickoxide in die Luft gepustet werden. Erkrankungen der Atemwege und Krebsleiden sind die häufigsten Krankheitsbilder der dort ansässigen Menschen. Die bei Kothla-Järve liegenden Wälder weisen bereits starke Schäden auf. Die restlichen 20 % des Ölschiefers, für dessen Gewinnung übrigens 300 Millionen Kubikmeter Wasser benötigt werden, die einfach vom Grundwasser abgezogen werden, landen in der chemischen Industrie.

Ein weiterer Bodenschatz Estlands ist **Phosphor**, der dem Land ökologisch gesehen bis jetzt mehr geschadet als genutzt hat. Seitdem man dazu übergegangen ist, das Phosphor im Tagebau abzubauen, brennt bei Maardu, unweit von Tallinn, die Erde. Denn um an das chemische Element zu gelangen, muß eine Schicht Alaunschiefer durchdrungen werden, der sich in Verbindung mit Sauerstoff schnell entzünden kann. Dabei werden Schwermetalle und radioaktive Stoffe freigesetzt. In Sillamäe wanderten derartige Abfälle bislang ungesichert auf die städtischen Müllkippen und gelangten teilweise auch ungeklärt in den Finnischen Meerbusen. Abgebaut wurde der Phosphor, um einen Teil des gesamtsowjetischen Bedarfs an Düngemittel zu stillen. Der Boden bei den Industrieanlagen von Sillamäe soll ähnlich stark verseucht sein wie der von Tschernobyl. Als im Zuge von Perestroika und Glasnost bekannt wurde, daß in Moskau Pläne auf dem Tisch lagen, die vorsahen, den Phosphorabbau noch weiter zu forcieren, widersetzten sich die Bürger Estlands in Form lautstarker Proteste und erreichten 1991 einen vorläufigen Abbaustopp.

Eine weitere Dreckschleuder Estlands ist die *Zementfabrik von Kunda*, die das gesamte Dorf stets mit staubigen, grauen Schlieren umnebelt.

Neben Luft- und Bodenverschmutzung ist auch noch die der Gewässer zu nennen. Viele Abwässer gelangen ungereinigt in die Flüsse und anschließend in die Ostsee. Momentan sollte man das Baden bei Haapsalu, Pärnu und an der Nordküste bei Sillamäe, Maardu und Kothla-Järve vermeiden. Mit Spannung wird in Estland auf die Ausmaße der Umweltschäden, die die bald abziehenden Militärs der ehemaligen Sowjetarmee zurücklassen werden, gewartet und mit dem Schlimmsten gerechnet. Die unglaublichste Katastrophenmeldung ist sicherlich die vom brennbaren Trinkwasser: Unweit von Flughäfen der Roten Armee ist Treibstoff aus undichten Tankern ins Grundwasser geraten, so daß dieses wahrhaftig anzündbar war. Gravierende Boden- und Wasserbelastungen vermutet man um und auf der **Insel Paldiski**, auf der im Moment noch Soldaten stationiert sind.

Obwohl Estlands Umwelt in einigen Landesteilen schwer geschädigt ist, sollte man darüber hinaus nicht vergessen, daß es in Estland auch noch "Natur pur" und ein ansehnliches Netz an Naturreservaten und Schutzgebieten gibt, wie beispielsweise *Matsalu* oder der *Lahemaa-Nationalpark*.

Estland ist selbst stark darum bemüht, seine Umweltsünder und Dreckschleudern zu mäßigen und zu beseitigen, doch dafür ist neben internationaler Zusammenarbeit auch ausländisches Kapital und Know-how vonnöten, um beispielsweise der neuesten Technik entsprechende Filter- und Kläranlagen einzubauen. Seit 1988 gibt es in Estland auch eine Umweltschutzbewegung.

Geschichte

Ur- und Frühgeschichte

Die ältesten Spuren menschlichen Lebens auf dem Gebiet Estlands datieren die Historiker auf das 10. Jt. v. Chr. nach Beendigung der letzten Eiszeit. Im 3. Jt. v. Chr. erschienen die ersten finno-ugrischen Stämme aus dem Ural, überwiegend im nordöstlichen Teil des Baltikums.

Die Menschen der **Mittelsteinzeit** (Mesolithikum, 7.-5. Jt. v. Chr.) lebten von der Jagd, stellten sich aber zunehmend um auf Sammelwirtschaft und Fischfang. In der Nähe des Ortes Kunda hat man Reste einer Siedlung aus dieser Epoche gefunden, so daß man auch von der Kunda-Gesellschaft spricht. Die genaue Herkunft der damaligen Bevölkerung ist bis heute nicht hundertprozentig geklärt. Man vermutet jedoch, daß sie aus dem heutigen Kaliningrader Gebiet oder aber aus Weißrußland stammten.

Die sich anschließende **Jungsteinzeit** (Neolithikum, von 4.-2. Jt. v. Chr.) zeichnete sich aus durch das Anwachsen der Zahl von Siedlungen entlang der Flüsse und Seen. Historikern zufolge wies die damalige Gesellschaftsstruktur matriarchalische Formen auf. Die Hauptvölker, die während des Neolithikums hier lebten, waren aller Wahrscheinlichkeit nach bereits *finno-ugrische Stämme*, die aus dem tiefen Asien kamen und im Laufe der Zeit immer weiter gen Westen wanderten.

Ein Teil von ihnen blieb auf dem Gebiet des heutigen Ungarns zurück. Die anderen wanderten weiter Richtung Norden und erreichten etwa 3000 v. Chr. das Territorium des heutigen Estlands. Einige Stämme wanderten noch weiter und gelten als die Ureinwohner Finnlands.

Im 2. Jt. v. Chr. gelangten weitere Volksgruppen ins Baltikum. Sie verfügten über *Streitäxte* und werden der sog. *Schnurkeramik-Kultur* zugeordnet. Vermutlich handelte es sich dabei um *baltische Stämme*, die Vorfahren der Letten, Litauer und der Pruzzen. Im Laufe der Zeit sind die nebeneinander lebenden baltischen und finno-ugrischen Völkergruppen miteinander verschmolzen, wobei im Norden die Finno-Ugrier und im Süden die Baltenstämme die Oberhand gewannen.

Etwa Mitte des 2. Jt. setzte die **Bronzezeit** ein. Neben den gebräuchlichen Steinwerkzeugen entstanden nun auch solche aus Bronze, die ein Jahrtausend später teilweise durch Eisen ersetzt wurden und somit die **Eisenzeit** einleiteten. Auch die Landwirtschaft entwickelte sich weiter. Zum Bestellen der Äcker spannte man nun Ochsen vor den Pflug und baute Getreide und Flachs an. Letzteres förderte den Ausbau der Webereien. Im Schmiedehandwerk und der Töpferei konnten ebenfalls Fortschritte verzeichnet werden. Spätestens zu dieser Zeit hatte sich übrigens die patriarchalische Gentilordnung durchgesetzt.

Die Esten galten als ein kampflustiges Volk, das auch selbst Raubzüge, vornehmlich nach Schweden und Rußland, unternahm. Schon früh unterhielt man aber auch Handelsbeziehungen zu schwedischen und russischen Städten. Zu ersten Berührungen mit den Nachbarvölkern kam es im 1. Jt. v. Chr. Vom Norden des heutigen Estlands aus bestand ein lebhafter Handel mit den Skandinaviern, insbesondere mit Gotland. Im Süden unterhielt man Handelsbeziehungen zu den baltischen Völkern und im Osten mit russischen Städten, vornehmlich mit Nowgorod. Die wichtigsten estnischen Umschlagsplätze waren Tallinn, Viljandi, Otepää und Tartu.

Jahrhundertelang konnten sich die Esten erfolgreich gegen fremde Eroberer wehren. Im Jahre 1030 wurde Tartu zwar vom russischen Fürst *Jaroslaw dem Weisen* erobert, der eine Festung errichtete und der Stadt den Namen *Jurjew* gab, doch seine Herrschaft währte nur 30 Jahre. Als die Kreuzritter ab dem 13. Jh., ermuntert durch den Papst, ins Baltikum einfielen, um die heidnische Bevölkerung zu bekehren, war es mit der estnischen Freiheit bis auf weiteres vorbei.

Die Zeit der Kreuzritter und der Hanse

Nachdem die ersten relativ friedlich verlaufenden Christianisierungsversuche auf dem Gebiet der Liven scheiterten, genehmigte Papst Innozenz III. großangelegte Kreuzzüge, um das heidnische Baltikum mit Feuer und Schwert in den Schoß der Kirche zu führen.

Im Jahre 1208 begannen die Kreuzritter, den Siedlungsraum der Esten zu erobern. Der erste Aufstand der Esten war noch im selben Jahr zu verzeichnen. Die Unterwerfung des kleinen Volks sollte sich schwieriger als vermutet herausstellen. Obwohl der Schwertritterorden von Riga aus die Stadt Viljandi einnehmen konnte, war er dennoch gezwungen, für weitere Operationen die Dänen um Hilfe zu bitten. 1219 landete der Dänenkönig *Waldemar II.* in Nordestland und erbaute auf dem Felsen von Tallinn eine Festung (Tallinn = taani-Dänen, linn-Stadt = Dänenstadt). Weiter eroberten die Dänen die Gebiete Harjumaa (Harrien) und Virumaa (Wierland), die sie ebenfalls durch Burgen sicherten. An die Deutschen fielen die Gegenden um Tartu und der Südosten Estlands, die dem Bischof von Tartu unterstellt wurden. Als letztes geriet 1227 schließlich auch die Insel Saaremaa (dt. Ösel) unter Fremdherrschaft. Zusammen mit der Landschaft Läänemaa (Wiek) wurde sie zum Bistum Ösel-Wiek zusammengefaßt. Der mittlere und südwestliche Teil des heutigen Estlands fiel an den Schwertbrüderorden und wurde dem Ordensstaat Livland angegliedert. Im Jahr 1227 gelang es den Schwertrittern, die damit ihre eigentlichen Absichten offenkundig machten, die zuvor um Hilfe angerufenen Dänen aus dem Norden Estland zu vertreiben. 1238 mußte der Deutsche Orden, in dem der Orden der Schwertritter mittlerweile aufgegangen war, Nordestland auf Befehl des Papstes wieder an Dänemark abtreten. Obwohl die Schwertritter seit 1236/37 zum Deutschen Orden gehörten, behielten sie sich stets eine Sonderstellung vor und gingen unter dem Namen *Livländischer Orden* in die Geschichte ein. Das Siedlungsgebiet der Esten war also zwischen deutschen und dänischen Fremdherren aufgeteilt. Um ihre Macht zu festigen, ließen die Eroberer das Land von einer Reihe von

Burgen durchziehen und waren bemüht, deutsche und dänische Kaufleute anzulocken. Um die Übersiedlung interessant zu machen, wurde den Landsleuten eine beträchtliche Anzahl an Privilegien eingeräumt. Viele der neuen Einwohner siedelten sich auf dem Land an, woraus sich später der in Estland und Livland so reichhaltig vertretene Landadel entwickelte, der vornehmlich aus Deutschbalten bestand. Die einfache Landbevölkerung dagegen war estnisch.

Eine rasche Entwicklung war in den Städten zu verzeichnen. Tallinn und Tartu bekamen deutsches Stadtrecht und erhielten relativ früh eine gewisse Autonomie. Kurze Zeit später wurden die Städte von deutschen Großkaufleuten regiert. Sie bildeten einen Stadtrat, der sich ausnahmslos aus reichen deutschen Kaufleuten zusammensetzte, und entschieden über die Belange der Stadt. Die Handwerker und Kaufleute schlossen sich zu Gilden zusammen, und die Städte Estlands entwickelten sich zu blühenden Handelszentren. Viele der Städte traten der Hanse bei. Die Esten selber waren nur zu niedrigen Ämtern zugelassen und bekamen von dem sich allmählich ausbreitenden Wohlstand nicht allzuviel mit. Die Landbevölkerung verarmte. Die Folge davon waren Bauernunruhen. Die größte Erhebung dieser Art war der Aufstand vom 23. April 1343, der als die "St. Georgsnacht" (Jüriöö) bekannt wurde. Tausende von Esten standen vor den Toren Tallinns, belagerten die Stadt und forderten eine Verbesserung ihrer wirtschaftlichen Lage. Die Revolte war vergeblich und wurde von den dänischen Machthabern blutig niedergeschlagen. Dennoch fühlten sich die Dänen der gespannten Lage im Land nicht gewachsen, so daß sie 1346 den Norden Estlands an den Deutschen Orden verkauften.

Die Reformation und der Zerfall des Ordensstaates

Mit Verbreitung der Reformationsgedanken Martin Luthers, die 1523 auch Estland und Livland erreichten, geriet die Macht des Ordens und der Bistümer massiv ins Wanken.

Dazu kam es während des 16. Jh. des öfteren zu kriegerischen Auseinandersetzungen mit dem immer stärker werdenden Moskau. Das Ende der Ordensherrschaft wurde jedoch 1558 mit dem Beginn des *Livländischen Kriegs* eingeläutet. 1558 versuchte Rußland, in Estland und Livland unter *Iwan IV.* (dem Schrecklichen) Fuß zu fassen und den livländischen Ordensstaat auszulöschen. 1559 wurde ein Teil des Bistums Ösel-Wiek dänisch. Aus Angst vor den Truppen des schrecklichen Iwans unterwarf sich der Norden Estlands einschließlich Tallinn freiwillig der Herrschaft der Schweden, die ihrerseits Schutz vor den russischen Truppen versprachen. Kurland und Livland, Riga eingeschlossen, erkannten aus ähnlichen Motiven die polnische Oberhoheit an. Einzig Narva und Ost-Wierland (Ida-Virumaa) waren länger von russischen Truppen besetzt. Obwohl es ein Lebensziel Iwan des Schrecklichen gewesen sein soll, die Macht des Ordens zu brechen und zu zerschlagen, gelang es ihm trotz längerer Belagerungen zunächst nicht, Estland und Livland zu erobern, so daß er seine Truppen 1583 wieder abziehen mußte.

Die schwedische Zeit

Die Kriegswirren auf estnischem Boden hielten an. Schweden und Polen stritten um die Vormachtstellung im Ostseeraum. 1629 beherrschten die Schweden bereits das gesamte estnische Festland und die Gebiete Livlands.

1645 konnten sie auch noch die Insel Saaremaa ihr eigen nennen. Lediglich der Osten des ehemaligen Livlands, heute in etwa der lettischen Provinz **Latgale** entsprechend, blieb polnisch. Die Verwüstungen der langen kriegerischen Gefechte waren verheerend und trafen die einfache Bevölkerung, sprich die Esten, am härtesten.

Der livländische Ordensstaat war nun endgültig zerfallen und die Macht des Ordens in Nordestland gebrochen. Land, Handel und Wirtschaft lagen zwar nach wie vor bei deutschen Großgrundbesitzern und Kaufleuten, doch die Schweden schränkten deren Privilegien ein. Der estnischen Landbevölkerung wurde beispielsweise gestattet, im Fall von Ungerechtigkeiten seitens der Landherren das Gericht anzurufen. 1632 wurde in Tartu von Schwedenkönig *Gustav Adolph II.* die Universität *"Academia Guatviana"* eröffnet, die überwiegend von deutschen Studenten besucht wurde. Während der schwedischen Zeit konnte sich das von Kriegen gebeutelte Land etwas erholen und allmählich wieder einen Bevölkerungszuwachs verzeichnen.

Ein neuer Leidensweg für die Esten begann mit dem Ausbruch des *Nordischen Krieges* (1700-1710). Um die schwedische Hegemonialstellung im Ostseeraum zu brechen, ging Peter I. ein Bündnis mit Polen und Dänemark ein. Während des Krieges war das Land furchtbaren Verwüstungen ausgesetzt, ergänzt durch Hungersnot und den Ausbruch der Pest. 1710 konnten die Truppen Peter I. das Land schließlich einnehmen. Durch den Frieden von Nystad im Jahre 1721 wurden Estland und Livland zu den *Ostseeprovinzen* des russischen Zarenimperiums. Administrativ wurde das nördliche Estland zum Regierungsbezirk Nordestland und der Süden zum Regierungsbezirk Livland. Die eigentliche Macht im Land lag aber immer noch bei der deutschen Oberschicht, die sich mit den Russen schnell einig wurde und sogar ihre von den Schweden angetasteten Privilegien zurückerhielt. 1739 geriet die estnische Landbevölkerung unter das Joch der Leibeigenschaft. Die nun folgende russische Zeit sollte von einer länger anhaltenden Periode des Friedens begleitet werden.

Estland als russische Ostseeprovinz

Die russische Herrschaft brachte Estland einen etwa 200-jährigen Frieden und verhalf der Wirtschaft zu einer neuen Blüte, begünstigt durch die neuen Handelsräume im Osten.

Im Jahre 1802 wurde die Tartuer Universität wiedereröffnet. Die Alma Mater stand auch Esten offen, nicht aber Leibeigenen. Da ein großer Teil der estnischen Bevölkerung zu dieser Zeit jedoch unter dem Joch der Leibeigenschaft stand, studierten überwiegend deutsche Studenten an der ebenfalls deutschsprachigen Hochschule. Durch die "gute schwedische Zeit" hatte sich jedoch eine estnische Intelligenz gebildet, die nicht länger bereit war, sich mit der Verknechtung ihres Volkes abzufinden. Sie begannen, sich auf ihre eigene Kultur und die eigenen Bräuche zu besinnen. Als 1816 auf Initiative deutsch-baltischer Reformer die Leibeigenschaft aufgehoben wurde, wuchs in Tartu die Anzahl der estnischen Studenten, doch ist dabei zu sagen, daß sie zuvor meist deutsche Schulen besuchen mußten, um sich in der Universität einschreiben zu können und es deshalb sehr viel schwerer hatten als ihre deutschen Kollegen.

Die Lage der Landbevölkerung verbesserte sich durch die Bauernbefreiung kaum. Es gab nur wenig Land zu verkaufen, weil sich so gut wie alles in der Hand deutscher Barone befand. Die paar Hektar, die noch erworben werden konnten, waren für die einfachen Bauern meist unerschwinglich. Ergebnis der Unzufriedenheit der Landbewohner war ein großer Zustrom zu religiösen Gruppen und eine Flucht in die Städte. Verbessert hatte sich während dieser Zeit allerdings die Bildung der estnischen Bevölkerung, da immer mehr Schulen, auch auf dem Land, ihre Pforten öffneten.

Die Zeit des "Nationalen Erwachens" der Esten

Die Zeit von 1860 bis 1885 kann als der Höhepunkt des "Nationalen Erwachens" des estnischen Volkes bezeichnet werden.

Durch das Landreformgesetz von 1849 waren einige Esten in den Besitz von Ländereien gekommen und hatten sich gegenüber den deutschen Gutsherren emanzipieren können. Es erschienen die ersten estnischsprachigen Zeitungen, und Literatur, Kunst und Musik standen ganz im Zeichen des neuentstehenden estnischen Nationalbewußtseins. Ein wichtiges Datum für die estnische Nationalbewegung war das Jahr 1869, in dem in Tartu das erste estnische Sängerfest gefeiert wurde, auf dem estnische Volkslieder erklangen. 1884 bildete sich in Tartu der *Bund estnischer Studenten*, dessen Symbol eine blau-schwarz-weiße Fahne war, die später zur estnischen Nationalflagge werden sollte. Als einer der führenden Köpfe der estnischen Nationalbewegung gilt *Jakob Hurt*, dem es u. a. um die Entwicklung des estnischen Geistes und seiner Kultur ging. Radikaler dagegen waren die Forderungen von *Carl Robert Jakobsen*, der die Aufhebung der Adelsprivilegien und die Teilhabe der Esten am Handel forderte. Als das estnische Nationalbewußtsein immer mehr zu erstarken schien, antworteten die Machthaber mit einer Politik gezielt betriebener *Russifizierung* (1885-1890). Russisch wurde Amtssprache, die russisch-orthodoxe Kirche gefördert, und die wichtigsten Positionen und Ämter wurden, soweit es machbar war, von Russen besetzt. Für die nationale Bewegung war das auf der einen Seite ein tiefer Rückschlag, auf der anderen Seite förderte es aber das Zusammengehörigkeitsgefühl der Esten.

Große Veränderungen erfuhr Estland mit der im 19. Jh. einsetzenden Industrialisierung. Es entstand eine proletarische Arbeiterschaft. Als 1905 die Arbeiter in Rußland revoltierten, griff die Bewegung auch auf Estland über. Es kam zu Streiks, zu Parteienbildungen und zur Wahl eines die Interessen der Esten vertretenden Organs, das immer massiver seinen

Estinnen in Volkstracht

Anspruch auf die Führung im Lande geltend machte. Außerdem sahen die
Esten in den Unruhen die Möglichkeit, sich von der russischen Herrschaft
zu befreien. Dieser Wunsch wurde jedoch nicht erfüllt: Die Aufstände
wurden brutal und blutig niedergeschlagen. Einer der Anführer der Esten
war der Journalist *Konstantin Päts*, der später zum Präsidenten eines souveränen Estlands wurde.

Der Erste Weltkrieg und die Periode des unabhängigen Estlands

**Die Gefechte und Schlachten des Ersten Weltkriegs wurden zwar
nicht direkt auf estnischem Boden ausgetragen, doch es wurden
dennoch estnische Einheiten aufgestellt, die an der Seite Rußlands
gegen die deutschen Kaisertruppen kämpften.**

Etwa zur gleichen Zeit wurde die deutschbaltische Oberschicht entmach-
tet. Im Verlauf des Krieges wurden erneut Stimmen laut, die die Unabhängigkeit Estlands forderten. Mit dem Zusammenbruch des Zarenreichs
durch die *Oktoberrevolution* der Bolschewiken im Jahre 1917 und die darauffolgenden innenpolitischen Wirren der Sowjetunion sah sich Lenin aus
organisatorischen Gründen dazu gezwungen, auf den von Deutschland
diktierten Waffenstillstand einzugehen. Die Esten erkannten sofort, daß
dies ihre Chance war, um sich endlich den langersehnten Wunsch der Unabhängigkeit zu erfüllen. Am 24. Februar 1918 rief Konstantin Päts
schließlich die **Republik Estland** aus.

Doch sofort kamen Schwierigkeiten auf den neuen Staat zu: Nachdem die
Idee einiger nationalgesinnter Deutschen und Deutschbalten von einer
baltisch-preußischen Personalunion mit der Abdankung Kaiser Wilhelms
II. ausgeträumt war, zogen zwar die deutschen Truppen ab, doch an ihrer

Stelle marschierten nun die Bolschewisten in Estland ein. Zu Beginn des Jahres 1919 war ein Drittel des estnischen Territoriums in der Hand der Roten Armee. Doch es gelang Estland, eigene Streitkräfte auf die Beine zu stellen und mit Hilfe britischer, skandinavischer, finnischer und deutscher Freiwilligenverbände den Unabhängigkeitskampf zu gewinnen.

Am 2. Februar 1920 schlossen Estland und die Sowjetunion einen Friedensvertrag, in dem die UdSSR garantierte, auf "ewige Zeiten" die estnische Unabhängigkeit anzuerkennen und auf estnisches Territorium zu verzichten. Die "ewigen Zeiten" wurden bereits 1924 durch einen von Moskau initiierten Putsch unterbrochen, der allerdings scheiterte.

Bis 1934 erfuhren alle Bereiche des estnischen Staates demokratische Reformen. Die Wirtschaft erholte sich und erfuhr, wie die estnische Kultur, eine kurze Blütezeit. 1934 wandelte Präsident Konstantin Päts zusammen mit dem Oberbefehlshaber der estnischen Streikräfte die frisch geborene Demokratie Estland in ein autoritäres Präsidentialsystem um. Wirtschaftskrisen und das Erstarken der Freiheitskämpfer, die in gewissen Zügen die Gesinnung der italienischen Faschisten teilten und nach der Macht im Staat trachteten, sollen Päts zu diesem Schritt bewegt haben. 1938 ließ sich Päts durch Wahlen legitimieren.

Während der Unbhängigkeitsperiode geriet Estland außenpolitisch immer mehr in Isolation. Eine geplante *Baltische Entente*, die von Finnland bis Polen alle Anrainerstaaten der Ostsee umfassen sollte, scheiterte. Als in einem Vertrag zwischen dem Deutschen Reich und Großbritannien den Deutschen das Baltische Meer als Einflußgebiet zugestanden wurde, kühlten sich auch die bis dahin guten Beziehungen zwischen Esten und Briten ab. Die Isolation des Baltikums machte es Stalin leicht, die drei Republiken binnen kurzer Zeit zu annektieren.

Der Hitler-Stalin-Pakt

Wie Lettland und Litauen war auch Estland gemäß dem Geheimen Zusatzprotokoll des russisch-deutschen Nichtangriffspakts vom August 1939 der sowjetischen Interessensphäre zugeschlagen worden.

Um den Einmarsch der Roten Armee und die Einnahme des Landes vor der Weltöffentlichkeit ein wenig zu verschleiern, wurde Estland, wie die beiden anderen baltischen Republiken auch, im September 1939 zu einem *Nichtangriffspakt* mit der Sowjetunion gezwungen. Dieses Abkommen sah vor, daß sich Estland dazu verpflichten mußte, sowjetischen Truppen Stützpunkte im Land zur Verfügung zu stellen. Zwar wurde in dem Pakt das Respektieren der estnischen Souveränität beteuert und versichert, sich nicht in die inneren Angelegenheiten des kleineren Vertragspartners einzumischen, doch zwischen Papier und Wirklichkeit liegen bekanntlich Welten. Einmal im Land, hatten die Sowjets ein leichtes Spiel, Estland im Handstreich einzunehmen. Sämtliche Versprechungen an Estland wurden schnell über Bord geworfen. Estland hoffte vergeblich auf Hilfe aus dem Ausland. Doch Europa befand sich mittlerweile im Krieg und hatte andere Sorgen. Mit dem Vorstoß der Roten Armee im Sommer 1940 verlor Estland endgültig seine Unabhängigkeit. Die Regierung Päts wurde zum

Rücktritt gezwungen. Es wurden Scheinwahlen vorbereitet, aus der eine sowjetfreundliche Regierung hervorging. Diese leitete sogleich ein Beitrittsgesuch zur UdSSR ein, was Moskau freundlich genehmigte. Nicht viel später folgte eine Welle von Verhaftungen und Deportationen quer durch alle Bevölkerungsschichten.

Estland im Zweiten Weltkrieg und unter sowjetischer Herrschaft

Am 5. Juli 1941 wurde Estland von deutschen Truppen besetzt, die am 28. August Tallinn erreichten, was eine vorläufige Unterbrechung des stalinistischen Terrors mit sich brachte.

Die deutsche Wehrmacht wurde in Estland teilweise mit Blumen empfangen, sah man doch in ihr die potentiellen Befreier. Der Glaube, daß Hitler dem kleinen Land zur Wiederherstellung seiner Unabhängigkeit verhelfen könnte, sollte sich aber schnell als Trugschluß erweisen. Estland wurde für vier Jahre zu einem Teil des deutschen "Ostlands", und die estnische Industrie mußte nun für die Bedürfnisse des kriegsführenden Deutschlands produzieren.

Als sich die Niederlage der deutschen Truppen immer deutlicher abzeichnete, marschierte die Rote Armee erneut in das nordeuropäische Land ein, diesmal in der Funktion der Befreierin Estlands von den deutschen Faschisten. Obwohl die deutsche Wehrmacht am 22. September 1944 abgezogen war und Estland versucht hatte, eine neue, eigene Regierung aufzustellen, dachten die sowjetischen Truppen in keiner Weise daran, sich zurückzuziehen. 70.000 Esten verließen fluchtartig das Land. Viele der Verbliebenen ergaben sich nicht widerstandslos. Etwa 30.000 Menschen versteckten sich in den Wäldern und begannen einen Partisanenkampf gegen das unliebsame Sowjetregime. Die Esten setzten darauf, daß die Westmächte auf die hier geschehenen Ungerechtigkeiten aufmerksam werden müßten und Estland zu Hilfe kommen würden, doch vergeblich. Stattdessen folgte erneut eine mit aller Härte vorangetriebene Welle von Massenverhaftungen und -deportationen.

Auf dem Land kam es zur Zwangskollektivierung sämtlicher landwirtschaftlicher Betriebe, und die Industrialisierung wurde gewaltsam vorangetrieben. Doch wurde sie nicht auf die Bedürfnisse Estlands ausgerichtet, sondern auf die der gesamten Sowjetunion. Die auf diese Weise entstandenen Arbeitsplätze füllte Moskau mit russischen Arbeitern, womit man das Sowjetregime zusätzlich zu stabilisieren gedachte. Russisch wurde Amtssprache, jegliche estnischen Staatssymbole sowie Formen von Nationalismus wurden verboten. Das politische, kulturelle und alltägliche Leben stand unter strenger ideologischer Kontrolle. Bis Mitte der 50er Jahre hielt die Untergrundbewegung der im Wald lebenden Partisanen an.

Obwohl Estland unter strikter Führung Moskaus stand und die Schlüsselpositionen überwiegend von russischen Sowjetfunktionären besetzt waren, gelang es immer mehr Esten, Einzug in die KP zu halten, um sich vorsichtig für die Interessen der Esten einzusetzen. Begünstigt wurde diese Entwicklung durch die Tauwetter-Periode der *Chruschtschow-Ära*. Nachdem Chruschtschow 1964 gestürzt wurde, zogen wieder erzkonservative Führungskräfte in den Kreml. Genau wie die übrigen Unionsrepubliken verfiel Estland während der *"Großen Stagnation"* (1964-1985) in eine Art bleierne Lähmung.

Mit dem Amtsantritt Gorbatschows und seiner Politik für mehr Offenheit und Umgestaltung kam wieder Bewegung auf die politische und kulturelle Bühne. Durch Glasnost wurde schließlich auch bekannt, daß Moskau den weiteren Abbau von Phosphor plante, der schon gewaltige Umweltschäden ausgelöst hatte und die Bevölkerung in Rage brachte. Sie setzten sich vehement gegen dieses Vorhaben zur Wehr und waren erfolgreich. Zum ersten Mal seit langer Zeit hatte die Bevölkerung Estlands erlebt, daß sie etwas gegen das Sowjetregime ausrichten konnte, worauf sie sich zu weiteren Schritten ermutigt fühlte, die im August 1991 zur Wiederherstellung eines unabhängigen Estlands führen sollten.

Der Weg zur Unabhängigkeit

Mit dem Beginn der neuen Politik aus Moskau begann auch das estnische Volk sich wieder zu regen. Im Dezember 1986 wurde die "Vereinigung zum Schutz der estnischen Kultur" ins Leben gerufen.

Rund ein halbes Jahr später, am 23. August 1987, fand in Tallinn anläßlich der Jährung des Hitler-Stalin-Paktes eine erste Massenkundgebung statt. Am 24. Februar 1988 gingen in Tallinn erstmals Menschen auf die Straße, um dem 70. Jahrestag der Ausrufung der Republik Estland zu gedenken. Im April wurden die ersten Stimmen laut, die ein demokratisches und freies Estland forderten, zu diesem Zeitpunkt allerdings noch innerhalb der UdSSR. Im gleichen Monat noch riefen politische Oppositionsgruppen zur Bildung der *Rahvarinne*, der Volksfront Estlands, auf. Im Juni tauchten seit langem wieder alte, estnische Staatssymbole auf. Im August gingen anläßlich des *Hitler-Stalin-Paktes* wieder Massen von Menschen auf die Straße, um gegen die Gültigkeit dieses Vertrages zu demonstrieren. Der 11. September 1988 ging als Tag der *"Singenden Revolution"* in die estnische Geschichte ein. Bei einer Kundgebung der Volksfront auf dem Tallinner Sängerfeld sangen rund 300.000 Menschen Lieder für ihre Freiheit und Unabhängigkeit.

Im Oktober gründete sich offiziell die estnische Volksfront. Im November mußte der Ministerratsvorsitzende *Saul* seinen Stuhl dem Reformpolitiker *Toome* überlassen. Gleichzeitig wurde eine Verfassungsänderung verabschiedet, in der festgeschrieben stand, daß von nun an die estnischen Gesetze Priorität vor denen der Union haben sollen. Diese Verfassungsänderung erklärte Moskau wenige Tage später für ungültig. Um die Entwicklung in Estland aufzuhalten, bildete sich die *Interfront*, eine Gegenbewegung zur Volksfront.

Im Januar 1989 wurde ein für die Esten sehr wichtiger Schritt vollzogen: Estnisch wurde wieder zur Amtsprache erhoben. Ein weiteres Ereignis war der 24. Februar, der Tag der estnischen Unabhängigkeit, den die Esten erstmalig wieder offiziell als Feiertag begehen konnten.

Bei den Wahlen zum Volksdeputiertenkongreß am 26. März 1989 erhielten die Kandidaten der Volksfront etwa zwei Drittel der gesamten Mandate. Am 6. Juli wurde der Vorsitzende der estnischen Volksfront *E. Savisaar* zum Vize-Ministerratsvorsitzenden der estnischen Unionsrepublik gewählt. Knapp einen Monat später forderte die Rahvarinne die Wiederherstellung der estnischen Unabhängigkeit. Die verabschiedete Wahlrechtsänderung, die sowohl das aktive als auch das passive Wahlrecht an die Aufenthaltsdauer bindet, wurde von Moskau für nichtig erklärt. Dies löste bei der nicht-estnischen Bevölkerung heftige Proteste aus. Am 23. August, als sich der Tag des Hitler-Stalin-Paktes zum 50. Mal jährte, setzten die baltischen Staaten ein einzigartiges Zeichen, indem sie eine Menschenkette mit etwa 1,7 Millionen Teilnehmern von Tallinn nach Vilnius quer durch das gesamte Baltikum bildeten.

Am 23.-24. Februar 1990 wurde der Allmachtsanspruch der Kommunistischen Partei gestrichen und damit der Weg für ein Mehrparteiensystem freigemacht. Ebenfalls teilte der Oberste Sowjet der Estnischen SSR mit, daß er den am 22. Juli 1940 vollzogenen Beitritt Estlands zur Sowjetunion als ungültig betrachte. Als am 18. März in Estland ein neuer Oberster Sowjet gewählt wurde, gingen die Kandidaten, die für die estnische Unabhängigkeit eintraten, als klare Sieger hervor. Kurz nach den Wahlen trennte sich die KP Estlands von der KPdSU in Moskau. Am 30. März rief Estland eine Übergangsperiode bis zur Wiederherstellung der Unabhängigkeit aus, die mit der Arbeitsaufnahme verfassungsmäßiger Organe enden sollte. Im April beschloß der estnische Oberste Sowjet zusätzlich, das bestehende Wehrdienstgesetz zu ändern und einen Ersatzdienst einzuführen. Moskau erklärte all diese Beschlüsse für null und nichtig.

Im Juni wurden umfassende Privatisierungsmaßnahmen eingeleitet. Im Juli schlug die Führung in Moskau, darum bemüht, Estland in der UdSSR zu halten, die Ausarbeitung eines neuen Unionsvertrages vor. Estland, Litauen und Lettland verweigerten ihre Mitarbeit. Im Oktober führten die Esten erstmalig wieder eigene Grenzkontrollen ein. Als sich im Januar 1991 Litauen und Lettland den Sondertruppen des sowjetischen Innenministeriums gegenübergestellt sahen, kam es in Estland lediglich zu Streiks von Seiten der Interfront-Bewegung mit einer Rücktrittsforderung an die Tallinner Regierung.

Als im August 1991 in Moskau geputscht wurde, wurde die Lage in Estland noch einmal heikel. Während Gorbatschow in seiner Datscha gefangen gehalten wurde, machten sowjetische Kriegsschiffe im Tallinner Hafen fest. Oberbefehlshaber *Kuzmin* verhängte eigenmächtig den Ausnahmezustand. Präsident *Rüütel* wurde aufgefordert, das verbarrikadierte Parlament zu räumen, doch Rüütel und das Parlament weigerten sich.

Um einem weiteren Vormarsch der Armee entgegenzuwirken, erklärte Estland am 20. August 1991 seine sofortige Unabhängigkeit. Jeder von Moskau geführte Vorstoß in Estland wäre somit zu einem Eingriff in die inneren Angelegenheiten des neuen Staates gewesen. Aufgrund der instabilen Lage in Moskau wurde die Wahrscheinlichkeit, die Souveränität auf diplomatischem Wege zu erreichen, immer geringer. Am 21. August besetzten sowjetische Truppen den Radio- und Fernsehturm in Tallinn, bis am gleichen Abend bekannt wurde, daß der Putsch in Moskau gescheitert war. Am 24. August 1991 sprach Präsident *Jelzin* dem unabhängigen Estland seine Anerkennung aus. Die EG folgte drei Tage später. Am 6. September erkannte schließlich auch die UdSSR die Existenz eines souveränen estnischen Staates an. Am 20. September 92 hat Estland seinen Präsidenten, Lennart Meri, und ein Parlament (Riigikogu) gewählt.

Literatur

Das erste Buch in estnischer Sprache war ein lutherischer Katechismus, erschienen im Jahre 1525. Bis ins 18. Jh. hinein waren die veröffentlichten Schriften überwiegend religiösen Charakters.

Mit Beginn des erwachenden Nationalbewußtseins der Esten im 19. Jh. bildete sich auch eine eigenständige estnische Literatur heraus. Obwohl man sich schon seit jeher in Estland Mythen, Märchen und Heldensagen erzählte, wurden sie nie als eine Form der Literatur angesehen und bis zur nationalen Bewegung auch nie schriftlich festgehalten.

Die Gedichte *Kristjan Jaak Petersons* (1801-1822), die zwischen 1810 und 1820 herauskamen, sind neben denen von *Friedrich Robert Faehlmann* (1798-180) eines der ersten estnischen Schriftstücke, die nationale Elemente beinhalten. Als Meilenstein der estnischen Literatur gilt auch der von *Friederich Reinhold Kreutzwald* (1803-1882) herausgegebene Epos *Kalevipoeg*, der auf Themen der estnischen Folklore und Mythen aufbaut und mittlerweile zum Nationalepos der Esten geworden ist. In 20 Liedern wird vom Schicksal und den Abenteuern des Riesen Kalevipoegs, dem Sohn des *Kalevs* und der *Linda*, berichtet:

> Linda, die aus einem Birkhuhnei entsproß, und ihr Gemahl Kalev hatten gemeinsam drei Söhne. Als Kalevipoeg als jüngster das Licht der Welt erblickte, war sein Vater längst verstorben. Der Knabe wuchs zu einem Riesen heran. Eines Tages ließ er sich von einem Schmied ein riesengroßes Schwert schmieden, eines, das seiner Größe entsprach. Unglücklicherweise gebrauchte Kalevipoeg das Schwert im Streit gegen den Sohn des Schmiedes, wobei er diesen tödlich verletzte. Seitdem lag ein Fluch auf Kalevipoeg, nämlich daß er eines Tages durch sein eigenes Schwert umkommen werde. Seine Mutter Linda war mittlerweile voll Kummer zu Stein erstarrt.
>
> Eines Tages wurde Kalevipoeg König, da er seine Brüder beim Steinwerfen besiegte. Als Landesvater mußte er nun sein Land verteidigen und somit auch sein Schwert oft benutzen. Ständig lebte er in der Angst davor, daß sich der schreckliche Fluch einmal erfüllen könne. Eines Tages, als Kalevipoeg einen Fluß durchquerte und sich überhaupt nicht im Kampf befand, wurde der verhängnisvolle Bann Wahrheit: Kalevipoeg rutschte aus, wobei ihm sein Schwert beide Beine vom Körper abtrennte. Der Riese verblutete . . .

Als das Nationale Erwachen der Esten in seiner vollsten Blüte stand, war das Hauptthema in der Literatur die Liebe zum Vaterland, was häufig in einem romantisierenden Stil zum Ausdruck gebracht wurde. Eine bedeutende Vertreterin jener Zeit war die Dichterin *Lydia Koidula* (1843-1886). Sie hat auch die Entwicklung des estnischen Theaters entscheidend mitbeeinflußt. Weitere große Dichterinnen dieser Epoche waren *Marie Under*, *Anna Haava* und *Betti Alver*. Einen Rückschlag erlebte die literarische Entwicklung mit der Russifizierung in den 80er Jahren des 19. Jh. Presse und Literatur wurden zensiert, weshalb viele der Dichter zwar weiterarbeiteten, sich aber aus der Öffentlichkeit zurückzogen. Zu erwähnen sind in diesem Zusammenhang die Tragödien *Juham Liivs* (1864-1913), bei dem der unterdrückte Mensch im Mittelpunkt stand, sowie die romantischen Schriftstücke über die estnische Natur von *Eduard Vilde* (1865-1933). Sehr verehrt wird in Estland auch *August Kitzberg* (1855-1927), ein beliebter Dramatiker und Verfasser von realistischen Erzählungen. Während der russischen Revolution von 1905 bildete sich eine Vereinigung junger estnischer Schriftsteller, die sich *Noor-Eesti* (Jung-Esten) nannten. Ihnen ging es um die Ästhetik in der Literatur, sie bekannten sich zu ihrer Nationalität, wollten jedoch auch Europäer sein. Aus dieser Gruppe gingen literarische Größen wie die Schriftsteller *Friedbert Tuglas* (1886-1971), *Anton Hansen Tammsaare* (1878-1940) und der Dichter *Gustav Suits* (1883-1956) hervor.

Mit Begeisterung werden auch heute noch die Geschichten von *Oskar Luts* (1887-1953) gelesen. Besonders beliebt ist *Kevade*, eine Erzählung über Schuljungenstreiche. Während der Unabhängigkeitsperiode in den 20ern und 30ern dieses Jahrhunderts erschien von *A. H. Tammsaare* das Epos *Tõde ja Õigus* (Wahrheit und Gerechtigkeit).

Mit der Umwandlung Estlands zu einer sowjetischen Unionsrepublik flohen viele Literaten ins Ausland, vornehmlich nach Schweden. Die Verbliebenen standen seitdem unter strenger ideologischer Kontrolle. In den 60er Jahren lockerte sich die Zensur ein wenig.

Der bekannteste Schriftsteller der Gegenwart, der auch zu internationalem Ruhm gelangte und als einer der Top-Kandidaten für den Literatur-Nobelpreis 1991 angesehen wurde, ist *Jaan Kroos* (geb. 1920). Zu Beginn seiner Schaffensperiode schrieb der ehemalige Jurist Gedichte. Später flossen aus seiner Feder historische Romane (Der Verrückte des Zaren) und die Beschreibung der Probleme estnischer Intellektueller, die eigene Identität in einem autoritären System zu wahren. Letzteres konnte er natürlich nur indirekt ausdrücken. Während der Phase der Umgestaltung haben sich viele Schriftsteller wieder politischen Fragen gewidmet.

Theater

Das estnische Theater hat eine lange Tradition. Die erste Theateraufführung in Estland, allerdings auf lateinisch, fand 1529 im Tallinner Rathaus statt.

Im 17. und 18. Jh. zogen zahlreiche Wandertheater durchs Land, die sich stets großer Beliebtheit erfreuten. 1784 eröffnete in Tallinn ein deutschbaltisches Amateur-Theater seine Pforten. Etwa zur gleichen Zeit errichtete auch *August von Kotzebue* ein kleines Theater.

Die Entwicklung des eigenständigen estnischen Theaters fällt in die Zeit des Nationalen Erwachens. 1870 kam in Tartu erstmalig ein estnischsprachiges Stück zur Aufführung. Gespielt wurde *"Saaremaa oupoeg"* (Der Vetter von Saaremaa) von Lydia Koidula. Ende des 19. Jh. bildete sich in Tartu die Theatergruppe *Vanemuine* unter der Leitung von *August Viera*. Wenig später gründete sich in Tallinn das Estonia- und in Pärnu das Endla-Theater. Feste Schauspielhäuser erhielten die Ensembles zu Beginn des 20. Jh. Weitere Theater eröffneten während der Periode der Unabhängigkeit, wie 1926 das Tallinner Dramatheater und die Schauspielhäuser von Narva und Viljandi.

Nach der Eingliederung Estlands in die Sowjetunion stand die estnische Theaterwelt unter strenger Zensur. Von Moskau gefördert wurden Inszenierungen russischer Dramen und Darstellungen des sozialistischen Realismus. Die eigene Meinung konnte nur geschickt versteckt auf der Bühne wiedergegeben werden. Um der Kontrolle der allgegenwärtigen Sowjetfunktionäre zu entgehen, hat sich das Tallinner Estonia-Theater 1949 beispielsweise auf die Inszenierungen von Musikstücken umgestellt. Seit der Politik der Umgestaltung konnten die Theaterleute wieder freier arbeiten. Die darstellerische Bewältigung der Vergangenheit erfolgt z. Zt. noch zögernd, da noch nicht genügend Abstand zu dem abgelegten System besteht. Vornehmlich in Tallinn und Viljandi stehen mittlerweile auch experimentelle Inszenierungen auf dem Spielplan.

Musik

Die professionelle Musik in Estland begann zunächst mit Kirchenmusik, bis man im Lauf der Zeit dazu überging, die Werke zeitgenössischer Meister zu spielen.

Der Beginn einer eigenständigen estnischen Musik fällt zusammen mit dem Beginn der nationalen Bewegung der Esten. 1823 bildete sich in Tallinn der erste estnische Chor. Einen beträchtlichen Beitrag zur Entwicklung der estnischen Musik hat der Theologe und Sprachwissenschaftler *Jakob Hurt* geleistet, indem er 1860 eine Sammlung estnischer Volkslieder herausgab. Die Ursprünge der Melodien und Texte der estnischen Folklore gehen Historikern zufolge auf das 1. Jt. v. Chr. zurück. Als eigenständige Richtung in der Musik wurden sie bis zur Zeit des Nationalen Erwachens jedoch nicht wahrgenommen.

1869 fand in Tartu das erste Sängerfest der Esten unter der Organisation des Literaten und Journalisten *Johann Voldemar Jannsen* (1819-1890) statt. Auf dem Fest erklangen auch die beiden wohl wichtigsten Lieder der Esten: *Mu isamaa, mu õnn ja rõõm* (Mein Vaterland, mein Glück und meine Freude), eine Übersetzung aus dem Finnischen von J. V. Jannsen, das während der Unabhängigkeit zur Nationalhymne Estlands wurde. Das zweite Lied war das von *L. Koidula* verfaßte *Mu isamaa on minu arm* (Mein Vaterland ist meine Liebe), das während der Sowjetzeit als Ersatz für die verbotene Hymne des Landes angesehen wurde.

Die estnischen Komponisten erhielten ihre musikalische Ausbildung in der Regel in St. Petersburg, wie beispielsweise die Pianistenbrüder *Artur* und *Theodor Lemba*. Das erste Sinfonieorchester gründete *Aleksander Läte* im Jahre 1900. Die Sinfonien lieferte *Rudolf Tobias*, der in seinem Opus alte Traditionen mit den Strömungen der Moderne zu verbinden verstand. Mit der Ausrufung eines unabhängigen Estlands wurden sowohl in Tallinn als auch in Tartu Musikakademien gegründet. Obwohl auch die estnische Musik zu jener Zeit nach Westen blickte, erhielt sie sich stets ihre Eigenständigkeit.

Während des Zweiten Weltkriegs und den ersten Jahren unter sowjetischer Herrschaft haben viele Komponisten und Musiker das Land verlassen. Viele Musikinszenierungen wurden im Untergrund aufgeführt. Als einer der bedeutendsten Komponisten Estlands wird *Arvo Pärts* angesehen. Schon während der Sowjetzeit entwickelte er, inspiriert von mittelalterlicher Musik, einen eigenen Stil. Er gilt als der Komponist, der die Musik Estlands über seine Grenzen hinausgetragen hatte. Seit 1982 lebt er in Berlin. Hohes Ansehen genießt auch der 1950 geborene Komponist *Lepo Sumera*. Seine Schöpfungen reichen von Sinfonien über Ballettstücke bis hin zur Kammermusik. Seit 1989 widmet er sich politischen Fragen, nachdem er dem Aufruf des damaligen Premiers Inderek Toome folgte, der ihn zum Beitritt in sein Kabinett aufforderte.

Das wichtigste musikalische Ereignis in Estland ist auch heute noch das alle fünf Jahre in Tallinn stattfindende *Sängerfestival*. Das Sängerfest 1990 ging als "Die singende Revolution" in die Geschichte ein. Rund 300.000 Menschen erhoben auf dem Tallinner Sängerfeld ihre Stimmen für die Freiheit und Unabhängigkeit Estlands. Nicht umsonst sagt man von den Esten, daß sie anfangen zu singen, wenn es ihnen schlecht geht.

Kunst

Die ältesten Funde von handgefertigten Gegenständen in Estland sind Tongefäße, Ornamente aus Metall und Werkzeuge aus der Urgeschichte. Aufmerksamkeit verdienen auch die mit heidnischen Symbolen verzierten Grabsteine des 13. Jh.

Die Kunst des Mittelalters wurde überwiegend von ausländischen Meistern geschaffen. 1803 wurde in Tartu eine Zeichenschule eröffnet, die der deutsche Grafiker *Karl Senff* leitete. Die ersten estnischen Künstler machten ungefähr in der zweiten Hälfte des 19. Jh. auf sich aufmerksam. Als Begründer der estnischen nationalen Kunst gelten die Maler *Johann Köler* (1826-1899), der sich mit seinem romantisch-spätklassizistischen Stil offen zum Estentum bekannte, und *Amandus Adamson* (1885-1924), der in seinen Bildern Bezug zur estnischen Freiheitsbewegung nahm. Für die Bildhauerei war *August Weizenberg* (1837-1921) maßgebend, der Szenen aus der estnischen Sagenwelt zu seinen Themen wählte. Er ist auch der Schöpfer jener *Linda-Skulptur*, die in der Nähe des Tallinner Doms aufgestellt ist. Dominierend in der bildenden Kunst der damaligen Zeit waren nationale Themen.

Wichtig für die weitere Entwicklung der bildenden Künste Estlands waren auch die Zwillingsbrüder *Paul Raud* (1865-1930) und *Kristjan Raud* (1865-1943). Paul widmete sich der Porträtmalerei wichtiger Tallinner Bürger. Sein Bruder Kristijan war nicht nur ein Maler von symbolistischen und nationalromantischen Gemälden, sondern stellte auch den *Kalevipoeg*, den estnischen Nationalepos, erstmalig bildnerisch dar. Darüberhinaus war er ein engagierter Kunstsammler, organisierte Ausstellungen und förderte die Ausbildungen der Nachwuchsmaler. Im Jahre 1906 fand in Tartu die erste Kunstausstellung statt. Die nationalen Aspekte in der estnischen Bilderwelt waren unübersehbar, auch wenn man anderen Strömungen gegenüber offen war.

Während der Periode der Unabhängigkeit entstanden zahlreiche Künstlervereinigungen. 1919 wurde in Tartu die *Akademie der Bildenden Künste* ins Leben gerufen. Durch das Eintreten in Europa verbreiteten sich in Estland die verschiedensten Stilrichtungen, die teilweise mit einer immensen Geschwindigkeit durchlaufen wurden. Besonders viel Anklang fanden Kubismus, Surrealismus und Expressionismus, so daß in vielen Bildern dieser Zeit die Wirkung der Farbe zum eigentlichen Bildthema wurde. Expressive Elemente sind auch in den Arbeiten des Bildhauers *Anton Starrkopf* zu finden.

Mit der Eingliederung Estlands in die Sowjetunion verlief die gerade eingesetzte Entwicklung der Kunst zwar allmählich im Sande, doch es gelang den neuen Machthabern nicht, die absolute Kontrolle über sie zu erhalten. Einige Künstler flüchteten ins Exil. Nach dem Tode Stalins war es wieder möglich, wenn auch nur gemäßigt, internationale Richtungen und nationale Themen in die Werke einfließen zu lassen. *Aleksander Vari* und *Elmar Kits* arbeiteten beispielsweise ungegenständlich, *Ilmar Malin* brachte surrealistische und expressive Elemente in seine Bilder, und *Vive Tõlli* und *Kaljo Põllu* bezogen sich auf alte Themen der estnischen Folklore, um nur einige zu nennen. Anders als in Litauen und Lettland konnte sich Estland also trotz ideologischer Kontrolle eine gewisse Eigenständigkeit in der Kunst bewahren.

Sehenswert sind übrigens auch die Werke und Gegenstände des estnischen Kunstgewerbes, wie Leder-, Keramik- und Silberwaren, Trachtenkleidung, gemusterte Handschuhe und bunte Mützen.

Bildung

Die ersten Bildungseinrichtungen auf estnischem Gebiet entstanden im 13. Jh., wobei es sich um lateinischsprachige Kloster- und Kirchenschulen handelte. Schulen, zu denen auch die Esten Zugang hatten, kamen erst zum Ende des 17. Jh. auf.

Ein großes Ereignis für die Bildung des estnischen Volkes war die Eröffnung der Tartuer Universität im Jahre 1632 durch den schwedischen König *Gustav Adolph II*. Auch wenn überwiegend Deutsche an der "*Academia Gustavia*" studierten, stand sie dennoch auch den Esten offen. 1863 gründete der Pastor und Sprachwissenschaftler *Jacob Hurt* im Landkreis Viljandi eine höhere estnischsprachige Schule.

Ein Rückschlag für die estnische Bildung war der *Nordische Krieg* (1700-1710). Als dann auch noch die Pest ausbrach, wurden die Universität und viele Schulen geschlossen. Erst zu Beginn des 19. Jh. eröffnete die Tartuer *Alma Mater* erneut ihre Tore, die mit Aufhebung der Leibeigenschaft von 1819 einen beträchtlichen Zuwachs an Esten verzeichnen konnte. Zur gleichen Zeit wurden fast in jeder Gemeinde Schulen eingerichtet, so daß es auch für die Landbevölkerung möglich war, die grundlegenden Kenntnisse im Lesen, Schreiben und Rechnen zu erwerben. 1897 konnten immerhin 96,2 % aller Esten lesen.

Als Estland 1919 seine Unabhängigkeit proklamierte, wurde eine sechsjährige allgemeine Grundschulpflicht eingeführt. Jeder weitere Schulbesuch war freigestellt. Die Tartuer Hochschule wurde estnischsprachig und zur Nationaluniversität erhoben.

Mit der Eingliederung in die Sowjetunion erhielt Estland auch ein anderes Schulsystem. Heute gibt es sowohl estnischsprachige als auch russischsprachige Schulen, wobei an letztgenannten mittlerweile Estnisch auf dem Stundenplan stehen muß. Das estnische Bildungssystem reicht von der Vorschule bis hin zu den berufsbildenden Schulen und den Universitäten. Gegenwärtig besteht eine allgemeine neunjährige Schulpflicht. Um sich an der Universität einschreiben zu können, müssen noch drei weitere Jahre angehängt werden.

Bevölkerung

Etwa 3000 Jahre v. Chr. besiedelten die ersten finno-ugrischen Stämme das Territorium des heutigen Estlands.

Aufgrund der vielen Kriege, die im Laufe der Geschichte auf estnischem Boden ausgetragen wurden, sind die Esten nie zu einem großen Volk herangewachsen. Gab es 1550 etwa gleichviel Finnen wie Esten, so ist das finnische Volk heute fünfmal so groß wie das estnische. Im Mittelalter stieg die Bevölkerungszahl an, was aber größtenteils mit der Einwanderung von Deutschen, Schweden und Russen zusammenhing.

Gegenwärtig hat die nördlichste der drei Baltenrepubliken eine Bevölkerungszahl von 1,57 Mio. Menschen. Das sind 35 Einwohner/qkm, womit Estland von den drei Baltenrepubliken am dünnsten besiedelt ist. Die Bevölkerungsstruktur setzt sich folgendermaßen zusammen: 61,5 % Esten, 30,3 % Russen, 3,1 % Ukrainer, 1,8 % Weißrussen und 1,1 % Finnen. 72 % der Bevölkerung lebt in den Städten. Allein in Tallinn ballt sich ein Drittel der gesamten Einwohnerzahl Estlands. Der Grund für die Landflucht ist die Hoffnung auf eine bessere Zukunft in den Städten, insbesondere in Tallinn, was für die Landwirtschaft allerdings Probleme mit sich bringt. Das Durchschnittsalter der Bevölkerung liegt bei 70-71 Jahren, wobei die Frauen meist länger leben (75 Jahre) als die Männer (66 Jahre).

Ein großes Problem stellt für Estland die hohe Zahl der im Land lebenden Russen dar: 1934 hatten die Esten noch einen Anteil von 88,2 % an der Gesamtbevölkerung und waren die Mehrheit im Land. Durch den Zweiten Weltkrieg und den stalinistischen Terror verlor Estland 400.000 seiner 1,2

Mio. Einwohner. Schwedische und deutsche Einwohner haben Estland mit der Zeit verlassen. Um die "Lücken" in der Bevölkerung zu füllen, siedelte Moskau überwiegend russische Arbeiter an, u. a. auch deshalb, um nationalen Bestrebungen der Esten von vornherein einen Riegel vorzuschieben. Der größte Teil der nicht-estnischsprachigen Bevölkerung bewohnt den Nordosten des Landes. In Narva leben lediglich 4 % Esten. Der hohe Russenanteil in Estland führt immer mehr zu Spannungen und Konflikten. Die Russen werden als Besatzervolk angesehen, das man am liebsten loswerden möchte.

Die estnische Regierung sieht sich vor ein Problem gestellt: Man hat Angst, daß die Russen aufgrund ihrer Anzahl auf demokratischem Wege die wichtigsten Schlüsselpositionen besetzen und Estland somit auf indirektem Wege wieder zu einer russischen Provinz machen könnten.

Ein gelungener Schlag gegen die in hohen Positionen sitzenden Russen war die Verabschiedung des Gesetzes, daß von nun an nur diejenigen ein Staatsamt inne haben dürfen, die auch des Estnischen mächtig sind, worauf viele der amtierenden Russen ihren Hut nehmen mußten. Daß den während der politischen Umgestaltung entstandenen Interfront-Bewegungen überwiegend russische Mitglieder angehörten, die um die Verluste ihrer Rechte bangten, minderte den Groll der Esten gegen die Russen nicht gerade. Es sei aber darauf hingewiesen, daß hohe Sowjetfunktionäre bei der russischen Bevölkerung gezielt Panik machten, indem sie wahre Greuelmärchen erzählten, was den Russen in einem unabhängigen Estland alles blühen würde. Und dann seien schließlich auch noch alle die Russen erwähnt, die einem souveränen Estland positiv gegenüberstanden und sich aktiv an der estnischen Unabhängigkeitsbewegung beteiligten.

Die umstrittene Staatsbürgerfrage wird von weiten Teilen der Russen als diskriminierend bezeichnet: Ähnlich wie die Letten scheinen die Esten den Russen das Wahlrecht und die Staatsbürgerrechte am liebsten verweigern zu wollen. So werden derzeit in Estland nur den Esten die Staatsbürgerschaft und das Wahlrecht zugestanden. Russen können nach zweijährigem Aufenthalt einen Antrag auf Erteilung dieser beiden Rechte stellen, der nach einer Wartezeit von einem Jahr gebilligt wird. Voraussetzung ist allerdings der Nachweis dafür, daß man nicht der Miliz angehört hat, in der Vergangenheit keine kriminellen Machenschaften betrieben hat und Sprachkenntnisse im Estnischen besitzt. Eine doppelte Staatsbürgerschaft ist ausgeschlossen. Die Atmosphäre zwischen Esten und Russen ist deshalb sehr gespannt.

Religion und Kirche

Die ältesten Formen von religiösen Kulten der alten Esten gehen bis ins Steinzeitalter zurück, was zahlreiche Funde belegen.

Historikern zufolge glaubten sie an ein *Tier-Totem* und an *Naturgeister*, denen sie später beschützende Eigenschaften zusprachen. Eine besondere Bedeutung kam auch dem Totenkult zu. Die Verstorbenen befanden sich, so glaubte man, unter dem Einfluß der bösen Mächte, auf die sie aber ihrerseits einen gewissen Einfluß hatten. Durch Riten und Opfer versuchten die Menschen, den Tod zu besänftigen. Die Verstorbenen wurden anfangs in Totenwälder gelegt, bis man später dazu überging, sie zu begraben. Als das Christentum Estland zur Wende des 11. auf das 12. Jh. erreichte und die römisch-katholischen Kreuzritter mit dem Segen des Papstes mit Feuer und Schwert ihre Mission durchführten, stießen sie bei den Esten auf heftigen Widerstand. 1220 war der estnische Siedlungsraum zwar erobert und dem Orden eingegliedert, doch im eigentlichen Sinne bekehrt waren die Esten nicht. So begannen sie die katholischen Riten mit den heidnischen zu vermischen. Auch das Errichten von Kirchen erwies sich zunächst als schwierig, da die Esten sich auf ihre Weise gegen die unliebsamen Missionare wehrten und in vielen Nächten die angefangenen Gotteshäuser wieder zerstörten. Im 15. Jh. galt der Einfluß des Christentums als gesichert, doch die heidnischen Bräuche der Esten vermochte die Kirche bis ins 18. Jh. hinein nicht auszulöschen.

Mit Einzug der Reformation geriet die katholische Kirche ins Wanken. Die Gedanken *Martin Luthers* fanden relativ großen Anklang, wurden aber erst unter der Herrschaft der Schweden fest verankert und teilweise verwirklicht. 1525 erschien als erstes estnischsprachiges Buch überhaupt ein lutherischer Katechismus, 1686 erfolgte die Übersetzung des Neuen Testaments und 1739 schließlich die der gesamten Bibel. Die lutherische Kirche konnte sich halten, so daß sich die Mehrheit der Bevölkerung (75 %) auch heute noch zu ihr bekennt. 20 % der Einwohner Estlands, meist Russen, gehören der russisch-orthodoxen Kirche an.

Seit der Politik der Umgestaltung verzeichnen die Kirchen einen immensen Zuwachs, und die Zahl der Taufen ist erheblich gestiegen, was man auf einen gewissen Nachholbedarf in Sachen Religion zurückführt. Das scheinen auch zahlreiche religiöse Gruppen aus dem Westen erkannt zu haben, die z. Zt. in Scharen die baltischen Länder bereisen.

Wirtschaft

Ähnlich wie in den anderen ehemaligen Unionsrepubliken war auch die estnische Wirtschaft ganz auf die Bedürfnisse der gesamten Sowjetunion ausgerichtet.

Der abgebaute Phosphor, aus dem Düngemittel hergestellt wurde, sollte nicht nur den Boden Estlands stärken, sondern den aller Unionsrepubliken. Dafür erhielt Estland z. B. Öl aus Rußland oder Obst aus Georgien. Mit dem Zerfall der Sowjetunion brach auch die Wirtschaft zusammen, und jeder der nun selbständig gewordenen Staaten hat damit zu kämpfen und die Folgen der zentralistischen Produktionsweise zu tragen. Auch wenn in den baltischen Ländern mehr produziert wurde als in anderen Unionsrepubliken, ist die momentane wirtschaftliche Lage schwierig.

Die Entwicklung in Estland verlief seit dem Übergang zur Marktwirtschaft ähnlich wie in Litauen und Lettland. Die Preise kletterten in die Höhe, und die Gehälter kamen nicht hinterher. Zahlreiche Menschen wurden arbeitslos, der Lebensstandard sank.

Mit der Einführung einer eigenen Währung im Sommer 1992 hat sich die wirtschaftliche Lage zwar noch nicht erheblich gebessert, aber zumindest etwas stabilisiert. Als Zahlungsmittel gilt nun einzig und allein die *EEK*, die estnische Krone. Alle Waren des Westens, die vorher nur für Devisen zu haben waren, können jetzt mit dem eigenen Geld bezahlt werden. Die Gehälter sind mittlerweile von ca. 10 auf ca. 50 DM monatlich gestiegen. Dem Besucher zeigt sich Estland als die fortgeschrittenste der drei baltischen Republiken, was sicher nicht zuletzt an der Nähe zu Finnland liegt.

Der Schwerpunkt der estnischen Wirtschaft ist im Norden zu finden, wo die Bodenschätze des Landes liegen. Aus dem geförderten Ölschiefer wurde bislang elektrische Energie gewonnen, die man auch exportierte. Der abgebaute Phosphor diente zur Herstellung von Düngemittel. Wie es in diesen beiden Industriezweigen jetzt weitergehen soll, ist fraglich. Zum ersten sind die Resourcen, mit denen derartiger Raubbau getrieben wurde, bald erschöpft, und zum zweiten ist der ursprüngliche Absatzmarkt mit dem Zusammenbruch der UdSSR weggefallen. Darüber hinaus ist sich die estnische Regierung durchaus der Schwere der Umweltschäden bewußt, die Ölschiefer- und Phosphorabbau verursachen. Würde man die beiden Industriezweige stillegen, entstünde ein Heer von Arbeitslosen, größtenteils russischer Herkunft. Eine endgültige Lösung ist noch nicht in Sicht. Probleme gibt der estnischen Wirtschaft auch die Leichtindustrie auf, in der Elektro- und rundfunktechnische Anlagen, Landwirtschaftsmaschinen und Plastikhelme, um nur einige zu nennen, hergestellt werden. Da Estland kein Mitglied der GUS ist, ist der Absatz auf dem Markt der ehemaligen Sowjetunion schwierig geworden. Da die Technik der hergestellten Produkte meist veraltet ist, eröffnet sich auch im Westen nur bedingt ein Markt für Waren made in Estonia.

Während der ersten estnischen Unabhängigkeit erlebte das Land einen wahren Konjunkturaufschwung. Seine Wirtschaft richtete sich überwiegend nach den Bedürfnissen des eigenen Marktes. Seit der Eingliederung in die Sowjetunion ging es wirtschaftlich bergab. In den ersten Jahren unter sowjetischer Herrschaft wurden die meisten Bauernhöfe zwangskollektiviert, womit Engagement und Eigeninitiative zurückgingen. Darüber hinaus wurde von der Moskauer Planungszentrale angeordnet, daß Estland sich verstärkt der Tierhaltung zu widmen habe. Als in der Phase des politischen Umbaus die entsprechenden Gesetze zur Reprivatisierung verabschiedet wurden, begann man sofort, Grund und Boden wieder an selbständige Bauern zu vergeben. So ist die Zahl der Bauernhöfe in den letzten Jahren bereits gestiegen, doch wird der Privatisierungsprozeß durch die ungeklärten Eigentumsverhältnisse erheblich erschwert. Gesetzt wird auf den Export von Fisch und Produkten der Lebensmittelindustrie, insbesondere Butter. Ob sich die estnische Butter auf dem EG-Markt, der selbst nicht den Gipfel seines Butterberges erblicken kann, absetzen läßt, ist fraglich. Gehofft wird auch auf Investitionen aus dem Westen, denen große Zugeständnisse gemacht werden. Doch ist auch da Vorsicht geboten, um nicht in eine erneute wirtschaftliche Abhängigkeit zu fallen.

Als neuer wirtschaftlicher Sektor ist mittlerweile der Tourismus erkannt worden. Immer mehr Hotels und Reisebüros werben um Urlauber. Noch ist Estland touristisch kaum erschlossen, doch wird sich das in Zukunft ändern. Dies soll jedoch, darauf legt die Regierung wert, unter strikter Rücksichtnahme auf die Natur geschehen.

Politisches System

Estland ist eine demokratische und parlamentarische Republik. Das Volk entscheidet in geheimer und direkter Wahl über die Zusammensetzung des Parlaments, das aus 105 Mitgliedern besteht.

Die gesetzgebende Gewalt hat das Parlament inne, auch Oberster Rat genannt. Staatsoberhaupt ist der Parlamentspräsident. Die Exekutive liegt bei der Regierung, die sich gegenüber dem Parlament zu verantworten hat. Die Judikative wird vom Parlament gewählt.

Ein weiteres Organ im estnischen Staat stellt der *Estnische Kongreß* dar, der nur aus Esten besteht und ausschließlich von Esten gewählt wird. Die sich aus 465 Mitgliedern zusammensetzende Vereinigung soll die estnischen Interessen vertreten.

Administrativ ist Estland in 15 Landkreise und 6 direkt der Republik unterstellte Städte unterteilt.

Sprache

Die Sprache der Esten ist Estnisch, das seit Januar 1989 auch wieder Amtssprache ist. Doch so melodisch diese Sprache auch klingt, sie hat ihre ganz besonderen Tücken.

Sage und schreibe 14 Fälle machen dem Lernwilligen das Leben schwer. Beim Deklinieren muß man damit rechnen, daß sich dabei zusätzlich noch der Wortstamm ändern kann. Beim Konjugieren von Verben werden in der Regel die betreffenden Endungen an den Wortstamm angehängt. Estnisch gehört zur finno-ugrischen Sprachfamilie und ist eng verwandt mit dem Finnischen, so daß sich Vertreter beider Völker ohne weiteres verstehen können. Nicht so leicht klappt dagegen die Verständigung mit den Ungarn.

Seit Jahren steht das Estnische mit dem Italienischen im "sprachlichen Schönheitswettbewerb". Das Estnische klingt wahrlich sehr melodisch, wenn auch fremdartig. Die Sprache ist reich an Vokalen und Doppelvokalen. Die Konsonanten werden in der Regel weich und kurz ausgesprochen, Verschlußlaute fehlen meist.

Die vielen Jahre deutscher Fremdherrschaft sind nicht spurlos an der estnischen Sprache vorbeigegangen, so daß die meisten verwendeten Lehnwörter deutschen Ursprungs sind, wie z. B. mütz - Mütze, pirn - Birne, kleit - Kleid, uur - Uhr. Viele Fremdwörter stammen auch aus dem Lateinischen, russische Lehnwörter sind jedoch selten. Mit der Zeit haben sich im Estnischen drei Hauptdialekte herausgebildet, wobei der Dialekt des Nordens der Schriftsprache entspricht.

Estland im Überblick

Tallinn, mittelalterliche Landeshauptstadt, zahlreiche Museen;
Haapsalu, gemütliches Küstenstädtchen mit Ordensruine und Bischofskirche;
Vormsi, reizvolle, kleine Insel zum Wandern und Radfahren;
Hiiumaa, zweitgrößte Insel Estlands mit viel Wald und alten Leuchttürmen;
Saaremaa, Estlands größte Insel: Sandstrände, Steilküsten, Jachthafen; gut erhaltene Ritterburg in **Kuressaare**, der Inselhauptstadt;
Pärnu, schönes Seebad mit endlos langen Sandstränden;
Sangaste, prachtvolles, im englischen Tudorstil erbautes Schloß;
Võru, gebettet zwischen malerische Seen und Hügel;
Otepää, beliebter Kurort mit Skilanglauf-Möglichkeit;
Tartu, traditionsreiche Universitätsstadt mit sagenumwobenem Domberg und Pulverturm;
Alatskiri, gut erhaltenes Schloß unweit vom Peipsi-See;
Kuremäe, einziges noch bewohntes russisch-orthodoxes Kloster in Estland;
Lahemaa-Nationalpark, wilde nordische Natur, alte Gutshäuser, herrliche Badestrände.

Tallinn (Reval) *(ca. 453.000 Einwohner)*

Die Hauptstadt Estlands ist eine ruhige und vielfältige Stadt mit zahlreichen Museen, alten Häusern, Stränden und Parks. Höhepunkt eines jeden Besuchs ist ein Gang durch die Tallinner Altstadt, einem einzigen Freilichtmuseum.

Ihren mittelalterlichen Charme hat sie bis heute nicht eingebüßt. Über die Altstadt erhebt sich hoheitsvoll der Domberg (Toompea). Der Sage nach handelt es sich hierbei um den Grabhügel des *Kalevs* (der Vater des Nationalhelden Kalevipoeg), den seine Frau *Linda* nach dessen Tod aus gewaltigen Felsbrocken errichtete.

Die vielen holprigen Straßen, alten Handwerker- und Kaufmannshäuser und die engen, verwinkelten Gäßchen vermitteln das Gefühl, sich auf einer Reise durch das Mittelalter zu befinden. An den schmalen Straßen der Altstadt gibt es mittlerweile eine Reihe von gemütlichen Cafés, von denen aus sich das Treiben Alt-Tallinns gut beobachten läßt.

Doch Tallinn besteht nicht nur aus Altstadt. Charakteristisch für die Stadt ist die zerfurchte Küstenlinie mit den Halbinseln und den davorliegenden Inseln **Aegna** und **Naissar**. In Tallinn selbst gibt es zwei größere Seen,

Blick vom Domberg auf die Unterstadt

den **Harku-** und den **Ülemiste-See.** Letzterer entstand, so erzählt man, durch den Aufschlag eines dicken Felsbrockens, den Linda beim Aufrichten des Grabhügels aus ihrer Schürze verlor. Sie weinte bitterlich über den Verlust ihres Steins, ihre Tränenflut floß zu dem Erdloch hin. Dort entstand eine tiefe Lache und schließlich ein See. Lindas verlorener Steinbrocken ist noch am Ufer des Sees zu sehen. Doch die Sage geht noch weiter: In Lindas Tränensee soll ein kleines Männlein leben, das damit droht, die gesamte Stadt, sobald sie fertig ist, auf den Grund des Ülemiste-Sees zu ziehen. Und so wird in der Stadt ständig gebaut, damit das Männlein ja nicht glaubt, die Stadt sei schon fertiggestellt.

Es ist auch nicht sonderlich schwierig, die Bauarbeiter Tallinns mit Arbeit zu versorgen. Schließlich lebt etwa ein Drittel der Gesamtbevölkerung Estlands in Tallinn, und der Zustrom in die estnische Hauptstadt steigt. Ein Grund für die hohe Bevölkerungsdichte in Tallinn liegt bei der Industrialisierungspolitik der ehemaligen Sowjetregierungen. Um Tallinn baute man gewaltige Industriezentren auf, so z. B. **Maardu** oder **Lasnamäe**, und schuf somit Tausende von Arbeitsplätzen. Diesen Bedarf konnte Tallinn allein nicht decken. Deshalb wurden russische, ukrainische und weißrussische Arbeiter in Tallinn angesiedelt, für die wiederum Wohnraum benötigt wurde. Die Lösung des Wohnbauproblems kann man in den Trabanten- und Satellitenstädten Linamäe, Mustamäe und Väike-Õismäe besichtigen. Mittlerweile sind etwa 52 % der Tallinner nicht estnischsprachig.

Erholung von der "Großstadt" bieten der **Strand von Pirita** und die vielen Parks von Tallinn. Der schönste von ihnen ist der *Kadriorg-Park* (Katharinental), in dem das Sommerschloß steht, das Peter I. für seine Frau Katharina errichten ließ. Ein sehr schönes Ausflugsziel ist auch die malerische Insel **Aegna**, zu der im Sommer Bootsverkehr besteht.

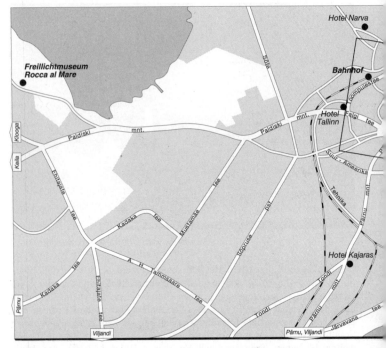

Tallinn beansprucht für sich, die westlichste Stadt des Baltikums zu sein, bedingt durch die Nähe zu Finnland und die vielen Finnen in der Stadt selbst. Zu kaufen gibt es in Tallinn mittlerweile alles, und zwar für estnische Kronen (EEK). Da viele westliche Konsumgüter aber teurer verkauft werden als im Westen, kann sich ein Großteil der Bevölkerung diese nicht leisten. Doch Tallinn setzt auf das Geschäft mit dem Tourismus. Denn der Tourismus in Estlands Hauptstadt boomt. Kreuzfahrer, deren Schiffe hier regelmäßig vor Anker gehen, Reisegruppen, aber auch viele Individualtouristen unterschiedlichster Nationalitäten laufen im Sommer durch die Gassen der Altstadt. Auf dem Domberg bilden sich wegen der vielen Stadtführungen Schlangen vor den Sehenswürdigkeiten. Auf Grund seiner günstigen geographischen Lage zwischen Ost- und Westeuropa wird Tallinn in Zukunft sicherlich noch mehr Besucher anziehen und sich vielleicht zu einer nordosteuropäischen Metropole entwickeln.

Geschichte

Man vermutet, daß Tallinn im 11. Jh. als Bauernburg entstand, um einen am Meer gelegenen Handelsplatz zu schützen. Erstmalig erwähnt wurde Tallinn jedoch erst 1154 auf der Landkarte des arabischen Geographen und Weltenbummlers *Mohammed Idrisi*. Er sprach von einer kleinen

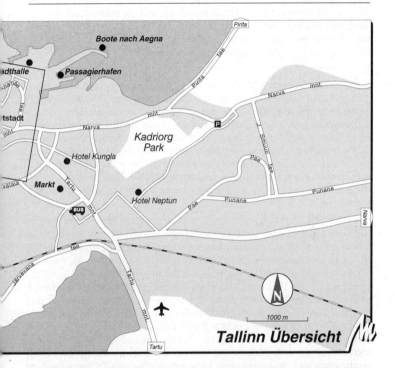

Tallinn Übersicht

festungsartigen Stadt namens *Qaluwany*. Die nächste urkundliche Erwähnung stammt aus dem Jahr 1219, wo von einer Bauernburg *Lyndanise* in Rävela die Rede ist. Russische Chroniken sprechen von *Koluvan*, die Schweden von *Lyndanise* und die Dänen von *Revele*, woraus sich das deutsche Reval entwickelte. Vor Ankunft der dänischen Eroberer, der mit kurzer Unterbrechung fast 770 Jahre Fremdherrschaft folgten, lebten die hier ansässigen Esten in Freiheit. Ein 50 m hoher Kalksteinberg, der heutige Domberg, von dem man hervorragend das Meer mit den Inseln Aegna und Naissar beobachten konnte, schuf ideale Voraussetzungen für eine florierende Hafen- und Handelsstadt. Bis nach Sizilien und Arabien müssen die Handelsverbindungen der alten Esten gereicht haben, was man aufgrund von Funden alter Münzen festgestellt hat.

Der Aufforderung des Papstes, auch das heidnische Nordosteuropa zu missionieren, folgten die Ritterorden gerne. 1219 landete der dänische König *Waldemar II.* mit 1500 Schiffen vor der Küste Estlands. Es folgte ein mehrtägiger, blutiger Kampf mit der Bevölkerung. Fast schon wollten die Dänen sich geschlagen geben, als sich der Himmel auftat und eine rote Flagge mit einem weißen Kreuz in der Mitte genau in die Hände des Bischofs herabfiel. Die Dänen schöpften daraus neuen Mut und gingen schließlich als Sieger aus der Schlacht hervor.

So errichteten sie auf Kalevs Grab eine Burg, und die Stadt wurde als *Dänenstadt* bezeichnet, woraus sich der estnische Name Tallinn (von estn. taani - Dänen und linn - Stadt) entwickelte. Die Legende weiß über die Gründung Tallinns jedoch anderes zu berichten:

Es soll einmal einen dänischen König gegeben haben, dessen Kinder in frevelhafter Liebe zueinander standen. Erzürnt beschloß der Vater, daß seine Tochter, der er die meiste Schuld an der Schande zuwies, Dänemark sofort zu verlassen habe. Er setzte sie in ein steuerloses, mit Gold und Silber beladenes Schiff und übergab sie den Wogen des Meeres. Lange trieb das Boot ziellos vor sich hin, bis es schließlich vor der estnischen Küste strandete. Schon von weitem erblickte die Prinzessin Kalevs gewaltigen Grabhügel und beschloß, entzückt von diesem Ort, auf jenem Berg ein Schloß zu bauen und eine Stadt zu gründen.

Kaum hatten die Dänen die Esten vom Domberg verjagt, zog der deutsche *Schwertritterorden* mit Bischof Albert an der Spitze nach Tallinn, um die Esten zu christianisieren und zu unterwerfen. Er zögerte nicht, auch die Dänen anzugreifen und zu vertreiben. Estland wurde somit zur nördlichsten Provinz des Heiligen Römischen Reiches. Im 13. Jh. rief der Orden deutsche Handwerker und Kaufleute in die Stadt und versprach den Übersiedlern eine Reihe von Sonderrechten. Durch den *Vertrag von Stenby* 1238 mußte der Orden Nordestland und Tallinn den Dänen zurückgeben, deren Herrschaft bis Mitte des 14. Jh. anhalten sollte. 1248 verlieh der dänische König *Erik Plogpenning* Tallinn das lübische Stadtrecht. Dank seiner günstigen geographischen Lage entwickelte sich Tallinn schnell zu einer blühenden Handelsstadt. Die zugezogenen Handwerker- und Händlerfamilien ließen sich am Fuße des Dombergs nieder, woraus sich im Laufe der Zeit die *Unterstadt* entwickelte, die ihre eigenen Gesetze und ihre eigene Rechtsprechung besaß. Durch den wirtschaftlichen Aufschwung Tallinns gelangten einige der Kaufleute zu großem Reichtum. Sie sagten sich von der dänischen Oberhoheit los. Die übrigen Kaufleute, Händler und Handwerker schlossen sich zu Gilden zusammen. Der Domberg, die sogenannte Oberstadt, blieb den Adligen und Geistlichen vorbehalten und wurde von der *Toom-Gilde* (Domgilde) verwaltet. Durch den Beitritt Tallinns zum *Bund Norddeutscher Städte*, der späteren *Hanse*, im Jahre 1284, wurde der Aufschwung der Stadt noch weiter vorangetrieben.

Die eigentlichen Bewohner der Stadt, die Esten, besaßen keinerlei Rechte und mußten bei niedrigster Bezahlung schwere Arbeiten verrichten. In der St. Georgs-Nacht von 1343 versuchten 10.000 Esten mit einem Zug auf Tallinn, sich von der Fremdherrschaft zu befreien. Dänemark rief den Deutschen Orden zu Hilfe, und der Aufstand konnte blutig niedergeschlagen werden. Nach der Erhebung der Esten verkaufte Dänemark Tallinn für 19.000 Silbermark an den Deutschen Orden, der die Stadt ein Jahr später mit 1000 Silbermark Gewinn an den Livländischen Orden weitergab.

Tallinn entwickelte sich zu einem Handelsumschlagsplatz zwischen Ost und West. Am bedeutendsten war hierbei der Salzhandel. Zwischen den Bewohnern der Ober- und der Unterstadt kam es aber immer wieder zu Streitigkeiten und Machtkämpfen. Um blutigen Auseinandersetzungen vorzubeugen, wurden die beiden Stadtteile durch Mauern, Wachtürme und Tore voneinander getrennt. Tagsüber waren sie passierbar, wurden aber nachts geschlossen (erst 1889 wurden die beiden Städte administrativ zusammengefaßt).

Für die Esten muß die Zeit unter den Deutschen sehr schlimm gewesen sein, denn trotz der verheerenden Pest von 1603, einer schlimmen Hungersnot und dem Brand auf dem Domberg von 1684 - alles Katastrophen unter der Herrschaft der Schweden - wurden diese Jahre als die *Gute schwedische Zeit* bezeichnet.

Schon im 16. und 17. Jh. verlor die Handelsstadt Tallinn an Bedeutung, was nicht zuletzt daran lag, daß die Ost-West-Beziehungen zu dieser Zeit nicht gerade zum Besten standen. Mitte des 16. Jh. versuchte *Ivan der Schreckliche* Tallinn zu erobern. Der Deutsche Orden rief verzweifelt die Dänen zu Hilfe, doch die hatten kein Interesse mehr an der verblühenden Handelsstadt. Zwar gelang es Ivan nicht, die gut befestigte Stadt zu erobern, doch der Orden konnte ihn auch nicht vertreiben. 37 Wochen hielt er die Stadt umzingelt, während die Bevölkerung hungerte. Im Zuge des *Livländischen Krieges* (1558-1583) fiel Tallinn schließlich an die Schweden. Vorbei war es mit der guten schwedischen Zeit, als *Peter I.* die Stadt während des *Nordischen Krieges* 1710 eroberte. Die Schweden waren von der zuvor erneut ausgebrochenen Pest zu schwach, um sich den russischen Truppen entgegenzustellen. Die deutsche Oberschicht und die neuen Herrscher der Stadt wurden sich schnell einig. Geldbarone, Geistliche und Adel erhielten die unter den Schweden verlorenen Privilegien zurück, und alles schien wieder beim alten. Trotzdem wurde die Stadt Tallinn nicht wieder zu dem, was sie einmal war. Erst mit der Eröffnung der Bahnlinie im Jahre 1870 erfuhr die Stadt wieder einen Aufschwung. Da Tallinn als das *Russische Fenster nach Europa* angesehen wurde, erließ Moskau den Befehl, den Tallinner Hafen auszubauen, so daß er zum drittgrößten des gesamten russischen Imperiums wurde. Zu dieser Zeit entstanden auch die ersten Fabriken, und im Jahre 1901 bildete sich der illegale *Arbeiterverein*. 1904 gelang es den Esten endlich, in Tallinn die Führungsrolle zu übernehmen. Auch die *Russische Revolution* von 1905 hinterließ ihre Spuren in der Stadt. Das Streben der Esten nach Unabhängigkeit wurde immer stärker. Doch auch die *Oktoberrevolution* von 1917 verhalf den Esten nicht zur ersehnten Selbständigkeit.

Im Ersten Weltkrieg wurde Tallinn von deutschen Truppen besetzt. Erst nach ihrem Abzug konnte Estland am 2. Februar 1920 sich endlich als souveräner Staat bezeichnen. Tallinn wurde Hauptstadt. Als Zentrum der estnischen Republik erfuhr Tallinn eine neue Blütezeit. Dem wurde jedoch 1940, als sowjetische Truppen das Baltikum besetzten, ein jähes Ende bereitet. Estland wurde gegen seinen Willen in die UdSSR eingegliedert und Tallinn somit zur Hauptstadt der Unionsrepublik Estland.

Mit Amtsantritt *Gorbatschows* flammten die unterdrückten Unabhängig-keitsbestrebungen Estlands wieder auf. Am 23. August 1987 demonstrier-ten erstmals 2000 Menschen in Tallinn öffentlich gegen die Unterdrückung der estnischen Kultur. Am 13. April 1988 bildete sich um den Intellektuel-len *Edgar Savisaar* eine politisch motivierte Gruppe, aus der später die Volksfront wurde. Im September 1988 forderten 300.000 Esten auf dem Festival *Die Lieder Estlands* politische, kulturelle und wirtschaftliche Un-abhängigkeit. Seit der Unabhängigkeitserklärung am 20. August 1991 ist Tallinn wieder Hauptstadt einer eigenständigen, souveränen Republik.

• *Postleitzahl*: EE0035
• *Vorwahl*: 0142
• *Information*: **Estnisches Fremdenver-kehrsamt**, Suur karja 23, Tel. 441239, Fax 440963; ehemaliges **Intourist-Büro**, Viru väljak 4 (im Hotel Viru), Tel. 650837, Fax 440416; **Eesti Välisturist**, Roosikrantsi 4b. Vermittlung von organisierten Touren inner-halb Estlands, Tel. 448718, Fax 442034, und **Raeturist**, Raekoja plats 18. Verständi-gung auf deutsch in der Regel möglich.

Verbindungen

• *PKW*: verbunden über die M-12 (Via Bal-tika) mit Vilnius via Pärnu und Riga; über die A-206 mit Haapsalu; über die A-207 mit Lihula (Richtung Virtsu); über die A-202 mit Tartu und über die M-11 mit Narva.
• *Bus*: Aus jedem etwas größeren Dorf Estlands fährt mindestens ein Bus täglich in die Hauptstadt, Busbahnhof Lastekodu 46, Tel. 422549.
• *Bahn*: Züge in Richtung Viljandi, Tartu, Narva, Riga, Vilnius und nach St. Peters-burg, Moskau, Minsk und Berlin. Bahnhof in der Toompuiestee 39.
• *Flugzeug*: Flughafen befindet sich in der Tartu mnt., im Südosten Tallinns, Tel. 211092/423538. Verbindung zum Zentrum mit Bus 22, Fahrtdauer etwa 30 Min.
• *Schiff*: Linien aus deutschen Städten, s. Anreise. Zudem Fährverbindungen mit Helsinki, (Kristina Cruises, Inreko und Tal-link) und Stockholm (Estline), sowie 4-6 tä-gige Touren nach Riga und Klaipêda. Ha-fen, Sadama 25. Nähere Information zu den Schifffslinien in den Reisebüros.
Mit dem eigenen Schiff: Seit einigen Mo-naten können Segler Kurs im Jachthafen von Pirita anlegen.

Übernachten

Das Angebot an guten Hotels ist dem aufkommenden Touristenstrom noch nicht gewachsen, Zimmerreservierung daher dringend anzuraten. Es besteht auch die Möglichkeit, privat zu wohnen. Vermittlung über *Hua Ai Trade Ltd.*, Vaana-Viru 13. ÜB liegt bei etwa 15 DM pro Person. Die Organisation vermittelt auch Zimmer in anderen Gebieten Estlands, Tel./Fax 441187. Nähere Informationen zu Estlands im Aufbau befindlichen Jugendherbergsnetz gibt es in der Kent-manni tänav 20, Zimmer 608, Tel. 441096, Fax 446971.

• *Hotels der gehobenen Kategorie*: **Merilin**, Linnu tee 64. Kleines gemütliches Hotel mit nettem Restaurant und Bar. DZ um die 90 DM, Tel./Fax 530872.
More, Linnahall. Altes Kreuzschiff, das nun als Hotel genutzt wird. Liegt in der Nähe der Sadama tänav, an der Anlegestelle der Boote nach Aegna. ÜB je nach Kabine ab 35 DM und aufwärts, schöner Blick auf das Meer, Tel. 601502, Fax 602182.
Olümpia, Liivalaia 33. Ehemaliges Devi-senhotel, mit Restaurant und Bar, DZ min-destens 150 DM, Tel. 602438.
Palace, Vadabuse väljak 4. Bestes Hotel der Stadt mit hervorragendem Restaurant, DZ ab 240 DM, Tel. 444761.
Peoleo, Pärnu mnt. 555, liegt etwa 12 km außerhalb von Tallinn, Richtung Pärnu. Neues Hotel mit Restaurants, Bars und Geschäften. EZ ca. 65 DM, DZ ca. 110 DM, Tel. 556566.
Rataskaevu, Rataskaevu 7. Zentrale Lage in der Altstadt.
Sport, Regati 1 (Pirita). Wurde mit dem Regattenzentrum für die 1980 in der So-wjetunion ausgetragenen Olympischen

Spiele gebaut. Das Hotel wirkt wie ein riesiger Flugterminal. DZ um die 70 DM.

Tallinn, Toompuiestee 27. Luxuriöses, ehemaliges Devisenhotel, DZ ab etwa 240 DM, Tel. 604332.

Viru, Viru väljak 4. Unübersehbares Hochhaus, einst von Intourist betrieben. DZ um die 200 DM, Tel. 652093.

• *Einfache Hotels und Billigunterkünfte*:
Agnes, Narva mnt. 9. Jugendherberge, nur von April bis Mitte August geöffnet, Zimmerbestellung notwendig, ÜB um die 12 DM, Tel. 438870.

Kajak, Pärnu mnt. 123. Altes Holzhaus mit gemütlichen Zimmern, z. T. mit Kamin. ÜB ca. 20 DM, Tel. 555892. Vom Zentrum mit Bus 5 erreichbar.

Kungla, F. R. Kreutzwaldi. Zentrale Lage, mit Bar und Restaurant. Zwischen Zimmerpreisen und ihrer Qualität liegen Welten. EZ ca. 50 DM, DZ ca. 60 DM, Tel. 421460.

Ranna, Tšaikovski 11. Einfache Zimmer, nette Atmosphäre. EZ um die 18 DM, DZ um die 30 DM, Tel. 495219. Vom Zentrum Bus 3, 40 oder 48, Haltestelle am Hotel.

Kalur, Paijassaare 37. Zimmer einfach, Stimmung etwas kühl. DZ ca. 30 DM, Tel. 497905. Bus 59, Haltestelle kurz vorm Hotel.

Visio, Nõmme mnt. 47. Nettes jugendherbergsähnliches Quartier. Befindet sich in der ersten Etage eines Wohnblocks und ist etwas schwierig zu finden. Vom Zentrum Bus 17 oder 17a bis Haltestelle Koolinaja fahren, Stück in Fahrtrichtung und erste Möglichkeit links gehen. Beim Haus Nr. 47 geht wieder linker Hand ein schmaler Weg ab, an dessen Ende sich das Visio befindet (Name ist mit winziger Schrift angeschrieben). ÜB ca. 12 DM, Tel. 529708.

Camping Kloostrimetsa, Kloostrimetsa tee 56a, in Pirita. Schöner Platz in der Nähe vom Fernsehturm. ÜB im 2-Personen-Holzzelt etwa 12 DM. Geöffnet von Anfang Juni-Anfang September, Tel. 238686.

Essen

Vom exotischen Restaurant über mittelalterliche Gaststätten bis hin zu Fast-Food-Buden ist alles in Tallinn zu finden. Da die Stadt im Sommer von Besuchern überlaufen ist, könnten sich Tischreservierungen als günstig erweisen.

• *Restaurants*: **Astoria**, Vabaduse väljak 5. Neu eröffnetes Luxusrestaurant. Abends Live-Musik, Eintrittskarten notwendig. Bis 2 Uhr morgens geöffnet, Tel. 448462.

Eesli Tall, Dunkri 4. Neues, gemütliches Restaurant in der Altstadt mit netter Bar im Keller. Restaurant Fr und Sa bis 2 Uhr und Bar täglich bis 3 Uhr geöffnet.

Galaxy, Kloostrimetsa 58a, im Fernsehturm. Essen nicht gerade umwerfend, dafür Videoprogramm und herrlicher Blick auf Tallinn, bis 2 Uhr geöffnet, Tel. 238250.

Gloria, Müürivahe 2. Großes Restaurant mit Nightclub, Livemusik und Varietéshow, bis 24 Uhr, So 12-18 Uhr geöffnet, Tel. 446950.

Gnoom, Viru 2. Gemütliches Restaurant mit mehreren Sälen, Café und Bar, mit mittelalterlichem Ambiente und Möbeln aus der Biedermeierzeit, bis Mitternacht geöffnet, Tel. 442755.

Kalinka, Kopli pst. 69l. Russische Gerichte in russischer Atmosphäre. Varieté-Show außer Mo und Di, bis 24 Uhr geöffnet, Tel. 471866. Mit Tram 1 bis Kino Rahu fahren.

Kevad, Gonsiori 2. Ganz gemütlich, befindet sich in einem großen Kaufhaus, Tel. 425549.

Kullassepa Kelder, Kullassepa 7/9/11. Kleines uriges Kellerrestaurant in der Altstadt. Spezialität des Hauses sind knusprig gegrillte Hähnchen. Geöffnet bis 24 Uhr, Tel. 442240.

Kungla, Hotelrestaurant mit Bar und Varieté-Show. Verrauchte, gemütliche Atmosphäre, schließt um 23 Uhr, Tel. 424541.

Kännu Kukk, Vilde tee 71. Nettes, von Finnen geleitetes Restaurant mit Café und Pfannkuchen-Bar, überwiegend finnisches Publikum, bis 24 Uhr geöffnet, Tel. 523243. Liegt im Stadtteil Mustamäe, Trolley 2 oder 3 nehmen.

Maharaja, Raekoja plats 13. Ausgezeichnetes Restaurant mit indischer Küche, in dem auch Vegetarier auf ihre Kosten kommen, aber teuer. Geöffnet bis Mitternacht, Tel. 444367.

Miker, Kuninga 3. Hübsch eingerichtetes Restaurant, in dem man große Salate bekommen kann. Geöffnet von 10-22 Uhr, Tel. 442588.

Nord, Ratskaevu 3/5. Jagdsaal, Fischrestaurant, Fuchsbau, Fondue- und Grillsaal verteilt auf 5 Etagen eines restaurierten Stadthauses laden zu ausgiebigem Dinner ein. Einige Räumlichkeiten schließen bereits um 22 Uhr, Tel. 443170.

Olümpia, großes, etwas unpersönliches Hotelrestaurant. Im Nightclub Varieté-Show, Tel. 602434/602430.

Palace, zum gleichnamigen Hotel gehörend. Schickes Ambiente und ausgezeichnete internationale Küche. Kreditkarten werden akzeptiert, geöffnet bis Mitternacht, Tel. 443461.

Pirita, Merivälja tee 5. Nettes Strandrestaurant mit tollem Blick auf das Wasser, abends manchmal Disco. Geöffnet bis 24 Uhr, Tel. 238102.

Sub Monte, Rüütli 4. Hervorragendes Nobelrestaurant in mittelalterlichem Keller mit internationaler und estnischer Küche. Bezahlung mit Kreditkarten möglich. Schließt um 23 Uhr, Tel. 666871.

Raeköök, Dunkri 5. Befindet sich in einem Neubau in der Altstadt, trotzdem ganz gemütliche Atmosphäre, Live-Musik. Bis 23 Uhr geöffnet, Tel. 443540.

Ratskaevu, Ratskaevu 7. Hotelrestaurant, gemütlich und edel, schließt um 23 Uhr, Tel. 448426.

Reeder, Vene 23. Kleine, neue Gaststätte in der Altstadt mit leckerem Essen, gut besucht. Bis 23 Uhr geöffnet, Tel.446518.

Tallinn, Hotelrestaurant. Außerdem Nachtclub, Café, Tee-Bar und Varietédarbietungen, Tel. 604446.

Szolnok, Vilde tee. Ungarische Spezialitäten und Live-Musik, geöffnet bis 22 Uhr, Tel. 532253. Befindet sich im Stadtteil Mustamäe, Trolley 1, 2 oder 5.

Vana Toomas, Raekoja plats 8. Uriger Keller, in dem estnische Spezialitäten serviert werden. 12-18 und 20-2 Uhr geöffnet. Mo - Sa spielt eine Tanzkapelle, Tel. 445818.

Peetri-Pizza-Buden, Liivalaia 40; Lai 4; Pargi 8; Kopli 2c; Pärnu mnt. 22. Leckere Pizzen zum Mitnehmen, geöffnet von 11-23 Uhr, in der Pärnu mnt. bis 3 Uhr.

• *Cafés*: **Boga pott**, Pikk jalg 9. Schönes "Sommer-Hof-Café", das einer Keramikwerkstatt angeschlossen ist.

Harju, Suur Karja. Freundliches Café mit köstlichen Törtchen und Keksen, Tel. 446666. In der Woche von 9-19 Uhr geöffnet.

Kadriorg, Narva mnt. 90. Café im Kadriorg- Park mit Bar und Tanzkapelle, in dem man auch ausgiebig essen kann. Ab Mittag bis 24 Uhr geöffnet, Tel. 431200.

Maiasmokk, Pikk 16. Nostalgisches Caféhaus in der ältesten marzipan- und schokoladenherstellenden Konditorei (gegr.

1841) Estlands mit allerlei süßen Köstlichkeiten. Mehrere Räume, der kleinste, das sog. Schwalbennest, bietet Platz für zwei Personen, von 11-22 Uhr geöffnet.

Narva, Narva mnt. 10. In der Nähe vom Hotel Viru, gemütlich, geöffnet ab 9 Uhr, Tel.424459.

Neitsitorn, Lühike jalg 9a. Mehrere gemütliche Cafésäle, verteilt auf die vier Stockwerke eines alten Turms der Stadtmauer. Von den Balkonen toller Blick auf Tallinn. Im Keller Glühwein-Bar. Geöffnet von 11-22 Uhr, Tel. 440896/440514.

Pärl, Pikk 1. Ganz gut zum Frühstück oder für einen Kaffee zwischendurch geeignet, leckere Reispasteten. Von 9-21 Uhr geöffnet, Tel. 440710.

Saamaria, Vaimu 3. Hübsches Café mit vollwertigen Kuchen und Müsli. Mittags 1-2 vegetarische Gerichte erhältlich. Mo-Fr von 11-18 Uhr, Sa von 11-16 Uhr geöffnet.

Tröst, Vanaturuk ael 3. Guter Kaffee und warme Speisen im Angebot.

Vigri Narva mnt. 19. Nettes Café für Kinder, das dementsprechend eingerichtet ist. Geöffnet von 11-22 Uhr.

• *Bars und Discos*: **Arabella**, Dunkri 3. Eisdiele und nicht alkoholische Getränke, junges Publikum, geöffnet von 9-20 Uhr.

Carlsberg, Hotel Olümpia. Edle Bierbar, geöffnet von 13-1 Uhr, Tel. 602481.

Astu Sisse, Pikk 69. Schlichte Kellerbar am Domberg mit ungeregelten Öffnungszeiten. Zugang nur möglich, wenn man sich durch die etwa 1 m hohe Kohlentür zwängt.

Ehitajata Klubi, Endla 8. Fr und am Wochenende ab 19 Uhr Disco.

Ergo, Viru 4. Kleine Bar in der Altstadt.

Florin, Lai 17. Weißgetünchter, verrauchter Keller mit viel Atmosphäre, studentisches Publikum. Neben dem Eingang schöne Sauna, die man für 5 DM/Abend mieten kann. Von 14-24 Uhr geöffnet. Verlängerte Öffnungszeiten bis 3 Uhr im Gespräch, falls erfolgreich, wird das Florin an bestimmten Tagen zur Disco.

Hope-Baar, Lai 27. Mischung aus Café und Bar, modern gestylt mit vielen Spiegeln, Tel. 6096667.

Hot-Shot-Bar, Viru 3. Eine Art Biergarten in hübschem Innenhof, der allerdings bald ein Glasdach bekommt.

Karikabaar, Kuninga 3. Nette Bar in mittelalterlichem Keller, geöffnet von 13-1 Uhr, Tel. 441780.

Karolina, Komandandi 5. Urige Kellerkneipe an den Stufen zum Domberg, geöffnet von 9-21 Uhr.

Mündibaar, Mündi 3. Beliebter Jugendtreffpunkt mit Video und Mixgetränken, von 16-2 Uhr geöffnet.

Kuller, Kallaku 1. Zünftiges Bierlokal am Domberg.

Kannike, Vadabuse pst. 108. Nette Bierbar, mit Saunavermietung.

Laplaya, Merivälja tee 5 (Pirita). Fr, Sa und So von 21-2 Uhr Disco.

Lucky Luke, Mere pst. 20, in der Stadthalle, am More Hotel. Witzige Kneipe im Westernstil, abends entweder Disco oder Konzert. Tagsüber kann man prima auf der dem Meer zugewandten Sonnenterrasse sitzen. Von 13-3 Uhr geöffnet, Tel. 449360.

Patarei, Mere pst. 20, im kleinem Saal der Stadthalle. Fr, Sa, So von 23-4 Uhr Disco.

Pika Jala Baar, Pikk jalg. Zu erkennen an dem großen Stiefel, der vor der Kneipe hängt. Bietet sich gut nach einer Dombergtour zum Kaffee an.

Ornatus, Olevimägi 14. Kellerkneipe mit klassischer Musik. Da die Betreiber mit Reisegruppen zusammenarbeiten, ist es gelegentlich unerwartet geschlossen, ansonsten Mo-Sa von 12-23Uhr geöffnet.

Regatt, Merivälja tee 1. Nette Bar mit Livebands, am Wochenende Disco.

Rosalie, Vene 1. Gemütliche Glühweinkneipe, was man schon von weitem riechen kann, geöffnet von 11-22 Uhr, Tel. 446473.

Sinine-Baar, Pirita tee 28. Ruhige Video-Kneipe, geöffnet von 12-23 Uhr.

Keiker, Pikk 66. Obwohl 14 Biersorten im Angebot, eher für ein Frühstück oder für einen kleinen Imbiß zwischendurch geeignet. Geöffnet von 10-21 Uhr, Tel. 601761.

Sky Bar und Kasino, Nobelbar im Palace-Hotel, von 21-3 Uhr geöffnet, Tel. 443461.

Telfo-Baar, Vaike Karja 1. Urgemütliche, dunkle Kneipe, in der man auch essen kann. Abend Disco, manchmal Rock- oder Jazzbands, ca. 0,50 DM Eintritt. Geöffnet von 9.30-3 Uhr, Tel. 445775.

Tutle, Uus-Sadama 14. Disco, Di-So von 23-3 Uhr.

Ulvi, Pühavaimu. Kneipe mit Videoprogramm, manchmal Filme in englischer Originalfassung.

Viarosse, Lai 23, im Theater der Jugend. Kellerkneipe mit einem "Hauch von Kunst" in der Luft. Geöffnet von 10-23 Uhr, Tel. 609624.

Virmaline, Viru 16. Kleine Kaffee- und Milchbar, von 9-20 Uhr geöffnet, Tel. 446660.

Verschiedenes

Verkehr innerhalb Tallinns: Der öffentliche Verkehr in Tallinn beginnt zwischen 5 und 6 und endet gegen 1.30 Uhr. Es gibt Busse, Trolleybusse und Trams.

Baltischer Bahnhof, Busbahnhof und Flughafen sind durch Bus 22 miteinander verbunden, der auch ins Zentrum fährt.

Mit Tram 1 und 2 gelangt man zum Passagierhafen, aussteigen an der Haltestelle Linnahall.

Der Schloßpark Kadriorg ist mit Tram 1 und 3 zu erreichen. Fahrkarten gibt es an den Kiosken. Sie gelten für alle Verkehrsmittel, sind bei Fahrtantritt zu entwerten und verfallen beim Verlassen des jeweiligen Verkehrsmittels. Es gibt auch noch die **Routentaxis**. Sie fahren bestimmte Strecken ab und halten auf Wunsch, Tickets beim Fahrer.

Verkehrslinien sind auf dem Tallinn-Stadtplan (Linna Plaan) eingezeichnet, den es in den Informationsbüros gibt. Weitere Informationen zum Tallinner Verkehrsnetz bei der Touristeninformation am Raekoja plats 18.

Taxi: Offizielle Taxis sind mit einem Zeichen auf dem Dach versehen. Vor Fahrtantritt Preis aushandeln.

Taxistand: an Bus- und Zugbahnhof, Flughafen und am Viru-väljak. Taxiruf: 603044/602304.

Flugtickets: Vadabuse-väljak 10, Tel. 446382.

Tankstelle: Diesel und bleifreies Benzin rund um die Uhr, gibt es in der Pärnu mnt. 141 und in der Regati pst. 1 (Pirita) von 10-21 Uhr.

Autoservice: Pärnu mnt. 232, Tel. 529225; Vederenni 54, Tel. 556579; Ülemiste tee 1, Tel. 215421; Lastekodu 31, Tel. 445450 (Verkehrspolizei).

Mietautos: erhältlich über die Hotels Viru, Olümpia und Palace. Gebühren für Leihwagen sind höher als in Deutschland, Österreich und der Schweiz.

Bewachte Parkplätze: Mere pst. 20; Liivalaia 38a; Regati pst. 1; Narva mnt. 130; A.-H. Tammsaare tee 133a; Pärnu mnt. 100; E.Vilde tee 75.

Geldwechsel: möglich in den größeren Hotels, im Hauptpostamt, am Hafen, Flughafen und in den kleinen Bankfilialen der Eesti Pank (Bank von Estland) entlang der Viru tänav. Das Bezahlen in einer anderen Währung als der Estnischen Krone ist verboten! Auch Reiseschecks werden nur selten angenommen.

Post/Telegrafenamt: Hauptpostamt im Obergeschoß des Gebäudekomplexes in der Narva mnt. 1, Mo-Fr von 8-20 und Sa von 8-17 Uhr geöffnet.

Satellitentelefon: vom Palace-Hotel aus möglich, aber teuer.

Unfallklinik, Sütiste tee 10 und Ravi 18; **Zahnarzt,** Toompuistee 4, Mo-Fr von 8-20 Uhr, am Wochenende von 9-22 Uhr.

Apotheke: am Raekoja plats, eine der ältesten Apotheken Europas, (etwa 1440 gegründet).

Nachtdienst bietet die Apotheke in der Tönismägi 5 an.

Fundbüro: Narva mnt. 31, Tel. 430795.

Öffentliches WC: Dunkri 5; Pikk jalga 9.

Einkaufen

Souvenirs: *Uku,* Pikk 9; *Ars,* Viru 19, Vadabuse väljak 8, Liivalaia 12; *Mare,* Viru 6; *Hansa Ait,* Sauna 10. Kunstvoll dekorierte Salons und Galerien, die auch nur zum Anschauen schon lohnenswert sind. Zu kaufen gibt es Porzellan, Glas, Leder- und Keramikartikel und Strickwaren mit estnischen Mustern und Schmuck.

Buchläden: *Viduvärava Raamatukkauplus,* Viru 23 und *Lugemisvara,* Harju 1. Bücher in verschiedenen Sprachen, überwiegend geschichtliche und kunsthistorische Werke. **Antikvariat:** Mündi 3 und am Raekoja plats. **Wichtig:** Für Bücher, die vor 1945 erschienen sind, ist eine Ausfuhrgenehmigung vom Kulturministerium nötig.

Musikgeschäfte: *Heli,* am Raekoja plats; *Kaubamaja* (Kaufhaus), 16 Gonsiori 2. Verkauf von Schallplatten mit klassischer, estnischer und russischer Musik und mit den neuesten Pophits, auch Notenhefte.

Fotoläden: Raekoja plats und in der Viru tänav. Filme für Farbbilder und Dias sind vorrätig.

Museen

A.-H. Tammassare-Museum, Koidula 12a, im Schloßpark von Kadriorg. In dem schmucken Holzhaus aus dem 19. Jh., dem letzten Wohnsitz des Dichters, sind alte Manuskripte, Bücher und Briefe zu sehen. Mi-Mo von 11-18 Uhr geöffnet, zu erreichen mit Straßenbahnlinie 1 und 3.

Feuerwehrmuseum, Vana-Viru 16. Hier erhält man Aufschluß darüber, wie die Feuerwehrmänner in alter Zeit Herr über vernichtende Flammen wurden. Geöffnet Di-Sa von 12-18 Uhr.

Freiluftmuseum *"Rocca al Mare",* Vabaöhumuuseumi tee 12. Authentische Ausstellung über das ländliche Leben in Estland anhand von alten Bauernhäusern und Einrichtungsgegenständen vom 18. bis zum Beginn des 20. Jh., direkt am Meer gelegen. Das Gelände ist täglich von 10-20 Uhr geöffnet, die Innenräume der Häuschen nur im Sommer Mi-So von 10-18 Uhr. Zu erreichen mit Buslinie 21 oder 45.

Gesundheitsmuseum, Lai 28-30. Name der Ausstellung ist *Mensch-Gesundheit-Familie,* Einführung in die menschliche Anatomie, Physiologie und Sexualbiologie. In einem anderen Trakt befindet sich eine Ausstellung für Kinder und eine Halle, in der Werke moderner Maler gezeigt werden. Geöffnet Di-So von 11-17 Uhr.

Historisches Museum, Pikk 17. Exponate aus der frühesten Geschichte und den verschiedenen Landkreisen Estlands. Das hübsche Gebäude aus dem Jahre 1410 gehörte einmal der Großen Gilde. Geöffnet Di-Do von 11-18 Uhr.

Kiek en de Kök, Komandandi 1. Im größten Kanonenturm Tallinns, der zu deutsch *Guck in die Küche* heißt, ist ein Querschnitt durch die Geschichte der Verteidigungstechniken Tallinns zu besichtigen. Mi und Fr von 10.30-17.30 und am Wochenende von 11-16 Uhr geöffnet.

Kunsthalle, Vadabuse väljak. Verschiedene Ausstellungen bildender Kunst. Mo von 12-18 Uhr und Mi-So von 12-19 Uhr geöffnet.

Kunstmuseum und Skulpturengarten, Weizenbergi 37. Estnische Malereien vom 19. Jh. bis 1940. Das Museum ist in dem Barockschloß von Kadriorg untergebracht.

In den dreißiger Jahren dieses Jahrhunderts war das Schloß Sitz des Präsidenten von Estland. Geöffnet Mi-Mo von 11-18 Uhr, zu erreichen mit der Buslinie 1, 5, 8, 44 und 56 und mit den Straßenbahnlinien 1 und 3.

Kristjan-Raud-Museum, Raua 8. Werke von Kristjan Raud, die sich mit der estnischen Mythologie beschäftigen und wechselnde Ausstellungen in- und ausländischer Künstler. Geöffnet Mi-So von 11-18 Uhr.

Meeresmuseum, Pikk 70. Ausstellung zur Geschichte der estnischen Schiffahrt und Fischerei. Untergebracht ist das Museum im *Paks Margareta* (dicke Margareta), einem alten Kanonenturm von 1510. Von Mi-So von 10-18 Uhr geöffnet.

Museum für estnisches Kunstgewerbe, Lai 17. Befindet sich in einem schönen Haus aus dem 17 Jh. Zu sehen ist estnisches Kunstgewerbe unseres Jahrhunderts, geöffnet Mi-So von 11-18 Uhr.

Museum für Theater- und Musikgeschichte, Müürivahe 12. Gezeigt werden alte Manuskripte, Bücher, Kostüme und Musikinstrumente. Geöffnet Mi-Mo 10-18 Uhr.

Naturhistorisches Museum, Lai 29. Ermöglicht Einblicke in die estnische Tier- und Pflanzenwelt. Geöffnet Mi-Mo von 10-17.30 Uhr.

Raekelder (Rathauskeller). Gibt Einblicke in die Geschichte Tallinns vom 10. Jh. bis zum Ende der "guten schwedischen Zeit". Geöffnet Mi-So von 10.30-17.30 Uhr.

Schloß Marjamäe, Pirita 56. Dokumentation der estnischen Geschichte vom 19. Jh. bis heute, untergebracht in einem schönen Kalksteinschloß aus dem Jahre 1874. Das Anwesen war der Sommersitz des *Adjutanten General A. Orlov Davydov*. Geöffnet von Mi-So von 11-17 Uhr, zu erreichen mit Buslinie 1, 5, 44 und 56.

Stadtmuseum, Vene 17. Befindet sich in einem mittelalterlichen Kaufmannshaus in der Altstadt und liefert Einblicke in das Tallinn des 18. und 19. Jh. Zu sehen sind auch Exponate, die bis ins 14. Jh. zurückgehen. Mi-Mo von 10.30-18 Uhr geöffnet.

Galerien

Aragats, Vene 7-12. Galerie eines Künstlers aus Armenien. Geöffnet Di-Sa von 10-18 Uhr.

Deco-Galerie, Koidula 11. Wechselnde Ausstellungen bildender Kunst, darunter auch Installationen.

Draakoni, Pikk 18. Wechselnde Ausstellungen estnischer und ausländischer Vertreter moderner Kunst. Di-Fr von 11-18 und Sa von 11-16 Uhr geöffnet.

Galeri G, Narva mnt. 2. Wechselnde Ausstellungen zeitgenössischer Künstler. Di-Fr von 12-18 Uhr geöffnet.

Galerie Molen, Viru 19. Wechselnde Ausstellungen von Landschaftsmalereien. Mi-Fr von 11-18 Uhr, am Wochenende von 11-16 Uhr geöffnet.

Lüüt, Pikk 7. Experimentelle, oftmals durch Musik inspirierte Bilder.

Laste Loomingu Maja, Kuninga 6. Bilder und andere Arbeiten von Kindern, geöffnet Mi-Mo von 12-18 Uhr..

Matkamaja, Raekoja plats 18/Viru tänav. Moderne Werke, aber auch Radierungen des mittelalterlichen Tallinns. Befindet sich in einem typischen Handwerkerhaus.

MRK-Gallerie, Endla 8. Galerie russischer Künstler, die in der Sowjetunion keine Anerkennung fanden. Mo-Sa von 11-18 Uhr geöffnet.

Tokko & Arraku Galerie, Raekoja plats 14. Überwiegend Ausstellungen von Kartoons und naiven Aquarellen.

Vaal-Gallerie, Väike Karja 12. Ausstellung von Werken der modernen Kunst. Di-Fr von 14-19 Uhr, Sa von 12-16 Uhr geöffnet.

Theater/Konzerte

Es ist nicht schwer, einen Besuch in Tallinn allabendlich mit einem Kulturprogramm zu ergänzen. Um zu wissen, was wo läuft, ist das englisch-/schwedischsprachige Heftchen *Tallinn This Week* zu empfehlen, das an jedem Zeitungskiosk erhältlich ist.

• *Theater*: **Opern- und Ballettheater**, Estonia pst. 4. Kasse Mi-Mo von 13-19 Uhr geöffnet, Tel. 449040.

Estnisches Dramentheater, Pärnu mnt. 5. Gegründet 1916, bringt estnische, aber auch ausländische Stücke auf die Bühne. Die Kasse ist geöffnet Di-So von 13-19 Uhr, Tel. 443318.

Vanalinnastuudio (Altstadt-Studio), Raekoja plats 14 und Sakala 3, Komödientheater.

Karten gibt es in der Kullassepa 2, Mo-Sa, von 13-19 Uhr, Tel. 448408.

Puppentheater, Lai 1. Aufführungen für Kinder und Erwachsene. Karten Do-Mo von 14-18 Uhr, Tel. 441252.

Russisches Dramentheater, Vadabuse väljak 5. Stücke in russischer Sprache, Karten gibt es Di-So von 11-19 Uhr, Tel. 443716.

Estnisches Jugendtheater, Lai 23, Tel. 609624.

● *Konzerte*: **Konzertsaal**, Estonia pst. 4. Kasse von 13-7 Uhr geöffnet, Tel. 443198.

Matkamaja, Raekoja plats 18. Klassische Konzerte, aber auch moderne Musik.

Raekoda (Rathaus), Konzerte in- und ausländischer Musiker.

Niguliste-Kirche, Niguliste 13, Tel. 44991.

Olavi-Saal, Pikk 26, in der Olai-Kirche.

Stadthalle, Meres pst. 20. Große Halle mit Veranstaltungen aller Art. Kasse geöffnet von 13-17.30 Uhr, Tel. 601888.

Altstadt

Für den Autoverkehr ist die Altstadt gesperrt, so daß man ungestört durch ihre schmalen Straßen und Gassen schlendern kann. Am einfachsten erreicht man Tallinns historische Mitte, indem man die Viru tänav hochgeht, die gegenüber vom Hotel Viru beginnt und geradewegs zum Rathausplatz führt.

Wie im Geschichtsteil schon erwähnt, ist die Altstadt wegen mittelalterlicher Uneinigkeiten geteilt, nämlich in die *Oberstadt* (Domberg) und die *Unterstadt*. Erst Ende des 19. Jh. wurden sie administrativ vereinigt.

Tallinns Stadtbefestigung

1265 wurde Tallinns hölzerne Stadtbefestigung auf Anordnung der dänischen Königin Margarethe durch eine steinerne ersetzt. Größtenteils finanzierte man sie aus Steuern, Spenden der dänischen Krone und Abgaben der Klöster. Um 1355 war die Stadtmauer mit 14 Türmen fertiggestellt. Sie war 66,5 m hoch und 2,3 m dick. Zum Ende des 14. Jh. wurde die Mauer um einige Türme erweitert und in der ersten Hälfte des 15. Jh. gründlich erneuert. Modern in der Kriegstechnik waren damals Türme mit rundem Grundriß, nach dem der *Lange Hermann* (Pikk Hermann) der Oberstadt errichtet wurde. Die Unterstadt bevorzugte jedoch hufeisenförmige Türme, wovon der *Bremer Turm*, der zu Beginn des 15. Jh. entstand, ein Beispiel gibt. Im Zuge der Renovierung wurden auch die Stadttore gründlich überholt. Sie wurden erhöht und erhielten stabilere Wachttürme. 1452 waren die Arbeiten an der *Schmiedepforte* (Harju-värav), 1454 an der *Lehmpforte* (Viru-värav) und *Kleinen Strandpforte* (Rannavärav) und 1461 auch an der *Südsternpforte* abgeschlossen. Verstärkt wurden die Tore durch künstliche Mühlenteiche zwischen den Haupt- und Vorderpforten, die das zusätzliche System der Wallgräben vervollständigten.

Auch die Mauer zwischen Ober- und Unterstadt wurde ergänzt. 1454 bis 1455 entstand eine Mauer an der Auffahrt der Pikk jalg, und das Tor am Ende der Straße wurde ausgebaut. Der Holzturm an der Lühike jalg wurde durch einen steinernen ersetzt, wovon ein originaler, eisenbeschlagener Torflügel noch heute zu sehen ist.

In der zweiten Hälfte des 15. Jh. wurden die Befestigungen nochmals modernisiert. An der Südseite entstand der mächtige Kanonenturm *Kiek in de Kök* (guck in die Küche). Er ist 49,5 m hoch und hat 4 m dicke Wände.

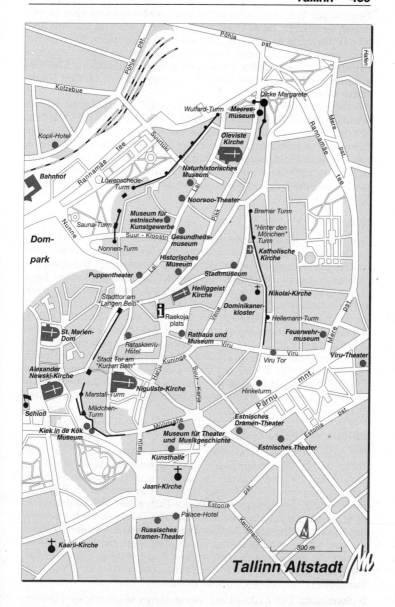

Pöhla pst.

Pöhla pst.

Hafen

Kotzebue

Dicke Margarete

Wulfard-Turm

Meeres-museum

Kopli-Hotel

Oleviste Kirche

Spoortük

Rannamäe tee

Bahnhof

Löwenschede-Turm

Naturhistorisches Museum

Lai

Rannamäe pst.

Marta pst.

Bremer Turm

Noorsoo-Theater

Pikk

"Hinter den Mönchen" Turm

Nunne

Sauna-Turm

Museum für estnisches Kunstgewerbe

Suur - Kloostr.

Gesundheits-museum

Katholische Kirche

Dom-park

Nonnen-Turm

Historisches Museum

Lai

Puppentheater

Stadtmuseum

Nikolai-Kirche

Hellemann-Turm

Stadttor am "Langen Bein"

Heiliggeist Kirche

Vene

Dominikaner-kloster

Feuerwehr-museum

Mere pst.

St. Marien-Dom

Raekoja plats

Rataskaevu-Hotel

Rathaus und Museum

Viru

Viru-Theater

Stadt Tor am "Kurzen Bein"

Harju

Kuninga

Suur - Karia

Viru

Viru Tor

Alexander Newski-Kirche

Marstall-Turm

Niguliste-Kirche

Hinketurm

Pärnu mnt.

Estonia pst.

Schloß

Mädchen-Turm

Estnisches Dramen-Theater

Kiek in de Kök Museum

Harju

Müürivahe

Museum für Theater und Musikgeschichte

Estnisches Theater

Kunsthalle

Jaani-Kirche

Estonia

Palace-Hotel

Russisches Dramen-Theater

Kentmanni

N

500 m

Kaarli-Kirche

Tallinn Altstadt

Den stabilen Turm vermochte selbst Iwan der Schreckliche nicht zu zerstören, als er im 16. Jh. die Stadt belagerte. Zwar gelang es ihm, eine Bresche in den Turm zu schlagen, nicht aber, ihn zu zerstören. Ein weiterer Kanonenturm der Tallinner Stadtbefestigung war die *Dicke Margarete* (benannt nach der dänischen Königin, die nicht dem damaligen Schönheitsideal entsprochen haben soll), errichtet zu Beginn des 15. Jh. Ihre Wände waren 4,7 m dick.

Die *Ringmauer*, die Tallinn umgab, erreichte im 16. Jh. eine Länge von 2,35 km und besaß 27 Türme. 1,85 km und 18 Türme sind heute noch erhalten. Mit den Stadttoren sieht es spärlicher aus. Lediglich die Vorpforten der Viru-värav und der Rannaväräv (Großen Strandpforte) sowie die Pforten zur Lühike und Pikk jalg, den beiden Straßen, die auf den Domberg führen, stehen noch. Im 17. Jh. wurde die Tallinner Stadtmauer zu Gunsten der Befestigungsanlage in Narva vernachlässigt und erhielt lediglich neue Erdbefestigungen.

Unterstadt

Dem Ruf und den Versprechungen des Deutschen Ordens folgend, zogen zu Beginn des 13. Jh. viele deutsche Händler und Handwerker nach Tallinn. Sie besiedelten das Gebiet zwischen Domberg und Hafen, woraus sich schließlich die Unterstadt entwickelte. Von Tallinns günstiger Lage an den Handelswegen profitierend, gelangten die Neuankömmlinge rasch zu Wohlstand. Bereits 1265 sagten sie sich von der dänischen Oberhoheit los und bildeten einen Stadtrat. Der Rat setzte sich aus reichen Kaufleuten deutscher Abstammung zusammen. Bei ihm allein lag die Rechtsprechung und die Münzprägung. Wenngleich in der Unterstadt auch ein Henker seines Amtes waltete, so gab es doch das menschenfreundliche Gesetz, daß ein jeder, der sich in die Unterstadt flüchtete, nicht ausgeliefert wurde. Dieses Recht nahmen vor allem die Leibeigenen der Oberstädter in Anspruch, was den Bewohnern des Dombergs natürlich ein gewaltiger Dorn im Auge war.

Das geistige Zentrum der Unterstadt bildete die *Niguliste-Kirche* (Nikolas-Kirche), das weltliche Zentrum das *Rathaus*.

Niguliste-Kirche: Der Baubeginn des Gotteshauses wird auf die erste Hälfte des 13. Jh. datiert. Neben ihrem eigentlichen Zweck wurde die dreischiffige Hallenkirche auch als Lager genutzt. Da die Kirche außerhalb der städtischen Wehranlagen lag, wurde sie ebenfalls als Festungsbau verwandt. Als Anfang des 15. Jh. der Turm gebaut werden sollte, kam es wieder einmal zu Unstimmigkeiten mit der Oberstadt, die befürchtete, der Niguliste-Turm könne den des Doms übertreffen. Von der Inneneinrichtung ist der prächtige Altar mit Doppelflügeln und Predella (Altarsockel) von dem lübischen Meister *Bernt Notke* erhalten geblieben. Den Zweiten Weltkrieg überstand die Kirche nicht unversehrt: Viele ihrer kunstvollen Grabplatten wurden zerstört.

Rathausplatz: Der Rathausplatz, umrahmt von altertümlichen Häusern, ist auch heute noch Zentrum der Altstadt und vermittelt einen lebendigen Einblick in das Leben des Mittelalters. Man braucht nicht viel Phantasie,

Raekoja plats mit Rathaus

um sich den damaligen Marktplatz mit bunten Ständen und dem lauten Geschrei geschäftiger Händler vorzustellen. Das ganze Leben und Treiben der Unterstadt spielte sich hier ab. Hier wurden Feste gefeiert, im Winter wurde ein großer Weihnachtsbaum aufgestellt, und Hochzeitszüge zogen über den Platz. Man sah die reichen vornehmen Herren zu den Sitzungen ins Rathaus fahren, aber auch die armen Tropfe, die angstvoll wimmernd unter der Holzfigur der Justizia an den Pranger gestellt waren. Um den Marktplatz entstanden Kaufmannshäuser, Werkstätten und Geschäfte. Die Werkstätten der Stadt waren im großen und ganzen dem *Marstall* angeschlossen, den ursprünglichen Stallungen. Die wichtigsten dazugehörigen Zweige waren die Gießerei (Rataskaevu 30), das Rüsthaus (Rataskaevu 32), die Münze und das Scharfrichterhaus (alle etwa aus dem 15. Jh.).

Die Straßen, die vom Marktplatz abgingen, wurden nach den Berufen ihrer Bewohner benannt. So gibt es Straßen, die noch heute an Uhrmacher, Schmied, Krämer, Bäckermeister und Schneider erinnern.

Ratsapotheke: Gegründet wurde die alte *Raeaptek* am Raekoja plats 11 bereits 1422. Ausgerechnet hier brach 1571 die Pest aus. 1585 übernahm *Johann Burchart Belavary de Sykava* die Apotheke, bei dessen Familie sie über 150 Jahre lang verblieb. Mit und ohne Rezept gab es altbewährte Medizin, wie beispielsweise getrocknete Krötenbeine oder Urinextrakt schwarzer Katzen. Doch was immer man denken mag, die Mittelchen des Apothekers Burchart mußten gewirkt haben. Immerhin schickte Peter I. nach ihm, als er 1725 auf dem Sterbebett lag. Ansonsten kam die Apotheke jedoch eher einem Krämerladen gleich. Es gab Tabak, Spielkarten, Brieflack, Marzipan, Schießpulver u. v. m. zu kaufen. 1802 fand in der Apotheke sogar die erste Kunstausstellung Tallinns statt. Die Apotheke selbst zählt zu den ältesten, noch betriebenen Apotheken Europas.

Rathaus: Hauptgebäude des Marktplatzes war das Rathaus, in dem der Stadtrat tagte. Das 1341 im gotischen Stil errichtete Gebäude ist zwei- stöckig und unterkellert. Im Keller und Erdgeschoß ist an Hand der un- terschiedlichen Bodenhöhen erkennbar, daß sich hinter der einheitlichen Fassade zwei unterschiedliche Bauten verbergen. Die Fenster sind un- gleichmäßig eingearbeitet, und die Regenrinnen enden in gewaltigen Dra- chenköpfen, ein Ausdruck der Macht, die vom Rat ausging. An der Ostsei- te befindet sich ein schlanker, minarettartiger Turm, auf dessen Spitze auch heute noch der *Vaana Toomas* (alte Thomas) sitzt und die Windrich- tung anzeigt. Allerdings handelt es sich dabei um eine Kopie, das Original von 1530 kann im Stadtmuseum betrachtet werden. 1586 erhielt das Rat- haus eine Feuerwarnglocke mit der Inschrift *Ehre si Gode in der Hogede . . . ein ieder war sin Fuer und Licht, dat der stat kein Schaden geschit* (Ehre sei Gott in der Höhe ... ein jeder (be-)wahr sein Feuer und Licht, daß der Stadt kein Schaden geschieht).

Unter den Gewölbebögen der Vorderfront konnten Händler ihre Ge- schäfte abwickeln und ihre Waren feilbieten. Das Innere des Rathauses war relativ schlicht und in mehrere Säle unterteilt. Der Saal im Erdge- schoß diente als Markthalle. Im zweiten Stock befanden sich der Rats- und der Bürgersaal. Die Inneneinrichtung ist nur noch teilweise erhalten. Be- sonderes Interesse verdienen die Holzbänke des Bürgersaals, versehen mit wertvollen Schnitzereien, die heute im Stadtmuseum ausgestellt sind. Sie entstanden Ende des 14., Anfang des 15. Jh. und stellen Szenen aus dem Kampf zwischen *David und Goliath* dar, sowie *Simson im Kampf mit dem Löwen* und *Tristan und Isolde*. Seit 1843 besitzt das Rathaus auch eine Uhr. Gelegentlich finden im Rathaus Kammerkonzerte statt.

Gefängnis: Die Entscheidung über ein Leben im finsteren Kerker oder in Freiheit lag ganz beim Rat der Unterstadt. Ab Mitte des 14. Jh. befand sich das Gefängnis in einer Seitengasse hinter dem Rathaus.

Umgebung des Rathausplatzes: Gegenüber vom Haus des Henkers in der Rüütli tänav 42 befindet sich die aus dem 16. Jh. stammende turmlose *Michailskirche* aus der Zeit der Schweden. Sehenswert ist ihre bemalte Balkendecke.

In der *Saiakang tänav* (Weißbrotstraße) wurde ein besonders gutes Weiß- brot gebacken, das sogar auf dem damaligen Marktplatz zu riechen gewe- sen sein soll. Am Ende der Straße, in der es im Mittelalter zahlreiche Ge- schäfte gab, erhebt sich die frischrestaurierte *Pühavaimu kirik* (Heilig- geistkirche), ein kleines, zweischiffiges Gotteshaus aus dem 13.Jh., das als Ratskapelle und Siechenhauskirche genutzt wurde. Das Kircheninnere ist sehr reichhaltig und weist sämtliche Stilrichtungen von Gotik bis zum Klassizismus auf. Gestützt wird der Bau von massiven, viereckigen Pfei- lern. Von großem Wert ist der Hauptaltar, den man 1483 aufstellte und das danebenhängende Totentanz-Gemälde des Lübecker Meisters *Bernt Notke*. Eine weitere Besonderheit der Kirche sind die gemalten Epitaphe, von denen der für *C. M. Frosa* aus dem Jahre 1650 der schönste ist.

Die Töne, die aus dem Glockenturm der Heiliggeistkirche durch die Stra- ßen Tallinns klingen, stammen von der ältesten Glocke Estlands (1433).

Eingraviert ist in ihr folgender Text: *Ik sla Rechte der Maghet als deme Knechte der Vrouen als dem Herren des en kann mi nemant vor Kern.* Zu erwähnen ist noch *Johann Koell*, eine wichtige Figur der estnischen Kulturgeschichte, der in der Heiliggeistkirche als Pastor tätig war. 1535 übersetzte er den Katechismus ins Estnische.

Vene tänav: Sie ist eine der ältesten Straßen Tallinns mit schönen, mittelalterlichen Wohnhäusern. Hier befindet sich auch die orthodoxe Kirche *Nikolai der Wunderträger.* Dieser klassizistische Sakralbau wurde Anfang des letzten Jahrhunderts nach den Plänen des Architekten *Luigi Rusca* als erster Kuppelbau der Tallinner Altstadt errichtet.

Dominikanerkloster St. Katharinen: Unweit der orthodoxen Kirche trifft man auf die Mauerreste des 1246 gegründeten Dominikanerklosters (wird zur Zeit restauriert). Trotz Ruinen sind noch einige typische Fragmente der Anlage erkennbar. Es geht eine sonderbare Atmosphäre von dem Klosterhof aus. Im Sommer werden hier übrigens häufig Open-Air-Festivals veranstaltet.

Die wichtigsten Räumlichkeiten der Anlage waren um den Innenhof herum angeordnet. Mittelpunkt war natürlich die dreischiffige *Hallenkirche*, an die heute lediglich einige Mauern erinnern. Als letztes Gebäude stellte man Ende des 16. Jh. das Refektorium (Speisesaal) im Nordflügel fertig. Mit Einzug der Reformation Anfang des 16. Jh. griffen Lutheraner das Kloster mehrmals an und plünderten es aus. 1535 fiel die Anlage fast vollständig den Flammen zum Opfer, wurde Ende des 18. Jh. aber teilweise wieder aufgebaut. Um die Pläne des bekannten Petersburger Architekten *Carlo Rossi* für eine neue Kirche verwirklichen zu können, trug man 1841 das Refektorium ab und errichtete an seiner Stelle die heute noch vorhandene dreischiffige *Basilika.* Ihre Fassade gestaltete man im neoklassizistischen und das Interieur im neugotischen Stil.

In der Vene tänav 10 ist der ehemalige *Kornspeicher* des Klosters zu sehen, in dem heute eine Abteilung des Stadtmuseums untergebracht ist.

Pikk tänav (Lange Straße): Die älteste Straße Tallinns zieht sich von der Altstadtmitte bis hin zur Suur Rannavärav (Große Strandpforte) entlang. Damals wie heute verband sie den Rathausplatz mit dem Hafen. Viele mittelalterliche, guterhaltene Gildenhäuser, hübsche, alte Wohnbauten und nicht zu vergessen das nostalgische *Caféhaus Maiasmokk* mit seiner zukkersüßen Konditorei, sind hier zu finden.

Große Gilde, Pikk 17: Das schöne, im gotischen Stil errichtete Haus gehörte der Vereinigung der reichsten Kaufleute und Schiffsbesitzer Tallinns. Sehr schön ist das Eingangsportal des Gildenhauses, das die einzige gotische Außentür in Tallinn sein soll. Ins Leben gerufen wurde die Große Gilde in der ersten Hälfte des 14. Jh. Ihre Mitglieder gehörten meist auch dem Stadtrat an (jedenfalls durften nur Mitglieder der Großen Gilde dem Stadtrat beitreten) und hielten sämtliche Fäden der Stadtpolitik in ihren Händen. Pate für den schönen Festsaal des Gildenhauses stand der Bürgersaal des Rathauses. Das wichtigste Fest der Reichsten der Reichen war die alljährliche Wahl zum *Maigrafen*, der sich anschließend unter acht

Damen eine Gräfin auswählte, mit der er den darauffolgenden Umzug durch die Stadt anführen durfte. Die Große Gilde war eine rein weltliche Vereinigung ohne Schutzpatron. Heute ist in dem Gebäude das Historische Museum untergebracht.

St. Kanuti-Gilde, Pikk 20: Geht man von der Großen Gilde weiter die Straße hinunter, trifft man rechter Hand auf ein weiteres Gildenhaus. Dieser Vereinigung durften neben Kaufleuten auch Handwerker beitreten, doch mußten sie deutscher Abstammung sein. Das Gebäude der St. Kanuti-Gilde entstand 1863 bis 1864 im neugotischen Stil.

Tür des Schwarzhäupterhauses

Schwarzhäupterhaus, Pikk 28: Die Bruderschaft der Schwarzhäupter setzte sich aus unverheirateten, ausländischen Kaufleuten zusammen. Das Gildenhaus, ein Beispiel architektonischer Renaissance, war dem *Heiligen Mauritius* geweiht. Interessant ist die schöne, ebenfalls dem Stil der Renaissance entsprechende Eingangstür. Über dem Eingangsportal hängt das Wappen der Gilde, in dem das Profil eines schwarzen Kopfes zu sehen ist - das Haupt des Mauritius. Darüber sind die Wappen der Hansestädte Novgorod, Bergen, Brügge und London angebracht. Gelegentlich finden im Haus der Schwarzhäupter festliche Bälle statt.

Oleviste-Gilde: Direkt neben dem Schwarzhäupterhaus befindet sich die älteste Gilde Tallinns, die Oleviste-Gilde, abgeleitet vom heiligen Olev, ihrem Schutzpatron. Estnische Kaufleute gründeten diese Vereinigung im 13. Jh. Obwohl sie die finanziellen Möglichkeiten hatten, sich in Samt und Seide zu kleiden und sich mit Gold und Silber zu schmücken, war ihnen als sogenannten *Nicht-Deutschen* das zur Schautragen ihres Reichtums verboten.

Weitere interessante Häuser: Spaziert man die Pikk tänav weiter entlang bis zur Nr. 71, trifft man auf das *Drei-Schwestern-Haus* mit seiner dekorativen Fassade, das ein Vater für seine drei Töchter errichten ließ. Das Gegenstück *Die drei Brüder* sind in der Lai tänav, der Parallelstraße zur Pikk tänav zu finden. Von Interesse sind auch die Häuser 23, 27 und 40 dieser Straße. Das Haus Nr. 27 beherbergt heute das *Jugendtheater*. Es ist durchaus lohnend, auch mal einen Blick in die Häuser zu werfen. So kann man sich gut vorstellen, wie die Menschen im Mittelalter gewohnt haben.

Viele der ursprünglichen Gotikfassaden der Tallinner Altstadt mußten dem aufkommenden Klassizismus weichen. Häuser mit barocken Türen sind noch in der Pikk 71 und in der Suur-Karja 1 zu finden. Weitere, besonders schöne Kaufmannshäuser stehen in der malerischen Rüütli tänav und in der Harju tänav. In der Uus 15 ist der alte *Hanfhof*, ein Rokokohaus aus dem Jahr 1751, von Interesse und in der Viru 10 das alte *Packhaus*, das angereisten Händlern die Möglichkeit gab, dort ihre Waren zu deponieren. Interessant ist die Raumaufteilung eines frühen Kaufmannshauses: Charakteristisch waren zwei Räume im Erdgeschoß, nämlich *Diele* und *Dronse* (Stube). Die größere Diele ging zur Straße hin raus und die kleinere Dronse nach hinten. Je nach der sozialen Stellung der Hausbesitzer befanden sich dahinter noch weitere Räume. Die hintere Ecke der Diele beherbergte die Küche und einen großen Mantelschornstein, der von Wänden und Eckpfosten getragen wurde. Gegenüber lag die Treppe. Im Winter spielte sich alles in der Dronse ab, dem einzigen beheizbaren Raum des Hauses. Interessant ist das mittelalterliche Heizsystem: Im Keller unter der Dronse lag ein gewölbter Raum, der von dem Mantelschornstein beheizt wurde. Gleichzeitig stand in dem Kellergewölbe ein Warmluftofen mit Hitzsteinen. Im Fußboden der Dronse befand sich eine abhebbare Platte, durch die die warme Luft vom Keller nach oben strömen konnte. Hinter dem Haus gab es meist noch einen länglichen Innenhof mit Ställen und Kammern für das Gesinde. Nach dem geltenden lübischen Recht mußte die Hausseite mit der hohen Giebelfassade zur Straße gerichtet sein. In der Mitte der Vorderwand war in der Regel ein prachtvolles und einladendes Eingangsportal eingelassen, umgeben von großen Fenstern.

Roßmühle: Am Ende der Lai tänav steht ein niedriges, etwas verfallenes rundes Bauwerk. Die Roßmühle, erstmalig 1379 erwähnt, die man, wie der Name vermuten läßt, mit Pferdekraft betrieb, wurde nur dann benutzt, wenn es wenig Wassser gab oder der Feind den Tallinnern im Nacken saß. 1757 brannten die Mühle und das danebenstehende Palais Peters I. ab. Die Mühle wurde zwar wieder aufgebaut, doch von der Innenausstattung ist nichts erhalten geblieben.

Oleviste-Kirche: Unweit der Roßmühle erhebt sich die mächtige Oleviste-Kirche. Um Kaufleute aus aller Welt anzulocken, verlangten die Bewohner Tallinns nach einer Kirche mit einem hohen Turm, der schon weit vom Meer sichtbar sein und die Stadt berühmt machen sollte. Finanziert hat das alles der Kaufmann *Hans Pauls*. 1267 wird der mächtige Bau erstmals urkundlich erwähnt. Im Mittelalter maß der Kirchturm tatsächlich 159 m und galt, zumindest in der Umgebung von Tallinn, als das höchste Bauwerk aller Zeiten (sehr zum Ärger der Oberstadt). Mehrmals wurde der Turm im Laufe der Zeit vom Blitz getroffen. Zweimal, nämlich 1625 und 1820, brannte das Gotteshaus bis auf die Grundmauern nieder, sein heutiges Äußeres erhielt es in den Jahren von 1829 bis 1840.

Interessant ist die in der Kirche befindliche Skulptur eines Leichnams, auf dessen Brust eine Schlange und ein Frosch liegen. Sie soll die Vergänglichkeit und den Tod symbolisieren. Die Legende weiß darüber jedoch ganz andere Dinge zu berichten:

Oleviste-Kirche

Als die Tallinner den Beschluß gefaßt hatten, eine mächtige Kirche mit einem hohen Turm zu bauen, suchten sie lange nach dem geeigneten Baumeister. Eines Tages kam ein fremder Mann durch die Tore der Stadt gewandert und bot den Tallinnern den Bau einer einzigartigen Kirche an. Allerdings verlangte er die horrende Summe von 15 Tonnen puren Goldes für seine Arbeit. Er fügte jedoch hinzu, daß er keinen Pfennig fordern würde, sollte es einem von ihnen gelingen, seinen Namen zu erraten. Die Tallinner gingen auf das Angebot des Fremden ein, in der Hoffnung, daß sie schon irgendwie seinen Namen herausbekommen würden. Sie versuchten, sich mit dem Baumeister anzufreunden, doch der Fremde erwies sich als wortkarg. Auch bezog er niemals in Tallinn Quartier, sondern kehrte allabendlich zu seiner Frau nach Narva zurück. Schließlich nahte der Tag, an dem die Kirche fertig werden sollte. Die Tallinner bekamen es mit der Angst, denn noch war es keinem von ihnen gelungen, den Namen des Fremden in Erfahrung zu bringen. Doch woher sollten sie die 15 Tonnen Gold nehmen? Es fiel ihnen nichts besseres ein, als einen Kundschafter nach Narva zu der Frau des Baumeisters zu schicken. Der Kundschafter beobachtete durchs Fenster, wie die Frau ihr Kind in den Schlaf sang, und vernahm folgende Worte: "Schlafe, schlafe mein Kleiner, morgen früh kehrt Olev wieder, tausend Tonnen Gold zum Lohne." Als der Kundschafter dies vernahm, eilte er zurück nach Tallinn. Seine Neuigkeiten verbreiteten sich wie ein Lauffeuer und schon riefen die Leute zum Turm hinauf, auf dem der Baumeister gerade das Kreuz anbringen wollte: "Olev, Olev, gib acht, das Kreuz hängt schief." Olev erschrak so sehr, daß er das Gleichgewicht verlor und vom Dach stürzte. Beim Aufprall sprangen ein Frosch und eine Schlange aus seinem aufgeplatzten Körper heraus, die sich, ebenso wie der Leichnam, sofort in Stein verwandelten. Die Tallinner aber freuten sich, daß sie 15 Tonnen Gold gespart hatten und benannten die Kirche nach ihrem Erbauer.

Festung und Schloß auf dem Domberg

Domberg (Toompea): Hoheitsvoll erhebt sich der Domberg, die damalige Wohnstätte der Adligen, Geistlichen und Ritterschaften, über die Unterstadt. Zwei Straßen führen zum Domberg hinauf, die *Pikk jalg* und *Lühike jalg*, was auf deutsch "langes" und "kurzes Bein" bedeutet und Tallinn den Beinamen *lahmende Stadt* eingebracht hat. Um den Domberg zu erklimmen, sollte man über etwas Kondition verfügen, zumindest wenn man sich entschließt, die Treppen des "Kurzen Beins" zu nehmen. Geht man vom Rathausplatz ein Stück die Kullassepa und die Harju tänav hinunter bis zur Niguliste tänav, gelangt man zur Lühike jalg. Um die Pikk jalg zu erreichen, vom Rathausplatz aus durch die Voorimehe tänav gehen, bis links das Stadttor zur Pikk jalg erscheint. Das weniger steile "Lange Bein" führt ein gutes Stück an der innertallinnischen Grenze vorbei und stößt schließlich auf das "Kurze Bein", das geradeaus zum Schloßplatz führt.

Domschloß: Nachdem die deutschen Schwertbrüder 1229 ihre dänischen Kollegen vom Domberg vertrieben hatten, ließen sie zwei Festungen bauen, die *Große* und die *Kleine Burg*. Der Kleinen Burg kam die Funktion einer Vorburg zu; sie war von einem Graben umgeben. Durch den Vertrag von Stenby (1238), mußte der Orden den Kern der Burg an die Dänen abtreten. Diese teilten die Festung, indem sie eine Mauer von Ost nach Westen zogen und die südwestliche Ecke des nördlichen Teils zu einer inneren Burg umgestalteten. Im Ostteil der Festung entstand ein viereckiger Wachturm, der spätere *Pulverturm*.

Als 1346 der Livländische Orden in die Burg einzog, nahm er einige Umarbeiten vor, so daß sich das Domschloß im Laufe der Zeit veränderte, ihr mittelalterliches Äußeres aber bis zur Herrschaft *Katharinas II.* bewahren konnte. Diese ordnete 1766 an, nachdem Tallinn schon einige Jahre zum russischen Imperium gehörte, die Burg zu renovieren. Neuer Hausherr sollte der von ihr eingesetzte Generalgouverneur für Nordestland, werden. Am Ende beschloß sie jedoch, weite Teile der Burg abzureißen, um völlig neu bauen zu können. So sind von der mittelalterlichen Burganlage nur die West- und die Nordmauer, sowie drei Türme erhalten geblieben. An der Südwestecke des Schlosses ragt noch der 45 m hohe *Pikk Hermann* (langer Hermann) mit seinen 2,9 m dicken Mauern und seinem 15 m tiefen Kerker in die Höhe. Seit der Unabhängigkeit Estlands weht auf seinem Dach wieder die blau-schwarz-weiße Landesflagge.

Auch die Wehranlagen der Großen Burg aus der ersten Hälfte des 14. Jh. sind heute kaum noch zu erkennen. Fast unverändert hat sich jedoch das achsiale Straßennetz, die wohl älteste historische Gründung der Burganlage, erhalten. Alle Wege beginnen am Platz vor der Domkirche und enden an den Umfassungsmauern der Burg.

Das von Katharina II. errichtete Schloß zierte ursprünglich eine Barockfassade. 1917 wurde es bei einem Brand zerstört und lag bis 1920 in Ruinen. Die heutige Fassade des Palastes, Sitz der estnischen Regierung und des Parlaments, gestaltete man im Jugendstil.

St. Marien-Dom: Die Ursprünge der Domkirche sind bis heute nicht völlig geklärt. Man vermutet, daß dänische Geistliche 1219 nach der Landung *Waldemars II.* auf dem Domberg ein provisorisches hölzernes Gotteshaus errichteten. Die Dominikanermönche, die 1229 auf dem Domberg ein Kloster gründeten, sollen an die Stelle der Holzkirche eine aus Stein gesetzt haben. Ende des 13. Jh. wurde die Kirche vergrößert und im 15. Jh. zu einer gotischen Basilika umgebaut.

Im Inneren des Doms sind einige interessante und wertvolle Grabplatten zu finden, darunter die der Familie *von Tiesenhausen* und des Barons *Otto von Uexküll*. Besonders wertvoll ist das Grabmal für den schwedischen Heerführer *Pontus de la Gardie*. Stark setzte der Kirche das Feuer von 1684 zu, doch bereits zwei Jahre später konnten hier wieder Gottesdienste gehalten werden. Die Orgelempore mit einer der größten Orgeln Estlands und den neuen Glockenturm erhielt die Kirche um 1779.

Domschule: Direkt neben dem Dom, in der Toom-Kooli, steht die ehemalige Domschule. 1319 wurde sie auf Anordnung des dänischen Königs *Erich Menved* eingerichtet, der die Meinung vertrat, daß zu einem Dom auch eine *schola chathedralis ecclesiae*, eine Domschule, gehöre. Seit 1765 vermittelte sie den Reichen und Adligen eine akademische Ausbildung. 1920 wurde sie in ein Gymnasium mit dem Namen "Domschule" umgewandelt. Als ihr bekanntester Schüler gilt der Wissenschaftler *Karl-Ernst v. Baer*.

St. Marien-Gilde: Das Haus Nr. 9 in der gleichen Straße gehörte der 1407 gegründeten St. Marien-Gilde. Das Ziel dieser geistlichen Vereinigung war die wirtschaftliche Unterstützung der am Domberg ansässigen geistlichen Organisationen und Einrichtungen. Mit Einzug der Reformation Mitte des 16. Jh. wurde sie als katholische Vereinigung aufgelöst und zur Handwerkergilde umgestaltet. Seine klassizistische Fassade erhielt das Gildenhaus im Jahre 1843.

Haus der Ritterschaft: Pilskopi/Ecke Lühike jalg. Hierbei handelt es sich um eine Einrichtung des in Estland ansässigen Landadels, wenn dieser eine Weile in Tallinn verweilte. Einige dieser Einrichtungen fielen den Flammen zum Opfer. Das letzte und heute noch existierende Haus der Ritterschaft baute man in der ersten Hälfte des 18. Jh. auf dem Gelände der Großen Burg gegenüber der Domkirche.

Alexander-Newski-Kathedrale: Märchenhaft erheben sich die fünf Zwiebeltürme der russisch-orthodoxen Kathedrale gegenüber vom Domschloß in den Himmel empor. Entstanden ist das jüngste Gebäude des Dombergs, das gegenüber den umliegenden Bauten stilmäßig völlig aus dem Rahmen fällt, 1894 bis 1900 nach den Plänen des Petersburger Kunstprofessors *Michail Preobrashenski*. Den Auftrag für den Kirchenbau gab *Zar Nikolai II.*, um seine Macht und den zunehmenden Einfluß Rußlands zum Ausdruck zu bringen. Die Außenfassaden des Baus sind mit schönen Mosaiken verziert. Obwohl Kunsthistoriker die Alexander-Nevski-Kathedrale für wertlos halten, ist sie dennoch beeindruckend.

Wohnhäuser: Vorherrschend auf dem Domberg sind die klassizistischen Bauten, doch es gibt auch einige Häuser mit barocken Elementen aus der Mitte des 17. und Anfang des 18. Jh. Ein Beispiel dafür sind das alte *Kommandantenhaus* in der Toompea 1 und einige Bauten am Schloßplatz.

Aufgrund des wachsenden Wohlstandes Ende des 18. Jh. beschloß auch die Bevölkerung des Domberges, ihre Häuser zu modernisieren und umzubauen. So kommt es, daß die meisten Häuser hier klassizistisch sind. Ein sehr interessanter Vertreter dieser Bauart ist das Ende des 18. Jh. entstandene *Stenbockhaus* in der Rahukohtu tänav 3. Seit Mitte des 19. Jh. gehört das Gebäude der Justiz. Ein weiteres Beispiel klassizistischer Architektur bietet das ehemalige Domizil des *Grafen von Tiesenhausen* in der Kothu 2, am Abhang zur Pikk jalg, das einem Schloß ähnelt.

Das bedeutendste Werk klassizistischer Baukunst auf dem Domberg erhebt sich aber in der Kohtu 8. Seine prachtvolle Fassade trägt die ehrfürchtige Inschrift *Parentum voto ac favore* (mit Gelübde und Gunst der Vorfahren) und wird von sechs gewaltigen ionischen Säulen gestützt. Heute ist in dem Gebäude das Finanzministerium untergebracht.

In der gleichen Straße eröffnet sich im Hof des Hauses Nr. 12 ein phantastischer Blick über die Dächer von Tallinn. Eine sehr schöne Aussicht über die Gäßchen und Straßen der Unterstadt bis hin zum Meer hat man auch vom Hof des Hauses in der Rahukohtu 3. Im Sommer gibt es hier Getränke und Kaffee. Eine sehr steile Treppe führt hinunter in die Unterstadt.

Parks und Grünanlagen

Zu einer Pause nach einer Tour durch die Altstadt bieten sich die vielen Parks an, die sich wie ein Grüngürtel um Tallinns mittelalterlichen Stadtkern legen. Die Straßen *Toopuistee*, *Rannamäe tee* und *Pärnu mnt.* umschließen diesen Gürtel. Auch die Bänke des **Domparks** am Westhang des Domberges laden zur Rast ein. Die alten Wallanlagen sind teilweise noch zu erkennen, einer der Gräben ist sogar mit Wasser gefüllt.

Dem Dompark schließt sich hinter der Falgi tee der **Lindaberg** an, wo eine bronzene Skulptur unter hohen, alten Bäumen an die legendäre Erbauerin des Dombergs erinnert. Nicht weit davon, hinter der Toompea tänav liegt schon der nächste Park, der **Hirvepark** (Hirschberg). Eine weitere Grün-anlage ist vor dem Viru Tor zu finden. Da sich immer viele Menschen in dem kleinen Park aufhalten, dient er eigentlich weniger zur Erholung als zur Unterhaltung. Im Sommer wird vor der Anlage ein Frucht-und Blu-menmarkt abgehalten. Besonders schön ist der Park bei der *Großen Strandpforte*, in der Nähe der Dicken Margarethe, von dem aus man einen schönen Blick auf das Meer hat.

Außerhalb der Altstadt

Tallinn besteht aber nicht nur aus der Altstadt, obwohl das zweifellos die attraktivste Seite der estnischen Hauptstadt ist. Doch es gibt auch noch andere Sehenswürdigkeiten außerhalb des historischen Stadtkerns zu se-hen, wie beispielsweise die **Jaani-Kirche**, ein neugotischer Bau aus der zweiten Hälfte des 19. Jh. Auch die etwas weitergelegenen Stadtteile Tallinns, wie **Kadriorg** und **Pirita**, sind durchaus lohnenswert. Tallinns Trabanten- und Satellitenstädte wie Mustamäe, Õismäe und Lasnamäe dagegen sollte man, wie überall, tunlichst meiden.

Karlikirche: Am Rande der Altstadt befindet sich das Gotteshaus für die estnische-lutherische Domberggemeinde. Mit dem Bau begonnen wurde im Jahr 1862 nach den Plänen von *Otto Hippius*. Sehenswert in dieser Kirche ist das Freskengemälde "Lasset alle zu mir kommen" des estni-schen Malers *Johann Köler* aus dem Jahre 1879.

Kasan-Kirche: Unweit des wuchtigen Hotels Olümpia, steht ein kleines hölzernes Gotteshaus aus dem 18. Jh. Die Kuppel der Kasan-Kirche soll die älteste Tallinns sein und die Kirche selbst Tallinns ältester Holzbau. Das Äußere ist wie das Innere überwiegend im klassizistischen Stil gestaltet.

Kadriorg (Katharinenthal): Zwischen Eichen, Kastanien und Kiefern er-hebt sich prachtvoll das Barockschloß von *Katharina I.* (aus Katharina, auf estnisch Kadri und Tal, auf estnisch org). 1718 ließ *Peter I.* diesen Palast nach den Entwürfen des Italieners *Niccolo Michetti* als Sommerresidenz für seine Frau erbauen. Drumherum wurde ein schöner, streng symmetri-scher Park angelegt, der reich an Vögeln und Eichhörnchen ist. Die grünli-chen Teiche mit den majestätischen Schwänen vervollständigen die Idylle. Bei einem Spaziergang durch den Park stößt man auf ein Denkmal für den Erschaffer des estnischen Volksepos Kaelvipoeg, *F. R. Kreuzwald* und auf eine alte *Sonnenuhr*. Das Schloß beherbergt jetzt das Kunstmuseum. Das später dazugekommene Herrschaftshaus dient heute als Tagungsstätte des Regierungspräsidiums.

Nicht weit davon befindet sich das *Kleine Peterhaus*, das Haus, in dem Pe-ter I. wohnte, bevor der Kadriorg-Palast fertiggestellt war. In dem Haus sind persönliche Gegenstände des Herrschers ausgestellt. In Kadriorg be-findet sich auch der *Lauluväljak* (Platz der Sänger). Alle fünf Jahre wird hier das legendäre estnische Sängerfest abgehalten. Die Bühne bietet

Platz für 30.000 Sänger. Zu erreichen ist der Lauluväljak mit den Straßenbahnlinien 1 und 3 und mit den Buslinien 1, 5, 8, 44 und 56. Autofahrer nehmen die Narva mnt., die vom Straßenring, der sich um die Altstadt legt, abgeht.

Hinweis: Das nächste Sängerfest wird in der Zeit vom 26.6. bis 3.7.94 stattfinden.

Pirita: Unweit der Mündung des *Pirita-Flusses* in die Ostsee liegt das große Segelsportzentrum der Stadt, das anläßlich der Olympischen Spiele von 1980, die die westlichen Länder boykottierten, gebaut wurde. Von der linken Seite der Brücke hat man einen schönen Blick auf das Meer. Hinter der Brücke befindet sich ein Ruderbootverleih. Ein kurzes Stück weiter erreicht man die Klosterruinen des St. Brigitten-Klosters (Pirita klooster), die sich schon seit dem 16. Jh. in diesem Zustand befinden. Heute finden im alten Klosterhof während des Sommers Theateraufführungen statt.

Geweiht war das Kloster der *heiligen Brigitte*, da sie es gewesen sein soll, die der Sage nach Tallinn einst aus den Händen der litauischen Belagerer unter der Führung eines gewissen *Fürst Vaclaav* befreite (Diese litauische Belagerung hat es nie gegeben). Die Heilige wandte eine List an. Mit ihren übernatürlichen Kräften wirkte sie auf den Sohn des Fürsten ein, so daß er sich in eine Tallinner Nonne verliebte. Der Stadt, in der der Sohn sein Herz verloren hatte, konnte der litauische Fürst natürlich keinen Schaden zufügen, womit die Stadt gerettet war. Der heiligen Brigitte zum Dank errichtete man ihr ein Kloster. Was den Fürstensohn betrifft - die Liebe zu seiner Nonne, blieb einseitig. Aus Gram über diese unerwiderte Liebe trat er schließlich selbst in ein Kloster ein.

Ferner gibt es in Pirita einen schönen 2 km langen Sandstrand, an dem es an heißen Sommertagen aber sehr eng wird. Das Wasser ist stark verschmutzt, so daß vom Baden abzuraten ist. Sie gelangen nach Pirita mit der Buslinie 34 oder mit dem Wagen, wenn Sie in Kadriorg von der Narva mnt. links auf die Pirita tee fahren.

Metsakalmistu: Wer noch mehr über Estland erfahren will, dem sei der idyllische Waldfriedhof von Metsakalmistu zu empfehlen. Namhafte estnische Persönlichkeiten sind hier beigesetzt. Die Berühmtesten unter ihnen sind der Schriftsteller *A.-H. Tammsaare*, die Dichterin *L. Koidula* und der damalige Staatspräsident *Konstantin Päts*. Von Pirita einfach weiter geradeaus fahren oder Bus 34 nehmen.

Kopli-Bucht: Gegenüber der Landzunge, die die Tallinner Bucht und die Kopli-Bucht voneinander trennt, liegt der grüne Ort **Rocca al Mare**. Übersetzt bedeutet der treffende Name *Felsen am Meer*. Sehenswert ist das gleichnamige Freilichtmuseum, das unmittelbar am Strand der Kopli-Bucht liegt. Zu sehen sind u. a. alte estnische Dorf- und Bauernhäuser, Saunen und Speicher, überwiegend aus dem letzten Jahrhundert. Das Innere der Häuser vermittelt den Eindruck, als sei die Zeit hier stehengeblieben. Sonntags treten im Sommer oft Folklore-Gruppen auf.

● *Anfahrt*: Bus 21 oder 45 nehmen. Mit dem Auto ein gutes Stück die Paldiski mnt. entlangfahren, die von der Toompuiestee abgeht. Am Ende des Stadtteils Mustjõe geht rechter Hand die Vabaõhumuuseumi tee ab.

Nõmme: Im Süden Tallinns Richtung Vana-Mustamäe trifft man auf einen Villenvorort, der bald wieder in alter Pracht erstrahlen soll. Wer sich bis jetzt keine Vorstellung von dem Riesen *Kalevipoeg* machen konnte, den die Esten so verehren, der sollte einen Spaziergang in den *Glehni-Park* unternehmen. Hier steht ein versteinerter Kalevipoeg in seiner vermeintlichen vollen Größe mit einem gewaltigen Bart und zwei Hörnern auf dem Kopf. Ein normaler Mensch reicht ihm gerade bis zu seinen rauhen Waden.

Harjumaa (Harrien)

Am dichtesten besiedelter Landkreis im Nordwesten Estlands, in dem sich auch Tallinn befindet. Die Landschaft des Gebietes ist vielseitig: Der Norden wird durch eine zerfurchte Küstenlandschaft geprägt, vor der viele kleine Inseln liegen. Im Westen sind bis zu 30 m hohe Steilküsten zu finden, aber auch schöne, lange Sandstrände.

Doch Harjumaa hat nicht nur Küste und Meer zu bieten, sondern auch die zu **Kõrvemaa** gehörende malerische Moorlandschaft, die teilweise auch auf dem Gebiet des Lahemaa-Nationalparks und Järvemaas liegt. Harjumaa wird überwiegend landwirtschaftlich genutzt, doch auch an umweltschädigenden Fabriken fehlt es leider nicht.

Nahe Tallinn rauchen die filterlosen Schornsteine von **Lasnamäe**, und in **Maardu** ist eine gefährliche Chemieindustrie ansässig. Auf der Insel **Paldiski** unterhielt die sowjetische Armee gar zwei Atomreaktoren, von denen die Bevölkerung nichts wußte.

Die ersten Eroberer dieses Gebietes, die 1219 vor der Küste Estlands landeten, kamen aus Dänemark. Im 14. Jh. gehörte auch Harjumaa zu den Besitztümern des Deutschen Ordens, der es jedoch nach dem livischen Krieg Mitte des 16. Jh. an Schweden abtreten mußte.

Im 19. Jh. kam es in den landwirtschaftlichen Gegenden Harjumaas zu zahlreichen Bauernaufständen, bei dem viele Bauern ums Leben kamen.

Nordöstliche Umgebung von Tallinn

Aegna

Wie eine grüne Oase eröffnet sich die malerische kleine Insel Aegna vor der Küste Tallinns. Bewaldete Hügel, Wildrosen, Beeren und Unmengen von Klee sind im Inneren der Insel zu finden. Wohltuend ist die Mischung der würzigen Waldluft und der salzigen Seeluft.

Den Ankömmlingen zeigt die Insel stolz seine kleine rotbraune Steilküste. Von der Anlegestelle kommend liegen rechts zahlreiche riesige Steine im Meer, auf denen genußvoll die Möwen sitzen. Die andere Seite ist mit hohen Schilfstauden bewachsen. Aegna ist sehr klein und in kurzer Zeit zu durchqueren. Geht man von der Anlegestelle ein Stückchen geradeaus, gelangt man zunächst an eine Übersichtskarte der Insel. Weiter führt der Weg durch den Wald und endet schließlich an einem herrlichen Badestrand. Aegna ist nur spärlich besiedelt. Rechts vom Inselplan befindet sich ein kleiner Kiosk und am Waldweg, kurz vor dem Strand, befindet sich eine Söökla. Sie gehört zu einem nicht öffentlichen, sehr einfachen Ferienheim.

● *Anfahrt*: Am Ende der **Sadama tänav**, in der Nähe der Stadthalle und des More-Hotels, befindet sich die Ablegestelle für das Boot, das im Sommer etwa alle 2 Std. nach Aegna und zurück fährt. Tickets gibt es im Erdgeschoß des großen Gebäudes vor der Anlegestelle. Von der Altstadt gelangt man am einfachsten hierher, wenn man sie durch die Große Strandpforte verläßt.

▶ **Maardu:** Qualmende, stinkende Schornsteine der hier ansässigen Kunstdünger- und Chemieindustrie verpesten die Luft der aus dem Boden gestampften Stadt Maardu. Der Boden der Stadt ist verseucht. Maardu und die Küste auf der Höhe dieser Satellitenstadt sollte man besser meiden!

▶ **Lahemaa:** Weiter östlich führt die M-11 zum *Lahemaa-Nationalpark*. Der Park ist gebietsmäßig aufgeteilt zwischen Hirjumaa und Lääna-Virumaa. Die touristisch erschlosseneren Gebiete gehören allerdings zu Lääna-Virumaa (und sind deshalb auch in diesem Kapitel beschrieben).

Umgebung von Tallinn an der Westküste

Fährt man die Küstenstraße westlich von Tallinn entlang, stößt man auf Steilwände und herrliche Sandstrände. Eine besonders schöne Aussicht auf das Meer und die Umgebung eröffnet sich von der Steilküste bei **Rannamõisa**. Weiter führt die Straße nach **Vääna-Jõseuu**, wo ein Strand weiß wie Puderzucker auf seine Besucher wartet. Bei **Türisalu** fällt das Land 30 m steil zum Meer hin ab.

Keila-Joa *(ca. 7000 Einwohner)*

Wer in Tallinn kein Quartier gefunden hat: Hier in Keila-Joa, ungefähr eine Autostunde westlich der Hauptstadt gelegen, ist bestimmt noch etwas zu haben.

Keila-Joa ist kein besonders reizvolles Dorf. Das im neugotischen Stil erbaute Schloß ist durch die darin verweilende Rote Armee noch zweckentfremdet, und die übrigen Gebäude des Dorfes sind wuchtig und grau. Doch der Wasserfall des *Keila-Flusses* und der nahe menschenleere Strand machen es interessant.

● *Anfahrt/Verbindungen*: **PKW** - Westlich von Tallinn die Küstenstraße entlang fahren oder aber die A-205 Richtung Keila nehmen. Kurz vor Keila in die **Straße** nach Paldiski (Baltischport) einbiegen. Nach ca. 13 km geht dort ein Weg nach Keila-Joa ab. **Bus:** Verbindung mit Tallinn. Bus fährt nicht ins Dorf rein, sondern hält an der Hauptstraße.

● *Übernachten*: **Joa**, EE3071 Keila-Joa. Diente früher als Soldaten-Heim und ist dementsprechend einfach ausgestattet. Es ist nur kaltes Wasser erhältlich, doch die Zimmer sind sauber. Küchenbenutzung möglich, Tel. 741210.

● *Essen*: Damit sieht es schlecht aus. Gegenüber vom Hotel gibt es lediglich ein Lebensmittelgeschäft.

Malerisch stürzt sich der Keila-Fluß am alten Elektrizitätswerk von Keila-Joa in die Tiefe, bevor er etwas später ins Meer mündet. Unter dem Wasserfall kann man bei entsprechender Außentemperatur duschen. Schon allein der Weg dorthin ist sehr schön. Von der Posti tänav führen zwei schaukelnde Hängebrücken über die Keila in den Wald. Das Meer beginnt ca. 2 km hinter dem Wald von Keila-Joa. Der Strand ist sauber und einsam.

Laulasmaa

Auf der Halbinsel Lohusalu gibt es in Laulasmaa ein großes Ferienheim, das um einiges komfortabler ist als die üblichen Unterkünfte dieser Art.

Von außen unterscheidet es sich nicht von den üblichen Ferienkomplexen. Zu dem massiven Hauptbau gehören einige hübsche, gut ausgestattete Ferienhäuschen. Das Ferienheim unterhält vier luxuriöse Saunen, eine Bar, einen kleinen Laden und ein gutes Selbstbedienungsrestaurant. Es wird ein wenig deutsch gesprochen. Der nahe Sandstrand ist nicht schlecht. Schöner ist es jedoch im nicht weit entfernten Klooga.

• *Adresse*: EE3072 Laulasmaa, Lohusalu, Tel. 781240.

• *Anfahrt/Verbindungen*: **PKW** - Entweder über die schlechte Landstraße von Keila-Joa erreichbar oder die Straße von Keila nach Paldiski nehmen. Ca. 7 km hinter Keila geht ein Abzweig nach Laulasmaa ab. **Bus**: Verbindung mit Tallinn. An der Haltestelle Pansionaat aussteigen.

▶ **Klooga**: An der Küste bei Klooga liegt ein wunderschöner, weißer Sandstrand. Im Hochsommer ist er auf Grund seiner Schönheit jedoch völlig überfüllt.

▶ **Paldiski** (Baltischport): Im 18. Jh. ließ *Peter I.* hier auf der Halbinsel **Pakri** die Stadt Paldiski und einen Kriegshafen anlegen. Durch Beschluß der ehemaligen Sowjetarmee ist Paldiski seit nunmehr 50 Jahren Sperrgebiet.

Padise

Der schöne alte Ort ist besonders wegen der Reste seiner alten Klosteranlage sehenswert.

Das Kloster wurde im Jahre 1310 von den Zisterziensermönchen erbaut. Zum Grund und Boden des reichen Klosters gehörten nicht nur estnische Ländereien, sondern auch finnische. 1561 wurde die Anlage von den Schweden gestürmt und von nun an zu weltlichen Zwecken genutzt. Während des Nordischen Krieges war Peter I. häufig in Padise zu Gast. Im 17. Jh. brannte ein Teil des Klosters ab, so daß heute nur noch seine Ruinen stehen. Dennoch sind einige enge Gänge und Treppchen erhalten geblieben, die eine vage Vorstellung von der mittelalterlichen Anlage liefern. Seit ungefähr etwa zwei Jahren laufen am Kloster umfangreiche Restaurierungsarbeiten.

• *Anfahrt/Verbindungen*: **PKW** - Von Paldiski ist Padise über eine ca. 15 km lange, nach Süden führende Schotterpiste erreichbar. Bequemer ist die Strecke über die A-205 bis Keila, um dann über Rummu nach Padise zu fahren. **Bus**: Manchmal fährt die Linie Tallinn-Haapsalu durch Padise, Haltestelle Kloostri.

Keibu

Einsam, auf einer Landspitze im äußersten Westen Harjumaas stößt man auf die im Wald gelegene Ortschaft Keibu.

Direkt am Meer liegt ein schöner Campingplatz. Es gibt Blockhäuser mit Platz für bis zu zehn Familien mit Gemeinschaftsküche und -bad. Auch kleinere Hütten mit je zwei Schlafzimmern sind zu haben. Alles ist sehr einfach, aber nett und preiswert, DZ ca. 3-4 DM. Sauna und Fahrradausleihe möglich. Geöffnet ab der ersten Juniwoche bis Ende September.

• *Adresse*: Vihterppalu Sjsk, Keibu Küla, Pöögelmanni, Tehase Puhkebaas, Tel. 742359.

Am Campingplatz selbst ist der Strand nicht sehr schön, doch ein paar hundert Meter weiter links findet man menschenleere Sandstrände. Den nächsten Lebensmittelladen gibt es im 2 km entfernten Dorf **Ristna**, bei längerem Aufenthalt ist es aber ratsam, Proviant aus Tallinn mitzubringen.

• *Anfahrt/Verbindungen*: **PKW** - In Padise, aus Norden kommend, rechts Richtung Nõva fahren. Spätestens ab Harju Risti ist der Weg unasphaltiert und nur für solide Fahrräder befahrbar. Auf dieser Straße bleiben, bis nach ca. 20 km rechts ein Wald- und Feldweg nach Keibu abgeht. Den geradeaus bis zum Camping fahren. **Bus**: Mit der Linie Tallinn-Keibu bis zur Haltestelle Maissoo fahren. Vereinzelt fährt auch die Linie Tallinn-Haapsalu hier vorbei. An der Haltestelle steht ein Puhkebaasschild. Von hier sind es noch etwa 1,5 km zu Fuß.

Der Osten Harjumaas

Im äußersten Osten des Landkreises liegt mitten im Hochmoor von Kõrvemaa der Ort **Aegviidu** (Charlottenhof), in dessen Nähe sich ein Ferienheim befindet. Der Bau wirkt zwar klotzig, doch dafür entschädigt die wunderschöne Umgebung. Das Haus steht an einem kleinen, fischreichen See. Bootfahren und angeln sind hier möglich.

• *Adresse*: EE2230 Aegviidu, Nelijärve 4, Puhkekeskus.

Vom Weg, der neben dem Ferienheim zum See führt, geht rechts ein kleiner Weg in den Wald ab. Nach einigen Metern steht man auf einer kleinen Anhöhe, von der man einen atemberaubenden Blick auf vier dunkle Moorseen hat. Es gibt sieben davon, doch sie liegen versteckt zwischen den Bäumen. Kõrvemaa eignet sich hervorragend für ausgedehnte Wanderungen. Auf dem Plateau ist das Zelten erlaubt, doch wird darum gebeten, sich vorher bei der Rezeption zu melden. Wenn die Seen im Winter zufrieren, kann man hier eislaufen oder am Ufer Skilanglauf betreiben.

• *Anfahrt/Verbindungen*: **PKW** - Von der M-11 Tallinn-Narva geht ca. 20 km östlich von Tallinn, etwa auf der Höhe des Dorfes Jõelähtme, eine Landstraße nach Aegviidu. Es ist auch möglich von Tapa ins ca. 20 km westliche Jäneda zu fahren und von dort die Straße nach Aegviidu zu nehmen. **Bahn**: Aegviidu hat einen kleinen Bahnhof. Züge nach Tallinn und Tapa halten hier. • *Übernachten*: **Ferienheim Aegviidu**, einfache, aber saubere Zimmer, DZ ca. 9 DM. Restaurant angeschlossen.

Ardu

Neben einem romantischen, über 4000 Jahre alten Friedhof, gibt es etwas außerhalb des Dorfes einen netten Campingplatz. Er liegt am Paunküla-Stausee. Luft und Wasser sind hier wunderbar sauber. Zu mieten sind zu jeder Jahreszeit kleine, beheizbare Holzhütten. Boote und Langlaufskier sind ausleihbar. Zum Campingplatz gehört auch eine großzügige Sauna und ein modernes Restaurant mit guter Küche. In der Regel dürfen hier jedoch nur Gäste des Campingplatzes speisen. Eine Hütte für zwei Personen kostet um die 15 DM.

• *Adresse*: Suler Pirsalu, Tel. 753234.

nach dem Ortseingang ein Schild sichtbar, das zum Campingplatz weist.

• *Anfahrt/Verbindungen*: **PKW** - Das Dorf Ardu liegt an der A-202 Tallinn-Paide. Aus der Richtung Paides kommend, ist sofort

Bus: Erreichbar mit den Linien Tartu-Tallinn und Paide-Tallinn. Die Haltestelle heißt Ardu.

Paunküla

Auch das Dorf Paunküla liegt an der herrlichen Talsperre, in der kleine bewaldete Inseln liegen.

Unmittelbar am Ufer befindet sich ein urgemütlicher Campingplatz. Die Holzhütten sind sehr einfach und liegen unter Bäumen und wild wachsenden Sträuchern. Es gibt eine offene Feuerstelle, die gleichzeitig auch als Küche dient. Die Leiterin des Platzes ist eine freundliche, ältere Dame. Lebensmittel gibt es hier leider nicht zu kaufen. Doch es gibt ein kleines Geschäft in der Nähe, das mit dem Boot zu erreichen ist. Sein rotes Dach kann man erkennen, wenn man von der Rezeption des Campingplatzes aus links an der Insel vorbeischaut. Ruder- und Tretboote sind ausleihbar, Angelerlaubnis gibt es an der Rezeption.

• *Adresse*: EE3048, Tallinna Kalastajat Klubi, Paunküla baas, Tartu mnt. Tel. 551742.

der Bushaltestelle Paunküla einbiegen. Der Weg führt an einem Laden vorbei und endet nach ca. 3 km beim Camping.

• *Anreise/Verbindungen*: **PKW** - Wenn man vom Ardu-Camping die Straße geradeaus weiterfährt, gelangt man zum Paunküla baas. Man kann auch auf der A-203 bleiben, am Dorf Ardu vorbeifahren (Rchtg. Tallinn) und rechts in eine kleine Straße bei

Bus: An der Hauptstraße halten die gleichen Busse wie in Ardu. Paunküla kommt ungefähr 3 Stationen nach Ardu.

• *Übernachten*: **Campingplatz Paunküla**, Übernachtung ca. 1 DM.

Läänemaa (Wiek)

Der im Westen liegende Landkreis wird durch weite Ebenen, Wälder, Moore und durch seinen langen Küstenstreifen bestimmt. Die Küste von Läänamaa ist flach. Vor dem Festland ragen malerisch kleine Inseln aus dem Meer heraus. Die größte Insel Läänemaas ist Vormsi.

Nach der Unterwerfung durch die Dänen und den Deutschen Orden wurde im 13. Jh. in **Haapsalu** eine Ordensburg mit Bischofskirche erbaut. Wenig später ließen sich die Schweden hier nieder. Auf Vormsi erinnern heute noch zahlreiche Ortsnamen an die schwedischen Siedler.

Ans Eisenbahnnetz wurde Läänemaa erst recht spät, nämlich zu Beginn dieses Jahrhunderts angeschlossen. Doch dank seiner Hauptstadt Haapsalu, die wegen des dort vorkommenden Heilschlamms schon früh zum Kurort avancierte, ist auch Läänemaa nicht gänzlich unbekannt geblieben.

Haapsalu (Hapsal) *(ca. 15.000 Einwohner)*

Viele kleine Inseln liegen vor der Küste Haapsalus. Die Stadt selbst ist in der gleichnamigen Bucht zu finden. Am grünen Ufer wächst dichter Schilf, während auf dem Wasser Enten und Schwäne majestätisch ihre Runden schwimmen.

Haapsalu hat eine hübsche, kleine Altstadt mit schönen Alleen und schmalen Straßen, die von bunten Holzhäusern umrahmt werden. In der Stadtmitte steht die gut erhaltene *Burgkirche* der alten Festung, umgeben von einem Park, in dem im Sommer Konzerte und Feste stattfinden.

Stadtrecht erhielt Haapsalu im Jahre 1279. Im gleichen Jahrhundert entstand auch die Bischofsburg. Im Laufe der Geschichte gehörte sie abwechselnd den Russen und den Schweden. Mitte des 17. Jh. verkaufte der schwedische König die Burg an den schwedischen Grafen *Jacob de la Gardie*. Die Stadt wurde oft von Bränden heimgesucht, denen auch die Bischofsburg zum Opfer fiel.

Haapsalu ist schon lange ein Erholungsort. Peter I. verweilte gerne hier. Doch einen Aufschwung erfuhr die Stadt erst 1825, als sie Kurort wurde.

- *Postleitzahl*: 3170
- *Vorwahl*: 01447
- *Information*: Sehr hilfreich ist das Reisebüro **Westra Travel**, im Hotel Haapsalu, Tel. 45649.
Am Kiosk gibt es das Heftchen *Läänemaa* zu kaufen. Es ist zwar in estnischer Sprache geschrieben, doch auf seinen letzten Seiten ist der gesamte Busfahrplan von Haapsalu abgedruckt.
- *Anfahrt/Verbindungen*: PKW - Durch die A-206 mit Tallinn verbunden. Von Pärnu M-12 bis Märjamaa, dann links die Landstraße nach Koluvere nehmen, dort rechts auf die A-207 bis Risti und schließlich links auf die A-206 nach Haapsalu fahren.
Bus: Am häufigsten sind die Verbindungen mit Tallinn und Pärnu. Zwei Busse täglich nach **Virtsu**, wo das Schiff nach Saaremaa ablegt. Busbahnhof, Raudteejaama 1.
Bahn: Zugverbindung mit Tallinn. Schöner, allerdings etwas verfallener Bahnhof, den Peter I. bauen ließ. Raudteejaama 1.
Schiff: Auf den Jachthafen von Haapsalu kann mittlerweile Kurs genommen werden.

Vom Hafen Rohuküla, etwas außerhalb von Haapsalu, setzen Fähren nach Hiiumaa und Vormsi über. Zum Rohuküla-Hafen gelangt man mit Bus 1. Abfahrt oberhalb des Burgcafés und vorm Pansionaat Pipi. Mindestens 30 Min. Fahrtzeit berechnen.
- *Übernachten*: **Haapsalu**, Posti 43. Frisch renoviertes, exklusives Hotel. Fröhliche, in estnischem und schwedischem Stil ausgestattete Zimmer, darunter auch zwei rollstuhlgerechte. EZ inkl. Frühstück in der Saison um die 80 DM, DZ um die 100 DM, Suite um die 140 DM. Zimmervorbestellung empfehlenswert. Tel. 44847, Fax 45191. Enn Proosväli. Bus 1 vom Bahnhof.
Pansionaat Pipi, Posti 37. Kleine, gemütliche Pension mit hübschen Zimmern. Preise inkl. Frühstück: EZ in der Saison ca. 50 DM, DZ ca. 60 DM. Vorbestellung ist anzuraten. Tel. 45174, Fax 45191 Piia Rossar. Ebenfalls Bus 1.
Jahtklubi, Holmi 5a. Kleines Holzhaus am Jachthafen. Einfache, aber nette Zimmer, Sauna und Snackbar. Die Gäste sind überwiegend westeuropäische Segler. ÜB ca.

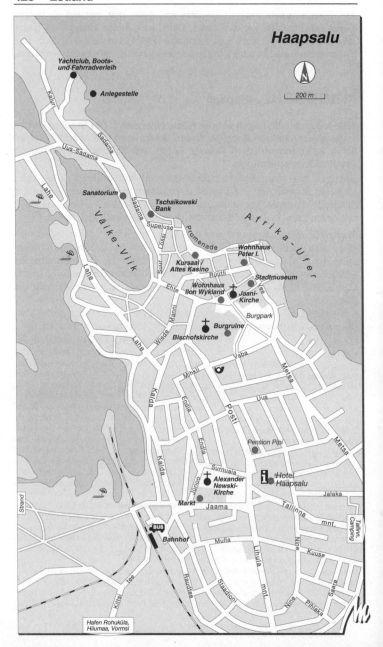

Haapsalu

N

200 m

Yachtclub, Boots-
und Fahrradverleih

Anlegestelle

Kalur

Sadama

Uus-Sadama

Lahe

Lahe

Sanatorium

Väike-Viik

Sadama

Tschaikowski
Bank

Supeluse

Lossi

Promenade

Wohnhaus
Peter I.

A f r i k a - U f e r

Kursaal /
Altes Kasino

Rüütli

Stadtmuseum

Jaani-
Kirche

Wohnhaus
Ilon Wykland

Ehte

Wieda

Manni

Lahe

Burgpark

Burgruine

Bischofskirche

Vaba

Mihkli

Metsa

Kalda

Endla

Uus

Posti

Pension Pipi

Endla

Metsa

Surnuaia

Alexander
Newski-
Kirche

Hotel
Haapsalu

Jalaka

Jaama

Markt

Tallinna

mnt.

Tallinn,
Camping

Strand

Iisa

BUS

Bahnhof

Mulla

Lihula

Kuuse

Saare

Nine
mnt.

Pihlaka

Kiltsi

Staadioni

Raudtee

Hafen Rohuküla,
Hiiumaa, Vormsi

18 DM, Tel. 45582. Mit Bus 2 erreichbar, der vorm Pipi abfährt, eine Haltestelle nach dem Sanatorium aussteigen. Dem Schild *Lääne Katur* folgen.

Sanatorium, Sadama. Großes, weißes Gebäude am malerischen Väike-Viik-Teich gelegen. Zimmer alle mit Bad, überwiegend Kurgäste. Ab 23 Uhr ist die Haustür verschlossen, DZ ca. 10 DM, EZ 6 DM, Tel. 45639. Vom Zentrum in etwa 10 Min. zu Fuß oder mit Bus 2 erreichbar.

Camping, Haapsalu Nurme 12-15. Liegt aus Tallinn kommend kurz vorm Ortseingang. Am Campingschild rechts abbiegen und sofort wieder den nächsten Abzweig nach rechts nehmen. Der Platz liegt hinter den Datschas. Er ist nicht gerade überwältigend, ist jedoch eine Alternative, falls in Haapsalu einmal alles ausgebucht sein sollte. ÜB in Holzhütten um die 3 DM, Tel. 57765. Aus Haapsalu mit Bus 2 bis zur Haltestelle Jurika fahren.

● *Essen*: **Haapsalu**, gehört zum Hotel. Exklusives Essen, Tischreservierung empfehlenswert.

Pipi, gemütlicher, kleiner, folkloristisch dekorierter Raum. Sehr gute Küche und hervorragender Kaffee, deutsch-sprachiger Service.

Maritima, Tallinna mnt. 1. Restaurant sowjetischen Stils, einfach und preiswert. Tel. 44445.

Greitz, Karja 3, befindet sich an der alten Burg. Café und Restaurant, nett eingerichtet, gute Küche. Die Kellner sprechen englisch. Im Sommer verwandelt sich der Platz vor der alten Burgmauer in ein schönes Freiluft-Café.

Grillbaar, Karja 14. Kleine Imbißstube mit knusprigen Hähnchen.

Sommercafé, beim Jachtclub. Tische stehen direkt am Kai, im Angebot sind Hamburger, manchmal auch gegrillter Fisch.

Jäätise baar, Karja 27. Gute Eisdiele.

● *Verschiedenes*: **Geldwechsel** - Karja 4, Karja 17, Lahe 17 und Lihula mnt. 3.

Post: Posti 1; Tamme 21.

Erste Hilfe: Vaba 6.

Poliklinik: Suur-Liiva 15.

Verleih: Beim Jachtclub gibt es Fahrräder und Boote zu leihen. Motorboot für 10 Personen um die 45 DM/Std., Surfbrett um die 5 DM/Std. Ein Segelboot für 5 Leute plus Crew kostet ca. 200 DM/Tag (ohne ÜB).

Sehenswertes

Burgruine und Bischofskirche: Inmitten eines schönen Parks steht die noch gut erhaltene, aus dem 13. Jh. stammende Bischofskirche. Geöffnet ist die Kirche nur am Wochenende von 12-16 Uhr. Einmal im Jahr, nämlich in den Vollmondnächten des Monats August, zeigt sich am Fenster der Kirche das Gesicht der sagenumwobenen *weißen Dame*.

Vor vielen Jahren hatte es die Angebetete eines Domherren, mit einem Mönchsgewand verkleidet, gewagt, sich zu einem Rendezvous in die Gemächer der Bischofsburg zu schleichen. Der Zugang zur Burg war jedoch nur Männern gestattet. Der Schwindel flog auf. Zur Strafe mußte der Domherr den Rest seines Daseins angekettet im dunklen Verlies der Burg fristen, seine Geliebte aber wurde bei lebendigem Leibe ins Taufzimmer der Bischofsburg eingemauert. Seitdem ist alljährlich in den Vollmondnächten des Augusts der weiße Schatten des Gesichts der Eingemauerten am Kirchenfenster zu sehen. Rationalisten behaupten zwar, daß der Schatten nichts weiter als die Reflektierung des Mondscheins sei, doch wer weiß . . .

An die Aufenthalte Peters I., der sich oft und gerne in Haapsalu erholte, erinnert ein Schild am Haus in der Rüütli tännav 4. In der gleichen Straße im Haus No.6 wohnte die aus Haapsalu stammende *Ilon Wykland*. Sie illustrierte die meisten Kinderbücher *Astrid Lindgrens*, darunter auch *Pipi*

Langstrumpf. In der Pension Pipi, die nach dem legendären rothaarigen Mädchen benannt ist, hängen einige Zeichnungen von ihr. In der Stadt wird momentan über die Errichtung einer *Ilon Wykland-Kinderwelt* nachgedacht.

An vergangene Zeiten erinnert das alte, neu restaurierte *Kasino* an der Promenade. Das schöne, holzverzierte Haus ist durchaus sehenswert.

Ein weiterer prominenter Gast Haapsalus war der berühmte Komponist *Peter Tschaikowski.* An der Stelle, wo der große Musiker im Jahre 1847 oft am Meeresufer saß, um aus der Kraft des Wassers und der Sonne Inspirationen für neue Melodien zu schöpfen, ist heute eine Bank aufgestellt, die mit einer Inschrift an Tschaikowski erinnert.

Baden: Der Badestrand von Haapsalu ist sehr klein und gehört auch nicht zu den schönsten des Baltikums. Er liegt etwas außerhalb der Stadtmitte. Auf der Hauptstraße, die am Bahnhof vorbeiführt, geht hinter dem Bahnübergang rechts ein kleiner Fußweg ab. Nach etwa einem Kilometer nochmal rechts zum Strand abbiegen.

Festivals: An den Vollmondtagen im August steigt im Burgpark jedes Jahr ein Fest zu Ehren der Weißen Dame. Es wird ein Theaterstück zu diesem Thema aufgeführt und bis zum Aufgehen des Mondes gefeiert. Dann versammeln sich alle vor dem Kirchenfenster und warten gespannt auf das Gesicht der Weißen Dame.

Im Park werden im Sommer auch öfters Klassik- und Rockkonzerte, sowie Disconächte veranstaltet.

▸ **Hobulaid:** Kleine Insel, zwischen dem *Kap Pikkuse* und der Insel Vormsi gelegen. Wie viele der nordischen Inseln ist auch Hobulaid von duftenden Wacholderbüschen überdeckt. Die unbewohnte Insel dient als Nistplatz vieler Vogelarten, was man bei einem Besuch nicht vergessen sollte.

Bootstouren zu den Inseln bei Haapsalu

(von G. Leibur)

Vor der Küste Haapsalus liegt ein wahres Inselparadies, zu dem man bei ruhiger See problemlos rüberrudern kann. Durch die vielen Inseln und Buchten ist das Wasser in der Regel ruhig und darüber hinaus auch nicht besonders tief. Die Inseln sind größtenteils unbewohnt. Auf manchen weiden während der warmen Jahreszeit Ziegen, Schweine und Schafe. Auch in der Bucht von Haapsalu liegen eine Reihe kleiner Inseln und Inselchen. Boote können in Haapsalu geliehen werden.

Inselhüpfen per Kanu
Ausgangspunkt ist der *Jachthafen von Haapsalu.* Von hier aus geht es zunächst 7 km entlang der Küste in westliche Richtung, um auf das offene Meer zu kommen.

Die westliche Spitze der Haapsalu-Bucht ist das *Pikkuse-Kap.* Die Küstenlinie der Haapsalu-Bucht ist sehr schilfreich, was schön aussieht, sich beim rudern aber evtl. als problematisch erweist.

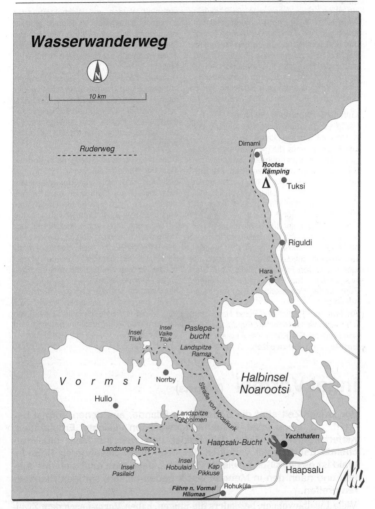

Wasserwanderweg

N

10 km

Ruderweg

Dirnami

Rootsa Kämping

Tuksi

Riguldi

Hara

Insel Tiluk

Insel Vaike Tiluk

Paslepa-bucht

Landspitze Ramsa

V o r m s i   Norrby

Hullo

Halbinsel Noarootsi

Strade von Voosikurk

Landspitze Obholmen

Landzunge Rumpo

Haapsalu-Bucht

Yachthafen

Insel Pasilaid

Insel Hobulaid

Kap Pikkuse

Haapsalu

Fähre n. Vormsi Hiiumaa   Rohuküla

Die Entfernung vom Kap Pikkuse zur Insel *Hobulaid* beträgt von hier aus noch ca. 2 km. Das Meer ist nicht tiefer als 1,5 m. Im Norden liegt eine weiteres, namenloses Eiland, über das man bequem die Insel Vormsi erreichen kann.

Namenlose Insel: Vom allernördlichsten Punkt von Hobulaid ist das unbenannte, winzige Eiland nur 1,2 km entfernt. Das Wasser ist hier nicht tiefer als 2 m.

Vormsi: Von der namenlosen Insel sind es nur noch 600 m bis nach Obholmen, der Südostspitze von Vormsi, die Wassertiefe beträgt ca. 0,7 m.

Küstengewässer von Vormsi

Vor der Nord-, als auch vor der Ostküste Vormsis, liegen eine Reihe unbewohnter Inseln und Kleinstinseln. Sehr schön zum Campen eignet sich die Insel **Pasilaid**, südlich von Vormsi gelegen. Am besten ist sie zu erreichen, wenn man die Südküste Vormsis in westliche Richtung entlangrudert, um die Landzunge Rumpo herum und dort schließlich südlich den Weg nach Pasilaid einschlägt. Man kann Pasilaid auch von Hobulaid aus erreichen, wenn man von dort geradewegs Kurs auf Westen nimmt, allerdings kreuzt man dabei die 200 m tiefe, offizielle Schiffsroute.

Entlang der Noarootsi Halbinsel

Paradiesisch ist auch die Tour entlang der Küste der Halbinsel Noarootsi.

Von Haapsalu aus die gleichnamige Bucht gen Norden durchqueren, bis man die Südküste Noarootsis erreicht hat. Die Entfernung beträgt etwa 2 km. Dabei kreuzt man allerdings die offizielle Schiffsroute. Ansonsten ist das Wasser nicht tiefer als einen halben Meter.

Von hier geht es durch die Straße von Voosikurk entlang der Westküste Noarootsis. Auch hier ist das Wasser sehr niedrig. Die Küste ist sandig, obwohl man auch auf eine Reihe von Findlingen trifft. Vom Ufer aus sind schöne Pinienwälder zu sehen. Zum Norden Noarootsis hin wird das Wasser tiefer.

An ihrem nordöstlichsten Punkt Hara kann man noch weiter Richtung Riguldi und Dirhami rudern. Die Küste hier ist glatt, ohne Buchten und Landspitzen. Vom Wasser aus sind Weiden und Wacholderbüsche zu sehen. Oberhalb von Riguldi gibt es viele Sanddünen und Pinien. Der schöne Strand bei Tuksi gehört zu einem sehr edlen estnisch-schwedischen Campingplatz.

Da keine Möglichkeit zu einem Rundtrip besteht, bleibt nichts übrig, als wieder nach Haapsalu zurückzukehren. Die Halbinsel Noarootsi ist wild und touristisch absolut unerschlossen. Man schlage also da sein Lager auf, wo es beliebt, Vorsicht beim Feuer machen.

Über die Voosikurk-Straße nach Vormsi, Tiiuk und Väike Tiiuk

Befindet man sich vor der Westküste Noarootsis, kann man auch nach Vormsi rudern. Die Voosikurk-Straße ist an ihrer engsten Stelle 2,5 m breit. Am günstigsten ist es, wenn man sich ungefähr auf der Höhe der Landspitze Ramsa, die kurz vor der Paslepa-Bucht liegt, von Noarootsi abwendet und geraden Kurs auf Vormsi nimmt, wo man die Insel auf der Höhe des Ortes Norrby erreicht.

Nordwestlich von der Norrby-Landzunge liegen die beiden "einsamen" Inseln Tiiuk und Väike-Tiiuk. Beide Eilande sind von dichten Wacholderbüschen bedeckt und unbewohnt.

Insel Vormsi (Worms)

Vor langer Zeit sind die drei kleinen Eilande, aus denen Vormsi besteht, zu einer Insel zusammengewachsen. Leichte Erhebungen, Kiefernwälder, Findlinge, Wacholder und weit ins Meer hineinreichende Landzungen verleihen der Insel einen besonderen Reiz. Im Wald ist es ein bißchen wie im Paradies, denn man muß sich nur bükken und nach den in Mengen wachsenden dicken, saftigen Blaubeeren greifen.

Viele Inselbewohner, besonders die jungen, haben Vormsi nach dem Zweiten Weltkrieg verlassen. Mittlerweile leben nur noch um die 500 Menschen auf der 93 qkm großen Insel. Doch seit der Unabhängigkeit sehen die Bewohner neue Perspektiven, indem sie ganz auf den Tourismus setzen. Vormsi ist eine kleine Insel, die sich gut per Fahrrad, aber auch zu Fuß erkunden läßt.

Als erster entdeckte der schwedische Pirat Urm die drei Inseln von Vormsi. Im 13. Jh. besiedelten schwedische Siedler das unbewohnte Eiland, das seitdem zu schwedischem Territorium gezählt wurde. Ein besonderes Ereignis muß für die Einwohner die Ankunft des schwedischen

Blick auf das Meer von Bethanien aus

Barons *Jakob de la Gardie* Mitte des 17. Jh. gewesen sein. De la Gardie suchte nach Großgrundbesitz und nach leibeigenen Bauern, die für ihn arbeiten würden. Doch zu seinem Unglück lebten auf der Insel nur freie Bauern, und die Landverteilung war längst abgeschlossen. So überredete er einige Familien, denen er Geld gab, nach Finnland auszuwandern. Sie gaben seinen Bitten nach, de la Gardie nahm ihre Besitztümer ein und ließ den **Magnushof** bauen. Als Arbeiter holte er sich Esten vom Festland und gab dem Gut schließlich den estnischen Namen **Suuremõisa**, was soviel bedeutet wie "großes Gut". Die Bezeichnung Suuremõisa ist übrigens der einzige estnische Ortsname auf der Insel, alle anderen sind schwedisch.

Im Laufe der Geschichte sah Vormsi viele Barone und Gutsherren, darunter auch einige Deutsche. Einer von ihnen war der berüchtigte *Ungru-Graf* (s. Hiiumaa). Der bekannteste deutsche Baron auf Vormsi war wohl der letzte Gutsbesitzer aus der *Familie von Stackelberg*, der Jakob de la Gardie vier Generationen zuvor das Gut Suuremõisa verkauft hatte. Dem besagten letzten Baron dieser Linie auf Vormsi war der Magnushof zu klein, und so strebte er nach weiteren Ländereien, sehr zum Ärger der freien schwedischen Bauern. Sie beschwerten sich beim Gericht in Tallinn über den unzufriedenen Baron. Die Kläger bekamen Recht, und von Stackelberg mußte die Insel verlassen. Kurze Zeit später tauchte er jedoch wieder auf Vormsi auf, reumütig und um Verzeihung bittend. Um seinen guten Willen zu beweisen, spendete er viel Geld für die Kirche, so daß man dem einst verhaßten Baron letztendlich sogar noch ein Denkmal setzte.

Die *Russische Kirche* ließ Peter der Große errichten, um der Bevölkerung den russisch-orthodoxen Glauben zu bringen. Doch nur zehn Jahre lang wurden Gottesdienste in ihr gefeiert, da sich insgesamt nur zehn Personen bekehren ließen. Heute dient die verfallene Kirche als Garage für Traktoren.

Als 1873 der schwedische Missionar *Österblom* nach Vormsi kam, erwirtschafteten die Inselbewohner großen Reichtum. Die Männer trieben Handel mit Schweden, wo sie für ihre Fische um ein Vielfaches höhere Preise erzielten als in Haapsalu. Die Frauen waren bekannt für ihre feingewebten, großen Tücher. Stolz wird darauf hingewiesen, daß sogar *Greta Garbo* 1932 bei einem Besuch ein solches Tuch erstand.

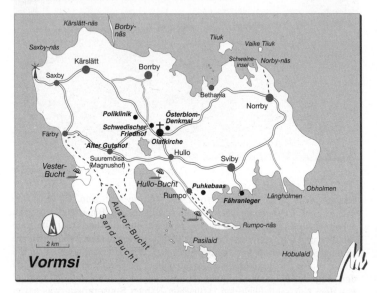

Vor Ausbruch des Zweiten Weltkriegs lebten 3627 Menschen auf Vormsi. 1944 flohen Tausende von Schweden und Esten vor der Sowjetarmee nach Schweden. Auch in den darauffolgenden Jahren verließen immer mehr Bewohner die Insel, womit nicht nur die Bevölkerungsrate um ein Vielfaches sank, sondern auch der Wohlstand von Vormsi drastisch zurückging. Doch mit dem aufkommenden Tourismus hofft man, wieder an vergangene Zeiten anknüpfen zu können.

● *Postleitzahl*: EE3176

● *Vorwahl*: 247

● *Anfahrt/Verbindungen*: Vom Hafen Rohuküka setzt morgens, mittags und abends eine Autofähre zur Insel über, die sofort wieder zum Festland zurückfährt. Am Wochenende fällt das Mittagsschiff aus. Die Überfahrt dauert etwa eine Stunde. Die Anlegestelle liegt etwas außerhalb, südlich vom Dorf Sviby, doch kann man in der Woche morgens und abends Anschluß an den Inselbus. Die kleine Fähre faßt 25 Autos. Durch das Hin- und Hergeschiebe der Fahrzeuge verzögert sich die Abfahrt des

Schiffes meistens. Besonders am Wochenende ist es ratsam, zeitig mit seinem Auto an der Anlegestelle zu stehen, da es sonst passieren kann, daß die Fähre voll ist und man erst mit dem nächsten Schiff mitkommt. In frostigen Wintern ist Vormsi auch mit dem Auto oder zu Fuß erreichbar.

● *Übernachten*: Noch ist das Angebot nicht sehr vielfältig, doch es wird bereits gebaut und restauriert. Im Hauptdorf Hullo sollen demnächst zwei Pensionen eröffnen. Außerdem darf überall wild gezeltet werden.

Sehr schön ist das **Puhkebaas** im Dorf Rumpo Norrenda. Doch ausgerechnet dahin fährt der Inselbus nicht. Leuten ohne fahrbaren Untersatz ist anzuraten, in Haapsalu zu *Westra travel* zu gehen und diese zu bitten, *Aadu Arulo*, mit dem sie zusammenarbeiten, auf Vormsi anzurufen. Er ist der Leiter der Pension und bereit, seine Gäste vom Schiff abzuholen. Tel. 92341. Die Pension besteht aus einem Haupthaus und einer Blockhütte, doch ist insgesamt nur für 20 Leute Platz. Die Zimmer sind ohne Bad, aber sehr sauber. Richtig zünftig und gemütlich sind die 4-Bett-Zimmer im Blockhaus. In der Pension gibt es sehr gutes Essen, das aber nur den Gästen vorbehalten ist. ÜB inkl. Frühstück und Saunabenutzung um die 15 DM, jede weitere Mahlzeit kostet etwa 7 DM.

Viele russische und estnische Erholungssuchende zelten in der kleinen Bucht von Rumpo Norrenda.

Eine weitere Pension mit max. 16 Plätzen befindet sich am alten Magnushof, 2 km vom Meer entfernt. Fahrräder ausleihbar. ÜB mit Frühstück ca. 20 DM, weitere Mahlzeiten liegen zwischen 7 und 10 DM. An der Haltestelle Suuremõisa hält auch der Inselbus.

Alter schwedischer Friedhof auf Vormsi

Hullo

Hullo ist das Hauptdorf der Insel und einziger Ort, der von seiner Größe her die Bezeichnung Dorf auch verdient.

Auf der rechten Straßenseite steht die Schule, in der stolze 63 Pennäler lernen. Nebenan gibt es ein kleines Lebensmittelgeschäft. Gegenüber befindet sich die Post und in einem weißen Haus die Schul-Söökla. Sie hat nur an Wochentagen geöffnet, und das Essen ist sehr einfach. Ein Stückchen weiter wird auf einem kleinen Platz oft ein kleiner Markt abgehalten. Folgt man der Hauptstraße und fährt an der Kirche ein paar Meter weiter, so gelangt man zur Poliklinik. Geldwechsel ist auf Vormsi nicht möglich.

Kirche von Hullo: Das protestantische Gotteshaus ist dem *Heiligen Olaf* geweiht. Der älteste Teil des Baus entstand im 14. Jh. Im Inneren befindet sich eine schöne Kanzel im barocken Stil. In der Regel ist die Kirche nur während der Gottesdienste geöffnet. Es besteht jedoch die Möglichkeit, in den Pensionen den Wirt darum zu bitten, den Pfarrer anzurufen, der einem gerne die Kirche zeigt. Hinter der Kirche befindet sich ein Denkmal für den schwedischen Missionar *Österblom*. Als dieser 1837 die Insel betrat, fand er die Bewohner teilweise verwahrlost vor. Viele waren dem Alkohol sehr zugeneigt. Kamen doch auf 14 Dörfer 12 Schankstuben. Innerhalb von zwei Jahren hatte Österblom erreicht, daß es keine einzige Kneipe mehr auf der Insel gab. Die Menschen arbeiteten und gelangten zu einigem Wohlstand.

Neben der Kirche befindet sich ein Friedhof, auf dem alte bemooste, teilweise zerbrochene und vom Wasser ausgewaschene Grabsteine stehen. Auf einigen der Steine sind die Namen noch zu entziffern, so z. B. auf dem von *von Stackelberg* und auf dem Denkmal für den letzten Sproß der Familie. Ebenfalls liegen dort eine Reihe eigentümlich aussehender, schwedischer Grabsteine. Sie sind rund und tragen ein Kreuz in der Mitte. Angeblich stellen sie das Sonnensymbol dar. Schriftzüge sind auf den Steinen aber nicht mehr zu erkennen.

Ein Gang über die Insel

Mittelpunkt der Insel ist das Hauptdorf Hullo. Von hier aus führt ein Rundweg in den östlichen und den westlichen Teil der Insel. Alle Wege kreuzen sich in Hullo. Westlich vom Hauptdorf liegen, idyllisch unter hohen Bäumen, die Mauern des ehemaligen Magnushofes (Suuremõisa) und die holländische Windmühle der damaligen Barone.

Den See der Insel, zwischen Hullo und dem Magnushof gelegen, hat das Meer, das im Laufe der Jahrtausende immer weiter gewichen ist, zurückgelassen. Die Ufervegetation kommt einem wilden Dschungel gleich; der Zugang zum Weg ist sehr sumpfig. Mittlerweile leben und brüten dort viele Vogelarten, so daß es nicht gerne gesehen wird, wenn sich Besucher eine Bresche durch das Dickicht zum See schlagen.

Weiter führt der Weg nach **Saxby**. Mitten im Garten einer Familie steht ein Leuchtturm, von dem man einen schönen Blick auf das Meer, die Felsen und die Wälder hat.

In **Kärslätt** gibt es nur die Häuser der vier hier lebenden Familien. Nördlich von Kärslätt führt eine Landzunge, die **Borrby näs**, weit ins Meer hinein. Die beiden Strandseiten sehen wunderschön aus. Entdeckt werden kann die Nehrung nur zu Fuß. Die Sehenswürdigkeit von **Borrby** ist ein über 4 m hoher Findling.

Um zum anderen Teil der Insel zu gelangen, muß man erst wieder durch Hullo, wo die Straße in den östlichen Teil der Insel abgeht. Im Dorf **Sviby** gibt es übrigens einen weiteren Lebensmittelladen. Auf dem Weg nach Norrby geht bei Piknors ein kleiner Pfad zur langen, schmalen Halbinsel **Längholmen** ab. Bei klarer Sicht kann man die Umrisse der Insel **Hobulaid** erkennen.

Oberhalb von Norrby befindet sich eine weitere, allerdings weniger lange Landzunge. Von dort ist die sog. **Schweineinsel** gut zu sehen. Diesen

Namen trägt die Insel, weil im Frühjahr die jungen Schweine dorthin gebracht werden und dort bis zum Herbst, in der Hoffnung, daß sie sich fleißig vermehren, bleiben werden.

Einer der schönsten Plätze der Insel ist **Bethania**. Das Land ist hier leicht hügelig und mit köstlichen, roten Beeren übersät. Das flache, grün schimmernde Meer und die dicken Steine, auf denen die Möwen rasten, sehen aus wie eine schön gemalte Bilderbuchseite.

Bethania eignet sich gut zum Zelten. Seinen Namen hat dieses Plätzchen folgendermaßen erhalten:

> Vor langer, langer Zeit verweilten die alten Schweden Ewigkeiten hier. Betend (deshalb Bethania) warteten sie auf den Propheten *Maltsvet*, der in einem prachtvollen, weißen Schiff genau an dieser Stelle vorbeikommen sollte, um die Gläubigen zu segnen. Doch aufgetaucht ist der gute Mann nie.

Zurück auf dem Hauptweg, kommt man, in südwestlicher Richtung fahrend, an der Olafkirche raus und gelangt so schließlich wieder nach Hullo.

Südlich an das Dörfchen **Rumpo** schließt sich die langgestreckte Halbinsel **Rumpo-näs** an, die sich ideal für ausgedehnte Wanderungen eignet. Vor ihr liegen viele kleine Inselchen. Wunderschön zum Wandern sind allerdings nicht nur die Küstenstreifen und Landzungen, sondern auch die herrlichen, beerenreichen Wälder.

Baden: Auf Vormsi gibt es unzählige kleine und größere Buchten. Oftmals wächst am Ufer jedoch hohes Schilf, das den Zugang zum Wasser erschwert. Strahlend weiße Strände gibt es auf Vormsi nicht, sie sind eher steinig. Doch dafür sind sie menschenleer, und die Landschaft dahinter ist überaus reizvoll. Die besten Stellen zum Schwimmen sind **Vester**- und **Sand-Bucht**, beide südlich vom Magnushof gelegen, sowie die **Hullo-Bucht** beim Dorf Rumpo.

Halbinsel Noarootsi

Das nördliche Ufer der Haapsalu-Bucht wird von der Halbinsel Noarootsi gebildet. Früher war diese wacholderbewachsene Gegend von Schweden besiedelt, wovon auch heute noch einige Ortsnamen Zeugnis ablegen.

Die Seen, Wälder und Strände von Noarootsi sind wildromantisch und unberührt. Touristisch sind sie noch nicht erschlossen. Wer also Urlaub in der Wildnis, abseits jeglicher Zivilisation machen will, ist hier genau richtig. Die Straßen auf der Halbinsel sind alle nicht asphaltiert, die Busverbindungen sind miserabel. Es besteht die Möglichkeit, sich mit einem Boot vom Jachtclub Haapsalu nach **Österby** übersetzen zu lassen, einen Termin zum Abholen auszumachen und dann einige Tage an der Küste entlang und durch die Wälder zu wandern. Hilfreich ist hierbei die große Estland-Karte, auf der auch kleine Wege eingezeichnet sind.

▶ **Tuksi:** Nördlich der Halbinsel Noarootsi und ca. 28 km entfernt von Haapsalu befindet sich ein estnisch-schwedisches Feriendorf. Neunzehn luxuriöse Blockhütten für 4-5 Personen sind zu vermieten. Alle Häuser verfügen über Bad, Schlafzimmer, Hochbettetage und Wohnküche, ca. 100 DM pro Tag. Die Hütten stehen unter hohen Kiefern und nur ein paar Meter entfernt vom wunderschönen Sandstrand. Surfbretter, Fahrräder und Minibusse sind ausleihbar. Zur Anlage gehören Sauna, Bar und ein hervorragendes Restaurant.

• *Adresse*: Roosta Puhkuse Küla, EE3173 Läänemaa Tuksi, Tel. 97230 und 97238.

• *Anfahrt/Verbindungen*: **PKW** - von Haapsalu die alte Straße nach Talllinn bis Linnamäe nehmen und dann links geradeaus bis Tuksi fahren. In Riguldi wird die Straße zur Sandpiste.

Bus: ein schwieriges Unternehmen. Vereinzelt besteht Verbindung nach Haapsalu und Tallinn. Haltestelle Tuksi.

▶ **Insel Osmussar:** Von Pōōsaspea, einer Landspitze nördlich von Tuksi, ist bei gutem Wetter die Insel Osmussar sichtbar.

▶ **Nōva:** Das Dorf liegt an der Nachbarbucht westlich von Pōōsaspea im äußerstenNorden Läänemaas. Die Landschaft wird bestimmt von Mooren, Heide, Wiesen und einigen Seen. Auch hier ist die nordische Natur noch wild und völlig unberührt, was auf Grund der schlechten Straßen sicherlich auch noch einige Zeit so bleiben wird.

Naturschutzgebiet Matsalu

Ungefähr 35 km südlich von Haapsalu liegt die Matsalu-Bucht, um die sich ein wahres Vogelparadies entwickelt hat. Das dort wachsende Schilf ist höher als anderswo und bietet Enten, Schwänen und anderen Vögeln optimalen Schutz beim Nisten.

In Matsalu brüten über 62 Vogelarten, und zahlreiche Zugvögel rasten hier, wenn sie aus dem Süden zurückkehren. In **Haeska** befindet sich in einem alten Gutshaus das Informationszentrum zum Naturreservat Matsalu. Dort kann man sich Filme über Matsalu ansehen und das Vogelmuseum mit den Arten des Schutzgebietes besichtigen.

Im Matsalu-Reservat mündet auch der *Kasari-Fluß* ins Meer. Am Rande des Naturschutzgebiets, zwischen den Orten Kasari und Kirbla, führt eine Brücke über den Strom, von der man eine sehr schöne Aussicht auf den Fluß und die umgebende, sattgrüne Landschaft hat.

Sehr zu empfehlen sind die Bootstouren die von **Penijōe** aus in das Naturschutzgebiet möglich sind. Penijōe liegt am südlichen Ufer der Matsalu-Bucht.

• *Anfahrt/Verbindungen*: **PKW** - von Haapsalu die Landstraße Richtung Laiküla nehmen. Ca. 9 km hinter Ridala, kurz vor dem Ort Õnga, geht rechts ein kleiner Weg nach Haeska ab. Um nach Penijōe zu gelangen, die Landstraße von Haapsalu bis zum Ende durchfahren und bei Laiküla rechts auf die A-207 bis Lihula, wo rechts der Weg nach Penijōe abgeht. Die Straßen sind teilweise nicht die besten.

Bus: Es bestehen die Verbindungen Haapsalu-Haeska und Haapsalu-Lihula, sowie Pärnu-Lihula. Busse fahren jedoch selten.

▶ **Koluvere (Lohde)**: Die gut erhaltene Wasserburg, umgeben von stämmi-
gen, alten Bäumen, entstand im 13. Jh. als Residenz der Bischöfe von *Ösel-
Wiek* (heute Saaremaaa und Läänemaa). Bis 1920 blieb das Anwesen im
Besitz der *Familie von Buxhoevden*, die es 1797 von *Zar Pawel I.* geschenkt
bekam. Auch in Koluvere soll gelegentlich des Nachts eine unglückliche
Seele herumgeistern, nämlich die von *Prinzessin Auguste Caroline von
Braunschweig-Wolfenbüttel*, die 1788, gerade 24 Jahre alt, hinter diesen
Mauern auf mysteriöse Weise verstarb. Von innen ist die Wasserburg
nicht zugänglich, da sie eine Nervenklinik beherbergt.

● *Anfahrt/Verbindungen*: PKW - liegt an der **A-207** der Straße von Risti nach Virtsu. **Bus**:
die Linie **Tallinn-Virtsu** nehmen.

Halbinsel Puhtulaid

**Die üppig bewaldete Halbinsel, gegenüber der Insel Muhu, war vor
Jahren schon ein Anziehungspunkt für Erholungssuchende.**

Vor der Küste liegen viele kleine Inseln, und in den Buchten Puhtulaids
findet man schöne und leere Strände. Hotels gibt es keine, doch sehr viele
Esten haben hier ihre Datschas stehen. Es gibt zwar einen Campingplatz
in **Virtsu**, doch ist es umstritten, ob er in nächster Zukunft noch geöffnet
sein wird. Da von Virtsu die Schiffe nach Saaremaa fahren, könnte er von
Interesse sein. An der Hauptstraße vom Hafen geht rechts ein Weg zum
Campingplatz ab, die Strecke ist ausgeschildert.

In dem Ort **Puhtu** wurde übrigens dem Dichter *Friedrich Schiller* im Jahre
1813 ein Denkmal gesetzt. Hier gibt es einen wunderschönen Mischwald.

Hiiumaa (Dagö)

**Die zweitgrößte Insel Estlands, die gleichzeitig den Status eines
Landkreises genießt, ist per Schiff in etwa einer Stunde vom Hafen
Rohuküla aus zu erreichen. Hiiumaa ist eine relativ junge Insel mit
überwiegend flacher Landschaft.**

Der höchste Punkt mit 63 m über dem Meeresspiegel ist auf der **Halbinsel
Kõpu** zu finden. Etwa 11.540 Einwohner leben auf der 1023 qkm großen
Insel. Vor der Küste Hiiumaas liegen zahlreiche Inselchen. Am dichtesten
besiedelt sind die Küstengebiete und die Stadt **Kärdla**.

Die Landschaft der Insel ist sehr vielfältig. Man findet Sanddünen, steinige Küsten, weite, von Wacholder bedeckte Ebenen, kleine Flußtäler,
Strandseen, flache, grüne Wiesen und gewaltige Findlinge. Das Inselin-
nere ist sehr moorig und von dichten Wäldern, überwiegend Kiefern, Erlen und Birken, bedeckt. An einigen Stellen der Insel wachsen sogar
Orchideen. Die kleinen Inseln vor Hiiumaa und die **Käina-Bucht** stehen
unter Naturschutz. Einzigartig auf Hiiumaa sind die sogenannten Holzwiesen, weite Wiesen, auf denen man plötzlich auf einen niedrigen Birken-
oder Erlenhain stößt. Auf Hiiumaa lebt überwiegend Kleinwild. Im Winter kommen auch Wölfe über das Eis auf die Insel. Anfang der 90iger

Jahre wurde auf Hiiumaa sogar ein Bär gesichtet. Man nimmt an, daß es der Bär von der Insel Saaremaa war, dem es, nachdem er einige Kälber gerissen hatte, zu langweilig auf Hiiumaa wurde, und der dann zurück nach Hause schwamm.

Hiiumaa ist touristisch noch wenig erschlossen. Doch gerade diese Unberührtheit macht den Charme der Insel aus. Es ist sogar geplant, ganz Hiiumaa unter Naturschutz zu stellen.

Getrunken wird auf der Insel gerne das dort hergestellte *Hiiu-Bier*. Das aus Wacholder gebraute Getränk soll sehr gesund sein. Angeblich zeichnet sich ein "echter" Mann dadurch aus, daß er ohne abzusetzen zwölf Schlucke hintereinander weg von diesem herben Gebräu trinken kann.

Geschichte: Genaue Informationen über die ersten Siedler auf Hiiumaa gibt es nicht. Sicher ist nur, daß schon lange vor unserer Zeitrechnung erste Stämme auf der Insel lebten. Die ersten bekannten Bewohner Hiiumaas waren Strandschweden (Schweden, die nur die Strände besiedelten). Erstmalig erwähnt wurde Hiiumaa 1228 unter dem Namen *Dageida*. 1254 teilten der Bischof von Ösel-Wiek und der livländische Orden die Insel, nachdem sie sie unterworfen hatten, untereinander auf. Siedler holten sie sich vom Festland, vom benachbarten Saaremaa und aus Schweden. Nach dem schwedisch-dänischen Krieg (1563-1570) wanderte Hiiumaa in den Besitz der Schweden. Die neuen Herren nannten die Insel *Dagö*, was soviel wie *Insel des Tages* bedeutet. Anfang des 17. Jh. verkaufte die schwedische Krone den größten Teil der Insel an den Grafen *Jakob de la Gardie*.

Vom Nordischen Krieg (1700-1721) blieb Hiiumaa weitgehend unberührt, geriet aber unter russische Herrschaft und gehörte nun zu den westlichsten Provinzen des Zarenreichs. Unerbittlich wütete im 18. Jh. die Pest auf Hiiumaa und forderte zahllose Opfer. 1781 ließ *Katharina die Große*

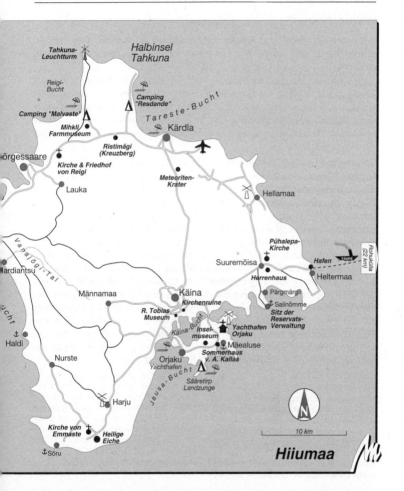

Hiiumaa

eintausend Schweden in die Ukraine deportieren, da diese nicht auf ihre Freiheit verzichten wollten und deshalb keine Fronarbeit leisteten. 1917 landeten deutsche Truppen auf Hiiumaa. Im Zweiten Weltkrieg haben zahlreiche Menschen die Insel vor Stalins berüchtigter Sowjetarmee fluchtartig verlassen oder sind nach Sibirien verschleppt worden.

Bis zum Sommer 1992 war Hiiumaa für Besucher so gut wie gesperrt. Selbst Esten benötigten eine Art Visum für die Insel. Nur wer eine Einladung vorweisen konnte, erhielt eine Reiseerlaubnis.

Kärdla (Kertel) *(ca. 4500 Einwohner)*

Hauptort der Insel und deren einzige Stadt ist Kärdla. Der ruhige, grüne Ort an der Nordküste Hiiumaas ist etwa 25 km vom Festland entfernt.

Neben seinem Hauptplatz befindet sich der alte, romantische *Rannapark* (Strandpark), in dem im Sommer Konzerte und Volksfeste veranstaltet werden. Am Hauptplatz selbst gibt es ein paar kleine Läden, die teilweise recht hübsch aufgemacht sind. Das "rauschende Nachtleben" von Kärdla beschränkt sich auf eine Kneipe (Rannapargu). Hiiumaa ist in erster Linie eine Insel der Ruhe.

Geschichte: Anfang des letzten Jahrhunderts gründeten die Brüder *von Ungern-Sternberg* in Kärdla eine Tuchfabrik, die rasch prosperierte und den Unternehmern zu großem Reichtum verhalf. Schließlich gehörte ganz Kärdla zum Besitz der von Ungern-Sternbergs. Der Sohn des berüchtigten *Ungru-Grafen* gründete hier schließlich ein großes Gut, den *Kertelhof*. Um seine Arbeiter in Abhängigkeit zu halten und um seinen Reichtum zu sichern, klügelte der adelige Herr ein raffiniertes System aus: Von Ungern-Sternberg bezahlte seine Arbeitskräfte nur mit sogenannten *Klubis*, die nichts anderes waren, als einfache Lederstücke. Den Wert der Klubis bestimmte von Ungern-Sternberg natürlich selbst. Außerhalb seiner Besitztümer konnten seine Beschäftigten herzlich wenig mit ihren Lederstücken anfangen. Doch das war auch Sinn der Sache. Der Umlauf des offiziell geltenden Geldes wurde untersagt, so daß den Untertanen von Ungern-Sternberg keine andere Wahl blieb, als ausschließlich in den Läden des Grafen zu kaufen, in denen selbstverständlich nur der Klubi akzeptiert wurde. Das Stadtrecht erhielt Kärdla erst 1938.

- *Postleitzahl*: EE3200.
- *Vorwahl*: 246.
- *Information*: **Est-Dagö-Travel**, Uus 1, Tel. 98885 und **A/S Helger turismibüroo Dagö**, Vabriikuväljak 1, Tel. 96355 Fax 99142. Beide Büros sind sehr hilfsbereit, englischsprachig und bieten auf individuelle Wünsche ausgerichtete, deutschsprachige Exkursionen über die Insel an. Eine Stunde kostet etwa 10 DM ohne Auto. Ist ein Fahrzeug nötig, nimmt man besser ein Taxi, als sich auf einen Fahrer vom Reisebüro einzulassen, da man dort Benzin, Auto und Fahrer bezahlen muß. Für eine 3stündige Tour kommt man mit dem Taxi ungefähr 30 DM, mit einem Auto des Reisebüros aber mindestens auf 50-60 DM. Ein weiteres Travel-Büro ist dem Campingplatz **Malveste** angeschlossen.

Verbindungen

- *Schiff*: Vom Hafen Rohuküla bei Haapsalu legt in der Woche während der Saison etwa alle zwei Stunden eine Autofähre nach Heltermaa ab. Am Wochenende fahren jedoch nur zwei, eines gegen Mittag und eines am Nachmittag. Am Hafen nicht unbedingt mit bereitstehenden Bussen oder Taxis rechnen, die einen zum Bestimmungsort bringen. Entweder auf den nächsten Bus warten, ein Taxi anrufen oder trampen.

Mit dem eigenen Schiff: In Orjaku, auf der Insel Kassari, die über einen Damm mit Hiiumaa verbunden ist, gibt es einen Yachthafen, der mittlerweile angesegelt werden kann.

- *Flugzeug*: Von Tallinn ist Hiiumaa in einer halben Stunde per Flugzeug erreichbar. Der Flug in der Propellermaschine ist bei guter Sicht ein richtiges Erlebnis. Dann kann man nämlich die Schären und die zerfurchte Küste Südfinnlands erkennen

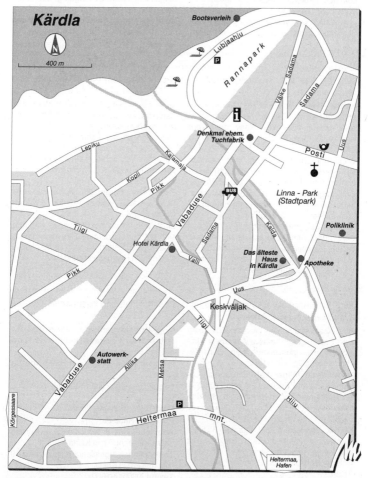

Kärdla

400 m

Bootsverleih

Lubjaahu

R a n n a p a r k

Valke - Sadama

Sadama

Uus

Lepiku

Kalamaja

Posti

Denkmal ehem.
Tuchfabrik

Kopli

Pikk

BUS

Vabaduse

Linna - Park
(Stadtpark)

Tiigi

Sadama

Kaida

Poliklinik

Hotel Kärdla

Valli

Das älteste
Haus
in Kärdla

Apotheke

Pikk

Uus

Keskväljak

Tiigi

Autowerk-
statt

Allika

Metsa

Hiiu

Vabaduse

Körgessaare

Heltermaa

mnt.

Heltermaa,
Hafen

sowie die vielen kleinen Inseln Estlands. Die Maschine aus Tallinn fliegt anschließend weiter nach Saaremaa. Ein einfacher Flug kostet für westliche Ausländer ca. 80 DM, für Einheimische nur 5 DM. Der Flughafen befindet sich östlich von Kärdla. Im Winter, wenn das Meer zwischen der Insel und dem Festland zufriert, ist Hiiumaa zu Fuß und mit dem Auto erreichbar.

• *Bus*: 2-3 Mal täglich fährt ein Bus die um die Insel führende Hauptstraße ab und hält an allen, am Weg liegenden Orten. Die besten Verbindungen bestehen von und

nach Kärdla. In der Regel fährt zu jedem ablegenden Schiff ein Bus zum Hafen Heltermaa. Um alles exakt zu timen, im Reisebüro nachfragen.

• *Fährverbindung* nach Saaremaa: Offiziell gibt es sie noch nicht, doch die Touristenbüros beider Inseln sind sich einig, daß eine solche Linie dringend benötigt wird. Bis jetzt sind Autofahrer gezwungen, sich nach Rohuküla übersetzen zu lassen, dann nach Virtsu (zwischen 80 und 100 km, je nachdem welchen Weg man wählt) zu fahren, um von dort nach Saaremaa zu kommen. Leute ohne Auto sind diesmal im Vorteil: Es gibt die Möglichkeit, sich für ungefähr 5 DM von einem Fischer nach Saaremaa bringen zu lassen, was aller-dings nicht offiziell ist. Abgelegt wird in der Regel von den Fischerhäfen in Haldi, Sõru, Mäealuse oder Salinõmme, Vermittlung über das Reisebüro am Vabarikuväljak.

Übernachten

Da das Eiland auf Grund des inselinternen Visums bis jetzt wenige Besucher sah, fällt das Übernachtungsangebot noch sehr karg aus. Alle Unterkünfte sind recht einfach.

Kärdla, Vadabuse 13/Ecke Valli. Kleines, einfaches Hotel, Zimmer ohne Bad, nicht sehr sauber. Die Vali tänav geht vom Keskväljak, dem Hauptplatz, ab. ÜB ca. 3 DM, Tel. 91481.

Campingplatz Resdande, liegt nördlich von Kärdla, an der Straße, die zum Hafen Lehtma führt. ÜB im Holzzelt ca. 2 DM.

Campingplatz und Pension Malvaste, Malvaste sjk. Übernachtung im Haupthaus und in kleinen Hütten möglich. Bar vorhanden, in der es Kleinigkeiten zu essen gibt, nette Atmosphäre. Restaurant und weitere Zimmer in Bau. ÜB um die 5 DM. Malvaste liegt im Nordwesten Hiiumaas. Von der Hauptstraße in Malvaste, an der auch der Inselbus hält, geht Weg zum Campingplatz ab. Direkt zum Platz fährt nur zweimal wöchentlich ein Bus. Man kann sich an der Fähre abholen lassen, sollte aber ein paar Tage vorher anrufen. Außer auf estnisch Verständigung auf russisch und bedingt auf englisch möglich. Tel. 91525.

Puhkebaas Pärgmägli, Pühalepa vald, Salinõme küla. Keinen Komfort erwarten, ÜB ca. 5 DM.

Eine wunderschöne **Zeltwiese** befindet sich auf der Landzunge Sääretirp, die zur Insel Kassari gehört. Kassari ist durch zwei Dämme mit Hiiumaa verbunden.

Essen

Auch das Angebot an Restaurants ist noch sehr dünn und beschränkt sich fast ausschließlich auf Kärdla.

Hiiu, Keskväljak 1. Am Wochenende zeitig zum Essen gehen, weil später unter Umständen alles ausverkauft sein kann, Küche mittelmäßig. Tel. 91562.

Kohvik-Baar Jääger, Valli 1. Kooperativcafé mit leckerem Essen. Gut zum Frühstükken geeignet, sogar Nürnberger Spitzkuchen sind vorrätig. So geschlossen. Tel. 91550.

Kohvik Rannaparguu, Lubjaaklu 3. Liegt unmittelbar am Meer. Gut bestückte Bar und kleine, leckere Gerichte im Angebot. Gelegentlich Disco bis 2 Uhr morgens. Tel. 91287.

Silja, Lõõknese 14, Käina. Befindet sich in einem schönen alten Haus, gutes Essen. Tel. 92152.

Onne, Mäe 2, Käina. Kleine Bar, nette Abwechslung zu Kärdla. Tel. 92637

● *Einkaufen*: **Supermarkt**, neben dem Restaurant Hiiu. Überraschend großes Angebot an Lebensmitteln.

Frischen Fisch gibt es am Hafen von Salinõme.

● *Verschiedenes*: **Geldwechsel** - Keskväljak 3.

Post/Telegrafenamt: Posti 7.

Poliklinik: Rahu 2.

Apotheke: Uus 3; Kõpu tee 1 in Kõrgessaare; Hiiu mnt. 1b in Käina.

Tankstellen: Kõrgessaare mnt. 47 und 49; Hiiu mnt. 1c in Käina.

Taxiruf: 98051/91650.

Fahrradverleih: beim Est-Dagö-Travel.

Ruderbooote: Leihstelle befindet sich vor dem Café Rannapaargu.

Inselrundgang (Beginn nördlich von Kärdla)

Eine gut ausgebaute Straße führt einmal um die Insel, entlang der Küste. Gut zu erkunden ist Hiiumaa mit dem Fahrrad. Am intensivsten läßt sich die Insel aber entdecken, wenn man sie erwandert, doch dafür muß man Zeit mitbringen.

▶ **Ristimägi (Kreuzberg):** Auf dem Weg nach Kõrgessaare kommt ca. 10 km hinter Kärdla eine geheimnisvolle Sanddüne, auf der die eigentümlichsten Kreuze stehen. Damit hat es folgende Bewandtnis: Die auf Hiiumaa lebenden Schweden waren es gewöhnt, im Freiheit zu leben, und verlangten diese auch Ende des 18. Jh. von *Gräfin Ebba Margarethe Stenbock*, der damaligen Alleinherrscherin der Insel. Diese beklagte sich darüber bei *Katharina II.*, die daraufhin den Befehl erließ, jene freiheitsliebenden Schweden in die Ukraine deportieren zu lassen. An der Stelle des Ristimägis fand ein letzter Gottesdienst für die Verbannten statt, woran noch heute ein großer Stein erinnert. Bei dieser Feier sind die ersten Kreuze aufgestellt worden. Heute ist es üblich, daß ein jeder, der hier vorbeikommt, mit seinem Kreuz den Deportierten gedenkt, sei es mit einem geknüpften Kreuz aus Gräsern und Ästen oder einem gelegten aus Erde und Steinen. Im Nebel wirkt dieser Ort ziemlich gespenstisch.

▶ **Tahkuna-Halbinsel:** Die Halbinsel endet mit der **Tahkuna-Landspitze**, dem nördlichsten Punkt der Insel. Seit 1875 steht an dieser Stelle ein 42,6 m hoher Leuchtturm, dessen Leuchtfeuer 18 Seemeilen weit zu sehen ist. Vor der Küste Tahkunas haben in der Geschichte viele Seeschlachten stattgefunden.

Zurück zur Hauptstraße geht es über **Malvaste**. Ganz in der Nähe von Malvaste befindet sich der **Mihkli-Hof**. Er gehörte einigen der in die Ukraine verschleppten Schweden und wurde später von Esten besiedelt. Heute kann man die Spuren beider Völker an dem Gehöft erkennen. In Mihkli ist ein kleines Museum eingerichtet. Die ältesten Bauten des Hofes sind aus dem 18. Jh.

Fährt man die Küstenstraße einige Meter weiter, kommt man nach **Reigi**. In der Geschichte war Reigi einmal das Kulturzentrum der Insel. Es gab eine Schule, an der Lehrer ausgebildet wurden, und einen gemischten Chor. 1627 entstand hier eine Holzkirche. Die jetzige Kirche aus Stein ließ *Graf von Ungern-Sternberg* im Jahre 1802 bauen, weil er nach dem Selbstmord seines Sohnes von heftigen Gewissensbissen geplagt wurde. Für historisch Interessierte dürfte auch der Friedhof neben der Kirche von Bedeutung sein. Angehörige der baltendeutschen, auf Hiiumaa herrschenden Familien *Stenbock*, *von Ungern-Sternberg* und *von Stackelberg* fanden hier ihre letzte Ruhe. Viele der Inschriften auf den Grabsteinen sind noch gut lesbar.

▶ **Halbinsel Kõrgessaare (Hohenholm):** Nordwestlich vor der Küste der Halbinsel Kõrgessare ragt ein gewaltiger Felsen aus dem Meer empor. An ihm vorbei führte der Seeweg von Schweden nach Hiiumaa. Um die Seeleute zu verwirren, soll *Otto Rienhod Ludwig Baron von Ungern-Sternberg* falsche Lichter angezündet haben, so daß unzählige Schiffe an dem gefährlichen Riff zerschellten. Zur Strafe ist der im Volksmund als *Ungru-Graf* bezeichnete Freiherr nach Sibirien verbannt worden. Bleibt man auf der Küstenstraße und hält sich in Luidja rechts, gelangt man nach Kõpu, einer weiteren Halbinsel.

▶ **Kõpu:** Die Halbinsel gehört zu einer der ältesten Gegenden Hiiumaas. Vor der Nordküste Kõpus liegt eine gefährliche Sandbank, die schon vielen Seeleuten das Leben gekostet hat. Aus diesem Grunde errichtete man bereits Anfang des 16. Jh. in der Mitte der Halbinsel einen Leuchtturm. Damit das 35 Seemeilen reichende Leuchtfeuer auch von weitem gesehen wurde, erbaute man ihn auf einem 20 m hohen, künstlichen Granitberg. Anfänglich wurde der Turm mit einem offenen Feuer beleuchtet. Er ist wirklich sehenswert!
Nordöstlich des Leuchtturms ist der höchste Punkt Hiiumaas, der 63 m hohe *Püha Andruse mägi* zu finden. Schlägt man kurz vor dem Leuchtturm den Weg nach **Ülendi** ein, trifft man auf einen uralten Friedhof, der Geschichtsinteressierte über die ältesten Inselbewohner aufklärt. In Ülendi wachsen alte, schöne, knorrige Bäume. Am Westende von Kõpu steht der Leuchtturm von Ristna. Auch er sollte die Schiffe vor der gefährlichen Hiiu-Sandbank warnen.

Richtung Süden

Fährt man die Küstenstraße weiter in den südlichen Teil der Insel, so gelangt man nach **Mardiantsu**. Hier mündet der *Vanajõgi-Fluß* ins Meer. Folgt man dem an der Straße stehenden Schild, gelangt man in den Wald, von wo man auf das schöne, 10 m tiefe Tal herabblicken kann, das der Fluß sich im Laufe der Jahrhunderte gegraben hat.

Das nächste Ziel ist **Emmaste**. Das sicher einmal sehr schöne *Gut von Emmaste* ist im Laufe der Zeit ziemlich verfallen. Bei Emmaste geht ein Pfad nach **Tärkma** ab, Standort einer heiligen Eiche. Vor der Christianisierung hielten die Einwohner am Fuße der von ihnen verehrten Eichen Gottesdienste für ihren Naturgott *Uku* ab.
Auf dem Weg nach Käina kommt man durch **Harju**, wo einige hübsche Windmühlen stehen.

▶ **Käina:** Gegenüber der Insel Kassari liegt der Ort Käina. Im Mittelalter war Käina der Sitz der Bischöfe von Ösel-Wiek. Die Bischofskirche ist jedoch zerstört worden, sodaß nur noch ihre Mauerreste zu sehen sind. In Käina befindet sich ein Museum zum Andenken an *Rudolf Tobias*. Der estnische Komponist, der hier im Jahre 1873 das Licht der Welt erblickte, zählt zu den ersten Musikern, die sich hauptsächlich der Musik Estlands widmeten und deren Anliegen es war, die Entwicklung einer eigenständigen estnischen Musik voranzutreiben. Zu Beginn dieses Jahrhunderts lehrte Rudolf Tobias übrigens an der Musikhochschule Berlin.
Die Kirche von Käina stammt aus dem 15. Jh. Auch der Küstenstreifen entlang der Käina-Bucht ist sehenswert. Das Meer ist flach, die kräftig grünen Felder reichen bis an die See, die den Küstenstreifen Käinas von der Insel Kassari trennt.

▶ **Kassari:** Die Käina-Bucht und die Insel Kassari gehören zu den schönsten Stellen Hiiumaas. Das Ufer ist übersät mit weißen Steinen, und die Wiesen zum Meer hin sind von smaragdgrüner Farbe. Kühe und Schafe, die bei starker Hitze auch gerne Abkühlung im Seewasser suchen, weiden

Gut Suuremõisa auf Hiiumaa

darauf. Das Land ist mit würzig duftendem Wacholder bewachsen, und immer wieder erblickt man größere und kleinere Findlinge.

Kassari ist eine 19 km große Insel und durch zwei Dämme mit Hiiumaa verbunden. Wegen seiner Unberührtheit und natürlichen Schönheit steht das gesamte Gebiet Kassaris unter Naturschutz. Wunderschön ist die **Sääretirp-Landzunge**, der südlichste Zipfel Kassaris, die förmlich zum Wandern ruft. Die großen Steine, die vor der Landzunge im Meer liegen, gehen auf das Konto des *Riesen Leiger*, dem Helden der Inselbewohner. Er hat diese Steine ins Wasser gelegt, um sich eine Brücke zu seinem auf Saaremaa lebenden Bruder *Suur Tõil* zu bauen.

Auf Kassari sind auch die sogenannten *Holzwiesen* zu finden. In der Mitte der kleinen Insel steht das Sommerhaus der estnisch-finnischen Schriftstellerin *A. Kallas*. Im Süden Kassaris ist das Inselmuseum von Hiiumaa zu finden. Eine kleine Kapelle mit riedgedecktem Dach ist im Norden Kassaris zu finden, am Ende des schmalen Weges nach Kiisi gelegen.

▶ **Suuremõisa (Großenhof)**: Im Osten Hiiumaas steht das prachtvolle, im Barockstil erbaute Herrenhaus Suuremõisa. Bewohnt wurde es von den auf Hiiumaa ansässigen Adeligen. Früher hieß das Gut einmal *Hallik* oder auch *Pühalep*. Als im frühen Mittelalter die Insel in der Hand des Deutschen Ordens lag, versorgten sich die geistlichen Herrscher und Ritter mit dem, was der Gutshof erwirtschaftete. Im Jahr 1603 wurde das Gut an den *Rittmeister Christoph Stackelberg* als Lehen vergeben. Als später die Schweden Hiiumaa zu ihren Besitztümern zählten, gehörte der Hof zunächst dem Königshaus, wurde 1624 aber an den schwedischen Grafen *Jacob de la Gardie* verkauft. Nach dem Nordischen Krieg, als die Insel zu einer Provinz des russischen Imperiums wurde, ging das Gut in den Besitz *Katharinas II.* über, die es gnädigerweise an *Ebba Magarethe Stenbock*, der

Urenkelin de la Gardies, weitergab. Diese ließ das Gut zu einem majestätischen Herrenhaus umbauen, das mit der Zeit den Namen *Großenhof* erhielt. Durch ihren Sohn *Jacob Stenbock* geriet das Anwesen, wenn auch unfreiwillig, in den Besitz der *Ungern-Sternbergs*. Es war übrigens Jacob Stenbock, der den berüchtigten *Ungru-Grafen* wegen seiner falschen Leuchtsignale anzeigte. Die letze Besitzerin des Großenhofs war die *Baronin Dorothea von Stackelberg, geb. Gräfin Ungern-Sternberg*.

Die alten Bischöfe, Gutsherren und Barone wußten genau, an welchen Stellen sie ihre Häuser bauten, denn die Lage von Suuremõisa ist wirklich malerisch. Eine romantische Schwarzerlen-Allee führt zu dem vornehmen Herrenhaus, das umgeben ist von einem Park mit knorrigen, alten Bäumen. Mittlerweile hat man bereits mit Restaurierungsarbeiten begonnen. Sehr interessant ist die ein paar hundert Meter weiter gelegene, zu Suuremõisa gehörende Kirche. Sie stammt aus dem 13. Jh. Sehenswert ist ihre an die 300 Jahre alte Steinkanzel. Eine Reise in die Zeit der Barone und Grafen kann man auf dem danebenliegenden Friedhof unternehmen, wo einige Familienmitglieder der Linien *Stenbock*, *Ungern-Sternberg* und *Stackelberg* begraben sind. Außerdem kann man hier einiges über die komplizierten Verwandtschaftsverhältnisse und Hochzeitsstrategien dieser Familien erfahren.

▶ **Salinõmme:** Kurz vor Suuremõisa geht, aus dem Süden kommend, rechts ein Weg in das zweite Naturschutzgebiet Hiiumaas ab. Vor der Küste liegen viele kleine Inselchen. Früher waren die meisten von ihnen bewohnt, doch mit Beginn der Sowjetherrschaft wurden einige Grenzposten auf Hiiumaa und den umliegenden Inseln eingerichtet. Den Einwohnern, zumeist Fischer, wurde das Halten eigener Boote nicht länger gestattet. Damit ging ihre Existenzgrundlage verloren, und immer mehr Menschen mußten ihre Inseln verlassen.

Meteoriten-Krater: Südlich von Kärdla hat ein herabstürzender Meteorit vor etwa 400 Millionen Jahren, ein gewaltiges Loch in die Erde geschlagen. Im Innern des Kraters wird nach Mineralwasser gebohrt, das es überall auf der Insel als Kärdla-Wasser zu kaufen gibt.

Baden: Die langen Sandstrände des Festlands sind für einen Badeurlaub gewiß geeigneter als die steinigen Strände Hiiumaas, die dafür aber einiges für's Auge zu bieten haben. Allerdings ist das Wasser hier sauberer als anderswo. Der Strand von Kärdla kommt einer große Liegewiese gleich. Schöne Badestrände sind in Malvaste und Ludja zu finden. Am allerschönsten aber ist der Strand von Kassari.

Feste

Die Termine für die einzelnen Feste wechseln, deshalb in den Touristenbüros von Hiiumaa nach den aktuellen Veranstaltungsterminen fragen.

Strandfest: Jedes Jahr im Juli steigt eine Riesen-Party in der Reigi-Bucht, wo am Lagerfeuer gesungen, getanzt und getrunken wird.

Sängerfest: Im Sommer wird im Park von Kärdla alljährlich ein großes Sängerfest veranstaltet, bei dem Chöre aus Hiiumaa und aus der näheren Umgebung auftreten und hoffen, die Auszeichnung, die dem bestsingenden Chor zusteht, mit nach Hause nehmen zu können.

Johannisnacht: Natürlich wird auch auf Hiiumaa die Sommersonnenwende ausgiebig gefeiert. In jedem Dorf und im Kärdla-Park feiert man den längsten Tag des Jahres mit Tänzen, Liedern, reichlich Essen und einem guten Tropfen Wodka.

Saaremaa (Ösel)

Saaremaa ist die größte der estnischen Inseln und umfaßt außer den bewohnten Inseln Muhu, Abruka und Ruhnu auch das Vogelparadies Vilsandi und über 500 kleine und kleinste Inseln. Alle zusammen bilden sie den Landkreis Saaremaa.

Die Bodenfläche des Archipels dehnt sich über 2.922 qkm aus. Der frühere Name *Ösel* stammt von den Schweden, was soviel wie *Sieb aus Inseln* bedeutet. Die Natur von Saaremaa ist vielseitig und wunderschön. Viele Gebiete sind noch völlig unberührt, da auch für Saaremaa eine Art Visum vonnöten war, das nur gegen Einladung erteilt wurde.

An der Küste sind überwiegend steinige Strände zu finden mit flachem Übergang zur See. Doch es gibt auch Stellen, an denen das Land steil zum Meer hin abfällt. Über 40 % der Inselfläche sind bewaldet. Oft sind auch saftige Wiesen und im Wasser stehende Kühe zu sehen, die eine wahrhafte Idylle bilden, obwohl die Landwirtschaft auf Saaremaa nicht gerade ein Zuckerlecken ist. Der Boden

Bockwindmühle auf Saaremaa

ist sehr steinig. Zeugnis davon legen die für Außenstehende malerisch anmutenden Steinzäune ab, die die Bauern vor vielen Jahren aus den Steinen der Äcker aufgeschichtet haben. Bei einer Tour um die Insel wird man auf alte Gehöfte, Bockwindmühlen, Findlinge und wuchtige Wacholderbüsche stoßen. Die Flora Saaremaas ist ausgesprochen artenreich. An manchen Stellen wachsen sogar Orchideen. Weitere Attraktionen sind der riesige Meteoritenkrater und die gut erhaltene *Burg von*

Kuressare. Die Saaremaa-Esten unterscheiden sich durch ihre Lieder, Bräuche, Trachten und Geschichten erheblich von denen des Festlands. Der Held von Saaremaa ist der gutmütige Riese *Suur Tõil*, der Bruder des Helden von Hiiumaa.

Geschichte: Die ersten Siedlungen der westestnischen Inselgruppe werden ungefähr auf 300 v. Chr. datiert. Im Mittelalter konnte sich Saaremaa am längsten den gewaltsamen Christianisierungsversuchen der deutschen Kreuzritter widersetzen. Erst 1227 gelang es dem Orden schließlich doch, die aufsässigen Inselbewohner zu missionieren und zu unterwerfen. Zur Festigung ihrer Macht ließ der Orden in Kuressare eine Burg bauen. Während des *Dreikronenkrieges* (1563-1570), an dem Polen, Schweden und Dänemark beteiligt waren, fiel Saaremaa an Dänemark. Schon bald, nämlich im Jahre 1645, geriet die geographisch günstig gelegene Insel unter schwedische Herrschaft. Vom Nordischen Krieg blieb Saaremaa so gut wie unberührt, jedoch wütete kurz darauf auf der Insel die Pest dermaßen, daß ihre Bevölkerung drastisch vermindert wurde.

Als 1710 die Russen auf Saaremaa landeten und die Übergabe der ehemaligen Ordensfestung forderten, räumten die von der Pest gebeutelten Schweden widerstandslos das Feld.

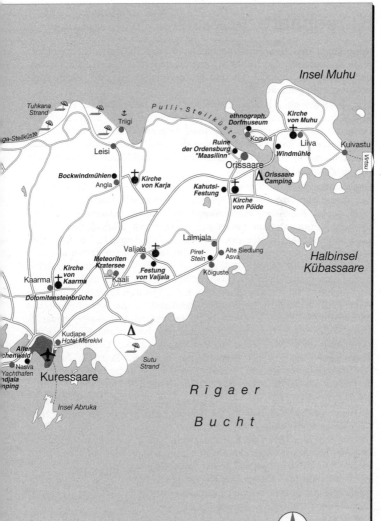

Insel Muhu

Tuhkana
Strand

Pulli-Steilküste

ga-Steilküste

Triigi

Leisi

ethnograph.
Dorfmuseum

Kirche
von Muhu

Koguva

Liiva

Kuivastu

Virtsu

Ruine
der Ordensburg
"Maasilinn"

Windmühle

Bockwindmühlen

Orissaare

Angla

Kirche
von Karja

Orissaare
Camping

Kahutsi-
Festung

Kirche
von Pöide

Laimjala

Halbinsel
Kübassaare

Valjala

Piret-
Stein

Alte Siedlung
Asva

Meteoriten
Kratersee

Kirche
von
Kaarma

Festung
von Valjala

Köiguste

Kaarma

Kaali

Dolomitensteinbrüche

Kudjape
Hotel Merekivi

Alten
chenwald

Nasva

Sutu
Strand

Yachthafen
ndjala
nping

Kuressaare

Rīgaer

Insel Abruka

Bucht

N

Saaremaa

Kuressaare (Arensburg) *ca. 17.000 Einwohner)*

**Hauptstadt des Saaremaa-Archipels ist das hübsche Küstenstädt-
chen Kuressaare, das früher als manch anderer Ort den aufkommenden Tourismus gespürt hat und erste Weichen für den neuen Wirtschaftszweig gestellt hat.**

Vor vielen der alten Bauten in der Stadtmitte stehen bereits Tische und
Stühle, und neueröffnete Bars sorgen auch bis tief in die Nacht hinein für
Unterhaltung. Die im Süden der Insel gelegene Stadt ist ein zentraler
Ausgangspunkt für Exkursionen über die Insel. Die Sensation Kuressaa-
res ist die gewaltige Ordensburg, die Bischöfen und Kreuzritter unter dem
Namen *Arensburg* bekannt war.

Geschichte: Nach der Eroberung Saaremaas durch den Deutschen Orden
ließ dieser von 1343-1345 die *Arensburg* als Sitz der Bischöfe von Ösel-
Wiek bauen. Kuressare war zunächst als Siedlung bekannt, die um die
Festung herum entstand. Sie entwickelte sich zum Marktflecken, bis ihr
Graf Magnus, der Bruder des *Dänenkönigs Frederick II.*, im Jahr 1563
schließlich das Stadtrecht verlieh. Im Mittelalter erlebte Kuressaare eine
wirtschaftliche Blüte. Das Rathaus und das Haus der Gewichte, deren
Grundsteinlegung Mitte des 17. Jh. erfolgte, erzählen von dieser Zeit. Die
verheerende Pest, die der Nordische Krieg mit sich brachte, stürzte die
einst blühende Stadt in furchtbares Elend und Armut. Nur elf Menschen
überlebten die Seuche. Ende des 18. Jh. erholte sich Kuressaare wieder. *B.
von Campenhausen*, der damalige Gouverneur von Livland, lebte hier und
veranlaßte den Bau vieler neuer Häuser. Diese Gebäude wurden
überwiegend im Stil des Klassizismus errichtet. Beispiele für diese
Architektur geben u. a. das *Haus der Ritterschaften* in der Lossi tänav 7, die
St. Laurentiuse-Kirche und die alte *Markthalle* mit dem Marktplatz.

Als man in Kuressaare den Heilschlamm entdeckte, erfuhr die Stadt einen
Aufschwung, insbesondere, als sie 1840 zum Kurort erhoben wurde. Nach
dem Zweiten Weltkrieg war das Leben in Kuressaare einfacher als in
manch anderem Ort. Der Fischfang war eine sichere Einnahmequelle.
Darüber hinaus erfreuten sich die Milchprodukte und das auf der Insel gebraute Bier auf dem Festland großer Beliebtheit.

Bis vor knapp fünf Jahren war Kuressaare übrigens noch unter der Bezeichnung *Kingissepp*, benannt nach einem sowjetfreundlichen Revolutio-
när, auf der Landkarte zu finden.

- *Postleitzahl:* EE3300
- *Vorwahl:* 01445
- *Information:* Es gibt mittlerweile einige
Reisebüros in Kuressaare. Alle haben auf
individuelle Wünsche ausgerichtete Exkur-
sionen über die Insel im Programm, sind
bei der Zimmersuche behilflich, vermitteln
Leihwagen und organisieren Bootstouren,

wie beispielsweise nach Abruka.

Reisebüro Thule: im oberen Stockwerk
des Kurhauses, das in Burgnähe, mitten im
Park liegt. Die Lossi tänav führt dorthin.
Hilfreich, nett und nicht in dem Glauben
lebend, daß jeder West-Tourist locker 40-
80 DM für eine Übernachtung hinblättern
kann. Tel. 59686/59328, Fax 54104.

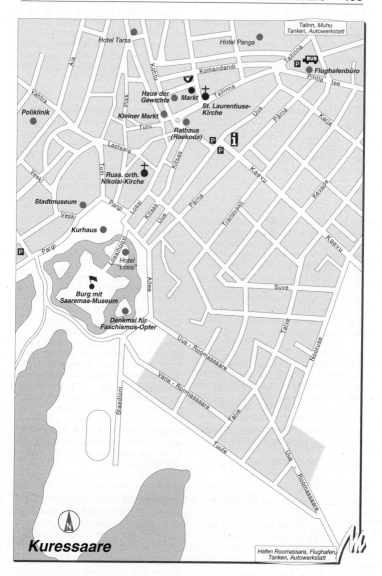

Kuressaare

Talinn, Muhu
Tanken, Autowerkstatt

Hotel Tarsa

Hotel Panga

Tallinna

BUS

P

Flughafenbüro

Pihtla tee

Komandandi

Aja

Kohtu

Pikk

Vahtra

Haus der
Gewichte

Markt

Tallinna

St. Laurentiuse-
Kirche

Uus

Pärna

Karja

Poliklinik

Kleiner Markt

Turu

Rathaus
(Raekoda)

P

i

Lasteaia

P

Veski

Toll

Russ. orth.
Nikolai-Kirche

Kaevu

Pärna

Kevade

Stadtmuseum

Pargi

Lossi

Kitsas

Uus

Pärna

Transvaali

Kaevu

Veski

Kurhaus

Losshood

Hotel
"Lossi"

Allee

Suve

P

Pargi

Burg mit
Saaremaa-Museum

Denkmal für
Faschismus-Opfer

Taive

Nõouse

Staadioni

Uus - Roomassaare

Vana - Roomassaare

Taive

Uus - Roomassaare

Tuule

Hafen Roomassare, Flughafen,
Tanken, Autowerkstatt

Mardi: Tallinna 4, in einem kleinen Turm, kurz vorm Rathausplatz untergebracht. Die Leute sind freundlich, ihre Angebote aber teurer als woanders, Tel. 54875.

Reisebüro Saaremaa: Pärna 2, Tel. 7970. Für eine individuelle Inseltour mit fachkundiger Führung wird eine Summe zwischen 10 und 15 DM pro Stunde veranschlagt.

Für den Transfer muß noch einmal extra gezahlt werden. Preislich besser kommt man weg, wenn man mit einem Taxifahrer verhandelt, als sich für viel Geld ein Auto zu mieten. Preiswert ist lediglich ein Kleinbus bei einer Gruppe von maximal 10 Leuten. 1 Tag kostet etwa 70 DM.

Verbindungen

●*Schiff:* Von Virtsu legt alle zwei Stunden eine Autofähre zum Hafen Kuivastu auf Muhu ab, von dem es über den Damm weiter zur Hauptinsel Saaremaa geht. Leuten ohne Auto ist es anzuraten, sich mit einem nach Kuressaare durchfahrenden Bus auf die Fähre rollen zu lassen, weil man unter Umständen sonst stundenlang im Hafen auf einen Anschluß warten muß. **Mit dem eigenen Schiff:** Der Yachthafen befindet sich in Nasva, westlich von Kuressaare, und darf angesteuert werden.

Mit dem Fischerboot von Hiiumaa: Eine exotische Möglichkeit, nach Saaremaa zu gelangen, die allerdings nicht offiziell ist. Von Hiiumaa kommend legt man zu irgendeiner winzigen Anlegestelle an der Nordküste, in der Regel in Triigi, an. Der Blick bei der Ankunft auf die Insel ist atemberaubend schön. Dunkelblaues Wasser, in dem sich bei ruhiger See die hohen Kiefern spiegeln, grünes Ufer und die im Meer liegenden rot- bis gelbbraunen Steine strahlen eine überaus idyllische Stille aus. Diese Ruhe ist später auch auf der unbefestigten, staubigen Straße zu spüren. Busse verkehren an der Nordküste z. T. überhaupt nicht. Wenn möglich, den Fischer darum bitten, in Triigi anzulegen, denn an der ca. 3 km entfernten Weggabelung von Leisi fahren immerhin 2-3 Busse täglich nach Kuressaare.

Zum **Trampen** bieten sich kaum Gelegenheiten. Das nächste Telefon befindet sich in einer Autowerkstatt im Ort Leisi, 2 km von der Kreuzung entfernt, von wo man sich evtl. ein **Taxi** rufen kann. Doch die Wälder der Nordküste, die schon fast ins Meer wachsen, sind reich an Walderdbeeren und lassen die Zeit recht schnell vergehen. Man sollte jedoch zusehen, daß man nicht allzu spät auf Saaremaa ankommt, damit man noch eine Chance hat wegzukommen.

Fahrräder haben in den meisten Booten Platz.

●*Busse:* Kuressaare hat einen gut funktionierenden **Busbahnhof.** In die größeren estnischen Städte gibt es Direktverbindungen. Busbahnhof, Pihtla tee 25.

●*Flugzeug:* Von Tallinn und Hiiumaa wird Saaremaa von einer kleinen Maschine angeflogen. Einfacher Flug von Tallinn kostet ca. 100 DM. Der Flughafen befindet sich etwas außerhalb von Kuressaare, immer die Roomassaare tännav geradeaus fahren.

●*Verbindung auf der Insel:* Die Hauptstraßen werden von Bussen befahren, jedoch nicht allzu oft. Die Insel per Bus zu erkunden, kann deshalb schwierig werden. Empfehlenswert ist es, mit dem Fahrrad auf Entdeckungsreisen zu gehen. Die wenigen Campingplätze sind relativ günstig über die Insel verteilt.

Übernachten

Dicht gestreut sind die Unterkünfte auf Saaremaa noch nicht, und zelten ist außerhalb der gekennzeichneten Plätze verboten. Doch die Reisebüros vermitteln *Privatquartiere.* Mit ein wenig Glück kann man überall auf Saaremaa unterkommen, sei es in Kuressaare, auf einem Bauernhof oder in der Wildnis. Bis zu 5 Personen können in einer Familie untergebracht werden. Um die 15 DM werden für ÜB inkl. Frühstück pro Person verlangt. Empfehlenswert über das Büro Thule.

●*Hotels:* **Hostel Panga**, Tallinna 27. Einfache Zimmer ohne Bad, Sauna vorhanden. Etwa 500 m vom Zentrum entfernt. ÜB ca. 30 DM. Tel. 55332.

Tarsa, Kauba 10. Befindet sich in einem schönen, alten Gebäude aus dem 19. Jh.

Zimmer sind nur mit dem wichtigsten ausgestattet, Dusche auf dem Gang. ÜB um die 25 DM. Tel. 57293.

Lossi, Lossi 27. Einfache Zimmer in schönem, alten Haus. Auf dem Weg zur Burg gelegen. ÜB ca. 18 DM. Tel. 54443.

Internat, Rohu/Ecke Rootsi. Das Internat gehört zu der weiterführenden Schule Nr. 1 in Kuressaare. Es ist sehr einfach, doch es liegt relativ zentral, und die Nacht kostet nur ca. 1 DM. Das Internat wird natürlich nur während der Ferien als Herberge genutzt (nachfragen, wann Ferien sind).

• *Unterkünfte außerhalb Kuressaares*:

Männikäbi, Mändjala. Gut ausgestattetes Hotel mit Bar und Sauna, sowie Bad in jedem Zimmer. Dazu gehörend Restaurant mit guter Küche. Liegt 11 km südwestlich von Kuressaare. ÜB ca. 40 DM pro Person, meist DZ vorhanden. Tel. 57106.

Merekivi, Kudjape. Schönes Hotel mit gutem Restaurant, Bar, Sauna und Zimmer mit Bad. Überwiegend DZ, ÜB um die 35 DM pro Person. Tel. 57651/57744.

• *Camping*: **Karuju-Camping**, hübsch gelegener Platz am gleichnamigen Süßwassersee, der immer um ein paar Grad wärmer ist als das Meer. Schöner Sandstrand, an dem im Sommer jedoch recht viele Menschen in der Sonne liegen. Wer einen längeren Aufenthalt plant, decke sich ausreichend mit Lebensmitteln ein. Es gibt lediglich einen Kiosk mit Softdrinks und Süßigkeiten und eine offene Feuerstelle. ÜB im Holzzelt ca. 3 DM. Liegt etwa 25 km nordwestlich von Kuressaare. 2x täglich per Bus von der Hauptstadt aus erreichbar.

Mändjala-Camping, Mändjala, netter Campingplatz, schöner Strand, ÜB ca. 4 DM.

Orissare-Camping, einfacher Platz in gleichnamigem Dorf im Nordosten der Insel, gegenüber von Muhu.

Essen

Das Restaurantangebot beschränkt sich größtenteils auf Kuressaare. Lediglich in den wenigen Hotels, die außerhalb der Inselhauptstadt liegen, kann man noch essen.

Kuressaare, Raekoja 1. In einem phantasielosen Betonklotz untergebracht. Am frühen Abend mehr Personal als Gäste, wird aber später meistens sehr voll. Küche zufriedenstellend. Tel. 55139.

Grillbaar, Tallinna 2. Gemütliche Bar im Rathauskeller. Zu empfehlen sind die leckeren, knusprigen Hähnchen.

Veksi, Pärna 19. Befindet sich in einer alten Mühle. Riecht schon von weitem verführerisch und ist meistens sehr voll. Reservierung anzuraten. Tel. 54858.

Kursaali, Pargi 1. Das Kurhaus beherbergt Bar, Café und Restaurant. Weiße verschnörkelte Möbel und viel Licht schaffen eine angenehme Atmosphäre. Auf Wunsch großer frischer Salat erhältlich, gutes Eis. Für Musik sorgt ein Violine-Flügel-Duett. Tel. 55138/59749.

Bistro, am Anfang der Turu tänav. Gute Nudelgerichte. Nebenan Eskimo-Eisdiele.

Stehcafé, am Anfang der Lossi tänav. Einfach, aber gut zum Frühstücken, besonders für Frühaufsteher geeignet, da schon ab 8 Uhr geöffnet.

Orissare an der Hauptstraße liegt der Restaurant-Café-Komplex. In der angeschlossenen Konditorei gibt es köstliche Kuchenteilchen.

• *Bars*: **Kodulinna**, Tallinna 11. Gemütliche Kellerbar, in der man ab 9 Uhr prima frühstücken kann. Zu empfehlen sind die Toasts und Omelettes. Auch abends kann man hier essen. Beim non-stop laufenden MTV kann man bis 2 Uhr morgens hier ausharren. Tel. 54178.

Tervis, Lossi 27. Nette Bar mit sehr sporadischen Öffnungszeiten.

Malle, zum Hotel Merekivi gehörend, bis 3 Uhr morgens geöffnet. Tel. 57748.

Verbindungen

• *Einkaufen*: Selbstversorger werden hier gute **Bäckereien** mit Vollkornbrötchen und wahren Schlemmertörtchen finden. Außerdem ist es nicht schwierig, an Käse, Milch und Butter zu kommen. Die **Lebensmittelgeschäfte** befinden sich in der Tallinna und Lossi tänav.

Die gemütlichen Läden Kuressaares liegen überwiegend um den Rathausplatz und entlang der Tallinna, Lossi und Turu tänav.

UKU, Lossi. Zu kaufen gibt es typisch estnische Volkskunst in Form von Handarbeiten und Malereien.

Reda, Kauba 10. Laden mit saaremaaischem Kunstgewerbe.

Kingitused, Kothu 11. Allerlei Souvenirs wie gestrickte Mützen und Socken, Silberschmuck, Leder- und Keramikwaren.

Hansa, Niidu 11. Verkauf moderner estnischer Malereien.

Fotogeschäfte, auf der Pargi tänav, genüber vom Burgpark.

Markt, Tallinna 5. In den schönen kleinen Markthallen ist im Sommer ein reichliches Angebot an frischen Beeren, Fleisch, Gemüse und Fisch, sowie handgearbeiteten Souvenirs wie Handschuhe, Mützen und Decken zu finden.

• *Diverses*: **Geldwechsel**: Entlang der Tallinna gibt es mehrere Möglichkeiten zu tauschen, u. a. auch im Mardi. In der Tartu Pank, Rohu 5, werden American-Express-Cards und Traveller Schecks akzeptiert.

Post/Telegraf: Torni 1.

Poliklinik: Aia 25.

Fahrradverleih: Uus 7; Pikk 11.

Tankstelle: Kalevi 2; Roomassaare

Autowerkstatt: Kalevi 2; Roomassaare

Taxiruf: 54939/57389/55577, Taxistand hinter dem Rathaus.

Sehenswertes

Burg: Als 1227 auch Saaremaa vom Deutschen Orden unterworfen wurde, ließ der Orden die *Arensburg* als Sitz für die Bischöfe von Ösel-Wieck bauen, deren Hauptsitz jedoch in Haapsalu lag. Fertiggestellt wurde die Festung 1380. Zur Jahrhundertwende vom 14. auf das 15. Jh. erhielt die quadratisch angelegte Burg eine mächtige Schutzmauer. Ihr höchster

Turm ist der 29 m hohe *Lange Hermann*, der sich, als er noch ohne Dach war, ideal zur Lenkung von Kämpfen und Schlachten eignete. Mit Ausbruch des livischen Krieges Mitte des 16. Jh. verkaufte Bischof *Johannes v. Münchhausen* die Burg an Dänemark. Unter dänischer Herrschaft wurden die Befestigungsanlagen um einen Wassergraben ergänzt. Als 1645 die Schweden aus dem dänisch-schwedischen Krieg als neue Ostseemacht hervorgingen, fiel gemäß dem *Frieden von Brömsebro* Saaremaa und die Festung an die schwedische Krone. Zunächst begannen die Schweden, die Befestigungsanlagen noch weiter auszubauen, doch nicht viel später verlor die Burg an strategischer Bedeutung und wurde nur noch als Kornspeicher genutzt.

Die Burg von Kuressaare

Den Nordischen Krieg überstand sie unversehrt, kam aber nach Beendigung des Krieges unter russische Herrschaft, was die von der Pest geschwächten Schweden widerstandslos hinnahmen. Sie übergaben ihnen sogar die 67 noch vorhandenen Kanonen. Eine ist dabei in den Burggraben gefallen. 1971 wurde sie entdeckt und ist jetzt vor dem Konventsgebäude ausgestellt. Doch auch für die neuen Herren war die Kuressaarer Burg strategisch uninteressant. 1836 wurde sie endgültig von der Liste der russischen Festungen gestrichen. Schließlich verkauften sie die Burg für ganze 3000 Rubel an die Ritter von Saaremaa.

Museum: Heute ist in der Burg das sehenswerte Saaremaa-Museum untergebracht. Prächtige, riesengroße Wappen, viele alte Dokumente, Kleidungsstücke und Gebrauchsgegenstände aus längst vergangenen Zeiten, ein nachgebauter Krämerladen u. v. m. gewähren einen lebendigen Einblick in die Inselgeschichte. Im Mittelalter eng mit dem Deutschen Orden verbunden, sind viele der ausgestellten Schriftstücke in deutscher Sprache verfaßt. Abgerundet wird das mittelalterliche Flair, das auch heute noch von der Burg ausgeht, durch die alten, sich schmal nach oben schlängelnden Treppenaufgänge.

In den oberen Etagen sind wechselnde Ausstellungen estnischen Kunstgewerbes und Neuheiten aus der Welt der bildenden Künste zu sehen, die oftmals zum Verkauf angeboten werden.

Stadtmuseum: Pargi 5. Sehr kleines Museum über die Geschichte von Kuressaare.

Park: Die gesamte mittelalterliche Festung ist von einem idyllischen Park umgeben. Hinter der Burg befindet sich die Bühne, auf der im Sommer die Sängerfeste stattfinden. Nicht weit davon liegt das Kurhaus, ein schönes hölzernes Gebäude, in dem man auch gut essen kann. Der Teil des Parks, hinter dem Kurhaus und der Freilichtbühne gehört den Kindern und Jugendlichen. Wenn das Wetter mitspielt, findet hier am Wochenende eine Freiluftdisco statt.

Altstadt: In der Altstadt sind klassizistische Bauten aus dem späten 18. Jh. vorherrschend. Das Rathaus und das Haus der Gewichte (Tallinna 1 und 3) sind jedoch viel älter. Die sehr schön restaurierten Gebäude sind im Barockstil erbaut und stammen aus dem 17. Jh.

Eichenwald: Kurz hinter Kuressaare auf dem Weg zur Halbinsel **Sôrve** gibt es einen alten Eichenwald. Viele der Eichen zählen an die 300 Jahre.

Der Ostteil Saaremaas

Eine der legendenumwobensten Natursehenswürdigkeiten Saaremaas ist der 18 km nördlich von Kuressaare gelegene **See von Kaali**.

Über seine Entstehung klärt uns das Märchen vom Sohn des *Paevapoeg* auf, das Parallelen zur griechischen Mythologie aufweist:

> Vor langer Zeit sah der Sohn der Sonne vom großen Himmelszelt herab und erblickte auf der Insel Saaremaa ein wunderschönes Mädchen. Sofort war er unsterblich in die irdische Schönheit verliebt. Um sie zu freien, ritt er oft über die goldene Himmelsbrücke. Eines Tages geschah jedoch das Schreckliche: Die Brücke stürzte in sich zusammen. Der himmlische Romeo blieb zwar unbehelligt, doch wurde sein mächtiger, goldener Hut in die Tiefe gezogen und prallte so heftig auf die Erde, daß ein tiefes Loch im Erdboden entstand. Aus diesem Loch entstand der Kaali-See.

Der sagenumwobene Kaali-See

Eine andere Geschichte weiß von der Hochzeit eines Geschwisterpaares zu berichten, bei der die Erde voller Entsetzen die Traukirche samt Anwesenden verschluckt haben soll. Wieder eine andere Legende erzählt von einem verschwenderischen Gutsherren, der bei einem rauschenden Fest mit seinen Gästen in den Boden versunken sein soll.

Interessanterweise ist, archäologischen Berechnungen zufolge, der geographische Punkt, wo Phaeton, von dem die griechische Mythologie erzählt, vom Himmel zur Erde herabstürzte, ebenfalls am Kaali-See festzumachen. Von diesen Sagen ausgehend, beschäftigte sich der *Geologe Reinwald* ausgiebig mit der Entstehungsgeschichte des Sees. Er konnte nachweisen, daß der Grund des Sees nicht auszumachen ist, und fand wenig später einige Meteoritensplitter. Ob es nun das Stück eines Planeten, die goldene Himmelsbrücke oder aber Phaeton war, durch den der Kaali-See entstand, bleibt jedem selber überlassen.

Um den Hauptkrater liegen noch sieben kleinere Kraterseen. Neben den Seen befindet sich ein Museum, das über den Meteoriten informiert.

▶ **Angla:** Fährt man von Kaali die Straße weiter Richtung Leisi, findet man beim Ort Angla am Wegesrand die für Saaremaa typischen *Bockwindmühlen.* Mitten unter den fünf kleinen Mühlen klappert eine holländische Windmühle.

▶ **Karja:** Bei Angal geht ein Weg nach Karja ab. Hier gibt es eine schöne Kirche aus dem 14. Jh. zu sehen. Schon allein das Eingangstor ist interessant, denn beide Türen sind unterschiedlich gestaltet. Viele Rosen schmücken das Portal, das Symbol des Schweigens. Im Inneren befindet sich eine beeindruckende Kanzel aus dem Jahr 1638. Sie entstand im Stil der Spätrenaissance und ist mit wertvollen Schnitzereien verziert. Im

Wald gegenüber der Kirche befindet sich ein schöner alter Friedhof mit Gräbern aus dem 18. Jh.

▶ **Leisi:** Das winzige Dorf gilt als das Zentrum Nord-Saaremaas. Etwa 3 km nördlich des Ortes liegt Triigi, wo sich die einzige Anlegestelle an der Nordküste befindet. Mit dem Fischerboot von Hiiumaa kommend, legt man in der Regel in Triigi an.

▶ **Orissaare:** Von Leisi geht es weiter über die Küstenstraße nach Orissaare. Auf dem Weg lohnt es sich, an der *Steilküste von Pulli* anzuhalten.

In **Maasi**, kurz vor Orissaare, gab es im Mittelalter die Ordensfestung *Maasilinn*. Übriggeblieben sind lediglich Mauerreste. An der Straße in Orissaare gibt es ein Café, eine Söökla und ein Restaurant. Unweit davon führt der Damm über den *Väike Väin*, dem Kleinen Sund, nach Muhu.

Von Orissaare zurück nach Kuressaare

▶ **Pöide:** Auf einer kleinen Anhöhe erhebt sich die alte *Kahutsi-Festung*. Außerdem befindet sich in Pöide eine der ersten Steinkirchen Estlands. Sie wurde als Wehrkirche erbaut und gilt als die größte Saaremaas. Die ältesten Teile des Sakralbaus sind bereits im 13. Jh. entstanden.

Von Pöide geht eine Straße auf die Halbinsel **Kübassare** ab, die sich gut erwandern läßt und einige interessante Steilküsten aufweist.

▶ **Laimaja:** . . . und wieder wandelt man auf dem Pfad der Helden. In der Ortschaft **Kõiguste**, unweit von Laimaja liegt ein besonders großer Stein. Angeblich handelt es sich hier um den Stein, den *Piret*, die Frau des Suur Tõil, zum Anheizen ihrer Riesensauna gebrauchte.

Im nicht weit entfernten **Asva** soll in alten Zeiten einst eine alte Siedlung gestanden haben.

▶ **Valjala:** Wählt man in Laimaja die Straße nach Westen, so kommt man nach Valjala. Die hier stehende Festung war einst die gewaltigste der gesamten Insel. Die dazugehörige Kirche entstand im 13. Jh. unmittelbar nach der Christianisierung der Einwohner. Wenn man genau hinsieht, sind noch alte Wandmalereien zu erkennen.

Halbinsel Sõrve (Sworbe)

30 km weit reicht die südwestlich von Kuressaare gelegene Landzunge ins Meer hinein. Im Dorf Tehumardi erinnert ein Denkmal an die hier stattgefundene Schlacht um Saaremaa im Zweiten Weltkrieg.

Als 1944 die Sowjetarmee in Saaremaa einmarschierte, lieferten sich die Rote Armee, auf deren Seite die Esten kämpften, und die Truppen Nazi-Deutschlands eine blutige und verlustreiche Schlacht.

In **Üüdibe** an der Westküste Sõrves steht übrigens in Form eines riesigen Steins der *Sessel des Suur Tõil*s, von dem aus er das Meer beobachtete. Schöne, aber relativ niedrige Steilküsten sind auf der Westseite der Halbinsel bei **Kaugaturra** und **Ohessaare** zu finden. Am südlichsten

Punkt Sörves, beim Dorf **Sääre**, steht ein Leuchtturm. Schon im 17. Jh. wies er Seeleuten den Weg. Der Landspitze sind einige kleine Inseln vorgelagert, die angeblich nichts anderes sind als die gewaltigen Brocken, die Suur Tõil dem Teufel nachschleuderte, um ihn für immer zu vertreiben.
An der Ostseite Sörves, etwas nördlich des Ortes Massa gelegen, wächst ein wunderschöner **Taxuswald**. Entlang der Halbinsel erstrecken sich herrliche Sandstrände.

Der Westen von Saaremaa

Bei **Viidumäe** befindet sich das zum Naturschutzgebiet erklärte *Lümanda-Suurissoo-Moor*. Hier wachsen nicht nur ungewöhnlich viele Pflanzenarten, sondern auch sehr seltene Exemplare. Sogar Orchideen sind hier zu finden. Das Naturschutzgebiet liegt an dem Weg, der Liiva und Viidu miteinander verbindet. Vor der zerfurchten Westküste Saaremaas ist die **Vogelinsel Vilsandi** zu sehen, zu der Besucher nur schwer Zugang haben.

Als Zentrum im Westteil der Insel wird das Dorf **Kihelkonna** bezeichnet. Im Mittelalter lag der Ort einmal am Meer und unterhielt einen Hafen.
Ganz in der Nähe, in **Viki**, liegt das sehenswerte *Mihkli-Bauernhofmuseum*. Die schöne und interessante Ausstellung, die Gegenstände aus dem Alltag einer Bauernfamilie zeigt, die sechs Generationen weit zurückgehen, vermittelt einen bildlichen Eindruck vom Leben auf dem Land. Zu sehen sind die verschiedensten Gebrauchsgegenstände, an denen die Zeichen der Zeit zu erkennen sind, und mehrere alte Gebäude, wie beispielsweise Sauna, Wohnhaus und Mühle.

▶ **Kärla:** Etwa 15 km östlich von Kihelkonna liegt Kärla. Von Interesse ist die Kirche des Dorfes. Ihre Anfänge gehen bis ins Mittelalter zurück, obwohl ihr heutiges, klassizistisches Äußeres erst Mitte des 19. Jh.s entstand. An der Ostwand sind schöne Schnitzereien von 1637 zu sehen. Der sich hier befindende Epitaph wird als der schönste von ganz Estland bezeichnet.
In der Umgebung Kärlas schlängelt sich das gleichnamige Flüßchen durch ein malerisches 5-6 m tiefes Dünental. Im Norden Kärlas lädt der Süßwassersee *Karujärv* zum Schwimmen und der Strand zum Sonnenbaden ein.

▶ **Halbinsel Tagamõisa:** Die Landschaft dieser Halbinsel, nördlich von Kihelkonna gelegen, ist sehr reizvoll. In Küstennähe wird der Boden von etwa 50 kleinen Seen durchzogen, die das Meer bei seinem Rückzug hinterlassen hat. Sehenswert sind auch die ehemalige **Insel Harilaid** und die wunderschöne Steilküste bei **Undva.**

▶ **Panga:** An der Ostseite der *Kudema-Bucht* bei Panga ist das Land mit einer 21 m senkrecht abfallenden Steilküste plötzlich zu Ende. Nicht-Schwindelfreien kann es beim Hinuntersehen ganz schön schummrig werden.
Bis zum Nordischen Krieg opferten Fischer an der *Panga-Bank* ihre Kinder, damit die Gewässer weiterhin fischreich bleiben würden. Nach dem Krieg ging man dazu über, Kälber an Stelle der Kinder zu nehmen.

▸ **Kaarma:** Auf dem Rückweg nach Kuressaare lohnt es sich, kurz in Kaarma zu halten. Hier steht eine gut erhaltene Kirche aus dem 14. Jh. Sie war in erster Linie für Wanderprediger gedacht. Nicht weit davon liegen die berühmten *Dolomitsteinbrüche*. Aus diesen Steinen ist die Burg von Kuressaare erbaut und einige Gebäude in Riga, Tallinn und Moskau.

Insel Abruka

Nicht weit von der Küste Kuressaares entfernt liegt die kleine Insel Abruka. Die meiste Zeit ist Abruka von der Außenwelt abgeschnitten.

Höchstens zweimal die Woche macht sich das Postboot von Kuressaares Hafen *Roomassaare* auf den Weg, um den wenigen dort lebenden Menschen die Post zu bringen. Es besteht auch die Möglichkeit, sich über eines der *Reisebüros* mit dem Motorboot hinschippern zu lassen. Der Behauptung, daß dies die einzige Möglichkeit sei, nach Abruka zu gelangen, sollte man keinen Glauben schenken. Wahr ist jedoch, daß diese etwa dreistündige Tour mindestens einen Hunderter kostet.

Die berühmtesten Bewohner Abrukas sind die beiden Schriftsteller und Brüder *Ülo* und *Jüri Tuulik*. Ülo schreibt Reiseberichte, während Jüri auf humorvolle Weise die Seiten des Insellebens schildert. Charakteristisch für Abruka, jedoch ungewöhnlich für Estland, ist der hiesige Laubwald.

Insel Muhu

Zwischen dem Festland und Saaremaa liegt die Insel Muhu. Sie ist praktisch das "Empfangszimmer" der Hauptinsel, da das Schiff von Virtsu stets im Hafenort Kuivastu auf Muhu anlegt.

Muhu ist die drittgrößte Insel Estlands, aber nur dünn besiedelt. Große Wacholderbüsche, Findlinge und malerische Steinzäune verleihen der steinigen Insel ihren idyllischen Charme. Für die Bauern bedeutet diese Idylle jedoch harte Arbeit. Einen Einblick ins bäuerliche Leben bietet das Dorf **Koguva**. Obwohl von den 105 denkmalgeschützten hölzernen Bauernhäusern auch noch welche bewohnt sind, ist das Dorf doch ein einziges Museum. In einigen der Häuser kann man sich nostalgische Bauernstuben, Kleidungsstücke und Schlafkammern ansehen. In einem werden

Museumsdorf Koguva auf Muhu

auch hübschgemusterte Wollhandschuhe, -mützen und -socken verkauft.
In Koguva befindet sich das **Museum** des hier geborenen Schriftsteller
Juhan Smuul, der durch sein Buch *Kihnu John* (Der Wilde John) bekannt
wurde.
Kurz vor dem Damm, der zurück nach Saaremaa führt, mahlt eine Bocks-
windmühle ununterbrochen frisches Vollkornmehl. Das Mehl und auf der
Insel geschleuderter Honig werden in der Mühle zum Verkauf angeboten.

Insel Ruhnu

**Mitten im Golf von Riga und weit entfernt vom Festland und den an-
deren estnischen Inseln liegt die 13,36 qkm kleine Insel Ruhnu.**

Ihre ersten bekannten Siedler kamen aus Schweden. Die Landschaft
Ruhnus ist überwiegend moorig *(Haubjerre-Moor),* doch im Ostteil der Insel sind auch Dünen und Wanderdünen zu finden.
Den Mittelpunkt der Insel bildet das einzige Dorf **Ruhnu.** Sehenswert ist
die dortige Holzkirche. Sie entstand in der Mitte des 17. Jh.
Das Ruhnuer Inselleben war immer sehr naturbezogen. Da die Geschichte
das Eiland vor den Eroberungszügen des Deutschen Ordens, vor Baronen
und Gutsherren verschont hatte, konnten die ansässigen Menschen stets
in Freiheit leben. Die Belange der Insel wurden stets im Ältestenrat diskutiert. An die Beschlüsse des Rates hatte man sich zu halten. Familien-
namen waren den Ruhnuern bis zu Beginn dieses Jahrhunderts fremd.
Dem Vornamen wurde einfach der Name des Hofes, auf dem man lebte, angehängt. Änderte sich der Wohnort, so änderte sich auch der Nachname.
War eine Familie wohlhabend, so wurde das auch auf Ruhnu zur Schau gestellt. Die beste Gelegenheit bot sich immer bei einer Hochzeit. An der
Anzahl der Röcke, die eine Braut am Tag ihrer Vermählung trug, war auszumachen, wie reich sie war. Den absoluten Rekord stellte eine junge Frau
im Jahre 1920 auf, als sie mit sage und schreibe 50 (!) Röcken bekleidet zur
Trauung kam.
Durch die isolierte Lage Ruhnus wurden hier viel länger als anderswo die
alten Bräuche und Traditionen aufrecht erhalten. Selbst heute kann man
die Ruhnuer, insbesondere die Frauen, oft in der Inseltracht bewundern.

• *Anfahrt/Verbindungen*: Obwohl Ruhnu
viel näher an Lettland liegt, ist die Insel nur
von Estland aus zu erreichen.
Schiff: Einmal wöchentlich besteht per
Postschiff Verbindung mit **Saaremaa.**
Manchmal ist es möglich, bei einem finnischen Segler anzuheuern, der etwa alle 2
Wochen Kurs auf Ruhnu nimmt, im *Thule*
nachfragen. Auf Wunsch kann man sich

auch von einem der Reisebüros nach Ruhnu bringen lassen. Mit mindestens 200-250
DM muß man schon rechnen, die sich allerdings auf die Anzahl der Mitreisenden
verteilen.

Hubschrauber: Man kann sich auch ein-
fliegen lassen. 500 DM kostet ein einfacher
Flug, der sich, wenn der Helikopter ausge-
lastet ist, auf 130 DM reduzieren läßt.

Blick auf Pärnu

Pärnumaa (Pernau)

Die Landschaft des südwestlichen, an Lettland grenzenden Landkreises ist eben und von vielen Flüssen durchzogen. Im Westen endet Pärnumaa in einem langen, flachen Küstenstreifen am Rigaer Meerbusen, im Osten grenzt es an Viljandimaa und im Norden an Läänemaa. Der Boden von Pärnumaa ist sandig und moorig, was die Arbeit in der Landwirtschaft erschwert. Überall gibt es tiefe, dichte Wälder.

In den Wäldern bei **Vändra** leben sogar noch Braunbären. Pärnumaa genießt schon lange den Ruf einer beliebten Urlaubsregion. Besonders schön sind die Strände entlang der *Via Baltica*, Richtung Lettland.

Schon im Steinzeitalter war das Ufer des Pärnu-Flusses besiedelt. Archäologischen Untersuchungen zufolge haben sich bereits im Jahre 7000 vor unserer Zeitrechnung die ersten Menschen in dieser Gegend niedergelassen. Die hier lebenden Steinzeitmenschen ernährten sich überwiegend von der Jagd und vom Fischfang.

Im Mittelalter bildete das Gebiet den Nordwesten Livlands. Von der Festung, die der Deutsche Orden in Pärnu hinterließ, ist heute so gut wie nichts mehr übrig geblieben. Durch die zahlreichen Flüsse, die den Landkreis durchziehen, entwickelte die Region schon im Mittelalter florierende Handelsbeziehungen, hauptsächlich mit Schweden. Während des *livländischen Krieges* fiel das Gebiet an Polen, kam später aber wieder unter schwedische Herrschaft.

Pärnu (Pernau) *(ca. 56.000 Einwohner)*

Pärnu ist die Hauptstadt des Kreises Pärnumaa. Sie ist eine schöne Küstenstadt und ein beliebter Badeort an der Pärnu-Bucht, unweit von der Mündung des Pärnu-Flusses in den Golf von Riga.

Kein Wunder, daß Pärnu im Laufe der Zeit zu einem der beliebtesten Ferien- und Badeorte avancierte, hat die Stadt doch einen 2 km langen und über 100 m breiten weißen Sandstrand zu bieten. Die Stadtmitte von Pärnu ist sehr hübsch. Kleine, ansprechende Geschäfte und einige gemütliche Cafés laden zu einem ausgiebigen Stadtbummel ein. Viele der Straßen von Pärnu bilden majestätische Alleen, die im Sommer zu kühlen, grünen Tunnels werden.

Geschichte: Im Jahre 1234 weihte der Deutsche Orden an der Mündung des kleinen Flusses *Sauga* eine Bischofskirche ein, um die herum eine Siedlung und schließlich das kleine Städtchen **Vana-Pärnu** (Alt-Pernau) entstand. Mitte des 13. Jh. wurde Pärnu von den einfallenden Litauern bis auf die Grundmauern zerstört. Dieses Ereignis veranlaßte den Orden dazu, die starke Feste *Pärnu*, diesmal am Ufer des Pärnu-Flusses, zu bauen. Um die Burg entwickelte sich eine neue Siedlung, die **Uus-Pärnu** (Neu-Pernau) genannt wurde. Aus Angst vor neuen, feindlichen Überfällen erhielt Uus-Pärnu im 14. Jh. eine Stadtmauer. Im Verlauf des Mittelalters blühte die junge Stadt auf, was sich mit Pärnus Beitritt zur Hanse noch steigerte. Nachdem die Schweden sich im Krieg gegen Polen die unumstrittene Vormachtstellung im Ostseeraum erkämpft hatten, erlangten sie 1699 auch die Herrschaft über Pärnu. Für kurze Zeit kam Pärnu in den Genuß, sich Universitätsstadt zu nennen, da man die schwedische Tartuer Universität hierherverlegt hatte. Doch war dieses Prestige Pärnu nur bis zum Ausbruch des Nordischen Krieges vergönnt. Nach dem Krieg war außer Schutt und Asche nicht mehr allzuviel von der Stadt übrig. Die Reste der Ordensburg in der Nähe der Dampferlandungsbrücken sind nur noch schwer als solche zu erkennen, und an die alte Stadtmauer erinnern lediglich noch der *Rote Turm* (punane torn) aus dem 15. Jh. und das *Tallinner Tor* (Tallinner värav).

Das heutige Pärnu entstand erst im 18. und 19. Jh. Ans Eisenbahnnetz wurde die Stadt relativ spät angeschlossen, doch dank der Entdeckung des Heilschlamms wurden schon früh viele Urlauber an die schöne Bucht von Pärnu gezogen. Als dann Anfang des 19. Jh. das erste Moorbad eröffnet wurde und man Pärnu zum Kurort erhob, erholte sich die Stadt allmählich wieder und erfuhr einen neuen wirtschaftlichen Aufschwung.

- *Postleitzahl*: EE3600
- *Vorwahl*: 01444
- *Information*: Kuninga 32. Genannte Infoquelle sprudelt noch sehr zaghaft, Tel. 42750; Reisebüro mit Verkauf von Schiffstickets im Hotel Leharu, Tel. 45874; Travel Agency, Ringi 3, Tel. 40751.
- *Anfahrt/Verbindungen*: **PKW** - Das Seebad liegt im Südwesten Estlands; an der M-12, der Via Baltica.
Bus: gute Verbindungen mit Tallinn, Tartu, Viljandi, Haapsalu. Durchgehende Busse

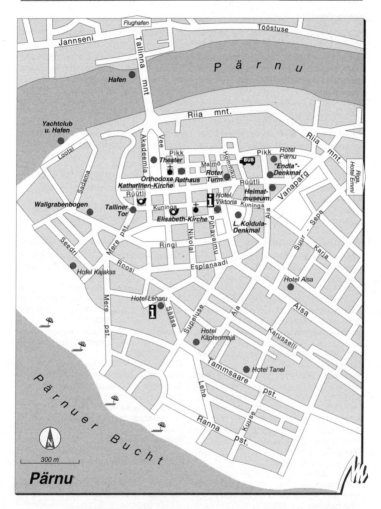

Pärnu

zwischen an der Via Baltica gelegenen lettischen und estnischen Städten sind selten geworden. Seit neuestem fahren sie meistens erst ab Ainaži (Lettland). Busbahnhof ist in der Ringi tänav 3 zu finden. Es gibt dort weder eine Gepäckaufbewahrung noch Schließfächer.

Bahn: Züge nach Tallinn und Riga. Bahnhof liegt in der Tammiste tänav, zu erreichen mit den Bussen 3, 4, 11, 40, Abfahrt gegenüber vom Busbahnhof in der Riia mnt.

Mit dem eigenen Schiff: Angelegt wird im Yachthafen in der Lootsi 6, Tel.41948.

Verbindung nach Kihnu: Im Sommer fährt jeden Tag ein Schiff zu der kleinen Insel rüber. Eine einfache Fahrt kostet weniger als 3 DM, die Fahrtdauer beträgt ca. eine gute Std. Abgelegt wird unter der Brücke, die nach Tallinn führt. Abfahrtszeiten in einem der Reisebüros erfragen. Im Winter ist die Insel nur per Flugzeug erreichbar. Flughafen: Tel. 40752.

Übernachten

Pärnu gehört zwar zu den sechs größeren estnischen Städten, doch auch hier ist das Hotelangebot im Verhältnis zu den Urlauberzahlen noch recht dünn.

Victoria, Kuninga 25. Bestes und teuerstes Hotel am Ort, zur "Best Western-Kette" gehörend, ÜB mit Frühstück ca. 140 DM, Tel. 43412.

Aisa, Aisa 39. Nettes Hotel mit Swimming-Pool, Sauna und Café. Zimmer alle mit Bad und SAT-TV, ÜB ca. 60 DM, Tel. 43186.

Pärnu, Rüütli 44. Ehemaliges Devisenhotel, mit angeschlossenem Restaurant, ÜB ca. 40 DM, Tel. 42145.

Emmi, Laine 2. Ganz gemütlich, Zimmer alle mit Bad und TV, außerdem Sauna, Café und Restaurant, ÜB mit Frühstück knapp 40 DM, Tel. 22043.

Kaptenimaja, Tammsaare pst. 1a. Ziemlich klein, aber mit Sauna. Jeweils 2 bzw. 3 Zimmer teilen sich ein Bad, ÜB um die 25 DM.

Leharu, Sääse 7. Befindet sich im vorletzten Stockwerk eines ehemaligen Ferienheimes. Zimmer mit Bad und z.T. mit Balkon, von einigen Räumen schöne Sicht auf Pärnu. Kleine Bar angeschlossen, in der abends, insbesondere am Wochenende oft die Hölle los ist, daher darauf achten, möglichst weit von der Bar ein Zimmer zu bekommen, ÜB ca. 5 DM, Tel. 45895.

Pansionaat Tanel, Tammsaare pst. 5a. Kleine, einfache Herberge, Nähe Strand, Zimmer ohne Bad, ÜB ca. 5 DM, Tel. 45086.

Kajakas, Seedri 2, sehr einfach, aber mit Sauna, ÜB etwa 5 DM, Tel 43098.

Essen

● *Essen*: **Pärnu**, Rüütli 44. Besteht aus 2 großen, aber gemütlich eingerichteten Speisesälen, mit netter Bedienung und ganz gutem Esen, bar angeschlossen, Di und Mi mit Tanz und Live-Musik, Tel. 41105.

Tallinn, Akadeemia 5. Von innen nichtssagend, Küche recht gut, Tel. 40468.

Victoria, wie das Hotel, zu dem es gehört, so ist auch im Restaurant alles vom Feinsten, was aber auch seinen Preis kostet, Tel. 43041.

Vigor-club, Riia mnt. Restaurant befindet sich auf dem Pärnu-Fluß liegenden Schiff, im Frühjahr '93 frisch renoviert eröffnet, Tel. 45200.

● *Bars und Bistros*: **Postipoiss**, Vee 12, Bierstube, in dem es auch kleine deftige Snacks gibt, wenig Frauen, Tel. 40204.

Bistro, Rüütli 45. Stehcafé und Imbißstube der Bistro-Kette, Tel. 45567.

Crown Maryn, Pühavaimu 8. Gemütliche Kellerkneipe in einem alten Haus, einige gute und warme Gerichte zu haben, von 12-2 geöffnet, Tel. 43959.

Axel, Laine 6. Nette Kellerkneipe, von 12-2 geöffnet.

Bristol, Rüütli 45. Gemütliche Bar, Pubatmosphäre, von 14-2 geöffnet, Tel. 44700.

Helios, Rüütli 21. Die sich dahinter verbergende Bar entspricht so gar nicht ihrem Namen, von 10-24 Uhr geöffnet.

Vigor-club, Bar zum gleichnamigen Restaurant, von 11-3 Uhr geöffnet, Tel. 45200.

Viiking, Ranna pst. 7. Tanzclub, direkt am Strand, besonders beliebt bei Touristen, von 12-3 Uhr geöffnet.

Laguun, Supeluse 18b. Modern gestyltes helles Café, auf dem Weg zum Strand, überwiegend junges Publikum, von 12-2 Uhr geöffnet, Tel. 45701.

Kadri, Nikolai 12. Einfache, etwas rustikale Bar, beliebt bei Einheimischen, von 8-19 Uhr geöffnet.

Condor, Sääse 7. Kleine Bar im Hotel Leharu, mit Roulette, außerdem leckere Krabbensalate im Angebot, offiziell von 18-2 geöffnet, tatsächlich aber eher umgekehrt.

Matsi, Karja 89. Kleine Bar mit lauter Musik, beliebter Jugendtreff, geöffnet von 18-1 Uhr.

Neptun, Ranna pst. 3. Angenehme Kneipe, direkt am Strand. Man kann hier auch Kleinigkeiten essen, von 12-22 Uhr geöffnet, Tel. 44900.

Kalagrill, Ranna pst. 3. Kleine Grillbar, wie der Name unschwer erahnen läßt, von 12-22 Uhr geöffnet.

Mini, Supeluse 13a. Winziges Bistro mit Snacks, von 11-18 Uhr geöffnet.

● *Cafés*: **Kohvipood**, Rüütli 43. Kleines, gemütliches, z. T. etwas volkstümlich gestyltes Café, Kaffeausschank und Verkauf von Suppen, Kuchenteilchen und Pasteten, von 7-18 Uhr geöfffnet.

Emmi, Laine 2. Café-Bar des gleichnamigen Hotel, ganz gut zum Frühstücken geeignet, von 8-23 Uhr geöffnet.

Rathaus von Pärnu

Pinguin, Pühavaimu/Ecke Rüütli. Eisdiele der Pinguin-Kette, die auch im bitterkältesten Winter gut besucht ist.

Lily, Munga 3. Klitzekleines, hübsches Café mit "Sitzkapazitäten" für 10 Leute. Von außen kaum als Café erkennbar, da kaum größer als ein Kiosk, von 9-22 Uhr geöffnet, Tel. 43337.

Ada, Ringi 6. Einfaches, aber nettes Café mit schönem Vorgarten, 8-19 Uhr geöffnet.

Vahtra, Kerese 4. Modern ausgestattetes Café, in dem es auch was zu essen gibt, geöffnet von 12-2 Uhr, Tel. 40504.

Lehe, Lehe 5. Ebenfalls modern gestylte Cafékneipe, ähnlich wie das Vahtra, von 12-24 Uhr geöffnet, Tel. 44567.

Verschiedenes

• *Einkaufen*: Die meisten Läden liegen an der Rüütli tänav, eine angenehme, autofreie Straße, umsäumt von hübschen, alten Häusern, die zum Bummeln einlädt. Neben Fotoläden, Platten-und Buchhandlungen sowie Andenkenshops und Schreibwarengeschäften, befinden sich hier auch etliche kleine Cafés und Bars.

• *Unterhaltung*: **Theater** - *Endla- Theater*, Keskväljak 12. Wurde 1911 als drittes Schauspielhaus Estlands gegründet und ist eng mit der Arbeit der Dichterin *Lydia Koidula* verbunden. Der Bau sieht von au-ßen ziemlich trist und farblos aus.

Diverses: **Geldwechsel** - Kommertspank, Rüütli 51; Geldwechsel, auch zu später Stunde in den Hotels Viktoria und Pärnu.

Post: Akadeemia 7.

Poliklinik: Suur-Sepa 16.

Apotheke: Rüütli 39.

Markt: Suur-Sepa 18.

Autowerkstatt: Tallinna mnt. 89 a, Tel. 43358.

Tanken: Neste-Tankstelle, Riia mnt. 110, am Ortsausgang Richtung Riga, Kiosk angeschlossen, 24-Std.-Service.

Pärnu-Museum: Rüütli 53. Interessante Ausstellung über die Geschichte Pärnus und Umgebung, von Mi-So von 11-17 Uhr geöffnet.

Lydia Koidula-Museum: Janseni 37. Museum zum Andenken an die berühmte estnische Dichterin (1843-1886). Sehr bedeutend für das estnische Volk sind ihre Gedichte und Lieder. Ihr Lied *Mein Vaterland ist meine Liebe* wurde während der Sowjetzeit an Stelle der verbotenen Nationalhymne gesungen. Die offizielle Nationalhymne ist übrigens ein ins Estnische übersetztes Lied aus Finnland, geöffnet Mi-So von 11-17 Uhr.

Eine Runde durch Pärnu

Die Altstadt von Pärnu ist klein und relativ schnell zu durchlaufen. Am besten man beginnt seinen Rundgang am **Lydia Koidula väljak**. Eine Büste auf einem hohen Steinsockel erinnert an die für Estland so bedeutsame Dichterin. Der Platz liegt schräg gegenüber vom Hotel Viktoria, zwischen den Straßen Hospidali, Ringi und Kuniga.

Geht man die Ringi tänav in nordöstliche Richtung entlang, kommt man bald zur Ecke mit der Rüütli tänav. Ein Stück die Rüütli tänav rechts runter, trifft man auf das **Denkmal für das Endla-Theater** und das **Heimatmuseum**. Zur andern Richtung hin wird die Rüütli tänav zur Geschäftsstraße. Viele der Schaufenster sind bereits nach "westlichem Stil" dekoriert. Rechts und links der Straße erheben sich hübsche, niedrige Häuserreihen. Sie stammen aus dem 18. und 19. Jh.

Rechts von der Rüütli tänav geht die Hommiku tänav ab, aus der sich der **Punane Torn**, der Rote Turm, erhebt. Dieser runde Turm ist ein Teil der alten mittelalterlichen Stadtmauer aus dem 15. Jh. und Pärnus ältestes Bauwerk.

Katharinenkirche

Zurück auf der Rüütli tänav, rechts in die Pühavaimu tänav einbiegen. Dort fällt das Haus Nr. 8, insbesondere sein prächtiges, farbenfrohes Eingangstor, auf. Heute beherbergt es die Kneipe Crown Maryn. Von der Pühavaimu tänav geht nach wenigen Metern links die Malmö tänav ab.

An der Ecke mit der Nikolai Tänav steht das Ende des 18. Jh. im klassizistischen Stil errichtete **Rathaus** der Stadt. Sehenswert ist seine reich verzierte Eingangstür. Von hier aus sind es nur noch wenige Schritte bis zur **Katharinenkirche** in der Vee tänav. Der im 18. Jh. errichtete orthodoxe Sakralbau erhielt seinen Namen als Ausdruck des Dankes an seine edle Spenderin, *Katharina II.*

Rechts neben der Kirche liegt das **Endla-Theater** und nicht weit davon befindet sich auch der Hafen. Geht man die Vee tänav links herunter und biegt dann rechts in die Kuninga tänav ein, gelangt man zum **Tallinna värav**, zum Tallinner Tor. Es ist das einzige, noch erhaltene Tor der Pärnuer Stadtbefestigung, das nicht den Verwüstungen des

Nordischen Krieges zum Opfer gefallen ist. Es ist im Stil des Barock gestaltet. Auf der andern Seite des Tores erstreckt sich ein schöner großer Park, der, je weiter man sich dem Meer nähert, immer sandiger und schließlich zum Strand wird. Hier befanden sich früher die Wallanlagen, was teilweise noch zu erkennen ist.

Wer noch die prachtvolle **Elisabethenkirche** sehen will, geht zurück zur Kuninga tännav. Das hübsche Gotteshaus erhebt sich an der Straßenecke Kuniga/Nikolai tänav. Auch diese Kirche trägt den Namen einer adeligen russischen Dame. *Jelisaweta*, die Tochter *Peters des Großens*, spendete Geld für den Bau, so daß er ihr zu Ehren zur Elisabethenkirche wurde. 1774 war die Kirche fertiggestellt.

Strand/Park: Am Südwestende der Stadt schließt sich ein herrlicher, weißer und weiter Sandstrand an. Das Wasser ist kühl, im Hochsommer jedoch angenehm erfrischend. Man sieht es dem Wasser zwar nicht an, doch ist es nicht ganz sauber, und man sollte nicht darin baden.

Am Strand entlang führt die von Bäumen gesäumte Ranna pst. (Strandstraße), an der nette Cafés und Restaurants zur Einkehr einladen. Nimmt man die Supeluse tänav zur Promenade, trifft man am Ende der Straße auf die prächtigen Bauten des Strandsalons und des Strandpavillons. Hinter dem Strand befindet sich ein schöner schattiger Park. Am Rand des Parks werden im Sommer frische Erdbeeren und Himbeeren angeboten.

Die westliche Umgebung von Pärnu

Da auch dieser Küstenstreifen während der Sowjetzeit von der Roten Armee gesperrt war, ist er größtenteils unbesiedelt und noch wild und unberührt. Einsame Strände, die höchstens von vereinzelten Fischerkaten oder alten, riedgedeckten Bauernhäusern unterbrochen werden, lassen die Vorstellung aufkommen, das Ende der Welt erreicht zu haben. Das Meer schimmert grünlich, kein Mensch weit und breit, nur Möwen und Krähen, die auf dicken Steinen im Wasser sitzen und kreischend die Sonne genießen. Vor der Küste liegen viele kleine Inseln. Optimale Badestrände wird man, außer in **Matsi**, nicht finden, da die Strände oft steinig sind, das Meer in Ufernähe sehr flach ist und viele Pflanzen im Wasser herumschwimmen. Doch der Anblick dieser Küstenlandschaft ist wunderschön. Die nordische Romantik, die von ihr ausgeht, ist atemberaubend. Die größeren Dörfer dieser Gegend sind die an der Küstenpiste gelegenen Orte **Vatla**, **Varbla** und **Tõstamaa**. Im letztgenannten Dorf gibt es übrigens eine Poliklinik und eine Tankstelle.

Zu einem Abenteuer kann eine ausgedehnte Strandwanderung werden. Proviant kann man in der Regel bei Bauern und Fischern einkaufen. Oftmals bietet sich auch die Möglichkeit, bei ihnen ein Nachtlager zu finden. Man kann auch einen der Busse, die ein- bis zweimal am Tag Richtung Pärnu, Lihula und Haapsalu über die staubige Straße rattern, nehmen.

▶ **Matsi**: Das winzige Dorf oder besser gesagt: die Ansammlung einiger Häuser, liegen an einem schönen Strand. Matsi ist ohne Auto allerdings schwer zu erreichen. Man muß dazu den Pärnu-Haapsalu-Bus nehmen, der die Küstenstraße entlang fährt. An der Haltestelle Salepi aussteigen. Wieder ein Stück zurücklaufen und dem Schild nach Matsi folgen.

Im Landesinneren dieser Gegend sind tiefe Wälder und reizvolle Moränen- und Heidelandschaften zu finden. Die Straße nördlich von Tõstamaa führt zu dem fischreichen **Ermistu-** und dem **Tõhela-See**. Beide sind völlig flach und messen an ihrer tiefsten Stelle nicht mehr als einen Meter.

Folgt man der holprigen Landstraße zwischen Lihula und Pärnu-Jaagupi, so findet man sich bei **Mihkli** in dem größten Eichenwald Estlands wieder.

▶ **Audru:** Der kleine Ort mit einladendem, weißem Badestrand liegt ca. 7 km westlich von Pärnu. Die Schönheit dieser Stelle haben auch die Betreiber eines nett angelegten Campingplatzes erkannt. Schlafen kann man in Holzhütten oder im eigenen Zelt auf einer dafür vorgesehenen Wiese neben dem Badmintonfeld. Ein Restaurant befindet sich im Bau. ÜB ca. 4 DM.

Die Besitzer scheinen das Wort Privatisierung sehr wörtlich zu nehmen. Der zum Campingplatz gehörende Strand soll eingezäunt werden, und von Nicht-Gästen will man dann eine Gebühr verlangen, falls es ihnen überhaupt gestattet sein wird, den nun privatisierten Strand zu betreten.

● *Adresse*: Andru Külanõukogu, Valgerand, Tel. 64231.

▶ **Vändra:** Im nördlichsten Zipfel von Pärnumaa liegt das Dorf Vändra. Die den Ort umgebende Natur zeigt sich noch in ihren ursprünglichsten Formen. Tiefe Moore und Wälder, in deren dichten Tiefen noch Braunbären zu Hause sind, kennzeichnen die wilde Landschaft dieser Gegend.

Die Grenze zwischen Livland und Alt-Estland verlief ganz in der Nähe von Vändra. Berühmte Persönlichkeiten aus Vändra sind *Voldemar Jansen*, einer der ersten Journalisten Estlands, und seine Tochter, die berühmte Dichterin *Lydia Koidula*.

● *Anfahrt/Verbindungen*: **PKW** - Vändra liegt an der A-203 ca. 45 km nördlich von Pärnu auf dem Weg nach Türi. **Bus:** Von Pärnu die Linien nach Paide, Tapa oder Rakvere nehmen.

Die südliche Umgebung von Pärnu

Kaum hat man das Pärnuer Ortsausgangsschild passiert, weist am Straßenrand der Via Baltica ein anderes Schild die Richtung zu einem urigen Campingplatz. Von Pärnu ist der im Wald gelegene Platz in etwa 2 Stunden, entlang am Meer, zu erreichen (etwa 7 km). Der Strand bei **Uulu** ist leider kein Badestrand, da große Schilfstauden am Ufer wachsen, doch der Anblick der schönen Dünen entschädigt dafür. Für das leibliche Wohl muß jeder selbst sorgen. An der Feuerstelle kann im Freien gekocht werden. Es empfiehlt sich, Lebensmittel aus Pärnu mitzubringen. Hauptsächlich trifft man skandinavische Rucksack- und Motorradtouristen, ÜB ca. 2 DM.

● *Adresse*: Uulu Camping, Maakond, Vabarik, Tel. 60061.

● *Anfahrt/Verbindungen*: **PKW** - Von Pärnu ca. 7 km die Via Baltica (M-12) Richtung Riga runterfahren. Rechts auf Hinweisschilder achten.

Bus: Am Laden an der Haltestelle Uulu aussteigen und bis zum Hinweisschild ein Stück zurücklaufen, insgesamt ca. 2 km.

Abkürzung: Geht man von der Haltestelle ein Stück weiter in Richtung Riga, geht rechts ein größerer Pfad in den Wald ab. Dem folgen, er endet nach 10 Min. beim Campingplatz. Der Weg wird von einem Bach gekreuzt, über den lediglich einige Stämme führen, nichts für Schwerbeladene.

Der Süden von Pärnumaa

Von Uulu führt sowohl die Via Baltica, als auch eine gut ausgebaute Küstenstraße in Richtung Lettland. Die spärlich befahrene Strecke entlang der Küste ist ideal zum Fahrrad fahren.

Alle dort liegenden Orte sind mit der Linie Pärnu-Ainaži erreichbar, je nachdem, ob man die Küstenstraße oder die Via Baltica entlangfährt. Die Verbindungen über die große Straße sind natürlich besser. Der letzte Ort auf estnischer Seite ist **Ikla**, der erste auf lettischer Seite **Ainaži**.

▶ **Rannametsa:** Hier befinden sich wunderschöne, schilfbewachsene Dünen, an die sich ein strahlendblaues Meer anschließt. In Rannametsa geht vor der Brücke ein Feldweg ab. Dem folgen bis zu einem dunkelbraunen Haus mit der Aufschrift *kauplus*. Weiter geht es ein Stück durch den Wald, bis man nach der Überquerung einer bunten Blumenwiese schließlich zu den Dünen gelangt. Der Strand hier sieht bildschön aus.

▶ **Häädemeeste (Gutmannsbach):** Die Umgebung des Ortes ist waldreich und moorig. Bekannt wurde Häädemeeste einst durch den Bau von Segelschiffen. Um das Holz aus den Wäldern an die Küste zu schaffen, hat man Kanäle durch das Moor gegraben. Häädemeeste ist ein beschauliches, kleines Dorf. Einige Tage läßt es sich hier durchaus aushalten.

• *Postleitzahl*: EE3633.

• *Vorwahl*: 244.

• *Übernachten*: Ein neuerbautes **Hotel** steht an der Pärnu mnt. neben der Apotheke; es hat Sauna, ein Restaurant und eine 24 Std. geöffnete Bar. Preise standen zum Redaktionsschluß noch nicht fest.

Campingplatz: Wenige Kilometer südlich des Ferienzentrums, auf der Höhe der Bushaltestelle Lemme, liegt ein urgemütlicher Campingplatz. Die denkbar einfachen Hütten stehen unter hohen Kiefern am Waldesrand, an den sich weiße Dünen und ein schöner Sandstrand anschließen. Auf elektrisches Licht braucht man nicht zu hoffen, doch macht gerade das den Platz sehr reizvoll. Zum Campingplatz gehört eine große Küchenhütte, in der nach Herzenslust gekocht werden kann. Viele Jugendgruppen machen hier Urlaub. ÜB ca. 1 DM. EE3634 Kabli S. JSK, Tel. 98458.

Ferienpark: Kurz nach Ortsausgang von Kabli weist ein unauffälliges Puhkekodu-Schild den Weg zum Ferienzentrum. Obwohl es sich bei dem Gebäude um einen großen, roten Backsteinbau handelt, wirkt er nicht erdrückend. Es gibt eine gute Söökla, Sauna und ein nettes Café mit schönem Blick auf das Meer. Die Zimmer sind durchschnittlich. Durch Glasschläuche sind die einzelnen Gebäude miteinander verbunden. Mit 25-30 DM pro Person wird man gewiß rechnen müssen. EE3634, Lepanina Puhkekodu, Tel. 98477. Bushaltestelle Majaka.

• *Verschiedenes*: **Post** - Side 2.

Poliklinik/Apotheke: Pärnu mnt. 15.

Baden: Hier in Häädemeeste ist der Strand nicht besonders schön, aber im 10 km südlich gelegenen Ort **Kabli** lädt ein schöner, heller Sandstrand zum Sonnenbaden und Schwimmen ein.

Viljandimaa (Fellin)

**Weites hügeliges Land und die Erhebungen der Sakala-Höhen kenn-
zeichnen das Gebiet des Viljandi-Landkreises im Süden Mittelestlands. Hinzu kommen riesige, üppig gewachsene Wälder. Die groß-
teils unberührte Moränenlandschaft und die Moore am Rande der
Höhen machen die Gegend sehr reizvoll.**

Schon in alten Zeiten lag das Zentrum dieser Region in Viljandi. In der
Gegend um Viljandi hatte der Deutsche Orden im 13. Jh. größte Schwierigkeiten, die massiven Widerstand leistende Bevölkerung zu unterwerfen. Schon vor Ankunft des Deutschen Ordens gab es in dem Gebiet bereits von Esten errichtete Burgen, was den Missionierern die Umsetzung
ihrer Absichten erschwerte. Die bekannteste Festung war die des Esten-
führers *Lembitu* in **Lõhavere.**

Durch die *Muglids* - sie waren die ersten Esten, die von den deutschen
Gutsbesitzern Land erwerben konnten - entwickelte sich Viljandimaa,
zeitweise auch Mulgimaa genannt, im 19. Jh. zu einer der reichsten und
einflußstärksten Gegenden Estlands. Die Muglids waren sehr wohlhabend
und galten als klug und sparsam. Beim Volk waren sie jedoch eher unbe-
liebt und als geizig verschrien. Doch das im 19. Jh. erwachende Nationalbewußtsein in Estland geht u. a. auf die emanzipierten Muglids zurück.

Viljandi (Fellin) *(ca. 24.000 Einwohner)*

**Die alte, malerische Stadt Viljandi strahlt Ruhe und Nostalgie Sie liegt
zwischen den smaragdgrünen Hügeln der Sakala-Höhen. Die sechstgrößte Stadt Estlands gibt sich vielseitig.**

Museen erzählen von den Menschen, die vor 5000 Jahren hier siedelten,
und von einer großen Bauernburg. Die Ruine auf dem völlig zugewachse-
nen Schloßberg läßt das Mittelalter spürbar werden, und der Viljandi-See
am Rande des Zentrums lädt zum Baden ein.

Bevor der Livländische Orden Viljandi einnehmen konnte, mußte er sich
heftigen Kämpfen mit den sich erbittert zur Wehr setzenden Esten stellen. Ihr Anführer war *Lembitu*. Nach dem Sieg über die Esten errichteten
die Schwertbrüder 1224 eine Ordensburg.

Die Stadt entwickelte sich nördlich der Festung, obwohl Viljandi auch
schon vor dem Bau des Ordensschlosses als Siedlung um eine estnische
Bauernburg existierte (im 12. Jh. erstmalig erwähnt). 1283 erhielt Viljandi
das Stadtrecht und entwickelte sich im Mittelalter rasch zu einer
blühenden Hansestadt. Doch die kommenden Kriege und wechselnden
Herrschaften sollten die wirtschaftliche Blüte der Stadt beenden. Besonders hart traf Viljandi der Nordische Krieg, in dem die Ordensburg

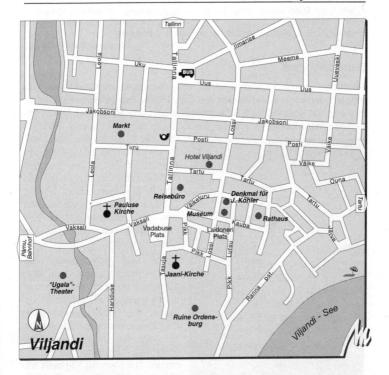

Viljandi

zerstört wurde und die Zahl der Einwohner drastisch zurückging. 1710 fiel der Landkreis an Rußland. Einen wirtschaftlichen Aufschwung erfuhr Viljandi dann mit der Erhebung zur Kreisstadt und mit der Errichtung der Eisenbahnlinie.

- *Postleitzahl*: EE2900
- *Vorwahl*: 01443
- *Information*: Tallinna 6, Tel. 54418.
- *Anfahrt/Verbindungen*: **PKW** - Von Tallinn über die A-204 Viljandi erreichbar.

Bus: Verbindung mit allen größeren Städten Estlands, sowie zu den umliegenden Dörfern. Busbahnhof, Illmarise 1.

Bahn: Züge nach Tallinn. Bahnhof, Metalli 1.

- *Übernachten*: **Viljandi**, Tartu 11. Schönes Haus in Toplage, recht einfach, Tel. 54001.

Hotel, Riia mnt 38. Komplexer Bau, Zimmer durchschnittlich, mehrere Kategorien, Tel. 52815. Aus der Innenstadt Bus 2 oder 7 bis zur Haltestelle Männimäe nehmen.

Motel, Sammuli, Männimäe tee 28, Tel. 54463.

Kalevi, Ranna 6. Absolut einfache Unterkunft. Im Sommer sind hier viele jugendliche Sportler.

Campingplatz, befindet sich am anderen Ufer des Viljandi-Sees. Ein Stück die Landstraße Richtung Mustla runterfahren. Bus Richtung Mustla nehmen und an der Haltestelle Nõmme aussteigen, von da noch etwa 1 km zu Fuß. In Höhe der Bushaltestelle auf Schilder achten. Ein Platz im Holzzelt kostet ca. 2 DM, Übernachten im eigenen Zelt möglich, Tel. 29777. Nur während der Sommermonate geöffnet.

- *Essen*: **Viljandi**, Tartu 11. Relativ gute Küche, aber langsamer Service. In der Mittagszeit gut besucht, Tel. 554795.

Vikerkaar, Roo 5. Liegt etwas außerhalb des Stadtzentrums am See, das Essen ist durchschnittlich, Tel. 52909.

• *Cafés/Bars*: **Mulgi kelder**, Tartu 44, gemütliche Kellerkneipe.
Kirsimäe, Lossi 7. Nettes Café und Bar in einem.

• *Verschiedenes*: **Post/Telegrafenamt** - Tallinna 11, zum Telegrafenamt hinteren Eingang benutzen.
Poliklinik: Jakobsoni tänav/Ecke Kivi tänav.

Sehenswertes

Altstadt: Obwohl Viljandi sehr alt und nostalgisch wirkt, stammen die meisten der bunten Holzhäuser aus dem 19. Jh., das hübsche Rathaus allerdings aus dem 18. Jh. Ein Überbleibsel aus dem Mittelalter ist die umgebaute *Jaani-Kirche*, entstanden im 15. Jh. in der Mäe tänav 8. Wahrzeichen der Stadt ist der leuchtende *Wasserturm*, doch ist er nicht viel älter als 80 Jahre. Die Hauptgeschäftsstraße ist der obere Abschnitt der Tartu tänav hin zur Tallinna tänav. Viljandi ist zwar eine der größeren Städte Estlands, doch von Hektik ist hier nichts zu spüren.

Altstadt von Viljandi

Ruine und Schloßpark: Vom Stadtzentrum gelangt man über die Lossi tänav in den pflanzenüberwucherten Schloßpark. Gesäumt von hohen Linden führt eine kleine, wackelige Hängebrücke über den ehemaligen Wallgraben zum Hauptteil der Schloßruinen. Die Festung Viljandis war eine der größten Burgen Estlands. Von der Ruine hat man einen wunderschönen Blick auf den Viljandi-See.

Auf der anderen Seite des *Valuoja-Flusses* befindet sich ein romantischer Friedhof mit bemoosten Grabsteinen aus Marmor, schmiedeeisernen Toren und alten knorrigen Bäumen. Viele im Unabhängigkeitskampf gefallene Esten sind hier begraben.

Museum, Tombi 12: Hauptattraktion in dem kleinen Museum sind die Steinzeitfunde aus Viljandi und Umgebung, die bis ins dritte Jahrtausend vor Christus zurückreichen. Zu sehen ist auch eine Nachbildung der Burg von Viljandi, an der deutlich wird, wie riesig und gewaltig diese Festung einst gewesen sein muß.

Ferner sind noch die im Landkreis heimischen Tierarten ausgestellt und verschiedene Trachten der Region. Die Leiterin des Museums bemüht sich sehr um die Besucher und spricht ein wenig deutsch.

Öffnungszeiten: Do-Mo von 10-17 Uhr geöffnet.

Theater: Ugala-Theater, Vakksali 7. Nicht weit weg von dem alten Friedhof befindet sich das modernste Theater Estlands, in dem auch experimentelle Stücke auf die Bühne gebracht werden.

Baden: Sogar mit einem kleinen Sandstrand kann der saubere *Viljandi-See* aufwarten. In heißen Sommern kann das Wasser angenehm warm werden. Die gegenüberliegende Seeseite, an der auch der Campingplatz liegt, ist jedoch schöner.

Umgebung

▶ **Suure-Jaani**: Fährt man die A-204 von Viljandi ca. 15 km in Richtung Paide, kommt auf der linken Seite ein Abzweig nach **Suure-Jaani**. Kaum zu glauben, daß dieser verschlafene, kleine Ort das Stadtrecht besitzt. Hinter der Kirche aus dem 14. Jh. liegt ein interessanter Friedhof. Der berühmte estnische Maler *Johann Köler* und der Komponist *Artur Kapp* sind dort begraben. Wer Glück hat, kann bei besinnlicher Musik über den Friedhof schlendern, da der Kirchenchor im Sommer zumeist draußen probt. Ungefähr 3 km von Suure-Jaani entfernt stand die mächtige Bauernburg von **Lõhavere**. Geblieben ist lediglich der Hügel, auf dem sie einst stand.

▶ **Karksi** (bei Nuia-Karksi): Auf einem Hügel, hoch über den Teichen und Seen des malerischen Halliste-Tals, stehen die Mauerreste der *Kantrimägi-Burg*. Bekannt ist die Festung seit 1248 als die Bauernburg *Kantsimäe*. Im 15. Jh. brannte die aus Holz gebaute Festung ab, und an ihrer Stelle wurde ein Ordensschloß errichtet. Seit 1620 ist sie eine Ruine. 1778 wurde neben den Mauerresten eine Kirche gebaut. Im Schloßpark finden im Sommer zahlreiche Veranstaltungen statt. Viel Spaß bereitet die übergroße Schaukel auf dem Burgberg. Von dort oben hat man einen herrlichen Blick auf das Tal und auf grüne Teiche und Seen.

• *Anfahrt/Verbindungen*: **PKW** - Von Viljandi die A-204 Richtung Valmiera bis Karksi-Nuia fahren. Am Denkmal für *August Kitzberg* geht eine Straße ab, die durch das Tal zur Burgruine führt. Auf dem Schloßberg geht gegenüber dem Schild Polli ein kleiner Weg zur Ruine ab (im Tal gibt es auch ein Polli-Schild).

Bus: Linie Viljandi-Valga, je nach Route entweder im Zentrum von Nuia-Karksi aussteigen und den Rest zu Fuß (ca. 2 km) gehen oder bis zur Haltestelle Lossimäe, direkt an der Ruine, durchfahren.

▶ **Maie Karksi**: Der Ort ist vor allem bekannt wegen des hiesigen August-Kitzberg-Museums direkt an der Hauptstraße Richtung Pärnu. *August Kitzberg* (1855-1927) war ein in Estland angesehener Schriftsteller und Dramatiker. Als sein bestes Stück gilt die Tragödie *Libahunnt*. Einige Jahre lebte und schrieb Kitzberg in dem Haus, in dem das Museum untergebracht ist. Die kleine Ausstellung ist nur für absolute Literaturliebhaber interessant, da die Verständigung nur auf estnisch oder russisch möglich ist. Die liebevollen Erklärungen der alten Museumsleiterin Asta Jaakso sind ein Erlebnis für sich. Wenn Asta Jaakso zu Hause ist (sie wohnt in der anderen Haushälfte des Museums), kann man sich die Ausstellung ansehen.

● *Anfahrt/Verbindungen*: **PKW** - Auf der A-208 nach Pärnu befindet sich kurz hinter Nuia-Karksi (auf Museumsschild achten) eine kleine, alte Holzhaussiedlung.

Bus: Von Viljandi oder Karksi-Nuia Bus Richtung Pärnu bis zur Haltestelle Leeli nehmen.

Võrtsjärv (Wirzsee)

Der zweitgrößte See Estlands gehört zur einen Hälfte zu Viljandimaa und zur anderen Hälfte zu Tartumaa. Der See ist ca. 34 km lang und 13 km breit. Das flache Ufer, insbesondere im Norden, ist sumpfig und waldreich. Durch den im Võrtsjärv entspringenden *Emajõgi (Embach)*, ist er mit dem großen *Peipsijärv* verbunden. Noch vor wenigen Jahren wurden von Tartu Ausflugsfahrten über den Emajõgi zum Võrtsjärv angeboten, doch dazu fehlt momentan das Geld. Der See ist sauber und sehr fischreich. Zum Baden ist er nicht so gut geeignet, da hohes Schilf den Zugang zum Wasser erschwert.

Der Võrtsjärv

● *Übernachten*: Die Unterkunftsmöglichkeiten am Võrtsjärv sind rar.

Am nordwestlichen Ufer liegt ein kleines Holzhaus mit Laubengang, der zu sieben einfachen Zimmern führt. Kreuz und quer laufen blökende Schafe und Hühner über den Hof. In einem weiteren Holzhaus befindet sich eine alte Sauna. Für das leibliche Wohl sorgt die Hausherrin oder ihre Tochter. Für estnisch- oder russischsprachige Besucher ergibt sich bestimmt ein herzlicher Familienanschluß. Das Ufer ist auch hier wegen des hohen Schilfs nicht zum Baden geeignet: Die Familie besitzt ein Boot, das mitbenutzt werden kann. **Adresse**: Viljandimaa, Oiu Side EE2884, Järvi Oras, Tel. 243-94535.

● *Anfahrt/Verbindungen*: Das Haus ist schwer zu finden, da an der Straße kein Hinweisschild angebracht ist. Liegt zwischen Oiu und Leie.

PKW: Von Viljandi über Landstraße nach Oiu fahren. Weiter geradeaus Richtung Leie und auf die Bushaltestelle Ulga achten. Dort geht ein Feldweg bzw. Waldweg ab. Den, am Pionierlager vorbei, durchfahren, bis am Ende des Weges das Haus steht.

Bus: Einige Busse der Linie Viljandi-Tartu fahren über Oiu. An der Haltestelle Ulga aussteigen.

Hinweis: Der Campingplatz in Vaibla, am nordöstlichen Ufer gelegen, ist geschlossen. Weitere Übernachtungsmöglichkeit am Võrtsjärv siehe Tartumaa.

Valgamaa (Walk)

Grüne Höhen, weite Ebenen, klare Seen und dunkle Wälder bestimmen das Bild des südlichsten Landkreises von Estland. Der größte Fluß ist der Väike-Emajõgi. Am interessantesten ist jedoch der nördliche Teil, die Gegend um Otepää. Sie wird stolz als die Schweiz Estlands bezeichnet und überwältigt mit ihrer Schönheit. Hauptstadt des Landkreises ist Valga.

Auch die Gegend des heutigen Landkreises Valgamaa blieb nicht von den gewaltsamen Missionszügen der deutschen Kreuzritter verschont. Im Mittelalter war das Zentrum des südestnischen Gebietes die Festung von Otepää, die allerdings nicht die einzige Burg der Region war. Weitere Festungen hatte man u. a. auch in **Helme** und **Tõrvas** errichtet. Mitte des 16. Jh. lieferten sich die Glaubensbrüder und die Truppen des russischen Reiches eine heftige Schlacht, indem der Orden eine Niederlage einsteckte und das Gebiet an Rußland abtreten mußte. Ende des 16. Jh. gehörte die Gegend zeitweilig zu Polen. Die Hauptstadt des Landkreises war als Marktfleck bereits im frühen Mittelalter bekannt, erhielt aber erst 1584 das Stadtrecht. Als man 1920 die Grenzen zwischen Estland und Lettland zog, wurde Valga geteilt.

Valga (Walk)   *(ca. 18.000 Einwohner)*

Die Zwillingsschwester der Stadt Valga liegt auf der lettischen Seite und wird Valka genannt. Die estnisch-lettische Grenze verläuft mitten durch die Stadt. Als 1920 die Staatsgrenzen zwischen Estland und Lettland festgelegt wurden, wurde das ursprüngliche Walk zu einer geteilten Stadt.

Während der Sowjetzeit wurde Valga aber wieder zu einer ganzen Stadt. Nach der neuerworbenen Unabhängigkeit orientierte man sich an den Grenzen von 1920, worauf Valga erneut geteilt wurde. Viele der Bewohner gelangen ohne Reisepaß nicht mehr an ihren Arbeitsplatz.
Die Landschaft von Valgamaa ist interessanter als die Stadt selbst.

Als Marktfleck ist Valga seit Ende des 13. Jh. bekannt. Als Valga unter der Herrschaft Polens stand, verlieh *König Barthory* im Jahre 1584 dem Ort das Stadtrecht. Durch den Bach Pedeli haben sich zwei Stadtteile entwickelt. Am rechten Ufer ist das eigentliche Zentrum zu finden mit dem Hauptbahnhof Walk I (heute estnisch). Auf der linken Seite entstand eine Art Vorstadt, Walk II. (heute lettisch). Einen Aufschwung erfuhr Walk 1889 mit der Inbetriebnahme der Eisenbahnlinie Rīga-Pskow.

- *Postleitzahl*: EE2500
- *Vorwahl*: 01442
- *Anfahrt/Verbindungen*: **PKW** - Die A-201

von Valmiera nach Tartu führt genau durch Valga. Die A-208 verbindet Valga mit Pärnu. **Bus**: Anschluß nach Tallinn, Tartu, Pärnu,

Viljandi, Otepää und Võru. Busbahnhof in der Jaama pst.

Bahn: Züge Richtung Tartu, Rīga und Pskow. Bahnhof in der Jaama pst.

• *Übernachten*: **Säde**, Jaama pst. 1. Die große Eingangshalle wirkt kühl, die Zimmer sind jedoch ganz nett und sauber. Zimmer alle mit Bad. Tel. 41650.

• *Essen*: **Koit**, Vabaduse 2/4. Üblicher monumentaler Bau mit durchschnittlichem Essen, Tel. 41989.

Im Bahnhof, altes, schön renoviertes Restaurant mit guter Küche.

Hamarik, Vabaduse 37. Nettes Café mit kubistischen Bildern an den Wänden, hat nur von 11-17 Uhr geöffnet.

• *Verschiedenes*: **Geldwechsel** - Aia 5.

Post: Kesk 10.

Poliklinik: Vabaduse 26.

Valga-Museum: Pärna pst. 11, Ausstellung zur Stadt- und Landkreisgeschichte.

Umgebung

▶ **Helme (Helmet):** In der Nähe der Ortschaft Tõrva liegt das Dorf Helme, in dem der Livländische Orden seine Spuren hinterließ. Auf einem romantisch verwilderten Hügel stehen heute die Überreste der 1265 von den Schwertrittern erbauten Burg. Gerüchten zufolge wandelt bei Vollmond die Seele eines unglücklichen, nicht zur Ruhe kommenden Mädchens durch die verfallenen Gemäuer, das vor langer Zeit bei lebendigem Leib in die Burg eingemauert wurde.

Die Festung sah viele Herren unterschiedlicher Nationalitäten. Bei einem Versuch der Schweden, die Burg zu erobern, wurde die Festung Ende des 17. Jh. in die Luft gesprengt und ist seitdem eine Ruine. Im Tal des Burghügels sprudeln viele Quellen, die in vergangenen Zeiten als Born ewiger Jugend und Schönheit angesehen wurden. Linker Hand des Burghügels befindet sich im Wald eine kleinere Erhebung. Darin befindet sich eine Höhle, die als die *Hölle von Helme* bezeichnet wird. Angeblich reicht diese Höhle noch kilometerweit in den Berg hinein. Im Dorf selbst ist das im Barock erbaute *Gut Helme* aus dem 18. Jh. architektonisch interessant. In den Räumen des Herrenhauses ist heute eine Schule untergebracht.

• *Anfahrt/Verbindungen*: **PKW** - Helme befindet sich in der Nähe des Ortes Tõrva, der nördlich von Valga an der A-208 liegt.

Bus: Die Busse von Valga nach Pärnu und Viljandi halten an der Hauptstraße gegenüber der Ruine.

▶ **Jõgeveste:** Mitten im Wald liegt das Mausoleum des Feldmarschalls *Michael Bogdanowitsch Fürst Barclay de Tolly* (1761-1818). Die Atmosphäre ist auf seltsame Weise beeindruckend, wenn man unter den Spalier stehenden sibirischen Fichten auf das gewaltige Grabmal zuschreitet. Barclay de Tolly gehörte einem Adelsgeschlecht in Schottland an, wanderte jedoch nach Livland aus und trat dem russischen Zarenheer bei. Großen Ruhm konnte er 1814 verbuchen, als er Paris eroberte. Kurz nach seinem Tod hat ihm seine Frau im Jahre 1823 ein Mausoleum mit Kapelle errichten lassen. Geöffnet Mi-So von 9-18 Uhr.

• *Anfahrt/Verbindungen*: **PKW** - Aus Tõrva kommend Richtung Valga, geht von der A-208 beim Dorf Kalme links eine Straße ab. Diese bis zum Hinweisschild geradeaus fahren. Der Zufahrtsweg zum Mausoleum ist nicht asphaltiert.

Bus: Entweder von Valga oder Tõrva ins Dorf Jõgeveste fahren und von da ca. 1 km zu Fuß am Wald entlang zum Mausoleum laufen oder aber den Linienbus Valga-Tõrva nehmen und an der Haltestelle Tolly aussteigen. Von da aus ist es ebenfalls noch ein Stück zu laufen.

▶ **Schloß von Sangaste:** Wenn man vor dem Schloß steht, kann man meinen, nicht in Estland, sondern im Herzen von England zu sein. Vorbild für das im Tudorstil erbaute Schloß Sangaste (1874-1883) war kein geringeres als Schloß Windsor in England. Baumeister des Schlosses war *Otto Hippius,* nach dessen Plänen auch die Tallinner Karlskirche entstand. Lange Zeit bewohnte der überaus reiselustige *Graf Georg Magnus von Berg* das prachtvolle Schloß. Über ein halbes Jahrhundert lang versuchte der Graf, eine dem estnischen Boden angepaßte Roggenart zu züchten. Seine Bemühungen um den sogenannten *Sangaste-Roggen* ließen ihn neben seinen Reiseaufzeichnungen weit über die Grenzen Sangastes hinaus bekannt werden.

Mausoleum von Barclay de Tolly

• *Anfahrt/Verbindungen:* **PKW** - Etwa 10 km hinter Valga geht von der A-201 Richtung Tartu, in etwa auf der Höhe des Dorfes Sooru, rechts eine kleine Straße ab, die nach Sangaste führt.
Bus: Busse fahren von Valga und Otepää, jedoch nicht allzu häufig.

Otepää (Odenpäh) *(ca. 2800 Einwohner)*

Vielerorts wird die Umgebung von Otepää als die schönste von ganz Estland bezeichnet, und das nicht zu unrecht. Dunkelgrüne, malerische Hügel, von denen dicke, alte Bäume und Wälder hoch in den Himmel emporwachsen und in deren Tälern über 130 Seen liegen, zeichnen die Landschaft Nord-Valgamaas aus.

Otepää liegt am schönen Ufer des *Pühajärvs* (heiliger See), der als die Perle der estnischen Natur angesehen wird. Der Sage nach besteht der See aus den unzähligen Tränen einer weinenden Mutter, die um ihre fünf im Krieg gefallenen Söhne trauerte. Die im See liegenden Inseln sind die Grabhügel der Beweinten. Die Otepää-Gegend ist nicht nur für einen Sommerurlaub geeignet, sie ist auch im Winter sehr schön. Bei klirrender Kälte und Sonne laden die vielen Seen zum Schlittschuhlaufen ein und das Seeufer zum Skilanglauf. Am Abend bietet die Sauna herrliche Erholung.

Otepää selbst ist eine alte, gemütliche Kleinstadt. Man vermutet, daß hier bereits vor unserer Zeitrechnung eine Burg gestanden hat. Von der mittelalterlichen Ordensburg, die auch in Otepää nicht fehlte, ist so gut wie nichts übrig geblieben. Erst 1936 erhielt der Ort das Stadtrecht.

- *Postleitzahl*: EE2513
- *Vorwahl*: 0142
- *Information*: Ein gutes und relativ neues Touristenbüro befindet sich in der Nähe des Hauptplatzes, am Lipuväljak 13, Tel. 55382.

- *Anfahrt/Verbindungen*: **PKW** - Von Valga die A-201 Richtung Tartu bis Rõngu nehmen und dort rechts in die Landstraße nach Otepää einbiegen. Von Võru aus, die A-202 Richtung Tartu nehmen, bis zum Dorf Kanepi und dort links auf die Straße nach Otepää fahren.

Bus: Verbindungen bestehen mit Valga, Võru, Tartu, Tallinn und Viljandi. Der Busbahnhof liegt am Hauptplatz der Stadt.

- *Übernachten*: **Erholungsheim, Pühajärv** Puhekodu. Liegt etwa 6 km außerhalb von Otepää Richtung Võru. Es gibt DZ und Suites. Auf jedes 2. der einfachen Zimmer kommt ein Bad, sauber. DZ ca. 8 DM, Söökla vorhanden. Direkt vorm Haus fährt der Bus nach Otepää ab.

Kleine Herberge, Pühajärve Vald, Saare Talu. Toll am Pühajärv-See gelegen, ca. 9 km von Otepää entfernt, liegen völlig abgeschieden drei Häuser. In einem ist eine gemütliche Herberge mit 23 Betten untergebracht. Alle Zimmer sehen anders aus, einige haben sogar Seeblick, sind jedoch ohne Bad. Die Leute, die das Haus leiten, sind sehr nett und hilfsbereit. Vor dem Haus laufen Gänse und Hühner frei herum. Alles sehr ruhig und idyllisch. Am Ufer liegen einige alte, bunte Kähne, die mitbenutzt werden können. Fahrräder gibt es auch. Zum Haus gehört eine winzige Bar, an der man sich die leckere hausgemachte Kost der Gastleute schmecken lassen kann. Es gibt DZ und Mehrbettzimmer. ÜB ca. 6 DM, Tel. 56217.

Anfahrt: Aus Võru kommend beim Ortsausgang in Otepää auf das Campingschild achten und ihm rechtsabbiegend folgen. Immer geradeaus fahren, bei der nächsten Weggabelung rechts halten und weiter geradeaus. Der Weg führt an einem verlassenen Campingplatz mit lustigen, bunten Holzhütten vorbei. Nach ca. 9 km liegt schließlich das Haus auf der rechten Seite. Die Strecke ist hügelig, aber gut befahrbar. Mit dem Bus herzufahren ist leider nicht möglich. Entweder in der Herberge anrufen und einen Treffpunkt zum Abholen ausmachen (Verständigung nur auf estnisch oder russisch möglich) oder von Otepää ein Taxi nehmen.

Wer keine Unterkunft findet, dem bleibt immer noch das herrliche Seeufer zum Campen.

- *Essen*: Vielfältig ist das Angebot bis jetzt noch nicht. Doch sehr wahrscheinlich wird sich das in näherer Zukunft ändern.

Restaurant, am Lipuväljak (Hauptplatz). Großer Betonklotz, Küche mittelmäßig. Im gleichen Gebäude befindet sich auch ein **Café**.

Bar, in weißem Haus, paar Meter vom Erholungsheim Richtung Otepää gelegen.

- *Verschiedenes*: **Geldwechsel** - im Informationsbüro.

Post: Lipuväljak 24.

Võrumaa (Werro)

Der im Osten an Rußland und im Westen an Lettland grenzende Landkreis gehört zu den reizvollsten Gegenden Estlands. Wunderschöne Hügel und tiefe Täler, in denen malerische, sagenumwobene Seen liegen, sind typisch für die Landschaft im Südosten Estlands. Höhepunkt einer Reise nach Võrumaa sind die Aussicht vom 318 m hohen Suur Munamägi, dem höchsten Berg des Baltikums, und die Seen von Rouge.

Im 13. Jh. wurde der Landkreis vom Deutschen Orden erobert, der sich zuvor heftige Schlachten mit den Städten Pskow und Nowgorod lieferte. Ordensburgen wurden in **Vasteliina** und **Kirumpää** errichtet.

Võru (Werro) *(ca. 21.000 Einwohner)*

Inmitten der höchsten Gipfel und tiefsten Täler Estlands, umgeben von dichten Wäldern und am Ufer des Tamula-Sees gelegen, befindet sich Võru, die Hauptstadt des Landkreises Võrumaa. Nicht weit von der Stadt liegen der Kaugjärv- und der Kubija-Veskijärv, sowie der höchste Gipfel des Baltikums, der Suur Munamägi.

Die Gründung Võrus erfolgte erst 1784, und zwar auf Geheiß Katharinas II. Doch die Entwicklung der Stadt ging trotz der Eisenbahnlinie, die an Võru vorbeiführte, nur langsam vonstatten. Erst um die Jahrhundertwende schritt sie dadurch, daß mehr Menschen in die Städte strömten, rascher voran. Von der alten Bischofsburg *Kirumpää* aus dem 14. Jh. am Ufer des *Võhandu-Flusses* sind nur noch Mauerreste zu sehen. Der berühmteste Einwohner der Stadt war der Arzt und Mitbegründer einer eigenständigen estnischen Literatur, *Friedrich Reinhold Kreutzwald*. Von 1833-1877 hat er hier gelebt und den größten Teil seines wohl bekanntesten Werks, das Epos *Kalevipoeg* verfaßt.

- *Postleitzahl:* EE2710
- *Vorwahl:* 041
- *Information:* Auskünfte sind an der Rezeption der Touristenherberge erhältlich. Exkursionen in die Umgebung werden angeboten. Für nicht motorisiert Reisende empfehlenswert, da Busse nur selten zu den Naturschönheiten Võrumaas fahren.
- *Anfahrt/Verbindungen:* **PKW** - Von Tartu über die A-202 in südliche Richtung erreichbar. Aus Lettland kommend empfiehlt sich der Grenzübergang bei Ape, beim Dorf Mõniste rechts Richtung Võru fahren.
Bus: Verbindung mit Tallinn, Tartu, Valga, Viljandi und Pärnu, Busbahnhof in der Viljatänav. Zur Touristenherberge Busse 1 und 5.
Bahn: Züge in die Richtungen Rīga und Pskow. Bahnhof, Jaama 14. **Busse** fahren von der Kreutzwaldi tänav.
- *Übernachten:* Etwas außerhalb vom Zentrum befindet sich im schönen Stadtteil

Kubija zwischen Bäumen und Seen eine Touristenherberge höheren Standards. Von Tartu kommend, die Kreutzwaldi tänav geradeaus entlangfahren, die zur Kubija tee wird. Schon fast am Ortsausgang geht links die Männiku tänav zur Touristenherberge ab. Aus Lettland kommend, direkt am Ortseingang auf das Schild zum Ferienheim achten.
Võru Tourist Centre, Männiku 43. Schöne Seelage und zufriedenstellende Zimmer, DZ ca. 45 DM. Boote sind ausleihbar, Verständigung auf englisch möglich. Tel. 42498.
- *Essen:* Leckere Gerichte hat das **Tourist Centre** zu bieten.
Ein weiteres **Restaurant** ist in der Vabaduse 8 in der Innenstadt Võrus zu finden. Tel. 21772.
- *Verschiedenes:* **Geldwechsel** - Tartu 25.
Post: Jüri 38.
Poliklinik: Jüri 19a.

Sehenswertes

Kreutzwald-Museum, Kreutzwaldi 31. Daß das Wohnhaus von Friedrich Reinhold Kreutzwald, in dem er von 1833-1877 lebte, ausgerechnet in Võru steht - darauf sind die Einwohner der Stadt besonders stolz. Ist doch der Riese *Kalevipoeg* aus dem von Kreutzwald verfaßten Epos vom estnischen Volk zum Nationalhelden erhoben worden. Auch heute noch wird im ganzen Land über die großen Taten des Kalevipoegs berichtet. Der Hauptteil seines wohl bekanntesten Werkes ist hier entstanden. Im Museum ist neben einer Dokumentation über den Dichter auch ein Einblick in seine Privatsphäre möglich. Zu sehen sind seine alten Arztbestecke, Möbel, Bücher und vieles mehr. Außerdem finden hier wechselnde Kunstausstellungen und Lesungen statt. Im Park am *Tamula-See* hat man ihm ein Denkmal gesetzt.

Võru-Museum, Kreutzwaldi 16. Ausstellung über die Stadt und den Landkreis Võrumaa.

Umgebung

Der gesamte *Haanja-Höhenzug* südlich von Võru ist ein einzigartiges Naturerlebnis und eignet sich hervorragend für längere Wandertouren.

Von Võru führt eine kleine, schlechte Straße nach **Haanja**. Das Dorf liegt inmitten der estnischen Höhenlandschaft, die malerisch von grünen Tälern, unzähligen schmalen Flüßchen und tiefen Seen durchzogen wird. Die höchsten Gipfel gehören dem 297 m hohen *Vällamägi* und dem 318 m hohen *Suur Munamägi*. Das Gebiet des Haanja-Höhenzuges (Kõrgustik) ist die Gegend Estlands, in der der meiste Niederschlag fällt.

Vom Aussichtsturm des Suur Munamägis hat man einen gigantischen Blick auf die gewaltigen Wälder, Weiden und Seen. Bei klarer Sicht soll man von hier sogar die Türme Tartus und die zu Rußland gehörende Stadt Pskow sehen können.

Fährt man von Haanja weiter in Richtung **Rõuge**, findet man sich in einem wunderschönen Tal wieder. Durch das *Ööbikourg*, zu deutsch Nachtigallental, in dem im Frühjahr und Sommer die Nachtigallen gar nicht aufhören wollen zu singen, erstreckt sich eine herrliche Seenplatte mit sieben Seen. Unter ihnen ist auch der *Suurjärv* zu finden, der mit 38 m Tiefe der tiefste See Estlands ist und als Brunnen des Riesen Kalevipoeg bezeichnet wird. An einem Hang des Tals steht die schlichte Kirche von Rõuge. Nicht weit davon erhebt sich der *Linnamägi-Burghügel*. Der Blick von dem Hügel in das Tal ist atemberaubend.

▶ **Vastseliina (Neuhausen):** Es gibt zwei Vastseliinas: das Vastseliina von heute und das der Geschichte. Das heutige liegt an der Straße nach Weißrußland, südöstlich von Võru. Der historische Ort liegt 6 km weiter, Richtung Meremäe. In dem alten Dorf sind am hohen Ufer des *Piusa-Flusses* die Ruinen einer alten Ordensburg aus dem 14. Jh. zu sehen. Aufgrund der Nähe zur russischen Grenze prallten hier stärker als anderswo die Interessen des Deutschen Ordens und die des Zarenreichs aufeinander, was sich in zahlreichen erbitterten Kämpfen äußerte.

▶ **Krabi:** Landschaftlich sehr schön und ein wenig mysteriös ist die Umgebung Krabis. Sie wird deshalb auch als *Paganamaa* bezeichnet, was nichts anderes als *Teufelsland* bedeutet. Die Seen, die das Land dort durchziehen, sollen die gewaltigen Fußstapfen des Teufels sein.

Zum Baden ist der *Liivjärv* am ehesten geeignet. In Krabi befindet sich außerdem im Schulhaus ein interessantes Schulmuseum.

• _Anfahrt/Verbindungen_: **PKW** - Von Võru führt eine kleine Straße in südliche Richtung über Rõuge nach Krabi. **Bus**: Die Verbindungen nach Krabi sind etwas kompliziert. Von Võru aus Bus bis nach Roõge nehmen und von Valga nach Mõniste. Von dort Anschluß nach Krabi.

Wanderung entlang der lettischen Grenze

(von G. Leibur)

Eine Wanderung durch die Höhen und Tiefen des malerischen Teufellandes im Südosten Estlands verspricht zu einem wahren Naturerlebnis zu werden. Die eigentliche Route ist etwa 10 km lang. Kürzt man an der Weggabelung (s. u.) ab, ist die gesamte Strecke nicht länger als 5 km.

Hinweis: Wer mit öffentlichen Verkehrsmitteln unterwegs ist, sollte bedenken, daß die Busse sehr selten fahren, und man sich evtl. auf eine Übernachtung einstellen muß, von daher Zelt und Vorräte mitbringen. Eine Alternative wäre, über das Exkursionsbüro der Touristenherberge Võru einen Transfer nach Krabi zu arrangieren oder aber ein Abkommen mit einem Taxifahrer treffen, der einen herbringt und wieder abholt.

Ausgangspunkt der Wanderung ist die alte Siedlung **Krabi.**

Von Krabi aus geht es zunächst einmal ein Stück südlich die Straße hinunter, bis linker Hand ein Pfad zum _Veski-See_ (Mühlensee) abgeht.

Geradeaus führt der Weg, teilweise am Seeufer entlang, zu einer **Campingwiese**, nahe an einem Pinienwald gelegen.

Die erste Sehenswürdigkeit befindet sich in _Pedaku_. Unter alten Bäumen befindet sich ein über 1000 Jahre altes **Steingrab**. Weiter führt der Pfad zum 166 m hohen Hügel _Kikkamägi_. Die Aussicht auf das

wellige Land und die blauen Seen ist atemberaubend.

Der Weg nach _Varaka_, wo es wiederum ein uraltes **Steingrab** zu sehen gibt, führt vorbei am malerischen _Kikka-See_. An seiner tiefsten Stelle mißt der See 22 m. Das Seeufer ist dicht bewachsen mit Blumen und sehr alten Bäumen. Dazwischen wächst sogar Hopfen.

Von Varaka wieder zurück auf dem "Hauptpfad" geht es vorbei am westlichen Ufer des Kikka-Sees, bis man linker Hand schließlich auf den *Sarapuu-See* trifft. Hier befindet sich ein schöner Hain von Haselnußsträuchern.

Um den nächsten See zu erreichen, geht es ein kleines Stück durch den *Jäneswald*, der teilweise noch Urwaldbestände aufweist. Vom Hügel *Raadimägi* hat man einen wunderschönen Blick auf den Kikka-See und die umliegende Landschaft. Über einen Sandweg geht es zurück ins Tal, das gewöhnlich von bunten Blumen übersät ist.

Als nächste Attraktion lädt der glasklare *Liiva-See* (Sandsee) zum Baden ein. Hier befindet sich auch eine Feuerstelle. Im nahegelegenen *Pakjala* befindet sich ein altes Bauernhaus. Kurz nach Ende des Liiva-Sees kommt eine Weggabelung. Man kann nun den nach rechts abgehenden Pfad zurück nach Krabi nehmen oder aber geradeaus weiterwandern, bis der Weg einen Schleife macht und schließlich auf den Pfad, der nach Krabi führt, trifft.

Entscheidet man sich weiterzuwandern, verdient zunächst der kleine *Muda-See* (Schlamm-See) Beachtung. Er ist übersät mit Wasserlilien und eine wahre Augenweide. Vom hohen Seeufer eröffnet sich wiederum ein schöne Aussicht, die bis zu den Wäldern und Wiesen Lettlands reicht.

Geradeaus führt der Pfad am *Piirioja-Bach* entlang über weiche Moosböden. In *Külmaläte* sprudelt eine klare Quelle aus der Erde, von deren Wasser man unbekümmert trinken kann. Von Frühling bis in den Herbst hinein ist die Quelle von einem bunten Blütenteppich umgeben.

Kurz hinter Külmaläte macht der Weg einen Knick und führt in nördliche Richtung durch das **Marschland von Linnejärve**. Vor vielen Jahren befand sich an dieser Stelle einmal ein See. Auf den Hügeln des *Rossiorgs*, dem Rosental, hat man einen schönen Blick in die umliegenden, geheimnisvollen **Teufelstäler**, in denen der Teufel gelegentlich zu nächtigen pflegt und seine Teufelsziegen tränkt. In weiter Ferne kann man bereits die Umrisse von Krabi erkennen.

Über feuchte Wiesen, durchzogen mit vielen kleinen Quellen, gelangt man über *Kika* zu einer Weggabelung. Dort links gehen und dann immer geradeaus, bis man schließlich wieder zum Ausgangspunkt zurückkommt.

▶ **Mõniste:** Hier befindet sich ein Heimatmuseum, in dem man sich anhand der alten Dampfsauna, dem urigen Wohnhaus und der Scheune ein Bild machen kann, wie die einfache Landbevölkerung seinerzeit gelebt hat. Der Ort befindet sich nördlich über der lettischen Grenzstadt Ape, unweit der Straße nach Võru.

Põlvemaa (Pölwe)

Große Städte, wichtige Museen und bedeutende Denkmäler hat der kleine Landkreis im Südosten Estlands zwar nicht zu bieten, doch dafür eine überaus saubere Luft. Das westliche Landschaftsbild von Põlvemaa wird durch die Ausläufer der Otepääer Höhen bestimmt. Malerisch schlängelt sich der Ahja-Fluß durch die Hügel, in die er sich bis zu 35 m tiefe Täler gegraben hat.

In den andern Gegenden Põlvemaas ist weites Flachland zu finden, das von kleinen Seen unterbrochen und schmalen Flüssen durchzogen wird.

Archäologische Untersuchungen besagen, daß das Gebiet Põlvemaas schon zur Steinzeit von Menschen besiedelt war. Im Laufe der zahlreichen Eroberungsfeldzüge und Kriege sah das Gebiet abwechselnd polnische, schwedische und russische Besatzer. Teilweise gehörte die Gegend auch zum Tartuer Landkreis.

Põlva *(ca. 7500 Einwohner)*

Hauptort des kleinen Landkreises ist das im Ora-Tal gelegene Städtchen Põlva. Am Hang des Tals steht die Kirche von Põlva. Põlv, das bedeutet Knie, was auf ein kniendes Mädchen zurückgeht, das beim Bau der hiesigen Kirche als Opfer eingemauert wurde.

Das Gotteshaus wurde und wurde nicht fertig, weil es allabendlich stets zusammenfiel. Natürlich verdächtigte man den pferdefüßigen Herrn der Hölle, seine Finger im Spiel zu haben. Erst als ihm das kniende Mädchen geopfert wurde, zog er sich endlich zurück. Seine heutige Form erhielt der sakrale Bau Mitte des 19. Jh., ursprünglich ist er aber viel älter.

- *Postleitzahl*: EE2600
- *Vorwahl*: 01430
- *Anfahrt/Verbindungen*: **PKW** - Über die Landstraße zwischen Tartu und Võru erreichbar, verläuft parallel zur A-202. Fährt man von Põlva die Landstraße Richtung Westen, gelangt man nach Otepää.

Bus: Verbindung mit Tartu, Võru, Otepää.
Bahn: 2 km außerhalb der Stadt halten die Züge nach Pskow und Tapa, über Tartu.
- *Übernachten*: **Põlva**, Võru 12. Kleine, einfache Unterkunft. ÜB ca. 5 DM, Tel. 95374.
- *Essen*: **Põlva**, Kesk 10. Mittelmäßiges Restaurant sowjetischen Stils, Tel. 95055.

Umgebung

Sehr schön ist das Tal des *Ahja-Flusses*, das zum Wandern ruft. Als Ausgangspunkt eignet sich das Dorf **Taevaskoja**, was übersetzt ganz passend *Himmelreich* bedeutet, denn das Ahja-Tal ist in der Tat himmlisch. Rote Felsen und saftige, grüne Wiesen umgeben das malerische Flußbett der Ahja. Auf dem dreistündigen Weg nach **Kiidjärve** erhebt sich nicht weit von Taevaskoja der mächtige Felsen *Väike-Taevaskoja*. Im Felsen gibt es eine sagenumwobene Höhle ...

> Die Legende erzählt, daß man, wenn man genau hinhört, das Weinen eines Mädchens und das ununterbrochene Klappern eines Webstuhles vernehmen kann. Seit Ewigkeiten schon soll das unsichtbare Mädchen hier pausenlos sein Schiffchen hin und her geschwungen haben. Lediglich in der Mittsommernacht wird sie für diejenigen sichtbar, die den Weg zu ihr finden und die Blüten einer bestimmten Farnpflanze bei sich tragen.

- *Anfahrt/Verbindungen*: **PKW** - Das Ahja-Tal liegt 5 km nördlich von Põlva und ist über die Landstraße nach Tartu erreichbar.

Bahn: Eine Station nach Põlva kommt die Station Taevaskoja.

Ausflug zum Kloster Pečory (Rußland)

Direkt hinter der russischen Grenze liegt die einst zu Estland gehörende Kleinstadt **Pečory**. Bekannt geworden ist die Stadt wegen *ihres* Männerklosters, das sich trotz des atheistischen Sowjetstaates bis hin zum heutigen Tag gehalten hat. Das in einem tiefen, schönen Tal gelegene Kloster nennt acht Kirchen sein eigen. Als die schönste gilt die *Uspenskaja-Kirche* aus dem Jahr 1473. Seit Mitte des 16. Jh. werde die Anlage von einer mächtigen Mauer umgeben, so daß das Kloster an eine gut befestigte Burg erinnert. Im Mittelalter lebten die Mönche in den von ihnen gegrabenen Sandsteinhöhlen. Später sind sie erweitert worden, so daß unter dem Kloster viele unterirdische Tunnel verlaufen.

• *Einreise*: Aufgrund der angespannten Lage zwischen Estland und Rußland kann die Grenze nicht mehr problemlos passiert werden. Auch der Busverkehr dorthin wird immer seltener. Offiziell wird für die Einreise nach Rußland ein Visum benötigt. Wenn man jedoch den russischen Grenzbeamten erklärt, daß man lediglich das Kloster besuchen will und am gleichen Tag wieder zurückkehrt, lassen sie einen in der Regel durch. Meistens versuchen die Grenzschützer dabei, ihr kärgliches Gehalt mit einem kleinen Dollar- oder DM-Betrag aufzustokken. Bislang war es relativ einfach, mit dem Zug einzureisen, in dem nur die Esten Kontrollen durchführten, doch wird sich das in absehbarer Zeit mit Sicherheit ändern. Züge fahren von Põlva und Võru. Zu bedenken ist, daß ein einfaches estnisches bzw. baltisches Visum mit dem Ausreisestempel automatisch seine Gültigkeit verliert. Da das Visum nicht mehr an der Grenze gekauft werden kann, empfiehlt es sich, den Abstecher zum Kloster nur mit einem Mehrfachvisum zu unternehmen, will man nicht ganz bis nach Moskau zu einer der baltischen Botschaften reisen.

Letzter Informationsstand: Nach Auskunft der Estnischen Botschaft brauchen Individualreisende ein Doppelvisum. Daher am besten vor Reisebeginn nochmal den aktuellen Stand abchecken.

Tartumaa (Dorpat)

Die Landschaft des Kreises Tartumaa mit der Hauptstadt Tartu ist sehr vielfältig. Im Norden hat er eine gemeinsame Grenze mit Jõgevama, im Westen und Osten grenzt er an den Võrtsjärv bzw. Peipsijärv, und im Süden reicht er bis an die Höhen von Otepää. Wichtig war für den Landkreis seit je her der 100 km lange Fluß Emajõgi (Embach), der den Peipsijärv und den Võrtsjärv verbindet.

Eines Tages hatte sich der liebe Gott sehr über die Tiere geärgert, da sie nicht in der Lage waren, in Frieden miteinander zu leben. Ständig bekämpften sie einander und fraßen sich sogar gegenseitig auf. Um sie etwas abzulenken, befahl er ihnen, einen schönen Fluß zu graben. So begaben sich Hase und Fuchs daran, die Maße für das Flußbett auszurechnen, und der Maulwurf begann die ersten Furchen zu schaufeln. Der Dachs vertiefte mit seiner kräftigen Schnauze die Furchen des Maulwurfs. Auch der Wolf trug seinen Teil dazu bei, den Graben noch tiefer werden zu lassen, indem er wie wild in dem künftigen Flußbett scharrte. Der starke Bär schaffte schließlich die ganze Erde weg. Zufriedengestellt ließ der liebe Gott Wasser in das fertige Flußbett fließen, und der Emajõgi war geboren.

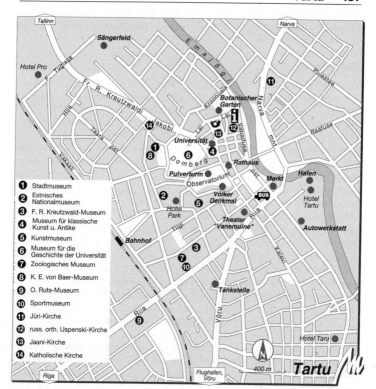

Legende:
1 Stadtmuseum
2 Estnisches Nationalmuseum
3 F. R. Kreutzwald-Museum
4 Museum für klassische Kunst u. Antike
5 Kunstmuseum
6 Museum für die Geschichte der Universität
7 Zoologisches Museum
8 K. E. von Baer-Museum
9 O. Ruts-Museum
10 Sportmuseum
11 Jüri-Kirche
12 russ. orth. Uspenski-Kirche
13 Jaani-Kirche
14 Katholische Kirche

Tartu (Dorpat) *(ca. 115.000 Einwohner)*

Die Hauptstadt Estlands ist zwar Tallinn, doch das geistige Zentrum liegt in Tartu. Schließlich befindet sich hier die älteste Universität Estlands. So ist es auch nicht verwunderlich, daß der Mittelpunkt des erwachenden Nationalbewußtseins im 19. Jh. hier in Tartu, am Ufer des Emajõgis, zu finden war.

Die Geschichte hat Tartu nie geschont. Die Bauten, die das heutige Stadtbild bestimmen, gehen nicht weiter als ins 18. und 19. Jh. zurück. Das wirtschaftlich blühende Tartu des Mittelalters wurde oft zerstört und dem Erdboden gleichgemacht. Beim Wiederaufbau der Stadt überwog der Klassizismus, so daß er heute das Stadtbild bestimmt. Am Ende des Rathausplatzes steht majestätisch das Rathaus, dessen Hauptportal von gewaltigen Säulen gestützt wird. Auch das Gebäude der Universität und die Rüütli tänav sind durchaus sehenswert und strahlen eine freundliche Atmosphäre aus. Hinter der Innenstadt erhebt sich groß der Domberg.

Denkmäler berühmter Personen sind über ganz Tartu verteilt, meist von Künstlern, Dichtern oder Persönlichkeiten, die mit der Universität im Zusammenhang stehen.

Geschichte

Im Jahre 1030 erstmalig erwähnt, ist Tartu die älteste Stadt Estlands. Zu der Zeit, als noch kein fremdes Volk über die Esten herrschte, erbauten sie etwa im Jahr 550 n. Chr. die mächtige Bauernburg *Tarbatu*, die jahrhundertelang feindliche Überfälle erfolgreich abwehren konnte. 1030 jedoch gelang es dem *Großfürsten von Kiew*, die Burg zu erobern. Nach seinem Sieg gab er der Stadt seinen Namen, *Jurjew*. Im 13. Jh. versuchte der Deutsche Orden die Stadt zu erobern, doch erfolgten zuvor heftige Schlachten mit den sich wehrenden Esten, die schließlich Rußland um Hilfe baten. Der Kampf gegen die Deutschen war vergeblich. 1212/1213 brannten sie die Festung Tarbatu nieder und errichteten ihr Ordensschloß. Nicht weit davon entfernt erbauten sie eine Domkirche. Am Fuße des Domberges entwickelte sich zu gleicher Zeit eine Stadt. Steinerne Häuser, bunte Märkte am Ufer des Emajögis, der wichtigen Wasserstraße, durch die Tartu mit Pskow und Nowgorod verbunden war, ließen Tartu im Mittelalter zu einer blühenden Hansestadt werden. Zur Zeit des Livischen Krieges fiel die Stadt zunächst an Rußland, später an Polen.

Die erste höhere Schule und somit den Grundstein für seine zukünftige geistige und kulturelle Bedeutung erhielt Tartu 1583. Als Tartu 1625 von den Schweden erobert wurde, begann für 79 Jahre die von vielen als gut gepriesene schwedische Zeit. Obgleich Eroberer, waren sie doch relativ demokratisch. So räumten sie auch der Landbevölkerung gewisse Rechte ein und ermöglichten Schulgründungen auf dem Land. Das bedeutendste Erbe der schwedischen Herrschaft aber war die Gründung der Universität im Jahre 1632.

Im Zweiten Nordischen Krieg (1700-1721) nahm Peter der Große die Stadt ein und machte sie völlig dem Erdboden gleich. An die schönen steinernen Bauten des Mittelalters erinnern lediglich die Domkirche und die Jaani-Kirche. Gemäß eines Befehls Peters I. durfte im gesamten russischen Imperium lediglich in St. Petersburg Stein als Material für den Häuserbau verwendet werden. Die Stadt war durch die Kriege sehr verarmt und konnte erst 1730 mit dem Bau eines neuen Rathauses beginnen, dem schließlich auch der Wiederaufbau der nun hölzernen Stadt folgte. 1775 wurde Tartu durch einen Großbrand erneut zerstört (insgesamt soll die Stadt 55 mal bis auf die Grundmauern abgebrannt sein). Daraufhin wurde das Gesetz erlassen, daß von nun an ausschließlich Steinhäuser gebaut werden mußten. Doch woher die vielen Steine nehmen? Man fand eine Lösung: Jeder Bauer durfte nur dann die Stadtgrenze passieren, wenn er mindestens 16 kg Steine geladen hatte. Katharina II. half der Stadt mit einer Spende und finanzierte eine Brücke über den Emajögi. Diese ist allerdings im Zweiten Weltkrieg gesprengt worden.

Mit der Wiedereröffnung der Universität im Jahre 1802 durch *Zar Alexander I.* - sie war 1788 von seinem Vater Zar Pawel aus Angst vor einer Studentenrevolution geschlossen worden - erfuhr Tartu einen neuen kulturellen Aufschwung. Im 19. Jh. entwickelte sich die Stadt zum Zentrum des Nationalbewußtseins in Estland. 1869 fand in Tartu auch das erste Sängerfest statt.

Im Zweiten Weltkrieg sind viele Menschen von den Nazis und später von den Sowjets deportiert worden. Nicht wenige unbequeme Intellektuelle Tartus waren plötzlich verschwunden. Doch trotz allem war es in Tartu, wo nach den Reformen Gorbatschows die ersten Stimmen, die die Unabhängigkeit Estlands forderten, laut wurden.

Bis 1989 war Tartu eine geschlossene Stadt, weil sich hier angeblich ein streng geheimer unterirdischer Militärflughafen der Roten Armee befand. Selbst die Bevölkerung war nicht darüber informiert, was sich genau in ihrer Stadt verbarg, und so sprachen sie stets von der "Geheimfabrik".

Rathausplatz von Tartu

- *Postleitzahl*: EE2400
- *Vorwahl*: 234
- *Anfahrt/Verbindungen*: **PKW** - Tartu ist Knotenpunkt mehrerer Straßen. Die A-202 Võru-Tallinn führt durch Tartu, sowie die A-201 Valga- Kothla-Järve.

Bus: Verbindung mit jeder größeren Stadt Estlands, Busbahnhof ist in der Turu 2 zu finden.

Bahn: Züge über Tapa nach Tallinn, sowie nach Rīga und Pskow, Bahnhof befindet sich in der Vaksali tänav 6.

Flugzeug: Mehrmals die Woche startet eine kleine Maschine von und nach Tallinn.

Ein einfacher Flug kostet um die 100 DM. Der Flughafen befindet sich in Tõrvandi, der etwa 3 km außerhalb von Tartu Richtung Põlva liegt.

Schiff: Vor gar nicht allzu langer Zeit gab es auf dem Emajõgi noch Personenschiffe, die Ausflugstouren zum Võrtsjärv und zur Insel Piiri im Peipsijärv angeboten. Es ist davon auszugehen, daß diese Schiffe, sobald sich die finanzielle Lage etwas stabilisiert hat, wieder fahren werden. Im Herbst fahren viele Menschen zu den Mooren hinaus, um Preiselbeeren zu sammeln. Hafen, Turu 2, etwas außerhalb des Zentrums.

Übernachten

Auch in Tartu gibt es bis jetzt wenig Hotels und um in den besseren unterzukommen, sind Zimmerreservierungen anzuraten.

Taru, Rebase 9. War Devisenhotel zur Zeit des Rubels, liegt nicht ganz im Zentrum. Zimmer mit Bad, EZ ca. 90 DM, DZ ca. 150 DM, Tel. 73700.

Park, Vallikraavi 23. Gutes Hotel in schöner, zentraler Lage am Schloßpark. EZ ca. 70 DM, DZ ca. 130 DM, Tel. 33663.

Pro, Tuglase 13. Große, helle Zimmer, in der Nähe der Bahngleise. EZ ca. 50 DM, DZ ca. 70 DM, Tel. 61853.

Tartu, Soola 2. Großes Hotel am Busbahnhof. Hier trifft sich die langsam anlaufende

Traveller-Szene. Zimmer sehr einfach, aber größtenteils mit WC, Sauna. EZ ab ca. 12 DM, DZ ab ca. 20 DM, Tel 32091.

Salimo, Kopli 1. Liegt etwas außerhalb. Aus der Innenstadt kommend, geht von der Riia mnt. links die Võru mnt. ab. Diese ein gutes Stück geradeaus fahren, über die Kreuzung mit der Aardla mnt., bis rechts die Kopli tänav abgeht. Bus 4 bis zur Haltestelle Alasi. Befindet sich in einem Hochhaus, Zimmer ohne Bad, DZ mit Dusche. EZ ca. 18 DM, DZ ca. 30 DM. Tel. 70888.

Essen

Auch in Tartu fällt das kulinarische Angebot noch etwas bescheiden aus.

• _Restaurants_: **Gildi Trahter**, Munga tänav, unterhalb Ecke Rüütli. Neu eröffnetes gemütliches Privatrestaurant. Bis 24 Uhr geöffnet. Tel. 31885.

Kaseke, Tähe 19. Kleineres Restaurant mit gutem Essen. Tel. 70386.

Kaunas, Narva mnt. 2. Restaurant sowjetischen Stils auf der anderen Seite des Emajõgis soll renoviert werden. Tel. 34600.

Püssirohukelder, Lossi 28. Sehr schön eingerichtetes Restaurant im Keller des alten Pulverturms mit ausgezeichneter Küche. So geschlossen. Tel. 34124.

Volga, Küütri 1. Von innen nicht sehr ansprechend eingerichtet, doch das Essen ist zufriedenstellend. Tel. 33960.

• _Cafés/Bars_: **Bistro und Eisdiele**, Rüütli 2. Sandwiches, Salate usw. Leckere Nudel-gerichte, guter Kaffee und köstliche Eisbecher.

Humal, Küütri 12. Ungemütliche Bierstube, in der es auch was zu essen gibt. Soll bald erneuert werden. Tel. 34411.

Püssirohukelder, Lossi 28. Enges, aber urgemütliches Studentencafé. Im Sommer kann man auch vor dem Pulverturm Kaffee trinken.

Säde, Küüni 2. Kleines, einfach eingerichtetes Café, zum Frühstücken geeignet.

Pinguin-Eisdiele, neben der Emajõgi-Fußgängerbrücke.

Studentencafé, Ülikooli 20. Nette, verrauchte Atmosphäre. Befindet sich über der Mensa. Im Sommer kann man vor der Mensa im winzigen Vorgarten unter großen Bäumen sitzen.

Verschiedenes

• _Einkaufen_: **Souvnirs**, Rüütli 4, Trockenblumen, Körbe, Keramik und Spitzen.

Juveel, Raekoja plats/Ecke Rüütli tänav. Exklusiver Laden mit schönem Lederschmuck.

Kunstisalong, Raekoja plats 8. Souvenirs und moderne Malereien.

Filme, Küütri 3. Foto- und Diafilme bekannter Firmen erhältlich, um einiges teurer als gewohnt.

Ex-Devisenshop, Raekoja plats 10. Hauptsächlich werden westliche Drogeriewaren verkauft.

• _Diverses_: **Geldwechsel** - Munga 16, Raekoja plats 14 und 16. Einen guten Kurs erhält man im Hotel Tartu.

Post: Lai 29. Postfiliale in der Rüütli tänav.

Poliklinik: Puusepa 8.

Sehenswertes

Estnisches Nationalmuseum, Veksi 32. Ausstellung estnischer Volkskunst und -dichtung. Aus Platzmangel wechselt die Ausstellung häufig, Mi-So von 11-18 Uhr geöffnet.

F. R. Kreutzwald-Museum, Vanemuise 42. Museum für Literatur, Mo-Fr von 10-16 Uhr geöffnet.

Botanischer Garten mit Gewächshaus, Lai 40.

Jaani-Kirche, Oru tänav. Das im 14. Jh. entstandene Gotteshaus galt einst als das Schmuckstück nordeuropäischer Backsteingotik. Leider hat der Bau die Stürme der Zeit nicht überlebt, so daß heute nur noch seine Mauern und einige Terrakotta-Skulpturen an seiner Außenfassade zu sehen sind. Die Wiederaufbauarbeiten haben begonnen.

K. E. von Baer-Museum, Veski 4. Der Baltendeutsche Karl Ernst von Baer (1792-1876) gilt als Gründer der modernen Embryologie und lehrte an der Tartuer Universität Naturwissenschaften. Die Ausstellung dokumentiert die Arbeit und die Forschungen v. Baers, Mo-Fr von 13-17 Uhr geöffnet.

Kivisilla-Galerie, befindet sich im *Schiefen Haus* von Tartu am Raekoja plats 18. Zu sehen sind alte und moderne estnische Malereien, Di-So von 11-18 Uhr geöffnet.

Kunstmuseum, Vallikraavi 14. Wechselnde Ausstellungen estnischer und ausländischer Kunst, Di-So von 11-18 Uhr geöffnet.

Museum für die Geschichte der Universität, in der Ruine der alten Domkirche auf dem Domberg, Mi-So von 11-17 Uhr geöffnet.

Museum für klassische Kunst und Antike, Ülikooli 18, im Universitätsgebäude. Grandiose Nachbildungen antiker Skulpturen, Di-Fr von 11-16.30 Uhr und Sa von 10-13.30 Uhr geöffnet.

Observatorium, auf dem Domberg, oberhalb vom Pulverturm. Mitte des 19. Jh. war die Sternwarte von Tartu eine der berühmtesten und bedeutendsten der Welt. Mi-Mo von 11-16 Uhr geöffnet. Vor dem Observatorium steht ein Denkmal des Astronomen *Friedrich Georg Wilhelm Struve*.

Oskar Luts-Museum, Riia 38. Der Schriftsteller Oskar Luts wird auch als der estnische Mark Twain bezeichnet. Er beschrieb mit viel Humor das Leben der Schuljungen. Wohl am bekanntesten ist das Buch Kevade (Frühling) von 1912. Geöffnet von Mi-Mo von 11-17 Uhr.

Sportmuseum, Riia 27a. Dokumentation über die Geschichte des Sports vom 19. Jh. bis heute. Zu sehen sind auch alte Geräte aus dieser Zeit, Mi-Sa von 11-19 und So von 10-15.30 Uhr geöffnet.

Stadtmuseum, Oru 2. Neben Exponaten zur Stadt Tartu sind auch alte Möbel aus dem 18. und 19. Jh. ausgestellt. Di geschlossen.

Zoologisches Museum, Vanemuise 46. Zu sehen sind exotische Tierarten, geöffnet Di-So von 10-16 Uhr.

Universität von Tartu

Bauherr des von 1804-1809 errichteten Hauptgebäudes der Universität war *Johann Wilhelm Krause*. Sechs gewaltige Säulen zieren das Hauptportal des im klassizistischen Stil erbauten Gebäudes und verleihen ihm ein majestätisches Äußeres. Auch von innen ist die Universität durchaus sehenswert. Hervorzuheben ist die prachtvolle Aula mit ihrer hervorragenden Akustik. An der Universität, die sich über ganz Tartu ausbreitet, studieren etwa 5500 Studenten. Gründer der Universität war *König Gustav-Adolph* von Schweden auf Initiative seines Lehrers *Johann Skytte*. In Tartu befindet sich auch eine große landwirtschaftliche Fakultät.

Geschichte: Nach Beendigung seiner Ausbildung war der junge, aufgeschlossene schwedische König so zufrieden mit seinem Lehrer, daß er ihn adelte und zum Generalgouverneur eines Landkreises in Livland machte. Kaum dort angekommen, gründete Skytte in Tartu, wo er sich niedergelassen hatte, ein Gymnasium. Ein Jahr später bat er darum, die höhere Schule in eine Universität umzuwandeln. 1632 stimmte Gustav-Adolph dem Vorschlag Skyttes zu, und die Universität Tartu war als zweite schwedische Universität überhaupt ins Leben gerufen.

1788 wurde sie von Zar Pawel aus Angst vor einer Studentenrevolution geschlossen, 1802 jedoch von seinem Sohn Alexander I., wiedereröffnet. Da nun die Russen die Stadt beherrschten, machte die Russifizierung auch nicht vor der Universität halt. Dennoch bestand die Studentenschaft, sowie der Lehrkörper überwiegend aus Deutschen, die in Tartu, wie in so vielen Städten Estlands, Livlands und Kurlands, eine dünne Oberschicht bildeten. Esten gab es an der Universität nur wenige. Viele der Esten waren Leibeigene und durften ohne die Erlaubnis ihrer Gutsherren das Lehrangebot der Universität nicht wahrnehmen. Obwohl es 1819 zur Bauernbefreiung kam und sich von da an immer mehr Esten an der Universität einschrieben, wurde sie erst 1920 estnischsprachig.

Das Tartuer Studentenleben muß in vergangenen Zeiten schon einen gewissen Reiz gehabt haben, soll es doch damals in Tartu schon Langzeitstudenten gegeben haben ...

... Jaschka war ja nicht der einzige Student, der in Dorpat hängenblieb. Eigentümlichkeit dieser sonderbaren Universität war, daß die Zahl der Semester, die man hier studierte, meist im umgekehrten Verhältnis zum Studium selbst stand. Ja, in alten Zeiten soll es in Dorpat tatsächlich auch "ewige" Studenten gegeben haben, deren bemooste, längst ergraute Häupter bis an ihr Lebensende ein Farbdeckel zierte (ein Farbdeckel war eine Kopfbedeckung in den Farben Livlands, an der ein livländischer Student erkennbar war).

(aus: Jaschka und Janne und andere baltische Erzählungen, von Siegfried von Vegesack, erschienen im Ullstein-Verlag)

Wer hier studiert habe, so sagt man, der trage auf ewig den *Tartu Vaim* in seinem Kopfe, zu deutsch den *Geist Dorpats*.

Sehenswertes

Gustav-Adolph-Denkmal: Hinter dem Hauptgebäude der Universität steht ein Denkmal zu Ehren *Gustav-Adolphs* von Schweden. Zur Zeit der Sowjetunion wurde das Denkmal für den schwedischen König jedoch entfernt. Doch tauchte Gustav-Adolph jeden Winter aus Schnee geformt wieder auf. Mittlerweile ist das Denkmal wieder aufgestellt worden. Zu seiner Enthüllung reisten sogar *König Carl Gustav* und *Königin Sylvia* extra aus Schweden an.

Domberg: *". . . und auf dem Berg spielte Vanemuine, der Gott des Gesangs, so wunderschön und anmutig auf seiner Harfe, daß alle Kreaturen und Pflanzen von seinen Klängen wie verzaubert in seinen Bann gezogen wurden."* Zu der Zeit, als die Esten noch ihre eigenen Natur- und Musengötter hatten, galt der Domberg als heilig.

Im 18. Jh. entstand dort eine Müllhalde. Erst durch Zar Pawel I. sollte etwas Sinnvolles mit dem Domberg geschehen. Geplant war, an dem Berg Räume für die Universität zu schaffen und Wohnhäuser zu bauen. Diesem Vorhaben leistete der damalige Universitätsrektor *Parrot* erbitterten Widerstand. Er wollte den Domberg zu einem großen Park gestalten und setzte sich schließlich durch. Den Park, der zur Wiedereröffnung der Universität Anfang des 19. Jh. angelegt wurde, gibt es auch heute noch. Wenn man unter den alten Eichen so dahinschreitet, kann man rasch vergessen, daß Baumgeister und Musengötter längst der Vergangenheit angehören. Für einen Spaziergang durch den Dombergpark sollte man sich viel Zeit nehmen, denn man trifft dort, neben der alten Domkirche und vielen Denkmälern, auch auf einige Kultorte, die in den Traditionen des Tartuer Studentenlebens schon immer eine Rolle spielten.

Domkirche: Die Mauerreste der Domkirche sind neben denen der Jaani-Kirche die einzigen, die noch ans Mittelalter erinnern. Der Bau der Kirche erwies sich als schwierig, da nachts immer die heidnischen Esten herbeikamen, um den sakralen Bau zu zerstören. Angeblich haben sie erst dann damit aufgehört, als dem Teufel ein junges Mädchen geopfert wurde. Im 17. Jh. zerfiel die Kirche. Heute ist in ihr das Museum für die Geschichte der Universität Tartu untergebracht.

Musumägi (Kußberg): Nicht weit von der Domkirche befindet sich eine kleine Erhebung. Seit jeher war diese Stelle ein Ort der Verliebten. Zu dem Hügel führt eine Brücke. Die Verliebten, die sie überschritten, seufzten vor Glück. Diejenigen aber, die die oder den Angebeteten nicht überzeugen konnten, seufzten, weil ihnen das Herz so weh tat. Deshalb wird diese Brücke *Seufzerbrücke* genannt. Unterhalb des Musumägi befindet sich eine künstliche Höhle. Einige Liebespaare, deren Liebe verboten war, nahmen sich dort das Leben.

Vor dem Kußberg steht der große, schattenspendende *Geheimnisbaum*. Im Frühjahr wehen in ihm viele Taschentücher, die alle einen Wunsch symbolisieren. Niemand außer dem Baum darf diesen Wunsch wissen, wenn er in Erfüllung gehen soll. Unter dem Baum sollen auch all die, die vom Liebeskummer gequält werden, nachdenken, was schuld an ihrem Unglück sei. Vielleicht hilft ihnen ja der Baum beim Finden der Lösung ...

In der Nähe des geheimnistragenden Baumes liegt ein alter *Opferstein*. Heute wird er von den Studenten genutzt, die hier zu Mitternacht vor ihren Examen sämtliche Aufzeichnungen verbrennen und darauf hoffen, mit diesem Opfer die Prüfungen erfolgreich zu bestehen.

Erwähnenswert ist das Denkmal für *Kristjan Jaak Peterson* in der Nähe der Domkirche. Auf einem Steinsockel steht ein bäuerlich gekleideter, langhaariger Jüngling, der in der rechten Hand einen Wanderstab hält. Er hatte wahrlich eine lange Wanderung hinter sich. Zu Fuß legte er den langen Weg aus seiner Heimatstadt Rīga nach Tartu zurück, um hier studieren zu können.

Ein beeindruckendes Denkmal hat man auch *Karl Ernst von Baer* gesetzt. Wie auf einem Thron sitzt der alte Wissenschaftler majestätisch auf einem Marmorsockel. Wenn die Biologen und Mediziner ihren Abschluß haben, ziehen sie auf den Domberg und "waschen Karl Ernst von Baer ganz gehörig den Kopf", indem sie sein Haupt mit Champagner begießen.

Engels- und Teufelsbrücke: Im Park befinden sich zwei Brücken, die die beiden Hügel des Dombergs miteinander verbinden. Die im klassizistischen Stil gebaute *Engelsbrücke* wurde von 1836-1838 erbaut. Sie führt über die Lossi tänav. Der eigentliche Name der Brücke war schlicht *Englische Brücke*, woraus schließlich Engelsbrücke wurde. Als weisen Rat trägt die Brücke die lateinische Inschrift *Otium reficit vires*, was übersetzt *Ruhe erneuert Kraft* bedeutet.

Die *Teufelsbrücke* baute man 1913 zu Ehren Zar Alexanders I. Heute liefern sich die Studierenden von den Brücken alljährlich ein Wettsingen, wobei letztendlich die Lautstärke entscheidet. Der Damenchor steht dabei auf der Engelsbrücke und der der Herren auf der Teufelsbrücke.

Im Tal der beiden Domhänge befindet sich das *Völkerdenkmal*, das gleichzeitig das älteste Denkmal Tartus ist. Hier sind die Überreste menschlicher Skelette bestattet worden, die man im Jahre 1806 beim Bau des Hauptgebäudes der Universität gefunden hatte.

Altstadt: Prachtstück der Altstadt ist der *Raekoja plats* (Rathausplatz) mit dem klassizistischen Rathaus, das von 1782-1789 erbaut wurde. Die den Platz umgebenden Häuser sind alle hübsch restauriert. Die meisten beherbergen Geschäfte. Es besteht die Gefahr, daß die Stadt im Laufe der Jahre sinken könnte, da sie auf moorigem Boden entstand. Das schiefe Haus mit der Nr. 16 ist ein Beweis dafür. Es hat im 19. Jh. Frau Barclay de Tolly gehört.

Das "schiefe Haus von Tartu" - ein Teil der Altstadt

Begibt man sich vom Raekoja plats in die Ülikooli tänav, gelangt man, an der Uni vorbei, in die Jaani tänav. Dort steht die Ruine der *Jaani-Kirche*, das zweite der beiden Überreste aus dem Mittelalter. Die Kirche, 1310 gebaut, war zur damaligen Zeit wegen ihrer Terrakotta sehr berühmt. Im Zweiten Weltkrieg wurde sie stark beschädigt, zur Zeit wird sie aber wieder restauriert. In der Stadtmitte befindet sich ein Denkmal, das dem Feldherren *M. B. Barclay de Tolly* gewidmet ist. Reste der alten Stadtmauer sind noch in der Lai tänav zu sehen.

Pulverturm: Er wurde am Rande des Dombergs Ende des 18. Jh. auf Befehl Katharinas II. errichtet. Die von ihr gespendete Brücke, die gegenüber vom Raekoja plats über den Emajõgi führt, galt, bis sie im Zweiten Weltkrieg gesprengt wurde, als ein Wahrzeichen der Stadt. Am Ufer des Emajõgi, der auch als "Mutter der estnischen Flüsse" bezeichnet wird, steht ein Denkmal für *Friedrich Reinhold Kreutzwald*.

Kultur/Unterhaltung

(Am besten im Touristenbüro nach Veranstaltungsterminen fragen.)

Theater "Vanemuine" (großes Haus), Vanemuise 6. Hier finden verschiedenste Theateraufführungen statt. 1870 wurde hier auch das erste Theaterstück in estnischer Spache aufgeführt. Zu sehen war *Lydia Koidulas* Schauspiel *Der Vetter von Saaremaa*.

Väike Maja-Theater (*kleines Haus*), Vanemuise 45. Früher befand sich hier das deutsche Theater, heute werden überwiegend moderne Stücke auf die Bühne gebracht.

Konzerte werden im Großen Haus, in der Universitätsaula und in der Domkirche veranstaltet. Im Pulverturm laufen an bestimmten Abenden **Varietéshows**.

Sängerfest: Das größte und bekannteste aller estnischen Sängerfeste findet zwar in Tallinn statt, doch sind auch die von Tartu durchaus lohnenswert. Schließlich fingen die Sängerfeste 1869 in Tartu an.

Hinweis: Das nächste Sängerfest wird in der Zeit vom 18. bis 19.6.94 stattfinden.

Umgebung

▶ **Elva:** Der kleine Ort (ca. 6000 Einwohner) liegt eingebettet in herrlicher Landschaft, die sich aus sanften Hügeln, kleinen Seen und sich malerisch schlängelnden Flüßchen zusammensetzt. Von der Schönheit der umgebenden Natur angezogen und inspiriert, wurde Elva zum Ort der Maler. Am Verevi-See steht das Ferienheim der Maler.

● *Anfahrt/Verbindungen:* **PKW** - von Tartu die A-201 etwa 20 km südwestlich fahren. **Bus:** Verbindung mit Tartu.

▶ **Vehendi:** Der kleine Ort liegt am Võrts-See, 43 km entfernt von Tartu. Nicht unmittelbar am Seeufer, aber ganz in der Nähe befindet sich eine nette und gemütliche Pension in einem alten, restaurierten Bauernhaus, allerdings bietet es nur für 13 Personen Unterkunft. Schöne Zimmer, jedoch ohne Bad, Sauna vorhanden. Im rustikalen Speisesaal kocht die Wirtin höchstpersönlich. Surfbretter und Boote zu leihen, am See kleiner Sandstrand. Ausritte können organisiert werden. Tochter des Hauses spricht englisch. DZ mit Frühstück ca. 40 DM inkl. Frühstück.

● *Adresse*: Tartumaa, Vehendi, Rannu Vald, Vehendi Motel, Tel. 54556.

● *Anfahrt/Verbindungen*: PKW - In Elva rechts nach Rannu abfahren und dann links nach Vehendi. Von der Hauptstraße in Vehendi geht an der Bushaltestelle Weg zum Bauernhaus ab.

Bus: Linie Tartu-Elva fährt manchmal über Vehendi. Gelegentlich Busse aus Elva.

▶ **Kallaste**: Das kleine Fischerdorf liegt am Peipsi-See und setzt sich überwiegend aus russischen Einwohnern zusammen. Im Süden des Dorfes fällt die 8 m hohe rötliche Küste steil zum See hin ab. Diese Steilwand wird auch *Roter Berg* genannt.

● *Anfahrt/Verbindungen*: PKW - Von Tartu ein ganz kurzes Stück die A-201 Richtung Kothla-Järve nehmen. Etwa 5 km nach dem Dorf Körveküla kommt eine Kreuzung, an der rechter Hand eine schmale Straße nach Kallaste abgeht. Bus: Verbindung mit Tartu.

▶ **Alatskivi**: Auf dem Weg von Tartu nach Kallaste kommt man durch Alatskivi (ca. 8 km südlich). In einem herrlichen Park mit dichten Sträuchern, alten Bäumen und grünen Teichen steht ein schönes Schloß. Es ist Ende des 19. Jh. nach den Plänen des *Gutsherrn von Nolcken* erbaut worden, der sich an einem venezianischen Vorbild orientierte.

Alatskivi ist auch das Geburtsdorf des Dichters *Juhan Liiv*. Seine Gedichte, in die er Teile seiner Biographie einfließen ließ, handeln überwiegend von der bitteren Lage unterdrückter Menschen. Ein Museum erinnert an ihn.

Für die leicht hügelige Landschaft um Alatskivi ist *Kalevipoeg* verantwortlich. Die höchste Erhebung dieser Gegend war sein Bett. Doch um diesen Hügel der Ruhe zu bauen, mußte der Riese Unmengen von Sand anschleppen. Während des Transportes rieselte viel Sand durch seine Hände, aus dem schließlich der Höhenzug bei Alatskivi entstanden ist.

Jõgevamaa (Laisholm)

Typisch für diesen Landkreis sind Moränenlandschaften und die welligen Erhebungen, die das an sich flache Gebiet ein wenig auflockern. Im Süden grenzt Jõgevamaa an den Tartuer Landkreis und im Norden und Westen an Virumaa. Ost-Jõgevamaa liegt am Ufer des gigantischen Peipsi-Sees.

Christianisiert wurde das Gebiet von einem finnischstämmigen und einem lettischen Priester Anfang des 13. Jh. Ordensburgen entstanden in **Põltsamaa** und **Laiuse**. Im frühen Mittelalter gehörte Jõgevamaa zum Landkreis **Vaiga**, den man 1220 wegen anhaltender Machtkämpfe zwischen den deutschen und schwedischen Eroberern teilte. Die in Põltsama und in Laiuse entstandenen Ordensfestungen sind mittlerweile zerstört. Im Zuge des Nordischen Krieges fiel Jõgevamaa an Rußland. Die Hauptstadt des Landkreises ist die Kleinstadt Jõgeva.

Jõgeva (Laisholm) *(ca. 7000 Einwohner)*

Die Kleinstadt ist zwar der Hauptort Jõgevamaas, touristisch jedoch nicht weiter interessant. Das Städtchen ging aus einem Gut hervor. Mit Fertigstellung der Eisenbahnstrecke Ende des 19. Jh. entstanden dort einige Läden und Schänken. Langsam entwickelte sich eine Siedlung, die später zum Marktflecken und schließlich zu einem Städtchen wurde. Das Stadtrecht besitzt Jõgeva erst seit 1938.

- *Postleitzahl*: EE2350
- *Vorwahl*: 237
- *Anfahrt/Verbindungen*: PKW - Das Städtchen liegt an der Verbindungsstraße Tartu-Rakvere.
Bus: Verbindung mit Tartu.

Bahn: Züge Richtung Tallinn und Tartu. Bahnhof in der Nähe vom Hotel.
- *Übernachten*: **Hotel**, Jaama 4. Einfache Zimmer, DZ ca. 8 DM, Tel. 21454.
- *Essen*: **Jõgeva**, Gagarini 33. Das Essen ist durchschnittlich, Tel. 22982.

▶ **Põltsamaa (Oberpahlen)**: Der kleine Ort weist gerade mal 5500 Einwohner auf, doch bekannt ist er wegen seines Schlosses. Hier residierte einst der *König von Livland*. Ursprünglich wurde die Burg als Ordenssitz gebaut. Im Laufe der Geschichte stand es abwechselnd unter schwedischer und unter russischer Herrschaft. *Iwan der Schreckliche* setzte 1573 den ihm treu ergebenen *Herzog Magnus von Holstein* ein, den er zum König Livlands machte. Das stolze Anwesen wanderte bis in eines Jahrhundert durch viele Hände und landete schließlich auch im Besitz einer *Gräfin von Ungern-Sternberg*. Im Zweiten Weltkrieg wurde das Schloß zerstört.

- *Anfahrt/Verbindungen*: **PKW** - Der Ort liegt südwestlich von Jõgeva und ist auf geradem Weg über die von Jõgeva abgehende Landstraße zu erreichen. **Bus**: Verbindung mit Jõgeva, Tartu, Paide, Viljandi und Tallinn.

▶ **Palamuse**: Das kleine Dorf liegt zwischen Jõgeva und Kallaste. Hier befindet sich ein Museum für den Schriftsteller *Oskar Luts*. Schön ist auch die Kirche. Sie stammt aus dem 13. Jh. und wurde im 15. Jh. umgebaut.

▶ **Mustvee**: Das verschlafene Fischerdorf mit seinen 2400 Einwohnern liegt an der Mündung des schmalen Mustvee-Flusses in den Peipsijärv. Schon immer war das Ufer des riesigen Sees von Fischern besiedelt. Anfang des letzten Jahrhunderts flüchteten viele Russen über ihn nach Mustvee. Zum Baden ist Mustvee nicht sonderlich geeignet. Ein schöner Strand befindet sich jedoch in **Ranna**, gelegen zwischen Mustvee und Kallaste, sowie am Nord-Ufer. Für Radler, die das Peipsijärv-Seeufer entlangfahren, bietet sich im Gasthaus in Mustvee eine schöne Möglichkeit zur Rast.

- *Postleitzahl*: 2372.
- *Vorwahl*: 237.
- *Anfahrt/Verbindungen*: **PKW** - Von Tartu die A-201 Richtung Kohtla-Järve hochfahren. Ebenfalls endet die von Jõgeva östlich abgehende Landstraße in Mustvee.
Bus: Verbindung mit Jõgeva und Tartu, je-

doch selten.
- *Übernachten/Essen*: **Hotel**, Tähe 9. Saubere, hübsche Mehrbettzimmer. Preiswert! Ein mittelmäßiges **Restaurant** befindet sich in der Tartu 5, nebenan ein Laden für Proviant. In der Tartu tänav befinden sich ebenfalls Post, Apotheke und Bank.

Ida-Viirumaa (Ost-Wierland)

Der große Landkreis im Norden Ostestlands ist durch die Narva von Rußland getrennt, grenzt im Norden an den finnischen Meerbusen und im Süden an den Peipsi-See. Die Hauptstadt ist Kothla-Järve. Die Landschaft von Ida-Viirumaa ist teilweise wunderschön und bietet viele Möglichkeiten für einen unvergeßlichen Badeurlaub. Tief in den Wäldern leben noch Luchse und vereinzelt sogar Bären.

Doch hat sich gerade in Gebieten dieses Landkreises der Mensch auf's Übelste an der Natur versündigt. Im Norden von Ida-Viirumaa ist der Boden reich an Ölschiefer. Der abgebaute Ölschiefer wird als Heizmaterial für Kraftwerke verwendet. Bei diesem Vorgang werden Unmengen von Asche in die Luft geblasen. Ferner arbeitet in **Sillamäe** eine Uranfabrik, die ihren radioaktiven Abfall schlichtweg auf die städtische Müllhalde kippte, womit das Gebiet um die Stadt nun radioaktiv verseucht ist. Es ist darüber hinaus nicht auszuschließen, daß auch die Ostsee bei Sillamäe verstrahlt ist.

Geschichte: Im 13. Jh. wurde das Gebiet von den Dänen erobert, die am Ufer der Narva starke Festungen erbauten. Als der livische Krieg ausbrach, fiel ein Teil des heutigen Landkreises an Rußland. Die Gegend um Narva gehörte teilweise auch zu Schweden, wurde jedoch Anfang des 18. Jh. von den Russen zurückerobert.

Die jüngere Geschichte Ida-Viirumaas ist in Verbindung mit dem Ölschiefer zu sehen. Seit 1916 wird Ölschiefer abgebaut. Durch den Aufbau der gewaltigen Industrie sind viele russische Arbeiter in den Landkreis gezogen. Heute bilden die Esten in den nordestnischen Städten eine Minderheit. Der Anteil der estnischen Bevölkerung in Kothla-Järve beträgt zur Zeit 25 % und in Narva gerade mal 4 %. Auf Grund der in Estland noch stationierten Truppen der ehemaligen Sowjetunion und der Einführung einer Visumspflicht für Russen, die keine Einladung von direkten Verwandten vorweisen können, sind sich beide Seiten in keinster Weise wohl gesonnen. Von Seiten der in Ida-Viirumaa lebenden russischen Bevölkerung sind in letzter Zeit bereits Stimmen laut geworden, die den Anschluß dieser Gegend an Rußland fordern.

Kothla-Järve (ca. 80.000 Einwohner)

Charakteristisch für die Stadt sind die Abbaugebiete des Ölschiefers und die Ölfabrik. Dazwischen liegen riesengroße Wohnheimkästen für die dort beschäftigten Arbeiter.

Durch den Ölschieferabbau und die Ölindustrie wächst Kothla-Järve kontinuierlich, wodurch immer neue dieser erdrückenden Bauten entstehen. Die Atmosphäre der Stadt ist düster. Innerhalb von 75 Jahren wurde mit dem Abbau des Ölschiefers ein solcher Raubbau betrieben, daß die Ressourcen bei diesem Tempo in etwa 30 Jahren erschöpft sein werden. Die restaurierte Ordensfestung *Purtse*, die als Kulturhaus benutzt wird, ist recht interessant, doch ansonsten kann man Kothla-Järve nicht als sehr schön bezeichnen.

Umgebung südlich von Kothla-Järve

▶ **Kurtna:** Das kleine Dorf hat eine umwerfend schöne Umgebung. An über 40 kleinen Seen, eingebettet in Heide- und Wacholderlandschaft, kann man die Natur genießen. Nicht weit von dieser reizvollen Gegend, die sich hervorragend zum Wandern eignet, liegt das hübsche *Nonnenkloster von Kuremäe* (Anfahrt/Verbindungen siehe Kuremäe).

▶ **Kloster von Kuremäe:** Schon von weitem ist das zwischen Wäldern und Mooren gelegene russisch-orthodoxe Nonnenkloster von Kuremäe zu sehen. Majestätisch steht es auf einem Hügel und erinnert mit seinen Zwiebeltürmen und gezackten Mauern an ein Märchenschloß aus alten Zeiten. Doch so alt ist das *Pühtise-Kloster* noch gar nicht. Es wurde im Zuge der Russifizierung 1891 gegründet. Im Kloster leben heute ca. 150 Nonnen aus allen Gegenden der ehemaligen UdSSR. Äbtissin ist seit 20 Jahren Schwester Warwara. Was die Nonnen zum Leben brauchen, beziehen sie ausschließlich aus eigener Herstellung. Sie bestellen die zum Kloster gehörigen Felder, backen hervorragendes Brot, unterhalten eine Imkerei, schneidern ihre schwarzen Trachten und Hauben, bessern die Ikonen ihrer Kirche und Kapellen selbst aus, binden Bücher usw. Jede Schwester hat ihre feste Aufgabe. Die einzige Mahlzeit, die am Tag eingenommen wird, verzehrt jede der Schwestern allein in ihrer Klosterzelle. Damit ein wenig Geld in die Klosterkassen fließt, unterhalten die Nonnen ein kleines Gästehaus. Die Schwestern sind zwar freundlich, reden aber wenig. Die Zimmer des Gästehauses sind sehr hübsch und so ganz anders als in herkömmlichen Unterkünften. Blütenreine Bettwäsche, antike Möbel und goldgerahmte Ikonenabbildungen strahlen den Hauch einer anderen Welt aus.
Für die Nonnen ist es selbstverständlich, daß sie ihre Gäste auch bewirten. Geld verlangen sie nicht, doch wird eine angemessene Spende, die in den Opferstock der Kirche zu entrichten ist, dankbar entgegengenommen. Auf Wunsch kann man sich von einer der Schwestern durch die Klosteranlagen führen lassen und das dazugehörige Museum besichtigen. Doch man darf auch allein durch den hübschen Klostergarten spazieren. Von den Gästen wird aber erwartet, daß ihre Kleidung Schultern und Beine bedeckt. Frauen, die an der Messe teilnehmen wollen, sollten ein Tuch auf dem Kopf tragen.
Einige Meter vom Kloster entfernt sprudelt eine *heilige Quelle*, an der eine uralte knorrige Eiche steht. Im Schatten der Bäume stehen immer einige Nonnen, die dem Besucher das erfrischende, klare Quellwasser zum Trinken anbieten. Danach fordern sie einen auf, ein Bad zu nehmen. An Feiertagen pilgern tausende von Gläubigen hierher. Das Kloster Kuremäe kommt einer Oase der Ruhe gleich.

• *Anfahrt/Verbindungen*: **PKW** - Bei Kohtla-Järve geht von der M-11 in südliche Richtung eine Straße nach Vasknarva ab, die auch durch Kuremäe führt. Vom Peipsi-See kommend empfiehlt es sich, die Uferstraße bis Vasknarva durchzufahren, dort links abzubiegen und ca. 25 km geradeaus bis zum Kloster zu fahren.

Bus: Von St. Petersburg fährt täglich gegen Mittag ein Bus über Narva nach Kuremäe. Vom Reisebüro Narva werden Exkursionen nach Kuremäe angeboten.

Richtung Peipsi-See

▸ **Kauksi-Campingplatz**: Nicht weit entfernt vom Dorf Kauksi liegt mitten im Wald am Ufer des Peipsi-Sees ein schöner Campingplatz. Das Seewasser ist im Sommer angenehm warm. Leicht kommt das Gefühl auf, an der Meeresküste zu stehen, denn steht man am herrlichen Sandstrand oder auf den Dünen und schaut quer über den See, sieht man außer den kreischenden Möwen, soweit das Auge reicht, nichts anderes als Wasser.

• *Adresse*: Ida-Virumaa, EE2033 Alajõe SJK, Kauksi Tuurismibaas, Tel. (für Kohtla-Järve) 93819 oder 93834.

• *Anfahrt/Verbindungen*: **PKW** - Die A-201 südöstlich von Kohtla-Järve nehmen und diese Richtung Tartu geradeaus runterfahren. In Kauksi angekommen nicht ins Dorf reinfahren, sondern den rechts abgehenden Weg in den Wald nehmen.

Bus: Die Linien Kothla-Järve-Tartu und Narva-Tartu halten an der Hauptstraße bei Kauksi.

• *Übernachten*: Auf dem Campingplatz kann man in kleinen Holzhütten schlafen. Auf dem Platz gibt es ein Post- und Telegrafenamt, eine Bibliothek, einen TV-Saal und eine Söökla. Boote sind zu leihen, das Angeln ist erlaubt.

▸ **Uusküla**: Etwa 6 km vom Kauksi-Campingplatz entfernt liegt in Uusküla das **Ferienzentrum Uusküla**. Es besteht aus einem roten, wuchtigen Hauptgebäude und vielen Ferienhäusern. Die Zimmer im Haupthaus sind schön und geräumig. Die zweistöckigen, für fünf Personen ausgerichteten Häuser mit Kamin und Küche sind sehr gemütlich. Für Unterhaltung wird abends in Form von Tanz, Disco, Videofilmen ausreichend gesorgt. Darüber hinaus gibt es noch eine Bar und eine Söökla.

• *Adresse*: Ida-Virumaa, EE2033 Alajõe Vallavalitsus Uusküla, Pukebaas Uusküla, Tel. 93234.
Um zum Sandstrand zu gelangen, müssen noch ein paar Meter über weichen Waldboden zurückgelegt werden. Am Strand gibt es Tret- und Ruderboote. ÜB im Haupthaus ca. 25 DM, VP um die 30-40 DM, Ferienhaus ca. 200 DM inkl. VP/Tag.

• *Anfahrt/ Verbindungen*: **PKW** - Fährt man am Kauksi-Camping vorbei, trifft man nach ca. 3 km auf eine Hauptstraße. An dieser Ecke befindet sich übrigens ein Lebensmittelladen. In die Hauptstraße rechts reinfahren, bis man nach ca. 3 km Uusküla erreicht. Das Ferienzentrum liegt auf der linken Seite.

Bus: Ab und zu Verbindung mit Kauksi.

▸ **Vasknarva**: Das kleine Dorf liegt unweit der russischen Grenze am Nordufer des Peipsi-Sees und am Ufer der *Narva*, die genau hier entspringt. Auf ihrem ganzen Weg zum Finnischen Meerbusen, wo sie in die Ostsee mündet, bildet der Fluß eine natürliche Grenze zwischen Estland und Rußland. Von der 1349 erbauten *Ordensburg* sind nur Mauerreste übrig geblieben. Fährt man in Kauksi von der Hauptstraße ab und nimmt die schmale Straße, die am Nordufer des Sees vorbeiführt, gelangt man nach Vasknarva.

Hermannsfestung, am anderen Ufer die Burg von Iwangorod

Am Finnischen Meerbusen entlang

▶ **Sillamäe:** Die Stadt am Finnischen Meerbusen, gelegen zwischen Kothla-Järve und Narva, ist mit ihren rund 20.000 Einwohnern ein sehr junger, aus dem Boden gestampfter Ort. Esten wohnen hier so gut wie keine. Lange Zeit war der Bevölkerung nicht bekannt, was in Sillamäe vor sich ging. Jetzt wissen die Menschen, daß in ihrer Stadt eine Uranfabrik arbeitet, die ihren Müll bislang ohne Bedenken auf die hiesige Abfallhalde kippte und somit den Boden in und um Sillamäe radioaktiv verseucht hat. Es kann durchaus sein, daß aus der Uranfabrik radioaktive Stoffe ins Meer fließen.

Narva *(ca. 87.000 Einwohner)*

Unmittelbar an der russischen Grenze liegt Narva, am westlichen Ufer des gleichnamigen Flusses. Auch wenn die Stadt zu Estland gehört, ist sie doch ganz anders als die übrigen estnischen Städte.

96 % der Bevölkerung sind Russen, und am Hauptplatz blickt gar Genosse Lenin noch strengen Blicks von seinem Sockel. Die Aufschriften an den Geschäften und Straßenschildern sind überwiegend in kyrillischen Buchstaben geschrieben, und in den Hotels gibt es ausschließlich russische Zeitungen. Auf der anderen Seite des Narva-Flusses beginnt Rußland. Die dort liegende Stadt **Iwangorod** ist fast mit Narva zusammengewachsen. Hunderte von Menschen überqueren jeden Morgen die Brücke, um an

ihren Arbeitsplatz zu gelangen. Doch seit der Unabhängigkeit ist der Gang über die Brücke nicht mehr ohne Vorzeigen des Passes möglich. Durch das teure Visum für Russen, die nur als Besucher nach Estland einreisen wollen, liegt eine gewisse Spannung in der Luft.

In Narva befinden sich zwei Wärmekraftwerke, die mit Ölschiefer beheizt werden und massenweise Asche ausstoßen. Zur Stadt gehört auch die Krenholmer Manufaktur, eine Textilfabrik und gleichzeitig der größte Betrieb Estlands.

Geschichte: Am Ufer der Narva steht die von den Dänen errichtete *Hermannsfestung*, die 1213 erstmalig erwähnt wurde. Bis Ende des 16. Jh. diente sie als Ordensburg. Gleich gegenüber auf der andern Seite des Flusses erhebt sich die aus dem 15. Jh. stammende *Festung von Iwangorod* (estn. Jaanilinn). Verständlich, daß die Burgen von Narva und Iwangorod

Narva

Schauplätze heftigster Kämpfe waren, die im Laufe der Geschichte hier ausgetragen wurden, denn wo sonst prallten die Interessen der abendländischen Kultur und die des Ostens so unmittelbar auf einander?

1558 wurde die Stadt, die zeitweise auch unter der Herrschaft des Livländischen Ordens und Schwedens stand, von Rußland erobert, landete aber wenig später wieder in der Hand der Schweden. Doch während des Nordischen Krieges, der in der Nähe von Narva ausbrach, nahmen die Russen die Stadt erneut ein.

Nach dem Zweiten Weltkrieg lagen 98 % der Häuser Narvas in Schutt und Asche und sind mittlerweile durch wuchtige Plattenbauten ersetzt worden. Das alte Rathaus ist eines der wenigen Gebäude, das den Krieg halbwegs überstanden hat. 1944 wurden auch die beiden Festungen zerstört, die später jedoch wieder aufgebaut worden sind.

• *Postleitzahl*: EE2000.

• *Vorwahl*: 235.

• *Information*: Nõukogude 8, geht links von der Kommunaaride tänav ab, auf die man vom Hauptplatz aus gelangt.

Die Direktorin Tatjana Iwanowna spricht sehr gut englisch, Tel. 33510.

• *Anfahrt/Verbindungen*: **PKW** - Von Tallinn führt die M-11 auf geradem Weg nach Narva. Von Tartu die A-201 bis zur Kreuzung mit der M-11 entlangfahren und dann rechts halten.

Bus: Relativ gute Verbindungen mit Tallinn, Tartu und Kothla-Järve. Ein Bus täglich zum Kloster Kuremäe und mindestens 2 Busse am Tag nach St. Petersburg. Busbahnhof in der Vaksali tänav 2.

Bahn: Züge nach Tallinn und nach St. Petersburg.

● *Übernachten*: **Narva**, Puškini 6. Zimmer ohne Bad, aber annehmbar. Von einigen Zimmern Blick auf die Festung von Iwangorod. EZ ca. 6 DM, DZ ca. 10 DM. Tel. 22700.

Vanalinn, Koidula 6a. Unmittelbar am Ufer der Narva gelegen. Einige Räume frisch renoviert. DZ ca. 40 DM. Tel. 22486.

● *Essen*: **Baltika**, Puškini 10. Schneller Service, durchschnittliches Essen. Restaurant in hellblau gehalten, abends Live-Musik.

Narva, Puškini 6. Langsamer Service, winzige Portionen.

Rondo, Leningradi mnt. 2. Befindet sich in der Hermannsburg. Ausgezeichnete Küche, Ausstattung erinnert an die Ritterzeit. In einem überdachten Gang der Burg kann man im Sommer bei Kaffee und leckeren Teilchen herrlich sitzen und auf die Narva blicken, Tel. 33244.

An der Puškini tänav werden im Sommer frische Beeren und Eis verkauft.

● *Verschiedenes*: **Geldwechsel** - Tallinn mnt. 28.

Post: Tuleviku 10.

Telegrafenamt: Tuleviku 3.

Poliklinik: Komsomoli 3.

Taxistand: am Hauptplatz, Taxiruf 31595.

Sehenswertes

Narva-Museum, befindet sich hinter den dicken Mauern der Hermannsfestung. Anschauliche Dokumentation über die Geschichte Narvas.

Rathaus, Raekoja väljak 1. Ganz interessant anzusehen ist Narvas Rathaus von 1668, das im Zweiten Weltkrieg nicht vollständig zerstört wurde. In den 60er Jahren wurde es wieder aufgebaut.

Lenin-Denkmal, unbedingt sehenswert, denn es ist das letzte Lenin-Denkmal im Baltikum.

Veranstaltungen

Konzerte werden im Sommer häufig im Burggarten abgehalten.

Tag der Kunst: Ende Mai werden im Innenhof der Burg eine Vielfalt neuer, moderner Bilder ausgestellt. Begleitet wird die Ausstellung mit einem bunten Kleinkunstprogramm und kleinen Musikeinlagen.

Das letzte Lenin-Denkmal im Baltikum

▶ **Narva-Jõesuu:** Der Badeort am Finnischen Meerbusen gehört administrativ zu Narva. Wahre Massen aus Narva und der ehemaligen Sowjetunion suchen hier Erholung. Der Strand ist recht schön, doch sonnt sich dort auch ein superlanges rostiges Entlüftungsrohr. Die Menschen baden unbeschwert im Meer, doch sollte die Nähe zu Sillamäe bedacht werden. Architektonisch bestimmen massive Ferienheimkoplexe das Bild.

- *Postleitzahl*: EE2010
- *Vorwahl*: 235
- *Information*: An der Bushaltestelle steht ein großer Stadtplan.
- *Anfahrt/Verbindungen*: PKW - Eine Landstraße führt von Narva hierher.
- **Bus**: Verbindung mit Narva. Haupthaltestelle befindet sich in der Babadus tänav, hinter dem kauplus (Laden).
- *Übernachten*: Narva-Jõesuu, Raku 7. Zimmer ohne Bad, sauber. EZ ca. 3 DM,

DZ ca. 5 DM, Tel. 71921

Norus, Liidi Koidula 19. Riesiger Klotz mit Sauna und Schwimmbad, Bar und Söökla. Zimmer entsprechen DJH-Standard der frühen 60er. DZ ca. 4 DM, Tel. 71381.

- *Essen*: **Majak**, Pargi 7. Einziges Restaurant am Ort, durchschnittlich, Tel. 71461.
- *Verschiedenes*: **Geldwechsel** - Kojdu 14.

Post: Pargi 10.

Poliklinik/Apotheke: Kojdu 23.

Ausflug nach St. Petersburg

Mit dem Bus ist St. Petersburg in zweieinhalb Stunden von Narva aus zu erreichen. In der Regel ist es möglich, nach einem Gespräch mit den russischen Grenzbeamten, in dem man versichert, daß man am gleichen Tag noch zurückkomme, und dem Entrichten einer kleinen Summe (nicht mehr als etwa 15 Dollar), ohne Visum einzureisen. Besonders Russischkenntnisse stimmen die Beamten milde. Es sei dennoch darauf hingewiesen, daß das Unternehmen ein gewisses Risiko birgt, da für Rußland offiziell ein Visum nötig ist. Zu beachten ist auch, daß ein einfaches baltisches Visum beim Passieren der russischen Grenze verfällt und seit neustem nur noch in den jeweiligen Botschaften in Moskau erhältlich ist. Das trifft natürlich nicht bei einem Visum mit *multiple entry* zu. Busse nach St. Petersburg fahren gegen 7 Uhr morgens und gegen 15 Uhr nachmittags.

In St. Petersburg am besten sofort eine Rückfahrkarte kaufen, da die Busse nach Narva schnell ausgebucht sind. Alle zwei Stunden fahren die Busse nach Estland. **Wichtig**: Die Busse nach Estland fahren vom Busbahnhof 2 ab, zu dem keine Metro, sondern ein Trolleybus fährt. Für die Metro müssen Jetons gekauft werden, die vor Betreten der Rolltreppen an den Passierschranken eingeworfen werden. Jetons und U-Bahn-Pläne (nur auf russisch) gibt es an den Schaltern vor den Rolltreppen zur Metro.

Toila *(ca. 2000 Einwohner)*

Wo der Pühajõgi in den Finnischen Meerbusen mündet, liegt der verschlafene Ort Toila. In Toila und Umgebung findet man bis zu 43 m hohe Steilküsten.

Mitten im Dorf befindet sich ein romantischer Park. Er beginnt bei der Mere pst. und zieht sich an der Ranna tänav vorbei. Auf diesem Gebiet ist ein Campingplatz geplant. Anfang dieses Jahrhunderts ließ der reiche russische Kaufmann *Jelissejew* in Toila ein prachtvolles Schloß namens *Oru* erbauen. Im Zweiten Weltkrieg wurde es jedoch zerstört. In Toila befand sich auch der Sommersitz des estnischen Präsidenten *Konstantin Päts*.

Sehr schön ist der Strand von Toila. Gegenüber dem unübersehbaren, monumentösen Bau der Hals-Nasen-Ohren-Klinik führt ein steiler Weg, auf dem man sich an Drahtseilen entlanghangeln muß, hinunter zum Wasser. Der Strand besteht aus größeren Kieselsteinen und erinnert ein wenig an die Strände Griechenlands. Doch auch hier sollte man die Nähe von Sillamäe bedenken.

- *Postleitzahl*: EE2021
- *Vorwahl*: 233
- *Anfahrt/Verbindungen*: **PKW** - Der Ort liegt auf der Mitte der Städte Kothla-Järve und Sillamäe. Auf der M-11 auf Schilder achten.
Bus: Spärliche Verbindung mit Jöhvi, einem Stadtteil Kothla-Järves.
- *Übernachten*: **Toila**, in der Pikk tänav (ohne Hausnummer), Tel. 95696. Der Bus hält zwar direkt vor dem Hotel, wenn er durch den Ort fährt, doch die Hotel-Haltestelle ist schwer zu erkennen.

- *Essen*: In der Pikk tänav 18 gibt es ein **Café** mit kleinen Snacks. Daneben befindet sich ein Lebensmittelladen.
Wenn die finanziellen Mittel reichen, wird demnächst im Hotel eine Möglichkeit zum Essen bestehen.
- *Verschiedenes*: **Geldwechsel** - Pikk 13.
Post: Pikk 4.
Apotheke: Pikk 6.
Museum: Pikk 58. Ausstellung über den russischen Dichter *Igor Sewerjanin* (1887-1941) und über die Umgebung.

Wasserfall: Fährt man durch Toila die Küstenstraße weiter Richtung Westen, gelangt man zu einem mittelgroßen Wasserfall. Der kleine *Valaste-Bach* stürzt sich hier 20 m in die Tiefe. Der Wasserfall liegt zwischen Valaste und Outika. Am Wegesrand deutet nichts auf den Wasserfall hin. Das einzige Kennzeichen sind ausgetretene Trampelpfade. Den straßenförmig, grob aufgeschütteten Schotter noch als Straße zu bezeichnen, ist gewagt. Für Radler ist diese landschaftlich sehr schöne Strecke denkbar ungeeignet. Um wieder auf eine ausgebaute Straße zu gelangen (M-11), bei dem Schild Saka links fahren.

▶ **Lüganuse:** Das Dorf liegt im malerischen Tal des *Purtse-Flüßchens*, westlich von Kothla-Järve.

Wasserfall des Valaste-Baches

An der östlichen Seite des Tals steht die Ruine der *Tarakalda-Festung*. Auf Grund archäologischer Funde, die hier gemacht wurden, weiß man, daß diese Burg bereits im 5. Jh. v. Chr. bewohnt war.

Lääne-Virumaa (West-Wierland)

Lääna-Viruma grenzt im Osten an Ida-Virumaa und im Westen an die Landkreise Harjumaa und Järvamaa. Im Norden Lääne-Virumaas liegt die flache Küste des Finnischen Meerbusens. An die überwiegend flache Landschaft des Landkreises schließen sich im Süden die leichten Erhebungen des Pandiivere-Höhenzuges an.

Als 1238 die Dänen vor der Küste Estlands lagen, eroberten sie auch Lääne-Virumaa. In **Rakvere**, der Hauptstadt des Landkreises, ließen sie eine Festung bauen. Die schon bestehenden Bauernburgen wurden zerstört. In **Toolse** errichtete der Deutsche Orden im 15. Jh. eine Festung zum Schutz gegen Seeräuber. Heftige Schlachten fanden während der Zeit der Missionierung im Gebiet Lääne-Virumaa nicht statt. Doch der Livische Krieg (1558-1583) und der Nordische Krieg im 18. Jh. brachten viel Leid über die Region. Erholt hat sich das Gebiet erst wieder, als im 19. Jh. die Eisenbahnstrecke Tallinn-St. Petersburg gebaut wurde.

Rakvere (Wesenberg) *(ca. 20.000 Einwohner)*

Wo einst die Bauernburg Tarvanpää stand, erheben sich heute die Mauerreste der dänischen Ordensburg. Schon von weitem sind die Ruinen auf dem Vallimägi-Hügel zu sehen.

Unterhalb der Festung entwickelte sich der Ort Rakvere, der bereits 1302 zur Stadt erhoben wurde. Während der zahlreichen Kriege ist Rakvere mehrmals zerstört worden.

Das Zentrum der Stadt bildet der Marktplatz, um den herum sich alles abspielt. Viel gibt es in Rakvere nicht zu sehen, doch hat die Stadt einen gewissen Charme. Die vielen Holzhäuser der Stadt erinnern ein wenig an Häuser aus dem wilden Westen.

- *Postleitzahl*: EE2110
- *Vorwahl*: 232
- *Information*: Das Touristenbüro hält seine Pforten seit kurzem geschlossen. Erklärungen zur Stadtgeschichte im Rakvere-Museum erhältlich.
- *Anfahrt/Verbindungen*: **PKW** - Rakvere liegt an der A-203, die kurz vor Rakvere von der M-11, von Tallinn nach Narva abgeht. Die **A-203** führt weiter nach Paide.
Bus: Verbindung mit Tallinn, Tartu, Narva, Viljandi, Pärnu, sowie mit St. Petersburg. Busbahnhof am Marktplatz.
Bahn: Züge Richtung Tallinn und St. Petersburg. Bahnhof in der Jaama tänav.

- *Übernachten*: **Oktober**, Tallinna 25. Geht man den Marktplatz hinunter, gelangt man auf die Tallinna und zum Hotel. Entweder ist es bereits wegen Umbau geschlossen oder wird es in aller Kürze sein. Evtl. wird es unter dem Namen **Wesenberg** wiedereröffnet werden. Tel. 43420.
- *Essen*: **Nord**, Tallinna 68. Von der Einrichtung nicht gerade überwältigend, aber die Küche ist ganz gut und die Portionen angemessen. Angeschlossen ist eine **Bar**, die sich abends in eine Disco verwandelt. Tel. 444664.
Restaurantkomplex, am Marktplatz. Im sowjetischen Stil eingerichtet, Essen mittelmäßig.

Sehenswertes

Rakvere-Museum: Tallinna 3. Neben Exponaten der Stadtgeschichte finden gelegentlich Ausstellungen moderner Malerei statt. Montags geschlossen.

Ruine: Die Ruine, die momentan gerade restauriert wird, ist nicht überwältigend, doch der Blick von hier oben auf Rakvere ist sehr schön. Vom Zentrum fährt Bus 3 dorthin. Am Kreutzwald-Denkmal aussteigen.

▸ **Tapa (Taps):** 28 km von Rakvere liegt die Kleinstadt Tapa. Hier kreuzen sich die Bahnlinien Tallinn-St. Petersburg und Tappa-Tartu. Der Bahnhof befindet sich in der Jaama tänav. Obwohl Tapa mit seinen 11.000 Einwohnern eine gewisse Größe aufweisen kann, gibt es hier leider keine Übernachtungsmöglichkeiten.

▸ **Kunda:** So könnte man sich die Hölle vorstellen! In dem 5000-Seelen-Ort Kunda steht eine Zementfabrik, die ohne Filter arbeitet. In einem Umkreis von 10 km macht sich der Staub in der Luft bemerkbar. Kunda wirkt wie eine Geisterstadt. Ob Häuser, Bäume oder Straßen, alles ist grau. Die ewig geschlossenen Fenster müssen mindestens zweimal die Woche geputzt werden, wenn wenigstens etwas Licht in die Häuser fallen soll. Die Sonne ist, wenn man sie überhaupt sieht, nur durch graue Schlieren sichtbar. Menschen sieht man kaum auf der Straße. Das Atmen wird in Kunda zur Qual. Schwer vorzustellen, daß Leute hier leben können. Eine amerikanische und eine finnische Firma bemühen sich zur Zeit um eine Filteranlage.
Bevor die Zementfabrik ihre Tore öffnete, muß Kunda eine sehr schöne Küstenstadt mit einem hübschen Gutshaus gewesen sein. Zuletzt war das Anwesen im Besitz der *Familie Schnakenburg* (ab 1816) und schließlich in dem der *Barone Girad de Soucanton* gewesen (ab 1851).

▸ **Toolse (Tolsburg):** Man kombiniere einen menschenleeren Strand, flaches Wasser, viele kleine Findlinge und eine alte, verfallene Ordensfestung. Nicht zu vergessen die Bäume und Sträucher, die in der Burg wachsen und auf deren bröckeligen Mauern kreischende Möwen und Krähen hocken. Der Deutsche Orden ließ 1471 die Toolse-Burg deshalb bauen, weil es auf dem Meer von Seeräubern nur so wimmelte und das umliegende Land vor Beutezügen geschützt werden sollte. Mit anderen Worten: Toolse ist das Abbild wilder Nord-Romantik mit einem Hauch von Nostalgie. Zum Baden ist das Wasser weniger geeignet, da es voller Wasserpflanzen ist. Leider merkt man in der Luft noch den Staub von Kunda.

• *Anreise/Verbindungen:* **PKW** - Von Kunda geht eine Straße nach Toolse ab. Diese etwa 5 km geradeaus fahren. Gegenüber eines mittelmäßigen Campingplatzes geht es rechts nach Toolse.

Bus: Leuten ohne eigenem Fahrzeug ist von einem Besuch abzuraten. Die Verbindungen mit Rakvere sind äußerst selten und unregelmäßig. Teilweise fahren die Busse nur bis Kunda, wo man umsteigen oder zu Fuß weitergehen muß.

▸ **Karepa:** Zu einem sehr idyllischen, einsamen Strand gelangt man, wenn man von Toolse die Waldstraße ca. 5 km geradeaus weiterfährt. Schmale bunte Fischerkähne liegen friedlich vor alten, kleinen Holzschuppen im Wasser. Die einzigen Geräusche kommen vom Rauschen der Meeresbrandung und von den Möwen und Krähen. Wandert man ein wenig am Strand entlang, finden sich auch Stellen zum Baden. Etwas störend ist ein ehemaliger sowjetischer Grenzwachturm.

• *Anfahrt/Verbindungen:* **PKW** - Von Toolse die Straße etwa 5 km bis zur Ortschaft Karepa weiterfahren. Gegenüber von einem braungestrichenen Holzhaus, an das "Karepa" geschrieben ist, geht ein kleiner Waldweg ab. Zum Strand gelangt man, wenn man den Weg bis zum Ende verfolgt, an dem letzten Haus vorbei, bis der Weg am Wasser endet.
Bus: Leute ohne Auto trifft das gleiche Schicksal wie bei der Anreise nach Toolse.

• *Übernachten:* Es gibt in Strandnähe ein **Pionierlager**, wo man im Mai und Juni in der Regel übernachten kann (im Juli/August Ferienlager der Noch-Pioniere). Die Zimmer des Holzhauses sind einfach, die gemütliche Küche kann mitbenutzt werden. Ein kleiner Lebensmittelladen befindet sich in Karepa. Die Hausmutter des Lagers spricht deutsch.
Adresse: Lääne-Virumaa, EE0215 Karepa P/K, Tel. 232-51388.

Lahemaa-Nationalpark

Ganz im Norden Estlands ist der schöne und landschaftlich sehr vielfältige Lahemaa-Nationalpark (Rahvuspark) zu finden. Ein Teil des Reservats gehört gebietsmäßig zu Lääne-Virumaa, der andere zu Harjumaa. Der 1971 gegründete 85.000 Hektar große Park reicht im Osten bis an den Altja-Bach und im Westen bis an den Kahala-See. Im Norden begrenzt der Finnische Meerbusen das Naturschutzgebiet.

Die Küste ist sehr zerklüftet. Vier größere Landzungen mit ihren herrlichen Buchten sind charakteristisch für den Küstenstreifen des Parks. Davor erheben sich kleine, unbewohnte Inseln, darunter auch die Insel **Mohni**. Die hohen Kiefernwälder, die hier wachsen, und die weiten, von malerischen Steinzäunen begrenzten Felder machen die Gegend zu einem unvergeßlichen Naturerlebnis.

Im Süden grenzt der Nationalpark an die M-12, sein südlichster Punkt reicht aber fast bis Tapa. Karstlandschaft und Moore bestimmen das reizvolle und schöne Landschaftsbild in diesem Teil Lahemaas. Das Territorium des Nationalparks hat sich mit der Zeit zu einem wahren Paradies der estnischen Tier- und Pflanzenwelt entwickelt. Stolz weist die Parkverwaltung auf über 200 nistende Vogelarten hin und auf Elche und Braunbären, die in den dichten Wäldern Lahemaas leben. Sogar die von der Pelzindustrie und ihren gewissenlosen Käufern so heiß begehrten Nerze sind in Lahemaa zu finden. Aus Gründen des Naturschutzes sind der Öffentlichkeit nicht alle Gebiete des Reservats zugänglich. Autos sind nur auf den Hauptstraßen gestattet, und Wildcampen und Feuermachen sind strengstens untersagt. Ausgiebig informieren kann man sich im *Lahemaa-Informations-Zentrum* auf dem Campingplatz von Viitna. Empfehlenswert sind sachkundige Führungen durch den Nationalpark, die von Võsu und Viitna aus möglich sind.

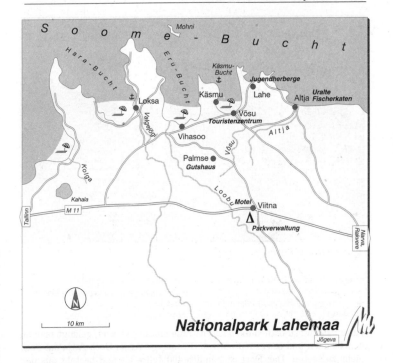

Nationalpark Lahemaa

Võsu

Der beliebte Ferienort an der Nordküste Estlands, liegt im Herzen des Nationalparks. Im Sommer tummeln sich tausende von Menschen an den weißen Stränden des Ortes.

Die Wassertemperaturen sind hier relativ mild. Wer jedoch schon die weiten, einsamen Strände des Baltikums gesehen hat, dem ist es hier vielleicht zu voll. Dennoch ist der Strand von Võsu sehr schön. Angenehme Schattenspender sind die hohen, den Strand säumenden Kiefern. Im Winter ist Võsu jedoch so gut wie ausgestorben.

- *Postleitzahl*: EE2126
- *Vorwahl*: 232
- *Information*: An der Rezeption im Ferienkomplex Võsu und am schwarzen Brett in der Eingangshalle sind brauchbare Informationen erhältlich.
- *Anfahrt/Verbindungen*: **PKW** - In Vittna, das an der M-11 liegt, geht eine Landstraße nach Võsu ab.
Bus: Verbindung mit Vittna, Rakvere und Tallinn.
- *Übernachten*: **Võsu**, Mere 21. Riesiger

Ferienkomplex mit einfachen Zimmern. DZ ca. 15 DM. Tel. 99189.
Jugendherberge, befindet sich im ca. 9 km nordöstlich gelegenen Lahe, Tel. 510038.
- *Essen*: **Neptun**, direkt am Strand gelegen. Das Restaurant macht seinem Namen alle Ehre, denn innen ist alles in Blau aufeinander abgestimmt. Leider wartet man Ewigkeiten auf sein Essen, und die Portionen sind winzig. Tel. 99232.
Võsu, Laine 12. Etwas schnellerer Service als im Neptun mit mittelmäßiger Küche.

Gutshaus von Palmse

Kasino, Vabaduse 9. Relativ gutes Essen und anständige Portionen.
Am Ortsausgang Richtung Altja liegt eine **Konditorei**, aus der es köstlich nach verführerischen Kuchen duftet.

● *Verschiedenes*: **Geldwechsel** - Mere 63.
Post: Mere 63a.
Med. Hilfe: im Ferienheim Võsu.

▶ **Altja**: Von Võsu östlich die Küstenstraße entlangfahrend, gelangt man an den schönen und etwas einsameren Strand von Altja. Doch Altja hat noch mehr zu bieten. Das Dorf ist nämlich 400 Jahre alt und besteht aus den guterhaltenen hölzernen Fischerkaten und Schänken dieser Zeit. Einige dieser museumsreifen Häuschen sind sogar noch bewohnt.

▶ **Palmse**: Im 14. Jh. entstand auf Initiative eines Zisterzienser-Klosters, das dem Bistum Rīga unterstand, ein Gutshof im damaligen Dorf **Palmekas**. Da das Gut zu weit von Rīga entfernt lag, tauschte das Kloster es gegen ein anderes Anwesen ein. Im 17. Jh. ging das Gut in den Besitz der Familie *von Pahlen* über. Die von Pahlens waren bei der estnischen Bevölkerung sehr beliebt, da sie sich in hohem Maße um die Bildung der Landbevölkerung gekümmert haben.
Das wunderschöne, im Barockstil errichtete und hervorragend restaurierte Gutshaus sieht wie ein kleines Schloß aus. Umgeben ist es von einem schönen Park. Zwischen den alten, hohen Bäumen liegen romantische, mit Entengrütze übersäte Schwanenteiche.

● *Anfahrt/Verbindungen*: **PKW** - Palmse liegt an der Landstraße zwischen Võsu und Viitna. **Bus**: Die Linie Võsu-Viitna hält in Palmse, fährt jedoch nicht allzu oft.

▶ **Viitna**: Die Ortschaft liegt unmittelbar an der M-12 Tallinn-Narva. Auf den ersten Blick wirkt Viitna nicht gerade einladend und scheint nur aus Straße zu bestehen, an der hin und wieder einige kleine Garküchen stehen, um die Reisenden mit Wegzehrung zu versorgen. Doch blickt man hinter die Kulissen - in den Wald südlich der Straße, so stößt man auf mehrere Seen und einen schönen Campingplatz. Auch die Verwaltung des National-parks und eine Touristen-Information ist hier zu finden. Direkt an der M-12 befindet sich eine weitere Übernachtungsmöglichkeit, das Motel Kadaka.

Anfahrt/Verbindungen: **PKW** - Der Ort Viitna und das Motel Kadaka liegen un-übersehbar an der M-12. Gegenüber vom Motel befindet sich die Einfahrt zum Cam-pingplatz.

Bus: Linie Tallinn-Narva fährt hier vorbei. - Außerdem Verbindung mit Võsu.

Abkürzung zum Campingplatz: Von der Bushaltestelle Viitna ein kurzes Stück Rich-tung Tallinn laufen. Beim Schild *Kadrina* rechts rein. Nach etwa 100 bis 150 m geht links ein schmaler Waldweg ab, der zur Administration und zum Lahemaa-Informa-tionszentrum führt (ca. 10 Min.).

Übernachten: **Motel Kadaka**, liegt direkt an der Hauptverkehrsstraße Tallinn-Narva. Geschlafen wird in kleinen Holzhütten.

Dem privaten Motel ist eine nette Bar, die recht gute Gerichte anbietet, angeschlos-sen, ÜB ca. 8 DM. Tel. 232-49419.

Campingplatz, Lahemaa Rahvuspark, Viit-na Külastuskeskus. Schöner Platz an einem kleinen See, inmitten eines Kiefern-waldes. Unterbringung in Blockhäusern. Die Zimmer sind klein und einfach, aber hübsch und sauber. Die Gäste und auch die Verwalter des Platzes sind noch relativ jung. Von hier lassen sich geführte Touren durch den Lahemaa-Nationalpark organi-sieren. ÜB ca. 3 DM, Tel. 45659/93651.

Verschiedenes: **Post** - im hellgrünen Haus an der Hauptstraße.

Apotheke: im dunkelgrünen Haus neben der Post.

Järvemaa (Jerwen)

Geheimnisvolle Moore, riesige Wälder, klare Seen, weite, grüne Ebenen und Moränenlandschaften sind vorherrschend in dem im Norden Mittelestlands gelegenen Landkreis. Auch die Quellen des Pärnu-Flusses, dem längsten Strom Estlands, sprudeln in Järvemaa.

Hauptstadt des Landkreises ist **Paide**. Touristisch ist Järvemaa zwar kaum erschlossen, doch bietet die wilde Landschaft die Voraussetzung für einen unvergeßlichen Urlaub in unberührter Natur.

Zu Beginn des 13. Jh. sicherte sich der Deutsche Orden die Gebiete Järvemaas, bis etwas später die Dänen ihre Ansprüche anmeldeten. Durch einen Friedensvertrag verblieb das Gebiet jedoch in der Hand der Deut-schen. Die zahlreichen Kriege der Geschichte haben der Region sehr zugesetzt. Erholt hat sich Järvemaa erst im 19. Jh. mit dem Aufkommen des estnischen Nationalbewußtseins und dem Beginn der Industrialisierung.

Paide (Weißenstein) *(ca. 12.000 Einwohner)*

Auch hier erinnert eine Festung aus dem Jahr 1260 an die deutschen Eroberer. Da für den Bau von Burg und Stadt heller Stein verwendet wurde, gaben die Deutschen dem Ort den Namen Weißenstein.

Den Status einer Stadt erhielt Paide 1291. Von der Ordensburg sind heute nur noch Ruinen und der frisch restaurierte Turm "Langer Hermann" zu sehen. Paide ist ein freundliches Städtchen, und es lohnt sich durchaus, für einige Stunden hier zu verweilen. Das Leben der Kreisstadt spielt sich hauptsächlich um den Hauptplatz herum ab, der von frischgetünchten, farbenfrohen Häuschen umrahmt wird. Im Mittelpunkt des Platzes steht die hübsche Kirche. Das Hotel der Stadt ist seit kurzem geschlossen. Die nächste Übernachtungsmöglichkeit befindet sich in Türi.

- *Postleitzahl*: EE2820
- *Vorwahl*: 238
- *Information*: Erklärungen zur Stadtgeschichte sind im Museum erhältlich.
- *Anfahrt/Verbindungen*: **PKW** - Paide liegt ungefähr an der A-203 Rakvere-Pärnu.
Bus: Verbindung mit Tallinn, Tartu, Rakvere, Pärnu und Türi. Busbahnhof in der Jaama tänav.
- *Essen*: **Paide**, am Rathausplatz 15. Großer Bau, in dem sich auch noch Café und Söökla befinden. Das Essen ist zufriedenstellend. Tel. 41330.
Nebenan befindet sich ein für hiesige Verhältnisse gut bestückter Lebensmittelladen.
- *Verschiedenes*: **Geldwechsel** - Pärnu 3.
Post: Pikk 2.
Telegrafenamt: Pärnu 67 (soll demnächst umziehen).
Poliklinik: Tigi 8.
Museum: Lembitu 5, ansprechende Ausstellung über die Geschichte von Paide.

Türi (Turgel)   *(ca. 7000 Einwohner)*

Türi ist ein ausgesprochen nettes Städtchen. Ein Ereignis, das sich alljährlich großer Beachtung erfreut und dann tausende von Menschen anlockt, ist der mannigfaltige und bunte Blumenmarkt von Türi.

Oft wird Türi deshalb auch als eine grüne Gartenstadt bezeichnet. Tatsächlich sucht man hier die malerisch verwilderten Vorgärten vergeblich, sondern findet sorgfältig abgemähte Wiesen. Der schöne See von Türi eignet sich sehr gut zum Baden.

- *Postleitzahl*: EE2810
- *Vorwahl*: 238
- *Anfahrt/Verbindungen*: **PKW** - Das 12 km von Paide entfernte Türi liegt an der A-203 in Richtung Pärnu.
Bus: Anschluß nach Paide, Pärnu und Tallinn. Busbahnhof in der Viljandi tänav, kurz nach Ecke/Jaama tänav.
Bahn: Züge Richtug Tallinn und Viljandi, Bahnhof ist in der Jaama tänav zu finden.
- *Übernachten*: **Türi**, Jaama 7, geht von der Viljandi tänav ab. Hotel ist recht klein, Zimmer sauber. DZ ca. 4 DM, Tel. 78262.
- *Essen*: Türi, Viljandi 11. Einziges Restaurant der Stadt, ganz gute Küche.
- *Verschiedenes*: **Post** - Viljandi 1.
Telegrafenamt: Viljandi 1a.
Poliklinik: Viljandi 4.

Moorlandschaft von Kõrvemaa

Geheimnisvolle Moore und unberührte, dunkle Seen sind im äußersten Norden Järvemaas an der Grenze zum Läänemaa-Nationalpark zu finden.

Diese wunderschöne Gegend, die zu ausgedehnten Wanderungen einlädt, beginnt nördlich der Orte Lehtse (Leetse) und Jäneda (Jendel). In Jäneda steht an einem malerischen Teich ein altes, restauriertes Gutshaus, in dem heute eine Landwirtschaftsschule untergebracht ist. Fährt man die Straße von Jäneda geradeaus weiter, so gelangt man nach **Aegviidu**. In der Nähe, mitten im Wald an einem moorig riechenden See, befindet sich ein Ferienheim, das viel Ruhe verspricht. Dieses Haus gehört zu dem Ort Aegviidu, der schon unter die Verwaltung von Harjumaa fällt (siehe dort).

Moorsee in Järvemaa

• *Anfahrt/Verbindungen*: **PKW** - Von der A-203 von Paide Richtung Tapa geht zwischen den Orten Aravete und Ambla eine kleine Straße nach Aegviidu ab. Auf dem Weg dorthin liegt Jäneda. Es gibt auch einen Weg, der von Tapa geradewegs ins westlich gelegene Jäneda, führt, doch ist dieser größtenteils nicht asphaltiert.
Bahn: In Lehtse halten Züge nach Tallinn und nach Tapa.

Raplamaa (Rappel)

Es mag sicherlich auch schöne Ecken in Raplamaa geben, doch im Vergleich zu den Naturschönheiten anderer Landkreise führt das in Mittelestland liegende Raplamaa eher ein Schattendasein.

Raplamaa verfügt weder über Küstenstreifen, wie seine Nachbarn Harjumaa, Läänemaa und Pärnumaa, noch über Höhenzüge und tiefe Täler. Allerdings grenzt es an die traumhafte Moorlandschaft von Kõrvemaa, von der ein kleiner Teil zu Raplamaa gehört.

Schon im 13. Jh., als das Gebiet unter der Herrschaft der Dänen lag, war Raplamaa eine Landwirtschaftsregion, in der es öfter zu Bauernaufständen kam. Viele Gutsbesitzer lebten hier, u. a. auch die Familie *von Uexküll*. Erstmalig erwähnt wurde das Gebiet 1241, als der dänische König eine Liste all seiner Besitztümer wünschte, zu denen auch Raplamaa zählte. Auch der Bau der Eisenbahnlinie hat Raplamaa keine großartigen Veränderungen gebracht. Zur Entwicklung von großen Städten ist es in dem Landkreis nie gekommen. Die Hauptstadt **Rapla** hat gerade mal um die 6500 Einwohner. Auch heute noch ist der Landkreis eine rein landwirtschaftliche Region.

▶ **Märjamaa:** Im Zentrum der Kleinstadt steht eine schöne gotische Kirche. Sie entstand im 14. Jh. und wird als eine der schönsten gotischen Kirchen Estlands bezeichnet. In der sowjetischen Zeit diente sie als Lagerhalle für Getreide. Erst seit zwei Jahren gehört sie wieder den Gläubigen. Die Kirche hat keine feste Öffnungszeiten. Vor dem Bau befindet sich ein Denkmal für die Bürger aus Märjamaa und Umgebung, die von den Sowjets nach Sibirien deportiert worden sind.

Was haben Sie entdeckt?
Haben Sie einen wunderschönen Strand entdeckt, einen einsamen Wanderweg, einen Campingplatz, der Ihnen besonders gut gefiel?
Wenn Sie **Ergänzungen**, **Verbesserungen** oder **neue Tips** haben, schreiben Sie uns:
Michael Müller-Verlag
Redaktion Baltische Länder
Gerberei 19
91054 Erlangen

Kleine Sprachhilfe

Litauisches Alphabet

a/ą, b, c, č, d, e/ę/ė, f, g, h, i/ į, y, j, k, l, m, n, o, p, r, s, š, t, u/ų/ū, v, z, ž

- Die Vokale mit den Häckchen **ą, ę, į, ų** und die Buchstaben **ė, ū, y, o,** werden immer lang ausgesprochen.

- i nach einem Konsonant vor a, o, u, wird zu j.

- Als Betonungshilfe dienen die Akzente (˘ = kurz; ´ = lang) und die Tilde (= sehr lang).

ch= ch (Kno**ch**en)
c = z (Kon**z**ern)
č = tsch (Ma**tsch**e)
r = wird vorne im Mund gerollt
s = stimmloses s (Gla**s**)

š = sch (A**sche)**
v = w (**W**agen)
z = stimmhaftes s (**s**ummen)
ž = stimmhaftes sch (Ga**g**e)

Vokale

a = mal lang, mal kurz gesprochen (Rast/Rat)
ą = lang (Fahne)
e = mal kurz, mal lang (Lämmer/Hähne)
ę = lang (Hähne)
i = kurz (Picknick)

į = lang (Tiger)
y = kurz, wie i
o = offenes o (wie in Borsten); in Fremdwörtern kurz, wie in Post
u = kurz (Kuß)
ų = lang (Hut)
ū = lang (Hut)

Gebräuchliche Diphthonge (Doppellaute)

ai = ai (Mais)
au = au (Auto)
ei = ey (engl. they)
ie = ie (Sieger)

ui = ui, mit Betonung auf dem u
uo = uo, fast schon uoa, wird ganz vorne im Mund gesprochen.

Lettisches Alphabet

a/ā, b, c, č, d, e/ē, f, ǧ, ę, h, i/ī, j, k, ķ, l, ļ, m, n, ņ, o, p, r, s, š, t, u,/ū, v, z, ž

- Die **Betonung** der lettischen Wörter liegt in der Regel auf der ersten Silbe.

- Die **Vokale** (Selbstlaute), die mit einem Querstrich versehen sind, werden immer lang, die übrigen Vokale kurz ausgesprochen.

- **o** ist ein offener Laut und wird fast wie **uo** ausgesprochen.

Konsonanten (Mitlaute)

h = ch (la**ch**en)
c = z (Kon**z**ern)
č = tsch (**Matsche**)
ğ = weich wie **gj** (Ma**gier**)
ķ = weich wie **kj** (Mittellaut zwischen weichem k und weichem t)

| = weich wie **lj** (Ita**lien**)
ņ = weich wie **nj** (A**nja**)
r = wird vorne im Mund gerollt
š = stimmloses sch (**Asche**)
ž = stimmhaftes sch (**Gage**)

Gebräuchliche Diphthonge (Doppellaute)

au = wie im Deutschen
ai = wie im Deutschen
ei = ey (engl. they)
ui = wie im Deutschen
ie = i je

Estnisches Alphabet

a, b, (c), d, e, f, g, h, i, j, k, l, m, n, o, p, (q), r, s, š, z, ž, t, u, v, (w), õ, ä, ö, ü, (x), (y)

Im allgemeinen liegt die Betonung auf der ersten Silbe. Ausnahmen bilden die Fremdwörter.

Vokale

Einfache Vokale werden immer kurz gesprochen, Doppelvokale immer lang (**a** = G**a**st; **aa** = W**aa**ge). Es gibt auch eine Doppellautbildung von **ää, öö, üü**.

- **õ** = wird ganz vorne gesprochen, ähnlich wie ein sehr kurzes ui, entspricht dem russischen y.
- **õõ** = langes ž
- **a, e, i, o, u, ü, ö** werden in etwa wie im Deutschen gesprochen.
- **ä** wird kurz gesprochen, liegt zwischen dem deutschen ä und a.

Die im Estnischen vorkommenden Diphthonge (Doppellaute) werden alle auseinandergezogen und einzeln ausgesprochen: **ei** = e-i; **eu** = e-u; **ai** = a-i; **oi** = o-i; **au** = a-u

Konsonanten (Mitlaute)

Die Konsonanten werden im allgemeinen so ausgesprochen wie sie geschrieben werden. Doppelkonsonanten werden in der Regel forcierter ausgesprochen als einfache Konsonanten.

- **š** = sch (**Asche**), **ž** = stimmhaftes **sch** (Gage); beide kommen nur in Fremdwörtern vor
- Ebenfalls nur in Fremdwörtern kommen **c, q, x, y** vor.

- **v** = wie das deutsche **w**
- **r** = wird vorne im Mund gerollt
- **rr** = wird stark gerollt
- **h** = schwacher Hauchlaut, wird aber immer ausgesprochen, auch

nach einem Vokal (Ha**nn**a, se**h**en), - s= stets stimmlos (Ta**ss**e)
vor Vokalen fast wie ch (Fra**ch**t)

Allgemeines

Deutsch	estnisch	lettisch	litauisch
ja	jah	jā	taip
nein	ei	nē	ne
Danke	tänan	paldies	ačiū
Bitte	palun	lūdzu	prašom
Ich möchte	ma tahan	es gribu	aš noriu
Ich möchte	ma ei	es negribu	aš nenoriu
nicht	taha		

Wochentage

Montag	esmaspäev	pirmdiena	pirmadienis
Dienstag	teisipäev	otrdiena	antradienis
Mittwoch	kolmapäev	trešdiena	trečiadienis
Donnerstag	neljapäev	ceturtdiena	ketvirtadienis
Freitag	reede	piektdiena	penktadienis
Samstag	laupäev	sestdiena	šeštadienis
Sonntag	pühapäev	svētdiena	sekmadienis
Gestern	eile	yakar	vakar
Heute	täna	sodien	šiandien
Morgen	homme	rītdien	rytoj
wo?	kus?	kur?	kur?
wann?	millal?	kad?	kada?
wieviel/e	kui palju?	cik?	kiek?
warum	miks	kāpēc?	kodėl?
schön	ilus, kena	skaisti	grašus
groß	suur	liels	didelis
klein	väike	mazs	mažas
viel	palju	daudz	daug
wenig	vähe	maz	mažai
es gibt/	on ole	ir/	yra/
es gibt nicht	ei ole	nav	nėra
und	ja	un	ir
oder	või	vai	arba
Wie spät	Mis kell	Cik ir	Kiek valandų
ist es?	praegu on	pulkstenis	

Anrede

Herr!	Härra!	Kungs!	Pone!
Frau!	Proua!	Kundze!	Ponia!
Damen und	Daamid ja	Dāmas un	Ponios ir
Herren	härrad!	kungi!	poniai!

| Frau Meier | Proua Meier! | Meiera kundze | Ponia Meier! |
| Herr Meier | Härra Meier! | Meiera kungs! | Pone Meierai! |

Zusammentreffen

Hallo	Tere	Sveicināti	Sveiki
Guten Morgen	Tere hommikust	Labrīt	Labas rytas
Guten Tag	Tere päevast	Labdien	Laba diena
Guten Abend	Tere õhtust	Labvakar	Labas vakaras
Gute Nacht	Head ööd	Ar labu nakti	Labanakt
Auf Wieder-sehen	Head aega	Uz redzēšanos	Viso gero
Tschüß	Nägemiseni	Visu labu	Iki pasimatymo-
Können Sie mir bitte helfen?	Kas te aitaksite mind palun?	Lūdzu, vai jūs man nepalīdzētu?	Gal galētu-mēte man padēti?

An der Rezeption

In den einfachen Hotels muß man meistens seine Anmeldung selbst ausfüllen, die in der Regel in der jeweiligen Landessprache oder auf russisch vorgedruckt wird. Im allgemeinen sehen die Formulare so aus:

Estnisch

Familienname	Perekonnanimi	Reisepaßserie/	
Vorname	Eesnimi	-nummer	Pass seeria/Nr.
Wohnadresse	Aadress	Ankunft	Saabunmine
Geburtsdatum	Sünniaeg	Abfahrt	Lahkumine
Geburtsort	Sünnikoht	Unterschrift	alkiri

Lettisch

Familienname	Uzvārds		mēn., dat.
Vorname	Vārds	Geburtsort	Dzimšanas vieta
Wohnadresse	Dzīves vietas adrese	Reisepaßserie/	
Geburtsjahr/		-nummer	Pases sērija/Nr.
-monat, -tag	Dzimšanas gads	ausgestellt in	izdota...
		Unterschrift	Paraksts

Litauisch

Familienname	Pavardē		mēnuo/diena
Vorname	Vardas	Geburtsort	Gimino vieta
Wohnadresse	Gyvenamosios vietos adresas	Reisepaßserie/	
Geburtsjahr/		-nummer ...	Paso serija/Nr. ...
-monat, -tag	Gimino metai/	ausgestellt in	išduotas...
		Unterschrift	Parašas

Estnisch

Sprache

Darf ich mich vorstellen?	*Lubage mul end tutsuvstada?*
Ich komme aus...	*Ma olen...*
Sprechen Sie deutsch/englisch/ russisch?	*kas te räägite saksa/ inglise/vene keelt*
Welche Sprachen sprechen Sie?	*Mis keeli te oskate?*
Spricht hier irgendjemand deutsch/ englisch/russisch?	*Kas keegi oskab siin saksa/inglise/vene keelt?*
Ich spreche kein estnisch	*Mina ei räägi eesti keelt*
Ist es möglich, deutsch/ englisch/russisch zu reden?	*Kas on vo-imalik rääkida saksa/inglise/vene keelt?*
Bitte sprechen Sie langsam	*Palun rääkige aeglaselt*
Können Sie das bitte wiederholen?	*Palun korrake seda veel?*
Tut mit leid, ich habe Sie nicht verstanden.	*Vabandust, ma ei saanud aru*
Wie heißt das auf deutsch/ englisch/ russisch?	*Kuidas see saksa/ inglise/vene keeles on?*
Wir brauchen einen Dolmetscher	*Me vajame tõlki*

In der Stadt

Womit kommt man nach...	*Mis liiklusvahendviib...?*
Bitte sagen Sie mir, wann ich aussteigen muß	*Öelge, palun, millal maha minna*
Ich habe mich verirrt	*Ma olen eksinud*
Wo ist...?	*Kus on...?*
Wo ist die nächste Tankstelle?	*Kus on lähim bensiinijaam?*
Würden Sie diese Nachricht übersetzen?	*Tõlkige see teade, palun?*
Können Sie mir einen Gefallen tun?	*Kas te võite mulle teene osutada?*
Würden Sie mir bitte sagen...	*Kas te ei ütleks mulle...?*
zeigen...	*näitaks mulle..?*
Buchungsbüro	*ettetellimisbüroo*
Fahrkartenschalter	*piletikassa*
Informationsbüro	*taedete büroo*
Toilette	*tualett, wc*
Können Sie mir sagen, wie ich zum Hotel komme?	*Kas te ütleksite, palun, kuidas minna hotelli?*
... ins Zentrum?	*keskusesse?*
... zur ... -straße?	*... -tänavale?*
... zum Flughafen?	*lennujaama?*

... zum Hafen? *sadaamasse?*
... zum Bahnhof? *raudteejaama?*
... zum Busbahnhof? *bussijaama?*
... zum Museum? *muuseumi?*
... zur Kirche? *kirikusse?*
... zum Theater? *teatrisse?*
... zum Schloß? *lossi?*
... Bank? *panka?*
... Postamt? *postkontorisse?*
Könnten Sie mir bitte ein *Palun, hankige mulle takso?*
Taxi anhalten?
Können Sie mich bitte zum *Kaas te viiksite mind*
Flughafen bringen? *lennujaama, palun?*
Bus-, Straßenbahn- *bussi-, trammi-,*
Trolleybushaltestelle *trollipeatus*
Linientaxi *marsruuttakso*
Taxistand *taksopeatus*

Essen

Restaurant	*restoran*	Milch	*piim*
Café	*kohvik*	Wein rot/weiß	*vein*
Kantine	*söökla*		*punane/valge*
Imbißstube	*einelaud*	süß/trocken	*magus/kuiv*
Spezialitäten		Mineralwasser	*mineraalvesi*
des Landes	*rahvusroad*	Bier	*õlu*
Frühstück	*eine*	Kaffee mit	*kohvi/piimaga*
Mittagessen	*louna*	Milch	
Abendessen	*ohtusööl*	saure Sahne	*hapukoor*
Hauptgericht	*praad*	Tee	*tee*
Suppe	*supp*	Eiskrem	*jäätis*
Fisch	*kala*	Zucker	*suhkur*
Gemüse	*köögiviljad*	Salz	*sool*
Kartoffel	*kartul*	mit/ohne	*koos/ilma*
Brot	*leib*	Speisekarte	*menüü*
Butter	*või*	Ich hätte gerne	
Käse	*juust*	die Speisekarte	*Palun menüüd*
Fleisch	*liha*	Ich möchte gerne	*Mina soovin*
Obst	*puuviljad*	bestellen	*tellida*
Nachtisch	*magusroad*	Danke, das reicht	*Aitab, tänan*
Getränke	*joogid*	Die Rechnung,	
Saft	*mahl*	bitte	*Palun, arvet*

Übernachten

Hotel *hotell*
Gibt es hier ein Hotel? *Kas siin on hotelli?*
Haben Sie ein Zimmer frei? *On teil vaba tuba?*
Wie komme ich zum Hotel...? *Kuidas ma jõuan hotelli...?*

Was kostet eine	*Kui palju maksab*
Übernachtung im	*ööbimine*
EZ?	*üheses toas?*
DZ?	*kaheses toas?*
Kann ich das Zimmer sehen?	*Võin ma tuba näha?*
Gibt es eine Möglichkeit	*Kas on võimalik*
zum Frühstücken	*hommikust süüa?*
Ist das Zimmer mit Bad?	*Kas tuba on vanniga?*
Das gefällt mir/...nicht	*See meeldib mulle/ei*
	meeldi mulle

Einkaufen

Markt	*turg*
Souvenirladen	*suveniirid*
Zeitungskiosk	*ajalehkiosk*
Kaufhaus	*kaubamaja*
Lebensmittelgeschäft	*toidupood*
Bäckerei	*leivapood*
Buchladen	*raamatupood*
Antiquariat	*raamatuantikvariaat*
Apotheke	*apteek*
Optiker	*prillipood*
Friseur	*juuksur*
Schuster	*kingaparandus*
Postamt	*postkontor*
Telefon	*telefon*
Telegrafenamt	*telegraaf*
Ich hätte gerne...	*Ma tahaksin...*
Wieviel kostet das ?	*Kui palju see maksab?*
Um wieviel Uhr öffnen/	*Mis kell kauplused avatakse/*
schließen die Geschäfte?	*suletakse?*
Wo kann ich Souvenirs	*Kust saab osta*
kaufen?	*meeneid/suveniire?*
billig/teuer	*odav/kallis*

Rund um's Auto

Parkplatz	*autoparkla*
Wo gibt es bleifreies Benzin?	*Kus müüakse pliivaba bensiini?*
Benzin	*bensiin*
Diesel	*diisel*
Öl	*õli*
Unfall	*avarii*
Abschleppdienst	*äraveoteenistus*
Wo ist die nächste	*Kus asub lähim remondi-*
Werkstatt?	*töökoda?*
Ich habe eine Panne	*Mul on väike avarii*

Gibt es hier einen bewachten Parkplatz	*On siin valvega parklat?*
Gibt es Ersatzteile für einen....?	*On teil tagavaraosi....*
weit/nah	*kaugel/lähedal*
rechts/links/geradeaus	*paremale/vasakule/otse*
Bezirk	*maakond*
Stadtteil	*linnaosa*
Vorstadt/-ort	*eeslinn*
Straße	*tänav*
Landstraße	*tee*
Hauptstraße	*puistee*
Schnellstraße	*maantee*
Platz	*väljak*
Fluß	*jõgi*
Brücke	*sild*
See	*järv*
Strand	*rand*
Bernstein	*merevaik*
Küste	*rannik*
Wasserfall	*juga*
Landzunge	*poolsaar*
Insel	*saar*
Dorf	*küla*
Bucht	*laht*
Hafen	*sadam*
Burg	*innus/kindlus*

Hilfe/Krankheit (estnisch - Arstiabi)

Ambulanz	*esmaabi*
Erste-Hilfe-Station	*esmaabipunkt*
Zahnarzt	*hambaarst*
Krankenhaus	*haigla*
Bitte rufen Sie einen Arzt/den Krankenwagen	*palun, kutsuge arst/ kiirabi*
Ist ein Arzt in der Nähe?	*kas arst on siin lähedal?*
Ich bin allergisch gegen...	*Ma olen allergiline... vastu*
Ich habe Schmerzen	*Mul valutab*
Was kostet eine Behandlung	*Kui palju maksabarstivisiit?*
Können Sie mir eine Quittung geben?	*Kas te annaksite mulle kviitungi?*
Ich habe eine Kranken- versicherung	*Mul on ravikindlustus*
Polizei	*politsei*
Konsulat	*konsulaat*
Botschaft	*saatkond*
Verband	*side*

Zoll/Geldwechsel/Post

Wo ist die nächste Wechselstube?	*Kus asub lähim rahavahetuspunkt?*
Wie steht der Kurs?	*Milline on kurss?*
Bank	*pank*
Akzeptieren Sie Schecks/ Kreditkarten?	*Aktsepteerite te tšekke/krediitkaarte?*
Ich möchte gerne...	*Ma tahaksin vahetada...*
DM/SFr./ÖSch./US$ wechseln	*Saksa Marka/šveitsi Franki/ Austria šillingit/ Ameerika Dollarit*
... ein Telegramm aufgeben	*Ma tahaksin saata telegrammi.*
... ein Telefonat nach D/CH/A anmelden	*Ma tahaksin tellida kõne Saksamaale/šveitsi/Austriasse*
Ferngespräch	*kaugekõne*
per Luftpost	*lennupostiga*
Briefmarke	*kirjamark*
Welche Artikel sind zollpflichtig?	*Mis on tollitav kaup?*
Wieviel Zoll muß ich bezahlen?	*Kui palju pean ma maksma tolli?*

Wochentage

Montag	*esmaspäev*	heute	*täna*
Dienstag	*teisipäev*	morgen	*homme*
Mittwoch	*kolmapäev*	gestern	*eile*
Donnerstag	*neljapäev*	Tag	*päev*
Freitag	*reede*	Woche	*nädal*
Samstag	*laupäev*	Monat	*kuu*
Sonntag	*pühapäev*	Jahr	*aasta*

Zahlen

eins	*üks*	fünfzehn	*viisteist*
zwei	*kaks*	sechzehn	*kuusteist*
drei	*kolm*	siebzehn	*seitseteist*
vier	*neli*	achtzehn	*kaheksateist*
fünf	*viis*	neunzehn	*üheksateist*
sechs	*kuus*	zwanzig	*kakskümmend*
sieben	*seitse*	dreißig	*kolmkümmend*
acht	*kaheksa*	vierzig	*nelikümmend*
neun	*üheksa*	fünfzig	*viiskümmend*
zehn	*kümme*	sechzig	*kuuskümmend*
elf	*üksteist*	siebzig	*seitsekümmend*
zwölf	*kaksteist*	achtzig	*kaheksakümmend*
dreizehn	*kolmteist*	neunzig	*üheksakümmend*
vierzehn	*neliteist*	hundert	*sada*

Ordnungszahlen

erster	*esimene*	siebter	*seitsmes*
zweiter	*teine*	achter	*kahaksas*
dritter	*kolmas*	neunter	*üheksas*
vierter	*neljas*	zehnter	*kümmnes*
fünfter	*viies*	hundertster	*sajas*
sechster	*kuues*		

Lettisch

Sprache

Darf ich mich vorstellen?	*Atļaujiet man stādīties priekšā?*
Ich komme aus ...	*Es esmu no ...*
Sprechen Sie deutsch/englisch/ russisch?	*Vai jūs runājat vāciski/ angliski/krieviski?*
Welche Sprachen sprechen Sie?	*Kādas valodas jūs protat?*
Spricht hier irgendjemand deutsch/ englisch/russisch?	*Vai kāds šeit runā vāciski/angliski/krieviski?*
Ich spreche kein lettisch	*Es nurunāju latviski*
Ist es möglich, deutsch/ englisch/russisch zu reden?	*Vai ir iespējams runāt vāciski/angliski/ krieviski?*
Bitte sprechen Sie langsam	*Runājiet lēnāk, lūdzu*
Können Sie das bitte wiederholen?	*Lūdzu, atkārtojiet to vēlreiz?*
Tut mit leid, ich habe Sie nicht verstanden	*Piedodiet, es jūs nesapratu*
Wie heißt das auf Deutsch/ Englisch/ Russisch?	*Kā to sauc vāciski/ angliski/krieviski?*
Wir brauchen einen Dolmetscher	*Mumsir vajadzīgs tulks*

In der Stadt

Womit kommt man nach...	*Ar ko var tict uz..?*
Bitte sagen Sie mir, wann ich aussteigen muß	*Lūdzu, pasakiet, kad man jāizkāpj*
Ich habe mich verirrt	*Es esmu apmaldījies*
Wo ist...?	*Kur ir...?*
Wo ist die nächste Tankstelle?	*Kur ir tuvāka degvielas stacija?*
Würden Sie diese Nachricht übersetzen?	*Lūdzu, pārtulkojiet šo ziņojumu?*
Können Sie mir einen Gefallen tun?	*Vai jūs, varētu man izdarīt pakalpojumu?*

Würden Sie mir bitte sagen...?	*Vai jūs, lūdzu, man nepateiktu...?*
zeigen...?	*neparādītu...?*
Buchungsbüro	*kases*
Informationsbüro	*Izziņu birojs*
Toiletten	*tualete*
Können Sie mir sagen, wie ich zum Hotel komme?	*Vai Jūs, lūdzu, man nepateiktu, kā nokęūt uz viesnīcu?*
... ins Zentrum?	*centru?*
... zum Flughafen?	*uz lidostu?*
... zum Hafen?	*uz ostu*
... zum Bahnhof?	*uz dzelzsceļa staciju?*
... zum Busbahnhof?	*uz autoostu*
... zum (Kunst-)Museum?	*(mākslas) muzeju?*
... zur Kirche?	*baznīcu?*
... zum (National-) Theater?	*uz Nacionālo teātri?*
... zur Bank?	*uz banku?*
... zur Post?	*uz pastu?*
Könnten Sie mir bitte ein Taxi anhalten?	*Lūdzu, izsauciet man taksometru?*
Können Sie mich bitte zum Flughafen bringen?	*Vai jūs neaizvestu mani uz lidostu, lūdzu?*
Bus-, Straßenbahn-, Trolleybushaltestelle	*autobusa-, tramvaja-, trolejbusa pietura*

Essen

Restaurant	*restorāns*	Milch	*piens*
Café	*kafejnīca*	Sahne	*krejums*
Kantine	*ēdnīca*	Saft	*sulas*
Imbißstube	*bufete*	Wein rot/weiß	*vīns sarkans/*
Spezialitäten des	*nacionālie*		*balts*
Landes	*ēdieni*	Mineralwasser	*minerālūdens*
Hauptgericht	*siltie ēdieni*	Bier	*alus*
Suppe	*zupa*	Kaffee/mit Milch	*kafija/ar pienu*
Fisch	*zivis*	Tee	*tēja*
Fleisch	*gaļa*	Eiscreme	*saldējums*
Gemüse	*saknes*	Zucker	*cukurs*
Brot	*maize*	Salz	*sāls*
Butter	*sviests*	mit/ohne	*ar/bez*
Käse	*siers*	Speisekarte	*ēdienkarte*
Honig	*medus*	Ich hätte gerne	*Lūdzu,*
Obst	*augļi*	die Speisekarte	*ēdienkarti*
Nachtisch	*saldie ēdieni*	Danke, das reicht	*Pietiek, paldies*
Getränke	*dzērieni*	Die Rechnung bitte	*Lūdzu, rēķinu*

Übernachten

Hotel	*viesnīca*
Gibt es hier ein Hotel?	*vai šeitir kāda viesnīca?*
Haben Sie ein Zimmer frei?	*Vai jums ir brīvs numurs?*
Was kostet ein EZ?	*Cik maksā numurs vienvietīgs?*
... ein DZ?	*... divvietīgs?*
Kann ich das Zimmer sehen?	*Vai varu apskatīt numuru?*
Gibt es eine Möglichkeit zum Frühstücken?	*Vai ir iespējams brokastot?*
Ist das Zimmer mit Bad?	*Vai numurs ir ar vannu?*
Das gefällt mir/... nicht	*Tas mani apmierina/Tas man neder*

Einkaufen

Markt	*tirgus*
Kaufhaus	*universālveikals*
Lebensmittelgeschäft	*pārtikas veikals*
Bäckerei	*maizes veikals*
Buchladen	*grāmatu veikals*
Antiquariat	*antikvariāts*
Apotheke	*aptieka*
Optiker	*optika*
Friseur	*frizētava*
Schuster	*apavu labošana*
Postamt	*pasts*
Telefon	*telefons*
Telegrafenamt	*telegrāfs*
Ich hätte gerne...	*Es vēlētos...*
Wieviel kostet das ?	*Cik tas maksā?*
Wann öffnen die Geschäfte?	*Kad atver/cikos atver veikalus?*
Wo kann ich Souvenirs kaufen?	*Kur var nopirkt suvenīrus?*
billig/teuer	*lēts/dārgs*

Rund um' s Auto

Parkplatz	*auto stāvvieta*
Wo gibt es einen bewachten Parkplatz?	*Kur ir apsargāta auto stāvvieta?*
Wo gibt es bleifreies Benzin?	*Kur var dabūt bezsvina benzīnu?*
Benzin	*benzīns*
Diesel	*dīze|degviela*
Öl	*mašīne||a*
Wo ist die nächste Werkstatt?	*Kur ir nākošā darnīca?*

Ich habe eine Panne	*Man salūzusi mašina*
Gibt es Ersatzteile	*Vai ir rezerves daļas*
für einen ...?	*priekš ...?*
Taxistand	*taksometru stāvvieta*
Linientaxi	*maršruta taksometru*

Unterwegs

Distrikt	*rajons*
Vorstadt	*priekšpilsēta*
Straße (Str.)	*ielā*
Landstraße	*ceļš*
Hauptstraße	*prospekts/galvenā iela*
Boulevard	*bulvāris*
Schnellstraße	*lielceļš/šoseja*
Platz	*laukums*
Fluß	*upe*
Brücke	*tilts*
weit/nah	*tālu/tuvu*
rechts/links/geradeaus	*pa labi/pa kreisi/taisni*
See	*ezers*
Meer	*jūra*
Strand	*jūrmala*
Bernstein	*dzintars*
Küste	*piekraste*
Wasserfall	*ūdenskritums*
Landzunge	*pussala*
Insel	*sala*
Dorf	*ciems*
Bucht	*jūras līcis*
Hafen	*osta*
Burg	*pils*

Hilfe/Krankheit

Ambulanz	*ātrā palīdzība*
Erste Hilfe Station	*medicīnas punkts*
Zahnarzt	*zobārsts*
Krankenhaus	*slimnīca*
Bitte rufen Sie einen	*Lūdzu, izsauciet ārstu/*
Arzt/die Ambulanz	*ātro palīdzību*
Ist ein Arzt in der Nähe?	*Vai šeit mav ārsts?*
Ich bin allergisch gegen...	*Man ir alerģija pret...*
Ich habe Schmerzen	*Man ir sāpes*
Was kostet eine	*Cik maksā ārsta apskate?*
Behandlung?	
Können Sie mir eine	*Vai Jūs variet man*
Quittung geben?	*izrakstit kvīti?*

Ich habe eine Kranken-versicherung	*Mana velība ir apdrošināta*
Polizei	*policija*
Konsulat	*konsulāts*
Botschaft	*vēstniecība*

Zoll/Geldwechsel/Post

Wo ist die nächste Wechselstube?	*Kur ir tuvākais valūtas apmaiņas punkts?*
Wie steht der Kurs?	*Kāds ir apmaiņas kurss?*
Bank	*banka*
Geldwechsel	*valutas apmaiņa*
Ich möchte gerne...	*Es labprāt vēlētos apmainīt*
DM/Francs/	*Vācu Markas/Šveices Frankus*
Schillinge/Dollars wechseln	*Austrijas Šiliņes/ASV Dolārus*
... ein Telegramm aufgeben	*Es labrāt vēletos nostūtīt telegrammu*
... ein Telefonat nach	*Es labrāt pieteiktu telefona sarunu ar*
D/CH/A anmelden	*Vāciju/Šveici/Austriju pasūtīt*
Ferngespräch	*tālsaruna*
Briefmarke	*postmarka*
Welche Artikel sind zollpflichtig?	*Kādi priekšmeti tiek muitoti?*
Wieviel Zoll muß ich bezahlen?	*Cik liela muita man jāmaksā*

Wochentage

Montag	*pirmdiena*	heute	*šodien*
Dienstag	*otrdiena*	morgen	*rītdien*
Mittwoch	*tresdiena*	gestern	*vakar*
Donnerstag	*ceturtdiena*	Tag	*diena*
Freitag	*piektdiena*	Woche	*nedēļa*
Samstag	*sestdiena*	Monat	*mēnesis*
Sonntag	*svētdiena*	Jahr	*gads*

Zahlen

eins	*viens*	neun	*deviņi*
zwei	*divi*	zehn	*desmit*
drei	*trīs*	elf	*vienpadsmit*
vier	*četri*	zwölf	*divpadsmit*
fünf	*pieci*	dreizehn	*trīspadsmit*
sechs	*seši*	vierzehn	*četripadsmit*
sieben	*septiņi*	fünfzehn	*piecpadsmit*
acht	*astoņi*	sechzehn	*sešpadsmitüüs*

siebzehn	*septiņpadsmit*	sechzig	*sešdesmit*
achtzehn	*astoņpadsmit*	siebzig	*septiņdesmit*
neunzehn	*deviņpadsmit*	achtzig	*astoņdesmit*
zwanzig	*divdesmit*	neunzig	*deviņdesmit*
dreißig	*trīsdesmit*	hundert	*simts*
vierzig	*četrdesmit*	tausend	*tūkstantis*
fünfzig	*piecdesmit*		

Ordungszahlen

erster	*pirmais*	siebter	*septītais*
zweiter	*otrais*	achter	*astotais*
dritter	*trešais*	neunter	*devītais*
vierter	*ceturtais*	zehnter	*desmitais*
fünfter	*piektais*	hundertster	*simtais*
sechster	*sestais*		

Litauisch

Sprache

Darf ich mich vorstellen?	*Leiskite prisistatyti*
Ich komme aus ...	*Aš esu is ...*
Sprechen Sie deutsch/englisch/ russisch?	*Ar kalbate vokiškai/ angliškai/rusiškai?*
Welche Sprachen sprechen Sie?	*Kokias kalbas jūs mokate?*
Spricht hier irgendjemand deutsch/englisch/russisch?	*Ar čia kas nors kalba vokiškai/angliškai/rusiškai?*
Ich spreche kein Litauisch	*Aš nekalbu lietuviškai*
Ist es möglich, deutsch/ englisch/russisch zu sprechen?	*Ar galima kalbėti vokiškai/angliškai/russiškai?*
Bitte sprechen Sie langsam	*Prašom kalbėti lečiau*
Können Sie das bitte wiederholen?	*Prašom pakartoti dar kartą?*
Ich verstehe nicht	*Aš nesuprantu*
Ich komme aus D/CH/A D/Ch/A	*Aš atvykau iš Vokietijos/ Šveicarijos/Austrijos*
Ich heiße ...	*Mano vardas ...*
Ich weiß (nicht)	*Aš šinau (nešinau)*
Entschuldigung	*atleiskite*
Wie heißt das auf deutsch/ englisch/russisch?	*Kaip tai vadinama vokiškai/angliškai/rusiškai?*
Wir brauchen einen Dolmetscher	*Mums reikia vertėjo*

Unterwegs

Womit kommt man nach...	*Kuo nuvašiuoti į...?*
Bitte sagen Sie mir, wann	*Prašom, pasakyti, kada*
ich aussteigen muß	*man išlipti*
Ich habe mich verirrt	*Aš paklydau*
Wo ist...?	*Kur yra...?*
Würden Sie diese Nachricht	*Prašom, išversti šį*
übersetzen?	*ušrašą?*
Können Sie mir einen	*Gal malonėtumėte*
Gefallen tun?	*padėti?*
Würden Sie mir bitte...	*Gal galėtumėte man...*
... sagen...?	*... pasakyti...?*
... zeigen...?	*... parodyti...?*
Wie komme ich bitte zum...	*Kaip galėčiau patektiį ...*
... Hotel?	*viešbutį?*
... ins Zentrum?	*centrą?*
... zum Restaurant?	*restoraną?*
... zum Flughafen?	*aerouostą?*
... zum Hafen?	*uostą?*
... zum Bahnhof?	*geležinkelio stotį?*
... zum Busbahnhof?	*autobusų stotį?*
... zum (Kunst-)Museum?	*(dailės) muziejų?*
... zur Kirche?	*bažnyčią?*
... zum (National-)Theater?	*(Nacionalinį-)teatrą?*
... zur Bank?	*banką?*
Buchungsbüro	*kasos*
Informationsbüro	*informacijos biuras*
Toilette	*tualetas*
Könnten Sie mir bitte ein	*Prašom, iškviesti man*
Taxi anhalten?	*taksi?*
Können Sie mich bitte zum	*Atsiprašau, ar negalite mane*
Flughafen bringen?	*nuveštiį aerouostą?*
Bus-, Straßenbahn-,	*autobuso-, tramvajaus-*
Trolleybus-Haltestelle	*troleibuso stotelė*
Taxistand	*taksi stotelė*
Linientaxi	*maršrutinis taksi*

Essen

Restaurant	*restoranas*	Suppe	*sriuba*
Café	*kavinė*	Fisch	*žuvis*
Kantine	*valgykla*	Fleisch	*mėsa*
Imbißstube	*bufetas*	Gemüse	*daržovės*
Spezialitäten des	*nacionalinai*	Brot	*duona*
Landes	*patiekalai*	Butter	*sviestas*
Hauptgericht	*mėsos*	Käse	*sūris*
	patiekalai	Honig	*medus*

Obst	*vaisai*	Zucker	*cukrus*
Nachtisch	*saldumynai*	Salz	*druska*
Getränke	*gėrimai*	mit/ohne	*su/be*
Saft	*sultys*	Speisekarte	*valgiaraštis*
Wein rot/weiß	*vynas raudonas/baltas*	Ich hätte gerne die Speisekarte	*Prašom, valgiaraštį*
Mineralwasser	*mineralinis vanduo*	Ich möchte gerne bestellen	*Norečiau ussisa kyti*
Bier	*alu*	Die Rechnung, bitte	*Gal galėtumėte pateikti sąskaita*
Kaffee/mit Milch	*kava/su pienu*		
Tee	*arbata*		
Eiscreme	*ledai*		

Übernachten

Hotel	*viešbutis*
Gibt es hier ein Hotel?	*Ar yra čia viešbutis?*
Haben Sie ein Zimmer frei?	*Ar turite laisvą kambarį?*
Wie komme ich zum Hotel?	*Kaip galiu nuvykti įviešbutį?*
Kann ich das Zimmer sehen?	*Ar galiu apšiūrėti kambarį?*
Gibt es eine Möglichkeit zum Frühstücken?	*Ar yra galimybė papusryčiauti?*
Ist das Zimmer mit Bad?	*Ar kambarys su vonia?*
Das gefällt mir/... nicht	*Tai man patinka/nepatinka*

Einkaufen

Markt	*turgus*
Kaufhaus	*universalinė parduotivė*
Lebensmittelgeschäft	*maisto prekės*
Bäckerei	*duonos parduotuvė*
Buchladen	*knygynas*
Antiquariat	*antikvariatas*
Apotheke	*vaistinė*
Optiker	*optika*
Friseur	*kirpykla*
Schuster	*avalynės taisykla*
Postamt	*paštas*
Telefon	*telefonas*
Telegrafenamt	*telegrafas*
Ich hätte gerne...	*Aš norėčiau...*
Wieviel kostet das ?	*Kiek kainuoja?*
Um wieviel Uhr öffnen/ schließen die Geschäfte?	*Kada atidaromos/ uždaromos parduotuvės?*
Wo kann ich Souvenirs kaufen?	*Kur aš galėčiau suvenyrų?*
billig/teuer	*pigus/brangus*

Rund um's Auto

Parkplatz	*automobilių stovėjimo aikštelė*
Wo gibt es einen	*Kur yra saugoma automobilių*
bewachten Parkplatz?	*stovėjimo aikštelė?*
Wo gibt es bleifreies	*Kur yra benzino?*
Benzin?	
Benzin	*benzin*
Diesel	*dyzelinio*
Öl	*tepalo*
Unfall	*nelaimė*
Wo ist die nächste	*Kur yra artimiausia*
Werkstatt?	*automobilių taisykla?*
Gibt es Ersatzteile	*Ar turite atsarginių*
für einen ...?	*dailų ...?*

Unterwegs

weit/nah	*toli/arti*	Brücke	*tiltas*
rechts/links	*į dešinė/į kairė*	See	*ešeras*
geradeaus	*tiesiai*	Strand	*krantas*
Distrikt	*rajonas*	Bucht	*slanka*
Vorstadt	*priemiestis*	Bernstein	*gintaras*
Straße	*gatvė*	Küste	*pajūris*
Landstraße	*kelias*	Meer	*jūra*
Hauptstraße	*prospektas*	Wasserfall	*krioklys*
Boulevard	*bulvaras*	Landzunge	*pysiasalis*
Schnellstraße	*autostrada,*	Insel	*sala*
	plentas	Dorf	*kaimaas*
Platz	*aikštė*	Hafen	*uostas*
Fluß	*upė*	Burg	*pilis*

Hilfe/Krankheit

Ambulanz	*greitoji pagalba*
Erste-Hilfe-Station	*medicinos punktas*
Zahnarzt	*dantų gydytojas*
Krankenhaus	*ligoninė*
Bitte rufen Sie einen	*Prašom, pakviesti*
Arzt/die Ambulanz	*gydytoja/greitąjap agalbą*
Ist ein Arzt in der Nähe?	*Ar čia yra kur nors gydytojas*
Ich bin allergisch gegen...	*Aš alergiškas...*
Ich habe Schmerzen	*Man skayda*
Können Sie mir eine Quittung	*Ar galite man ižrašyti*
geben?	*kvitą?*
Ich habe eine Kranken-	*Aš turiu sveikatos*
versicherung	*draudimą*
Polizei	*policija*
Konsulat	*konsulatas*

Verband	*tvarstis*
Botschaft	*pasiuntinybė*

Geldwechsel/Zoll/Post

Wo ist die nächste	*Kur yra artimiausias valiutos*
Wechselstube?	*keitimo kursas?*
Wie steht der Kurs?	*Koks yra keitimo kursas?*
Bank	*bankas*
Geldwechsel	*pinigų keitykla*
Nehmen Sie Schecks/	*Ar galiu panaudoti*
Kreditkarten?	*čekį/kredito kortelę?*
Ich möchte gerne	*Norėčiau pakeisti Vokietijos*
DM/Francs/Schillinge/	*Markes/šveicarijos/Frankus/*
Dollars wechseln	*Austrijos šilingus/Dollar*
... ein Telegramm aufgeben	*Norėčiau išsiųsti telegramą*
... ein Telefonat nach	*Norėčiau paskambinti telefonu*
D/CH/A anmelden	*Vokietiją/šveicariją/Austriją*
per Luftpost	*oro paštu*
Welche Artikel sind	*Už kokius daiktus reikia*
zollpflichtig?	*mokėti muitą?*
Wieviel Zoll muß ich	*Kiek reikia mokėti muito?*
bezahlen?	

Wochentage

Montag	*pirmadienis*	Freitag	*penktadienis*
Dienstag	*antradienis*	Samstag	*sestadienis*
Mittwoch	*treciadienis*	Sonntag	*sekmadienis*
Donnerstag	*ketvirtadienis*	Tag	*diena*

Zahlen

eins	*vienas*	fünfzehn	*penkiolika*
zwei	*du*	sechzehn	*šešiolika*
drei	*trys*	siebzehn	*septyniolika*
vier	*keturi*	achtzehn	*aštuoniolika*
fünf	*penki*	neunzehn	*devyniolika*
sechs	*šeši*	zwanzig	*dvidešimt*
sieben	*septyni*	dreißig	*trisdešimt*
acht	*aštuoni*	vierzig	*keturiasdešimt*
neun	*devyni*	fünfzig	*penkiasdešimt*
zehn	*dešimt*	sechzig	*šešiasdešimt*
elf	*vienuolika*	siebzig	*septyniasdešimt*
zwölf	*dvylika*	achtzig	*astuoniasdešimt*
dreizehn	*trylika*	neunzig	*devyniasdešimt*
vierzehn	*keturiolika*	hundert	*šimtas*

Ordnungszahlen

erster	*pirmas*	siebter	*septinas*
zweiter	*antras*	achter	*aštuntas*
dritter	*trečias*	neunter	*devintas*
vierter	*ketvirtas*	zehnter	*dešimtas*
fünfter	*penktas*	hundertster	*šimtasis*
sechster	*šeštas*		

Ortsnamen in Litauen

Giruliai	Försterei	Priekulė	Prökuls
Juodkrantė	Schwarzort	Rusnė	Ruß
Jurbarkas	Georgenburg	Smeltė	Schmelz
Klaipėda	Memel	Smiltynė	Sandkrug
Minija	Mingen	Šiauliai	Schaulen
Nida	Nidden	Šilutė	Heydekrug
Nimersėta	Nimmersatt	Tauragė	Tauroggen
Palanga	Polangen	Ventė	Windenburg
Panevėžys	Ponwesisch	Vilnius	Wilna (urspr. poln.)
Pervalka	Perwelk		

Ortnamen in Lettland

Ainaži	Hainasch	Kuldīga	Goldingen
Bauska	Baukse	Kurzeme	Kurland
Burtnieki	Burtneck	Latgale	Lettgalen
Cēsis	Wenden	Liepāja	Libau
Daugavpils	Dünaburg	Limbaži	Lemsal
Dobele	Dobeln	Ludza	Ludsen
Dundaga	Dondangen	Rēsekne	Rositten
Grobiņa	Grobin	Sabile	Zabeln
Jēkabpils	Jakobsstadt	Sigulda	Segewold
Jelgava	Mitau	Talsi	Talsen
Kandava	Kandau	Tukums	Tuckum
Ķemeri	Kemmern	Turaida	Treyden
Kolga	Kolk	Valmiera	Wolmar
Krāslava	Kraslau	Ventspils	Windau

Ortsnamen in Estland

Abruka	Abro-Insel	Haanja	Hahnhof
Aegna	Wulf-Insel	Haapsalu	Hapsal
Audru	Audern	Hiiumaa	Dagö
Häädemeeste	Gutmannsbach	Jõelähtme	Jegelecht

Jõgeva	Laisholm	Rakvere	Wesenberg
Karksi	Karkus	Rõuge	Range
Keila	Kegel	Saaremaa	Ösel
Kernu	Kirna	Sangaste	Sagnitz
Kirbla	Kirrefer	Tallinn	Reval
Krabi	Schönangern	Tartu	Dorpat
Muhu	Mohn	Toolse	Tolsburg
Mustvee	Tschorna	Türi	Turgel
Naissar	Nargen	Valga	Walka
Paide	Weißenstein	Vändra	Fennern
Paldiski	Baltischport	Vasteliina	Neuhausen
Pärnu	Pernau	Viljandi	Fellin
Peipsijärv	Peipus-See	Virtsu	Werder
Põltsamaa	Oberpahlen	Vormsi	Worms
Põlva	Pölwe	Võro	Werro
Prangli	Wrangelshof	Võrtsjärv	Wirz-See

Ortsnamen im Kaliningrader Gebiet

(in der Reihenfolge russisch - deutsch - litauisch)

Baltijsk	Pillau	Piliava
Gussev	Gumbinnen	Gumbinė
Gwardeisk	Tapiau	Tepliava
Jantarnyj	Palmnicken	Palvininkai
Kaliningrad	Königsberg	Tvangstė
Neman	Ragnit	Ragainė
Rybatschij	Rositten	Rasytė
Selenogradsk	Cranz	Krantas
Swetlogorsk	Rauschen	Raušiai
Sowetsk	Tilsit	Tilžė
Tschernjachovsk	Insterburg	Îsrutis

Wir möchten Sie gern kennenlernen ...

... um unsere Reisehandbücher noch besser auf Ihre Bedürfnisse abstimmen zu können. Deshalb auf dieser Doppelseite ein kurzer Fragebogen zu Ihrer letzten Reise mit einem unserer Handbücher.

Als Belohnung winken ...

... natürlich Reisehandbücher. Jeweils zum Jahresende 1994 und 1995 verlost der Michael Müller Verlag unter allen Einsendern des Fragebogens 50 mal je ein Reisehandbuch Ihrer Wahl aus unserem Programm. (Der Rechtsweg ist ausgeschlossen)

Es bleibt natürlich alles unter uns...

... Selbstverständlich garantieren wir absoluten Datenschutz und geben keine Adressen weiter. Versprochen!
Vielen Dank für ihre Mitarbeit und ... viel Glück!

Fragebogen

Ihre Reise

1) Mit welchem unserer Bücher waren Sie unterwegs?...
   Und wann (Monat/Jahr)? ....

2) Mit wievielen Personen reisten Sie? Bitte kreuzen Sie an:
   ☐ allein   ☐ zu zweit ☐ drei Personen oder mehr
   Mit Kindern?   ☐ Nein   ☐ Ja (Alter?........Jahre)

4) Wie lange dauerte Ihre Reise?
   ☐ bis 1 Woche   ☐ bis 2 Wochen   ☐ bis 3 Wochen   ☐ über 3 Wochen

5) Hatten Sie Unterkunft und Anreise als Kombination bereits vorgebucht?
   ☐ Ja   ☐ Nein

6) Welche/s Verkehrsmittel benutzten Sie zur Anreise? (Mehrfachnennungen möglich)
   ☐ Bahn   ☐ Bus   ☐ Flug   ☐ Auto/Motorrad   ☐ Fähre
   ☐ Sonstiges, nämlich....................

7) Mit welchem(n) Verkehrsmittel(n) waren Sie im Zielgebiet überwiegend unterwegs (Mehrfachnennungen möglich)?
   ☐ Bahn   ☐ Bus   ☐ eigenes Auto/Motorrad   ☐ Mietfahrzeug   ☐ Fähre
   ☐ anderes Verkehrsmittel, nämlich ....
   ☐ gar nicht, blieb an einem Ort

8) Wo übernachteten Sie vorwiegend?
   ☐ Gehobene Hotels   ☐ Mittelklassehotels   ☐ Landestypische Pensionen
   ☐ Privatzimmer   ☐ Camping   ☐ andere Unterkunft, nämlich........................

9) War es Ihre einzige Urlaubsreise in diesem Jahr?
   ☐ Ja ☐ Nein, ich verreise öfter mal für 1 Woche oder mehr, nämlich pro Jahr:
   ☐ 2x   ☐ 3x   ☐ 4x oder mehr;   und dann meist ins:
                                        ☐ Inland   ☐ Ausland

Ihr Reisehandbuch vom Michael Müller Verlag

1) Sind Sie das erste Mal mit einem unserer Reisehandbücher unterwegs gewesen?
   ☐ Ja   ☐ Nein, vorher schon (Titel): ....

2) Wie lernten Sie unseren Verlag kennen?
   ☐ Empfehlung vom Buchhändler   ☐ Empfehlung von Bekannten
   ☐ Habe das Buch zufällig im Buchhändlerregal entdeckt
   ☐ Über eine Anzeige in............................   ☐ anders, nämlich...................

3) Insgesamt gesehen, waren Sie mit diesem Reisehandbuch
   ☐ nicht zufrieden   ☐ zufrieden

4) Gerne würden wir wissen, wo wir in unseren Reisehandbüchern etwas verbessern können. Bitte geben sie deshalb den einzelnen Komponenten dieses Buches "Schulnoten" von 1 bis 6 und begründen Sie bitte Ihre Benotung.

	Note	Grund
Praktische Informationen vor der Reise		
Geschichte		
Landeskundliches		
Orte und Regionen		
Sehenswürdigkeiten		
Praktische Informationen unterwegs		

5) Was hat Ihnen an diesem Reisehandbuch besonders gefallen?
   ☐ Nichts Spezielles   ☐ Doch, und zwar...

6) Und was hat Sie am meisten gestört?
   ☐ Nichts Spezielles   ☐ Doch, und zwar...

7) Worüber hätten Sie gern mehr erfahren?
   ☐ Über ....
   ☐ Alle Informationen waren ausreichend

8) Unser Verlagsprogramm finden Sie auf den nächsten Seiten. Welche(s) Ziel(e) innerhalb Europas und des Mittelmeerraumes fehlt bzw. fehlen Ihnen in diesem Programm?
   ☐ Kein Ziel   ☐ Doch, nämlich ....

9) Welches Reisehandbuch aus unserem Programm möchten Sie gewinnen?
   ....

   Nun würden wir Ihnen gerne noch einige Fragen zu Ihren persönlichen Daten stellen (Datenschutz ist selbstverständlich gewährleistet)
   Alter:.......Jahre Familienstand: ☐ ledig   ☐ verheiratet ☐ Kinder
   Schulabschluß: ☐ Hauptschule   ☐ Realschule☐ Abitur
   ☐ Studium   Beruf ....

Fragebogen ausschneiden und an unsere Verlagsanschrift schicken (siehe unten). Bitte vergessen Sie nicht, für die Gewinnbenachrichtigung Ihren Namen und Adresse zu notieren.

Name: ....
Straße: ....
PLZ/Ort: ....

Michael Müller Verlag, Gerberei 19, 91054 Erlangen, FAX: 09131/207541

Vielen Dank thank you merci efchaistó gracias gracie tesekkür dekuji köszönöm

Bestellung

☐ Ich möchte gerne unverbindlich das aktuelle Verlagsprogramm mit den Neuerscheinungen übersandt haben.

Alle unsere Titel sind im Buchhandel lieferbar, bitte bestellen Sie dort. Falls sich kein Buchladen in Ihrer Nähe befindet, liefern wir auch direkt.

Bitte schicken Sie mir

Preisangaben in DM/öS/SFr

... **Altmühltal** 29.80 / 233 / 31
... **Amsterdam** 26.80 / 209 / 28.10
... **Andalusien** 32.80 / 256 / 34
... **Apulien** 29.80 / 233 / 31
... **Baltische Länder** 39.80 / 311 / 41
... **Berlin** 29.80 / 233 / 31
... **Bodensee** 29.80 / 233 / 31
... **Bretagne** 36.80 / 287 / 38
... **England** 36.80 / 287 / 38
... **Fränkische Schweiz** 29.80 / 233 / 31
... **Gomera** 29.80 / 233 / 31
... **Griechenland/Gesamt** 39.80 / 311 / 41
... **Griechische Inseln** 39.80 / 311 / 41

Mit der Eisenbahn durch Europa
... **Gesamt** 29.80 / 233 / 31
... **Süd** 32.80 / 256 / 34
... **Nord** 26.80 / 209 / 28,10
... **Skandinavien/Dänemark (Zone B/C)** ca. 19,80 / 155 / 21
... **Frankreich/Benelux/Großbritannien/ Irland (Zone E/A)** ca. 26,80 / 209 / 28.10
... **Italien-Gesamt** 42 / 328 / 43,30
... **Katalonien** 26.80 / 209 / 28.10
... **Korfu/Ionische Inseln** 29.80 / 233 / 31
... **Korsika** 29.80 / 233 / 31
... **Kos** ca. 26.80 / 209 / 28.10
... **Kreta** 39.80 / 311 / 41

... **Kreta Info-Karten** ca. 16.80 / 131 / 17.90
... **Kykladen** 36.80 / 287 / 38
... **La Palma** 29.80 / 233 / 31
... **Marokko** 29.80 / 233 / 31
... **Niederlande** 29.80 / 233 / 31
... **Nord/Mittelgriechenland** 36.80 / 287 / 38
... **Nordspanien** ca. 32.80 / 256 / 34
... **Nürnberg** ca. 19.80 / 155 / 21
... **Oberitalien** 32.80 / 256 / 34
... **Peloponnes** 36.80 / 287 / 38
... **Polen** 36.80 / 287 / 38
... **Rhodos & Dodekanes** 32.80 / 256 / 34
... **Rom/Latium** 32.80 / 256 / 34
... **Samos/Chios/Lesbos** ca. 32.80 / 256 / 34
... **Sardinien** 32.80 / 256 / 34
... **Sauerland** 29.80 / 233 / 31
... **Sizilien** 32.80 / 256 / 34
... **Spanien-Gesamt** 39.80 / 311 / 41
... **Südwestfrankreich** 36.80 / 287 / 38
... **Toscana** 36.80 / 287 / 38
... **Tschechische und Slowakische Republik** 39.80 / 311 / 41
... **Türkei-Gesamt** 39.80 / 311 / 41
... **Türkei-der Osten** 34.80 / 272 / 36
... **Ungarn** ca. 34.80 / 272 / 36
... **Zypern** 32.80 / 256 / 34

Ausschneiden, auf eine Postkarte kleben oder in einem Briefumschlag stecken und ab geht die Post (Absender nicht vergessen)! Zustellung postwendend und portofrei, gegen Rechnung

Michael Müller Verlag, Gerberei 19, 91054 Erlangen

Verlagsprogramm

Mit der Eisenbahn durch Europa

von Eberhard Fohrer:
Unsere Reihe bietet maßgeschneiderte Bücher für Bahnfahrer in Europa (Interrail, Euro-Domino, Bahnpässe). In den regional (und neuerdings auch nach den 1994 eingerichteten Zonen) gegliederten Büchern sind die schönsten Bahnlinien, Städte, günstige Übernachtungsmöglichkeiten, preiswerte und gute Lokale, Sehenswürdigkeiten und Routen enthalten. Die Reihe umfasst bisher folgende Titel:

Europa-Gesamt
Die Zeit: "Birst geradezu vor Informationen"
724 Seiten, ISBN 3-923278-59-4

Europa Mitte / Süd
560 Seiten, ISBN 3-923278-02-0

Neu Skandinavien/Dänemark (Zone B+Dänemark)
Ca. 150 Seiten, ISBN 3-923278-87-X

Neu Frankreich/Benelux/Großbritannien/Irland (Zone A/E)
Ca. 320 Seiten, ISBN 3-923278-82-9

GROSSBRITANNIEN

Zeutschner, Michael:
England
Hohe Kliffs bei Dover, endlose Sandstrände im Süden. Im Inland wechseln sanfte Hügel und Täler mit weiten Weide- und Heideflächen, dazwischen zwängen sich kleine, urige Dörfer mit schlichten Steinkirchen und alten Fachwerkhäusern. Im Süden Cornwall - die englische Riviera mit subtropischer Pflanzenwelt, zerklüfteter Steilküste und pittoresken Hafenstädten. London: europäische Metropole und ethischer Schmelztiegel, Parks und Paläste, Kirchen und Museen, die roten Doppeldeckerbusse - und ein vielfältiges Kultur- und Nachtleben.
472 Seiten, ISBN 3-923278-23-3

NORDAFRIKA

Grashäuser / Schäffer:
Marokko
Palmen, Lehmburgen und die Wellen des Atlantiks - jede Menge handfester Tips und viele Hintergrundinformationen. Ein islamisches Völkergemisch mit einer fremden Kultur. Die Exotik der Landschaften und Menschen verstehen und in die morgenländische Welt des Maghreb el Akhzem eindringen. Touren durch die Königsstädte, in den Hohen Atlas und die Oasen der Sahara.
440 Seiten. ISBN 3-923278-24-1

Niederlande

TÜRKEI

Sievers, Dirk:

Niederlande

Wasser ist das dominierende Element - unzählige Kanäle, Flüsse und Wasserläufe durchkreuzen die weiten Ebenen. Im Sommer wird auf jeder Wasserfläche gesurft, gesegelt oder gerudert. Die Badestrände am Meer reichen von der belgischen bis zur deutschen Grenze. Aber auch die Städte, allen voran Amsterdam, sind ein Muß - entlang der zahllosen Grachten ziehen sich lange Reihen von bilderbuchreifen Patrizierhäusern aus dem 17. und 18. Jh.

310 Seiten, ISBN 3-923278-18-7

Dunford / Holland:

Amsterdam

Ein detaillierter Führer durch sämtliche Viertel der jugendlichsten Hauptstadt Europas mit einer Fülle praktischer Tips: Grachten und Märkte, Museen und Galerien, Hotels und Restaurants, Theater, Konzertsäle, Discos, Bars . . . Alles über die holländische Kultur von Hieronymus Bosch bis zum Jenever, dem holländischen Gin.

244 Seiten, ISBN 3-923278-94-2

Weber u. a.:

Türkei - Gesamt

Verlockung des Orients - gut erhaltene Ausgrabungsstätten, einsame Sandstrände und - preiswertestes Urlaubsland am Rande Europas. Türkei komplett: Istanbul, gesamte Ägäis- und Mittelmeerküste, Inneranatolien, Kappadokien, Schwarzmeer, Van-See, Ararat und Nemrut-Dagi. Tausende von Adressen und Tips, aktuell und gründlich recherchiert.

Ca. 800 Seiten, ISBN 3-923278-70-5

Grashäuser / Weber:

Türkei-Mittelmeerküste, Kappadokien, Istanbul

Alles Wissenswerte zur "türkischen Riviera" - Übernachten, Essen, Sehenswertes . . . Badeurlaub im Schatten von Kreuzritterburgen und Minaretten. Im Hinterland Ausgrabungen von Weltrang: Ephesus, Troja, Milet. Kleinode in Inneranatolien, Istanbul, an der Südküste.

636 Seiten, ISBN 3-923278-29-2

Grashäuser / Schmid

Türkei - der Osten incl. Istanbul

Vom großen Tourismus unberührt: Anatolien mit der unendlichen Weite seines Hochlands und der tiefgrünen Küste des Schwarzen Meeres. Der bergumrahmte Vansee, Erzurum, die orthodoxe Metropole des Ostens, der Bibelberg Ararat oder Trabzon, die alte Kaiserhauptstadt Trapezunt, locken zu einer Entdeckungsreise. Ein zuverlässiger und unterhaltsamer Reisebegleiter.

574 Seiten, ISBN 3-923278-44-6

SPANIEN

Schröder, Thomas:

Spanien

Ein faszinierendes Reiseland mit vielen Gesichtern: Endlose Atlantikstrände und hochalpine Bergwelt, gotische Kathedralen und maurische Burgen, Paella in Valencia oder Austern in Vigo. Zahllose wertvolle Tips zu Badeplätzen, Verkehrsmitteln und Tapa-Bars, zu Paradores, Hostals und Campingplätzen, zu urbanen Abenteuern in Barcelona und Madrid; dazu detaillierte Infos über Sehenswürdigkeiten und Hintergründe. Von der Costa Brava bis Galizien: ganz Spanien im Griff.

684 Seiten, ISBN 3-923278-28-4

Schröder, Thomas:

Andalusien

Flamenco und Stierkampf, Sonne am Meer und Schnee auf der Sierra, menschenleere Wüsten und weiße Dörfer. Orient in Sevilla, Cordoba und Granada. Schloßquartiere und Landgasthöfe, Landrovertour am Guadalquivir und Streifzug durch die Alhambra, Gazpacho in Ronda und Sherry in Jerez: detaillierte Tips zu Hotels, Camping, Restaurants und Verkehrsmitteln; zuverlässige Infos über die einsamsten Badeplätze, die reizvollsten Wanderungen und Autotouren, zu Sehenswürdigkeiten und Geschichte.

396 Seiten, ISBN 3-923278-33-0

Neu   *Schröder, Thomas*

Nordspanien

Von den sanften Buchten des Baskenlandes bis zu den tiefen Rías Galiciens: Das "grüne Spanien" ist anders. In unserem Reisehandbuch finden Sie Entdeckungstips für jeden Geschmack: Elegante Seebäder an der Küste, Naturparks im Hochgebirge, uralte Kirchlein am Jakobsweg, steinzeitliche Zeichnungen in Tropfsteinhöhlen. Und natürlich alle praktischen Informationen: Übernachten im familiären Hostal und im Burgparador, Reisen mit Auto, Mietwagen, Bus und der längsten Schmalspurbahn Europas, Apfelweinbars in Asturien und Austernstrände in Vigo, das Nachtleben der Großstädte, Fiestas und Ferias und und und...

Ca. 300 Seiten, ISBN 3-923278-78-0

Schröder, Thomas:

Katalonien

Eine selbstbewußte Nation im Nordosten Spaniens, mit eigener Sprache und Kultur. Die schönsten Winkel der Costa Dorada, Wandern in den Pyrenäen, Entdeckungstouren im unberührten Ebro-Delta; griechische und römische Ausgrabungsstätten, romanische Kirchen und gotische Klöster. Und natürlich die schillernde Metropole Barcelona: Sightseeing, Nachtleben und die Highlights der Umgebung, ausführlich vorgestellt auf über 70 Seiten.

288 Seiten, ISBN 3-923278-26-8

KANARISCHE INSELN

Zeutschner / Burghold / Igel:

Gomera

Das immergrüne Paradies vor der Küste Afrikas - Lorbeerwälder und bizarre Schluchten! Niveauvoller Winterurlaub neben Palmen und Bananenhainen auf der abwechslungsreichsten Kanarischen Insel. Die schönsten Wanderungen, die preiswertesten Residencias, die besten Bars und Strände. Zuverlässig, umfassend und aktuell!

250 Seiten, ISBN 3-923278-09-8

Koch, Hans-Peter / Börjes, Irene:

La Palma

"La Isla Verde", die grüne Insel! Bislang vom Massentourismus übersehen, gilt La Palma, drittkleinste und westlichste der Kanarischen Inseln, als Geheimtip für Wanderer und Individualreisende. Höchste Zeit also für einen Trip zu den Lorbeerurwäldern und einem der größten Vulkankrater; an menschenleere, vulkansandige Badebuchten und in noch gesunde Pinienwälder. Garantiert Informationen aus erster Hand: Der Autor, H.-P. Koch lebt und arbeitet seit Jahren auf La Palma.

300 Seiten, ISBN 3-923278-31-4

ZYPERN

Braun, Ralph Raimond:

Zypern

Die drittgrößte Mittelmeerinsel liegt geographisch, ethnisch und politisch an der Schwelle zwischen Orient und Okzident. Bizarr, gegensätzlich und vielseitig präsentiert sich das Eiland auch dem Besucher: Wandern im Pentadaktilos- und Troodosgebirge, Badefreuden an den Stränden des Südens und Flanieren in den englisch geprägten Städten. Das Buch enthält viele praktische Tips zum Reisen im griechischen Süden und türkischen Norden der Insel.

466 Seiten, ISBN 3-923278-38-1

GRIECHENLAND

Kanzler / Siebenhaar / Fohrer:

Griechenland Gesamt

Eine konzentrierte Zusammenfassung unserer Griechenlandreihe. In seiner Informationsfülle bestechend. Gesamtes Festland, Peloponnes und über 65 Inseln! Flächendeckend zahllose Tips, die sich schnell bezahlt machen: günstige Hotels, lohnende Tavernen, Nachtleben, Sehenswürdigkeiten, Ausgrabungen u.v.m.

726 Seiten, ISBN 3-923278-60-8

Fohrer / Kanzler / Siebenhaar:

Griechische Inseln

Inseln wie Sand am Meer - Nördliche und Südliche Sporaden, Ionische und Saronische Inseln, Dodekanes, Kykladen, Kreta und mehr. 75 griechische Inseln in einem Band vom Norden bis tief in den Süden! Alles Notwendige und viel Wissenswertes: Übernachten, Baden, Camping, Wandern, Tavernen, Klöster, Bootstrips, Sport, Ausflüge ins unberührte Hinterland.

660 Seiten, ISBN 3-923278-65-9

Fohrer, Eberhard:

Kykladen

Mittelpunkt der griechischen Inselwelt: Mykonos, Paros, Naxos, Santorini und 21 weitere Inseln. Die schönsten Strände, Tavernen, die nicht jeder kennt, preiswerte Pensionen und Hotels. Vulkane, Klöster, Eselspfade - vom Rummel in die Einsamkeit.

576 Seiten, ISBN 3-923278-04-7

Siebenhaar, H.-P.:

Peloponnes

Alles zum "Herzen" Griechenlands und der umliegenden Inselwelt. Kilometerlange Sandstrände bei Killini, die weltberühmten Ausgrabungen von Olympia und Mykene, das Theater von Epidauros, die karge Halbinsel "Mani", Mistra - die verfallene Klosterstadt, die Inseln Kephallonia, Ithaka, Zakynthos, Lefkas, Hydra, Spetse, Ägina und und und.

492 Seiten, ISBN 3-923278-45-4

Kanzler / Siebenhaar:

Korfu und Ionische Inseln

Griechenland mal anders - italienisches Flair und griechische Lebensart. Viele praktische Tips zu den grünen Inseln vor der Westküste Griechenlands. Korfu, Kephallonia, Zakynthos, Ithaka und die winzigen Eilande im Umkreis - bis auf Korfu noch abseits der Touristenströme.

262 Seiten, ISBN 3-923278-19-5

Fohrer, Eberhard:

Kreta

Schluchten, Meer, Palmenstrand. Über 600 Seiten Information und die schönsten Strände, versteckte Fischerdörfer, minoische Paläste, byzantinische Fresken, familiäre Pensionen. Außerdem jede Menge detaillierte Wanderrouten. Ein unentbehrlicher Begleiter, der sich schnell bezahlt macht.

672 Seiten, ISBN 3-923278-35-7

Fohrer, Eberhard
Ladik, Judit:
Neu
Kreta Info-Karten

Wie verbindet man die Vorzüge eines informativen Reisehandbuchs mit denen einer attraktiven Kartographie? Wie befriedigt man das Bedürfnis, einen schnellen und anschaulichen, aber dennoch fundierten Einstieg in sein Reiseziel zu finden? Unsere Info-Karten Kreta enthalten auf 3 Blättern (West, Mitte u. Ost) alles Wissenswerte zu Straßen, Routen, Stränden, Campingplätzen, etc. sowie im Textteil (auch auf der Kartenrückseite) relevante Sehenswürdigkeiten, empfehlenswerte Hotels, Restaurants u. v. m.. Integrierte Stadt- und Ausgrabungspläne runden das gleichermaßen sehens- wie lesenswerte *Kretakompendium* ab.

3 Info-Karten, ISBN 3-923278-97-7

Naundorf, Frank
Neu
Kos

Eine attraktive, einladende Insel, die für jeden Geschmack etwas zu bieten hat: weite Sandstrände, klares Wasser, gut erhaltene Sehenswürdigkeiten, winzige Bergdörfer, sowie viel Kultur - von Hippokrates bis zu den alten Römern. Das Buch enthält jede Menge Tips auch abseits ausgetretener Touristenpfade - günstige Hotels, empfehlenswerte Tavernen und lohnenswerte Wanderungen.

Ca. 240 Seiten, ISBN 3-923278-73-X

Schröder, Thomas
Neu
Samos, Chios, Lesbos

Inseln für Individualisten - reich an Landschaft, Kultur und Architektur. Unser Buch, aktuell, vielseitig und genau recherchiert, führt Sie an unverbaute Strände, zu versteckten Sehenswürdigkeiten u. auf reizvolle Wanderungen, bringt Ihnen Mythologie, Geschichte und Alltagsleben der Inseln nahe und erleichtert mit einer Fülle praktischer Informationen die Reisepraxis.

Ca. 300 Seiten, ISBN 3-923278-68-3

Kanzler, Peter:

Nord- und Mittel- Griechenland

Reisehandbuch mit vielen praktischen Tips zum griechischen Festland. Baden auf Chalkidiki, Bergwandern auf dem Olymp, Meteora-Klöster zwischen Himmel und Erde, das Orakel von Delphi . . . Athen, die Millionenstadt. Dazu die vorgelagerten Inseln: Korfu, Skiathos, Thassos, Samothraki, Limnos u.v.m.

616 Seiten, ISBN 3-923278-50-0

P. Kanzler/ H.-P. Siebenhaar:

Rhodos & Dodekanes

Aktuelle Informationen zu einer der schönsten Ecken Griechenlands. In der unendlichen azurblauen Weite der Südägäis zwischen Kreta und der türkischen Küste liegen ein Dutzend Inseln: Rhodos - mittelalterliche Gäßchen zwischen wuchtigen Burgmauern; Kos - ein schwimmender Garten; Kalymnos - das Schwammtaucherparadies.

324 Seiten, ISBN 3-923278-54-3

ITALIEN

Fohrer, Eberhard:

Italien

Gelato, Cappuccino, Campari . . . Viele praktische Tips für jeden, der den Stiefel bereist, ausführlich und aktuell: Kneipen, Ristoranti, Übernachtungsmöglichkeiten, Camping, Sehenswürdigkeiten, Badeurlaub - vom hektischen Mailand bis zum faszinierenden Palermo, Surfen am Gardasee, Camping am Gargano, endlose Sandstrände an Adria und Tyrrrhenischem Meer und Mittelalter in der Toscana.

742 Seiten, ISBN 3-923278-20-9

Fohrer, Eberhard:

Oberitalien

Südtirol, die oberitalienischen Seen, die historischen Städte der Poebene, Riviera, Adria und Venedig. Jede Menge handfester Tips: Wandern in Cinque Terre, Bummeln in Venedig, Mode in Mailand, Surfen am Gardasee, Opernfestspiele in Verona, Schlemmen in Bologna...
Ein praktisches Reisehandbuch für das Land zwischen Alpen und Mittelmeer.

384 Seiten, ISBN 3-923278-13-6

Müller, Michael:

Toscana

Toscana, Umbrien, Elba - ein nützliches Reisebuch zur vielfältigsten Region Italiens. Zahllose praktische Tips zu Unterkunft, Ristoranti, Sehenswertem, Kunst und Kultur . . . Florenz, Siena, Perugia - Chianti kosten in Castellina, Filetto im Chiana-Tal, Michelangelo und die Medici-Gräber.

540 Seiten, ISBN 3-923278-06-3

Hemmie, Hagen:

Rom

Umfassender Reiseführer über die Weltstadt und ihre Provinz (Latium) - zahlreiche Tips zu Sehenswürdigkeiten aus der ganzen Geschichte bis heute. Außerdem Café Greco, Eis bei "Giolitti", die Gärten von Tivoli . . . Restaurants / Hotels / Nachtleben, Bekanntes und Verstecktes, kleine Orte wie vor 100 Jahren . . .

488 Seiten, ISBN 3-923278-30-6

Fohrer, Eberhard:

Sardinien

Eine Insel zum Entdecken - kilometerlange Sandstrände, meerumspülte Felsbuchten, uralte Korkeichenwälder, winzige Bergnester . . . Eine Fülle praktischer Hinweise zu Übernachten, Essen, Baden, Sehenswertem, außerdem viele Hintergrundinformationen, Geschichte und Geschichten u.v.m.

580 Seiten, ISBN 3-923278-11-X

Machatschek, Michael:

Apulien

Ein detaillierter Führer zum äußersten Südosten des Stiefels. Abwechslungsreich die Landschaft von der Ebene der Tavoliere um Foggia bis hin zum felsigen - im Innern über 1000 m hohen - Gargano, dem Sporn des Stiefels, oder der langgezogenen Stiefelferse, dem Salento, weithin flach und steinig, trotzdem ungewöhnlich und keinesfalls uninteressant. Badeurlaub vom Feinsten an den weißen Sandstränden des Gargano, Bummeln in Lecce und viel Geschichte in Castel del Monte.

336 Seiten, ISBN 3-923278-58-6

Schröder, Thomas:

Sizilien

Italiens südlichste Ecke - Sommer von April bis November! Griechische Tempel und normannische Kathedralen, lange Strände und malerische Schluchten. Wertvolle Tips zu Camping, Hotels, Restaurants und Fortbewegung, reichlich Infos zu Geschichte und Sehenswürdigkeiten. Sightseeing in Palermo, Vulkanbesteigung auf Stromboli, Baden im Nationalpark Zingaro. Unentbehrlich für Sizilien-Entdecker.

448 Seiten, ISBN 3-923278-74-8

OSTEUROPA

Marenbach, Claudia

Baltische Länder

Jahrelang versteckt hinter dem Eisernen Vorhang, eröffnet sich nun ein völlig neues und abenteuerliches Reiseziel, in dem es noch viel zu entdecken gibt.

Das Baltikum - menschenleere Strände entlang der Bernsteinküste. Mystischen Höhlen, dichten Wäldern und glasklaren Seen stehen alte Ordensburgen und die wiederaufblühenden baltischen Metropolen gegenüber. Ein gelungener Wechsel zwischen wilder nordischer Natur und einer Reise in das Zeitalter der Hanse und Kreuzritter.

Ca. 400 Seiten, ISBN 3-923278-48-9

M. Salter / G. McLachlan:

Polen

Die hohen Gipfel der Tatra, die beschaulichen Masurischen Seen und die urwüchsige Bialowiezer Heide lohnen einen Besuch, und abseits der ausgetretenen Pfade birgt Polen noch viele Überraschungen.

Am Kreuzungspunkt zwischen Ost und West war Polen oft das turbulente Kernland Europas. Jahrhunderte von Invasionen und Auswanderung haben ihre Spuren hinterlassen, aber trotz der Schrecken der jüngsten Vergangenheit hat Polen seinen Sinn fürs Feiern und seine traditionelle Gastfreundschaft bewahrt.

506 Seiten, ISBN 3-923278-08-X

Zeutschner, Heiko:

Ungarn

Alles über Land und Leute - nicht nur Budapest und Plattensee. Für den Reisenden akribisch recherchiert und detailliert: Übernachten, Essen, Sehenswertes, Shopping, Kultur, Camping, Wandern, Heilbaden, Reiten usw. Dazu viele Hintergrundstorys zu Interessantem und Kuriosem: Tokajer Weine, Pferdezucht, Donaukraftwerk, Pußtaausflüge...

480 Seiten, ISBN 3-923278-80-2

Humphreys, R:

Tschechische u. Slowakische Republik

Brandaktuell und ausführlich: das Handbuch zu den beiden Staaten im Herzen Europas. Die "sanfte Revolution" 1989 und die Teilung 1993 hat hier vieles verändert; das Buch ist auf dem neuesten Stand: sogar die in jüngster Zeit geänderten Straßennamen sind schon verzeichnet. Ein nützlicher und unentbehrlicher Begleiter: ob in Prag, Bratislava oder Olomouc ...

552 Seiten, ISBN 3-923278-98-5

FRANKREICH

Grashäuser / Schäffer:

Bretagne

Meerumspülte und sagenumwobene Granit-Halbinsel, die man für das Ende der Welt hielt - Hinkelsteine, Kirchenkunst und 4000 km Küste. Wo einst die Druiden ihre Zaubertränke brauten, locken heute moderne Badeorte und kilometerlange Strände. Rund 500 Seiten prall gefüllt mit handfesten Informationen und wunderschönen Geschichten über Dolmen und Menhire, Kirchen, Kapellen und Calvaires von Mont St. Michel bis La Baule . . .

624 Seiten, ISBN 3-923278-79-9

Schmid, M. X.:

Korsika

Die "Insel der Schönheit": von traumhaften Badebuchten hinauf zu entlegenen Hochtälern. Kastanienwälder, Korkeichen und eine wild duftende Maccia. Geschichte und Geschichten von der Menhir-Kultur bis zur Gegenwart. Vorschläge zu aufregend schönen Wanderungen - und natürlich eine Fülle praktischer Tips: Hotels, Campingplätze, Restaurants etc.

356 Seiten, ISBN 3-923278-84-5

Schmid, M. X.:

Südwestfrankreich

Atlantikküste und Pyrenäen -
Skifahren auf der höchsten Düne Europas, endlose Sandstrände, kleine Städte mit großer Geschichte. La Rochelle, Bordeaux, Biarritz und das Baskenland. Viele Ausflüge ins Hinterland und die Pyrenäen.

384 Seiten, ISBN 3-923278-14-4

DEUTSCHLAND

Siebenhaar / Müller:

Fränkische Schweiz

Ursprüngliche Mittelgebirgslandschaft in Oberfranken. Üppiger Mischwald an den Talhängen, dazwischen helle Kalksteinfelsen, versteckte Dörfer, Tropfsteinhöhlen, Burgen, Mühlen und 100 Privatbrauereien (!). Viele Tips zu urigen Kneipen, Wanderungen, Kultur zwischen Heinrich II. und Wagner . .

280 Seiten, ISBN 3-923278-15-2

Schrenk, Johann:

Altmühltal und Fränkisches Seenland

Ein praktisches Reisehandbuch mit vielen Hinweisen über Kultur und Geschichte des Altmühltals. Tips zum Segeln, Surfen, Wandern, Radeln und Bootfahren. Viele aktuelle Übernachtungstips und Restaurantadressen.

342 Seiten, ISBN 3-923278-49-7

Loose, Stefan u.a.:

Berlin

Das Handbuch zur Weltstadt - für Neuentdecker und Fortgeschrittene. Prall gefüllt mit praktischen Informationen aus Ost und West. Ausführlich, aktuell und unentbehrlich - für Einheimische und Zugereiste.

396 Seiten, ISBN 3-923278-85-3

Zeutschner, Heiko:

Sauerland

"Heiko Zeutschner (...) geht ausführlich (...) ans Werk und geht dabei die Details so dicht an, daß er mit seiner interessanten, praktischen und unterhaltsamen Darstellung (...) die Grenzen eines gängigen Reiseführers (...) überschreitet."
Frankfurter Allgemeine Zeitung
"Der zur Zeit beste Urlaubsführer durch die Region...". Einkaufszentrale für öffentliche Bibliotheken

428 Seiten, ISBN 3-923278-55-1

Siebenhaar, H.-P.:

Bodensee

Alles über den Bodensee - von Meersburg bis Lindau, von Bregenz bis Konstanz. Die schönsten Wandergebiete, Baden, Camping, Sport, Einkaufen, gute Restaurants, preiswert Übernachten (aber auch mit mehr Komfort) u.v.m. Einsame Plätze und Touristenrummel; Hermann Hesse und Graf Zeppelin auf der Spur. . .

350 Seiten, ISBN 3-923278-40-3

In Vorbereitung:
– **Nürnberg**
– **Erlangen**

Reisenotizen

Index